Andreas Wollasch

100 Jahre Sozialdienst katholischer Frauen (1899–1999)

Andreas Wollasch

Von der Fürsorge „für die Verstoßenen des weiblichen Geschlechts" zur anwaltschaftlichen Hilfe

100 Jahre Sozialdienst katholischer Frauen (1899–1999)

Für den Sozialdienst katholischer Frauen
herausgegeben von Maria Elisabeth Thoma, Annelie Windheuser

Die Deutsche Bibliothek – CIP-Einheitsaufnahme

Wollasch, Andreas:
Von der Fürsorge „für die Verstoßenen des weiblichen Geschlechts“ zur anwaltschaftlichen Hilfe: 100 Jahre Sozialdienst katholischer Frauen; (1899–1999)/Andreas Wollasch. Für den Sozialdienst katholischer Frauen hrsg. von Maria Elisabeth Thoma; Annelie Windheuser. [Hrsg.: Sozialdienst katholischer Frauen – Zentrale e.V., Dortmund]. – Olsberg: Berufsbildungswerk Josefsheim Bigge, 1999
ISBN 3-925680-30-6

Autor: Dr. Andreas Wollasch, Reute
Dokumente und Quellenmaterial

Bildbeiträge: s. Bildnachweis

Druck u. Verlag: Berufsbildungswerk Josefsheim Bigge, Olsberg

ISBN 3-925680-30-6

Umschlagfoto: Dortmund, Propsteikirche um 1906, aufgenommen vom ehemaligen Haus der Barmherzigen Brüder. Vorn verläuft die Pottgießergasse. Heute würde der Fotograf auf dem Hansaplatz stehen.
Foto: Sammlung Oliver Neumann, Dortmund

Inhaltsverzeichnis

Vorwort . . . 9
Einleitung . . . 11

I. Die Anfänge (1899–1914)

Einführung . . . 15
Dok. 1: Agnes Neuhaus, Für meine Kinder . . . 21
Dok. 2: 1. Fassung der Satzungen des KFV von 1902 . . . 31
Dok. 3: Agnes Neuhaus, Die Aufgaben der Fürsorgevereine . . . 35
Dok. 4: Agnes Neuhaus, Aus der Geschichte des Vereins . . . 55
Dok. 5: 4. Fassung der Satzung des KFV von 1913 . . . 73

II. Im Ersten Weltkrieg und im Weimarer Wohlfahrtsstaat (1914–1929)

Einführung . . . 79
Dok. 6: Zur Arbeit des Fürsorgevereins im Ersten Weltkrieg . . . 87
Dok. 7a: Der Standpunkt des Kath. Fürsorgevereins für Mädchen, Frauen und Kinder zu den vom Caritasverband vorgeschlagenen „Richtlinien über das Verhältnis des Caritasverbandes und seiner Zweigverbände zu den Fachorganisationen" . . . 91
Dok. 7b: Von der Fuldaer Bischofskonferenz im August 1917 genehmigte Richtlinien über das Verhältnis des Caritasverbandes zu den Fachverbänden . . . 105
Dok. 8: Unser Korrespondenzblatt . . . 107
Dok. 9: Unsere neue Generalsekretärin . . . 111
Dok. 10: Fürsorge-Schule der Zentrale des kathol. Fürsorgevereins für Mädchen, Frauen und Kinder in Dortmund (1917) . . . 115
Dok. 11: Chronik unserer Schule . . . 121
Dok. 12: Die Entwicklung der Fürsorgerinnenschule – Zahlen und Daten . . . 133
Dok. 13: „Die Lokomotive geht voran ..." . . . 137
Dok. 14: Auf dem Weg zum Reichsjugendwohlfahrtsgesetz . . . 141
Dok. 15: Elisabeth Zillken, Welches ist der richtige Weg zur Besserung der Lage des unehelichen Kindes? . . . 149
Dok. 16: A. Möllmann, Die katholische Mitternachtshilfe . . . 157
Dok. 17: „... ein Verwahrungsgesetz für geistig Minderwertige" . . . 161

Dok. 18: Informelle Durchführung der Bewahrung in Anstalten des Fürsorgevereins 165

III. Soziale Arbeit unter den Bedingungen von Wirtschaftskrise, Sozialabbau und Nationalsozialismus (1930–1939)

Einführung 169
Dok. 19: Agnes Neuhaus, Fürsorgeerziehung und Bewahrung 175
Dok. 20: Elisabeth Zillken, Die Entwicklung der öffentlichen Wohlfahrtspflege 183
Dok. 21: Frühjahr 1933: „Für die Lösung von Schwierigkeiten ist ein Überblick aus der katholischen Gesamtlinie unbedingt wichtig" 191
Dok. 22: Käthe Macha, Zur Frage der Erfolgsaussicht in der Fürsorgeerziehung, der „Schwererziehbarkeit" und der „Unerziehbarkeit" 195
Dok. 23: Bewahrung *statt* Zwangssterilisierung 205
Dok. 24 a: Das „Gesetz zur Verhütung erbkranken Nachwuchses" und der Fürsorgeverein: Verweigerung in der Theorie 209
Dok. 24 b: ... Verweigerung in der Praxis 215
Dok. 25: „Zur Lage in der katholischen Jugendfürsorge" (1936) 219
Dok. 26: Laienapostolat und Geistliche Beiräte (1936) 229

IV. Zweiter Weltkrieg – Zusammenbruch – Wiederaufbau (1939–1948)

Einführung 235
Dok. 27: „Nicht die Gesunden bedürfen des Arztes, sondern die Kranken" – Fürsorge in der „Zusammenbruchgesellschaft" des Weltkrieges (1943) 241
Dok. 28: Evakuierung 247
Dok. 29: Tod und Zerstörung 251
Dok. 30: Letzte Lebenstage und Begräbnis von Agnes Neuhaus 259
Dok. 31: Wiederaufbau 1945 263

V. „Sozialreform" und Sozialgesetzgebung (1949–1961)

Einführung 265
Dok. 32: Gehe hin und tue desgleichen. Zehn Jahre Arbeit des Kath. Fürsorgevereins für Mädchen, Frauen und Kinder 1945–1955 273
Dok. 33: „Betr. Korrespondenz mit Berlin und dem Osten (DDR.)" 301
Dok. 34: Vermittlung von Adoptionen in das Ausland 303
Dok. 35: Elisabeth Zillken, Der Eigenwert der kirchlichen Liebestätigkeit in der öffentlichen Wohlfahrtspflege 309
Dok. 36: Dr. Else Mues, unsere neue Generalsekretärin 319
Dok. 37: Gefährdung und Gefährdetenfürsorge im Bereich ausländischer Truppenansammlungen 321
Dok. 38: Elisabeth Zillken, Besinnung um die Jahreswende (1960/61) 329

Dok. 39 a–e: „...daß die Übersendung dieser Formulierungen völlig vertrauensvoll erfolgt“ – Elisabeth Zillken, Ministerialrat Dr. Friedrich Rothe und die Entstehung des Jugendwohlfahrtsgesetzes von 1961 337
Dok. 40: Else Mues, Grundsätzliche und zeitbedingte Aufgaben der Jugendhilfe unter Berücksichtigung der neuen Gesetzgebung 343

VI. Der bundesdeutsche Sozialstaat zwischen Ausbau und Krise (1962–1973)

Einführung 357
Dok. 41 a–c: Vom „Katholischen Fürsorgeverein für Mädchen, Frauen und Kinder“ zum „Sozialdienst katholischer Frauen“ (1968) 363
Dok. 41 a: Unser Name „Kath. Fürsorgeverein...“ Eine Überlegung zu „Sorge“ und „Hilfe“ 364
Dok. 41 b: Zur Frage der Namensänderung des Vereins 366
Dok. 41 c: Franz Maria Elsner, Immer großherziger und wirksamer dienen 367
Dok. 42: Christa Herrmann, Können wir mit unseren Moralvorstellungen der Jugend noch gerecht werden? 379
Dok. 43: Else Mues, Aus der Arbeit des Sozialdienstes katholischer Frauen 1968–1973 385
Dok. 44: Ems Biermann, Gemeinwesenarbeit in einem Brennpunkt sozialer Jugendnot 397
Dok. 45: Stellungnahme zu § 218 StGB aus Erfahrungen der sozialen Arbeit des Sozialdienstes katholischer Frauen 405

VII. Sozialstaat auf dem Prüfstand (1974–1989)

Einführung 413
Dok. 46: Else Mues, Strukturänderungen des Sozialdienstes katholischer Frauen 419
Dok. 47: Dr. Monika Pankoke-Schenk – neue Generalsekretärin des Sozialdienst katholischer Frauen 429
Dok. 48: Cäcilia Flock, Frauenhaus – eine neue Aufgabe des Sozialdienstes katholischer Frauen 433
Dok. 49: Anneliese Ullrich, Beratung im Rahmen der Gesetzesänderung des § 218 StGB – Erfahrungen zehn Jahre nach der Reform 441
Dok. 50: Petra Winkelmann, Arbeit mit Alleinerziehenden im Sozialdienst katholischer Frauen 451
Dok. 51: Hilfe für von AIDS betroffene Frauen und Kinder durch den „Sozialdienst katholischer Frauen“ 463

Dok. 52: Annette Heimath, KOBER – Modell eines Beratungszentrums für weibliche Prostituierte 469

VIII. Im vereinigten Deutschland – Vom Wohlfahrtsstaat zur Wohlfahrtsgesellschaft? (1990–1999)

Einführung 475
Dok. 53a–b: "... daß ein Aufbau von rechtlich selbständigen Ortsgruppen entstehen kann" – Zur Arbeit des SkF in den neuen Bundesländern . 483
Dok. 54: Heribert Mörsberger, Annelie Windheuser neue SkF-Generalsekretärin 491
Dok. 55: Annelie Windheuser, Organisations- und Leitbildentwicklung beim „Sozialdienst katholischer Frauen" (SkF) 493
Dok. 56: Anneliese Ullrich, Das Schwangeren- und Familienhilfeänderungsgesetz – ein Beitrag aus der Sicht der Beratung und Beratungsstellen . 499
Dok. 57: Heribert Mörsberger, Jugendhilfe im SkF – Aktuelle Fragen und Entwicklung von Perspektiven 507
Dok. 58: Mechthild Geller, Zum sozialen Ehrenamt von Frauen 517
Dok. 59: Annelie Windheuser, Rahmenbedingungen verbandlicher Sozialarbeit in der Freien Wohlfahrtspflege am Beispiel SkF 525
Dok. 60: Zum Selbstverständnis des Sozialdienst katholischer Frauen, Dortmund ^{3}1999 535

Bildnachweis 546

Vorwort

Das hundertjährige Jubiläum des Sozialdienst katholischer Frauen, welches wir in diesem Jahr begehen, ist ein guter Anlaß, über die Erinnerung an die Vereinsgeschichte einen aktuellen Zugang zum Selbstverständnis und zur Indentität des SkF zu erhalten.

In der vorliegenden Festschrift wird deshalb mit Originaltexten und Fotografien eine historische Rückschau dokumentiert und die aktuelle Gegenwart dargestellt. In diesem Kontext dient eine historische Rückschau vor allem einer kritischen Vergewisserung der eigenen Geschichte mit Blick auf die Zukunft, macht strukturell vorhandene Stärken und Schwächen des SkF deutlich und ermöglicht wiederum eine Schärfung des Blickes für neue oder andere Aufgaben bei gleichzeitiger Respektierung und Beobachtung historischer Erfahrungen. Bei allem allerdings zieht sich durch unsere Verbandsgeschichte wie ein roter Faden die unverbrüchliche Parteinahme für Frauen in Not und ihre Familien und bei aller zeitgebundener Formulierung – die Stärkung der Klientel.

Aus heutiger Sicht ist man versucht, die vergangenen Jahre und auch das Jahr 1999 als besonders bewegte Jahre in der Verbandsgeschichte anzusehen: Grundlegende, noch nicht abgeschlossene strukturelle Veränderungen – auf dem Hintergrund immer knapper werdender finanzieller Ressourcen – vor allem im Betreuungsbereich und in der Jugendhilfe sowie die seit Jahren andauernde Diskussion um die Schwangerschaftskonfliktberatung legen dieses nahe. Aber ein Blick in die Verbandsgeschichte macht deutlich, daß es Turbulenzen dieser Art immer gegeben hat, so daß auch die Chance besteht, aus den Erfahrungen der Vergangenheit Strategien für die Zukunft zu entwickeln.

Immerhin haben wir den Mut, die Verbandszentrale umzubauen, zu modernisieren und mit der Schaffung von Tagungs- und Übernachtungsmöglichkeiten auch dem „räumlichen" Mittelpunkt der Verbandsarbeit, nämlich der Zentrale in Dortmund, einen neuen Impuls zu geben. Dieses symbolisiert sichtbar den Aufbruch des SkF in ein neues Jahrtausend. Es ist ein Bekenntnis und ein Zeichen zum Zusammengehörigkeitsgefühl unserer Mitglieder, welches im Sinne einer verbandlichen Identität und Effektivität ein uns am Herzen liegender Aspekt ist.

Für die Erstellung dieser Festschrift möchten wir uns bei Dr. Andreas Wollasch ganz herzlich bedanken. Fast drei Jahre lang hat er intensiv recherchiert, Texte und Bilder zusammengetragen und ausgewählt. Ohne seine zuverlässige Arbeit wäre die Herausgabe dieser Festschrift nicht möglich gewesen. Wir wissen, daß trotz aller Mühen die Arbeit an diesem Projekt ihm Freude gemacht hat, und wir zollen ihm für das Ergebnis unsere hohe Anerkennung.

Mit dieser nun vorliegenden Festschrift wollen wir vor allem Mitglieder, Mitarbeiterinnen und Mitarbeiter in den Diensten und Einrichtungen des SkF ansprechen. Darüber hinaus möchten wir die – nicht nur katholischen – Verbände der freien Wohlfahrtspflege, die Frauenverbände, die Kommunen und die kommunalen Körperschaften erreichen, aber auch Universitäten und Fachhochschulen und alle Interessierten, die sich mit der Sozialpolitik des vergangenen Jahrhunderts beschäftigen.

Wir wünschen der Festschrift eine möglichst weite Verbreitung.

Maria Elisabeth Thoma
Vorsitzende des Gesamtverbandes

Annelie Windheuser
Generalsekretärin

Einleitung

Runde Geburtstage sind immer ein Grund zum Feiern. Dies gilt für Personen und Institutionen gleichermaßen, und es gilt natürlich in besonderem Maße, wenn es sich wie in diesem Jahr beim Sozialdienst katholischer Frauen um einen hundertsten Geburtstag handelt. Eine Festschrift hat in diesem Zusammenhang die Funktion, wichtige Stationen der vergangenen Jahre Revue passieren zu lassen und damit den Feiern einen Inhalt zu geben. Dies kann jedoch auf höchst unterschiedliche Weise geschehen: entweder als „Jubelfestschrift", die mit selektiver Wirklichkeitswahrnehmung rühmliche Daten und Ereignisse in leuchtenden Farben malt, Brüche und Fehlentwicklungen dagegen verschweigt oder zumindest kaschiert – oder als eine historisch-kritischen Ansprüchen verpflichtete Aufarbeitung und Darstellung der Geschichte, die Verdienste würdigt, Schwachstellen benennt und auch die zwischen beidem liegenden Schattierungen und Grautöne mit in den Blick zu nehmen versucht.

Der SkF bietet für diesen zweiten Weg ein denk-würdiges Objekt. Gegründet im Jahr 1899, hatte sich der Verband bereits in der kurzen Zeitspanne bis zum Beginn des Ersten Weltkrieges über das ganze Wilhelminische Kaiserreich ausgebreitet. Während der Weimarer Republik vermochte er durch die Vereinsgründerin und Vorsitzende Agnes Neuhaus die staatliche Sozialgesetzgebung direkt zu beeinflussen und mitzugestalten, im „Dritten Reich" bewies er – bei partieller Anpassung an die neuen Verhältnisse – ein hohes Maß an Resistenz gegenüber der NS-Rassenpolitik. Auch die frühe bundesdeutsche Sozialgesetzgebung im Wiederaufbau wurde – diesmal auf mehr indirekten Wegen – durch den Verein in Gestalt der neuen Vorsitzenden Elisabeth Zillken mitgeprägt. Seit den siebziger Jahren gewann der SkF schließlich große Fachkompetenz bei der Schwangerschafts- und Schwangerschaftskonfliktberatung in einer Atmosphäre zunehmender innergesellschaftlicher wie innerkirchlicher Auseinandersetzungen und entwickelte von hier aus übergreifende, die weiteren familiären Belange der Betroffenen integrierende Reformkonzepte. Diese wenigen Stichworte mögen hier fürs erste genügen, um den auch unabhängig von runden Geburtstagen wichtigen Stellenwert des SkF für die deutsche Sozial- und Wohlfahrtsgeschichte zu belegen.

Eine Verschränkung von Verbands- und allgemeiner Geschichte wird zugleich in vielen der im folgenden abgedruckten Dokumente sichtbar. Die Gliederung dieses Quellenmaterials bedarf indes der Erklärung, weil hierbei bewußt und in Anlehnung an neuere Ansätze der Sozial- und Kulturgeschichte die geläufigen politischen Epochengrenzen überschritten werden. Ausgangspunkt für diese Entscheidung war die Einsicht, daß sozialer Wandel nach anderen Rhythmen verläuft als politisch-institutionelle Veränderungen.[1] Für die Wohlfahrtsgeschichte gilt dies in besonderer Weise.[2] Hier war der Erste Weltkrieg als Auslöser sozialpolitischer Inno-

---

1 Programmatisch verwirklicht wurde dieser Forschungsansatz in dem vielzitierten Sammelband von Martin Broszat, Klaus-Dietmar Henke und Hans Woller (Hg.), Von Stalingrad zur Währungsreform. Zur Sozialgeschichte des Umbruchs in Deutschland, München ^{3}1990; als neuen regionalgeschichtlichen Ansatz vgl. Matthias Frese/Michael Prinz (Hg.), Politische Zäsuren und gesellschaftlicher Wandel im 20. Jahrhundert. Regionale und vergleichende Perspektiven, Paderborn 1996.

2 Diese Erkenntnis verdanken wir v.a. den Forschungen von Christoph Sachße und Florian Tennstedt, vgl. dies., Geschichte der Armenfürsorge in Deutschland, Bd. 2: Fürsorge und Wohlfahrtspflege 1871–1929, Bd. 3: Der Wohlfahrtsstaat im Nationalsozialismus, Stuttgart u.a. 1988 und 1992; vgl. als Überblick auch Andreas Wollasch, Wohlfahrtspflege und Sozialstaat zwischen Kaiserreich und Bundesrepublik, in: caritas '95, Jahrbuch des Deutschen Caritasverbandes, Freiburg 1994, 411–429.

vationen letztlich wichtiger als die durch die Novemberrevolution von 1918 markierte Systemgrenze zwischen Kaiserreich und Weimarer Republik, während die 1929 auch in Deutschland einsetzende Weltwirtschaftskrise mit ihren verheerenden Folgen für den Weimarer Wohlfahrtsstaat den politischen Einschnitt der NS-Machtübernahme von 1933 zumindest partiell relativiert bzw. sich sinnvoll als dessen Vorgeschichte begreifen läßt. Ähnlich wird das Jahr 1945 durch die Erfahrungen der „Zusammenbruchgesellschaft“[3] in den letzten Kriegsjahren und im beginnenden Wiederaufbau überwölbt. Die für die westdeutsche Wohlfahrtsentwicklung wichtige Zäsur von 1961 – Verabschiedung von Bundessozialhilfe- und Jugendwohlfahrtsgesetz – ist bislang von der Geschichtswissenschaft nicht hinreichend zur Kenntnis genommen worden. Die Herstellung der Deutschen Einheit 1990 gehört dagegen zu jenen Daten, bei welchen der soziale Einschnitt mit dem politischen zusammenfällt.

Diese Zusammenhänge werden in den Einleitungen zu den einzelnen Kapiteln noch ausführlicher zur Sprache kommen. An dieser Stelle soll zunächst nur festgehalten werden, daß der Verlauf der SkF-Geschichte das oben skizzierte Gliederungsmodell empirisch zu bestätigen vermag und die Quellentexte in den einzelnen Kapiteln sinnvolle Einheiten bilden. Über die Darstellung von hundert Jahren Verbandsgeschichte hinaus möchte die vorliegende Festschrift somit auch methodische Anregungen für weitere historische Forschungen im Verbändebereich geben – nicht nur, aber naheliegenderweise vor allem im kirchlichen Spektrum.[4] Ihr aktueller und praktischer Wert könnte schließlich in einem vertiefenden Beitrag zu den gegenwärtigen Leitbild- und Selbstverständnisprozessen im SkF liegen. Historisches Erfahrungswissen ist unverzichtbar für die Definition gegenwärtiger Arbeitsschwerpunkte und die Entwicklung tragfähiger Zukunftsperspektiven – „sonst verkommt“, wie es der Historiker Jürgen Reulecke einmal drastisch ausgedrückt hat, „jedes Planen zum willkürlichen Herumstochern mit viel zu kurzen Stangen im Zukunftsnebel.“[5] Den SkF kann Reulecke mit seiner eindringlichen Mahnung allerdings nicht gemeint haben, denn dessen seit 1995 gedruckt vorliegendes Leitbild ist ein gelungenes Beispiel aus der Praxis, wie lohnend die kritische Rückbesinnung auf die eigene Geschichte für die Formulierung einer spezifischen Verbandskultur und deren kontinuierliche Weiterentwicklung sein kann.

Bei aller wissenschaftlichen Fundierung ist es jedoch nicht das Ziel dieser Festschrift, den über den SkF bereits vorliegenden oder im Entstehen begriffenen Monographien und Spezial-

---

3 Diesem erstmals 1976 von Hajo Dröll verwandten Begriff hat Christoph Kleßmann in der Zeitgeschichtsforschung zum Durchbruch verholfen, vgl. ders., Die doppelte Staatsgründung. Deutsche Geschichte 1945–1955, Bonn [5]1991, 37–65.

4 Bis auf den heutigen Tag gibt es z.B. noch keine monographische Gesamtdarstellung über den Deutschen Caritasverband. Wichtige Bausteine für eine solche liefern Hans-Josef Wollasch, Beiträge zur Geschichte der deutschen Caritas in der Zeit der Weltkriege. Zum 100. Geburtstag von Benedict Kreutz (1879–1949), Freiburg 1978; ders., „Sociale Gerechtigkeit und christliche Charitas“. Leitfiguren und Wegmarkierungen aus 100 Jahren Caritasgeschichte, Freiburg 1996; Erwin Gatz (Hg.), Geschichte des kirchlichen Lebens in den deutschsprachigen Ländern seit dem Ende des 18. Jahrhunderts, Bd. 5: Caritas und soziale Dienste, Freiburg – Basel – Wien 1997; Catherine Maurer, Caritativer Katholizismus in Kaiserreich und Weimarer Republik. Der Deutsche Caritasverband zwischen konfessioneller Identität und moderner Wohlfahrtspflege, erscheint Freiburg 1999; Manfred Eder, „Helfen macht nicht ärmer“. Von der kirchlichen Armenfürsorge zur modernen Caritas in Bayern, Altötting 1997; Michael Manderscheid/Hans-Josef Wollasch (Hg.), Die ersten hundert Jahre. Forschungsstand zur Caritas-Geschichte, Freiburg 1998.

5 Jürgen Reulecke, Einleitung, in: ders. (Hg.), Die Stadt als Dienstleistungszentrum. Beiträge zur Geschichte der „Sozialstadt“ in Deutschland im 19. und frühen 20. Jahrhundert, St. Katharinen 1995, 1–17, hier 13; vgl. Andreas Wollasch, Leitbild und Geschichte – Geschichte im Leitbild?, in: Caritas 95 (1994), 545–552.

studien[6] eine weitere an die Seite zu stellen. Der Band will vielmehr ein Bild-Lesebuch sein, eine kommentierte Quellensammlung, die den Verband in Selbstzeugnissen zu Wort kommen läßt und ihn „ins Bild setzt". Er ist so konzipiert, daß er sich gut an einem Stück lesen läßt; genauso lassen sich jedoch einzelne, besonders interessierende Dokumente herausgreifen, für deren Auswahl die Kapiteleinleitungen als Ariadnefaden dienen können.

Die ausgewählten Dokumente können die hundertjährige Verbandsgeschichte nicht lückenlos nacherzählen. Dafür sind nach wie vor die erwähnten Monographien heranzuziehen, aber auch die inzwischen zahlreichen Festschriften von Ortsvereinen und Einrichtungen des SkF, vergleichbares Schrifttum auf Landes- und Diözesanebene und vieles mehr. Mit der hier getroffenen Auswahl wird vielmehr etwas anderes angestrebt: Kurz gesagt sollen dabei Meilensteine der Vereinsgeschichte aus der Sicht des Gesamtverbandes und seiner Zentrale im Original vorgestellt werden. „Klassiker" der SkF-Geschichte wie alte Texte von Agnes Neuhaus und Elisabeth Zillken werden dabei ebenso berücksichtigt wie Stellungnahmen des Vereins zu Gesetzesvorhaben und Arbeitsgebieten; allgemeine Strategieüberlegungen stehen neben „Gebrauchstexten" (z.B. Jahresberichten, alten Satzungen). Bisher noch nie veröffentlichte Materialien dokumentieren die Hilfsaktionen für die von der sozialrassistischen NS-Gesundheitspolitik Verfolgten. Aber auch ganz aktuelle Fragen wie die Leitbilddiskussion, deren Anfänge sich langsam selbst schon zu einem Teilgebiet der Vereinsgeschichte wandeln, werden dokumentiert. Als besonders ergiebige Fundgrube bei der Quellensuche erwies sich das vereinseigene „Korrespondenzblatt", welches mit kleineren Unterbrechungen seit 1917 erscheint und bis in die sechziger Jahre seinen Charakter als vertrauliches, ausschließlich für die Vereinsmitglieder bestimmtes Mitteilungsorgan behielt. Daraus resultiert sein hoher Informationswert und seine Lokalisierung an der Schnittstelle zwischen gedrucktem und ungedrucktem Material.

Aus Gründen der Authentizität werden die einzelnen Dokumente möglichst ungekürzt wiedergegeben. Dennoch erforderliche Kürzungen sind jeweils durch in eckige Klammern gesetzte Punkte gekennzeichnet. Ergänzungen des Bearbeiters, die für das Textverständnis wichtige Zusatzinformationen, Kommentare oder Querverweise enthalten, beschränken sich auf das Notwendigste, um den Charakter der Texte nicht allzu sehr zu verändern, und erscheinen ebenfalls in eckigen Klammern. Abgesehen von offenkundigen Schreibfehlern und Varianten, die sich lediglich aus den spartanischen Tastaturen alter Schreibmaschinen erklären („Ae" statt „Ä"), werden Orthographie und Zeichensetzung der Originale unverändert beibehalten. Sämtliche Hervorhebungen in den Dokumenten erscheinen im Druck einheitlich kursiv.

---

6 Ungeachtet methodischer Schwächen bleibt als Biographie der Gründerin wichtig die ältere Arbeit von Maria Victoria Hopmann, Agnes Neuhaus. Leben und Werk, 2. überarb. Aufl. von Heinz Neuhaus, Salzkotten 1977. – Die Zeit von der Vereinsgründung bis zum Ende des Zweiten Weltkrieges beschreibt Andreas Wollasch, Der Katholische Fürsorgeverein für Mädchen, Frauen und Kinder (1899–1945). Ein Beitrag zur Geschichte der Jugend- und Gefährdetenfürsorge in Deutschland, Freiburg 1991. – Die Nachkriegszeit zwischen 1945 und 1968 bearbeitet Petra von der Osten im Rahmen ihrer durch Ulrich von Hehl (Leipzig) betreuten phil. Diss.; vgl. vorerst dies., Rettung – Fürsorge – Sozialarbeit: Katholische Jugend- und Gefährdetenhilfe zwischen Zusammenbruchs- und Wohlstandsgesellschaft. Vom Katholischen Fürsorgeverein für Mädchen, Frauen und Kinder zum Sozialdienst katholischer Frauen (1945-1968), in: Korrespondenzblatt Sozialdienst katholischer Frauen, Juli – September 1996, 106–112. – Erwähnt werden sollten in diesem Kontext auch die früheste Monographie über den Verband von Anna Kopp, Der Katholische Fürsorgeverein für Mädchen, Frauen und Kinder. Eine Untersuchung des Vereins in sozialer, wirtschaftlicher und organisatorischer Hinsicht, rechts- u. staatswiss. Diss. (masch.), Münster 1926 und die sozialwissenschaftliche Dissertation (masch.) von Monika Pankoke-Schenk, Moderne Not als institutionelle Herausforderung kirchlicher Sozialarbeit. Sozialwissenschaftliche Aspekte caritativen Engagements, dargestellt am Beispiel des „Sozialdienstes katholischer Frauen", Bochum 1975.

Die ausgewählten, oft noch unveröffentlichten Bilder und Faksimiles dienen nicht nur der Illustration und sinnlichen Auflockerung von Bleiwüsten, sondern vorrangig der Interpretation. In der Zuordnung zu bestimmten Texten ergibt sich oftmals eine Informationsdichte, die weit über die bloße Addition der beiden Medien Text und Bild hinausgeht. Bilder zeigen stets konkrete Personen, Orte oder Handlungen; daher kommen hier im Gegensatz zu den Texten lokale Entwicklungen und regionale Besonderheiten stärker zur Geltung. Dies ergibt sich überdies allein schon daraus, daß sich das Material neben Beständen aus dem Archiv des Deutschen Caritasverbandes in Freiburg aus historischen Bilddokumenten zusammensetzt, die von Ortsvereinen, Einrichtungen und Einzelpersonen des SkF zur Verfügung gestellt wurden.

Allen, die auf diese und andere Weise zum Gelingen der Festschrift beigetragen haben, bin ich zu großem Dank verpflichtet. Mein besonders herzlicher Dank gilt der Generalsekretärin des SkF, Annelie Windheuser. In Gesprächen mit ihr Anfang 1997 hat die Konzeption dieses Buches ihren Ausgang genommen, und sie hat das Festschriftprojekt in allen Phasen seiner Entstehung nachhaltig unterstützt, mitgetragen, durch Erfahrungen aus der Praxis bereichert und nicht zuletzt auch für angenehme Arbeitsbedingungen gesorgt. Willi Wessels von der SkF-Zentrale und Bernhard Spiegelhalter vom DCV haben in gemeinsamen Anstrengungen schwierige Finanzierungsklippen umsteuert. Kompetente und zuvorkommende Unterstützung bei der Materialsuche erfuhr ich – einmal mehr – durch Dr. Hans-Josef Wollasch, Wolfgang Strecker und die Mitarbeiterinnen des DCV-Archivs. Sehr hilfreich war für mich in diesem Zusammenhang auch der Gedankenaustausch mit Petra von der Osten und Anneliese Ullrich. Paula Linhart, die heute 93jährig in München lebt, machte mir wertvolle persönliche Dokumente zugänglich und vermittelte mir als Zeitzeugin unmittelbare Einblicke in die Arbeit einer katholischen Fürsorgerin während Weimarer Republik und „Drittem Reich“. Gisela Klein besorgte unter Mithilfe von Renate Scheideler äußerst zuverlässig und entgegenkommend die mühevolle und zeitintensive Texterfassung der Dokumente. Ihnen allen gilt mein herzlicher Dank.

Gewidmet sei das Buch den zahlreichen ehrenamtlichen und beruflichen Mitarbeiterinnen und Mitarbeitern im SkF, die bei festlichen Anlässen wie diesem zumeist nicht namentlich erwähnt werden, ohne deren Engagement in den vergangenen hundert Jahren aber hier und jetzt keine Festschrift zustandegekommen wäre.

Nottuln, im Dezember 1998 Andreas Wollasch

I. Die Anfänge (1899–1914)

Um 1900 befand sich das Wilhelminische Kaiserreich in voller Machtentfaltung. In einer Phase der Hochindustrialisierung hatte Deutschland sich vom Agrar- zum Industriestaat gewandelt, der unter Kaiser Wilhelm II. eine säbelrasselnde „Weltpolitik“ mit Flottenrüstung und prestigeträchtiger Erweiterung seines überseeischen Kolonialbesitzes betrieb. Der wirtschaftliche Aufschwung im Innern vermochte die sozialen Gegensätze unbestreitbar zu mildern, und mit dem noch unter Reichskanzler Otto von Bismarck in den 1880er Jahren eingeführten System der Sozialversicherung hatte Deutschland den Weg zum modernen Wohlfahrtsstaat im internationalen Vergleich sehr früh eingeschlagen.[1] Am Ende des 19. Jahrhunderts begann sich auch das gleichsam untere Ende der Skala sozialer Hilfen, die alte Armenfürsorge (nach heutiger Terminologie: Sozialhilfe), zu einer „Socialen Fürsorge“ zu wandeln und auszudifferenzieren, wobei neue Spezialgebiete wie zum Beispiel die Wohnungs-, die Jugend- und die Gesundheitsfürsorge Gestalt annahmen. Hier war übrigens nicht der Staat, sondern die kommunale Selbstverwaltung stilbildend – verkürzt gesagt, ging dabei dem Sozialstaat die „Sozialstadt“ voraus.[2] Für die Rechtsvereinheitlichung in der Jugendfürsorge gab das zum 1. Januar 1900 in Kraft tretende Bürgerliche Gesetzbuch (BGB) wichtige Impulse.

Den Alltag der Menschen prägte dies alles um die Jahrhundertwende jedoch erst in Ansätzen. Armut war noch immer ein Massenschicksal; die Leistungen der Kranken- und Rentenversicherung gestalteten sich zunächst sehr bescheiden und kamen überdies nur einem Bruchteil der Betroffenen zugute; die neuen Sonderfürsorgen schließlich steckten noch in ihren Anfängen und waren mit den durchweg älteren privaten (insbesondere konfessionellen) Bemühungen und Initiativen auf diesen Gebieten nicht oder allenfalls unzureichend vernetzt. Eine verläßliche und breitenwirksame Ausprägung erlangte das „duale“ System aus freien und staatlichen Akteuren, wie es uns – trotz aller Erosionen seines staatlichen Pfeilers – bis in die Gegenwart geläufig ist, frühestens mit dem Ersten Weltkrieg.

Die katholische Kirche befand sich im Wilhelminischen Deutschland um 1900 in einer komplizierten Situation. Zwar hatte sie den Kulturkampf weitgehend überstanden und das eigene Milieu – man denke nur an den erneuten Aufschwung des Verbandskatholizismus – in dieser Zeit der Defensive und Bedrängnis sogar festigen können, aber mental waren die damit verbundenen Erfahrungen noch lange nicht überwunden. Sie wirkten gleichsam subkutan als Traumatisierungen fort und begünstigten bei aller Bereitschaft, sich loyal auf das protestantisch geprägte Kaiserreich einzulassen, immer wieder Tendenzen zum Rückzug auf das eigene

---

1 Zur historischen Einordnung vgl. Florian Tennstedt, Der deutsche Weg zum Wohlfahrtsstaat 1871–1881. Anmerkungen zu einem alten Thema aufgrund neu erschlossener Quellen, in: Andreas Wollasch (Hg.), Wohlfahrtspflege in der Region. Westfalen-Lippe während des 19. und 20. Jahrhunderts im historischen Vergleich, Paderborn 1997, 255–267; Volker Hentschel, Geschichte der deutschen Sozialpolitik (1880–1980). Soziale Sicherung und kollektives Arbeitsrecht, Frankfurt/M. 1983, 9–29; zu den materiell-rechtlichen Inhalten auch Johannes Frerich/Martin Frey, Handbuch der Geschichte der Sozialpolitik in Deutschland, Bd. 1: Von der vorindustriellen Zeit bis zum Ende des Dritten Reiches, München – Wien ²1996, 95–116.

2 Sachße/Tennstedt, Geschichte der Armenfürsorge, Bd. 2 (wie Einl., Anm. 2), 15–41; Reulecke, Die Stadt als Dienstleistungszentrum (wie Einl., Anm. 5); vgl. als vorzügliche und gut lesbare Hintergrundinformation auch ders., Geschichte der Urbanisierung in Deutschland, Frankfurt/M. 1985.

Milieu, zu Ghettobildung und Integralismus.[3] Gleichzeitig und zum Teil in Reaktion darauf entwickelte sich jedoch eine innerkirchliche Reformbewegung, bekannt unter dem Namen „Reformkatholizismus", die hinsichtlich ihrer Träger und Ziele sehr heterogen wirkte. Wissenschaftler, Publizisten und Laien gehörten dazu; die Erneuerung der theologischen Disziplinen und ihr Dialog mit den Naturwissenschaften zählte ebenso zu den Zielen wie die Reform der Liturgie, die innerkirchliche Aufwertung des Laienelements und ein politisches „aggiornamento" in Richtung auf Staat und Gesellschaft des Deutschen Kaiserreichs.[4] Während diese politischen Bemühungen teilweise in eine verhängnisvolle Kontinuitätslinie über den kaiserzeitlichen Rechtskatholizismus zu den Deutschnationalen der Weimarer Republik mündeten, dürfen die anfangs genannten Bestrebungen als frühe Wegbereiter des Zweiten Vatikanischen Konzils gesehen werden – als „eine ideengeschichtliche Linie vom Reformkatholizismus zum Reformkonzil".[5]

Abb. 1: Agnes Neuhaus (1854–1944), Gründerin und bis zu ihrem Tod Vorsitzende des Fürsorgevereins.

Damit ist in groben Linien der zeit- und kirchengeschichtliche Hintergrund skizziert, vor dem sich die Gründung des späteren SkF vollzog. Manche dieser übergeordneten Entwicklungslinien wirkten, wie wir noch sehen werden, sogar direkt auf dessen frühe Vereinsgeschichte ein.

Seit wann aber besteht der SkF überhaupt? Die Antwort auf diese Frage fällt nicht eindeutig aus. Seine Gründerin Agnes Neuhaus hat immer den 19. Juni 1900 als denjenigen Tag genannt,[6] an dem der Verein als „Verein vom Guten Hirten" offiziell und unter Ausschluß der Öffentlichkeit in der Dortmunder Propsteikirche vor wenigen geladenen Frauen aus der Taufe geho-

3 Zu Verlauf und Ergebnissen des Kulturkampfes vgl. Ernst Rudolf Huber, Deutsche Verfassungsgeschichte seit 1789, Bd. 4: Struktur und Krisen des Kaiserreichs, Stuttgart – Berlin – Köln – Mainz 1969, 645–831; Rudolf Lill, Der Kulturkampf in Preußen und im Deutschen Reich (bis 1878); Die Beilegung des Kulturkampfes in Preußen und im Deutschen Reich, in: Hubert Jedin (Hg.), Handbuch der Kirchengeschichte, Bd. VI/2, Freiburg – Basel – Wien 1973, 28–48; 59–78; Karl-Egon Lönne, Politischer Katholizismus im 19. und 20. Jahrhundert, Frankfurt/M. 1986, 151–173.

4 Vgl. Otto Weiß, Der Modernismus in Deutschland. Ein Beitrag zur Theologiegeschichte, Regensburg 1995.

5 Walter Ferber, Der Weg Martin Spahns. Zur Ideengeschichte des politischen Rechtskatholizismus, in: Hochland 62 (1970), 218–229, hier 229.

6 Vgl. Dok. 4.

ben wurde – eine Vorsichtsmaßnahme, die (neben anderen Gründen) noch den Resten der Kulturkampfgesetzgebung geschuldet war, hatte doch mit Julius Seiler ein Jesuit den Gründungsvortrag übernommen.[7] Das 25jährige und das 50jährige Jubiläum wurden dementsprechend auch 1925 bzw. 1950 begangen.[8] Für das Jahr 1899 könnte hingegen sprechen, daß hier die ersten, noch inoffiziellen Wurzeln der Vereinsgründung festzumachen sind, als Agnes Neuhaus den gemeinsamen Gang zur Kommunion am ersten Adventssonntag mit wenigen Gleichgesinnten als Beginn der gemeinsamen, vereinsmäßigen Fürsorgearbeit auf dem Gebiet der weiblichen Gefährdetenhilfe wertete. Auf dieses Datum bezogen sich die Feierlichkeiten zum 90jährigen Jubiläum des SkF vor zehn Jahren.[9]

Die Gründungsphase und die daran anschließende Zeit der raschen Ausbreitung des „Vereins vom Guten Hirten", der sich in bewußter Anlehnung an Namen und Konzeption des preußischen Fürsorgeerziehungsgesetzes von 1900 schon bald „Katholischer Fürsorgeverein für Mädchen, Frauen und Kinder" (KFV) nannte,[10] spiegeln die ausgewählten Dokumente aus unterschiedlichen Blickwinkeln. *Dokument 1* bietet einen sehr persönlichen und ungeachtet seiner späteren Abfassungszeit in hohem Maße authentischen Rückblick der Vereinsgründerin auf die Vorgeschichte des KFV, auf ihre eigenen Motive und das personelle Umfeld. Dabei wird deutlich, wie sehr der Verein einerseits von der sozialpolitischen Aufgeschlossenheit kommunaler Spitzenbeamter profitierte, deren Konzepte von „Socialer Fürsorge" im Gegenzug durch seine Tätigkeit aber auch umzusetzen und zu entwickeln half, war doch gerade die Gefährdetenfürsorge um die Jahrhundertwende als eigenständiges Spezialgebiet noch kaum „entdeckt".

Dokument 4 zählt zu den „Klassikern" der Vereinsgeschichte und ist als konzentrierter Überblick zur Organisationsentwicklung des KFV in der Frühzeit nach wie vor lesenswert. Der Text, von dem mehrere Varianten existieren,[11] wird hier in seiner ursprünglichen Version als Festvortrag abgedruckt. *Dokument 3* bietet Einblicke in die praktische Arbeit der Anfangsjahre, da es sich hierbei um eine Werberede handelt, mit der Agnes Neuhaus in der Öffentlichkeit potentielle Mitarbeiterinnen ansprach. Interessant ist daran vor allem der explizit ausgesprochene Zusammenhang von katholischer Frauenbewegung und Mütterlichkeit („Welch herrliche Frauenbewegung wird das sein, die so vielen armen Verlassenen eine Mutter bringt!"). Mit diesem zuvor breit entwickelten Gedanken wird dieser Vortrag zum Schlüsseldokument gegen eine verbreitete Forschungsmeinung, welche die organisierte Mütterlichkeit als Beweggrund

---

7 Der – leicht gekürzte – Erstabdruck dieses Vortrags erschien unter dem Titel „Für die Verstoßenen des weiblichen Geschlechts" in: Charitas 6 (1901), 130–136. Diese zeittypische Formulierung greift die hier vorgelegte Festschrift in ihrem Titel wieder auf. – Der vollständige Vortragstext ist abgedruckt in: Jubiläumstagung des Katholischen Fürsorgevereins für Mädchen, Frauen und Kinder, Zentrale Dortmund 1925, Dortmund o. J., 175–185.

8 Vgl. Jubiläumstagung des KFV 1925 (wie Anm. 7); Katholische Fürsorgearbeit im 50. Jahre des Werkes von Frau Agnes Neuhaus. Erbe, Aufgabe und Quellgrund 50jähriger Arbeit des Katholischen Fürsorgevereins für Mädchen, Frauen und Kinder. Dargestellt in den Vorträgen und Arbeitsergebnissen der Jubiläumstagung vom 13. bis 16. Sept. 1950 in Dortmund, Dortmund o.J.

9 Vgl. die Berichterstattung im Korrespondenzblatt des SkF 3/89, 4–39; 3/90, 33–61.

10 Siehe Dok. 4.

11 Eine 1929 im Jahrbuch für die Katholiken Dortmunds abgedruckte Fassung ist neu ediert und mit einer ausführlichen Kommentierung von Irmingard Böhm versehen in: Karl Hengst/Hans Jürgen Brandt/Irmingard Böhm (Hg.), Geliebte Kirche – gelebte Caritas. Agnes Neuhaus, Christian Bartels, Elisabeth Gnauck-Kühne, Wilhelm Liese. Festgabe für Dr. theol. Paul Heinrich Nordhues, Titularbischof von Kos, Weihbischof emeritus in Paderborn zur Vollendung des 80. Lebensjahres, Paderborn – München – Wien – Zürich 1995, 23–46.

weiblicher Fürsorgetätigkeit zu einer Errungenschaft der bürgerlichen (nichtkonfessionellen) Frauenbewegung erklärt hat.[12]

Die *Dokumente 2 und 5* stellen alte Satzungen des Vereins dar – die erste erhaltene Fassung von 1902, als der Vereinsname noch „Katholischer Fürsorgeverein für Mädchen und Frauen" lautete, und eine revidierte Fassung von 1913. Im direkten Vergleich zeigt sich, daß die spürbar die Handschrift der Verbandsgründerin tragende Erstfassung juristisch noch wenig durchgestaltet war, während die Version von 1913 mit ihrer detaillierten Auflistung der einzelnen Arbeitsgebiete selbst aus gegenwärtiger Sicht erstaunlich aktuell wirkt, zumindest wenn man die zeitgenössische Terminologie auf heutige Sprachregelung überträgt. Die ersten Satzungen sind übrigens der einzige Text, der für den Verein aus der Geistlichkeit einen Präses vorsieht. Seit 1903 – und bis heute – ist an seine Stelle der Geistliche Beirat getreten, der in der praktischen Vereinsarbeit eine beratende Funktion hat. Damit kennzeichnete den KFV bei aller religiösen Verankerung und Anerkennung kirchlicher Autorität, wovon alle Dokumente Zeugnis geben, von Anfang an ein unübersehbares, reformkatholisches Laienelement, gehörte er doch zu den ersten katholischen Frauenvereinen, die eigenverantwortlich unter weiblicher Leitung arbeiteten.[13] Als weitere, seit den Anfängen tragende Grundideen lassen sich ausmachen zum einen das „Arbeiten auf gesetzlicher Grundlage", woraus sich eine enge Kooperation mit behördlichen Stellen in der alltäglichen Arbeit vor Ort nahezu von selbst ergab, und zum anderen der hohe Stellenwert, der dem Zusammenwirken von beruflichen und ehrenamtlichen Kräften in der Fürsorge beigemessen wurde.[14]

Daß die Gefährdetenfürsorge, die auf den Geschlechtskrankenstationen der Hospitäler begonnen und bald darauf die Gefangenenfürsorge und den Besuch der Entbindungsanstalten miteinbezogen hatte, das einzige Arbeitsfeld des neuen Vereins bildete, war ein Zustand, der nur kurze Zeit anhielt. Der Übergang von der rettenden Gefährdeten- in die vorbeugende Jugendfürsorge vollzog sich schnell und fließend. Die Teilnahme an Tagungen von bzw. die Mitgliedschaft in wichtigen bürgerlichen Organisationen der Privatwohltätigkeit – Dokument 4 erwähnt die Frankfurter „Centrale für private Fürsorge"; zu nennen wären hier auch das „Archiv Deutscher Berufsvormünder" oder der „Deutsche Verein für Armenpflege und Wohltätigkeit", später „für öffentliche und private Fürsorge" – weitete den Horizont, führte zur Gewinnung neuer Bündnispartner und wies nicht zuletzt auch den KFV selbst als Teil der bürgerlichen Sozialreform aus.

Bis zum Ausbruch des Ersten Weltkrieges hatte der KFV das Ziel seiner reichsweiten Ausdehnung in etwa schon erreicht. Daß seine Schwerpunkte nach wie vor eindeutig in den Rheinlanden und in Westfalen lagen,[15] ließ sich freilich nicht leugnen und verwies in geographischer wie personeller Hinsicht noch lange auf die Anfänge zurück. Inhaltlich war der Ver-

12 Einen solchen Ansatz verfolgt Christoph Sachße in seinem inzwischen in 2. Auflage vorliegenden Standardwerk: Mütterlichkeit als Beruf. Sozialarbeit, Sozialreform und Frauenbewegung 1871–1929, Opladen ²1994. Zur Kritik dieser Sicht vgl. schon Gisela Anna Erler/Jochen-Christoph Kaiser, Frauenbewegung und Geschichte der Sozialarbeit (= Rezension zur 1. Aufl. von Sachße, Mütterlichkeit), in: Sozialwissenschaftliche Literatur Rundschau 9 (1986), Heft 13, 20–28, bes. 27 f.

13 Sehr aufschlußreich in dieser Hinsicht ist auch Dok. 26!

14 Dok. 4 und 1; vgl. auch Wollasch, Der Katholische Fürsorgeverein (wie Einl., Anm. 6), Tab. 1 (S. 353).

15 Vgl. ebd., Schaubild 2 (S. 357 f.).

ein in den ersten anderthalb Jahrzehnten seines Bestehens mit der Entwicklung seiner Arbeitsgebiete und der Vereinheitlichung seiner Organisation beschäftigt. Verständlicherweise verfügte er noch nicht wie erstmals in der Weimarer Republik über das Gewicht, Gesetze zu beeinflussen und damit die Rahmenbedingungen der Sozialpolitik selbst zu verändern. Zunächst ging es vielmehr darum, mit den bestehenden Gesetzen zu arbeiten – oder um es mit Agnes Neuhaus zu sagen, „die in diesem B.G.B. enthaltenen Schätze" zu erkennen und anzuwenden.[16]

16 Dok. 1.

Agnes Neuhaus

Für meine Kinder

In Euren Jugendjahren, in Euren Entwicklungsjahren, als ihr Ansprüche an Eure Mutter hattet, als Ihr Ansprüche daran hattet, ins Leben eingeführt zu werden, in das geistige und das gesellschaftliche Leben – da hat meine beginnende Fürsorgearbeit, die Entstehung des Fürsorgevereins meine Zeit und Kraft fast vollständig in Anspruch genommen, jedenfalls so sehr, daß ich Euren berechtigten Ansprüchen an mich nicht mehr genügen konnte. Daß Ihr dadurch manches habt entbehren müssen, liegt auf der Hand. Darum fühle ich mich verpflichtet, Euch zu berichten, wie ich *innerlich* zu dieser Arbeit gekommen bin, Euch gewissermaßen Rechenschaft abzulegen, damit Ihr nach meinem Tode auch an diesen Abschnitt Eures Lebens mit Ruhe und innerer Harmonie zurückdenken könnt.[1]

Vor meinem geistigen Auge – wenn ich an meine Berufung zur Fürsorgearbeit denke – stehen immer 3 verschiedene Zeitpunkte, haben auch immer diese 3 Zeitpunkte und Ereignisse gestanden, in denen diese Berufung sich in mir entwickelt hat. Darum will ich auch meinen Bericht nach diesen 3, ganz von einander getrennt liegenden Geschehnissen einteilen.

I.

Als ich noch junges Mädchen war, waren eines Tages einige Damen bei meiner Mutter zu Besuch. Es herrschte eine ziemlich lebhafte Unterhaltung, des entsinne ich mich noch genau. Wovon die Rede war, das habe ich vergessen, ich weiß nur noch, daß Mutter Köller, Tante Bertas Mutter, mit dabei war.

In dieser Unterhaltung fiel nun die Bemerkung, Goethe hätte gesagt: „Was der Mensch sich in der Jugend wünscht, wird er im Alter die Fülle haben."

Dieses Wort schlug bei mir ein. Ich nahm Mantel und Hut und ging eiligst in unsere alte Propsteikirche, kniete mich auf die Kommunionbank vor das allerheiligste Sakrament und betete aus tiefster Seele: Herr nimm mir alles, aber gib mir von Dir die Fülle. Meine Seele lag vollkommen vor ihm ausgegossen, war ihm vollkommen hingegeben; ich wollte nichts anderes, als Ihn allein. Ich habe tief und deutlich gefühlt, daß es eine Stunde großer Gnade für mich war.

Nun kann man sicher mit einem gewissen Recht sagen, daß dieses Ereignis doch mit der Entstehung des Fürsorgevereins nichts zu tun hätte. Äußerlich gewiß nicht. Aber ich bin innerlich immer der Überzeugung gewesen, daß in dieser Stunde der Keim zu meiner Berufung in meine Seele gelegt worden ist. Woher diese Überzeugung, das weiß ich nicht, ich habe sie nur immer gefühlt.

II.

Als ich einige Jahre verheiratet war – es fing an, als wir in Gelsenkirchen wohnten – hatte ich längere Zeit starke Glaubenszweifel, die mich derart mitnahmen, daß auch meine Gesundheit, meine Nerven, stark darunter litten. Um mich zu erholen und zu kräftigen, – so beschlos-

1 [Die Niederschrift erfolgte im August 1933.]

sen die Eltern – habe ich dann mehrere Wochen mit Vatern im Sauerlande, in Winkhausen bei Oberkirchen zugebracht. Auf der Rückreise durch Dortmund besuchte ich meine Mutter, traf dort Besuch an, Fräulein Anna Adriani, die sich sehr lebhaft mit meiner Mutter unterhielt. Ich war müde und traurig, hörte kaum zu, ließ die beiden sich weiter unterhalten, ohne daß ich mich an der Unterhaltung beteiligte. Auf einmal schlugen Worte an mein Ohr, die mich aufhorchen machten. Fräulein Adriani erzählte von einer Frau Lungstraß in Bonn, die uneheliche Mütter mit ihren Kindern in ihr Haus aufnähme, um sie wieder mit Gott zu vereinen, sie wieder auf gute Wege zu führen.

Ich kann die plötzliche Wirkung dieser Worte auf mich nicht beschreiben. Mir war von jeher alles, was mit Unsittlichkeit, mit Geschlechtlichem zu tun hatte, ganz besonders unsympathisch gewesen – nein, das ist vielleicht nicht der richtige Ausdruck: ich hatte sie mir instinktiv weit vom Leibe gehalten (ich finde keinen anderen Ausdruck), hatte sie – ich möchte sagen: mit ausgestreckten Händen von mir fern gehalten, von mir abgewehrt. Ich entsinne mich noch genau, daß meine Mutter einmal auf einem Spaziergang einen Versuch machte – als ich längst erwachsen war – mich in etwa aufzuklären, indem sie mir ihre Empfindungen bei der Geburt eines Kindes erzählte. Diese Worte oder Schilderung war mir einfach unerträglich, und ich wies sie so leidenschaftlich von mir ab, daß meine Mutter ganz erschrocken wurde. Die Geburt eines unehelichen Kindes erschien mir, auch als Frau noch, als ein untragbares Unglück, als eine unauslöschliche Schande.

Und nun hörte ich auf einmal, daß eine Frau, eine fromme Frau, aus religiösen Motiven solche Mädchen in ihr Haus aufnahm.

Die Wirkung dieser Worte war eine ganz plötzliche. In einem einzigen Augenblick sah ich mit absoluter Deutlichkeit – nicht leibhaftig vor meinen Augen, aber vor meiner Seele – den Erlöser, und zwar in der innigen Verbindung seiner unbeschreiblichen Heiligkeit mit seiner Liebe zu den Sündern, sah das so klar, so sicher, so bestimmt wie eine absolute Gewißheit. Und zugleich fühlte ich eine große Liebe zu unserem Erlöser, meine ganze Seele war mit Licht und mit Liebe zu Ihm erfüllt.

Der Eindruck war ein so starker, daß ich ihn nicht tragen konnte; ich brach in Tränen aus. Meine Mutter und Fräulein Adriani sahen mich erstaunt an, und meine Mutter sagte, halb erklärend: „Sie ist in den Nerven noch sehr herunter, sie kommt gerade aus dem Sauerland."

Der Eindruck dieser Stunde hat sich nun in mir vertieft, oder richtiger gesagt: hat in mir weiter gearbeitet. Und zwar hat er sich langsam und allmählich zu der Überzeugung entwikkelt, daß Gott mich eines Tages an eine Stelle, auf einen Posten stellen würde, wo ich solchen Mädchen helfen könnte. Zugleich bildete sich in mir eine Art von Gewißheit, daß ich dafür nichts zu tun brauche, daß zu gegebener Zeit Gott mir dies schon zeigen, mich schon rufen würde. Ich empfand oder sah diesen Zeitpunkt in nebelgrauer Ferne – etwa, wenn meine Kinder erwachsen sein würden. Ich habe auch zweimal ganz kurz, fast tastend, fast ängstlich, eine Andeutung nach dieser Richtung gemacht. Einmal bei Schwager Job. Er kam aus einer Schwurgerichtssitzung, oder jedenfalls aus einer Gerichtsverhandlung, wo es sich auch um Prostituierte gehandelt hatte. Ich sagte ganz zögernd: „Ich meine, man müßte solchen Mädchen doch wohl helfen können", worauf Job mir erwiderte: „Für dich ist das nichts; du hältst dir diese Dinge zu fern." – Ein anderes Mal habe ich zu meinem Sohn Adolf auf einem Spaziergang eine ähnliche vorsichtige unbestimmte Äußerung gemacht; ich kann mich aber nicht mehr erinnern, in welcher Form, kann mich auch seiner Antwort nicht mehr erinnern. Es ist mir aber lieb, daß ich diese beiden Male den schüchternen Versuch – denn das war es – gemacht habe, über die Sache zu sprechen, weil ich sonst nachher vielleicht gedacht hätte, ich hätte mir das alles eingebildet – nein, nicht *alles*: das Ereignis bei meiner Mutter war so klar, so fest und so sicher, daß dabei von Einbildung gar keine Rede sein konnte. Aber diese innere Entwicklung zu der Überzeugung hin, daß Gott mich eines Tages an eine bestimmte Stelle setzen würde, *die* hätte ich später doch leicht als Einbildung ansehen können, rückblickend. Aber so weiß ich, daß auch diese Entwicklung in meiner Seele, die langsam fortschritt, ganz ohne mein Zutun, als ob jemand anderes, nicht ich, sie bewirkte, eine Tatsache ist.

III.

Ende des vorigen Jahrhunderts, ich glaube es war 1897, kam Stadtrat Henrici nach Dortmund. Er wollte u. a. die Frau in die öffentliche Armenpflege einführen, in einer besonderen Weise, die er sich, als der Eigenart der Frau entsprechend, überlegt, ausgedacht hatte. Ich wurde mit in den Kreis der mal vorläufig aufgerufenen Frauen einbezogen.

Die nun folgenden Tatsachen sind bekannt. Mir wurde als erste Aufgabe die Betreuung einer Witwe, einer Frau B., zugewiesen, die ich nun zunächst mal aufsuchen müßte. Noch in der Sitzung selbst rief mir Fräulein Anna Weidtmann, die rechte Hand von Stadtrat Henrici, eine Jugendbekannte von mir, zu: „Du, die Frau ist im Krankenhaus", worauf ich ihr erwiderte: „Gut, dann gehe ich ins Krankenhaus." Sie sagte dann weiter, daß sie mich begleiten wolle, und wir verabredeten Tag und Stunde.

Es war am 18. Januar 1899, als wir beide zusammen zum Krankenhaus, zum städtischen Luisenhospital gingen. Unterwegs plauderten wir harmlos über alles Mögliche. Als wir angekommen waren, unten vor dem Eingang des Hospitals standen, sagte meine Freundin zu mir: „Du, die Frau ist aber auf der schlechten Station!" Ich fragte: „Anna, was ist das, eine schlechte Station?" Antwort: „Weißt Du, wo die schlechten Mädchen sind, die von der Polizei dahin gebracht sind." – Da wußte ich, das war der Augenblick, auf den ich gewartet hatte, und alles in mir sagte: „Nur nicht nein sagen!"

Anna Weidtmann sah meine tiefe Erregung und sagte: „Das geht nicht, das regt dich zu viel auf; wir lassen die Frau herunterholen." (Die Station lag im dritten Stock). Ich sagte, indem ich mich mit Gewalt faßte, und mich zwang ruhig zu sein: „Nein, Anna, wir wollen hinaufgehen", und fügte dann ruhig hinzu: „Ich habe schon öfter gedacht, man könnte solchen Mädchen vielleicht mal helfen." Indem wir die Treppe hinaufgingen, sagte ich, – wie beiläufig – unwillkürlich: „Ich könnte vielleicht den katholischen Mädchen etwas helfen", hatte aber natürlich keine Ahnung, wie das geschehen könnte; vielleicht kam ich auf diesen Gedanken, weil im Hause als Pflegepersonal evangelische Diakonissen waren. Das weiß ich aber heute nicht mehr; ich weiß nur noch, daß dieser Impuls, den katholischen Mädchen zu helfen, meiner innerlich religiösen Einstellung zu meiner Berufung entsprang. Ich ging die Treppe hinauf, ging an die Arbeit, fast wie im Traum, oder ist dieser Ausdruck nicht richtig – jedenfalls völlig hingegeben an den Gedanken, an die Gewißheit, daß Gott der Herr selbst mich zu dieser Arbeit gerufen hatte. Ob ich diesem Rufe Folge leisten wolle, darüber sind mir keine Gedanken gekommen – alles in mir war Selbstverständlichkeit. Es war eine große Gnade.

Als wir oben ankamen – Anna Weidtmann war dort bekannt – stellte sie mich gleich der Stationsschwester vor und fügte in ihrer initiativen Art hinzu: „Meine Freundin möchte wohl den katholischen Mädchen hier helfen." Die Schwester Helene – eine ältere, sehr liebe Diakonissin - streckte mir beide Hände entgegen, und sagte: „O, wenn Sie das doch tun wollten; für die evangelischen Mädchen haben wir schon leichter irgendeine Verbindung, um die katholischen kümmert sich niemand." Sie hat mir immer treu geholfen, wir haben immer in der größten Eintracht zusammengearbeitet. Sie führte auch gleich bei diesem ersten Besuch den ersten Schützling zu mir. Mimi Mönig – und so war ich in der Arbeit.

So war ich also von der göttlichen Vorsehung an diese Arbeit gerufen, Zeit und Ort, wann und wo ich anfangen sollte, hatte sie mit aller Deutlichkeit gezeigt, hatte sie selbst bestimmt. Aber nicht nur das, alle Wege dazu waren sorgfältig geebnet, alle Umstände, die für diese Arbeit in Betracht kamen, aufs günstigste gestaltet.

Zunächst der Ort! Welcher Mensch wäre darauf gekommen, daß die syphilitische Station des städtischen Hospitals, und zwar die Polizei-Station, der geeignete Punkt sei, um Fürsorgearbeit für gefallene Mädchen dort zu beginnen! Vollends zu damaliger Zeit, als von einer „Gefährdetenfürsorge" noch gar keine Rede war, sich um Kontroll-Mädchen kein Mensch bekümmerte, wäre gewiß niemand auf diesen Gedanken gekommen – ich ganz gewiß nicht.

Und doch war es die absolut richtige Stelle; das wissen wir heute, wo wir das ganze Arbeitsgebiet übersehen können. Gründe:

1. Die Diagnose ist hier sehr einfach; die Mädchen können den Grund ihres Aufenthaltes dort nicht leugnen. Man tappt also nicht im Dunklen; am Anfang der Hilfsaktion stehen positive Tatsachen fest – sehr wichtig, besonders für Anfängerinnen. Sie haben gleich bei Beginn der Arbeit festen Boden unter den Füßen, ehe ein Wort gesprochen worden ist.

2. Diese Mädchen sind in äußerster Gefahr; für sie ist Hilfe am dringendsten nötig. Viele von ihnen stehen unmittelbar vor dem Abgrund, müssen oft durch festes, energisches und schnelles Zufassen von ihm weggerissen werden. Es ist da unendlich viel zu machen und zu helfen, wenn nur jemand da ist, der es tut.

3. Auf dieser Station sind die Mädchen meist lange Zeit, so daß während ihres Aufenthaltes dort Zeit genug ist, alle Wege zu ebnen, resp. alle Hilfsmaßnahmen in Bewegung zu setzen, so daß fast immer das Mädchen beim Verlassen des Hauses gleich ihrem Bestimmungsort zugeführt werden kann – sehr wichtig für die Anfangsarbeit einer neugegründeten Ortsgruppe in größerer Stadt, die noch nicht über Vorasyl und Zufluchtsheim verfügt.

4. Und das erscheint mir fast die Hauptsache: Durch die Arbeit auf dieser Station bekommt man ganz von selbst, – also ohne generelle Antragstellung oder ähnliches – eine einfache, direkte, lebensvolle und darum wirksame Verbindung mit der Polizei (früher Sittenpolizei). Die enge Zusammenarbeit von vernünftigen Frauen, die eben nichts anderes wollen, als einzelnen

Mädchen tatkräftig zu helfen – mit der Polizei ist wohl die größte Wirkungsmöglichkeit in der Rettungsarbeit für diese armen Mädchen.

Also auf diese Station hatte mich Gott geführt, ganz ohne mein Zutun, und ohne jede Vorbereitung, ohne alle Vorkenntnisse. Später, als wir die ganze Arbeit übersehen konnten, als wir ein klares Urteil über sie hatten, da haben wir bei Neugründungen (in einigermaßen größeren Städten) immer ganz bewußt, weil richtig, auf dieser Station angefangen, auf die mich Gott damals, völlig unwissend, geführt hat.

Die Stelle war also richtig. Nun die Personen! *Herrn Stadtrat Henrici* sagte ich gleich nach meinem Besuch im Krankenhaus, daß ich nun in seiner Armensache nicht mehr mitarbeiten könne, weil ich hier eine Arbeit gefunden hätte, die mir noch nötiger schiene und die meine Zeit und Kräfte vollständig in Anspruch nähme. – Er sagte, daß ihn diese Arbeit aufs lebhafteste interessiere, in dem Gedanken, ob etwas dabei herauskommen könne, er würde mir in jeder Beziehung, so viel er könnte, dabei helfen, er stände jederzeit zu meiner Verfügung usw. Er zeigte diese Hilfsabsicht auch sogleich, indem er mit mir zur Polizei ging – zu Kriminalkommissar Elzholz – (Henrici war Chef der damaligen kommunalen Polizei) und dort direkte amtliche Order gab, daß man mir jede mögliche Hilfe zuteil werden lassen, jede gewünschte Auskunft geben sollte usw., ich könne alle Akten einsehen, usw. Die charakteristische Eigenart oder Veranlagung von Stadtrat Henrici war die, daß er ganz modern eingestellt war, und sich für alles Neue, für jeden Fortschritt lebhaft interessierte und einsetzte, ohne nennenswerte Hemmungen oder Bedenken – so auch für Frauenarbeit überhaupt, wie besonders auch für Arbeit auf diesem Gebiet. Gerade er war also wie geschaffen dafür, mir in diesem Anfangsstadium meiner Arbeit kräftig helfend, selbst interessiert, zur Seite zu stehen. Bei der Polizei, die doch sonst aller Wahrscheinlichkeit nach für mich unzugänglich gewesen wäre, war ich nun mit einem Schlage akkreditiert. Die beiden Schutzleute, Lüttkes und Ruhose, sind immer unsere treuen Helfer geblieben.

Aber gerade bei der Polizei kommt noch eine andere Fügung in Betracht. Obwohl Stadtrat Henrici bestimmte Weisungen in Bezug auf Hilfsbereitschaft für mich gegeben hatte, war ich doch frappiert durch die lebendige, eifrige Art dieser mir geleisteten Hilfe, die besonders in den Schriftstücken gar nichts Bürokratisches hatte, sondern ganz den Charakter bereitwilligsten, persönlichen Entgegenkommens trug. Der Grund wurde mir bald klar. Die rechte Hand von Kriminalkommissar Elzholz war ein *Stadtsekretär Jäger,* der besonders die sittenpolizeilichen Sachen bearbeitete. Dieser Herr Jäger war ein vortrefflicher Mann, ein tiefreligiöser, frommer Prostestant, der seine Arbeit als Gottesdienst auffaßte. Er war später auch Vorsitzender (oder wenigstens das Rückgrat) des evangelischen Magdalenenvereins. Wir wollten also beide dasselbe, und es liegt auf der Hand, wie eifrig und treu, wie voller Interesse er für mich und mit mir gearbeitet hat.

Sehr günstig war auch die Stellung der Ärzte im Luisenhospital zu dieser Arbeit. Beide, sowohl der Chefarzt, *Geheimrat Gerstein* (ich weiß aber nicht mehr, ob er damals schon Geheimrat war) wie der Stationsarzt, *Dr. Fabry,* waren befreundet mit unserer Familie, d.h. standen sehr nahe zu meinem Vater und meinen beiden Brüdern, die Ärzte waren. Vater war Vorsitzender des Ärztlichen Vereins; Dr. Gerstein und seine Familie waren seit langen Jahren befreundet mit unserer Familie. So war meine Stellung im Hospital eine äußerst günstige. Jede Bitte war von vorneherein gewährt; beide Herren unterstützten mich in der Arbeit, wo sie konnten. Dr. Fabry hat auch in einer ärztlichen Zeitschrift in einem Aufsatz die große Hilfsmöglichkeit und die Notwendigkeit unserer Arbeit ausdrücklich betont.[2]

Als ich mich an den Polizeiarzt wenden mußte, war das mein *Bruder Engelbert*. Er hat mir viele lange Jahre hindurch jede ärztliche Hilfe für meine Mädchen ganz unentgeltlich, immer bereitwillig geleistet; ich konnte ihm immer jedes Mädchen, über dessen Gesundheitszustand ich Auskunft haben mußte, zur Untersuchung zuschicken.

Gefängnisarzt war mein *Bruder Paul*. Ich habe aber seine Hilfe, die mir zur Verfügung stand, kaum in Anspruch zu nehmen brauchen.

Noch eine andere wichtige Persönlichkeit kommt für diese Anfangszeit in Frage: unser alter treuer *Herr Propst Löhers*. Als ich das erste Mal aus dem Luisenhospital kam, war mir klar, daß es Seelsorgearbeit war, die da vor mir lag. Ich war mir auch sofort darüber klar, daß ich Seelsorgearbeit nicht aus mir, nicht nach meinem Gutdünken leisten dürfe, daß ich vielmehr sie auf den Boden unserer hl. Kirche, in den Gehorsam gegen sie stellen müsse. Ich ging darum zuallererst, ehe ich irgend jemand gesprochen hatte, zu unserm Herrn Propst Löhers, meinem zuständigen Pfarrer. Ich berichtete ihm, sagte ihm, warum ich käme, daß ich diese Arbeit nur mit seiner Zustimmung, im Gehorsam gegen ihn und gegen unsere hl. Kirche ausüben würde. Er erklärte mir nun in liebevoller, einfacher Weise seine Zustimmung, sagte: „Das tun Sie nur, machen Sie, daß die armen Kinder von der Straße kommen; ich will Ihnen helfen."

Das hat er denn auch treulich getan. Mit seinem Rat, besonders aber mit Geldmitteln, in reichem Maße. Das Reisegeld für die Mädchen (oft noch mit dem Schutzmann) zum Guten Hirten und das Eintrittsgeld dort, hat er mir zum größten Teil gegeben – bis es dann so viel wurde, daß wir einsahen, wir würden diese Ausgaben auf die Dauer nicht allein tragen können. Aus diesem Grunde habe ich dann mit seiner vollständigen Zustimmung den kleinen Verein vom Guten Hirten gegründet, nur um zahlende Mitglieder zu bekommen. Jedenfalls habe ich an unserem Herrn Propst immer einen treuen Helfer behalten, auch später für die Gründung unseres Zufluchtshauses.

Vielleicht die glückseligste, die wirkungsvollste Fügung in Bezug auf die Persönlichkeiten, die damals, fast wie zu meinen Helfern berufen, für die Arbeit bereit standen, war folgende. Ich hatte meinem Mann – im Anfang – von dieser neuen Arbeit zunächst nichts gesagt, hatte geschwiegen in einer gewissen Sorge: er wäre vielleicht nicht einverstanden, oder soll ich sagen: in einem Gefühl der Unsicherheit darüber, wie er sich zu dieser Arbeit, dieser Aufgabe, die mich ja, meine Zeit, meine Kraft, in sehr hohem Maße in Anspruch nahm, stellen würde. Als nun der erste Fall kam, der mich veranlaßte, mich an das Vormundschaftsgericht zu wenden, und ich mich erkundigte, zu welchem Herrn ich dann gehen müsse, war das der Amtsgerichtsrat Neuhaus, *mein Mann*. Auf meine Mitteilung des Geschehenen, und meine Ungewißheit, wie er sich dazu stellen würde, sagte er mir mit wenigen Worten, aber in einer so ruhig-

2 [Vgl. J. Fabry, Zur Frage der Inskription unter sittenpolizeiliche Aufsicht mit besonderer Berücksichtigung Dortmunder Verhältnisse, in: Zeitschrift für Bekämpfung der Geschlechtskrankheiten 5 (1906), 325–342.]

bestimmten, ich möchte fast sagen, selbstverständlichen Art, wie ich sie sonst selten oder kaum von ihm gehört hatte, daß er *dagegen* gewiß nichts hätte, daß diese Arbeit notwendig wäre, „bei dieser Arbeit kommt was heraus." Er war eben ein wirklich guter und selbstloser Mensch, für alles Gute bereit, dabei – kein theoretischer – ein sehr praktischer Jurist; er war der gegebene Mitarbeiter und Helfer in dieser Arbeit. Und er hat mir treu und immer bereitwilligst geholfen. Es trat ja damals gerade das B.G.B. in Kraft. Ich bin später, als ich rückblickend auch diese Zeit und diese Art der Arbeit übersehen konnte, immer erstaunt darüber gewesen, wie schnell, ich möchte sagen, wie unmittelbar mein Mann die in diesem B.G.B. enthaltenen Schätze erkannt, angewendet, uns zugänglich gemacht, uns gelehrt hat. Jedenfalls haben wir von Anfang an mit den Paragraphen für Pflegschaft und Beistandschaft, Ruhen der elterlichen Gewalt usw. gearbeitet, sie für unsere Schutzbefohlenen nutzbar gemacht, als es noch – meines Wissens – von keiner anderen Seite, keiner anderen Organisation geschah – es war ungefähr so, als ob das B.G.B. eigens für uns in Kraft getreten wäre. Auch eine praktische und wirksame Art der Antragstellung brachte er mir bei; noch heute wird im ganzen Fürsorgeverein nach dieser Anleitung – die dann im Druck festgelegt worden ist – gearbeitet, und noch heute wird sie in unserer Wohlfahrtsschule gelehrt. Meinem Mann, und in etwa auch Stadtrat Henrici, verdankt es der Fürsorgeverein, wenn er von vorneherein in engem Anschluß an die Behörden und auf der Grundlage der Gesetze gearbeitet hat. Es ist dies ein ausgesprochenes Charakteristikum unseres Vereins von Anfang an gewesen und ist es auch heute noch, und viele Erfolge verdanken wir dieser Arbeitsmethode – viele Erfolge in *schwierigen* Fällen *ausschließlich* dieser Arbeitsmethode.

Auch praktische, gerichtspraktische Hilfe hat mein Mann mir in vielen Fällen, besonders im Anfang, geleistet; ohne diese tatkräftige juristische Hilfe wären die vielen Erfolge gleich im Anfang nicht möglich gewesen. Manches Mal hat er mich beim Frühstück durch Handschlag als Vormund verpflichtet und mir dann nachher durch den Gerichtsdiener die Bestallung geschickt, in eiligen dringenden Fällen. Es wurde auf diese Weise eine Zusammenarbeit lebendigster wirksamster Art zwischen Vormundschaftsgericht, Sittenpolizei und Gemeindewaisenrat (Dezernent Stadtrat Henrici) erzielt, die sowohl den einzelnen Schützlingen, wie auch der Gesamtarbeit zum Segen gereichte.

Als dann später durch die Ausdehnung der Vereinsarbeit der ganze Betrieb unseres Hauswesens umgekehrt, auf diese Fürsorgearbeit eingestellt wurde, als – ehe wir ein Büro hatten – viele Personen, Mitarbeiterinnen, Beamte, Hilfesuchende usw. ein und ausgingen, als wir an jedem Konferenztage, also alle 14 Tage, mittags auswärtige Damen als Gäste zu Tisch hatten, als schließlich auch noch die Mädchen, die Schützlinge selbst, in unser Haus aufgenommen wurden, hat mein Mann niemals auch nur im geringsten Mißfallen oder Ungeduld gezeigt; er hat immer alles als richtig, als notwendig anerkannt, sich danach eingestellt.

Ich möchte hier noch einfügen, daß mir selbst die Bauart unseres Hauses, das Anfang 1900 von uns bezogen wurde, fast als providentiell erschienen ist. Ich hatte Wert darauf gelegt, daß Wohnräume und Schlafräume nach Süden, nach dem Garten gelegt wurden. Dadurch kamen Küche und Nähzimmer nach vorn, an die Straße – was ja sonst absolut nicht gebräuchlich war – und waren noch durch die große Diele von den Wohnräumen getrennt. Dadurch konnte vie-

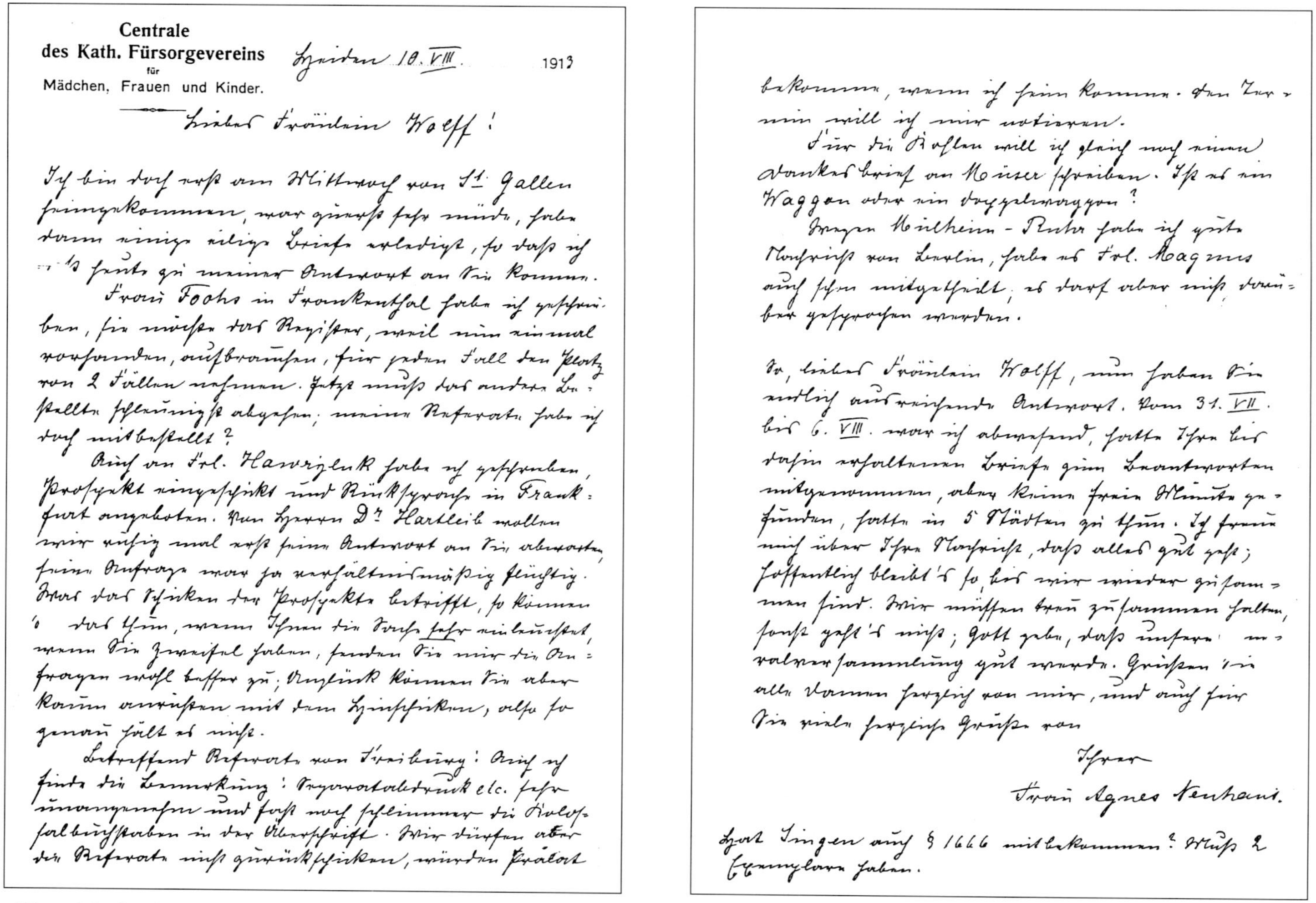

Centrale
des Kath. Fürsorgevereins
für
Mädchen, Frauen und Kinder.

[illegible] 10. VIII. 1913

Liebes Fräulein Wolff!

Ich bin doch erst am Mittwoch von St. Gallen heimgekommen, war gänzlich sehr müde, habe dann einige eilige Briefe erledigt, so daß ich erst heute zu meiner Antwort an Sie komme.

Frau Fochs in Frankenthal habe ich geschrieben, sie möchte das Register, weil nun einmal vorhanden, aufbrauchen, für jeden Fall den Platz von 2 Fällen nehmen. Jetzt muß das andere bestellte schleunigst abgehen; meinen Referaten habe ich doch mitbestellt?

Auch an Frl. [illegible] habe ich geschrieben, Prospekte eingeschickt und Rücksprache in Frankfurt angeboten. Von Herrn Dr. Hartleib wollen wir ruhig mal erst seine Antwort an Sie abwarten, seine Anfrage war so verhältnismäßig flüchtig. Was das Schicken der Prospekte betrifft, so können Sie das thun, wenn Ihnen die Sache sehr einleuchtet, wenn Sie Zweifel haben, senden Sie mir die Anfragen wohl besser zu; Unglück können Sie aber kaum anrichten mit dem Hinschicken, also so genau hält es nicht.

Betreffend Referate von Freiburg: Auch ich finde die Bemerkung: Separatabdruck etc. sehr unangenehm und fast noch schlimmer die Kolossalbuchstaben in der Überschrift. Wir dürfen aber die Referate nicht zurückschicken, würden Prälat

bekommen, wenn ich heim komme. Den Termin will ich mir notieren.

Für die Kohlen will ich gleich noch einen Dankesbrief an Mäuser schreiben. Ist es ein Waggon oder ein Doppelwaggon?

Wegen Mülheim-Ruhr habe ich gute Nachricht von Berlin, habe es Frl. Magnus auch schon mitgeteilt, es darf aber nicht darüber gesprochen werden.

So, liebes Fräulein Wolff, nun haben Sie endlich ausreichende Antwort. Vom 31. VII. bis 6. VIII. war ich abwesend, hatte Ihre bis dahin erhaltenen Briefe zum Beantworten mitgenommen, aber keine freie Minute gefunden, hatte in 5 Städten zu thun. Ich freue mich über Ihre Nachricht, daß alles gut geht; hoffentlich bleibt's so, bis wir wieder zusammen sind. Wir müssen treu zusammen halten, sonst geht's nicht; Gott gebe, daß unsere Generalversammlung gut werde. Grüßen Sie alle Damen herzlich von mir, und auch für Sie viele herzliche Grüße von

Ihrer

Frau Agnes Neuhaus.

Hat Singen auch § 1666 mitbekommen? Muß 2 Exemplare haben.

Abb. 2: Schriftprobe von Agnes Neuhaus (Briefkonzept, Auszug).

lerlei von der Vereinsarbeit gleich vorn im Hause erledigt werden, ohne daß die Wohnräume davon berührt wurden.

Soll ich noch eine *kleine* „Fügung" hier erwähnen, die mich aber immer gerührt hat! Mein Vater übte keine ärztliche Praxis mehr aus, hatte aber Wagen und Pferde beibehalten, weil er sich wegen eines Herzfehlers durch Gehen nicht anstrengen sollte. Er benutzte aber den Wagen nicht oft, und da doch die Pferde bewegt werden mußten, standen mir Wagen und Pferde immer zur Verfügung. Ich hätte, als ich im Anfang noch allein in der Arbeit stand, die vielen notwendigen Ermittlungen gar nicht machen können, wenn es mir nicht durch Vaters Wagen ermöglicht worden wäre.

Zum Schluß muß ich nun noch sagen, daß ich in mir selbst, in meiner Person, fast die merkwürdigste Fügung sehe, und zwar in der Art, wie ich sofort, ohne jedes Nachdenken, an die Arbeit herangegangen bin. Meine natürliche Art, meine Veranlagung, war dieser Arbeit diametral entgegengesetzt. Ich war von Natur unpraktisch und unbeholfen bei Inangriffnahme einer neuen Arbeit, wahrscheinlich, weil ich alles erst *vorher* genau kennenlernen wollte, wie etwas gemacht werden mußte, *warum* etwas so gemacht werden mußte usw. Meine Mutter hat oft den Kopf über mich geschüttelt, mich getadelt; sie hat oft zu mir gesagt: „Nun fang doch nur mal an; im ‚Tun', im Arbeiten selbst, lernt man die Arbeit." Und ich weiß noch, daß ich ihr dann erwidert habe: „Ich kann doch nicht anfangen, wenn ich gar nicht weiß, *wie* ich's machen soll."

Und nun gehe ich ganz plötzlich ohne jedes Besinnen, an eine besonders schwierige Arbeit, ohne auch nur eine Ahnung von dieser Arbeit zu haben, ohne eine Spur von Wissen, wie ich die Arbeit anfassen müßte, wer mir helfen könnte, ohne auch nur einen Weg vor mir zu sehen, den ich gehen könnte – und das wenige Minuten nach der ersten Mitteilung von dieser Arbeit.

Das ist wohl nur dadurch zu erklären, daß ich deutlich fühlte, daß ich gerufen worden war, daß ich wußte, nicht ich würde diese Arbeit vollbringen, sondern unser Erlöser in mir. Und so ist es auch gewesen. Er ist in dieser Arbeit auf das innigste mit mir verbunden gewesen, wie nie zuvor in meinem Leben. Vielleicht ist das nicht richtig ausgedrückt, wenn ich sage: verbunden *gewesen*. Er ist es wohl noch; ich glaube, daß für uns alle Fürsorgearbeit an sich eine unbeschreiblich innige Verbindung mit unserem Erlöser *ist*, wenn sie im richtigen, wenn sie ganz in Seinem Geiste ausgeübt wird. Aber damals war diese innige Verbindung so *fühlbar;* ich *erlebte* sie, ich war eins mit Ihm. Es war ein wunderbarer Zustand; ich fühlte mich von der Gnade getragen. So war alles, was kam, wie selbstverständlich, geradezu wunderbar wuchs eins aus dem andern, öffneten sich vor mir die Wege ganz von selbst. Ich erinnere mich noch, daß ich damals sehr viel, fast beständig, in der Gegenwart Gottes lebte, nicht aus mir, nicht weil ich das wollte, sondern weil Gott in mir lebte.

Das ist nun heute nicht mehr so. Ich fühle mich heute wieder als das arme, armselige Menschenkind. Aber das ist nicht schlimm; ich habe ja Seine Liebe zu uns armen Menschen kennengelernt. Aber eins ist mir doch geblieben: die große Liebe zu unserem Erlöser, die damals, als Anna Adriani mit meiner Mutter über Frau Lungstraß sprach, so plötzlich, so unmittelbar, so vollkommen meine Seele gefüllt hat. Dafür, und für alles, bin ich meinem Gott unaussprechlich dankbar.

Aus: [Florentine Rickmers,] Josephine Butler und Agnes Neuhaus, Dortmund 1950, 52–61.

1. Fassung der Satzungen des KFV von 1902

– 1 –

Satzungen

des

„Katholischen Fürsorge-Vereins für Mädchen und Frauen".

§ 1.

Der Zweck des Fürsorge-Vereins ist:

Schutz und Rettung sittlich gefährdeter und gefallener Mädchen und Frauen, sowie der verwahrlosten Jugend.

§ 2.

Die Hauptthätigkeit des Vereins ist:

1. Die im § 1 Bezeichneten aufsuchen.

Die Gefährdeten oder Gefallenen bestimmen, zu einem geordneten, arbeitsamen Leben zurückzukehren.

Die Verwahrlosten ihrer verderblichen Umgebung entreißen.

Die entgegenstehenden Hindernisse aus dem Wege räumen.

Die Schutzbefohlenen, soweit ratsam in die eigene Familie, sonst in gute Stellen, in Klöster, oder andere geeignete Anstalten unterbringen.

In jedem Falle sich dauernd derselben annehmen.

2. Alle, aus klösterlichen und weltlichen Anstalten zur Entlassung kommenden derartigen Mädchen, auch wenn sie nicht vom Fürsorge-Verein untergebracht waren, liebevoll aufnehmen und ihnen wie den oben Genannten helfen.

Jede Schutzbefohlene erhält, wenn eben möglich, aus dem Kreise der Mitglieder eine Vereinsmutter, die ihren Schützling im Auge behält und demselben jederzeit Rat und Hülfe gewährt.

§ 3.

Der Verein umfaßt:

1. Thätige Mitglieder, d. h. solche katholische Frauen und Jungfrauen, die sich der Vereinsthätigkeit persönlich widmen, den Versammlungen beiwohnen und einen jährlichen Beitrag zahlen.
2. Zahlende Mitglieder.

Dem katholischen Fürsorge-Verein können als Wohlthäter oder Gönner auch solche Herren beitreten, welche die Bestrebungen des Vereins hülfreich unterstützen wollen.

§ 4.

Die Vereinsmitglieder wählen den Vorstand, der aus wenigstens 4 Damen bestehen muß, zu welchen jedoch so viele Damen hinzugewählt werden können, als die Anforderungen des Vereins es erheischen.

§ 5.

Der Vorstand wählt aus seiner Mitte:
die Vorsitzende;
die stellvertretende Vorsitzende;
die Schriftführerin;
die Schatzmeisterin.

§ 6.

Der Vorstand wählt und erbittet aus der Geistlichkeit einen Präses, der den Verein nach Außen vertritt, in schwierigen Angelegenheiten hilft und in besonderen Fällen zu den Sitzungen eingeladen wird.

§ 7.

Der Verkehr mit den Behörden, sowie der Besuch der einzelnen Anstalten, Gefängnisse, Krankenhäuser, wird von der Vorsitzenden und von 2—3 durch diese zu bestimmenden Vorstandsdamen ausgeübt.

§ 8.

Die Versammlungen der thätigen Mitglieder finden wenigstens jeden Monat statt.

§ 9.

Bei der jährlichen Generalversammlung wird über die Einnahmen und Ausgaben und über die Vereinsthätigkeit berichtet und der Schatzmeisterin Entlastung erteilt.

§ 10.

Für eine ausgedehnte und ersprießliche Thätigkeit des Vereins ist es von Wichtigkeit, daß die Fürsorge-Vereine der verschiedenen Städte stets miteinander in Verbindung bleiben. Um die Zusammengehörigkeit der Vereine untereinander zu befestigen, sollen, je nach Bedürfnis und auf Anregung der Vorsitzenden, in verschiedenen Städten Vereinstage abgehalten werden.

§ 11.

Ueber etwaige Satzungs-Aenderungen oder Auflösung des Vereins entscheiden diese Vereinstage mit $^{2}/_{3}$ der anwesenden Stimmen.

Aus: Archiv des Deutschen Caritasverbandes 319.4 I 04/09 Fasz. 1.

Agnes Neuhaus

Die Aufgaben der Fürsorgevereine

Auf dem Gebiete der katholischen Charitas ist seit einigen Jahren ein neues Feld in Angriff genommen worden – neu in dem Sinne, daß sich Laien zu gemeinsamer Arbeit auf diesem Felde fest zusammenschlossen –, es ist dies die Schutz- und Rettungsarbeit an sittlich Gefährdeten und Gefallenen. *Nicht* neu ist diese Arbeit in *dem* Sinne, als ob bisher in der katholischen Kirche nichts darin geschehen sei; nichts wäre unwahrer und ungerechter, als diese Behauptung. Wir wissen, daß viele einzelne, Priester und Laien, im verborgenen, in treuer und selbstloser Arbeit ihre Kräfte in den Dienst dieser Rettungsarbeit gestellt haben; und vor allem ist es ja ein ganzer Orden, die Schwestern vom Guten Hirten, die nun seit beinahe hundert Jahren in vielen Städten des ganzen Erdkreises solche Gefährdeten und Gefallenen mit der größten Liebe in ihre Häuser aufnehmen und sich ganz ihnen widmen.

Aber es fehlte trotzdem in ganz fühlbarer Art auf diesem Gebiete: Einmal, weil die sittliche Not in unserer Zeit, unter den dieser Zeit eigentümlichen Erscheinungen, einen unerhörten Umfang annahm, so daß die bisher tätigen Kräfte nicht mehr reichten; und dann, weil die Hilfe nicht organisiert war, weil die einzelnen Helfer zusammenhanglos arbeiteten und dadurch naturgemäß viele Lücken unausgefüllt blieben.

Hier setzt nun die junge Bewegung ein, die sich unter dem Namen: *„Katholischer Fürsorgeverein für Mädchen, Frauen und Kinder"* an der Rettungsarbeit beteiligt. Von diesem Fürsorgeverein will ich Ihnen heute berichten,[1] indem ich folgende fünf Fragen zu beantworten suchen werde:

I. Was will dieser Verein?
II. Wie fängt er es an, Beziehungen zu finden zu den Personen, denen er helfen will?
III. Wo läßt er seine Schutzbefohlenen?
IV. Welche Einwendungen werden gegen diese Arbeit erhoben?
V. Wie kann auch indirekt auf diesem Gebiete gearbeitet werden?

I. Was will dieser Verein?

Wenn ich, um Ihnen dies recht klar zu machen, meine Zuflucht zu einem Beispiel nehme, so bitte ich Sie, die materielle, körperliche Not, die ich Ihnen schildere, in Ihren Gedanken auf das geistige und sittliche Gebiet zu übertragen; Sie werden mich dann schon verstehen.

So folgen Sie mir denn, geehrte Anwesende, auf einige Minuten an eine Stätte, die Sie alle gern aufsuchen, in das Heim einer guten, christlichen Hausfrau und Mutter. Wir treten ein zu vorgeschrittener Vormittagsstunde und finden, was wir erwartet, überall Ordnung, Sauberkeit und trauliche Behaglichkeit. Die Dienstmädchen sind fleißig an der Arbeit, schaffen in diesem geordneten Hauswesen mit Lust und Liebe; – die Kinder sind pünktlich, wohlgepflegt und versorgt zur Schule gegangen; – die Hausfrau hat mit ihrer Arbeit ihren Platz am Fenster aufgesucht. Ihr Blick fällt auf die Straße: Kaltes, unfreundliches Novemberwetter; Schnee und Regen auf dem schmutzigen Pflaster. Und siehe da, gegenüber an der Hausecke steht ein frierendes Kind, ein Mädchen von etwa neun Jahren, schmutzig, elend, hungrig aussehend; die

1 [Bei diesem Text handelt es sich um eine Rede von Frau Neuhaus auf dem 10. Caritastag in Dortmund am 4. 10. 1905.]

Katholischer Fürsorgeverein
für
Mädchen, Frauen und Kinder
Dortmund.

Euer Hochwohlgeboren

erlauben sich die Unterzeichneten beifolgenden Auszug aus den Berichten über die beiden ersten Vereinsjahre des kath. Fürsorge-Vereins für Mädchen, Frauen und Kinder zu überreichen. Wir hoffen, daß bei Durchsicht desselben Ew. Hochwohlgeboren sich der Einsicht nicht verschließen werden, daß ein solches Unternehmen einerseits durchaus notwendig ist, besonders im hiesigen Industriebezirk, wo aus aller Herren Länder die Arbeitsuchenden zusammen strömen, andererseits mit ganz besonders großen Schwierigkeiten und Opfern verbunden ist. Wir haben uns gesagt, daß das größte menschliche Elend — und so darf man die Gefahr körperlich und geistig zu Grunde zu gehen, in der unsere Schutzbefohlenen, Mädchen und Kinder sich befinden, wohl nennen — auch die größte Hülfe erheischt und außergewöhnliche Schritte rechtfertigt.

Wir wenden uns daher an Ew. Hochwohlgeboren mit der ergebenen Bitte, durch eine Gabe für das neue Zufluchtshaus die Durchführung und Vollendung unseres schwierigen Rettungswerkes fördern zu wollen; jede, auch die kleinste Gabe wird von den Unterzeichneten mit herzlichem Dank entgegengenommen.

Dortmund, im Februar 1903.

Katholischer Fürsorgeverein
für Mädchen, Frauen und Kinder.

Im Auftrage:

Sofie, Gräfin **Droste-Vischering**, geb. Gräfin Waldburg-Zeil, Vischering bei Lüdinghausen-Westfalen.	Frau **von Papen-Lohe**, geb. Reichsgräfin von Plettenberg, Haus Lohe bei Werl-Westfalen.
Frau Gerichtsrat **Neuhaus**, Dortmund, Olpe 13.	Frau Justizrat **Reigers**, Werl-Westfalen.

Abb. 3: Bittschreiben aus der Frühzeit des KFV (1903).

Haare hängen naß, zerzaust in das blasse Gesicht hinein, die dünne Kleidung unordentlich und zerrissen; über dem armen Geschöpf liegt der Hauch geistiger und körperlicher Verwahrlosung. Vergeblich sucht es sich gegen das rauhe Wetter zu schützen, und so oft es auch die Vorüberhastenden ansieht, ob sie ihm Hilfe bringen können, sie alle scheinen ihre Schritte zu verdoppeln, um möglichst rasch von dem unangenehmen Anblick befreit zu werden.

Und die christliche, fromme Frau? Sie ist empört! Wie kann ein so schmutziges, verkommenes Wesen es wagen, bis in diese Straße, an diese Häuser heranzukommen, wo nur anständige, wohlhabende Familien wohnen! Mit Schrecken denkt sie daran, daß um diese Stunde die Schule geschlossen wird; wie, wenn jetzt ihre Kinder, die sauberen, wohlgepflegten, die Schmutz und Verkommenheit nicht mal dem Namen nach kennen, heimkehrend, dieses unglückselige, verwahrloste Geschöpf mit eigenen Augen sähen! Sie werden die Mutter mit Forschen und Fragen bestürmen, und sie hat doch so sorgfältig diese ganze Welt des Elendes und des Schmutzes vor ihnen verborgen gehalten.

Aber da naht die Rettung, Gott sei Dank! – Ein Schutzmann kommt über den freien Platz, das Kind sieht ihn, und muß seine Befugnisse schon kennen gelernt haben, denn das blasse, schmutzige Gesicht bekommt einen ängstlichen Ausdruck. Und nicht umsonst! Barsch fährt der Mann das Mädchen an, und treibt es weg aus diesem Stadtviertel, wo ein unausgesprochenes Gesetz der Ruhe, Ordnung und Wohlanständigkeit herrscht, und wo es wahrlich nichts verloren hat. Und kaum sind die beiden in der nächsten Querstraße verschwunden, da stürmen auch schon von der andern Seite die frohen, gesunden, glücklichen Kinder dem Elternhause zu; und sie begreifen nicht recht, warum die Mutter sie heute so besonders bewegt in die Arme schließt; und sie sehen nicht das heiße Dankgebet, das aus ihrem Herzen zum Himmel steigt, dafür, daß es ihr vergönnt ist, ihre Kinder so sorgfältig an Leib und Seele zu pflegen, zu behüten, und alles Häßliche vollständig von ihnen fern zu halten.

Und das kleine, schmutzige Mädchen? – Ein Gefühl von Ruhe und Sicherheit durchströmt bei diesem Gedanken die fromme, feine Frau. Gott sei Dank, daß wir in einem geordneten Staatswesen leben! – Sie weiß, der Schutzmann wird das Kind immer weiter wegtreiben, vom Mittelpunkt der Stadt fort in die Vorstadtviertel, und dann noch weiter in eine entlegene sumpfige Ecke, wo giftiger Hauch die Luft verpestet und wo es schnell zugrunde gehen wird. Die Dame ist nicht unbarmherzig; sie fühlt jetzt, da sie mit ihren Kindern vor dem widerlichen Anblick geschützt ist, wirkliches Mitleid mit dem kleinen Mädchen. Aber warum bleibt es auch nicht zu Hause? Es *braucht* doch nicht fortzulaufen. Freilich, *wir* wissen, daß die brave Mutter tot und der Vater dadurch an den Trunk gekommen ist; aber das kann die Dame nicht wissen. Und wenn auch, jetzt ist es zu spät, und es ist ein Glück, daß wenigstens für Ordnung gesorgt wird! –

Meine geehrten, lieben Damen, warum schildere ich Ihnen eine Szene, die Ihrem warmen Herzen unnötig wehe tut, die unwahr, ja mehr als das, die ganz unmöglich ist?

Glauben Sie *wirklich?*

Ja, unmöglich, wenn es sich um die *materielle* Not eines Kindes handelt, und das ist gewiß gut. Aber bittere und jammervolle *Wirklichkeit,* sobald Sie jetzt die *Übertragung meines Bildes auf das geistig sittliche Gebiet* vernehmen. Hier gehen alljährlich Hunderte und Tausende von armen Mädchen, 16-, 17-, 18jährig und älter und jünger, die *sicher* gerettet werden könnten, viel elender an Leib und Seele zugrunde, *nur* deshalb, weil keine Mutterhand sich ihnen entgegenstreckt, um ihnen zu helfen; weil die Behüteten und Reingebliebenen ihren Anblick, ihre Berührung fliehen, weil man sich Ruhe und Herzensfrieden durch das Kennenlernen trauriger, häßlicher Dinge nicht stören lassen will. Man hat sich in die Überzeugung hineingelebt, daß hier nichts zu machen ist – die Mädchen *brauchen* ja nicht schlecht zu sein – es ist doch ihre eigne Schuld, wenn sie in diese schlimme Lage geraten sind. So sagt man sich, und dabei macht man sich nicht klar – *kann* es auch nicht, wenn man nicht in der Arbeit steht – wie oft das, was uns wie Schuld erscheint, nichts anderes ist, als Not und Unglück in verschiedenster Form. Oft trauriges Erbe, angetreten in frühester Kindheit – sehr häufig Tod der braven Mutter, oder Schlechtigkeit der Eltern, besonders oft unvernünftige Schwäche sonst braver Eltern – Unkenntnis, Gleichgültigkeit, selbst Unbarmherzigkeit der Herrschaften – dann wieder schamlose Verführung der Arglosen, Unbewachten, Alleinstehenden – unbarmherzige Ausbeutung ihrer Notlage. Die wirklich Schuldigen, oft von einer empörenden Schlechtigkeit, die sieht man nicht, die entziehen sich der Beurteilung, leben – korrekt nach außen – oft geachtet und sorglos weiter, und das Opfer all dieser Not und dieser Schuld kann nicht genug verachtet und verurteilt werden. Und wenn bei andern, vielleicht noch unglücklicheren Menschenkindern, *nicht* so sehr fremde Schuld, sondern hauptsächlich eigne traurige Veranlagung der Grund des Falles war: hat das arme Kind sich diese Veranlagung selbst gegeben? Haben *wir uns* die unsere, wenn sie besser ist, selbst gegeben?

Ich will nicht versuchen, die Mädchen von aller Schuld freizusprechen, gewiß nicht; das wäre törichte Sentimentalität und unwahr; ich meine nur, *wir* könnten nicht richten.

Ich durchblättere mein Journal, nur die letzten Wochen:

Ein Mädchen von 18 Jahren, tief gesunken. Brav bis vor Jahresfrist. Durch die Gesindevermittlerin vermietet in eine Wirtschaft in der Nähe der Heimatstadt. Das Mädchen hört von andern, daß die Wirtsleute schlecht wären, bringt den Mietstaler zurück. Die Vermittlerin geht darauf zum Vater, stellt ihm in ihrer Art das Handeln des Mädchens als Unrecht und Eigensinn vor; der Vater zwingt das Mädchen, zuzuziehen. Heute ist das arme Kind sittlich tief gefallen – die Vermittlerin hat ihre Gebühren bekommen.

Eine andere. Uneheliches Kind. Die Mutter war bei ihrer Geburt 17 Jahre alt. Dieselben traurigen Verhältnisse, die schon die Mutter zu Fall gebracht, nehmen nun auch das Kind auf: die Großmutter roh und gleichgültig: viele Kostgänger: beschränkteste Wohnung, so daß die Polizei einschreiten muß. Das Mädchen entwickelt sich intelligent, arbeitsfreudig, aber leichtsinnig, wie ja kaum anders möglich. Die Herrschaft, bei der es dient, zieht in eine süddeutsche Universitätsstadt, will das nun 16jährige, leistungsfähige Mädchen gern mitnehmen. Das ist der Mutter doch zu bedenklich, sie wird aber von der Herrschaft, die alles mögliche verspricht, beruhigt und überredet. In der neuen Heimat dient das Mädchen zusammen mit einer leichtfertigen Köchin; beide bleiben eine Nacht aus dem Hause, weil sie, *spät heimkommend, die Tür geschlossen finden.* Am andern Morgen werden sie von der entrüsteten Herrschaft auf die Straße gesetzt. Das Mädchen kennt nun niemanden als die Köchin, und allenfalls die Genossen der durchschwärmten Nacht. – Nach wenigen Tagen kennt sie viele, und nach weiteren wenigen Tagen wandert sie ins Gefängnis wegen Gewerbslaster, und von da ins Hospital wegen trauriger Krankheit. Nun wendet man sich an die Heimatsbehörde. Ein geistlicher Herr nimmt die Sache in die Hand, läßt sie zurückkommen; die Herrschaft bezahlt keinen Pfennig zu der weiten Reise. Ein Antrag auf Fürsorgeerziehung geht merkwürdigerweise nicht durch, weil Mutter und Stiefvater alle Hebel dagegen in Bewegung setzen und sagen, daß das Mädchen vorher nicht verdorben war, sondern nur durch seine unglückseligen Erlebnisse in der Fremde zu diesem tiefen Fall gekommen. – Nun wohin? – Nach Hause kann sie nicht; die Mutter hat lange geheiratet, es sind viele Kinder da, der Stiefvater ist Trunkenbold, und, wie das Mädchen selbst sagt und andere bestätigen, würde sie bei ihm am meisten gefährdet sein. Darauf hat der oben genannte geistliche Herr sie unserm Fürsorgeverein zugeführt, der nun zuerst für eine Vormünderin gesorgt hat, denn ein Vormund war auch nicht da.

Noch eine, letzte. Die brave Mutter hier in Dortmund vor zwei Jahren gestorben; der Vater läßt die fünf Kinder im Stich und geht in die weite Welt. Sie bekommen einen Vormund, dem eine Dame des Fürsorgevereins nach kurzer Zeit sagt, die Älteste, Fünfzehnjährige, dürfe nicht auf ihrer Pflegestelle bleiben; sie sei dort, besonders auch durch die vielen Kostgänger, sehr gefährdet. Der Vormund erwidert, er habe sich erkundigt, sie sei ganz gut aufgehoben. Nun hätten wir ja beim Vormundschaftsgericht Vorstellungen erheben können; aber das wäre, gegen den gesetzlichen Vertreter, doch schon ein schwieriges Unternehmen gewesen; und selbst für die einfachen Schritte resp. schriftlichen Anträge reichen kaum noch Zeit und Kräfte der Helferinnen; es mußte also unterbleiben. Im Frühjahr dieses Jahres gibt das Mädchen einem Kinde das Leben, das bald darauf stirbt; der Vater ist der zwanzigjährige Sohn der Pflegeeltern. Nun wird der Vormund vom *Gericht* aufgefordert, das Mädchen da fortzunehmen; jetzt kommt er zu uns, wir möchten die Sache in die Hand nehmen. Unsere Ermittelungen ergeben nun ein trostloses Bild, das ich hier nicht schildern kann: das arme Mädchen ist in dem Hause sittlich ruiniert. Lohn hat sie keinen Pfennig bekommen, wohl aber die Sachen der Mutter mit in das Haus gebracht. Und diese Mutter war brav *und ist mit Sorge um ihre Kinder aus dem Leben gegangen.* Die Pflegefrau erklärt uns jetzt, wir könnten machen, was wir wollten, sie gebe das Mädchen nicht heraus, ihr Sohn wolle es heiraten; der Sohn tritt jetzt beim Militär ein. Wir müssen uns nun an das Vormundschaftsgericht wenden und hoffen, mit Hilfe der vom Richter zu beschließenden energischen Maßregeln das Mädchen unter unsere Fürsorge zu bekommen.

Meine Damen, diese Beispiele sind keine Phantasiegebilde wie das erste von dem kleinen Mädchen an der Straßenecke, sondern *Tatsachen,* und, wie gesagt, Fälle der letzten Wochen, und ich könnte von diesen traurigen Erzählungen noch viele, viele aneinanderreihen. Und all solche arme Kinder, und Gott sei's geklagt, wie oft auch *die nur Gefährdeten,* überläßt man ihrem Schicksal und dankt Gott, daß man nichts mit ihnen zu tun hat; jedenfalls fühlt man sich in keiner Weise für sie verantwortlich.

Also keine Hilfe! – Rettungslos verlassen!

Und aus der Verlassenen wird die Verlorene, und diese rächt sich unbewußt. Jede von ihnen zieht viele andere Existenzen mit sich in den Abgrund: ein furchtbares Rechenexempel! *Und ich frage die Wissenden unter den Anwesenden, ob ich übertreibe.*

Hier will nun der Katholische Fürsorgeverein arbeiten. Seine Mitglieder haben die Not sehen und erkennen gelernt, und nun können sie nicht anders mehr, als helfen – und sie sind erstaunt und glücklich, daß *soviel* geholfen werden kann, weit über kühnstes Erwarten hinaus.

Und wodurch?

Durch das *einzige,* was wirken kann, und was dem armen Kinde in unserm Beispiel fehlte: *Wir wollen unsern Schützlingen die Liebe einer Mutter geben,* die ihren Jammer mit ihnen fühlt, oft mehr, als sie selbst – die nicht richtet und nicht verurteilt, sondern die, wenn sie Grund und Ursache des Falles erkannt hat, sich erschüttert und verdemütigt fragt: Womit habe ich das verdient, daß ich so ganz anders erzogen und behütet bin, daß ich meine Kinder so ganz anders erziehen und behüten konnte? – Was sie bisher als etwas Selbstverständliches hingenommen hatte, erkennt sie als das, was es ist: *unverdientes, großes Glück.* Und wie könnte sie dem großen, demütigen Dankgefühl, das nun mächtig in ihre Seele einzieht, besser Ausdruck verleihen, als durch eifrige Rettungsarbeit an ihren weniger glücklichen Mitschwestern!

II. Und nun zur Tat! Wie fange ich meine Hilfsarbeit an?

Die Damen einer neu ins Leben tretenden Ortsgruppe müssen naturgemäß die Mädchen, denen sie Hilfe bringen wollen, *zuerst aufsuchen;* die Mädchen können ja nicht zu ihnen kommen, weil ihre Tätigkeit nicht bekannt ist.

Wo denn suchen?

In den Gefängnissen,
den Entbindungsanstalten,
den Besserungshäusern,
den Asylen für Obdachlose, – und besonders:
in den *Magdalenenstationen der städtischen Hospitäler.*

Nach unsern Erfahrungen ist es nicht ratsam, bei Neugründungen mit dem Einberufen einer großen Werbeversammlung zu beginnen; es hat das manche Nachteile im Gefolge gehabt. *Am besten fängt eine Dame – oder zwei, drei, jedenfalls ganz wenige – in aller Stille an, auf einer dieser Stationen zu arbeiten, und sich langsam und sicher die Wege zu suchen, am zweckmäßigsten* in beständiger Verbindung mit der Zentrale oder einer der Ortsgruppen unseres Verbandes. Dann lernen Neuhinzukommende von den ersten, und so wächst der Verein, *organisch und lebensfähig,* und nimmt eine Tätigkeit nach der andern in sich auf.

Sehr wichtig und wirksam ist das *Zusammenarbeiten mit den Behörden,* den kommunalen wie den staatlichen. Darüber müssen wir uns ja klar sein, daß es notwendig ist, bei all unseren Arbeiten immer auf gesetzlichem Boden zu stehen; das lernt sich aber durch die Praxis. In beständiger Beziehung stehen wir mit *Vormundschaftsgericht, Waisenrat, Armenverwaltung,* und besonders mit der *Sittenpolizei.* Letzterer sind wir hier in Dortmund zu ganz besonderem Dank verpflichtet, und ich benutze mit Freuden die mir gebotene Gelegenheit, um diesem Dankgefühl hier öffentlich Ausdruck zu verleihen. Diese Herren Beamten sind unsere treuen Helfer, und ich kann mich nicht entsinnen, das Bureau jemals mit einer unerfüllten Bitte verlassen zu haben. Es ist dies Entgegenkommen der Sittenpolizei um so erfreulicher, als gerade das

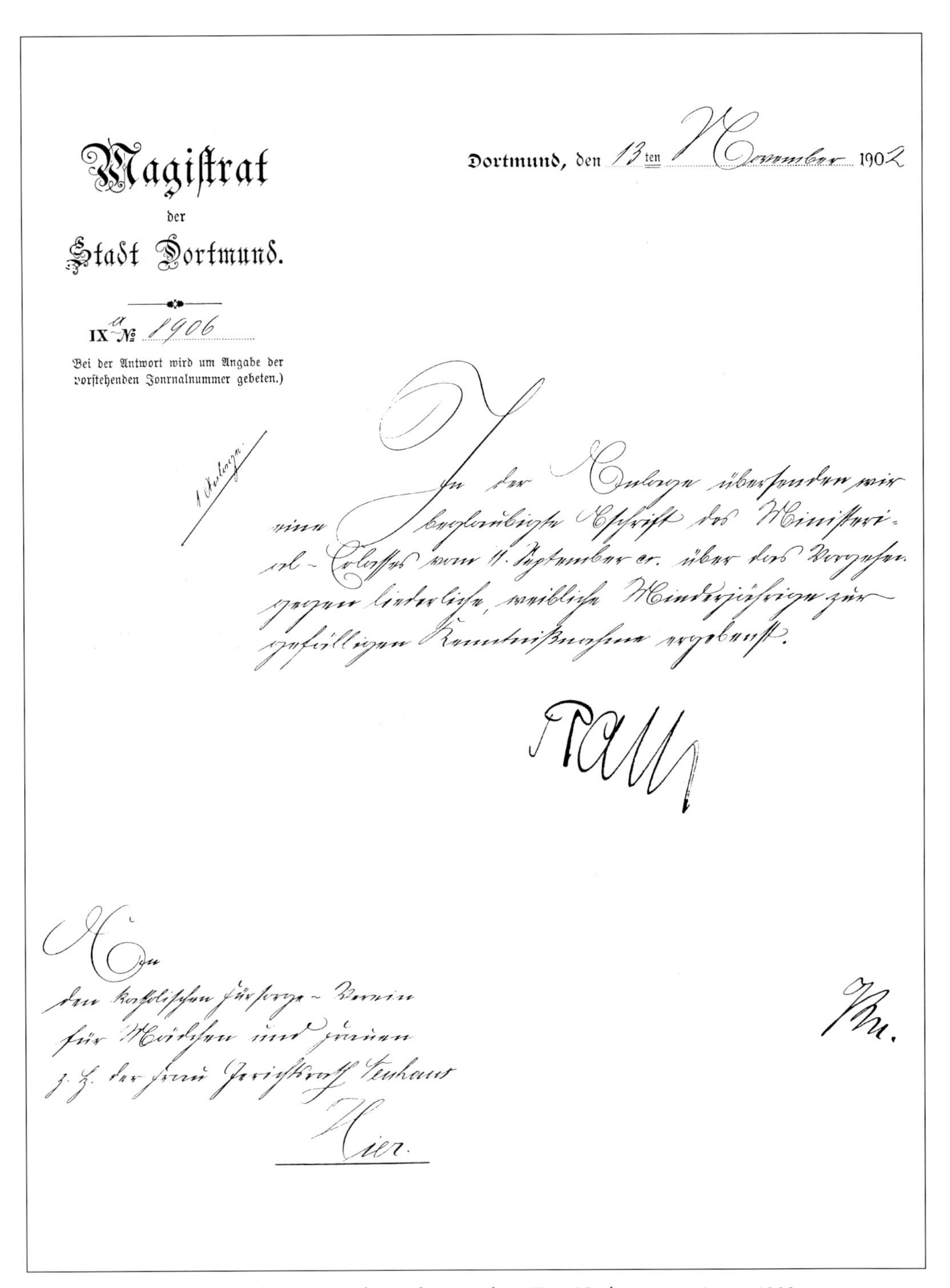

Magistrat
der
Stadt Dortmund.

IX a № 1906

Bei der Antwort wird um Angabe der vorstehenden Journalnummer gebeten.)

Dortmund, den 13ten November 1902

1 Anlage

In der Anlage übersenden wir eine beglaubigte Abschrift des Ministerial-Erlasses vom 11. September cr. über das Vorgehen gegen liederliche, weibliche Minderjährige zur gefälligen Kenntnisnahme ergebenst.

Rath

An den katholischen Fürsorge-Verein für Mädchen und Frauen z. H. der Frau Justizrath Neuhaus

Hier.

Abb. 4: Amtliches Schreiben des Dortmunder Stadtrats Rath an Frau Neuhaus vom 13. 11. 1902.

Zusammenarbeiten mit ihr von der größten Wichtigkeit für die Fürsorgevereine ist. Die Mädchen, besonders minderjährige, die früher nach zwei- oder dreimaligem nächtlichen Aufgegriffensein und fruchtlosen Ermahnen seitens der Polizei – fruchtlos, weil die unglücklichen Geschöpfe ja immer wieder in dieselben Verhältnisse und Versuchungen zurückkamen – oder aus andern Gründen unter die Kontrolle der Sittenpolizei genommen werden mußten, und deren Schicksal damit besiegelt war, werden jetzt dem Fürsorgeverein zugeführt; und die Polizei sieht dann von jeder Überwachung ab, bis wir ein gänzliches Mißlingen unserer Bemühungen mitteilen müssen, *was doch sehr selten vorkommt.* Wie viele Mädchen allein durch dieses *Miteinanderarbeiten von Fürsorgeverein und Sittenpolizei* gerettet werden, mag jeder beurteilen, der solche Verhältnisse kennt. *Der Schutzmann in unserem Anfangsbeispiel hätte das schmutzige, kleine Mädchen auch lieber einer helfenden Dame zugeführt, als es weiter ins Verderben zu treiben – aber er kannte keine.*

Ein Beispiel für diese Zusammenarbeit will ich hier anführen, eines unter vielen, auch aus den letzten Wochen: Die Sittenpolizei bringt uns eine achtundzwanzigjährige Witwe von sympathischem Äußern, einfach und ärmlich, aber mit Geschmack gekleidet. Der Mann war Ingenieur; als er vor drei Jahren starb, lebten zwei kleine Kinder. Früher war die Frau Schneiderin, sie nimmt ihre Arbeit jetzt wieder auf. Sie lebt in einer Großstadt, läßt sich betören, fängt ein Verhältnis mit einem schlechten Menschen an – die Folge ist die Geburt eines Kindes im April dieses Jahres. Nun kommt der gewöhnliche, so oft erlebte Verlauf der Dinge: die Eltern schikken die Entartete fort; sie bezieht ein Dachzimmerchen. Die Kinder gibt sie in Pflege, um arbeiten und Brot verdienen zu können für alle vier. Die Pflegefrau drängt immer um Geld, schreibt gemeine Briefe; nun nimmt sie die Kinder wieder zu sich, bekommt sie körperlich verwahrlost zurück. Wie nun arbeiten, bei drei kleinen Kindern? – Sie wendet sich an die Armenverwaltung um eine Beisteuer, muß angeben, wieviel sie den Tag verdienen kann, sagt möglichst wenig: zwei Mark. Bei solcher Einnahme, fünfzig Mark reines Geld, heißt die Antwort, kann die Armenverwaltung nicht eintreten; den Eltern darf sie nicht kommen. – Nun kommt die Versuchung: Sie fragt eine ihrer Kundinnen, für die sie immer elegante Toiletten arbeitet, wie sie das anfange, und hört nun, wie dumm sie sei, mit den Kindern so zu darben, welche Wege zu mühelosem Erwerb ihr offenstehen. Die Person versorgt ihr Adressen, schreibt für sie Briefe – und eines Tages steht sie in Dortmund im Bureau der Sittenpolizei, bereit, sich unter ihre Aufsicht zu stellen. – Als sie uns zugeführt wurde, bedurfte es nur weniger Worte; all die Not und Sorge und Schuld löste sich in bittern Tränen. Zum Glück arbeitet in der Heimatstadt unser lieber Fürsorgeverein, sonst hätten wir kaum gewußt, was anfangen; ich habe die Arme unserer dortigen Vorsitzenden zugeführt. Gleich nachmittags nahmen die dortigen Damen die Sache in die Hand, und nach drei Tagen teilten sie mir mit, daß alle Angaben der Unglücklichen auf Wahrheit beruht hatten. Sie sei wieder bei ihren alten, braven Eltern, und die Damen hatten ihr, da sie geschickt war, lohnenden Erwerb bei einer ersten Modistin verschafft. Sie selbst schrieb mir voll der innigsten Dankbarkeit: sie würde es uns nie vergessen, daß sie vor einer Verzweiflungstat bewahrt geblieben sei. – Diese Hilfe zur rechten Zeit zu gewähren, war uns nur dadurch möglich, daß im entscheidenden Augenblick die Sittenpolizei uns die Frau zuführte.

Fast ebenso wichtig in bezug auf gemeinsame Arbeit, wie unser Verhältnis zur Sittenpolizei, ist dasjenige zum *Gemeindewaisenrat,* und der Klarheit halber möchte ich diesen Teil unserer Tätigkeit in drei verschiedene Punkte teilen:

1. *Nennung von geeigneten Vormündern* aus den Reihen der *Vereinsdamen.* Es ist dies eine außerordentlich lohnende, weil meist vorbeugende Tätigkeit unseres Vereins. Kürzlich wurden wir um eine Vormünderin gebeten für fünf Schwestern im Alter von 7–16 Jahren, deren Mutter im Irrenhaus und deren Vater wegen Sittlichkeitsverbrechen im Zuchthaus sitzt. Die vorgeschlagene Dame wartete ihre Verpflichtung als Vormünderin gar nicht ab, sondern nahm die Sache für die armen Kinder sofort in die Hand. Die Älteste war schon recht verdorben, mußte zu Schwestern; wir wollen für sie Fürsorgeerziehung beantragen. Die zweite, ein gutes und fähiges Mädchen, ist in die Lehre in ein Kolonialwarengeschäft zu braven Leuten gekommen. Die drei andern Mädchen sind im Waisenhaus und sollen auch in Familien untergebracht werden. Die Verwandten sind überglücklich über die tatkräftige Hilfe, und die Kinder hängen schon jetzt mit der größten Liebe an ihrer neuen Mutter. – Meine Damen, *was würde wohl aus den fünf Mädchen geworden sein, ohne diese, aus der Vereinsarbeit hervorgegangene Mutter?*

2. *Wieder* Nennung von geeigneten Vormündern, aber *im Zusammenhang mit der Generalvormundschaft.* Diese segensreiche Einrichtung arbeitet bekanntlich nach Dortmunder System in *der Weise,* daß sie nicht allgemein den persönlichen Vormund bei unehelichen Kindern ausschaltet, sondern in erster Linie die Erlangung der gesetzlichen Alimente als Ziel hat. Wenn nun gerichtlich oder sonstwie festgestellt ist, daß Alimente nicht zu erzielen sind, *dann* tritt an Stelle der Generalvormundschaft die *Einzelvormundschaft,* und dann übernehmen meist wir bei katholischen unehelichen Kindern die Vormundschaft, auch bei Knaben; und zwar nicht nur wegen der Kinder, sondern auch, um in Verbindung zur Mutter zu treten, die in den meisten Fällen, wo Alimente nicht zu erzielen sind, uns sehr nötig hat. – Wie dankbar *wir* anderseits wieder die Tätigkeit der Generalvormundschaft bei dieser Art unserer Arbeit empfinden, kann ich gar nicht sagen. Die Erwirkung der Alimente für die Kinder ist keine sehr geeignete Arbeit für eine Frau, verlangt auch gar nicht deren Eigenart, sondern wird viel besser durch eine Behörde besorgt. Man kann wohl sagen, daß das Bestehen der Generalvormundschaft in einer größeren Stadt fast eine Vorbedingung bildet für uns Frauen, wenn wir überhaupt Vormundschaften über uneheliche Kinder dort annehmen sollen.

3. Nur kurz will ich erwähnen, daß wir bei unsern Anträgen auf Fürsorgeerziehung in beständigem *persönlichen Verkehr mit den Beamten* des Waisenrats stehen und dadurch sehr viel erreichen. Das unermüdlich freundliche und hilfsbereite Entgegenkommen, das wir hier finden, trägt sehr viel dazu bei, unsere Arbeit erfolgreich zu machen.

Noch eine Behörde muß ich hier nennen, in deren Bereich unsere Tätigkeit immer häufiger hineingreift: die *Provinzialverwaltung* in der Anwendung des Fürsorgegesetzes. Wir suchen auf Verlangen des Landeshauptmanns und der Klöster für die aus den letzteren entlassenen Fürsorgezöglinge gute Dienststellen, und übernehmen dann auch das Amt einer Fürsorgerin. Durch ihre vielen Erfahrungen dürften die Damen des Fürsorgevereins für dieses Amt besonders geeignet sein, was auch unsere bisherigen Erfahrungen bestätigen.

Aber nicht nur den Behörden stehen wir zur Verfügung, sondern auch der *Bahnmission,* die uns ihre Schützlinge zuführt, und vor allem auch den *Klöstern,* die ihre vielen, zur Entlassung kommenden, *nicht* unter dem Fürsorgegesetz stehenden Mädchen an uns empfehlen, damit wir ihnen helfen, das Erworbene zu bewahren. Gerade diese armen Mädchen gingen früher so zahlreich zugrunde, wenn sie schutzlos in die alten, gefährlichen Verhältnisse zurückkehrten.

Nicht ausdrücklich erwähnt habe ich das Zusammenarbeiten mit der hochwürdigen Geistlichkeit, weil es bei unserer Tätigkeit ganz selbstverständlich ist.

Wir haben also im Anfang die Mädchen *aufgesucht* – wir sind dann durch unsere Bemühungen um sie *mit den Behörden in Verbindung getreten,* haben mit den Behörden arbeiten gelernt und dann durch sie wieder Mädchen zugeführt bekommen – *nun* sind wir allmählich bekannt geworden und viele, viele *Hilfesuchende wenden sich nun* täglich *an uns;* und nicht nur die Mädchen selbst, sondern auch *Eltern, Vormünder,* mitleidige *Herrschaften,* gutdenkende *Nachbarn,* vor allem auch die *Behörden,* besonders die *städtischen,* in all den vielen Fällen, wo die Sache für ihre Bureaus noch nicht spruchreif ist. Dieses Stadium unserer Tätigkeit ist um so schöner und lohnender, als sie *früher* einsetzt, ehe das Übel zu weit vorgeschritten ist. *Je länger wir in einer Stadt arbeiten, um so mehr ist der Charakter unserer Arbeit ein vorbeugender, also wirksamerer.* Es kommen sogar Eltern solcher Mädchen, gegen welche noch nicht das geringste vorliegt, und bitten, ihnen für ihre Tochter eine geeignete Stelle zu suchen; weil sie, was leider so manchen Eltern fehlt, wissen, *wie wichtig eine sorgfältige Auswahl* ist und daß *darauf* in unserem Verein der größte Wert gelegt wird. Wie manche brave Mutter, die machtlos gewesen gegenüber den Verführungen schlechter Gesellschaft, in die ihr Kind geraten, hat mir unter bitteren Tränen gesagt: „Hätte ich das eher gewußt, daß einem so geholfen werden könnte, *dann wäre mein Kind nicht so schlecht geworden.*"

Wir stehen nun vor der wichtigen Frage der

III. Unterbringung unserer Schutzbefohlenen.

Hauptsache ist hier zweierlei: *Sorgfältig individualisieren und: Den Blick fest auf das Ziel unserer Arbeit richten, die Mädchen zu Gott zurückzuführen und uns nicht durch scheinbare Vorteile für die Mädchen von diesem Ziele ablenken zu lassen.* –

In Frage kommen hauptsächlich:

Rückkehr in die eigene Familie,

Dienststellen oder sonstige lohnende Anstellungen,

Klösterliche Anstalten der verschiedensten Art,

Fürsorgeerziehung.

Im Anfangsstadium der Vereinstätigkeit stehen die *Klöster* als Unterbringungsort im Vordergrunde, denn für die meisten der in Gefängnis und Magdalenenstation Aufgesuchten gibt es zunächst keine andere Rettung, und wir können immer wieder nur mit der größten Hochachtung der segensreichen Arbeit gedenken, die die Klöster fortwährend auf diesem Gebiete leisten. Ohne ihre unermüdliche und aufopfernde Tätigkeit, die nicht von sich reden macht,

Dortmund, im November 1903.

P. P.

Wir beehren uns, Ihnen ergebenst mitzuteilen, dass wir mit dem im Nordosten der Stadt gegründeten **Vincenzheim und Waisenhause** eine

verbunden haben, in welcher unter Leitung barmherziger Schwestern **Hôtel- und Haushaltungswäsche** jeglicher Art besorgt werden soll. Durch die Anstalt soll einerseits für die Zöglinge des Hauses Arbeitsgelegenheit geschaffen und andererseits sollen durch dieselbe die Mittel zur Unterhaltung der armen Waisenkinder und der sonstigen Pflegebefohlenen aufgebracht werden. Wir bitten Sie, unser Unternehmen durch Zuwendung von Wäsche unterstützen zu wollen und sichern Ihnen sorgfältigste und billigste Bedienung zu. Die Abholung und Zustellung der Wäsche erfolgt durch die Anstalt. Aufträge erbitten wir uns durch Postkarte zukommen zu lassen.

Die Oberin.

I. A. des Kuratoriums des Hauses:
Frau Amtsgerichtsrat Neuhaus.

NB. Bei grösseren Aufträgen, insbesondere für Hotels und Restaurationen, gewähren wir Vorzugspreise.

Abb. 5: Gedrucktes Werbeschreiben für die „Dampf-Waschanstalt" des vereinseigenen Vinzenzheims von 1903.

weil sie sich hinter stillen Klostermauern vollzieht, wäre *unsere* Tätigkeit lahmgelegt; *sie sind unsere gegebenen Bundesgenossen, wie wir die ihren.*[2]

Aber wenn die *Vereinstätigkeit fortschreitet* und *bekannt wird,* wenn, wie eben gesagt, Eltern etc. sich rechtzeitig an uns wenden, dann sind die Mädchen, die man uns zuführt, mehr und mehr *solche, bei denen nur ein Wechsel des Aufenthaltes – die gesunde Luft eines christlichen Hauses – die leitende Hand einer vernünftigen Hausfrau erforderlich ist,* und diese bringen wir in guten *Dienststellen* unter, mit vielem Erfolg.

Bis wir aber selbst wissen, was das Richtige ist, bis Eltern und Vormund gefragt, Kleider und Papiere besorgt sind, und vor allem, bis die passende Dienststelle gefunden ist, kurz: zur sofortigen Aufnahme von der Straße weg, dienen die *Zufluchtshäuser der Fürsorgevereine,* und die sind unsere Freude und unser Stolz, wahre Hochburgen gegen Verfolgung, Ausbeutung unserer Schützlinge. Man macht sich keinen Begriff davon, wie sehr man sie auch hier noch gegen freche Eindringlinge schützen muß, von denen sie selbst gar nichts mehr wissen wollen. Hier sind sie zunächst geborgen in den Händen opferfreudiger Schwestern, die keine Mühe scheuen, ihnen in jeder Weise zu helfen, geschützt auch – vor der eignen Schwäche. Die Zufluchtshäuser stehen augenblicklich für unsern Verein im Vordergrunde des Interesses, und über sie möchte ich einige Worte sagen.

2 [Intern übte Agnes Neuhaus jedoch auch deutliche Kritik an der klösterlichen Erziehungspraxis; Belege bei Wollasch, Fürsorgeverein, 370 Anm. 58.]

Ein solches Haus war schon *vor* dem Fürsorgeverein da: *das Agnesstift, jetzt Antoniusstift in Bonn,* geleitet von den Aachener Franziskanerinnen, wo unsere liebe, verehrte Mutter Simon Petra mit unserer jetzigen Kölner Vorsitzenden jahrelang in aller Stille der treuesten Rettungs- und Fürsorgearbeit oblag, ehe noch irgend jemand an einen Fürsorgeverein dachte. Aber auch hier konnten nicht *die* Mädchen bleiben, die vor der Geburt eines Kindes standen, oder die mit ihrem Kinde auf dem Arm Unterkommen suchten. *Häuser, von Ordensfrauen geleitet, in denen keine Hilfesuchende zurückgewiesen wird, welcher Art immer sie sei* – also auch nicht die eben genannten Mädchen – sind erst aus der Arbeit des Fürsorgevereins hervorgegangen. Es war ein entscheidender Tag für uns, als unser hochwürdigster Herr Bischof gelegentlich einer Audienz in Paderborn uns nicht nur erlaubte, Ordensschwestern für diese Aufgabe in unser Haus zu bitten, sondern uns auch seine vollste Übereinstimmigkeit mit unserer Tätigkeit aussprach. Von diesem Tage an datiert eine *neue Epoche* in unserer Rettungsarbeit; es war das entmutigende Gefühl, vor etwas Undurchführbarem zu stehen, von uns genommen; wir setzten mit neuer Begeisterung unsere Arbeit fort, und das Gefühl tiefster Dankbarkeit gegen unsern gütigen Oberhirten ist seitdem nicht wieder aus unserm Herzen geschwunden.

Drei solche Zufluchtshäuser sind inzwischen entstanden: *das Vinzenzheim in Dortmund, das Antoniusstift in Münster* und das *Josephshaus in Köln-Bayenthal,* und in allen dreien fühlen die Mädchen sich glücklich und zufrieden. Auf die Dauer werden wir aber, so Gott will, noch viele dazubekommen; *sie sind ebenso nötig wie Krankenhäuser und Waisenhäuser.* Und auch schon deshalb ist ihre Errichtung an *vielen* Orten wünschenswert, um der Anhäufung von Hilfesuchenden in *einzelnen wenigen* Städten vorzubeugen, was im Interesse der betreffenden Kommunalverwaltungen nach Möglichkeit vermieden werden muß. Sind diese Häuser aber erst in genügender Anzahl vorhanden, so bilden sie für eben jene Verwaltungen eine schätzenswerte Hilfe und Erleichterung. Die Fürsorgevereine einer *jeden* größeren Stadt *müssen* auf die Dauer eine solche Zufluchtsstätte haben, können ohne sie gar nicht weiterarbeiten. Denn wohin jetzt mit diesen armen Mädchen, die Sittenpolizei und Waisenrat uns unerwartet schicken – welche die Bahnmission uns ins Haus bringt, weil sie ohne Stelle und Obdach sind – oder die aus irgend einem Grunde schutzlos auf der Straße stehen und uns um Hilfe bitten? Ich habe schon an anderer Stelle gesagt, daß es vielleicht eine der wichtigsten

Abb. 6: St. Josefshaus in Köln-Bayenthal – Heim für Mütter vor und nach der Entbindung sowie für Säuglinge.

Abb. 7: Augustinusheim in Freiburg.

Errungenschaften des Fürsorgevereins ist, aus der Praxis erkannt zu haben, wie viele Mädchen an Leib und Seele zugrunde gehen, nur deshalb, weil sie *für heute Abend* kein schützendes Dach über ihrem Haupte haben.

Unser Haus in Dortmund wird von Vinzentinerinnen geleitet, das in Köln von Augustinerinnen und das in Münster von den Töchtern vom heiligen Kreuz. Die Generaloberin der letzteren, die im vorigen Sommer das Haus besuchte, hat sich gegenüber der Vorsitzenden unserer dortigen Ortsgruppe ganz begeistert über das Zusammenarbeiten des Vereins mit den Schwestern geäußert. Sie meinte, es sei ja klar, daß beide auf ihre Weise viel Gutes tun könnten; aber gerade das innige, aufrichtige *Zusammenarbeiten, Ineinandergreifen von Schwestern im Kloster und religiösen Frauen in der Welt würde in jetziger Zeit Erfolge hervorbringen, die auf andere Art nicht zu erzielen wären;* es sei das nach ihrer Ansicht die Blüte der katholischen Charitas. Diese Ansicht ist auch die unsere, und es ist *eine ernste Pflicht* der Fürsorgevereine, bei Gründung ihrer Zufluchtshäuser sich zu vergewissern, daß die Orden, an die man sich zwecks Übernahme wendet, auch diese Auffassung teilen.

Wenn wir unsere Schützlinge aufsuchen, oder sie zu uns kommen, so ist es unsere Hauptaufgabe, ihr Vertrauen zu gewinnen, ihnen die Überzeugung beizubringen: „*Die* wird mir helfen wie eine Mutter.“ Nur *das* wirkt; lange Predigten nützen nichts. Bringen wir nun solch ein Mädchen ins Zufluchtshaus, so lebt es dort unter der treuen Obhut der Schwestern ohne jede Gefahr. Dieser Aufenthalt ist aber nur ein vorübergehender, und *die Gefahr setzt wieder ein, wenn sie das Haus verläßt.* Dann kann die *Schwester* ihr nicht folgen, und in diesem kritischen Zeitpunkt kommt alles darauf an, *ob sie die Bemühungen der Vereinsmutter, ihr in der Welt voranzuhelfen, als Wohltat empfindet oder als Zwang;* und das hängt allein ab von dem *Grade ihres Vertrauens zu ihrer Vereinsmutter.* Hieraus ergibt sich eine Hauptaufgabe der Schwester: das anfänglich von der Vereinsdame gewonnene Vertrauen des Mädchens zu hegen und zu pflegen, und zu diesem Zweck den unbehinderten Verkehr zwischen beiden im Zufluchtshause nach Kräften zu unterstützen und zu fördern. *Denn ist dieses Vertrauensverhältnis einmal unterbrochen, so hat man es nicht in der Hand, es zu einem beliebigen Zeitpunkt wieder anzuknüpfen.* Darum ist ein aufrichtiges Ineinanderarbeiten von Schwestern und Damen so notwendig; und je mehr unsere Arbeit bekannt wird, desto mehr wird man sich auch überall von der innern Berechtigung dieses Verlangens überzeugen. Man kann sich, nach meiner Ansicht, über die Tragweite desselben kaum ein Urteil bilden, wenn man nicht selbst auf diesem Gebiete praktisch tätig ist.

Wenn wir nun einen Rückblick auf das Gesagte werfen, so sehen wir auf der einen Seite eine Fülle von sittlicher Not, die täglich zu wachsen scheint, und auf der andern Seite auch eine Menge von Hilfsmitteln, geistige und weltliche – *dazwischen oft eine große Lücke.* Das ist nun die segensreiche Arbeit der Fürsorgevereine, überall *diese Lücke auszufüllen,* überall eine *Verbindung* zu schaffen zwischen Krankheit und Heilmittel.

Der Vormundschaftsrichter z.B. arbeitet nur entscheidend, nicht *anregend;* und selbst die kommunalen Behörden sind in vielen Fällen auf diese Anregungen angewiesen. *Wenn unser Verein nur als Antragsteller tätig wäre, so hätte er schon eine große Bedeutung.* Mitglied des Fürsorgevereins zu sein, bedeutet für eine Frau das Tragen einer geistigen Krone, denn es berechtigt sie, überall zu helfen und für ihren Schützling einzutreten. Wenn ich als Privatperson auf dem Gericht, in den Bureaus der kommunalen Behörden, oder wo immer sonst, mich für ein Mädchen verwenden will, so werde ich mit Recht erstaunt angesehen und vielleicht auch gefragt werden, was mich die Sache denn angeht. Komme ich aber als Mitglied des Fürsorgevereins, dann bin ich *legitimiert* und kann in den meisten Fällen auf ein freundliches Entgegenkommen, Hilfsbereitschaft und, was die Hauptsache ist, auf Erfolg rechnen.

Nun sollte man sagen, ein so notwendiger und segensreicher Verein, der so sehr dem Bedürfnis unserer Zeit entgegenkommt, würde sich, einmal bekannt geworden, mit Sturmeseile die Lande erobern. – Ja, das würde er, wenn nicht *ein* Hindernis wäre, das einzige, das wir kennen:

IV. Mangel an Persönlichkeiten, die helfen wollen.

Die verschiedensten Gründe werden gegen die Arbeit auf diesem Gebiete ins Feld geführt; zum Teil habe ich sie ja schon gestreift.

„Man will von solch häßlichen Sachen nichts hören." – Einmal könnte ich darauf erwidern, daß man in der Lektüre, im Theater oft gar nicht so ängstlich ist, oft weniger ängstlich als manche Dame des Fürsorgevereins. Und dann vor allen Dingen: das ist doch nur ein Übergang, wie ihn jeder junge Mediziner, jede Krankenpflegerin durchmachen muß, die zuerst vor Blut und Wunden zurückbeben, und nachher, im Drange zu helfen, nichts mehr davon sehen.

„Ja, das ist es ja eben," sagt eine andere, „ich *will* mich nicht daran gewöhnen; man verliert ja schließlich die Scheu vor der Sünde." O nein, meine Damen, im Gegenteil, man lernt sie gründlich verabscheuen; denn wir arbeiten nicht bei künstlicher Beleuchtung, sondern im ruhigen, klaren Lichte der Wahrheit; und da verliert die Sünde ihre Schminke, ihren falschen Schmuck und all ihre interessanten Allüren. Da liegt sie vor uns in ihrer ganzen nüchternen Häßlichkeit, und es bedarf des lebendigen Glaubens, um den stets wachsenden Abscheu vor der Sünde mit dem stets wachsenden Verständnis für ihre unglücklichen Trägerinnen unlöslich miteinander zu verbinden. Glauben Sie mir, das Urteil über „Gut und Böse" wird in ganz besonderer Weise geklärt durch diese Arbeit. Sie hält auch den Kopf kühl und das Herz fest gegenüber den fließenden Begriffen unserer heutigen Zeit. Sie bestätigt uns täglich, oft in ergreifender Weise, die Richtigkeit und Wahrheit dessen, was unser heiliger Glaube uns lehrt.

Eine dritte Dame „hat keine Zeit“, und für manche ist das ja sicher zutreffend. Aber viele würden sich doch wundern, wieviel Zeit sie haben, wenn sie es nur mal versuchten. Bei dieser ernsten, schönen, tiefgeistigen Arbeit *fällt so manches Kleinliche von uns ab,* was uns früher unverhältnismäßig quälte und zurückhielt; das Auge bekommt einen andern, richtigeren Maßstab für geistige Größenverhältnisse; das Herz wird weit, gewinnt Platz für die große Not anderer, und die eignen kleinen Miseren verlieren an Bedeutung, Gott sei Dank. Manche Damen haben mir schon gesagt: Ich bin gesunder und fühle mich jünger, seitdem ich im Fürsorgeverein arbeite, und das ist psychologisch sehr wohl zu erklären.

Und dann wieder sollen wir an Weiblichkeit verlieren. – Diesen Einwurf verstehe ich am allerwenigsten. Diese Arbeit verlangt und *übt* gerade das beste, was Gott in das Frauenherz hineingelegt hat, Opferfreudigkeit, selbstlose Hilfsbereitschaft, mit einem Worte: *Mütterlichkeit im weitesten Sinne und in des Wortes schönster und geistigster Bedeutung.* Die Schwestern draußen *ruhig elend zugrunde gehen lassen,* um nur nicht durch Kennenlernen der Häßlichkeit das eigene, noch so berechtigte Schönheitsgefühl zu verletzen, das ist doch *keine Weiblichkeit,* das ist doch unbewußter *Egoismus.* Und wie ganz anders werden wir unsere Kinder erziehen, wenn unser Blick durch die Erfahrung geschärft, unser geistiger Horizont durch die Kenntnis des Lebens erweitert ist! Kann die Mutter den Sohn ruhiger aus dem Elternhause ziehen lassen, wenn sie in der Erziehung die Augen ängstlich vor allem Häßlichen außerhalb des Hauses geschlossen gehalten hat, oder wenn sie ihm mit der Herzensüberzeugung, die die Erfahrung gibt, Ehrfurcht vor der Jungfräulichkeit auch des ärmsten Mädchens gelehrt hat?

Es ist vielleicht nicht jede zu *direkter* Tätigkeit auf diesem Gebiete berufen, aber es gibt eine indirekte, die ebenso wichtig ist, die *vorbeugende.* Es ist unserer unwürdig, gedankenlos täglich neue Fälle an uns herantreten zu sehen, einer trauriger und trostloser als der andere, ohne uns zu fragen:

V. Wo und welches sind die Quellen, wie können wir sie stopfen?

Lassen Sie mich kurz zwei Mittel nennen:

1. *Lebenskräftige, tätige Vereine* einführen, die rechtzeitig wirken, und den Fürsorgeverein für ihre Schützlinge überflüssig machen.

Ich nenne zunächst den so notwendigen *Marianischen Mädchenschutzverein,* der, soviel ich weiß, in unserer Diözese überhaupt noch nicht Fuß gefaßt hat und der sich *besonders der schulentlassenen weiblichen Jugend* anzunehmen hätte.

Dann haben wir in Dortmund Hunderte von katholischen *Fabrikarbeiterinnen,* aber keinerlei Veranstaltung, ihren Stand und ihre Persönlichkeit zu heben; sollen die meisten von ihnen nachher vom Fürsorgeverein übernommen werden?

Mädchenhorte fehlen uns fast ganz; durch sie könnte schon in der Schule *der Verwahrlosung vorgebeugt,* und vor allem seitens der Damen *rechtzeitig Fühlung mit den Eltern* gesucht werden.

Sie fragen entsetzt: „Doch keine neuen Vereine?" – Das ist mir einerlei, wie Sie die Sache nennen wollen, *wenn nur die Arbeit organisiert, d. h. Arbeitsteilung erzielt wird, und zwar so, daß jede das ihr Zuträgliche finden kann.* Denn arbeiten für andere wollen wir ja alle.

2. Noch eine segensreiche Tätigkeit möchte ich Ihnen so recht ans Herz legen, vorbeugend und rettend zugleich, die gerade für das Frauengemüt so gut paßt und die jede üben kann, auch diejenige, die eine unüberwindliche Abneigung gegen Vereinstätigkeit hat: Ich meine *Übernahme von Vormundschaften in weitesten Frauenkreisen.*

Nicht wahr, meine Damen, die Zeit ist nun nahe, *da keine Waise mehr daran zugrunde geht, daß sich keine Mutter um sie kümmern will.* Was kann denn ein Vormund, der vom Morgen bis zum Abend seinem Geschäft nachgehen muß, für ein sechzehnjähriges Mädchen tun? Wie kann er Sorge tragen für all die kleinen Einzelheiten, die dem Kinde doch wichtig sind? Und wie leicht kann eine Frau solch ein junges Herz durch ein Geringes an sich ziehen und sein Vertrauen gewinnen. Wenn Stellen zu suchen und Wege zum Gericht zu machen sind, *steht der Verein ja hinter Ihnen* mit Rat und Tat. Aber bald finden Sie die Wege allein, und mit den Sorgen einer Mutter haben Sie ja nun auch *die Rechte* einer Mutter übernommen und können mit Gottes Hilfe ein braves Mädchen aus Ihrem Mündel machen.

Und wieviele andere indirekte Hilfe brauchen wir noch, vor allem solche, die unsere auf dem eigentlichen Tätigkeitsgebiet überarbeiteten Persönlichkeiten in wirksamster Weise entlasten würden. Es fehlen z. B. eine oder mehrere *Schaffnerinnen, die sich um die Kleiderfrage bemühten;* denn oft haben unsere Schutzbefohlenen fast nichts; manchmal ist das der einzige Grund, weshalb sie keine ordentliche Stelle annehmen konnten.

Dann *gute, christliche Hausfrauen,* die Verständnis für dies Liebeswerk haben und an den von uns übernommenen Mädchen Hand in Hand mit uns arbeiten!

Echte, brave Dienstmädchen, die sich hilfsbereit ihrer Schwestern annehmen und die noch schwankenden Schritte der eben Genesenen stützen. Selbstverständlich bittet man für dieses Amt keine jungen, selbst noch unerfahrenen Kinder; aber ein gefestigtes, religiöses Mädchen ist für uns eine unschätzbare Hilfe, erreicht oft viel mehr als eine Vereinsdame, und kann wahrhaft apostolisch wirken. Und wir haben erfahren, daß sie, wie alle, die an diesem Liebeswerk arbeiten, für sich selbst den größten Segen davontrugen.

Wir brauchen ferner die *seeleneifrige Lehrerin.* Sie ist kein Neuling auf dem Gebiete der sozialen Arbeit, kennt ihre frühere Schülerin, oft auch die häuslichen Verhältnisse; sie lernt leichter die nötigen schriftlichen Arbeiten selbst machen, ein wahrer Segen für den oft sehr überlasteten Vereinsvorstand.

Aber nicht allein die Frauen im Weltleben, sondern ganz besonders auch die *Klosterfrauen* rufen wir zu unserer Hilfe, fast alle, besonders die in *Krankenhäusern, Waisenhäusern, Heimen etc.* tätig sind. Oft brauchen wir Rat und Auskunft, oft *ein Plätzchen im Hause* für kurze Zeit, und an wen könnten wir uns mit mehr Vertrauen wenden, als an die Seelen, die in ganz besonderer Weise dem Gott der Barmherzigkeit dienen. Es ist mir unmöglich, an dieser Stelle all die Liebe und Güte unerwähnt zu lassen, die unser Dortmunder Verein in den ersten Jahren seines Bestehens durch die Oberin des hiesigen St.Johannes-Hospitals erfahren hat. Ihrer hochherzigen Bereitwilligkeit, mit der sie 12, 14 und noch mehr von unsern Schützlingen *gleich-*

Herr, wenn ich mich suche,
demütige mich.

Herr, wenn ich dich suche,
segne mich.

Patrone unseres Vereins:

Jesus, der gute Hirt
Maria, die jungfräuliche Mutter
Hl. Josef
Hl. Maria Magdalena
Hl. Erzengel Michael, der Führer im Kampf.

Gemeinschaftliche hl. Kommunion des Gesamtvereins:

Gründonnerstag
Herz-Jesu-Fest
Fest der Unbefleckten Empfängnis

Steinle inv.

Quod perierat, requiram.
Ezech XXXIV. 16.

Gebete

für die
Mitglieder des Katholischen Fürsorgevereins
für Mädchen, Frauen und Kinder.

Komm Hl. Geist, erfülle die Herzen Deiner Gläubigen und entzünde in ihnen das Feuer Deiner göttlichen Liebe! Der Du die Völker aller Zungen in der Einheit des Glaubens versammelt hast.

Sende aus Deinen Geist und alles wird neu geschaffen,
Und Du wirst das Antlitz der Erde erneuern.

O Gott, der Du die Herzen der Gläubigen durch die Erleuchtung des Hl. Geistes gelehrt hast, gib, daß wir in demselben Geist das was recht ist verstehen und seines Trostes uns allezeit erfreuen mögen durch Christum unsern Herrn. Amen.

Jesus, Du guter Hirt, unser Erlöser, durch Deine Liebe zu uns Sündern segne unser Wirken, daß es nach Deines Herzens Wohlgefaller segne unsere Schutzbefohlenen und auch un...

Herr, himmlischer Vater, an jenem großen Tage des Gerichtes laß uns alle vereint zur R...en Deines Sohnes stehn, damit wir zu... ...en in alle Ewigkeit Dich loben und Dir danken mögen durch Jesum Christum, unsern Herrn. Amen.

Maria, Du jungfräuliche Mutter, hilf uns, schütze uns, bitte für uns, jetzt und in der Stunde unseres Todes.

Heiliger Josef, Du treuer Hüter des Hauses von Nazareth, sei auch Helfer und Schützer in unsern Zufluchtshäusern und Vereinen. Erwirke und erhalte uns den guten Geist, schütze uns vor hemmenden Sorgen und segne unsere Zusammenarbeit, segne unser Gebet und unsere Arbeit.

Hl. Maria Magdalena, die Du vom göttlichen Heilande selbst zu seiner Liebe zurückgeführt worden bist, bitte für uns.

Hl. Erzengel Michael, führe uns im Streite; gegen die Bosheit und Arglist des Teufels sei unsere Schutzwehr. — „Gott gebiete ihm," so flehen wir demütig, und Du, Fürst der himmlischen Heerscharen, stürze den Satan und alle die bösen Geister, die zur Verführung der Seelen die Welt durchziehen, durch die Kraft Gottes hinab in die Hölle. Amen.

Mit bischöflicher Approbation.

Abb. 8: Gedruckte Fassung der Vereinsgebete mit einem Bild des Guten Hirten von Edward von Steinle (Ezechiel 34,16: „Das Verirrte werde ich suchen ...").

zeitig Obdach in ihrem Hause gewährt hat, haben wir es zu verdanken, daß der Verein nicht zugrunde ging, sondern lebensfähig blieb bis zur Eröffnung des Vinzenzheims; wir werden es ihr und ihrem Orden nie vergessen.

Und nun zum Schluß fragen wir uns: Woher nehmen wir für unsere schöne, ernste Arbeit Kraft, Mut und *ganz besonders Ausdauer?* – Es mag ja einzelnen dahin veranlagten Persönlichkeiten dieses alles natürlich sein, aber wir *alle* wollen doch ernstlich arbeiten und unserer ersten Arbeit treu bleiben, auch dann, wenn es mal schwer wird, und in Zeiten, wo der Gedanke: „Du hast dir doch eigentlich etwas recht Lästiges aufgeladen", immer hartnäckig wiederkehrt.

Geehrte Anwesende, wir sind Kinder der katholischen Kirche! In ihr pulsiert in besonderer Weise das Herz unseres Erlösers im allerheiligsten Sakrament, jene unversiegbare Quelle der barmherzigen Liebe für alle Menschen, diese weite Zufluchtsstätte für die ganze Welt! Hier finden wir, was uns fehlt; hier schöpfen wir täglich neue Kraft, und immer junge Begeisterung. Es ist ja *seine* Sache, die wir vertreten, denn er hat gesagt, daß er gekommen ist zu suchen und selig zu machen, was verloren ist.[3] Und wenn wir das Glück haben, bei Erfüllung dieser göttlichen Aufgabe Werkzeuge seiner Gnade sein zu dürfen, wie könnten wir da verzagen? – Lassen Sie uns denn Hand anlegen, jeder in seiner Weise; lassen Sie uns Helferinnen werben und Kenntnis und Verständnis für unsere heilige Sache in immer weitere Kreise tragen. Wir arbeiten ja im Dienste unserer heiligen Kirche zum Wohle der Menschheit.

Welch herrliche Frauenbewegung wird das sein, die so *vielen* armen Verlassenen eine Mutter bringt!

Aus: Charitas 11 (1905/06), 129–140.

---

3 [Vgl. Lk 19,10.]

Agnes Neuhaus

Aus der Geschichte des Vereins

Bischöfliche Gnaden!
Meine Damen und Herren![1]

Der Wortlaut meines Themas: „Aus der Geschichte des Vereins" sagt schon, daß ich nicht mit einer gewissen Vollständigkeit und in streng chronologisch geordneter Reihenfolge die Ereignisse der jetzt hinter uns liegenden 25 Jahre an uns vorüberziehen lassen will, sondern daß es meine Aufgabe ist, besonders bemerkenswerte Ereignisse, Gesichtspunkte, Wendungen, die in der Entstehung, in der Entwicklung für die Richtung des Vereins von entscheidendem Einfluß waren, heute, in dieser Feierstunde uns vor Augen zu führen.

In diesem Sinne möchte ich 5 Punkte besonders behandeln:

1. Die Entstehung des Vereins.
2. Bedeutsame und für die Entwicklung des Vereins mitentscheidende Momente aus den ersten Jahren.
3. Entwicklung der Organisationsform.
4. Zufluchtshäuser.
5. Jetziger Stand der Arbeit.

Ich beginne also mit der Entstehung des Vereins. Ich sage absichtlich nicht Gründung, sondern Entstehung, Anfang. Ich kann mit dem besten Willen in der Entstehung dieses Vereins nichts anderes sehen, als das Walten der göttlichen Vorsehung. Zum Gründen eines Vereins gehört doch das Erkennen einer Notwendigkeit oder wenigstens ein Vorsatz, ein Wille, zu gründen, gehört planvolles Vorgehen, Beratungen mit anderen über die zu ergreifenden Wege usw. Bei uns nichts von alledem: wir waren in voller Arbeit und zwar auf dem denkbar sichersten Weg zum Ziel, ohne den Weg zu übersehen und das Ziel zu kennen.

Der Hergang ist folgender: Im Jahre 1897 kam ein neuer Stadtrat nach Dortmund als Dezernent für Armenverwaltung und Gemeindewaisenrat. Er war sehr modern eingestellt und übernahm es sehr bald – wenn nicht als Erster in Preußen, so doch sicher als einer der Ersten – die Frau offiziell in die öffentliche Armenpflege einzuführen. Das war vor jetzt 27 Jahren. Er dachte sich das aber nicht so, daß Frauen nun an den alle 14 Tage, gewöhnlich abends im Wirtshaus stattfindenden Bezirksversammlungen der Männer teilnehmen sollten, sondern er wollte aus der Gesamtheit der Fälle diejenigen aussuchen, die der Hülfe einer Frau besonders bedurften, um diese dann von Frauen, unter seiner persönlichen Leitung behandeln zu lassen.

In der ersten Versammlung der zur Mitarbeit bereiten Frauen wurde mir die Sorge für eine Witwe zugeteilt und mir gesagt, die Frau wäre im städtischen Krankenhaus. Ich suchte und fand sie dort – auf der syphilitischen Station, von deren Existenz ich bis dahin keine Ahnung hatte. Ich fand dort aber nicht nur diese Frau, sondern junge Mädchen von 17, 18 Jahren, auch jüngere und ältere, welche, durch ihr unsittliches Leben krank geworden, von der Polizei dort eingeliefert waren. Was Sittenpolizei und Reglementierung bedeutet, wußte ich nicht, ich hatte von diesen traurigen Dingen nie gehört, man sprach damals nicht so viel davon wie heute; aber das fühlte ich tief, daß Frauenhilfe hier dringend nötig war. [...]

1 [Eröffnungsreferat von Agnes Neuhaus zur silbernen Jubiläumsfeier des Fürsorgevereins vom 22. bis 24. 9. 1925 in Dortmund.]

Lassen Sie mich nun auf das Gesagte kurz zurückschauen. Wir wurden, ganz ohne irgend eines Menschen Plan und Hilfe, für unsere Rettungsarbeit auf diese Station geführt, wo ganz unerwartet die der Hilfe Bedürftigsten vor uns standen. Wir hätten, wenn wir das Arbeitsfeld in seiner ganzen Ausdehnung überschaut hätten, unmöglich einen geeigneteren Angriffspunkt für diese Arbeit finden können, und in der Tat haben wir später, als wir die Arbeit kannten, bei Neugründungen, *nun bewußt,* immer auf dieser Station angefangen. Die Mädchen sind dort unter Dach und Fach, meist wochenlang; man kann in dieser Zeit die meist recht umfangreiche Vorarbeit – Ermittlungen, Aufsuchen der Kleider und Papiere, Unterbringungsmöglichkeiten, Schritte bei den Behörden usw. – in aller Ruhe ausführen, sodaß für ein Mädchen, wenn es die Station verläßt, die Wege geebnet sind und es unmittelbar seinem Bestimmungsort zugeführt werden kann. Man braucht also für die Arbeit auf *dieser* Station kaum ein Zufluchtshaus oder ein Vorasyl, dessen Beschaffung gleich im Anfang oft fast unmöglich ist und jedenfalls dann eine Menge von Kraft und Zeit absorbieren würde, die man nun uneingeschränkt in den Dienst der noch neuen und ungewohnten Arbeit stellen kann. Man vergleiche damit die Hilfsarbeit in einer Entbindungsanstalt, wo am zehnten Tage, oft noch früher, Mutter und Kind entlassen, Mutter und Kind untergebracht werden müssen. Hätten wir also an einer solchen Stelle angefangen, so würden wir, schon gleich für den Anfang, vor fast unlösbaren Schwierigkeiten gestanden haben. Ich könnte noch verschiedene andere Gründe anführen, die für einen Anfang auf dieser Station sprechen, aber ich brauche nur noch einen und zwar den ausschlaggebenden, zu nennen, folgenden: Durch die Arbeit an dieser Stelle kommt man am einfachsten, am sichersten und wirkungsvollsten an die Zusammenarbeit mit der Sittenpolizei und damit an die Stelle, wo unsere Arbeit am nötigsten ist. Die Polizei hat ja die Mädchen ins Hospital eingeliefert, sie können ohne Polizei nicht wieder herausgeholt werden; wir müssen uns wegen jedes Mädchens mit ihr in Verbindung setzen. So kommen wir durch Hilfsarbeit an dem einzelnen Menschenkinde, also auf die einfachste Weise, zu dieser Zusammenarbeit. Die Polizei lernt uns und unsere Arbeit kennen und führt uns ihrerseits auch *die* aufgegriffenen Mädchen zu, die *nicht* krank befunden waren, aber auch unsere Hilfe so dringend nötig haben. Unsere Mitarbeit ist überall, mit ganz verschwindenden Ausnahmen, von der Polizei freudig begrüßt und angenommen worden, und viele Tausende von jungen Mädchen sind in diesen 25 Jahren durch diese Zusammenarbeit vor dem Untergange bewahrt worden.

Also an diese Stelle, in die Station, wurden wir geführt ohne unser Zutun. Der Umstand, daß dieser erste Schritt auf Anregung eines Stadtrats erfolgte, der sich dann dauernd für das Werk interessierte, hatte zur Folge, daß wir von vornherein in enger Verbindung mit der Stadtverwaltung arbeiteten – und den engen persönlichen Beziehungen zum Vormundschaftsrichter verdanken wir es, daß wir unsere ganze Arbeit von vornherein auf die feste Grundlage des Gesetzes stellten. Diese beiden Seiten der Arbeit: enger Anschluß an die städtischen Behörden, Arbeiten auf gesetzlicher Grundlage, sind von Anfang an bis heute charakteristische Merkmale unseres Vereins geblieben, die also auch bei jeder neuen Gründung in lebendige Wirksamkeit gebracht werden. Sehr viel haben sie zu den Erfolgen beigetragen, deren wir uns dankbar freuen können – auch sie sind uns ohne unser Zutun gegeben worden. [...]

Ich könnte Ihnen noch vieles anführen, um Ihnen zu zeigen, wie die Wege für diese Arbeit geebnet waren und vor uns lagen, als seien sie sorgfältig vorbereitet; aber ich darf mich nicht in Einzelheiten verlieren. Nur noch ein Hauptmoment, das mich auch in meinem Bericht weiterbringt:

Nach meinem ersten Besuch im Krankenhaus durchdrang mich mit großer Kraft die Überzeugung, daß es sich hier um eine apostolische, um eine seelsorgerische Arbeit handle, und daß ich nicht das Recht hätte, sie für mich allein durchzuführen, daß ich vielmehr in Verbindung mit unserer heiligen Kirche und in Gehorsam gegen sie handeln müsse. Ich suchte deshalb gleich nach diesem ersten Besuch meinen zuständigen Pfarrer, den jetzt längst verstorbenen Herrn Propst Löhers, auf und hätte auch hier wirklich an keine geeignetere Persönlichkeit kommen können. Propst Löhers war ein weitherziger, im besten Sinne des Wortes fortschrittlich gesinnter Mann, der sich über das Gute freute und es förderte, wo er es fand, auch das Gute, das neu war, auch das Gute, das nicht von ihm ausging. So war er auch sofort von Herzen einverstanden mit dieser neuen Arbeit, sagte mir in seiner schlichten, herzlichen Art: „Ja, sorgen Sie, daß die armen Kinder von der Straße kommen." Er hat uns bis zu seinem Tode in jeder Weise geholfen, auch durch materielle Unterstützung.

Im Krankenhaus fand ich eine treue Mitarbeiterin in der Stationsschwester, einer evangelischen Diakonissin von Kaiserswerth. Wir hatten uns die Arbeit so eingeteilt, daß sie in der Hauptsache die evangelischen Mädchen betreute, ich die katholischen; wir haben niemals die geringste Differenz miteinander gehabt. Die Arbeit selbst kann ich hier nicht schildern, das würde zu weit führen.

Ich nahm mich selbstverständlich jedes einzelnen Mädchens an in eingehendster Weise, aber meine endgültige Hilfe bestand ausschließlich darin, die Mädchen, die ich nicht den Angehörigen wieder zuführen konnte, in Klöster vom Guten Hirten unterzubringen, die jüngeren oft mit Hilfe des Vormundschaftsgerichtes; an eine andere Art der Hilfe habe ich damals überhaupt nicht gedacht. Ich glaube auch wohl, daß die Mädchen, um die es sich damals handelte, sittlich schon zu weit herunter gekommen waren, um sie von der Station aus sofort in Dienststellen zu bringen. Die Schwestern nahmen meine Schützlinge, die ich ihnen meist persönlich zuführte, liebevoll auf; ich gedenke auch an dieser Stelle ihrer treuen Mitarbeit mit größter Dankbarkeit.

Die Zahl der Schützlinge, und damit die Zahl der Unterbringungen nahm aber sehr schnell zu, und es wurde mir klar, daß Herr Propst und ich die dazu notwendigen Mittel auf die Dauer allein nicht aufbringen konnten. Wir beschlossen deshalb, einen

Abb. 9: Julius Seiler S.J. (1859–1936).

Abb. 10: Inneres der Propsteikirche in Dortmund (Aufnahme vor 1925).

Verein zu gründen, um zahlende Mitglieder zu bekommen; weiter haben wir uns nichts dabei gedacht. Gegründet wurde dieser Verein dadurch, daß am ersten Adventssonntag des Jahres 1899 einige wenige Damen in dieser Absicht zum Tisch des Herrn gingen; eine Gründungsversammlung haben wir nicht gehalten. Den neuen Verein nannten wir „Verein vom Guten Hirten", weil ich ja damals als einzigen Vereinszweck vor Augen hatte, die auf der Station getroffenen Mädchen den Schwestern vom Guten Hirten zuzuführen resp. die Mittel dafür zu schaffen. Diesen Namen haben wir dann aus Zweckmäßigkeitsgründen später wieder ändern müssen.

Bald darauf fügte es sich, daß wir in Verbindung mit dem Hochwürdigen Herrn Pater Seiler traten, der vielfach seelsorgerisch in den Klöstern vom Guten Hirten tätig gewesen war. Er machte uns erst so recht die Notwendigkeit dieser Arbeit klar, erbot sich auch zu einem offiziellen Gründungsvortrag, den er dann, nach längeren Besprechungen, am 19. Juni 1900 in unserer alten, ehrwürdigen Propsteikirche hielt, vor einem kleinen Kreis von geladenen Frauen und der Dortmunder Geistlichkeit, die unser Herr Propst ebenfalls eingeladen hatte. Herr Pater Seiler hat uns mit tiefer religiöser Innerlichkeit von der geistigen Schönheit dieser Arbeit gesprochen und uns alle mit begeisterter Bereitwilligkeit für sie erfüllt. Mit diesem Vortrag war unser Verein nun offiziell eingeführt; wir rechnen diesen 19. Juni als unseren Gründungstag.

Ich habe es für notwendig gehalten, die Art der Entstehung unseres Vereins recht klar zum Ausdruck zu bringen; die anderen Punkte dürfen uns nicht so lange aufhalten.

In der ersten Ausbreitung des Vereins sehe ich wieder deutlich das Walten der göttlichen Vorsehung. Gleich bei unserm ersten Besuch nach dieser Gründungsfeier trafen wir auf der Station ein 19jähriges Mädchen, das unsere Hilfe zurückwies mit der Begründung, daß sie *in Köln* eine Dame habe, die ihr helfe. Auf meine Frage, wo sie die Dame denn kennen gelernt, antwortete sie: „Im Gefängnis." Die weitere Unterhaltung mit dem Mädchen bestimmte mich, die Dame in Köln aufzusuchen. Hätten wir nun alle Frauen von Deutschland gekannt, so hätten wir uns keine andere zur weiteren Mitarbeit aussuchen können, als diese eine, die das arme Mädchen genannt hatte. Frau Bergrat Le Hanne, einzige Tochter von August Reichensperger, hatte, nachdem sie früh ihren Gatten und dann das einzige, nach seinem Tode geborene Kindchen verloren, ihr Leben ganz Gott geweiht, im Dienste der armen, auf Irrwege geratenen Mädchen. Sie hatte schon zehn Jahre lang in aller Stille das große Polizeigefängnis in Köln besucht, um den Nachts aufgegriffenen Mädchen zu helfen, hatte dadurch einen viel weiteren Blick, viel mehr Erfahrung als wir Anfängerinnen. Wir schlossen uns nun eng aneinander an: Frau Le Hanne nahm neu auf die Besuche auf der Magdalenenstation, auf der großen Lindenburg in Köln, wir in Dortmund die Besuche im Gefängnis. Frau Le Hanne zog noch ihre Freundin, Frau Marita Loersch aus Aachen, mit in die Arbeit hinein, und die Folge war, daß schon am 8. Dezember desselben Jahres ein Verein zum Guten Hirten in Köln und Aachen gegründet wurde.

So entstand nun in Westfalen und Rheinland ein Verein nach dem anderen, immer durch persönliche Beziehungen, durch Mitarbeit religiös interessierter Personen; überall wurde die Arbeit von religiöser Begeisterung getragen. Ende 1903 hatten wir 13 Vereine.

Abb. 11: Marie Le Hanne-Reichensperger (1848–1921).

Abb. 12: Marita Loersch (1853–1915).

Abb. 13: Anna Niedieck (1862–1947).

Abb. 14: Maria Matheis (Aufnahme von 1931).

Im Frühjahr 1905 trat ein neues bedeutsames Moment hinzu. Die Ortsgruppe Düsseldorf, Frau Niedieck, schrieb uns, daß dort so viele Badenser Mädchen in sittliche Not gerieten und an den Fürsorgeverein kämen; sie müsse Hilfe und Mitarbeit in Baden haben. Wir kannten in Baden niemanden, erbaten und erhielten Adressen von Herrn Prälat Werthmann. An die angegebenen Adressen – die eine der Adressatinnen ist heute unter uns –, wandte sich Frau Niedieck mit der Bitte um eine Besprechung. Unsere liebe Frau Matheis hat mir nachher erzählt, daß sie und ihre Gesinnungsgenossin sich schon mit Plänen für ein Rettungswerk an sittlich gescheiterten Mädchen beschäftigt, aber nicht gewußt hätten, wie und wo sie anfangen sollten. Dieser Brief von Frau Niedieck hätte für sie die Erhörung eines Gebetes bedeutet. – Nun wurde also Ende 1905 unsere Vereinsarbeit auch nach Baden getragen und dort ebenfalls mit Begeisterung in Angriff genommen.

Ein anderes, nach meiner Ansicht sehr wichtiges und für die Entwicklung unseres Vereins geradezu mitbestimmendes Ereignis fällt in das Frühjahr 1906. Mich führte eine Angelegenheit an den Volksverein zu Herrn Direktor Hohn. Bei dieser Gelegenheit machte er mich auf einen Kursus von 12 Tagen in Frankfurt a. M. aufmerksam,[2] gehalten von Professor Klumker und Dr. Polligkeit, nahm auch das in einer kleinen Broschüre niedergelegte Programm der einzelnen Tage mit mir durch. Er ermunterte mich eindringlich zum Besuch dieses Kursus, wozu ich mich nach anfänglichem Zögern glücklicherweise auch entschloß. Hauptverhandlungsthemata waren: Das uneheliche Kind, – Berufsvormundschaft, – Jugendgerichte und Jugendge-

2 [Veranstalter war die dortige „Centrale für private Fürsorge".]

richtshilfe, – Geistige Minderwertigkeit als Grund der Verwahrlosung, – Themen, die heute allen auf dem Gebiete der Fürsorge Arbeitenden geläufig, aber damals, vor nunmehr 19 Jahren, den meisten noch sehr fremd waren. Sie wurden gründlich bearbeitet, und an den ausgiebigen Diskussionen beteiligten sich Fachleute ersten Ranges. Die ganze Tagung gab eine Menge von Anregungen für unser Arbeitsgebiet und erweiterte den Blick in hervorragender Weise. Bei den Besichtigungen und auf den kleinen, mit dem Kursus verbundenen Studienreisen bot sich günstige Gelegenheit, das Gehörte nochmal zu besprechen und um Auskunft zu bitten über Nichtverstandenes. So lernte ich eine ganze Anzahl von auf diesem Gebiet hervorragenden Persönlichkeiten kennen, hauptsächlich Juristen und Verwaltungsbeamte, was uns auch bei unseren späteren Gründungen vortrefflich zu statten kam. – Ein solcher Kursus fand bis zum Krieg jedes Jahr statt; immer wurden wichtige, gerade zu *der* Zeit akute Themen behandelt. Ich habe ihn 6 oder 7 mal nacheinander mitgemacht und kann nur mit Dankbarkeit sagen, daß wir für die Arbeit und für den ganzen Verein außerordentlich viel dadurch gewonnen haben. – Mitten im Kursus, am zweiten Sonntag nach Ostern, hatte ich auf Wunsch unserer Mitarbeiterin von Karlsruhe eine Besprechung mit ihr in Heidelberg. Die von Frau Niedieck angeregte Fürsorgearbeit hatte sich in Karlsruhe nicht nach Wunsch entwickelt, vielleicht deshalb nicht, weil man versucht hatte, sie mit dem Elisabethverein zu verbinden. Frau Matheis überbrachte mir nun eine Einladung zu der Mitte Mai stattfindenden Caritastagung der Erzdiözese Freiburg in Baden-Baden. Hier mußte ich also über unsere Arbeit berichten – es war gut vorgearbeitet worden. Am zweiten Tage fand eine Spezialberatung zwischen den interessierten Persönlichkeiten statt, und das Resultat war die Gründung von 5 badischen Ortsgruppen: Karlsruhe, Heidelberg, Mannheim, Freiburg und Konstanz am Bodensee.[3] Im gleichen Jahr erfolgten überhaupt so viele Gründungen in größeren Städten wie in keinem Jahr vorher und nachher. Ich nenne noch: Straßburg, Kolmar, Frankfurt, Wiesbaden, Darmstadt, München, Wien. So ist das Jahr 1906 dasjenige, in welchem unser Verein die Grenzen von Westfalen und Rheinland verlassen hat und in die weite Welt hinausgewandert ist.

Mit dieser neuen und schnellen Ausdehnung des Vereins auf entfernte Gebiete unseres deutschen Vaterlandes trat als Endziel unserer Bewegung immer klarer und deutlicher die Notwendigkeit einer Ausbreitung des Vereins über ganz Deutschland in unser Bewußtsein, nahm als bestimmter Plan feste Form an. Damit wurde aber eine andere, sehr wichtige Frage akut, die Frage einer klaren, bestimmten Organisationsform, die einer territorial so ausgedehnten Bewegung resp. ihren einzelnen Ortsstellen, die doch in der Arbeit auf einander angewiesen waren, den nötigen festen Zusammenschluß sicherte, ohne sie in ihrer Bewegungsfreiheit irgendwie einzuschränken.

Damit komme ich an den dritten Punkt meines Berichtes.

Ich halte diese Organisationsfrage in der Geschichte unseres Vereins für so bedeutsam, daß ich sie Ihnen im Zusammenhang darstellen möchte; ich greife darum in der Zeit nochmal zurück.

Ich habe anfangs berichtet, daß kurz nach der offiziellen Gründung des Vereins vom Guten Hirten in Dortmund im Juni 1900 zuerst in Köln und Aachen, dann überhaupt in Westfalen

3 [Die Datierungen sind z.T. ungenau: Freiburg und Konstanz wurden erst 1908, Karlsruhe bereits im Januar 1906 gegründet.]

und Rheinland ein solcher Verein nach dem anderen entstand. Es mag Ende 1901 gewesen sein, als die Damen aus der Rheinprovinz uns schrieben, daß sie den ursprünglichen Namen nicht weiterführen könnten; die Mädchen, die öfter auch gegen ihren Willen den Klöstern vom Guten Hirten zugeführt würden, verwechselten infolge des gleichen Namens Kloster und Verein und brächten infolgedessen dem Verein vielfach Mißtrauen entgegen. Uns in Westfalen war der Name immer lieber geworden, den Behörden inzwischen auch schon vorteilhaft bekannt. Als Frau Le Hanne bemerkte, daß uns eine Namensänderung schwer wurde, schlug sie vor, wir möchten unseren liebgewonnenen Namen behalten, sie wollten ihn dann allein ändern. Wir sagten uns, wir müssen unbedingt überall den gleichen Namen haben, damit unsere Mädchen, die unsere Hilfe brauchen, uns finden können. So, wie der Elisabethverein überall für die Armen da ist, so müssen unsere Schützlinge überall schon am Namen wissen, daß dieser Verein für sie da ist. – Das war der erste Organisationsgedanke, die erste Maßnahme, die aus dem Gefühl der Zusammengehörigkeit hervorging. Da inzwischen das Fürsorgeerziehungsgesetz in Kraft getreten war, das von uns schon vorher sehnlichst verlangt und gleich nach seinem Erscheinen in Anwendung gebracht worden war, so wurde diesem Gesetz der neue Name entnommen.[4] Hätten wir damals geahnt, welche Ausdehnung der Begriff „Fürsorge" in der Zukunft annehmen würde, so hätten wir *wahrscheinlich* einen anderen Namen gewählt.

Nun kannten sich die ersten Vereine alle unter einander und arbeiteten zusammen, oft mehrere Vereine für einen einzelnen Fall; es war ihnen das etwas Selbstverständliches. Das blieb es aber nicht, als die Vereinsgründungen zunahmen und nicht mehr alle sich untereinander kannten. Dabei trat die Notwendigkeit engster Zusammenarbeit immer deutlicher hervor. Unsere Schützlinge waren sehr häufig gar nicht aus der Stadt, in der wir sie trafen; sie bildeten ein fluktuierendes Element, heute hier und morgen da. Unsere eingehenden Ermittlungen über sie, die ja die Unterlage aller Hilfsmaßnahmen bilden, griffen für ein und denselben Fall oft über in drei, vier andere Städte, zu Behörden, Verwandten, Dienstherrschaften, Pfarrern, Lehrerinnen, etc. Und die Auskünfte hatten nur Wert, wenn sie eingehend und zuverlässig waren; wir konnten die geschulten Antwortgeber meist sehr gut von den übrigen unterscheiden. Und andererseits mußten unsere Schützlinge, wenn sie aus der gleichen Stadt waren, oft aus ihrer Umgebung entfernt, in neue, günstige Verhältnisse verpflanzt, unter die spezielle Obhut einer auswärtigen Vereinsmutter gestellt werden. Im Laufe des Jahres 1903 war das Bedürfnis fester Zusammengehörigkeit schon so stark geworden, daß wir am 3. Dezember 1903 den ersten Vereinstag in Dortmund anberaumten, der diese Frage behandeln sollte. Die Beratung führte zur Gründung eines Verbandes, dem alle damals bestehenden 13 Vereine aus voller Überzeugung und mit Freuden beitraten. Er sollte hauptsächlich dazu dienen, den im Interesse der Arbeit erforderlichen Austausch von wertvollen Erfahrungen, auch von Adressen, Telephonnummern etc. zu vermitteln. Als Zentrale des Verbandes wurde Dortmund gewählt. An den Charakter eines Vorstandes hat bei dieser Zentrale niemand gedacht, sie sollte lediglich den Mittelpunkt, eine Stelle zur Annahme und Weitergabe bilden. – Nun hatten wir also einen

---

4 [Gemeint ist hier das preußische „Gesetz über die Fürsorgeerziehung Minderjähriger" vom 2. 7. 1900, das am 1. 4. 1901 in Kraft trat.]

Verband von einzelnen, selbständigen Fürsorgevereinen, die sich aber immerhin schon Ortsgruppen nannten.

Als nun im Jahre 1906 der Verein über sein bisheriges Arbeitsgebiet hinaus in die Weite zog, da zeigte sich die Notwendigkeit der Zusammenarbeit in noch viel höherem Maße. Als ich nach der Caritastagung in Baden-Baden die neugegründete Ortsgruppe Heidelberg besuchte, da sagte mir die Vorsitzende schon: die katholischen Mädchen hier in den Kliniken sind alle nur aus der Pfalz; wir müssen Hilfe in der Pfalz haben. Als wir nun einige Ortsgruppen in der Pfalz hatten, sagten mir die Damen: es kommen so viele Mädchen an uns aus Saarbrücken, können Sie uns nicht dort eine Ortsgruppe gründen. Als Hamburg gegründet war und die neue Vorsitzende bald darauf gelegentlich einer Rheinreise unser Büro in Köln aufsuchte, um dort Mitarbeit für 2 aus Köln stammende, in Hamburg befindliche Mädchen zu finden, haben, so erzählte uns die Hamburgerin, die Damen hocherfreut ausgerufen: „Gott sei Dank, endlich Hamburg; wir hatten die Mitarbeit dort so nötig!" Sie hätten auch aus ihren Akten heraus sofort eingehende Auskunft über das eine der beiden Mädchen gegeben und die Ermittelungen und Hilfsmaßnahmen betr. des anderen in die Hand genommen.

Es zeigte sich auch bei diesen viel größeren Entfernungen, daß die bisherige Form des Zusammenschlusses, der Verband, also nur die Bekanntgabe neuer Adressen etc. nicht genügte, daß vielmehr eine gewisse Gleichartigkeit der Arbeit herbeigeführt werden müsse, wenn für ein und dasselbe Mädchen die Hilfsaktion im Norden des Reiches in Angriff genommen, im Süden fortgesetzt und womöglich noch in einer dritten Stadt mit Erfolg zum Abschluß gebracht werden sollte. Es zeigte sich ferner ein großes Bedürfnis nach Schulung, besonders im mündlichen und schriftlichen Verkehr mit den Behörden, in Gesetzkenntnis, Antragstellung etc. und wiederum auch hier die Notwendigkeit des Arbeitens nach gleichen Methoden, wenn die Vorarbeiten des einen Vereins dem anderen wirklich dienen sollten. Ich könnte Ihnen da von sehr beweiskräftigen Tatsachen berichten, wenn mich das hier nicht zu weit führen würde. Bei der Beschränkung der Arbeit auf zwei Nachbarprovinzen war dieses Bedürfnis durch häufigere Zusammenkünfte und persönliche Aussprache zum großen Teil befriedigt worden, uns unbewußt. Das war bei so weiten Entfernungen nicht möglich, da mußte etwas anderes gefunden werden, das eine enge Zusammenarbeit sicherte, ohne die notwendige Selbständigkeit und Bewegungsfreiheit der einzelnen Ortsgruppen irgendwie zu beschränken.

Das Suchen, ich kann wohl sagen, das sorgenvolle Suchen nach diesem Etwas füllte das Jahr 1907. Einen ersten Lichtblick gab eine Unterredung mit Herrn Dr. Liese, der mir auf meine Darlegungen antwortete: Bilden Sie doch einfach einen *Verein* für ganz Deutschland wie den Volksverein in M.-Gladbach. Wir glaubten nun die Lösung gefunden zu haben, kamen aber bald von unserer Freude wieder zurück, als wir uns klar machten, daß der Volksverein ja gar keine Ortsgruppen hat, sondern die ganze Arbeit von der Zentrale geleistet wird. Aber die Idee des einen großen Vereins ließ uns nicht wieder los. Die Schwierigkeit war groß, denn die Selbständigkeit der einzelnen Ortsgruppen mußte unter allen Umständen gewahrt werden, wenn sie erfolgreich arbeiten sollten. Es ist hier nicht die Stelle, alle Schwierigkeiten auseinanderzusetzen, welche auch schon dadurch entstanden, daß die große Zahl der Einzelvereine bei voller juristischer Selbständigkeit an eine bestimmte Arbeitsweise zu binden war, die sich den wachsenden Bedürfnissen eben dieser Arbeit anzupassen hatte, und daß doch diese Vereine nicht in die Lage versetzt werden durften, jedesmal die erfolgten Änderungen als Änderungen ihrer Satzung eintragen lassen zu müssen.

Juristen erklärten uns diese Schwierigkeit für satzungsmäßig unlösbar. Und doch mußte sie gelöst werden, wir haben um diese Lösung wirklich – ich kann hier das vielmißbrauchte Wort gebrauchen – gerungen.

Da führte uns ein gütiges Geschick zu zwei Düsseldorfer Juristen, Herrn Amtsgerichtsrat Dr. Brandts und Herrn Oberregierungsrat von Werner, derer ich auch noch mit der größten Dankbarkeit gedenke. Unsere Vorsitzende in Düsseldorf hatte sich an die beiden Herren gewandt, und diese haben nun mit der größten Liebenswürdigkeit und Geduld tagelang mit uns gearbeitet, um all' unsere Wünsche in tadellos juristischer Form in Satzungen niederzulegen. Sie hatten durch diese Arbeit der ganzen Bewegung einen unschätzbaren Dienst erwiesen. Die Satzungen wurden nun auf der Generalversammlung in Düsseldorf am 18. Oktober 1907 mit großer Begeisterung einstimmig angenommen.

Seitdem sind wir ein Gesamtverein für Deutschland, und ich kann nur sagen, daß diese Organisationsform sich glänzend bewährt hat; sie hat sich mehr und mehr mit lebendigem Leben gefüllt. Wir sind uns klar darüber geworden, daß sie für uns fast eine Vorbedingung für gemeinsames erfolgreiches Wirken geworden ist; darum hüten wir sie sorgsam. Wir haben uns darum auch verpflichtet gefühlt, verschiedentlich lieber auf Anschlüsse zu verzichten, als uns auf Kartellverbindungen einzulassen, weil wir glauben, auch den ersten Schritt zum Auseinanderfallen ängstlich vermeiden zu sollen. Aus dem gleichen Grunde vermeiden wir auch jede Zwischengrenze. Wir haben keine Diözesanverbände, sondern anstatt dessen Diözesan-Beiräte. Ich habe gerade diese Frage, als sie akut wurde, mit Sr. Eminenz, dem Herrn Kardinal Schulte, eingehend besprochen, als er noch Bischof von Paderborn war; er hat unserer Begründung durchaus zugestimmt und sich mit der Lösung vollkommen einverstanden erklärt. Als infolge von behördlichen Maßnahmen Landesorganisationen nicht mehr vermieden werden konnten, ohne uns materiell zu sehr zu schädigen, haben wir eine Form gefunden, die nur diesen behördlichen Anforderungen gerecht wird, aber auf die Zusammenarbeit ohne jeden Einfluß ist, sodaß auch da die Gefahr der Zwischengrenze vollkommen vermieden ist.

Ich brauche wohl nicht zu betonen, daß in dieser Organisationsarbeit auch der Anschluß an unsere heilige Kirche vollkommen gesichert worden ist. Jede Ortsgruppe hat satzungsgemäß ihren geistl. Beirat; den Diözesanbeirat erwähnte ich bereits, und außerdem hat die Zentrale ihren besonderen, vom Bischof ernannten geistl. Beirat, damit auch in der Leitung des Gesamtvereins der direkte Einfluß unserer heiligen Kirche gewahrt ist.

Wenn ich diese Frage für manche unter meinen Zuhörern vielleicht zu ausführlich behandelt habe, so bitte ich Sie, zwei Gründe dafür gelten lassen zu wollen. Einmal die außerordentlich große Bedeutung der Sache für unsere Entwicklung, für die Wirkungsmöglichkeiten und für die Erfolgsaussichten in unserer Arbeit. Und dann vor allem glaubte ich zeigen zu müssen, wie die nun gefundene und von uns festgehaltene Organisationsform nicht etwas theoretisches, willkürliches ist, das man, wenn ernste Forderungen in Frage kommen, wie z. B. Anschlußverhandlungen, zu Gunsten von anscheinend höheren Gesichtspunkten preisgeben könnte, sondern daß sie, aus der lebendigen Arbeit heraus *gesucht* und *herausgewachsen,* nun wieder als selbst Lebendiges diese Arbeit stützt, die Erfolge vervielfacht und besonders diese Erfolge für das einzelne Menschenkind intensiver und dauernder macht.

Über den vierten Punkt meines Berichtes, unsere Zufluchtshäuser, kann ich mich kürzer fassen, da die Kenntnis von ihrer Notwendigkeit und ihrem Wirken jetzt fast Allgemeingut geworden ist. An dieser Tatsache, meine Damen und Herren, wird mir am deutlichsten klar, daß 25 Jahre Arbeit hinter uns liegen, denn diese Erkenntnis hatte damals, wenigstens auf katholischer Seite, niemand; bei uns wurde das Bedürfnis gedeckt durch die Klöster vom Guten Hirten, die ja auch, wie ich anfangs berichtete, in umfassender und bewunderungswürdiger Weise die Mitarbeit aufnahmen.

Die Klöster vom Guten Hirten genügten auch damals vollkommen, da ja, wie ich ausführte, die auf der Magdalenenstation angetroffenen Mädchen längere Zeit zu ihrer geistigen Genesung brauchten und andererseits lange genug unter Dach und Fach blieben, um uns die Möglichkeit zu geben, in dieser Zeit alles für den Zeitpunkt der Entlassung Notwendige besorgen zu können.

Das blieb aber nicht so. Ich sagte schon, daß die Polizei uns sehr bald die aufgegriffenen Mädchen zuführte, die *nicht* krank waren und sonst einfach wieder entlassen worden wären mit der üblichen Warnung, um dann nach kurzer Zeit wiederholt aufgegriffen und unter Kontrolle gestellt zu werden. Diese standen nun oft einfach auf der Straße, wußten nicht wohin. Damals ist mir klar geworden, wie viele Mädchen zugrunde gehen, weil sie Abends kein schützendes Dach über Ihrem Haupte haben. Da war guter Rat teuer. Wir suchten und fanden Hilfe bei der damaligen Oberin des Johanneshospitals, Schwester Laurentia, die, voll mütterlichen Verständnisses für unsere armen Mädchen, uns ein großes Zimmer im Hospital zur Verfügung stellte. Aber auch das war bald gefüllt. In dieser Verlegenheit kam uns nun die frische Unternehmungslust unseres Herrn Propst zu Hilfe, der den Bau eines Zufluchtshauses beschloß und dann in der Ausführung durch den leider viel zu früh verstorbenen Pfarrer Cloidt tatkräftig unterstützt wurde. So entstand das erste Zufluchtshaus in Dortmund, das Vincenzheim, das Oktober 1903 eingeweiht und bezogen wurde, inzwischen aber schon zweimal wesentlich vergrößert worden ist. Ihm folgten die anderen. Bei jeder Gründung in einer großen Stadt zeigte sich alsbald dieselbe, wie ich oft gesagt habe, glückliche Verlegenheit und Ratlosigkeit, glücklich, weil sie zur Errichtung immer neuer Heime drängte. So entstand eins nach dem anderen. Heute hat der Verein 67 Zufluchtsheime mit rund 5000 Betten. Wenn man bedenkt, daß vor 25 Jahren nicht ein einziges derartiges Haus zur Verfügung stand, so dürfen wir uns dieses Fortschrittes dankbaren Herzens freuen.

Unsere Häuser unterscheiden sich von den Klöstern vom Guten Hirten durch eine größere Beweglichkeit und Leichtigkeit in der Aufnahme, Zeitdauer etc., durch freieren Verkehr der Schützlinge mit der Außenwelt, in die sie ja wieder zurückkehren sollen; vor allem aber dadurch, daß sie jede Art von Hilfsbedürftigen aufnehmen, während die Klöster vom Guten Hirten Mädchen, die ein Kind erwarten oder geschlechtskranke Mädchen nach ihrer Ordensregel abweisen, resp. wieder entlassen müssen. Diese Ordensregel fassen die Schwestern in neuerer Zeit so weitherzig wie möglich auf, behalten die Mädchen solange es irgend geht, aber die

Häuser sind doch nicht auf sie eingerichtet. Aufnahme von Mutter und Kind ist völlig ausgeschlossen. Darum sind unsere Häuser neben diesen Klöstern noch eine absolute Notwendigkeit.

Den Schwestern vom Guten Hirten übergeben wir gewöhnlich die Mädchen, die eine besonders lange Zeit und ungestörte Ruhe und Abgeschlossenheit zu ihrer Heilung brauchen und solche, die sich draußen überhaupt nicht hochhalten können und durch die liebevolle Behandlung seitens der Schwestern dann häufig veranlaßt werden, ganz bei ihnen zu bleiben. So bekommen die Schwestern vom Guten Hirten also in der Regel die am tiefsten Gefallenen und damit oft auch die am schwersten zu Behandelnden. Sie haben das auch schon ausgesprochen in gütigster Weise und nur in dem Sinne, daß ihre Wirksamkeit dadurch zu sehr eingeschränkt würde, und wir sind entschlossen, durch intensivere Mitarbeit in den einzelnen Fällen ihnen diese schwierige Arbeit nach Kräften zu erleichtern. Über die Art dieser Mitarbeit sind wir uns schon ziemlich klar.

In der Weiterentwicklung unserer Zufluchtshäuser hat sich eine gewisse Spezialisierung herausgebildet. Das Josefshaus in Cöln-Bayenthal nimmt nur Mädchen vor und nach der Entbindung, letztere natürlich mit dem Kinde, steht in Verbin-

Abb. 15: Haus Konradshöhe in Berlin-Tegel – Spezialeinrichtung für geschlechtskranke Mädchen.

Abb. 16: Weibliche Jugendliche in Haus Konradshöhe.

dung mit der großen Hebammenlehranstalt. Das Haus in Maria-Frieden in Berlin-Nordend, von den Josefsschwestern gegründet und geleitet, nimmt Mütter mit ihren Kindern. Das Haus Konradshöhe bei Tegel ist nur für geschlechtskranke Mädchen da, die wir vor dem geradezu zerstörenden Aufenthalt in den syphilitischen Stationen der Großstadt bewahren wollen. Die etwas über 100 Plätze sind immer voll belegt; die erzieherischen Erfolge sind neben den medizinischen sehr befriedigend. Das Catharinenstift bei Dülmen nimmt ältere Mädchen; es ist hauptsächlich im Hinblick auf das kommende Bewahrungsgesetz errichtet,[5] das hoffentlich im nächsten Winter im Reichstag fest Gestalt annehmen wird. Das Vincenzwaisenhaus in Handorf bei Münster ist unser einziges Heim, das gefährdete *schulpflichtige* Kinder aufnimmt; es werden dort zur Zeit 300 Kinder erzogen.

Infolge der Aufnahme von unehelichen Müttern mit ihren Kindern sind in verschiedenen Zufluchtshäusern große Säuglingsstationen entstanden, von denen mehrere über 100 Betten verfügen. Vier von ihnen haben zugleich staatlich anerkannte Säuglingspflegeschulen. Der Zentrale selbst gehören 3 Häuser: Konradshöhe bei Berlin-Tegel, das Säuglingsheim in Berlin-Dahlem, an denen unsere unermüdliche und opferfreudige Rendantin und Geschäftsführerin Fräulein Gertrud Krause mit erstaunlichem Erfolge amtiert, und das Anna-Katharinenstift bei Dülmen, das seine Existenz der Tatkraft unseres lieben Zentralvorstandsmitgliedes, Frau Hellraeth-Münster verdankt.

Der Segen, der von diesen Häusern ausgeht, ist unbeschreiblich groß. Keines ist ohne Kapelle. Der geistliche Leiter ist unser Erlöser, dem wir alle mit unserer Arbeit dienen. Mit ganz wenigen Ausnahmen, die sich auf kleine Heime in der Diaspora beziehen, werden unsere Häuser geleitet von Ordensschwestern. Ihre Gründung, ihre Weiterentwicklung und Führung wäre uns auch nicht annähernd in der bisherigen Weise möglich ohne die treue, opferfreudige Arbeit dieser Schwestern, denen ich auch an dieser Stelle den wärmsten und herzlichsten Dank ausspreche. Sie tragen in täglich erneuter Erziehungsarbeit an unseren armen, oft geistig und körperlich so verwahrlosten Mädchen einen sehr wichtigen und sehr schweren Teil unserer Vereinsarbeit. – Es wäre noch viel Schönes zu sagen über die Entwicklung der Zusammenarbeit von unsern Frauen und Schwestern, also von offener und geschlossener Fürsorge – aber die Zeit drängt. Ich bin überzeugt, – denn es liegt im Zug der Entwicklung – daß diese Zusammenarbeit immer noch inniger, schöner, wirkungsvoller werden wird.

Abb. 17: Clara Hellraeth (1865–1942).

5 [Vgl. Dok. 17–19.]

Ein Wort muß ich noch sagen über unsere Vorasyle; denn sie stehen augenblicklich im Vordergrund des Interesses, weil im Vordergrunde der Not. Es sind ganz kleine Zufluchtsstätten, mit oft nur 2–3 Betten, meist aber mehr, die sofort und bedingungslos jedes Mädchen, das kommt oder uns zugeführt wird, aufnehmen nur für kurze Zeit, nur so lange, bis der neue Aufenthaltsort gefunden und die Wege dahin geebnet sind. Ihre Leitung erfordert sehr viel Erfahrung und sehr viel Liebe. Leider können uns da Ordensschwestern nicht helfen, weil sie von ihren Oberen nicht auf Einzelposten entsandt werden. So bildet die Leitung dieser Heime noch ein schwieriges Kapitel, eine noch nicht überwundene Sorge in unserer Vereinsarbeit.

Seit einiger Zeit verbinden wir diese Vorasyle mit dem Büro, legen sie also, wenn die Wohnungsverhältnisse es irgendwie erlauben, in dasselbe Haus, was sich als sehr wichtig, als außerordentlich günstig für den Erfolg erwiesen hat. Wenn wir unser Kind einmal in Händen haben, müssen wir es festhalten; schlechte Elemente und die eigene Schwäche stellen sich zu oft hindernd zwischen Entlassung und Wiederkommen. Sie bleiben auch meist gern, wenn ihnen in mütterlicher Weise gleich Verpflegung und ein behagliches Heim

Abb. 18–19: Vorasyl Rheine: Büroraum und Schlafzimmer (späte 20er Jahre).

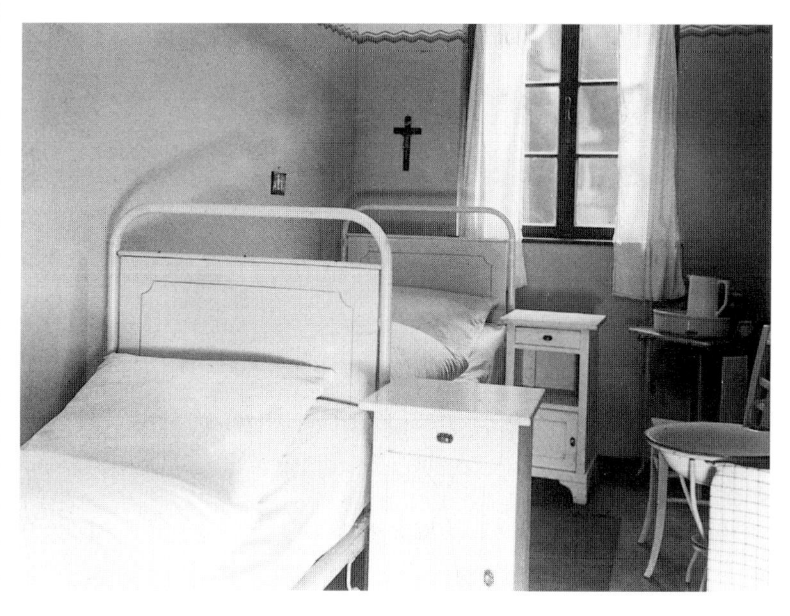

geboten wird. Mit dieser Einrichtung ist dann auch die Frage der Leitung wesentlich erleichtert.

Was nun unsere Arbeit im jetzigen Stadium betrifft, also zum letzten Punkt meines Vortrages muß ich mich und kann ich mich insofern sehr kurz fassen, als ja der Vortrag meiner Nachfolgerin den einzelnen Arbeitsgebieten gilt. Ihr Vortrag wird uns zeigen, wie sich diese Arbeit im Laufe der Jahre in erfreulicher Weise immer mehr der vorbeugenden Tätigkeit zugewandt hat. Es wäre ja mit einer weitschauenden und auf den Grund gehenden Auffassung unserer Rettungsarbeit unvereinbar gewesen, wenn wir uns immer *nur* mit der Hilfe für arme, tief gefallene Menschen, für schon stark Verwahrloste beschäftigt hätten, ohne nach dem Grunde des Fallens, nach den Quellen der Verwahrlosung zu forschen. Das Erkennen all' der Nöte, aus denen dieses sittliche Elend entspringt, hat uns immer tiefer in die Jugendfürsorgearbeit hineingeführt; sie ist unzertrennlich mit der Rettungsarbeit verbunden.

Aber darum dürfen und wollen wir diese direkte Rettungsarbeit doch immer als erste Aufgabe unseres Vereins fest im Auge behalten. Da, wohin wir zuerst gerufen wurden, da ist doch auch heute noch infolge des Verfalles aller sittlichen Begriffe, den uns der Krieg gebracht, die größte Not, das brennendste Bedürfnis nach Hilfe. Und wir sind überzeugt, daß gerade diese Hilfe erwachsen muß aus dem Boden religiöser Weltanschauung und darum auf konfessioneller Grundlage, und wir fühlen voller Dankbarkeit, daß gerade deshalb, weil wir auch die in der Konfession liegenden Kräfte für diese Arbeit ausschöpfen können, wir besonders *wertvolle* Arbeit auf diesem Gebiete leisten können.

Darum suchen wir auch immer intensivere Mitarbeit mit der Polizei, eine Zusammenarbeit, die sich erfreulicherweise sehr gut entwickelt. In verschiedenen Städten haben unsere Berufsarbeiterinnen schon jeden Morgen die informatorische Vernehmung der nachts oder sonstwie aufgegriffenen Mädchen; es wird den Vereinen ein eigenes Zimmer im Polizeipräsidium eingerichtet, kurz, wir haben dort halbamtlichen Charakter, eine Einrichtung, die auf Grund der erfolgreichen Zusammenarbeit auch von den Polizeibehörden gewünscht und gefördert wird. So wollen wir unsere ganzen Kräfte einsetzen, um das uns hier entgegengebrachte Vertrauen in vollem Maße zu rechtfertigen.

Zum Schluß hätte ich dann noch einen ganz kurzen Überblick über den jetzigen Stand des Vereins zu geben.

Der Verein ist jetzt über ganz Deutschland ausgebreitet, von Ostpreußen bis herunter an den Bodensee. Im vorigen Jahre sind auch nach längeren eingehenden Verhandlungen die Josefsschwestern mit ihren drei Vereinen beigetreten, für uns eine große Freude und für den Verein eine große Bereicherung. Ich heiße auch an dieser Stelle die Schwestern noch einmal herzlich willkommen. Noch ausgeschlossen ist allein Württemberg und die Provinz Schlesien. Wir vermissen in der Arbeit beide Länder schmerzlich, vor allem Schlesien, das von so vielen Seiten verlangt wird, ganz besonders von Berlin. Wir wollen die Hoffnung nicht aufgeben, daß doch noch der Tag komme, an welchem auch hier die führenden Persönlichkeiten den Eintritt in den großen Gesamtverein für richtig halten: es würde für uns alle ein Tag der Freude sein.

Der Verein hat jetzt 328 Ortsgruppen und annähernd 3000 tätige Mitglieder. Das ist vielleicht das Schönste an unserer Organisation, daß so viele Frauen in der Arbeit stehen und den

Haus-Ordnung
im Marienheim.

1. Das Marienheim untersteht dem Kath. Fürsorge-Verein und ist in erster Reihe für die Schützlinge dieses Vereins bestimmt.
2. Ohne Wissen und Zustimmung der ersten Vorsitzenden oder deren von ihr ernannten Vertreterin darf kein Mädchen in das Heim aufgenommen werden.
3. Die Leitung des Heims ist einer Hausmutter übertragen, deren Weisungen unbedingt Folge zu leisten ist.
4. Grobe oder wiederholte Widersetzlichkeit wird der Vorsitzenden gemeldet und diese kann die sofortige Entfernung des Mädchens veranlassen.
5. Der Vorsitzenden oder ihrer Vertreterin steht das Recht zu, die Schränke und Kommoden in bezug auf Ordnung und Sauberkeit zu prüfen. Das Aufbewahren von Eßwaren in den Schränken und Kommoden ist verboten, Brot, Butter usw. sind in den dafür bestimmten Blechbüchsen aufzuheben.
6. Der Aufenthalt in der Küche, sowie in den Schlafzimmern tagsüber, ist nicht gestattet.
7. Aufstehezeit: Wochentags 6 Uhr, Sonntags 7 Uhr. Sofort nach dem Aufstehen ist das Bett in Ordnung zu bringen, es aber zwecks Lüftung noch offen zu lassen. Herumliegen von Kleidern und Sachen außerhalb der Kommoden und Schränke ist nicht erlaubt.
8. Zum Frühstück müssen die Mädchen gewaschen, gekämmt und ordentlich angezogen kommen, weder dabei noch tagsüber ist das Herumlaufen in Unterröcken und Nachtjacken gestattet.
9. Das Haus wird um 9 Uhr abends geschlossen. Hausschlüssel wird nicht gegeben; kommt ein Mädchen später als 9 Uhr, muß für das Oeffnen der Haustür, das auf Klingeln erfolgt, 5 Pf. in eine Kasse gezahlt werden. Doch ist zu dem längeren Ausbleiben vorher die Erlaubnis der Hausmutter einzuholen. Länger als bis 10 1/2 Uhr ist auch in diesem Fall das Ausbleiben nicht gestattet.
10. Um 10 Uhr muß alles Licht gelöscht sein. In die Schlafräume Licht und Lampen mitzunehmen, ist verboten.
11. Die Benutzung der Nähmaschine ist jedem Mädchen gestattet, doch ist der Schlüssel nach Benutzung der Hausmutter wieder abzuliefern.
12. Sonntags vormittags muß am Gottesdienst teilgenommen werden. Am Nachmittage sind Spaziergänge und Ausflüge gestattet, der Besuch öffentlicher Tanzböden ist streng verboten.
13. Der Mietpreis für Wohnung allein ist an den Fürsorge-Verein zu zahlen und beträgt wöchentlich 1.80 M., von Sonnabend zu Sonnabend gerechnet. Einzelne Nächte vor dem ersten Sonnabend werden mit 35 Pf. berechnet.
14. Die Zahlung für die Verpflegung ist an die Hausmutter zu entrichten und zwar kosten: das Frühstück täglich 10 Pf., Mittagsbrot, das vorher mit der Hausmutter vereinbart werden muß, wochentags 30 Pf., Sonntags 40 Pf., ein Topf Milch 10 Pf., ein Topf Kaffee, Tee oder Kakao je 6 Pf. Für Abendbrot haben die Mädchen selbst zu sorgen.
15. Für Beleuchtung sind vom 15. August bis 1. Mai wöchentlich 10 Pf. an die Hausmutter zu zahlen, ebenso sind an diese für Heizung 35 Pf. wöchentlich zu entrichten, sobald Heizung eintritt.
16. Die Benutzung der Badewanne ist Freitag und Sonnabend gegen ein Entgelt von 15 Pf. für Lieferung heißen Wassers gestattet.

Die erste Vorsitzende

Käthe Kiesel.

Abb. 20: Hausordnung des Marienheims in Dresden.

armen gefährdeten und verwahrlosten Kindern und jungen Menschen helfen wollen. Helfen, nicht in dem Gedanken: „Wir sind besser als sie", sondern nur in dem Gedanken: „Wir haben es soviel besser als sie. Wie großen Dank sind wir unserm Gott dafür schuldig." Gestützt wird die Arbeit durch 123 in der Organisation angestellte Berufskräfte, unsere unermüdlichen und treuen Mitarbeiterinnen. Unsere 67 Zufluchtsheime habe ich schon genannt. Erwähnen muß ich noch die Fürsorgerinnenschule an der Zentrale zur Ausbildung der beruflichen und ehrenamtlichen Kräfte,[6] eine außerordentlich wichtige Einrichtung, über die meine Nachfolgerin noch einiges sagen wird.

So schauen wir mit tiefer Dankbarkeit auf die verflossenen 25 Jahre zurück. Es gab und gibt viel Arbeit und viel Sorge, besonders drücken uns beständig schwere Geldsorgen; sie bringen uns manche schlaflose Nacht und wirken auch oft hemmend auf unsere Arbeit. Aber wir verzagen nicht. Unser Mut und Vertrauen gründen sich nicht auf Zufälligkeiten, sie gründen sich auf Gott. Wir haben erkannt, daß jährlich tausende von jungen Menschenleben in unserem Vaterlande an Leib und Seele zugrunde gehen, nur weil in der Stunde der Not, der Gefahr, der Ratlosigkeit keine helfende Hand sich ihnen entgegenstreckt; nun suchen wir helfende Hände, suchen Mütter, Mütter nach dem Herzen Gottes. Wir wissen, daß noch so vieles in unserm Verein verbesserungsbedürftig ist auf allen Gebieten; aber unser unentwegtes Streben nach Verbesserung und Vervollkommnung soll nicht erlahmen.

Ich lege in dieser Feierstunde das Bekenntnis ab, daß wir in unserer Arbeit nichts suchen, als Gott, die Ausbreitung seines Reiches auf Erden. Und er hält sein ewiges Wort, daß er das übrige zugeben will. In seinem Dienst gibt er Kraft und Ausdauer zu liebevollster Betreuung unserer Schutzbefohlenen, zur Wahrung und Förderung lebenswichtiger Interessen von Kirche und Staat, finden wir reichsten Segen auch für uns selbst.

Aus: Jubiläumstagung des Katholischen Fürsorgevereins für Mädchen, Frauen und Kinder, Zentrale Dortmund 1925, Dortmund o. J., 11–27.

6 [Vgl. Dok. 10–12.]

4. Fassung der Satzung des KFV von 1913

Satzung
des Katholischen Fürsorge-Vereins
für Mädchen, Frauen und Kinder.*

Ortsgruppe ______________

(Mit Bischöflicher Approbation.)

§ 1.

Der Zweck des Fürsorgevereins ist:

Schutz und Rettung sittlich gefährdeter und gefallener Mädchen und Frauen, sowie der mißhandelten, gefährdeten und verwahrlosten Jugend.

§ 2.

Die Haupttätigkeit des Vereins ist:

1. Die in § 1 Bezeichneten aufzusuchen.
   Die Gefährdeten und Gefallenen zu bestimmen, zu einem geordneten, arbeitsamen Leben zurückzukehren.
   Die Verwahrlosten ihrer verderblichen Umgebung zu entreißen.
   Die entgegenstehenden Hindernisse aus dem Wege zu räumen.
   Die Schutzbefohlenen, soweit ratsam, in die eigene Familie, sonst in gute Stellen oder geeignete Anstalten unterzubringen.
   In jedem Falle sich dauernd derselben anzunehmen.

Anmerkung: Jede Schutzbefohlene erhält, wenn möglich, aus dem Kreise der Mitglieder eine Vereinsmutter, die ihren Schützling im Auge behält und demselben jederzeit Rat und Hilfe gewährt.

2. Alle aus weltlichen und klösterlichen Anstalten zur Entlassung kommenden derartigen Mädchen, Frauen und Kinder, auch wenn sie nicht vom Fürsorgeverein untergebracht waren, liebevoll aufzunehmen und ihnen wie den oben Genannten zu helfen.
3. Die Gründung von Zufluchtshäusern und Fürsorgeheimen anzuregen, zu fördern oder selbst zu unternehmen.

§ 3.

Diese Vereinstätigkeit umfaßt vornehmlich:

1. Die Sorge für uneheliche Mütter und Kinder.
2. Die Gefangenenfürsorge.
3. Die Jugendgerichtshilfe.
4. Das Zusammenwirken mit der Sittenpolizei in vorbeugender und rettender Arbeit.
5. Die Mitarbeit in der staatlichen Fürsorge- (bezw. Zwangs-)Erziehung.

---

* Ausgabe I a (für nicht eingetragene Vereine).

6. Die freiwillige Übernahme von Vormundschaften, Pflegschaften, Beistandschaften (organisierte Einzelvormundschaft) und Mitarbeit in der Berufsvormundschaft.
7. Die Übernahme des Amtes als Waisenpflegerin und als Aufsichtsdame im Ziehkinderwesen.
8. Die Zusammenarbeit mit Armenverwaltung und Waisenrat zwecks vorbeugender und rettender Arbeit in verwahrlosenden Familien.
9. Die Mitarbeit in den örtlichen Centralen für Jugendfürsorge (Städtische Jugendämter).
10. Die Errichtung von Geschäftsstellen, in denen Hilfesuchende Rat und Auskunft finden und in denen Behörden (z. B. Vormundschaftsgericht, Waisenrat, Armenverwaltung, Polizeibehörde) die gewünschte Mitarbeit geleistet wird.

§ 4.

Der Verein besteht aus:
1. Tätigen Mitgliedern, d. h. solchen kath. Frauen und Jungfrauen, die sich der Vereinstätigkeit persönlich widmen, den Sitzungen nach Möglichkeit beiwohnen und einen jährlichen Beitrag zahlen.
2. Außerordentlichen Mitgliedern, d. h. solchen Damen und Herren, die den Vereinszweck lediglich durch Geldbeiträge unterstützen.
3. Ehrenmitgliedern, d. h. solchen Damen und Herren, welche die Bestrebungen des Vereins in *besonderer* Weise fördern, sei es durch Rat und Tat, sei es durch Zahlung eines jährlichen Beitrages von mindestens ——— Mark.

§ 5.

Die Mitgliedschaft wird erworben durch Aufnahme seitens des Vorstandes.

Die Aufnahme als tätiges Mitglied erfordert die Zustimmung von 2/3 der Vorstandsmitglieder.

Abb. 21: Johannesstift Wiesbaden – Vorasyl, Mutter-Kind-Heim, Säuglingsheim, Erziehungsheim für schulentlassene Mädchen. Das Photo zeigt den Säuglingstrakt.

Die gleiche Mehrheit ist erforderlich, um ein Mitglied auszuschließen, welches das Ansehen oder die Interessen des Vereins schädigt.

§ 6.

Stimmrecht haben allein die tätigen Mitglieder, alle anderen haben nur beratende Stimme.

§ 7.

Die tätigen Mitglieder wählen einen Vorstand von 3 bis 5 Damen. Der Vorstand kann durch Zuwahl seine Mitgliederzahl so weit verstärken, als es das Bedürfnis des Vereins erheischt. Die Wahl erfolgt auf 3 Jahre durch Stimmzettel oder Zuruf. Wiederwahl ist zulässig.

§ 8.

Der Vorstand wählt aus seiner Mitte:

1. Die Vorsitzende, die den Verein nach außen vertritt.
2. Die stellvertretende Vorsitzende.
3. Die Schriftführerin.
4. Die Schatzmeisterin.

Es können mehrere Ämter auf einer Person vereinigt werden.

Das Amt der Schriftführerin, sowie das der Schatzmeisterin kann auch solchen Vereinsmitgliedern, die außerhalb des Vorstandes bleiben, sowie ferner auch Nichtmitgliedern, evtl. unter Gewährung eines Gehaltes übertragen werden.

Um verschiedene Kräfte zur Vereinsleitung heranzuziehen, soll das Amt der ersten orsitzenden nur ausnahmsweise länger als 6 Jahre (2 Wahlperioden) nach einander in denselben Händen bleiben. Als Unterbrechung genügt die Dauer von 3 Jahren (eine Wahlperiode).

§ 9.

Der Vorstand erbittet aus der Geistlichkeit einen Beirat, der in schwierigen Angelegenheiten dem Verein zur Seite steht und gehört werden soll.

§ 10.

Der Verkehr mit den Behörden, sowie der Besuch der einzelnen Anstalten (Gefängnisse, Krankenhäuser usw.) wird nur von der Vorsitzenden und den von ihr zu bestimmenden Damen ausgeübt.

§ 11.

Sitzungen der tätigen Mitglieder finden wenigstens jeden Monat statt.

§ 12.

Jährlich findet wenigstens eine Generalversammlung statt, und zwar im Laufe der ersten 3 Monate nach Schluß des Geschäftsjahres, welches mit dem 1. Januar beginnt. In dieser Versammlung wird über die Vereinstätigkeit und über die Kassenführung berichtet und der Schatzmeisterin Entlastung erteilt.

§ 13.

Die Beschlußfassung erfolgt in allen Versammlungen und Sitzungen soweit nicht in dieser Satzung besondere Bestimmungen getroffen sind, mit einfacher Stimmenmehrheit der anwesenden stimmberechtigten Mitglieder. Bei Stimmengleichheit gibt die Stimme der Vorsitzenden den Ausschlag.

§ 14.

Der Verein ist eine Ortsgruppe des Gesamt-Vereins „Katholischer Fürsorgeverein für Mädchen, Frauen und Kinder“ und erkennt die Centrale und die Geschäftsordnung desselben an.

§ 15.

Im Falle der Auflösung des Vereins hat die Mitgliederversammlung über die Verwendung des Vereinsvermögens in einer den Zwecken des Vereins tunlichst entsprechenden Weise zu beschließen.

§ 16.

Der Verein hat die Verpflichtung, bei etwaiger Eintragung in das Vereinsregister die vom Gesamtverein herausgegebene Satzung für eingetragene Vereine (Ausgabe II a) anzunehmen. Wird diese vom Amtsgericht beanstandet, so ist die abgeänderte Satzung der Centrale vor der Eintragung zur Erklärung ihres Einverständnisses vorzulegen.

Die Centrale prüft, ob der obligatorische Teil der Satzung aufrecht erhalten ist, und ob keine, dem Geist des Vereins widersprechenden Bestimmungen Aufnahme gefunden haben.

Angenommen auf der General-Versammlung zu *Düsseldorf,* den 18. Oktober 1907.

Revidiert auf der General-Versammlung zu *Wiesbaden,* den 17. Oktober 1913.

(Mit Bischöflicher Approbation).
Nachdruck untersagt!

Aus: Archiv des Deutschen Caritasverbandes 319.4 I 04/09 Fasz. 1.

II. Im Ersten Weltkrieg und im Weimarer Wohlfahrtsstaat (1914–1929)

Die Jahre vom Ausbruch des Ersten Weltkrieges 1914 bis zum Beginn der Weltwirtschaftskrise 1929 bilden wohlfahrtspolitisch eine spannungsvolle Einheit.[1] In diesen wenigen Jahren ist in Deutschland der moderne Sozialstaat entstanden. Zwei zeitliche Blöcke lassen sich in diesem Prozeß unterscheiden: erstens das Jahrzehnt „der Mangel- und Inflationswirtschaft" (1914–1924), in dem sich in Reaktion auf die vielfältigen Notlagen von Krieg, Nachkriegsjahren und Hyperinflation die rechtlichen Grundlagen des Weimarer Wohlfahrtsstaates herausbildeten – wobei angesichts der Dimensionen von Not häufig mehr improvisierend als planvoll gestaltend vorgegangen wurde und auch werden mußte;[2] zweitens das Jahrfünft von 1924 bis 1929, welches als Zeit der relativen Stabilisierung der Republik von der Umsetzung der neuen rechtlichen und administrativen Vorgaben in die fürsorgerische Praxis geprägt war.

Ohne den politischen Einschnitt von 1918 in seiner Bedeutung für die volle Etablierung des Sozialstaates zu übersehen, muß doch betont werden, daß sich „im Sinne der Sozialreform der Vorkriegszeit der erste Weltkrieg als der große Schrittmacher der Sozialpolitik" erwiesen hat.[3] Die kriegsbedingten Massennotstände beschränkten sich nicht mehr wie die Armut der Vorkriegszeit auf proletarische und subproletarische Armutsgruppen, sondern erfaßten auch große Teile des mittelständischen Bürgertums; später mußten Kriegsopfer, Kriegswaisen und Hinterbliebene versorgt werden. Dies alles zusammen erzeugte jenen Problemdruck, der Reformen vorantreibt und erzwingt. Die Einrichtungen und Maßnahmen von Kriegsfürsorge und -wohlfahrtspflege,[4] von öffentlichen und freien Trägern gemeinsam verantwortet und durchgeführt, lagen dementsprechend qualitativ deutlich über dem Niveau der alten Armenpflege, führten zu einer nachhaltigen Professionalisierung des sozialen Sektors und strahlten später, nach Kriegsende, auf die ganze Gesellschaft aus, indem sie strukturell den Bedarf nach neuen gesetzlichen Rahmenbedingungen von Fürsorge offenbar werden ließen und so eine Rückkehr zur kaiserzeitlichen Armenfürsorge praktisch unmöglich machten.

Durch den politischen Systemwechsel erhielt diese Entwicklung eine zusätzliche Dynamik. Mit dem Untergang des Wilhelminischen Kaiserreichs und der Etablierung der parlamentarischen Demokratie von Weimar war das alte Bündnis von Thron und Altar gesprengt. Unter der neuen Regierung zunächst aus den Parteien der „Weimarer Koalition" (der SPD, dem katholischen Zentrum und der linksliberalen DDP) verfolgte der Staat eine weltanschaulich

---

1 Sachße/Tennstedt, Geschichte der Armenfürsorge, Bd. 2 (wie Einl., Anm. 2); Wollasch, Wohlfahrtspflege und Sozialstaat (wie Einl., Anm. 2), 423 f.

2 Das Zitat und die Zeiteinteilung wurden entnommen aus Gunther Mai, „Wenn der Mensch Hunger hat, hört alles auf". Wirtschaftliche und soziale Ausgangsbedingungen der Weimarer Republik (1914–1924), in: Werner Abelshauser (Hg.), Die Weimarer Republik als Wohlfahrtsstaat. Zum Verhältnis von Wirtschafts- und Sozialpolitik in der Industriegesellschaft, Stuttgart 1987, 33–62, hier 36. – Ewald Frie spricht sogar vom „Jahrzehnt der Improvisierung des Wohlfahrtsstaates", siehe ders., Wohlfahrtsstaat und Provinz. Fürsorgepolitik des Provinzialverbandes Westfalen und des Landes Sachsen 1880–1930, Paderborn 1993, 81–83.

3 Ludwig Preller, Sozialpolitik in der Weimarer Republik (1949), Kronberg/Ts. – Düsseldorf 1978, 85.

4 Die Kriegsfürsorge umfaßte die gesetzlichen Pflichtleistungen des Reiches, die Kriegswohlfahrtspflege die ergänzenden freiwilligen Leistungen der Gemeinden, vgl. Sachße/Tennstedt, Geschichte der Armenfürsorge, Bd. 2 (wie Einl., Anm. 2), 50.

In größter Not!

In einem niedrigen Giebelstübchen lebt ein braver Vater mit seinen 6 Kindern. Die Mutter ist vor Entbehrungen schwindsüchtig geworden und gestorben, nachdem sie dem 7. Kinde das Leben geschenkt hat. Zwei der Kinder sind auch schon lungenkrank. Sie schlafen mit ihren 4 Geschwistern in dem einzigen Bett, auf dem keine Bezüge mehr sind. Der Vater liegt nachts auf der Erde, mit seinen Kleidern zugedeckt. Das Kleinste von 4 Wochen ist in einer Pappschachtel untergebracht. An Möbeln sind noch ein Tisch und 2 Stühle vorhanden. Die Wände sind so feucht, daß das Wasser herunterläuft. Wenn es regnet, kommt das Wasser durch das Dach. Die Kinder haben nichts mehr anzuziehen und liegen meist den ganzen Tag im Bett, weil sie frieren und hungern. Das Essen besteht aus trockenem Brot und Pellkartoffeln. Es reicht aber nicht für alle Kinder.

+ Eine ausgewiesene Familie wohnt in einem kleinen Dachstübchen in Zwangsmiete. Der Mann war ein braver, fleißiger Arbeiter, kann aber keine Arbeit finden. In seiner Verzweiflung ist er an den Trunk gekommen. Die Not der Mutter und der 4 kleinen Kinder ist unbeschreiblich. Sie liegen in einer Ecke zusammengekauert, mit ein paar Lumpen zugedeckt. Das einzige Bett ist verkauft. Tagelang ist kein Brennmaterial vorhanden; dann gibt es auch tagelang kein warmes Essen. Die Kinder haben nur ein dünnes Kleidchen auf dem Leib, kein Hemdchen, keine Strümpfe, keine Schuhe. Das jüngste 2 Monate alte Kind ist an Lungenentzündung gestorben.

+ Solches Elend ist nicht vereinzelt. Hunderte, Tausende in der Großstadt werden durch Hunger und Not bis zur Verzweiflung getrieben und gehen an Leib und Seele zugrunde.

+ Der Verein, der sich dieser Unglücklichen annimmt, ist der Katholische Fürsorgeverein.

Helft uns, die Ärmsten zu retten! · Helft uns durch Almosen und Spenden von Lebensmitteln!

Zentrale des Katholischen Fürsorgevereins für Mädchen, Frauen und Kinder

Dortmund, Rosental 32 + Postscheckkonto Dortmund 15564

Abb. 22: Spendenaufruf des KFV aus der Inflationszeit.

neutrale Linie, stellte aber die freie Religionsausübung und die Rechte der Kirchen unter den Schutz der Verfassung. Zugleich eröffnete er jenen sozialen Milieus verstärkt Gestaltungsräume, die noch im Kaiserreich diskriminiert worden waren – Sozialdemokraten und Katholiken. Durch die Einführung des Frauenwahlrechts schuf er überdies erstmals auch für Frauen Möglichkeiten direkter politischer Einflußnahme.

Artikel 9 der Weimarer Reichsverfassung stellte mit dürren Worten fest: „Soweit ein Bedürfnis für den Erlaß einheitlicher Vorschriften vorhanden ist, hat das Reich die Gesetzgebung über: 1. die Wohlfahrtspflege [...]". Zusammen mit weiteren Verfassungsbestimmungen hatte das Reich damit die Verantwortung für Sozialpolitik und Wohlfahrtspflege in eigene Regie übernommen, so daß von diesem Zeitpunkt an überhaupt erst vom deutschen Sozial- oder Wohlfahrts*staat* gesprochen werden kann. Im gleichen Maße, in dem dieser das soziale Feld besetzte, verloren die Kommunen ihre gestaltende Funktion auf diesem Gebiet, blieben jedoch als Implementationsinstanzen staatlicher Wohlfahrtspolitik weiterhin wichtig.[5]

Das besondere Merkmal dieses Wohlfahrtsstaates aber war – anknüpfend an erste Anfänge im Kaiserreich und an die eingespielte Praxis der Kriegsjahre – seine duale Struktur mit öffentlichen (Staat, Länder, Kommunen) und freien Hilfeanbietern (Wohlfahrtsverbände und erste Selbsthilfeorganisationen), wobei die Wohlfahrtsverbände in dieser „mixed economy of welfare"[6] keineswegs als schwache „Juniorpartner" fungierten, sondern sich im Gegenteil eine starke Stellung eroberten. Bereits wenige Jahre nach Kriegsende hatten sie sich in Spitzenverbänden (re)organisiert (Innere Mission, DCV, DRK, Zentralwohlfahrtsstelle der deutschen Juden, Fünfter Wohlfahrtsverband, Arbeiterwohlfahrt sowie der weniger bedeutende Zentralwohlfahrtsausschuß der christlichen Arbeiterschaft). Zur wirksameren Vertretung ihrer wohlfahrtspolitischen und finanziellen Interessen schlossen sie sich – mit Ausnahme der AWO – zusätzlich zu einem Dachverband zusammen, der „Deutschen Liga der freien Wohlfahrtspflege".[7] Sie wurden vom Staat finanziell subventioniert – eine Praxis, die in den zwanziger Jahren durch verschiedene Gesetze und Verordnungen ihre rechtliche Absicherung erfuhr –, entlasteten ihn im Gegenzug aber auch durch die Bereitstellung umfangreicher Hilfsangebote in der offenen und geschlossenen Fürsorge. Diese „Austauschbeziehung zur beiderseitigen Mehrung des Nutzens"[8] sollte sich als stabil genug erweisen, um bis in die Gegenwart die Strukturen des deutschen Sozialstaates zu prägen.

Nicht alle Wohlfahrtsverbände bzw. die sie tragenden Milieus vermochten indes den neuen Wohlfahrtsstaat in gleicher Weise mitzugestalten. Was der katholische Pfarrer und promovier-

---

5 Dazu ausführlicher und mit Literaturangaben Andreas Wollasch, Tendenzen und Probleme gegenwärtiger historischer Wohlfahrtsforschung in Deutschland, in: Westfälische Forschungen 43 (1993), 1–25, hier 3–8.

6 Christoph Sachße, Die freie Wohlfahrtspflege im System kommunaler Sozialpolitik. Aktuelle Probleme aus historischer Perspektive, in: ders. (Hg.), Wohlfahrtsverbände im Wohlfahrtsstaat. Historische und theoretische Beiträge zur Funktion von Verbänden im modernen Wohlfahrtsstaat, Kassel 1994, 11–34, hier 11; vgl. neuerdings Michael B. Katz/ders. (Hg.), The Mixed Economy of Social Welfare. Public/private relations in England, Germany and the United States, the 1870's to the 1930's, Baden-Baden 1996.

7 Zur Liga vgl. Jochen-Christoph Kaiser, Sozialer Protestantismus im 20. Jahrhundert. Beiträge zur Geschichte der Inneren Mission 1914–1945, München 1989, 135–185; ders., Freie Wohlfahrtsverbände im Kaiserreich und in der Weimarer Republik. Ein Überblick, in: Westfälische Forschungen 43 (1993), 26–57.

8 Wilfried Rudloff, Konkurrenz, Kooperation, Korporatismus. Wohlfahrtsvereine und Wohlfahrtsverbände in München 1900–1933, in: Wollasch, Wohlfahrtspflege in der Region (wie Anm. I/1), 165–190, hier 190.

te Jurist Karl Neundörfer mit Blick auf das Reichsjugendwohlfahrtsgesetz (RJWG) feststellte, läßt sich durchaus für die gesamte Weimarer Wohlfahrtspolitik verallgemeinern: daß nämlich Katholizismus und Sozialdemokratie hierbei die treibenden Kräfte waren. „Was Liberalismus und Protestantismus [...] an Anschauungen vertreten und an Forderungen gestellt haben, ist entweder auf sozialistischer oder auf katholischer Seite wiederzufinden, wächst hier organischer aus einer Gesamtanschauung heraus und wird politisch machtvoller vertreten als bei den Liberalen und Protestanten."[9] Der DCV und seine Fachverbände profitierten dabei allerdings wesentlich davon, daß sich Schlüsselministerien auf Reichs- und Länderebene (das Reichsarbeitsministerium unter Heinrich Brauns und das Preußische Ministerium für Volkswohlfahrt unter Heinrich Hirtsiefer) fest in Zentrumshänden befanden und dementsprechend nicht nur allgemein nachhaltig die Interessen der freien Wohlfahrtspflege verfochten, sondern speziell dem in der katholischen Soziallehre verankerten Subsidiaritätsprinzip zum Durchbruch verhalfen – allerdings in modifizierter Form.[10] Dementsprechend haben die bis in die gegenwärtigen Sozialgesetze wirksamen Subsidiaritätsklauseln zugunsten der freien Wohlfahrtspflege ihren historischen Ausgangspunkt in der Reichsverordnung über die Fürsorgepflicht (RFV), die in den Zuständigkeitsbereich des Reichsarbeitsministeriums fiel und 1924 zusammenhängend das formelle Recht der öffentlichen Fürsorge regelte,[11] wohingegen das nach ihr zweitwichtigste und zeitgleich in Kraft tretende Weimarer Wohlfahrtsgesetz, das erwähnte RJWG, für welches das der freien Wohlfahrtspflege kritischer gegenüberstehende Reichsministerium des Innern verantwortlich war, nur auf die Gleichrangigkeit von öffentlichem und privatem Sektor abhob.[12]

Der KFV hatte als handelnder Akteur an dieser Entwicklung beachtlichen Anteil. Zwar mußte der Verein im Ersten Weltkrieg einen Mangel an qualifizierten Mitarbeiterinnen, rückläufige Mitgliederbeiträge und eine vorübergehende Stagnation seiner Organisationsentwicklung verkraften, doch vermochte er nicht nur seine Alltagsarbeit fortzusetzen, sondern fügte sich zugleich – nicht ohne nationalistische Untertöne[13] – in den Aufbau der staatlichen Kriegsfürsorge ein *(Dokument 6).* Entsprechend dem allgemeinen Trend der Zeit erlebte auch der

---

9 Karl Neundörfer, Widerstreitende Mächte im Reichsgesetz für Jugendwohlfahrt, in: Joseph Beeking (Hg.), Das Reichsgesetz für Jugendwohlfahrt und die Caritas. Eine grundsätzliche Würdigung verbunden mit Wegweisungen für die praktische Arbeit, Freiburg [3]1925, 47–77, hier 49 f.

10 Zum Subsidiaritätsprinzip, welches dann 1931 in der Enzyklika „Quadragesimo anno" seine grundlegende Ausprägung gefunden hat, vgl. Oswald von Nell-Breuning, Baugesetze der Gesellschaft. Solidarität und Subsidiarität, Freiburg – Basel – Wien [2]1990, bes. 89–93; zu den interessenbedingten Interpretationen und Brechungen dieses Prinzips in der Wohlfahrtspolitik vgl. zusammenfassend Andreas Wollasch, Geschichte der Wohlfahrtspflege in Westfalen-Lippe nach 1945. Anmerkungen zu einem Forschungsprojekt des Westfälischen Instituts für Regionalgeschichte, in: Westfälische Forschungen 44 (1994), 469–482, hier 475 f.

11 Vgl. § 5 Abs. 3 RFV: „Die Fürsorgeverbände sollen eigene Einrichtungen nicht neu schaffen, soweit geeignete Einrichtungen der freien Wohlfahrtspflege ausreichend vorhanden sind."

12 § 6 RJWG: „Das Jugendamt hat die freiwillige Tätigkeit zur Förderung der Jugendwohlfahrt unter Wahrung ihrer Selbständigkeit und ihres satzungsmäßigen Charakters zu unterstützen, anzuregen und zur Mitarbeit heranzuziehen, um mit ihr zum Zwecke eines planvollen Ineinandergreifens aller Organe und Einrichtungen der öffentlichen und privaten Jugendhilfe und der Jugendbewegung zusammenzuwirken." Vgl. auch § 1 Abs. 3 RJWG. – Diese nach beiden Seiten ausgewogene Verhältnisbestimmung war ein Kompromiß zwischen weiter reichenden Forderungen auf beiden Seiten. Wohlfahrtspolitisch war dies gleichwohl realitätsnäher, weniger konfliktträchtig und letztlich sogar eher dem Geist des Subsidiaritätsgedankens entsprechend als die Festlegung starrer Rangfolgen. Es antizipierte übrigens in mancher Hinsicht die „neokorporatistische" De-facto-Ausgestaltung des sozialen Sektors in der Bundesrepublik nach 1960.

13 Vgl. Wollasch, Der Katholische Fürsorgeverein (wie Einl., Anm. 6), 85 f.

Abb. 23: Mitarbeiterinnen der Zentrale des KFV in der Weimarer Republik (obere Reihe Mitte: die Generalsekretärin Elisabeth Zillken).

KFV im Krieg einen starken Professionalisierungsschub: Mit Elisabeth Zillken[14] wurde eine bezahlte Generalsekretärin als hauptamtliche Kraft eingestellt, um Agnes Neuhaus in der Zentrale zu entlasten *(Dokument 9);* das Korrespondenzblatt erschien erstmals als vertrauliches, vereinsinternes Mitteilungsorgan und transportierte fürsorgerisches Fachwissen bis in die kleinsten und entlegensten Ortsgruppen *(Dokument 8);* vor allem aber bewirkten die gestiegenen Anforderungen in der sozialen Arbeit, daß der Fürsorgeverein seine informellen Ausbildungskurse an der Dortmunder Zentrale 1916/17 mit der Errichtung einer eigenen Fürsorgerinnenschule institutionalisierte und verstetigte. Sie blieb für lange Zeit die wohl einzige Ausbildungsstätte in Deutschland, die neben der Jugendwohlfahrtspflege auch gezielt für die Gefährdetenfürsorge ausbildete, und sie hat sich unter dem Namen „Anna-Zillken-Schule" bis heute als Höhere Fachschule für Sozialberufe erhalten *(Dokumente 10–12).*[15] Schließlich gelang es dem KFV noch während des Krieges, sein spannungsreiches Verhältnis als Fachorganisation zum DCV als Dachverband strukturell zu klären *(Dokumente 7a, b).* Inhaltlich führte dieser Prozeß zu einer Stärkung der Vereinskompetenzen; formal begünstigte er die Diffe-

14 Zur Biographie vgl. vorerst Elisabeth Zillken, Mein Leben – meine Arbeit, in: Elisabeth Zillken 1888–1980, hg. vom Sozialdienst katholischer Frauen, Zentrale Dortmund, o.O. und o.J. [Dortmund 1981]; Hubert Mockenhaupt, Elisabeth Zillken (1888–1980), in: Jürgen Aretz/Rudolf Morsey/Anton Rauscher (Hg.), Zeitgeschichte in Lebensbildern. Aus dem deutschen Katholizismus des 19. und 20. Jahrhunderts, Bd. 6, Mainz 1984, 214–230.

15 Durch Dok. 11 mit seinen – wenn auch sprachlich und inhaltlich wohl etwas geglätteten – Impressionen von Schülerinnen der zwanziger Jahre ist dabei die in der Wohlfahrtsgeschichte nur selten faßbare Betroffenenperspektive vertreten.

renzierung innerhalb des caritativen Katholizismus, welche eng mit den beschriebenen Professionalisierungstendenzen zusammengehörte, diese teils voraussetzte, teils erst ermöglichte.[16]

Auf den Wechsel von der Monarchie zur Demokratie stellte sich der KFV im ganzen eher positiv ein. „Ich sehe unsere Aufgabe darin, [...] persönliche innere Beziehungen zu finden [...] zu den Menschen guten Willens auf der anderen Seite und diese durch die Mitarbeit mit uns zu veranlassen, auch unserer ehrlichen Überzeugung gerecht zu werden", formulierte Agnes Neuhaus in ihrem „Lokomotivenbrief" *(Dokument 13)* in einer Mischung aus wertkonservativer Grundsatztreue und echter Aufgeschlossenheit gegenüber dem Neuen. Nicht alle dachten so wie die Vereinsvorsitzende. Elisabeth Zillken etwa stand dem demokratischen Diskurs reservierter gegenüber, und auch auf Ortsgruppenebene gab es Vorbehalte, aber letztlich prägte Agnes Neuhaus dem Handeln des KFV nach außen ihren Stempel recht deutlich auf.

Die Einführung des Frauenwahlrechts wurde für den Verein zur äußeren Voraussetzung, die Weimarer Wohlfahrtsgesetzgebung aktiv beeinflussen zu können. Die ganze Zeitspanne der Republik über vermochte der KFV zunächst mit Agnes Neuhaus, seit 1930 dann mit Elisabeth Zillken ein Reichstagsmandat für das Zentrum zu behaupten, und Neuhaus entwickelte sich rasch zur unangefochtenen Fürsorgeexpertin des katholischen Lagers. Dies war ungewöhnlich in einer Zeit, in welcher weibliche Abgeordnete noch die Ausnahme von der Regel darstellten, und es verdeutlicht einmal mehr das Gewicht, welches der KFV innerhalb des deutschen Verbandskatholizismus inzwischen besaß. Vier Gesetzesvorhaben – je zwei aus dem Bereich der Jugend- und der Gefährdetenfürsorge – waren es, die auf diese Weise intensiv mitgestaltet werden konnten: das RJWG *(Dokument 14)*, die Bemühungen um eine Reform des Nichtehelichenrechts, die dann jedoch im Dickicht sich widersprechender Konzepte steckenblieben und erst 1970 Gesetzeskraft erlangen sollten *(Dokument 15)*, das Gesetz zur Bekämpfung der Geschlechtskrankheiten (GBG) von 1927, welches hier nicht weiter berücksichtigt wird,[17] und das direkt auf Neuhaus zurückgehende Projekt eines Bewahrungsgesetzes, das trotz breiter Zustimmung durch die Fachöffentlichkeit schließlich an der Kostenfrage scheiterte *(Dokumente 17 und 18)*. Seine inhaltliche Ambivalenz im Spannungsfeld von Hilfe und Repression zu beleuchten, würde den Rahmen dieser Einleitung sprengen.[18]

Den mit Abstand wichtigsten Beitrag zur deutschen Sozialstaatsentwicklung, dessen Spuren sich bis in das neue Kinder- und Jugendhilfegesetz (KJHG) hinein verfolgen lassen, erbrachten Neuhaus und der KFV in ihrem Einsatz für das RJWG. „An der Behebung der aufgetretenen Meinungsverschiedenheiten und damit dem Zustandekommen des Gesetzes war die Abgeordnete Frau Neuhaus mit besonderem Erfolge beteiligt", resümierte sogar ein zeitgenössischer Gesetzeskommentar.[19] Neuhaus hatte nicht nur 1920 im Reichstag die Initiative für eine frak-

16 Vgl. Andreas Wollasch, Deutscher Caritasverband und Fachverbände. Historische Anmerkungen zur verbandlich organisierten Caritas in Deutschland, in: Korrespondenzblatt SkF 2/94, 10–19.

17 *Dokument 16* gehört jedoch ins Umfeld des GBG und zeigt den beachtlichen Versuch der auf freiwilliger Basis unternommenen sozialfürsorgerischen Flankierung eines gesundheitsfürsorgerischen Gesetzes. – Zu den insgesamt problematischen Bemühungen des KFV, dem GBG als ganzem eine stärker fürsorgerische Note zu geben, vgl. Wollasch, Der Katholische Fürsorgeverein (wie Einl., Anm. 6), 226–256.

18 Dazu ausführlich ders., Von der Bewahrungsidee der Fürsorge zu den Jugendkonzentrationslagern des NS-Staates. Die Debatte um ein Bewahrungsgesetz zwischen 1918 und 1945, in: caritas '94, Jahrbuch des DCV, Freiburg 1993, 381–395.

19 Franz Fichtl, Reichsgesetz für Jugendwohlfahrt vom 9. Juli 1922 nebst dem Einführungsgesetz vom 9. Juli 1922. Handausgabe mit Einleitung, Erläuterungen, Anhang [...] sowie Sachregister, München 1922, 5.

tionenübergreifende Fraueninterpellation ergriffen, mit der die beschleunigte Vorlage eines entsprechenden Gesetzentwurfs gefordert wurde, sondern auch später in den Ausschuß- und Kommissionsberatungen beharrlich auf eine kompromißfähige Textfassung des RJWG hingearbeitet, wobei sich ihre guten persönlichen Beziehungen zur SPD-Abgeordneten und AWO-Gründerin Marie Juchacz als hilfreich erwiesen. Dokument 14 veranschaulicht plastisch die Fähigkeit der KFV-Vorsitzenden, Brücken über alle Parteigrenzen hinweg zu bauen und dennoch eigene Interessen wirkungsvoll zu vertreten. Inhaltlich gehen vor allem die Festschreibung der Gleichberechtigung von öffentlicher und freier Jugendhilfe, eine der Kernaussagen des Gesetzes,[20] und die Quotenregelung für die Zusammensetzung der neuen Jugendämter, die einen Anspruch der freien Jugendhilfe-Vereinigungen auf zwei Fünftel der stimmberechtigten nichtbeamteten Mitglieder des Jugendamtes festlegte,[21] auf das Verhandlungsgeschick von Neuhaus zurück. Beides bewirkte „eine Institutionalisierung des dualen wohlfahrtsstaatlichen Prinzips“ auf einem Fürsorgefeld, das sich für ein arbeitsteiliges Zusammenwirken von freien und öffentlichen Trägern als besonders geeignet erwies und diese Strukturen zumindest auf dem Spezialgebiet der Fürsorgeerziehung sogar schon seit dem ausgehenden 19. Jahrhundert modellhaft und zur beiderseitigen Zufriedenheit herausgebildet hatte.[22]

Für den KFV brachte das RJWG nicht zuletzt eine geradezu explosionsartige Breitenentwicklung: Allein zwischen 1924 und 1926 wuchs die Zahl seiner Ortsgruppen um 75 Prozent, wobei die Gründungen sich geographisch an den neu gebildeten Jugendämtern orientierten.[23] Die in der kurzen Mittelphase der Weimarer Republik reichlich fließenden staatlichen Subventionen gaben dafür viel Spielraum. Der Ausbruch der Weltwirtschaftskrise 1929 stellte dies alles wieder in Frage und markierte den Endpunkt dessen, was sich sinnvoll als Weimarer Wohlfahrtsstaat beschreiben läßt.[24]

---

20 Siehe Anm. 12.

21 § 9 Abs. 2 RJWG; vgl. die weitreichenden Analogien noch in § 71 Abs. 1 KJHG!

22 Markus Köster, Jugendwohlfahrt in der Provinz Westfalen. Das westfälische Landesjugendamt in der Weimarer Republik und im „Dritten Reich“, in: Andreas Wollasch (Hg.), Wohlfahrt und Region. Beiträge zur historischen Rekonstruktion des Wohlfahrtsstaates in westfälischer und vergleichender Perspektive, Münster 1995, 40–70, hier 51 (Zitat); zur beispielhaften Vorläuferfunktion der Fürsorgeerziehung vgl. Markus Köster, „Stiefvater Staat“ – Fürsorgeerziehung in Westfalen zwischen Kaiserreich und Bundesrepublik, in: Wollasch, Wohlfahrtspflege in der Region (wie Anm. I/1), 111–139, hier 117–123.

23 Vgl. Wollasch, Der Katholische Fürsorgeverein (wie Einl., Anm. 6), Schaubild 1 (S. 356).

24 Zusätzliches Gewicht erhält das Jahr 1929 als wohlfahrtspolitische Zäsur durch den Umstand, daß etwa zum gleichen Zeitpunkt auch der Entwicklungsprozeß der Sozialarbeit als Beruf in Deutschland seinen vorläufigen Abschluß fand, vgl. Sachße, Mütterlichkeit als Beruf (wie Anm. I/12), 277.

Dokument 6:

Zur Arbeit des Fürsorgevereins im Ersten Weltkrieg

Dortmund, im Januar 1917.

An alle unsere Ortsgruppen!

Es wird Ihnen bekannt sein, daß zur Durchführung des Vaterländischen Hilfsdienstes in Berlin ein Kriegsamt errichtet wurde, das sich zur Erleichterung seiner Aufgabe bei den einzelnen Stellvertretenden Generalkommandos <in den Industrie-Zentren>[1] Kriegsamtsstellen schuf, die ihre Zentrale beim Kriegsamt haben.

Sowohl bei dem Kriegsamt als auch bei den ihm untergeordneten Kriegsamtsstellen werden besondere Abteilungen für Frauenarbeit, „Frauen-Referate" genannt, eingerichtet. Unter der Leitung des Frauenreferates beim Kriegsamt soll die gesamte Frauenarbeit in Deutschland nach einheitlichen Gesichtspunkten organisiert werden. Die Aufgabe der Frauenreferate bei den Kriegsamtsstellen besteht darin, die Frauen praktisch derart in die deutsche Arbeit einzugliedern, daß ihre Gesundheit und Sittlichkeit, sowie die Erziehung der Kinder nicht leidet, die Not von den Familien ferngehalten wird und zugleich alle entbehrlichen Männerkräfte für die Front und die schwerste Arbeit frei gemacht werden.

Um den Frauenreferaten bei den Kriegsamtsstellen die Durchführung der erforderlichen Maßnahmen zu erleichtern, werden insbesondere in industriereichen Gegenden eine Reihe von Unterabteilungen gegründet, die ebenso wie die Frauenreferate bei den Kriegsamtsstellen und das Frauenreferat beim Kriegsamt alle unter Leitung von Frauen stehen.

Die Einrichtung der Frauenreferate stellt den Ortsgruppen des Kathol. Fürsorgevereins für Mädchen, Frauen und Kinder eine zweifache Aufgabe:

I. Wo es möglich ist, zu helfen, daß die Leitung der Kriegsamtsstellen und ihrer Unterabteilungen in die Hände geeigneter Frauen kommt, und daß diesen Leiterinnen ebenfalls tüchtige Hilfskräfte zur Seite stehen. Zur Leitung sind Frauen erforderlich, die über alle Teile des Gebiets ausreichend unterrichtet sind, volkswirtschaftliche und staatsbürgerliche Bildung, Erfahrung in Wohnungs-, Kriegsernährungs- und Kriegswohlfahrtsfragen besitzen, während man von den Hilfskräften Kenntnisse für einzelne technische Fragen, Lohnfragen, Fürsorgeangelegenheiten jeder Art verlangt.

   Die Leitung des Frauenreferates der Kriegsamtsstelle des VII. Armeekorps ist Fräulein Zurhorst, die bisher erste Sekretärin der Ortsgruppe Münster war, übertragen worden. Sie bittet uns dringend, ihr beim wichtigsten Teil ihrer Aufgabe zu helfen, geeignete Hilfskräfte für die Leitung und Arbeit in den Unterabteilungen, die im Industriegebiet fast in allen Industrieorten gegründet werden, zu finden. Wir richten deshalb an alle unsere im Bezirk des VII. Armeekorps gelegenen Ortsgruppen die dringende Aufforderung, umgehend die Adresse geeigneter Damen – auch evangelischer – an die <Privatadresse der> Vorsitzende[n] der Ortsgruppe Münster einzusenden.

   Wir bitten aber, bei diesen Angaben darauf zu achten, daß nicht dem Fürsorgeverein selbst nötige Hilfskräfte entzogen werden, deren er in dieser Zeit besonders dringend bedarf.

II. Die zweite und Hauptaufgabe liegt aber in der Zusammenarbeit mit diesen neu eingerichteten Frauenreferaten.

1 [Texte in spitzen Klammern = handschriftliche Ergänzungen im Original.]

Laut Verfügung des Kriegsamts sollen die Kriegsamtsstellen zur Erreichung der oben genannten Ziele mit den bestehenden behördlichen und sozialen Organisationen aufs engste zusammenarbeiten bezw. ihre Ausgestaltung und Entwicklung fördern und beschleunigen.

Die Zentrale wurde vor einigen Tagen bereits aufgefordert, dem Kriegsamt die Adressen aller in Rheinland und Westfalen gelegenen Ortsgruppen zur Erleichterung der Zusammenarbeit anzugeben. Unsere Ortsgruppen werden also wahrscheinlich sehr bald um ihre Mitarbeit ersucht werden, und wir halten es für dringend notwendig, daß sie auf ihrem Spezialgebiet den Kriegsamtsstellen eine zuverlässige und feste Stütze werden.

Unsere Arbeit hat von jeher dem Wohl unseres Landes und Volkes gegolten – es ist eine Ehren- und Gewissenssache, die Leistungen in dieser Zeit der Not zu vervielfachen.

Wir bitten unsere bayrischen Ortsgruppen, zu prüfen, wie weit das Gesagte auch für sie zutreffend ist, da Bayern ein eigenes Kriegsamt hat und wir nicht wissen, ob es in ganz gleicher Weise organisiert ist.

Aus: Archiv des Deutschen Caritasverbandes 319.4 F 06/01 (Rundschreiben KFV-Zentrale an Ortsgruppen).

Der Standpunkt des Kath. Fürsorgevereins für Mädchen, Frauen und Kinder zu den vom Caritasverband vorgeschlagenen „Richtlinien über das Verhältnis des Caritasverbandes und seiner Zweigverbände zu den Fachorganisationen“, Paderborn 1917

Zu Richtlinie 1.

> *Caritasverband:* Grundgesetz für jede kath. Caritasbewegung ist, daß sowohl die Caritasverbände wie die Fachorganisationen der obersten Leitung des Diözesanbischofs unterstehen. Über die Einführung von Caritasverbänden sowohl wie von Fachorganisationen in den Pfarreien steht daher die nächste Entscheidung dem Pfarrer, die oberste dem Bischof zu.

Sie hat unsere freudige Zustimmung.

Der katholische Fürsorgeverein hat sich seit den allerersten Anfängen auf der Grundlage des vertrauensvollen Gehorsams gegen die kirchlichen Vorgesetzten aufgebaut. Er ist entstanden aus der Privatarbeit einer einzelnen Frau, aber schon diese hat *keinen Schritt getan* ohne Rat und Zustimmung ihres zuständigen Pfarrers und des Seelsorgers des Krankenhauses, in welchem sie zuerst die Arbeit begann. Es hat dann der hochwürdige Herr P. Seiler aus dem Jesuitenorden die Sache mit in die Hand genommen und in der Pfarrkirche zu Dortmund vor dem Allerheiligsten Sakrament und in Gegenwart der vom Herrn Propst Löhers geladenen hochwürdigen Geistlichkeit den Verein offiziell gegründet. Als dieser sich dann weiter auszubreiten begann, hat die Vorsitzende des Dortmunder Vereins, jetzt Vorsitzende des Gesamtvereins von Deutschland, Audienz bei ihrem Diözesanbischof, dem Hochwürdigsten Herrn Bischof Schneider von Paderborn nachgesucht, ihm das Geschehene unterbreitet, ihm fortlaufend berichtet, und dann um Ernennung eines Beirats gebeten, damit der Hochwürdigste Herr selbst nicht so oft bemüht zu werden brauchte. Er hat diesen Wunsch gern erfüllt; wir haben uns glücklich gefühlt über das große Vertrauen, welches unser Bischof der jungen Bewegung stets bewiesen hat. [...]

Unsere Organisation ist ihrem Wesen nach, wie sie interlokal und interstaatlich (d.h. in bezug auf unsere deutschen Bundesstaaten), so auch interdiözesan. Von vornherein beabsichtigt war das keineswegs. Als die erste Ortsgruppe unseres Vereins ihre Tätigkeit begann, hat keine von uns daran gedacht, daß daraus ein großer, über ganz Deutschland ausgebreiteter Verein werden sollte. In der praktischen Arbeit zeigte sich aber bald die Notwendigkeit, Mitarbeiterinnen auch an anderen Orten zu finden, sei es, um die Beziehungen zu dem gefährdeten Mädchen, das von hier verzog, zu erhalten, sei es, um einen wirksamen Schutz für die in Dienst untergebrachten Schützlinge einrichten zu können, sei es vor allem, um Verbindung mit der Heimat des in unserer Stadt ins Unglück gekommenen Mädchens zu haben. So entstanden neue Ortsgruppen unseres Vereins. Schon bald wurden bei diesen Gründungen die Grenzen der Diözesen und des Bundesstaates überschritten. Es war unsere erste Sorge bei solchen Neugründungen in anderen Diözesen, die Zustimmung und den Segen des Diözesanbischofs zu erlangen. Deshalb hat die Vorsitzende in solchen Fällen Audienz bei dem Hochwürdigsten Herrn Bischof erbeten. Zudem hat jede Ortsgruppe laut Satzungen einen geistlichen Beirat, dessen Aufgabe es ist, die Vereinstätigkeit im Sinne des Diözesanbischofs zu leiten. Klagen sind uns in dieser Hinsicht nicht bekannt geworden. Trotzdem genügte uns dieser Zustand nicht.

Wir erlauben uns, für „Caritasverband" die Abkürzung: C.V. zu gebrauchen.

Wir haben deshalb jeden der Hochwürdigsten Herren Bischöfe, in dessen Diözese mehrere Ortsgruppen unseres Vereins bestehen, um Ernennung eines geistlichen Diözesanbeirats gehorsamst gebeten. Die Hochwürdigsten Herren haben diese Bitte erfüllt. Wir wollen nun in Zukunft von der Zentrale aus diesen Diözesanbeiräten von allen Vorkommnissen, Gründungen usw. in der betreffenden Diözese Mitteilung machen und hoffen, daß durch sie die Weisungen des Hochwürdigsten Herrn Diözesanbischofs an die Ortsgruppen seiner Diözese ergehen können. Wir wollen dadurch erreichen eine Arbeit ganz im Sinne und unter dem Segen unserer heiligen Kirche; denn unwandelbare Treue zu unserer heiligen Kirche und Gehorsam gegen unsere Oberhirten sind uns Herzensbedürfnis.

Zu Richtlinie 2.

> *Caritasverband:* Die in einer Diözese bestehenden carit. Fachorganisationen, die sich lediglich auf diese Diözese beschränken, schließen sich dem Diözesancaritasverband an.
>
> Fachorganisationen, die sich über ganz Deutschland verbreiten, betrachten sich als Teil der Gesamt-Caritasorganisation und schließen sich dem Zentral-Caritasverband an.

Wir sind einverstanden; der Leitsatz ergibt sich aus der Sachlage von selbst. Unsere Organisation steht auch schon seit vielen Jahren in dem hier angegebenen Verhältnis zum C.V.; die Vorsitzende ist seit langer Zeit Mitglied des Zentralcaritasverbands-Ausschusses und hat immer an den Verbandstagungen tätig teilgenommen.

Zu Richtlinie 3.

> *Caritasverband:* Nach den Beschlüssen der Hochwürdigsten Herren Bischöfe ist die Caritasorganisation auch in den kleineren Städten und Landgemeinden durchführbar. Wo in kleineren Gemeinden die Gründung verschiedener Fachorganisationen sich nicht ermöglichen läßt, haben hier die örtlichen Caritasverbände bezw. Caritasausschüsse die Aufgabe, vorläufig sämtliche Caritas-Aufgaben zu übernehmen.
>
> Besondere Fachvereine bestehen zumeist nur in mittleren und größeren Städten. Überall, wo solche bestehen, betrachtet der C. V. es als seine Aufgabe, deren Tätigkeit nach Kräften zu fördern und zu unterstützen.

Sie hat unsere volle Zustimmung, und wir begrüßen sie mit Freuden. Gerade in den kleinen Gemeinden, wo nicht mehrere einzelne Vereine gegründet werden können, fehlt oft alle uns so notwendige Verbindung mit den größeren Städten. Und diese Verbindungen brauchen wir für die so wichtigen Ermittlungen über Familie und Vorleben unserer Schützlinge, – zur Auskunft bei Unterbringung in Dienststellen und Familienpflege – zur liebevollen Überwachung der Untergebrachten und für Berichte über sie an die Vormünderin oder Vereinsmutter.

Wir nehmen an, daß diese Richtlinie dem Fürsorgeverein die Gründung einer Ortsgruppe in einer kleinen Gemeinde in einzelnen Fällen, wenn die Verhältnisse dafür besonders günstig sind und die Gründung der guten Sache dienen würde, nicht direkt verbietet.

Zu Richtlinie 4.

> *Caritasverband:* Ein Eingriff in die Tätigkeit der Fachorganisationen steht dem C.V. nicht zu, ist auch nach seinen Satzungen ausgeschlossen.

Sie ist für die Fachverbände besonders wichtig, und wir hoffen zuversichtlich, daß, nach Ordnung und Klärung des Verhältnisses des C.V. zu den Fachorganisationen, der C.V. diesen Paragraphen seiner Satzungen auch einhalten kann. Es ist das unbedingt erforderlich, um dem C.V. das für eine gedeihliche Zusammenarbeit so notwendige feste *Vertrauen* der Fachverbände zu erwerben und zu sichern. Wir z.B. waren bisher bei aller Überzeugung von der Notwendigkeit des C.V. oft zu einer vorsichtigen Zurückhaltung gezwungen, weil wir erlebt hatten, daß der C.V. wiederholt unser Arbeitsgebiet als das seine beanspruchte, daß er dem Fürsorgeverein Arbeiten abnehmen will, die dieser seit langen Jahren ausübt, die auf seinem Boden gewachsen sind und in Satzungen und Literatur als sein Arbeitsgebiet bezeichnet sind. Solche Unstimmigkeiten und die dadurch notwendig werdenden schriftlichen und mündlichen Auseinandersetzungen zehren ganz unverhältnismäßig an Zeit und Kraft. Darum sind wir zu allem bereit, was dazu beitragen könnte, diesem Leitsatz 4 zu voller Lebenskraft zu verhelfen, d.h. zu einer Klärung und Sicherung des gegenseitigen Verhältnisses, in welchem C.V. und Fachorganisationen in vollem gegenseitigem Vertrauen Hand in Hand arbeiten, sich gegenseitig stützen und fördern.

Zu Richtlinie 5.

> *Caritasverband:* Aufgaben, welche Fachverbände am Orte bereits lösen, wird der Caritasverband nicht übernehmen. Er wird vielmehr an ihn gelangende Angelegenheiten der Fachverbände diesen überweisen, ausgenommen in dringenden Notfällen, wo er die ersten Schritte tun wird.

Einverstanden, mit Ausnahme des letzten Nachsatzes:
„ausgenommen in dringenden Notfällen, wo er die ersten Schritte tun wird.“
Wir können uns in einer Stadt, in welcher Fachverbände in lokaler Ortsgruppe tätig sind, solche dringenden Notfälle nicht gut vorstellen. Sollten sie dennoch vorkommen, so ist das Eintreten einer anderen Organisation, und besonders des C.V. so selbstverständlich, daß ein ausdrückliches Festlegen in den Richtlinien leicht verwirrend wirken kann. Im Interesse des zu erwerbenden Vertrauens der Fachverbände würden wir wünschen, daß dieser Nachsatz gestrichen wird.

Zu Richtlinie 6.

> *Caritasverband:* Die Entscheidung, ob und wann in einer mittleren größeren Stadt für die vom Caritasverband bisher übernommenen Arbeiten eines besonderen Caritaszweiges ein Fachverband zu gründen ist, steht nach 1., 2. Abs. der Pfarrgeistlichkeit und in letzter Linie dem Diözesanbischof zu.

Sie ist *von grundlegender Bedeutung.* Falls sie angenommen wird, gibt sie dem C.V. das Recht, unter Umständen, die er selbst leicht herbeiführen kann, außer seiner eigentlichen Tätigkeit selbst in größeren Städten auch solche Aufgaben zu übernehmen, für welche Fachorganisationen – z.B. unser Fürsorgeverein – gegründet, gut organisiert, über fast ganz Deutschland ausgebreitet sind, und welche segensreich wirken; er würde also in all diesen Städten die Organisation durchbrechen, damit die Gesamtorganisation empfindlich verletzen, sie in ihrer Leistungsfähigkeit beträchtlich herabsetzen. Es ist deshalb wohl zu verstehen, wenn wir gegen diesen Leitsatz ernste Bedenken haben, und er uns große Sorge bereitet.

Die Wichtigkeit dieses Leitsatzes besteht darin, daß er die ganze Organisationsfrage aufrollt. Wir sind darum gezwungen, des längeren auf ihn einzugehen:

Was zunächst die Fassung der Richtlinie angeht, so scheint uns das eigentlich Entscheidende nicht darin zu liegen, was der Satz *sagt,* sondern in dem, was er *voraussetzt.* Der Satz, in zwei Teile zerlegt, würde lauten:

Bisher hat der Caritasverband sämtliche caritativen Arbeiten übernommen. Ob und wann nun ein Teil dieser Arbeiten von einem Fachverband (durch seine Ortsgruppe) übernommen werden soll, darüber steht nach 1, 2 Abs. usw.

Diese beiden Sätze müssen abgewogen werden.

Entweder ist der erste Satz wahr, oder er ist nicht wahr. Wir nehmen an, daß er *nicht* so gemeint ist, weil das ja nicht stimmen würde. Wenn das aber nicht gemeint sein soll, dann ist doch wenigstens ohne weiteres angenommen, daß das primäre Recht des Handelns auf seiten des Caritasverbandes liegt.

Wir sind nun der gegenteiligen Ansicht und sagen uns, daß in bezug auf Facharbeit, für die bereits ein Fachverband gegründet ist, dieser Fachverband das *erste* Recht an die Arbeit hat, insoweit überhaupt von einem Recht auf solche Arbeit die Rede sein kann.

Der C.V. hat des öfteren sich dahin ausgesprochen, der Fürsorgeverein hätte kein „Anrecht" an die Fürsorgearbeit, hätte kein Monopol auf diesem seinem Arbeitsgebiet. Wir geben ihm vollständig recht. Wir fügen hinzu: Auch der C.V. hat kein Anrecht an diese Arbeit, kein Verein hat ein solches Anrecht; sondern die *Fürsorgearbeit* hat ein elementares Anrecht an diejenige Organisationsform, die ihren Zwecken am besten dient, die sie ihr Ziel: Hilfe und Rettung für verlorene, gefährdete Menschenkinder, am sichersten erreichen läßt.

Es würde also alles darauf ankommen, ohne Voreingenommenheit zu prüfen und festzustellen, welches diese Organisation ist, resp. wie sie beschaffen sein muß.

Es hat sich nun gezeigt, daß eine solche Hilfsorganisation vor allem zwei Bedingungen erfüllen muß:

1. Sie muß vor allem völlig interlokal sein und unter strenger Vermeidung aller Zwischengrenzen einen weit ausgedehnten und weit umfassenden, einheitlichen, geschlossenen Verein bilden, dessen Ortsgruppen, jede in sich selbständig, doch in fester, innigster Verbindung untereinander und mit ihrer Zentrale stehen. (Gesamtverein für Deutschland.) Nur so entspricht sie dem Charakter ihrer Hilfsarbeit resp. ihrer Schutzbefohlenen, die auch außerordentlich leicht beweglich, ja oft in einer alle Grenzen überspringenden, fortwährenden Bewegung sind, heute hier und morgen da.

Der „Kath. Fürsorgeverein für Mädchen, Frauen und Kinder" *hat diese Organisationsform.* Wir haben jetzt 121 Ortsgruppen in fast allen größeren Bundesstaaten, – die nördlichste in Königsberg, die südlichste in Konstanz am Bodensee – die alle untereinander in innigster Verbindung stehen und etwa 20000 neue Fälle jedes Jahr bearbeiten. Wir haben schwierige Fälle gehabt, die nur darum geraten sind, weil für ein und dasselbe Menschenkind zwei, drei, auch schon vier Städte, oft in ebenso vielen Bundesstaaten eifrig miteinander gearbeitet haben. Im liberalen Lager hat man uns wörtlich gesagt: „Ihre Organisation ist mustergültig; was Sie haben, das fehlt uns." Man strebt seit Jahren an, die gleiche enge Organisationsverbindung und Einheitlichkeit der Arbeit zu bekommen, aber es gerät nicht. Fast die Hälfte unserer westfälischen Schützlinge sind aus Posen und Westpreußen; über die Hälfte der Frankfurter Schützlinge sind Bayerinnen, die Ortsgruppe Frankfurt arbeitet überhaupt in der Hauptsache für Schützlinge von außerhalb; in den Heidelberger Kliniken helfen unsere Mitglieder den katholischen Mädchen und Kindern aus der Bayrischen Pfalz; Leipzig steht in beständiger Verbindung mit den bayrischen Ortsgruppen, wie überhaupt die kathol. Bayerinnen, oft vom Lande, in den Großstädten der anderen Bundesstaaten einen erheblichen Prozentsatz der sittlich Hilfsbedürftigen bilden. Eine unserer süddeutschen Vorsitzenden sagte mir: „Wenn man sich wegen eines Mädchens oder Kindes an mich wendet, dann führen meine Ermittlungen mich fast immer nach auswärts, und dann ist mein erster Blick in unser Adreßbuch. Haben wir in der früheren Heimatstadt oder in der Stadt des letzten längeren Aufenthaltes eine Ortsgruppe, dann bin ich gerettet; wenn nicht, dann ist meine Mühe meist erfolglos." Bei einer unserer letzten Ortsgruppengründungen in Kiel wurden wir von den geistlichen Herren dringend gebeten, doch möglichst bald für Ortsgruppen in Westpreußen und Schlesien zu sorgen; die kathol. Mädchen, die in Kiel und überhaupt in Holstein ins Unglück kämen, stammten fast alle dorther, und enge Verbindungen nach dort zwecks gemeinsamer Hilfsarbeit seien durchaus nötig.

Der C. V. hat diese einheitliche und geschlossene Organisationsform nicht, und darf sie nicht haben, wenn er *seine* Zwecke erreichen will. Der Fürsorgeverein will die *eine* große Hilfsarbeit aller Städte zu einem großen Ganzen vereinigen, weil nur dann voller Erfolg dieser Arbeit gewährleistet wird; er ist also seinem Wesen nach interlokal. Der C.V. will die *verschiedensten,* will *alle* kathol. Hilfsarbeiten *einer Stadt* oder *einer Diözese* zu einem machtvollen, einheitlichen kathol. Ganzen verbinden, er ist also seinem Wesen nach lokal. [...] Der C.V. muß, um sein Ziel zu erreichen, unbedingt Diözesanverbände bilden, der Fürsorgeverein muß diese Diözesanverbände, weil sie Zwischengrenzen innerhalb des Vereins bilden würden, unbedingt vermeiden; (wir haben oben gesagt, wie wir doch die Form gefunden zu haben glauben, in welcher wir den Diözesan-Charakter im Anschluß an unsere Kirche festlegen).

Beispiele: Die Stadt Frankfurt liegt zum großen Teil in der Diözese Limburg, zum anderen Teil aber in der Diözese Fulda, auch das große Gefängnis Preungesheim, das von unseren Frankfurter Damen besucht wird, liegt in der Diözese Fulda, andere in unmittelbarer Nähe liegende und in engen Beziehungen zu Frankfurt stehenden Städte in der Diözese Mainz. Bei Diözesanorganisationen des Fürsorgevereins würde also das Arbeitsgebiet der dortigen Ortsgruppe zu drei verschiedenen Diözesanverbänden gehören. Wir haben verschiedene Ortsgruppen, durch welche die Diözesangrenze mitten hindurch geht. Weiter: Die Städte und Ortschaften des rheinisch-westfälischen Industriegebietes, die ein sehr großes und ganz gleichmäßiges Arbeitsfeld für unsere Fürsorgevereine bilden und ganz besonders ein inniges Zusammenarbeiten der verschiedenen Ortsgruppen verlangen, gehören zu drei verschiedenen Diözesen: Köln, Münster und Paderborn; noch deutlicher ist das Bild, wenn man z. B. sagt: Recklinghausen, Gelsenkirchen und Essen, drei Städte, dicht beieinander liegend im Herzen des Industriegebietes, gehören zu drei verschiedenen Diözesen, würden also von drei verschiedenen Vorstandsstellen ihre Direktiven bekommen, wenn in diesen Städten der C. V. die Fürsorgearbeit übernähme.

2. Die Fürsorgearbeit verlangt, wenn sie Erfolg haben soll, dringend eine *besondere* Schulung, und zwar sowohl für den schriftlichen und mündlichen Verkehr mit den Behörden (Gesetzeskenntnis, und darauf begründete Antragstellung usw.), wie besonders auch für den Verkehr mit den Schutzbefohlenen selbst und mit ihren Angehörigen. Es ist keine leichte Aufgabe, diesen armen Menschen gegenüber die volle mütterliche Liebe und Opferfreudigkeit walten zu lassen, die Gott in das Frauenherz hineingelegt hat, und doch alle Weichlichkeit und Sentimentalität, alle Verschwommenheit der Grenzen zwischen Recht und Unrecht fernzuhalten, – beständig mit dem Schmutz der Sünde in Berührung zu kommen und doch sich immer der geistigen Schönheit, der Würde dieser Arbeit bewußt zu bleiben. Neben der unerläßlichen tiefen Religiösität, die für unsere Fürsorgearbeit Grundbedingung bleibt, und die wir ständig in unseren Mitarbeiterinnen und uns selbst pflegen und lebendig halten müssen, ist für unsere Ortsgruppen eine *besondere,* sorgfältige Schulung nach beiden oben angegebenen Seiten hin notwendig. Diese Arbeit verlangt Spezialisten in des Wortes edelster Bedeutung, in dem Sinne, daß sie, wenn sie wirklichen Erfolg haben soll, den ganzen Menschen erfassen muß, ihm nicht erlaubt, allerlei zu arbeiten und überall zu helfen. Wir haben längst durch die Erfahrung gelernt, daß eine *allgemeine* soziale und caritative Ausbildung für unsere Arbeit absolut nicht ausreicht, sondern daß gerade für sie eine gründliche Spezialausbildung unerläßlich ist.

Diese Schulung hat der Fürsorgeverein sich ernstlich bemüht, seinen Mitgliedern zu geben, sowohl bei Gründung der Ortsgruppen, bei Versammlungen und Vereinstagungen, wie besonders auch durch die beständig an der Zentrale gehaltenen Kurse. In diesen Kursen bilden wir in erster Linie Berufsarbeiterinnen aus für unsere Ortsgruppen – über vierzig sind in der Organisation selbst tätig, andere arbeiten in kommunalen und staatlichen Fürsorgestellen unter überzeugter Berücksichtigung des katholischen Standpunktes – aber auch die ehrenamtlich Arbeitenden suchen diese Belehrung und sind stets an der Zentrale willkommen.

Der C. V. hat nun – gerade entgegengesetzt – die besondere Aufgabe, auf *allen* Gebieten der kathol. Liebestätigkeit so weit bewandert zu sein, daß er überall anregend, ordnend, verbindend wirken kann, daß er Rat und Auskunft über alles geben kann, daß er die gegebene Stelle ist, an die jedermann sich wenden kann, der irgend etwas über irgend einen Zweig der kathol. und interkonfessionellen Liebestätigkeit erfahren will. Er wird auch die zweite große Aufgabe haben, überall da selbsttätig einzugreifen, wo neue Bedürfnisse auftauchen, für welche entweder noch kein Fachverband besteht, oder die ihrer Natur nach die Bildung eines Fachverbandes nicht verlangen. Da scheint es uns unmöglich, daß er *daneben* noch das große und schwierige Arbeitsfeld der Fürsorge übernehmen könnte, welches ganz besondere Kenntnis seiner Eigenart und sehr große Übung und Erfahrung verlangt, was alles nur durch eine ernste Spezialschulung und durch Konzentration, volle Hingabe an die eine Arbeit zu erreichen ist.

Nun genügt aber diese Spezial-Schulung allein auch noch nicht, sondern es muß auch die Möglichkeit bestehen, sie in alle Ortsgruppen hineinzubringen, resp. auch für diese Schulung und ihre Anwendung wieder eine gewisse Einheitlichkeit unter den Ortsgruppen zu erreichen, die deshalb so notwendig ist, weil oft weit auseinander liegende Ortsgruppen für ein und denselben Fall in enge Arbeitsgemeinschaft miteinander treten müssen. Gewährleistet wird nun diese Einheitlichkeit in Schulung und Direktive durch die einheitliche und fest umschlossene Organisationsform unseres Fürsorgevereins: Gesamtverein für Deutschland.

Wir haben oben schon gesagt, daß diese Organisationsform nicht das Ergebnis theoretischer Erwägungen ist, sie ist aus der praktischen Arbeit herausgewachsen. Als die Fürsorgevereine nur in Rheinland und Westfalen bestanden, hatten wir den *Gesamtverein* noch nicht, es genügte damals die Form eines *Verbandes* von selbständigen Vereinen, da wir uns öfter in Versammlungen sehen, unsere Erfahrungen austauschen und uns verständigen konnten; wir *hatten* volle Einheitlichkeit, ohne uns ihrer bewußt zu sein. Als aber die Organisation sich nach Frankfurt, Wiesbaden, Straßburg, Metz, Baden und Bayern ausdehnte, wurden persönliche Verständigungen naturgemäß schwieriger, und da zeigte sich *aus der praktischen Arbeit* die Notwendigkeit engster Zusammenarbeit *und* einheitlicher Spezialschulung und Direktive, – und aus diesem, von den Ortsgruppen selbst empfundenen Bedürfnis, auf ihren eigenen Wunsch, ist dann der „Gesamtverein" für Deutschland entstanden und hat sich, was Erfolg der Arbeit anlangt, vorzüglich bewährt.

Sicher werden auch die Caritas-Diözesanverbände in möglichst enge Verbindung miteinander treten, aber es wird doch in den verschiedenen Verbänden immer verschieden gearbeitet werden, das zeigt sich schon jetzt. Und das kann auch nicht anders sein, weil doch der C.V. die einzelnen Diözesen nicht einschränken kann, ihnen keine Vorschriften machen will, während ein für *eine bestimmte Tätigkeit* bestehender Verein sehr wohl seinen Ortsgruppen eine ganz bestimmte Richtung und Arbeitsmethode geben kann.

Aus dem Gesagten ziehen wir die Schlußfolgerung: Der C.V. ist nicht die geeignete Organisation für die Fürsorge, weil die aus der Praxis als notwendig erkannten charakteristischen Eigentümlichkeiten ihm fehlen, weil er große andere Aufgaben hat, die zum Teil entgegengesetzte charakteristische Eigenschaften verlangen.

Die Fürsorgearbeit – und das ist vielleicht das Entscheidende – verlangt in ihrer Eigenart eben eine Organisation für sich; und da der Fürsorgeverein von Anfang an keinen anderen

Zweck, kein anderes Ziel gehabt hat, als nur das eine, dieser Fürsorgearbeit zu dienen, so hat er in seiner nun achtzehnjährigen Tätigkeit naturgemäß immer mehr seine Organisationsform und seine Schulung auf diese Fürsorgearbeit eingestellt – man wird ihn darum wohl als den für diese Arbeit geeigneten und bestimmten Verein bezeichnen können.

Wenn wir nun nach dieser, leider sehr langen, aber zur Begründung unserer Ansicht über den Leitsatz 6 notwendigen Ausführung auf diesen Leitsatz zurückkommen, so sind unsere Bedenken jetzt leicht zu verstehen.

Der Leitsatz zerstört zunächst ohne weiteres den Grundsatz der *einen, besonderen Organisation* für die Fürsorgearbeit; hier soll die Arbeit vom C. V. gemacht werden, dort vom Fürsorgeverein. Damit wäre also die Einheitlichkeit und Geschlossenheit der Hilfsorganisation (der Gesamtverein für Deutschland) vernichtet, es würde grundsätzlich diese Fürsorgearbeit unter verschiedene Organisationen aufgeteilt, und dadurch wäre die Stoßkraft, die bisher gerade in der einheitlichen Organisation lag, beseitigt, die notwendige Vorbedingung des Erfolges für viele Fälle genommen.

Die Bestimmung, welche von beiden Organisationen die Arbeit in der betreffenden Stadt übernehmen soll, trifft nach Richtlinie 6 der Pfarrer. – Daß man nicht gegen den Wunsch und die Ansicht der Pfarrgeistlichkeit eine Ortsgruppe gründet, ist für uns ganz selbstverständlich; eine solche Gründung ist bisher auch noch niemals von uns vorgenommen worden, auch dann nicht, wenn an und für sich in der betreffenden Stadt ein Fürsorgeverein sehr nötig gewesen wäre. Es ist aber etwas ganz anderes, eine solche Gründung zunächst zu unterlassen und geduldig zu warten, bis Ansichten sich ändern und die Umstände einer Gründung günstiger sind – oder zusehen zu müssen, wie nun eine andere Organisation die Arbeit übernimmt, und damit diese Stadt dem Fachverband dauernd verloren geht.

Wir alle wissen, mit welchen Bedenken der Herren Pfarrer gegen neue Vereinsgründungen wir oft zu kämpfen haben, und wie schwer es manchmal ist, die Herren davon zu überzeugen, daß gerade im Fürsorgeverein die *Arbeit* von den Vereinsmitgliedern geleistet, und dem Pfarrer durch solche Gründung keine neue Bürde auferlegt, sondern im Gegenteil nur Hilfe gebracht wird. – Der C. V. hätte es nun sehr leicht, die Vereinsmüdigkeit der Herren zu benutzen, ihnen zu sagen: „Ein neuer Verein ist hier auch gar nicht nötig, diese Arbeit kann der C. V. übernehmen;" damit würde er in sehr vielen Fällen die Ortsgruppen der Fachverbände aus dem Felde schlagen, das System der Fachverbände also praktisch durchbrechen, zerstören.[1]

Und wie kann ein Pfarrer bestimmen, der nicht vollkommen orientiert ist? Wer orientiert den Pfarrer? Kann wirklich eine für die kathol. Liebestätigkeit in Deutschland wichtige Entscheidung von dem Zufall abhängen, ob ein Pfarrer eher von dieser als von jener Organisation Kenntnis erhält? Soll jetzt ein unschöner und oft wenig liebevoller Wettlauf anheben zwischen den beiden Organisationen, welche von ihnen zuerst das Feld erobert? Und diesen gewiß von niemanden gewünschten Zustand könnte leicht die Richtlinie 6 herbeiführen.

Aus all diesen Gründen können wir uns nur gegen die Richtlinie 6 aussprechen. Wir bitten dringend, sie fallen zu lassen, da wir sie als geradezu verhängnisvoll für die einheitliche Durchführung jeder Fachorganisation bezeichnen müssen. Ihre Einführung würde nach unserer Ansicht den Fach-

1 [Diese Gefahr ergab sich vor allem aus der Kombination der Richtlinien 6 und 3.]

verbänden die volle Wirksamkeit, die volle Erfolgsmöglichkeit nehmen, sehr zum Schaden der guten Sache.

Zu Richtlinie 7.

> *Caritasverband:* Dort, wo von der kirchlichen Autorität die Gründung von Ortsvereinen eines Fachverbandes für nützlich erachtet wird, wird der Caritasverband bei der Gründung gern behilflich sein, dieselbe aufs kräftigste unterstützen und nach Wunsch und Möglichkeit auch die erforderlichen Vorarbeiten übernehmen. Auf Wunsch stellt der Caritasverband dem Fachverband seine Geschäftsstelle bzw. sein Sekretariat zur Verfügung. Hält die kirchliche Autorität die Gründung eines besonderen Büros für den Fachverband für angemessen, so wird sich der Caritasverband einer solchen Gründung nicht entgegenstellen. (Erwünscht ist jedoch, falls durchführbar, die Unterbringung dieses neuen Büros im gleichen Hause oder in der Nähe des Caritas-Sekretariates.)

Wir sind einverstanden bis zu der Stelle: „Hält die kirchliche Autorität usw."; diese Schlußstelle bitten wir zu streichen. Um diese Bitte zu begründen, können wir nicht unterlassen, unser Befremden über die vom C. V. vorgeschlagenen Worte: „So wird sich der C. V. einer solchen Gründung nicht entgegenstellen" auszudrücken.

Zunächst ist es doch ganz ausgeschlossen, sich einer Gründung entgegenzustellen, welche die kirchliche Autorität für angemessen erachtet. Wenn der C. V. es trotzdem für notwendig hält, seine Einwilligung in dieser Form, quasi als Konzession zu betonen, so können wir daraus nur lesen: „Wenn es nicht die kirchliche Autorität wäre, welche die Gründung eines besonderen Büros für angemessen hielte, so *würden* wir uns dieser Gründung entgegenstellen." Tatsächlich hat der C. V. schon einmal unsere Ortsgruppe einer großen Stadt ausschließlich auf sein Büro angewiesen, sehr zum Schaden der Sache. Aus verschiedenen Äußerungen, die gefallen sind, wissen wir, daß der C. V. überhaupt die Errichtung eigener Büros für die Fürsorgevereine nicht wünscht, während wir sie in den meisten Fällen für notwendig halten. Wir wissen eben, wie außerordentlich überlastet unsere Büros sind, und daß es ebenso untunlich sein würde, ihnen noch eine andere wichtige Aufgabe – Caritasverband – dazu zu geben, wie auch *unsere* große, umfangreiche Spezialarbeit auf einem anderen Büro, neben *dessen* Hauptarbeit ausführen zu lassen; eins von beiden müßte Schaden leiden, in der Entwicklung zurückbleiben; wenigstens ganz sicher in den großen Städten.

Im Büro der Ortsgruppe Münster arbeiten vier Berufsarbeiterinnen, in Düsseldorf sechs, in Dortmund – außer dem Büro der Zentrale – vier usw.; und fortwährend werden von der Zentrale für unsere Ortsgruppen Berufsarbeiterinnen verlangt, wir können mit unserer Ausbildung kaum dem raschen Tempo der Nachfrage folgen. Und überall geht von diesen Büros großer Segen aus.

Unsere Bedenken sind also praktischer Art. Wir möchten darum herzlich bitten, eine solche Bestimmung nicht in den Richtlinien theoretisch festzulegen, sondern sie vorläufig der Entwicklung zu überlassen. Es will uns auch scheinen, als ob man einem tatkräftigen, leistungsfähigen Verein die Erwägung und Bestimmung darüber, wann und wo er sein Büro einrichtet, nicht ganz aus der Hand nehmen könnte. Eine gewisse Selbständigkeit, Entschließungsmöglichkeiten, müßten einem solchen Verein doch gelassen werden, damit er die Freude an dieser schweren Arbeit behält und nicht die tüchtigen Kräfte herausgedrängt werden; gerade diese wollen ja auch Verantwortlichkeit tragen. Dazu kommt noch, daß in unseren großen Städten und besonders in den Industriestädten die überarbeitete Pfarrgeistlichkeit kaum in der Lage sein würde, sich genügend um solche technischen Einzelheiten zu bekümmern, während wir in den einzelnen Fürsorgefällen selbstverständlich unter ihr und mit ihr zusammen arbeiten, soweit das die Dringlichkeit und die große Zahl der Fälle irgendwie zulassen, jedenfalls *immer* in religiös zweifelhaften Fällen. Aber durch den geistlichen Beirat, welcher ja in allen Vereinsangelegenheiten mit maßgebend ist, würde die Pfarrgeistlichkeit auch über die Bürofrage genügend orientiert werden; ihr Anrecht darauf erkennen wir gern an.

Es wäre hier vielleicht noch zu sagen, daß uns einzelne Fälle bekannt sind in solchen Gegenden, die dem Gesamtverein noch nicht angeschlossen sind, auf welche nicht alles hier Gesagte zutrifft, wie wir auch örtliche Caritasverbände kennen, die so *heißen,* aber Fürsorgevereine *sind,* weil sie nur Fürsorgearbeit leisten, aber keine Organisations-Caritasarbeit. Solche Einzelerscheinungen können als Beweis *gegen* das hier Gesagte angeführt werden, aber wir glauben doch, auf Einzelheiten hier nicht eingehen, sondern nur das auf die Allgemeinheit Zutreffende ausführen zu sollen.

Zu Richtlinie 8.

> *Caritasverband:* Den über ganz Deutschland sich ausbreitenden Fachorganisationen steht Sitz und Stimme im Zentralausschuß des C. V., den diözesanen Fachorganisationen im Diözesanausschuß des C. V. bezw. Ausschuß zu (ebenso Ortsausschuß). In gleicher Weise werden die Fachorganisationen eine Vertretung des Caritasverbandes in ihren Vorständen vorsehen.

Einverstanden. Nur können wir *satzungsmäßig* außer dem geistlichen Beirat keine Männer in unsere Vorstände aufnehmen.[2] Diese Bestimmung ist in unsere Satzungen aufgenommen worden auf Wunsch und Rat von hoher autoritativer Seite. Der Hochwürdigste Herr hat diesen Rat folgendermaßen begründet: „Bei dieser schwierigen Arbeit muß in der Frau alles an Selbständigkeit und Verantwortlichkeitsgefühl herausgeholt und entwickelt werden, was möglich ist, sonst kann sie diese Arbeit nicht leisten.“

Diesen Rat bekamen wir im Anfang unserer Tätigkeit, als die Erfahrung uns selbst noch fehlte. Und wie oft haben wir seitdem seine Richtigkeit dankbar empfunden; vielleicht beruhen unsere Erfolge zum großen Teil auf der Befolgung dieses Rates. Jedenfalls hat in einer großen Stadt, wo Herren des Caritas-Vorstandes ohne Rücksicht auf die Satzungen des Fürsorge-

---

2 [Vgl. etwa Dok. 5, § 4 Ziff. 1, §§ 7, 9.]

vereins von vornherein in dessen Vorstand eintraten, die Ortsgruppe sich absolut nicht entwikkeln können; die Damen haben den Herren die Arbeit überlassen, und diese haben schließlich einfache, außenstehende Frauen gewinnen müssen, um durch sie wenigstens einigermaßen die Fürsorgearbeit ausführen zu lassen. Wir glauben nicht, daß das eine zufällige, örtliche Erscheinung ist, sondern wir kennen jetzt die Fürsorgearbeit und auch die Frauennatur so weit, um zu wissen, daß es in vielen Städten gerade so gegangen wäre, wenn die Frauen nicht vollverantwortlich ihrer Aufgabe gegenübergestanden hätten.

Zu Richtlinien 9–13.

> *Caritasverband: 9)* Die Fachverbände erklären sich bereit, dem Caritasverband Aufschluß zu geben über ihre Tätigkeit sowohl in Einzelfällen wie in einer jährlichen nach Umständen vertraulichen Statistik. Dies ist erforderlich, damit der Caritasverband die ihm vom Hochwürdigsten Episkopat gestellten Aufgaben erfüllen kann.
> 10) Die Regelung der Beiträge der Fachverbände und ihrer Ortsvereine an den Caritasverband erfolgt durch besondere, den verschiedenen Verhältnissen Rechnung tragende Vereinbarungen.
> 11) Die wissenschaftliche Bearbeitung sämtlicher Caritasgebiete ist Aufgabe des Caritas-Verbandes. Dieser schließt selbstverständlich die Herausgabe besonderer Druckschriften durch die Fachverbände nicht aus. Die Fachverbände werden aber in dieser Beziehung sich mit der Zentrale des Caritasverbandes in Verbindung setzen, um so tunlichst eine systematische und lückenlose Darstellung des gesamten Caritasgebietes zu ermöglichen.
> 12) Der Caritasverband wird auf den allgemeinen und Diözesan-Caritastagen bei der Auswahl der Themata die Fachverbände möglichst gleichmäßig zu Worte kommen lassen.
> 13) Die Entscheidung, ob Fachorganisationen in einen Zentralverband für ganz Deutschland zusammenzufassen sind, steht dem Hochwürdigsten Episkopat zu. Der Caritasverband steht solchen Organisationen wohlwollend gegenüber, vorausgesetzt, daß sie die kirchlich eingeführte Organisation des allgemeinen und der Diözesan-Caritasverbände als die Vertretung der Gesamt-Caritas anerkennen, und wird deren Gründung nach Kräften fördern und unterstützen.

Einverstanden.

Schlußgedanken:

Wir glauben, daß das richtige Verhältnis des C. V. und seiner Zweigverbände zu den Fachorganisationen nicht durch Richtlinien allein gefunden und festgelegt werden kann. Die sachliche Grundlage zu diesem richtigen Verhältnis müßte tiefer gelegt werden. Es kann sich nach unserer Ansicht nur aufbauen auf der Entscheidung darüber, ob in der kathol. Liebestätigkeit die Fachverbände wertvoll und notwendig sind oder nicht.

Darüber kann wohl kein Zweifel sein, daß in den Fachverbänden, in dem Zusammenschluß der verschiedenen Ortsgruppen mit ihrer Zentrale für ein und dieselbe Arbeit diese Arbeit an Wert und Leistungsfähigkeit immer mehr gewinnen muß. In diesen Fachverbänden sammeln sich die Erfahrungen und Kenntnisse, verbessern sich die Methoden, durch sie gewinnt die ganze Arbeit an Erfolg, an Stoßkraft.

Es wäre vielleicht an der Zeit, jetzt, wo das Verhältnis des C.V. zu den Fachverbänden offiziell festgelegt werden soll, auch den Wert und die Notwendigkeit der Fachverbände – für uns kommt der Fürsorgeverein in Frage – offiziell anzuerkennen und zu betonen.[3] Wenn unsere Hochwürdigsten Herren Bischöfe die Pfarrgeistlichkeit nach dieser Richtung hin orientierten, dann wäre die Einheitlichkeit der Organisationsform gewährleistet, dann wäre auch das Verhältnis der Fachverbände zum C.V. im Geiste und in der Wahrheit geregelt, es brauchten nicht in jeder Stadt von neuem die einzelnen Richtlinien darauf hin geprüft zu werden, wem nun die größeren Rechte zuständen. Daß eine solche Orientierung nicht gleich auf einmal in allen Diözesen erfolgen und durchgeführt werden kann, sehen wir wohl ein. Es werden vielleicht immer einzelne Diözesen zurückbleiben, auf Grund lokaler Verhältnisse. Wir haben ja oben schon betont, daß in den verschiedenen Diözesen verschieden gearbeitet wird. Aber die so wertvolle Diözesan-Einteilung ist doch ganz gewiß kein Hindernis für die kathol. Einigkeit, und es läßt sich sicher auch hier ein Mittel finden, um dieser kathol. Einigkeit wenigstens im allgemeinen zum Durchbruch zu verhelfen. Daß in diesen Fachverbänden und ihren Ortsgruppen den Vertretern unserer kathol. Kirche der ihnen gebührende volle Einfluß gesichert sein muß, ist für uns selbstverständlich.

Der C.V. würde dabei gewiß nicht verlieren, sondern im Gegenteil gewinnen. Wir alle sind überzeugt von seiner Notwendigkeit und seiner Bedeutung, aber die Wirkung dieser Überzeugung wird noch zurückgehalten durch die beständige, auf Erfahrungstatsachen beruhende Sorge, daß der C.V. uns einen Teil unseres Arbeitsgebietes abnehmen will für sich selbst. Die Fachverbände dürfen sich in ihrer Arbeit durch den C.V. nicht bedroht fühlen, sondern sie müßten sich bei ihm sicher fühlen, damit er selbst wieder vom Vertrauen aller Vereine getragen und gestützt wird. In dem Augenblick, wo der C.V. sich auch seinerseits die Überzeugung von der Notwendigkeit der Fachverbände zu eigen macht und aus innerer Überzeugung selbst diese Fachverbände will, ihre Ortsgruppen fördert und in ihrer Selbständigkeit stärkt, werden diese Ortsgruppen nicht nur äußerlich, sondern überzeugt und mit vollem Vertrauen sich ihm eng anschließen. Er entbehrt dann also doch nicht die Fürsorgearbeit, sie wird dann doch im C.V. geleistet, und zwar durch eine geschulte selbständige Ortsgruppe, die durch ihre Leistungsfähigkeit den Erfolg der Arbeit sichert. Und nach unserer Ansicht wird der C.V. nur dann eine vollendete, machtvolle Zusammenfassung der kathol. Caritas-Arbeit sein, *ohne dieser Arbeit selbst zu schaden,* wenn er ihre einzelnen Zweige selbständig und verantwortlich läßt resp. will und bildet, und sie auch nach dieser Richtung stützt, wo er nur kann.

Wir müssen also *beide,* C.V. und Fachverbände, *die Organisationsform wollen,* die der Sache dient, damit wir zusammen auf das gemeinsame Ziel systematisch hinsteuern. Dann würde der

3 [Vgl. Dok. 7 b, genehmigte Richtlinie 6.]

glückliche Zustand eintreten, daß C.V. und Fachverbände vertrauensvoll und eng Hand in Hand arbeiteten, sich gegenseitig stützten und förderten.

Im März 1917.

Bartels, Domkapitular, Geistl. Beirat der Zentrale.
Cloidt, Pfarrer, Geistl. Beirat der Ortsgruppe Dortmund.
Frau *Agnes Neuhaus,* Vorsitzende.
Frau [Marie] *Le Hanne* geb. Reichensperger.
Frau *Anna Niedieck.*
Frau *Clara Hellraeth.*
Frau *Maria Lossen.*

Von der Fuldaer Bischofskonferenz im August 1917 genehmigte Richtlinien über das Verhältnis des Caritasverbandes zu den Fachverbänden

Für die Mitarbeit der caritativen Fachverbände im Caritasverband gelten die folgenden von der Bischofskonferenz zu Fulda im August 1917 aufgestellten Richtlinien:

1. Grundgesetz für jede katholische Caritasbewegung ist, daß sowohl die Caritasverbände wie die Fachorganisationen der obersten Leitung des Diözesanbischofs unterstehen.

2. Zweck und Inhalt der ganzen Caritasfrage ist die aus christlicher Liebe geleistete Hilfe in körperlicher und geistiger Not. Diese Hilfe kann wegen der vielgestaltigen Not und wegen der infolgedessen erforderlichen Detailarbeit wirksam und zweckmäßig am besten geleistet werden durch die im Laufe der Zeit entstandenen oder noch sich bildenden Fachvereine oder Fachverbände.

3. Der Caritasverband soll diese caritativen Fachvereine und Fachverbände unter Wahrung ihrer Selbständigkeit und ihrer Rechte zusammenschließen und deren Bildung, Einführung und Wirksamkeit fördern.

4. Die örtliche Einführung von Fachvereinen und von Caritasausschüssen, die praktische Caritasarbeit übernehmen sollen, geschieht im Einvernehmen mit dem Pfarrer bzw. mit den Pfarrern des Ortes unter Genehmigung des Diözesanbischofs.

5. Die Fachverbände geben dem Caritasverbande Aufschluß über ihre Tätigkeit, insbesondere durch Mitteilungen ihrer Jahresberichte.

6. Die Fachvereine und Fachverbände sind im Rahmen des Caritasverbandes voll und ganz selbständig. Sie bleiben sowohl im ganzen als im einzelnen, wo dies der Fall ist oder als notwendig erscheint, eingetragener Verein und behalten ihren selbständigen Aufbau und ihren freien unmittelbaren Verkehr mit andern Fachverbänden und gegenüber den Behörden.

7. Der Vorsitzende des Caritasverbandes wird nach bestem Können dazu mitwirken, daß in alle jene Fachkommissionen, Ausschüsse staatlicher und sonstiger geeigneter Verbände usw., in die er aufgenommen wurde, als Spezialreferenten die Fachleute der eigenen großen Caritasorganisationen bzw. der angeschlossenen Fachorganisationen gleichfalls aufgenommen werden.

Bei der Bekanntgabe dieser Richtlinien auf der allgemeinen Mitgliederversammlung in Fulda am 27. November 1917[1] erklärte der Verbandsvorsitzende Dr. Werthmann unter dem lebhaften Beifall der Versammlung, daß diese bischöfliche Entschließung für uns unverbrüchliches Gesetz sein müsse, dessen treue, aufrichtige und bereitwillige Befolgung uns Herzensanliegen sei.

Aus: Caritas 23 (1917/18), 75 f.

1 [Vgl. Bericht über die Allgemeine Mitgliederversammlung des Caritasverbandes für das katholische Deutschland, E.V. am 27. November 1917 in Fulda, Freiburg 1918.]

Unser Korrespondenzblatt

Wir wissen, wie sehr unsere Ortsgruppen nach dem Erscheinen des Korrespondenzblattes verlangt haben. Es ist aber nicht möglich, daß ihr Verlangen so groß gewesen wäre, wie das unsere. Man macht sich schwer einen Begriff davon, mit welchem Druck auf uns das Gefühl lastete, geistig sich so eng mit den meisten Ortsgruppen verbunden zu fühlen und keine Möglichkeit zu haben, ihnen das auch auszusprechen, überhaupt den Wechselbeziehungen zwischen Zentrale und Ortsgruppen den so notwendigen Ausdruck zu verleihen. Wie oft, wenn die Geschäftsberichte kamen, viele so vortrefflich, so reich an Arbeitsleistungen, wie oft hätte man da gern alles andere liegen und stehen lassen und der Vorsitzenden der betreffenden Ortsgruppe mitgeteilt, welche Freude und Ermutigung ihr Bericht auch der Zentrale wieder gebracht hatte. Aber dann heißt es: vor der Abreise *muß* das und das noch fertig sein; oder: bis morgen *muß* die Antwort in dieser wichtigen Angelegenheit in Händen des betr. Herrn sein usw., und dann mußte der Brief an die Ortsgruppe, den man so gern geschrieben, wieder unterbleiben. Und nicht nur solche Briefe, sondern auch manche andere Antworten auf Anfragen usw., überhaupt Briefe, an welche unsere Ortsgruppen ein Anrecht gehabt hätten. Viel ist darin besser geworden in letzter Zeit, und manche von den neuen Ortsgruppen haben gewiß schon empfunden, daß sie bei ihren Anfragen an die Zentrale durch deren Antworten und Ratschläge sehr in ihrer Arbeit gefördert worden sind und einen wirklichen Rückhalt erlangt haben. Aber darin müßte noch viel mehr geleistet werden: das weiß niemand besser, als wir selbst.

Aber werden Sie sagen: „Warum denn diese Jeremiade? Warum gab denn die Zentrale das Korrespondenzblatt nicht einfach heraus? Das hatte sie ja selbst in der Hand.“

Die Gründe sind in dem Eingangswort[1] schon gesagt: Mangel an Hilfskräften und an Geldmitteln. Die Zentrale kann von ihrer Einnahme nicht mehr *ihre laufenden Ausgaben* bestreiten, wie viel weniger Extra-Ausgaben. Jede Nummer des Korrespondenzblattes kostet wenigstens 96 Mark, und wir wissen nicht, woher wir das Geld für *diese* erste Nummer nehmen sollen. Wir haben uns aber trotzdem zur Herausgabe entschlossen, weil wir uns sagten: wir stehen vor einer unabweislichen Notwendigkeit, wir dürfen und können nicht länger zögern, und da wollen wir denn vertrauen, daß für das wirklich Notwendige auch die notwendigen Mittel kommen werden. Aber wir bitten unsere Ortsgruppen um Rat und evtl. Vorschläge, wie wir aus dieser Schwierigkeit herauskommen können.

Ich denke, wir halten unser Korrespondenzblatt recht schlicht und einfach, nur dem Gedankenaustausch zwischen Zentrale und Ortsgruppen, wie der Ortsgruppen untereinander dienend; es soll nur die längst als notwendig empfundene Verbindung unter uns herstellen. Längere Artikel über Jugendfürsorge usw. von mehr allgemeinem Inhalt sind nicht beabsichtigt, die können ja in den einschlägigen Zeitschriften gelesen werden. Kürzere Artikel, die sich auf die spezielle Arbeit unseres Gesamtvereins beziehen, müssen natürlich aufgenommen werden, und da rechnen wir auch auf die Mitarbeit unserer Ortsgruppen. Anfragen und Antworten prinzipieller Natur, die also auch für viele andere Ortsgruppen von Interesse sind und ihnen

1 [Gemeint ist ein offener Brief von Agnes Neuhaus „an meine lieben Mitarbeiterinnen“, der dieses erste Heft des Korrespondenzblattes eröffnete.]

Vertraulich!

Korrespondenzblatt

Katholischer Fürsorgeverein für Mädchen, Frauen und Kinder

Herausgegeben vom Zentralvorstand

6. Jahrgang **Dortmund, März 1927** **Nr. 1**

Für die neuen Ortsgruppen wiederholen wir, daß das Korrespondenzblatt vertraulich ist, das heißt, daß es nur für die Otsgruppen bestimmt ist und von ihnen nicht weitergegeben werden darf an Personen, die außerhalb des Vereins stehen. Die tätigen Mitglieder müssen natürlich den Inhalt des Korrespondenzblattes alle kennen. Wir empfehlen, das Blatt bei diesen zirkulieren zu lassen und die einzelnen Artikel in den Konferenzen zu besprechen. Jede Ortsgruppe erhält eine Nummer unentgeltlich, weitere Nummern stehen zum Preise von 50 Pfg. je Stück zur Verfügung.

Inhaltsangabe:

Das Gesetz zur Bekämpfung der Geschlechtskrankheiten, von Frau Agnes Neuhaus. Abdruck aus den Mitteilungen des Reichsfrauenbeirates der Deutschen Zentrumspartei Nr. 6.

Das Gesetz zur Bekämpfung der Geschlechtskrankheiten vom 18. 2. 1927.

Das Gesetz zur Bekämpfung der Geschlechtskrankheiten, von Elisabeth Zillken.

Zur Frage der Vereinsvormundschaft.

Das Verhältnis zwischen offener und geschlossener Fürsorge.

Das Gesetz zur Bewahrung der Jugend vor Schmutz- und Schundschriften.

Die soziale Wohlfahrtsrente.

Aus der Gesetzgebung: Ministerialerlaß über die Vernehmung Jugendlicher im Strafverfahren.

Von der Zentrale.

Aus den Ortsgruppen.

Bücherbesprechungen.

Ich kann euch nicht oft genug wiederholen, meine lieben Töcher, daß alle guten Werke ihren Anfang, ihre Fortsetzung und ihr Ende am Fuße des Kreuzes nehmen. Unser Herr will, daß wir ihm nach Calvaria folgen, damit mir teilnehmen an dem Werke der Seelenrettung, für welches er sein kostbares Blut vergossen hat.

(Worte der Ehrwürdigen Mutter Maria von der heiligen Euphrasia Pelletier, Gründerin des Guten Hirten, zu ihren Töchtern.)

Abb. 24: Titelblatt einer alten Nummer des Korrespondenzblattes.

Anregung geben, denken wir im Korrespondenzblatt mitzuteilen. Für kürzere Anfragen und Antworten soll ein „Briefkasten" dienen.

Dann werden wir alle Veränderungen im Adressen-Material bringen, so daß die Adreßbücher auf dem Laufenden bleiben.

Das Korrespondenzblatt soll nicht regelmäßig erscheinen, sondern nach Bedürfnis, wenn etwas zu berichten ist. Hoffentlich wird nicht Mangel an Mitteln und an Hilfskräften unser Blatt daran hindern, so oft zu unsern Ortsgruppen herauszuwandern, wie es das Interesse des Vereins verlangt.

Wie viele Exemplare bekommt denn jede Ortsgruppe? – Darüber sind wir uns völlig unklar und bitten um Vorschläge. Die großen Ortsgruppen müßten ja mehr Exemplare bekommen, wie die ganz kleinen, aber wo die Grenze ziehen? Für diesmal wollen wir jeder Ortsgruppe zwei Exemplare schicken.

Wir bitten die Mitteilungen in unserm Blatt streng vertraulich zu behandeln, es ist *nur* für unsere Ortsgruppen bestimmt. Im Buchhandel resp. durch Abonnement ist es nicht zu haben. Mitteilungen von uns, die für weitere Kreise bestimmt sind, wollen wir in der „Zeitschrift für katholische karitative Erziehungstätigkeit"[2] erscheinen lassen. [...]

Aus: Korrespondenzblatt Katholischer Fürsorgeverein für Mädchen, Frauen und Kinder 1 (1917/18), Nr. 1, 2-4.

2 [Seit 1920 – und bis heute – unter dem Namen „Jugendwohl".]

Unsere neue Generalsekretärin

Fräulein Elisabeth Zillken, geboren am 8. Juli 1888, ist nun seit Mitte Oktober v. J. [1916] an unserer Zentrale angestellt.

Über ihren Werdegang teile ich folgendes mit:

Nach Absolvierung des Lyzeums besuchte Fräulein Zillken die zweijährige höhere Handelsschule in Köln, arbeitete dann, wie vorgeschrieben, zwei Jahre praktisch in einem großen kaufmännischen Unternehmen in Mainz, um dann fünf Semester auf der Handelshochschule in Köln Staatswissenschaften, Handelstechnik und Sprachen zu studieren. Im Juli 1910 hat sie ihr Examen als Diplom-Handelslehrerin gemacht. Darauf hat sie zwei Jahre an der Höheren Handelsschule in Hannover und dreieinhalb Jahre an der Städtischen Höheren Handelsschule in Düsseldorf unterrichtet. Sie war zu Studienzwecken ein viertel Jahr in England, und es war ihr bereits seitens der Stadt Düsseldorf ein Stipendium für einen Aufenthalt in Paris zu gleichem Zweck zugesichert, als der Krieg ausbrach.

Bei ihrer wissenschaftlichen Arbeit auf der Hochschule „Die volkswirtschaftliche Bedeutung der Mode" hatte sie zum erstenmal Gelegenheit, sich ernstlich mit der sozialen Frage zu beschäftigen, die sie seitdem nicht wieder losgelassen hat. In Hannover hat sie dann als städtische Waisenpflegerin gearbeitet und zugleich im katholischen Arbeiterinnenverein mitgeholfen, in Düsseldorf zwei Jahre Unterrichtskurse für Arbeiter und Arbeiterinnen geleitet und zuletzt ihre freie Zeit der Fürsorge-Arbeit in unserer Ortsgruppe Düsseldorf gewidmet. Hier hat sie sich dann entschlossen, ihre gesicherte Stellung und ihre Aussichten für die Zukunft

Abb. 25: Elisabeth Zillken auf der Jubiläumstagung des KFV 1950 in Dortmund.

aufzugeben, um ihre ganze Kraft der Fürsorgetätigkeit und der aufstrebenden Fürsorge-Organisation zu widmen.

Wir hatten schon im Anfang vor. Jahres in der Zentrale ernstlich ein Engagement von Frl. Zillken überlegt, glaubten aber wegen des leidigen Geldes – sie bezog in Düsseldorf schon ein ziemlich hohes Gehalt – leider davon absehen zu müssen. Es wurde uns aber die unabweisbare Notwendigkeit einer tüchtigen Generalsekretärin immer klarer, die bisherigen Versuche mit minder vorgebildeten Kräften waren gänzlich gescheitert; als wir nun erfuhren, daß man von interkonfessioneller Seite sich dringend um Fräulein Zillken bemühte, haben wir es für unsere Pflicht gehalten, unsere Sorgen fallen zu lassen, eine tüchtige katholische Kraft der katholischen Sache zu erhalten und sie für unsern Fürsorgeverein zu gewinnen. Wir haben uns gesagt, daß das Interesse unserer Ortsgruppen an einer *leistungsfähigen* Zentrale immer mehr wachsen wird, je mehr eben diese Zentrale leisten *kann,* daß dann auch gern die notwendigen Mittel zur Verfügung gestellt werden.

Wir müssen aber hier hinzufügen, wie dankbar wir nun die Stiftung zum 60. Geburtstag der Vorsitzenden empfunden haben. Wäre diese Stiftung nicht gewesen, so hätten wir Fräulein Zillken nicht engagieren *können,* und dann wäre tatsächlich an der Geldfrage die Gewinnung einer tüchtigen Generalsekretärin für lange gescheitert.

Wir können nun Gott sei Dank feststellen, daß wir nicht leicht eine bessere Wahl für unsere Generalsekretärin hätten treffen können, daß dieser so wichtige Posten bei uns jetzt wirklich gut besetzt ist. Fräulein Zillkens gediegene, durch akademisches Studium erworbene Kenntnisse, z. B. in Rechtswissenschaft und Volkswirtschaft (Sozialpolitik – Versicherungswesen), in Staatsbürgerkunde usw. leisten an der Zentrale vortreffliche Dienste, und ihre genaue Kenntnis kaufmännischer und bürotechnischer Einrichtungen sind für uns von großem Wert. In die eigentliche Fürsorgesache hat sie sich sehr schnell eingearbeitet, leitet augenblicklich aber auch noch die Ortsgruppe Dortmund, um dann auch die praktische Detailarbeit vollständig beherrschen zu können, was ja für ihre Arbeit in den Ortsgruppen notwendig ist. Ganz besonders wertvoll ist uns ihre Mitarbeit auch in unserer Fürsorgeschule. Sie unterrichtet mit großer Freudigkeit und ausgesprochener Begabung; die Schülerinnen arbeiten unter ihrer Leitung voll Lust und Liebe und freuen sich immer auf den nächsten Vortrag. Der ganzen Fürsorgearbeit bringt Fräulein Zillken warmes Interesse und tiefes Verständnis entgegen, und so wollen wir denn zuversichtlich auf eine lange und segensreiche Zusammenarbeit mit ihr hoffen.

Frau A. Neuhaus

Aus: Korrespondenzblatt Katholischer Fürsorgeverein für Mädchen, Frauen und Kinder 1 (1917/18), Nr. 1, 5–7.

Fürsorge-Schule

der

Zentrale des kathol. Fürsorgevereins

für Mädchen, Frauen und Kinder

in Dortmund

Druck der Bonifacius-Druckerei, G. m. b. H., in Paderborn

Die Zentrale des katholischen Fürsorgevereins für Mädchen, Frauen und Kinder in Dortmund, der z. Zt. 121 Ortsgruppen angehören, hat seit ihrer Gründung die Ausbildung und Schulung tüchtiger Fürsorge-Berufsarbeiterinnen für die größeren Ortsgruppen als eine ihrer wesentlichen Aufgaben betrachtet.

Die ständig wachsende Ausdehnung des Vereins, die im Kriege gewaltig gestiegenen Anforderungen an die Arbeitsleistung der einzelnen Ortsgruppen und nicht zuletzt auch die Tatsache, daß im Laufe der letzten Jahre eine beträchtliche Anzahl der von unserer Zentrale ausgebildeten Kräfte von Behörden, Kommunalverwaltungen und größeren Werken übernommen und für verschiedene Zweige der Fürsorge angestellt wurden, zwingen uns, die Ausbildungskurse auf eine breitere und daher schulmäßigere Grundlage zu stellen, als dies bisher nötig war. Wir sind von jetzt ab daher imstande, eine größere Anzahl Schülerinnen aufzunehmen als bisher.

Dabei ist aber zu berücksichtigen, daß der katholische Fürsorgeverein im wahrsten Sinne des Wortes eine Gesinnungsgemeinschaft ist, und sein Interesse an der Ausbildung weiterer Kreise muß naturgemäß dahin gehen, auch wieder Gesinnungsgenossinnen zu finden und sie für die Betätigung eben dieser Gesinnung im praktischen Leben brauchbar, zuverlässig, tüchtig zu machen.

Um diesen Zweck zu erreichen, müssen wir nach jeder Richtung hin große Opfer bringen, müssen der Ausbildung der Einzelnen unverhältnismäßig viel Zeit und Mühe widmen. Die uns dadurch entstehenden Kosten werden durch das Schulgeld nicht annähernd gedeckt. Die Schule ist also für die Zentrale keineswegs eine Erwerbsquelle, sondern nur Mittel zu einem bestimmten Zweck; für Damen, die eine Ausbildung *ausschließlich* für späteren Broterwerb suchen, ist unsere Zentrale daher nicht die richtige Stelle.

Aus diesem Grunde müssen wir uns auch vorbehalten, Schülerinnen, die das Ausbildungsziel offenbar nicht erreichen werden oder sonst hindernd und störend für die Gesamtorganisation sind, vor Beendigung ihrer Ausbildungszeit zu entlassen.

Kursdauer und Lehrgegenstände.

Die Kurse dauern ein Jahr und beginnen zweimal jährlich (nach Ostern und im Oktober).

Die theoretische Ausbildung umfaßt eine vollständige systematische Einführung in die gesamte Gesetzeskunde, auf die unsere Fürsorgearbeit sich aufbaut, und macht die Schülerinnen mit dem ganzen Aufbau und der Organisation der katholischen Karitas, den übrigen konfessionellen karitativen Vereinen sowie mit den großen interkonfessionellen sozialen Organisationen Deutschlands, ihren Aufgaben und ihrer Stellungnahme bekannt. Eine Zusammenstellung des Lehrstoffes gibt der nachstehende Unterrichtsplan.

Die praktische Ausbildung in der Fürsorgearbeit erfolgt nach einigen einleitenden Besprechungen und Anleitungen im Büro der Dortmunder Ortsgruppe des Vereins. Die Schülerinnen werden hier durch den praktischen Fall in die Arbeit eingeführt und lernen also durch eigenes Erleben die vielfältigen Formen, in welchen geistige und sittliche Not an uns herantritt, kennen, – lernen ebenso durch eigene Mitarbeit die vielfältigen Formen wirksamer Hilfe für all' diese Not. In dieser Weise lernen sie unsere praktische Büroarbeit, – schriftlichen und mündlichen Verkehr mit den Behörden und Verwaltungen – Ermittlungstätigkeit und Berichterstattung – Antragstellung bei Gericht und Behörden auf Grund erlangter Gesetzeskenntnis – und nicht zuletzt den richtigen Verkehr mit den Schutzbefohlenen und ihren Angehörigen. Eingehende theoretische Vorträge gehen beständig neben der praktischen Arbeit her, und bei Auswahl der Fälle wird selbstverständlich dem Standpunkt, den die Schülerinnen im theoretischen Unterricht erreicht haben, Rechnung getragen. Dabei ist die Ausbildung eine stark individualisierende: es wird nach Möglichkeit der Standpunkt der Einzelnen berücksichtigt. Wir glauben sagen zu dürfen, daß eine solch eingehende Ausbildung in der Fürsorge, die lebendige praktische Arbeit mit gründlicher theoretischer Durchbildung verbindet, wenigstens auf katholischer Seite nur an der Dortmunder Zentrale des katholischen Fürsorgevereins zu finden ist.

Aufnahmebedingungen und Schulgeld.

In die Schule können Katholikinnen aufgenommen werden, die über die für die Fürsorgearbeit erforderliche Vorbildung und Reife verfügen. Im allgemeinen wird Lyzealvorbildung und Zurücklegung des einundzwanzigsten Lebensjahres verlangt, doch sind wir in einigen Fällen auch schon von dieser Bedingung abgegangen und keineswegs zum Nachteil unserer Sache. Vorheriger Besuch einer kaufmännischen Schule und Erlernung von Stenographie und Schreibmaschine kommen den Schülerinnen sehr zustatten, da diese Kenntnisse eine wesentliche Unterstützung in der ordnungsmäßigen Büroführung bedeuten, die von einer zünftigen Fürsorgearbeit unzertrennlich ist.

Das Schulgeld beträgt 200 Mark jährlich und ist in vier Raten von je 50 Mark zu Beginn des ersten, dritten, fünften und siebten Monats der Ausbildungszeit zahlbar. Eine Rückerstattung bereits bezahlter Beträge kann bei vorzeitigem Austritt nicht stattfinden.

Aussichten.

Die Aussichten sind die denkbar besten, was Anstellung selbst betrifft; wir haben bis jetzt noch nie den an uns gestellten Anforderungen um Berufsarbeiterinnen genügen können, und zwar sind die Anforderungen häufig gerade mit dem Wunsch nach tüchtiger Ausbildung in der Praxis, wie sie bei uns erworben wird, begründet worden, besonders wenn es sich um Armen- oder Waisenfürsorgerinnen, Fabrikpflegerinnen, Polizeiassistentinnen usw. handelt.

Wir möchten aber am liebsten Berufsarbeiterinnen *für die eigene Organisation* ausbilden, da solche in allen größeren Ortsgruppen notwendig sind und immer mehr von uns verlangt werden. Und hier sind die pekuniären Aussichten naturgemäß meist nicht so günstig wie bei kommunalen oder sonst öffentlichen Stellungen, weil die Ortsgruppen nicht über so reichliche Mittel verfügen. Hier fangen die Berufsarbeiterinnen mit freier Station und etwa 36 bis 40 Mark monatlich an, steigen bis 60–80 Mark neben freier Station. Die ideale, religiöse Fürsorgearbeit kann sich im allgemeinen in den Ortsgruppen freier betätigen als im Dienste von

Behörden und großen Werken. Dabei verkennen wir aber nicht die Notwendigkeit, daß auch in den öffentlichen oben genannten Stellen tüchtige Katholikinnen vertreten sein müssen.

Anmeldungen

sind an die Zentrale des katholischen Fürsorgevereins für Mädchen, Frauen und Kinder, Dortmund, Rosenthal 32, zu richten.

Soweit Platz vorhanden ist, können die Schülerinnen im Bürohause wohnen. Der Pensionspreis beträgt hier, je nach Lage und Größe des Zimmers 65–80 Mark monatlich ausschließlich eines besonderen Aufschlages für die Kriegszeit. Auf Wunsch wird auch passende Unterkunft in der Stadt vermittelt. Auch den außerhalb des Hauses wohnenden Damen stehen Bibliothek und die im Wohnzimmer aufliegenden Fachzeitungen zur Verfügung.

Zum Schluß fühlen wir uns verpflichtet, ausdrücklich zu betonen, daß die Fürsorgearbeit für religiöse Frauen, die sich zu ihr berufen fühlen, eine außerordentlich lohnende und befriedigende ist, daß die Freude an dieser Arbeit erfahrungsgemäß wächst, und daß sie auch den Arbeitenden selbst zum Segen wird.

Dortmund, August 1917.

Unterrichtsplan für die theoretische Ausbildung.

Einleitung.

Der Begriff der Person nach dem B.G.B. Rechtsfähigkeit –
Geschäftsfähigkeit – Volljährigkeit – Minderjährigkeit [–]
Entmündigung.
Prozeßfähigkeit.
Strafmündigkeit.

I. *Die rechtliche Stellung des ehelichen Kindes.*

Die elterliche Gewalt – Begriff und Inhalt.
Stellung der Mutter neben dem Vater.
Die elterliche Gewalt der Mutter – der Beistand.
Beendigung der elterlichen Gewalt.
Verlust der elterlichen Gewalt.
Verwirkung der elterlichen Gewalt.
Entziehung der elterlichen Gewalt.
Ruhen der elterlichen Gewalt.
Anträge auf Entziehung der elterlichen Gewalt nach § 1666.
Anfechtung der Ehelichkeit eines Kindes.

II. *Vormundschaft für Minderjährige.*
Rechte und Pflichten des Vormundes.
Das Vormundschaftsgericht und der Vormundschaftsrichter.
Der Gemeindewaisenrat.
Der Gegenvormund.
Der Mitvormund.
Beendigung der Vormundschaft.

III. *Pflegschaft über Minderjährige.*
Rechte und Pflichten des Pflegers.
Beendigung der Pflegschaft.

IV. *Entmündigungen.*
Vormundschaft und Pflegschaft für Erwachsene.

V. *Die rechtliche Stellung des unehelichen Kindes.*
Rechte und Pflichten der Mutter gegenüber dem Kinde.
Rechte und Pflichten des Vormundes.
Rechte des Kindes gegenüber dem unehelichen Vater.
Feststellung der Vaterschaft.
Klage des Kindes und Klage der Mutter gegen den unehelichen Vater.
Einstweilige Verfügung.
Kriegsunterstützung und Reichswochenhilfe für uneheliche Kinder und Mütter.
Legitimation unehelicher Kinder.
Ehelichkeitserklärung unehelicher Kinder.
Die Namenerteilung durch den Ehemann der unehelichen Mutter.

VI. *Annahme an Kindesstatt.*

VII. *Die Berufsvormundschaft und die organisierte Einzelvormundschaft.*

VIII. *Die religiöse Erziehung ehelicher und unehelicher Kinder.*

IX. *Die Fürsorge- bezw. Zwangserziehung.*
Das preußische Fürsorge-Erziehungsgesetz.
Die abweichenden Bestimmungen der wichtigsten Bundesstaaten.
Anträge.

X. *Das Jugendgericht.*
Seine gesetzlichen Grundlagen.
Geschichte und Entwicklung.

Neue Bestrebungen auf diesem Gebiet.
Ermittlungen – Berichte, Verteidigung – Schutzaufsicht.

XI. *Die Prostitution.*
Die darauf bezüglichen gesetzlichen Bestimmungen.
Bestrebungen auf diesem Gebiete.
Die Abolitionistische Föderation.[1]
Unsere Stellungnahme – das Zusammenarbeiten mit der Sittenpolizei.

XII. *Das deutsche Armenwesen.*
a) Reichsgesetz über den Unterstützungswohnsitz.
Gesetz über die Freizügigkeit (§§ 1, 4, 5, 6).
b) Die wichtigsten landesgesetzlichen Bestimmungen über die Leistungspflicht der einzelnen Armenverbände.

XIII. *Reichsversicherungs-Ordnung.*
Ihre einzelnen Zweige – ihre sozialen und bevölkerungspolitischen Aufgaben – die wichtigsten für die Fürsorgearbeit in Betracht kommenden Bestimmungen.

XIV. *Gesetzliche Bestimmungen über Mutter- und Kinderschutz.*

XV. *Staatsbürgerkunde.*
Die Verfassung des Deutschen Reiches.
Die Verfassung Preußens.
Organisation der Preußischen Verwaltungsbehörden.
Kommunalverwaltung: Provinzial-, Kreis-, Gemeindebehörden.
Das Wichtigste aus den preußischen Stadt- und Landgemeinde-Ordnungen.
(Die bürgerkundlichen Erläuterungen werden immer, so weit nötig, schon zwischendurch behandelt, sollen aber hier noch einmal zusammengefaßt werden.)

XVI. *Vereinsrecht.*
a) Die wichtigsten Bestimmungen aus dem Reichsvereinsgesetz.
b) Das Vereinsrecht des B.G.B.
c) Die übrigen für soziale Organisationen in Betracht kommenden Formen der juristischen Persönlichkeit.

XVII. *a) Die übrigen Gebiete öffentlicher Fürsorge.*
b) Die wichtigsten privaten Fürsorgeorganisationen Deutschlands – ihre Standpunkte und Aufgaben – unsere Stellung zu denselben.

Aus: Archiv des Deutschen Caritasverbandes 319.4 I 01/02 Fasz. 4.

1 [Eine 1875 gegründete Bewegung (in Deutschland seit 1903), die sich aus ethischen, frauenrechtlerischen und gesundheitspolitischen Erwägungen gegen die staatliche Reglementierung der Prostitution einsetzte.]

Chronik unserer Schule

Die Wurzeln der jetzigen Höheren Fachschule für Sozialarbeit liegen im Schulungswerk des Kath. Fürsorgevereins für Mädchen, Frauen und Kinder, erwachsen aus der Notwendigkeit, die Helferinnen, die sich in großer Bereitschaft – aber ohne Sachkenntnisse – in die Hilfe für die gefährdete Jugend hineinstellten, mit den erforderlichen rechtlichen Grundlagen vertraut zu machen.

[...]

Aus Briefen „Ehemaliger", die in der Zeit von 1917 bis 1927 am Unterricht der Fürsorgerinnenschule (launig „Schülchen" genannt) mehr oder weniger intensiv und von verschieden langer Dauer teilnahmen, kann man sich etwa ein Bild machen, wie die Schulung damals vor sich ging.

Die erste Schülerin der Schule war Magda Severing. Sie war später Fürsorgerin für Gefährdete und Leiterin des Städt. Pflegeamtes Bonn. Sie berichtet über die Anfänge der Fürsorgerinnenschule:

„Die Schule wurde geführt von Frau Agnes Neuhaus und Frau Elisabeth Zillken, damals Generalsekretärin der Zentrale des Katholischen Fürsorgevereins und Leiterin der Ausbildung. Die Ausbildung vollzog sich in enger Zusammenarbeit mit der Ortsgruppe des Katholischen Fürsorgevereins. Die praktische Anweisung und der theoretische Unterricht gingen also Hand in Hand."

M. Severing

Dr. Elsa Thomas schildert ihre persönliche und die räumliche Situation im „Rosenthal":

„Im Mai 1922 kam ich nach Abschluß des Universitätsstudiums (Volkswirtschaftslehre) zur informatorischen Arbeit für ein halbes Jahr an die Dortmunder Zentrale des Katholischen Fürsorgevereins. Die ‚Rollen', die mir zufielen, waren: Mitarbeiterin der Generalsekretärin (Elisabeth Zillken) – Praktikantin bei der Ortsgruppe – Schülerin im Unterricht, den die Generalsekretärin erteilte – Mitarbeiterin in der Schule mit dem Fach Volkswirtschaft.

Nach Ablauf des halben Jahres wurde ich von der Zentrale fest angestellt. Das mir zugedachte Aufgabengebiet war die Gründungs- und Schulungsarbeit im Rahmen des Gesamtvereins von Dortmund bis Königsberg und bis Konstanz.

Ich hospitierte am Unterricht der Schule, weil mir das Studium zu wenig praktisch verwertbares juristisches Wissen vermittelt hatte.

Meine Hauptlehrmeisterinnen waren neben Elisabeth Zillken (Theorie und praktische Zusammenarbeit mit ihr in der laufend anfallenden Arbeit in der Zentrale) Anna Reisinger, und durch das tägliche Zusammensein im Hause Rosenthal 32 auch die weiteren Fürsorgerinnen der Ortsgruppe: Dora Knell, Maria Bartel und Antonie Schwethelm.

Wie vollzog sich die Ausbildung?

Vorweg: in dem Hause Rosenthal 32 waren in 12 Räumen untergebracht

1. die Zentrale des Gesamtvereins
   a) ein winziges Büro für die Generalsekretärin – der Schreibtisch mit dem Stuhl verschlang den gesamten Raum; wer Fräulein Zillken aufsuchen wollte, mußte hinter dem Schreibtisch an der Wand stehen!

b) die Buchhaltung, die Fräulein Mathilde Knappertsbusch verwaltete. In einem primitiven Anbau dieses Raumes war die Registratur der Zentrale untergebracht.

c) ein größeres Mehrzweckzimmer, in dem täglich eine Unterrichtsstunde gehalten wurde. Danach war es Büro der Ortsgruppe, dann Eßzimmer und am Nachmittag wieder Büro.

2. Die Ortsgruppe Dortmund (sie benutzte neben dem Mehrzweckzimmer noch drei Büros und ein kleines Sprechzimmer),
3. das Vorasyl der Ortsgruppe."

Abb. 26: Dortmund, Rosenthal 32: Sitz der Vereinszentrale 1906–1927.

Die Stärke der Schule – das geht aus einer Reihe von Briefen hervor – war die enge Verflechtung von Theorie und Praxis und das Erlebnis der Lebendigkeit des Gesamtvereins.

Als Fächer wurden genannt:
Unterstützungsrecht, Sozialversicherung; ferner die jeweils neuen Gesetze: Familienrecht, Vormundschaftsrecht, Fürsorgeerziehungsgesetz, Eherecht, Jugendgerichtsgesetz (1923), Reichsgesetz über die religiöse Kindererziehung (1923), Reichsjugendwohlfahrtsgesetz (1922), Gesetz zur Bekämpfung der Geschlechtskrankheiten (1927);

Ethik, Religion, Pädagogik, Psychologie, Staatsbürgerkunde, Volkswirtschaft, Sozialpolitik, Geschichte der Caritas, Entwicklung der öffentlichen Wohlfahrtspflege;

Geschichte und Satzungen des Katholischen Fürsorgevereins, Organisationskunde.

Bei der obenerwähnten räumlichen Nähe von Zentrale, Schule, Ortsgruppe und Vorasyl war die Verbindung von Theorie und Praxis verhältnismäßig leicht zu bewältigen.

„Morgens früh hatten wir eine Unterrichtsstunde, dann ging es an die praktische Arbeit; des Nachmittags wieder eine Unterrichtsstunde und anschließend praktische Arbeit, die sich auf Außen- und Innendienst erstreckte. Im Winter wurde die Unterrichtsstunde auf den Spätnachmittag verlegt. Zur Einführung in die praktische Arbeit waren wir einer Dezernentin zugeteilt."

Gertrud Becker

„Die Schülerinnen wurden auf die einzelnen Dezernate verteilt. Einige Zeit hindurch nahmen Schülerinnen des Oberkursus sie mit auf ihren Gängen zu den Schützlingen, zu den Behörden, zu Organisationen der freien Liebestätigkeit, zu ehrenamtlichen Helfern etc. Vorher war im Büro von seiten der Dezernentin eine Vorbesprechung erfolgt. Unter ihrer Anleitung wurden die ersten Personalbogen angefertigt. Sie leistete auch anfangs Hilfestellung bei der Abfassung von Berichten und Anträgen."

Dr. Anna Kopp

„Ferner wurden wir eingeführt in die Aktenführung, Antragstellung und lernten den mündlichen und schriftlichen Verkehr mit den Behörden kennen."

„Fräulein Knell betonte, wie wichtig der richtige Empfang des Hilfsbedürftigen an der Pforte sei."

Henny Kaup

„Es war eine anstrengende Art der Ausbildung. Man war immer ein- und angespannt, mußte Theorie und Praxis nebeneinander verdauen; andererseits erleichterte die Praxis auch manches Verständnis der Theorie."

Maria Dieckmann

„Wir sahen uns – manche unvermittelt – den Problemen der Großstadt gegenüber mit den bindungslosen Menschen, der Verelendung, der Jugendgefährdung, der Prostitution. Wir sahen die G[eschlechts]-Krankenstationen und die Gefängnisse, die F[ürsorge-]E[rziehungs]-Heime. Das alles konnte kaum durch die Praxisanleitung aufgefangen werden. Trotzdem waren die Schule, der Verein, die Begegnung mit Frau Neuhaus, mit Fräulein Zillken, eine ordnende Kraft, wenn wir sie uns auch stärker und spürbarer gewünscht hätten."

Elisabeth Niewöhner

„Von besonderer Bedeutung war es für uns, daß Frau Neuhaus als Vertreterin der katholischen Frauenbewegung in die Weimarer Nationalversammlung berufen wurde und als solche die fraglichen Gesetze – ich erinnere mich noch sehr der eingehenden Besprechung über das bevorstehende Gesetz zur Bekämpfung der Geschlechtskrankheiten – mit uns durcharbeitete. Dieselben Vorteile hatten wir durch Fräulein Zillken als Stadtverordnete."

Magda Severing

Als Dozenten in den damaligen Jahren werden genannt: Agnes Neuhaus, Elisabeth Zillken, Emmy Hopmann, Dora Knell, Studienrat Kopp, Anna Reisinger, Dr. Nora Zillken, Dr. Maria Held, Dr. med. Gerlach, Dr. Anna Hesse.

Dezernentinnen in der Ortsgruppe: Dora Knell, Anna Reisinger, Klara Vigier, Agnes Lellmann, Magda Severing.

Außer ihrem Bezirk hatten die Dezernentinnen Sonderreferate:

Maria Klein: ab 1924 „Die Einführung in die praktische Arbeit und die Zusammenarbeit mit der Polizei."

Anna Reisinger, später Antonie Schwethelm: „Die Stellenvermittlung."

Dr. Anna Kopp: 1924–1928 „Pflege- und Adoptivvermittlungen", außerdem Schwangerenberatung beim Jugendamt.

Außer an den regulären Unterrichtsfächern nahmen die Schülerinnen an den Konferenzen der Ortsgruppe und an Vormünderversammlungen teil sowie an Vorträgen auswärtiger Redner, wie H. H. Schulte-Pelkum, Direktor des Franz-Sales-Hauses in Essen, Professor Dr. Hermann Muckermann.

„Alle saßen zusammen in einem Büro an einem gemeinsamen Arbeitstisch. Aber trotz der Enge war jede intensiv mit ihren Aufgaben beschäftigt. Mich bedrückte das nicht wenig, war ich doch aus meiner Tätigkeit Großzügigkeit gewohnt. Auf Grund meiner Vorbildung fiel es mir nicht schwer, mich in die bürotechnische Arbeit einzufinden. Mit dieser Arbeit war aber auch schon die Grundlage für die Einführung in die Verwaltungsaufgaben gegeben. Hierbei lernte ich, wenn auch in großen Zügen, die vielseitige Tätigkeit des Fürsorgevereins kennen. Wie schon gesagt, die Ortsgruppe war ein wesentlicher Bestandteil der Schule."

Magda Severing

„Durch Heimbesichtigungen wurde der Gesichtskreis erweitert. So wurden z. B. besichtigt: das Franz-Sales-Haus in Essen, die Bodelschwinghschen Anstalten in Bethel.

Im Sommer waren wir eine Woche in Glindfeld. H. H. Rektor Lutz hielt religiöse Vorträge über die Bergpredigt. Wir saßen draußen unter breiten schattigen Bäumen. Mittags wurde in einer Wirtschaft gegessen, in der wir auch schliefen, sieben in einem Zimmer. Morgens Gemeinschaftsmesse, die als Neuerung erst geübt werden mußte. Es wurde gesungen, gewandert –, ein schönes Zusammensein von Lehrern und Schülern. Wir waren sehr sparsam. Die Inflation war noch nicht lange überstanden; aber wir sparten auch, weil wir bescheiden leben wollten, und weil wir von dem Elend, dem wir erstmals begegneten, mitgenommen waren."

Elisabeth Niewöhner

„Jede Schülerin hatte drei Wochen im Vorasyl zu arbeiten. Die Ausbildung in Dortmund dauerte damals ein Jahr und hatte zum Abschluß kein Staatsexamen."

Maria Dieckmann

„Prüfungen fanden keine statt; aber die Schülerinnen wurden laufend beurteilt und nach der Ausbildungszeit sehr sorgfältig entsprechend ihrer individuellen Eignung als Berufsfürsorgerinnen in die Ortsgruppen vermittelt."

Dr. Elsa Thomas

„Die staatliche Anerkennung wurde den Absolventinnen nach Ablauf des Schuljahres und nachfolgender mehrjähriger praktischer Arbeit auf Grund einer Verfügung des Herrn Regierungspräsidenten erteilt, nachdem die Schule 1927 staatlich anerkannt worden war."

Magda Severing

Zur Situation der damaligen Zeit:

„Zwei politische Ereignisse, die in unsere Zeit fielen, möchte ich aber nicht unerwähnt lassen, da sie auf das gesamte Gebiet der Wohlfahrtspflege, also auch auf unser spezielles Gebiet Jugend- und Gefährdetenfürsorge nicht ohne Einfluß blieben: das war der 1. Weltkrieg 1914–1918 und die Revolution 1918 mit Einzug des Arbeiter- und Soldatenrates. Wir wissen alle, welche Auswirkungen und Folgen dieser Krieg mit sich brachte. Besonders die Familien, in denen der Vater fehlte und die Mutter zur Arbeit herangezogen wurde, standen in Gefahr, in Unordnung zu geraten. Aber noch einschneidender in unsere Arbeit war die Revolution, die einen völligen Umsturz auch in der Zusammenarbeit mit den Behörden brachte. Die behördlichen Einrichtungen wurden aufgehoben bzw. mit neuen Leitern besetzt. Die neu eingerichtete Dienststelle des Arbeiter- und Soldatenrates befand sich in allernächster Nähe unseres Bürohauses und der Schule, und wir wurden scharf bewacht. So kam es eines Tages auch bei uns zu einer Haussuchung. Zu bestimmten Zeiten bestand Ausgehverbot, und das war sehr hinderlich für unsere Arbeit, die sich ja weitgehend außerhalb der Büroräume vollzog. Eines Tages wurden auch alle Heime gezwungen, ihre Zöglinge zu entlassen, u. a. auch das Fürsorgeheim St.-Vinzenz-Heim in Dortmund. Ich hatte damals die mühsamen Verhandlungen mit dem Oberbürgermeister zu führen. Nie vergessen werde ich diesen Weg. Nur mühsam gelang es mir, Zutritt zum Oberbürgermeister zu erhalten, nachdem ich mich durch das durchwühlte Rathaus mit seinen zerschnittenen Gemälden, ruinierten Einrichtungen vorbei an herumlungernden Soldaten durchgekämpft hatte. Mein Anliegen vortragend, stieß ich zunächst auf großen Widerstand, der sich aber allmählich legte.[1] Wir erhielten dann die Erlaubnis, die Entlassung unserer Zöglinge in eigener Verantwortung durchzuführen."

Magda Severing

Von 1902 bis 1927 wurden insgesamt 233 Berufsarbeiterinnen herangebildet,

von 1902 bis 1917 waren es neben vielen ehrenamtlichen Kräften insgesamt 58 Berufsarbeiterinnen,

von 1917 bis 1927 insgesamt 175 Berufsarbeiterinnen.

Davon waren im Jahre 1934 tätig:

im Kath. Fürsorgeverein	58
in anderen freien Organisationen und „Fabrikpflege"	20
in der behördlichen Arbeit	46
in der Heimerziehung	1
in andere Berufe übergegangen	44
durch Heirat, Krankheit oder Tod ausgeschieden	29
unbekannt	35

1 [Agnes Neuhaus konnte über die Arbeit des KFV in den Revolutionsmonaten sogar berichten, es hätten die Ortsgruppen des Vereins „überall, wo sie sich in Schwierigkeiten einfach und offen an die Arbeiter- und Soldatenräte gewandt hatten, die besten Erfahrungen gemacht", zit. nach Wollasch, Fürsorgeverein, 100.]

Soziale und caritative Frauenschule
des katholischen Frauenbundes in Bayern

Jahreszeugnis

Paula Linhart

geboren den 22. März 1906 *zu* München, *katholischer Konfession hat die Unterstufe* 1926/27 *und die Oberstufe* 1927/28 *der sozialen und caritativen Frauenschule des katholischen Frauenbundes in Bayern besucht und hat folgende Noten erlangt:*

Psychologie und Pädagogik	lobenswert
Bürgerkunde	hervorragend
Ausgewählte Gebiete des Bürgerlichen Rechtes	lobenswert
Ausgewählte Gebiete des Strafrechtes	lobenswert
Volkswirtschaft	lobenswert
Sozialpolitik	lobenswert
Sozialversicherung	entsprechend
Öffentliches Fürsorgewesen	lobenswert
Jugendwohlfahrtswesen	lobenswert
Wohlfahrtspflege	hervorragend
Vereinstechnik und Verwaltungskunde	lobenswert
Gesundheitsfürsorge	lobenswert
Spezielle Gesundheitslehre	lobenswert
Häusliche Krankenpflege	lobenswert

Außerdem wurde Unterricht erteilt in: Religion, Frauenfrage und Frauenbewegung, ~~Häusliche Krankenpflege~~, Säuglings- und Kleinkinderpflege- und -Fürsorge.

Abb. 27–29: Zeugnisse einer Sozialen Frauenschule für die staatliche Anerkennung als Wohlfahrtspflegerin. Paula Linhart arbeitete von 1928–1956 bei der Ortsgruppe München des KFV.

Zur Einführung in die praktische Arbeit betätigte sich die Schülerin in:
a) der St. Annakrippe in München,
b) dem städt. Jugendamt in München,
c) der kath. Bahnhofmission in München
d) dem kath. Fürsorgeverein für Mädchen, Frauen und Kinder in Köln a. Rhein

Bewertung der Eignung: Paula Linhart ist sehr begabt und für soziale Fragen interessiert. Neben guten Leistungen im theoretischen Unterricht hat sie sich auch in der Praxis teilweise als recht gut verwendbar gezeigt. Bei ihrer Jugend ist ein Urteil über ihre Befähigung für schwierige Aufgaben nicht möglich, doch darf sie vollauf geeignet genannt werden.

München, den 21. März *1928*

Die Schulleitung
Dr. Luise Jörissen.

Dieses Zeugnis berechtigt nur in Verbindung mit dem staatlichen Prüfungszeugnis zur Anwartschaft auf den Titel einer staatlich anerkannten Wohlfahrtspflegerin.

Notenstufe: I = hervorragend, II = lobenswert, III = entsprechend, IV = mangelhaft, V = ungenügend

Die Bewertungsgrade der Eignung sind: Hervorragend geeignet, gut geeignet, geeignet, mangelhaft geeignet, ungeeignet.

Soziale und caritative Frauenschule

des katholischen Frauenbundes in Bayern, München

Prüfungszeugnis

Paula Linhart

geboren am 22. März 1906 *zu* München,
Bez. Amt ——————, katholischen *Bekenntnisses, hat sich im Jahre* 1928 *der staatlichen Prüfung für Wohlfahrtspflegerinnen mit Erfolg unterzogen.*

A. Ihre Leistungen in der allgemeinen Prüfung wurden unter Berücksichtigung der Jahresleistungen folgendermaßen bewertet:

aus dem Gebiete der Gesundheitspflege und Gesundheitsfürsorge lobenswert
aus dem Gebiete der Psychologie und Pädagogik hervorragend
aus dem Gebiete der Volkswirtschaft lobenswert
aus dem Gebiete des öffentlichen und privaten Rechts lobenswert
aus dem Gebiete der Sozialversicherung und des Arbeitsrechts lobenswert
aus dem Gebiete der Jugendwohlfahrtspflege hervorragend
aus den sonstigen Gebieten des öffentlichen Fürsorgewesens lobenswert
aus dem Gebiete der freien Wohlfahrtspflege und Liebestätigkeit hervorragend

Sie hat für die Leistungen in der allgemeinen Prüfung mithin die Gesamtnote 2 = lobenswert *erhalten.*

B. In der besonderen Prüfung lieferte sie eine schriftliche Arbeit aus dem Hauptgebiete der Jugendwohlfahrtspflege

Die schriftliche Arbeit und das Ergebnis der sich anschließenden mündlichen Prüfung konnte mit der Zeugnisnote 2 = lobenswert *bewertet werden.*

C. Auf Grund ihrer Bewährung in der praktischen Arbeit wird sie als geeignet *zum Berufe einer Wohlfahrtspflegerin erachtet.*

München, *den* 21. März 1928.

Der Prüfungsleiter: Dr. Josef Meier

Die Schulleitung: Dr. Luise Jörissen

Notenstufe: I — hervorragend, II — lobenswert, III — e[illegible] mangelhaft, V — ungenügend.

4 RM – ₰ Staatsgebühr
– RM – ₰ Stempel
– RM 80 ₰ 20% Zuschlag
4 RM 80 ₰ zusammen.
Kontr.-Verz. Nr. 29.

Staatliches Anerkennungszeugnis

Wohlfahrtspflegerin

für das Hauptgebiet: Jugendwohlfahrtspflege

Paula Linhart,

geboren am 22. März 1906 in München, Bez. Amts –, die im Jahre 1928 die Prüfung für Wohlfahrtspflegerinnen an der staatlich anerkannten Sozialen und Karitativen Frauenschule des Kath. Frauenbundes in Bayern in München bestanden hat, erhält auf Grund ihrer Berufsschulung gemäß § 21 Abs. I c der Prüfungsordnung für Wohlfahrtspflegerinnen vom 10. März 1926 und ihrer Bewährung während des vorgeschriebenen Probejahres, das sie beim Kath. Fürsorgeverein für Mädchen, Frauen und Kinder in München ableistete, die staatliche Anerkennung als Wohlfahrtspflegerin für das Hauptgebiet: Jugendwohlfahrtspflege mit Wirkung vom 1. August 1929 an.

München, den 15. April 1931

Staatsministerium

des Innern
I. A.
[illegible]

für Unterricht und Kultus.
I. A.
Walz

Im Jahre 1920 wurden die Ausbildung und Prüfung auf dem Erlaßwege geregelt. Seitdem bestand die Möglichkeit, daß die bestehenden Schulen staatlich anerkannte Wohlfahrtsschulen werden konnten.

Mit Erlaß vom 19. 6. 1922 des Herr Ministers für Volkswohlfahrt in Berlin erhielten bereits damals die sozialen Frauenschulen und Wohlfahrtsschulen den Namen „Höhere Fachschulen".

Abb. 30: Dortmund, Schulgasse 5 – der neue Sitz von Vereinszentrale und Schule 1927 (Aufnahme von 1930). 1950 wurde die Straße in „Agnes-Neuhaus-Straße" umbenannt.

„Es war damals die Zeit nach dem ersten verlorenen Weltkrieg mit nachfolgender Revolution, Arbeitslosigkeit, Inflation und gestürzter Autorität."

Gertrud Becker, 1921/22

„Es war ja die Zeit, wo das RJWG gerade in Kraft getreten war. Es war Pionierarbeit, die hier auf diesem Gebiet geleistet wurde und als solche von großem Idealismus getragen.[2] Frau Neuhaus selbst gab noch die theoretische Einführung in die Arbeit. Neben der Praxis betonte sie vor allem die Notwendigkeit gründlicher Gesetzeskenntnis und die gute Zusammenarbeit mit den Behörden."

Dr. Annemarie Bruder

Über den Geist der Studierenden und der ersten Sozialarbeiterinnen:

„Wir wissen alle, daß der Fürsorgeverein arm war; ich bekam als Dezernentin außer freier Station (ein bescheidenes Zimmer, in dem wir trotzdem viel Freude hatten) ein monatliches Entgelt von 25,– RM; schon damals zu wenig, um sich auch nur die kleinste Anschaffung zu machen.

2 [Vgl. Dok. 14.]

Ich sehe noch heute ihr Gesicht, und wie sie dann ganz nachdenklich sagte: ‚25,– RM monatlich, das ist im Jahr 300,– RM, ist doch ganz schönes Geld.' – Da glaubte ich es auch schon beinahe selbst.

Es gibt noch viele solcher schönen Erinnerungen, nie würden wir darüber ärgerlich gewesen sein.

In der Zwischenzeit arbeitete ich in den Ortsgruppen Bochum und Oberhausen. Oberhausen war eine kleine Episode. – Da die Ortsgruppe kein Geld hatte, wohnte ich unentgeltlich bei einem Vorstandsmitglied und war abwechselnd alle acht Tage bei einer der Damen zum Mittagessen. Man nannte mich daher in Dortmund ‚Rumgangstante' –, wir haben viel gelacht."

Magda Severing

„Ich kann aufrichtigen Herzens sagen – und mit mir gewiß alle Ehemaligen –, daß wir in der Dortmunder Schule vielseitige Kenntnisse erworben haben und innerlich bereichert wurden. Wir ‚Alten' möchten das im ‚Rosenthal' verbrachte Jahr nicht missen. Das Band echter Zusammengehörigkeit im gemeinsamen Arbeiten und Streben wurde tief empfunden."

Bertha Münch, 1918

„Rückschauend ist mir schon lange aufgegangen, daß wir damals intensiv arbeiteten und unsere Ausbildung, obwohl nur einjährig,[3] im Rahmen dieser Begrenzung gründlich war. Ich hätte sonst hier in den ersten Jahren – ganz auf mich gestellt – und sogleich durch echte Delegation bis über die Ohren in der Arbeit, kaum durchhalten können.

Trotzdem, es war eine schöne Zeit; die kleine Schar war geistig wach, interessiert und berufsfreudig bzw. lernbegierig. Das Geld war knapp. Mit Hilde Beck zusammen hielt ich die Rhein-Mainische Volkszeitung, die – weil wir auch politisch interessiert waren – unserem Denken entsprach und uns Stoff zum Diskutieren gab. Die Sonnenschein-Notizen waren in lebendigem Gespräch; aber mehr noch wurden wir durch den Unterricht mit der gleichzeitig praktischen Arbeit mit den Problemen der Sozialarbeit hart konfrontiert, und ich meine, wir hätten uns nichts geschenkt."

Anny Hausschulte

„Ich glaube, im Namen aller ‚Alten' zu sprechen, wenn ich sage, daß die ‚Dortmunder Zeit' niemand missen möchte. Wir sind dankbar für diese Ausbildung, die uns befähigte, nicht nur den Anforderungen der eigenen Organisation, sondern auch denen der Behörden gerecht zu werden, dankbar für den Geist, den Frau Neuhaus und Frau Zillken der ganzen Arbeit zugrunde legten, der es uns ermöglichte, den schweren Situationen gerecht zu werden und uns selbst innerlich bereicherte."

Magda Severing

[...]

Aus: Anna-Zillken-Schule. Höhere Fachschule für Sozialarbeit Dortmund. Zum Jubiläum 1902 – 1917 – 1927, hg. von der Anna-Zillken-Schule und der Zentrale des Katholischen Fürsorgevereins für Mädchen, Frauen und Kinder, o.O. und o.J. [Dortmund 1967], 29–56.

3 [Ab 1920 begann sich dann überall die zweijährige Ausbildung mit nachfolgendem Anerkennungsjahr durchzusetzen – eine Folge der Preußischen Prüfungsordnung vom 22. 10. 1920.]

Die Entwicklung der Fürsorgerinnenschule – Zahlen und Daten

1902 – Beginn der kurzfristigen Ausbildungskurse unter Leitung von Frau Agnes Neuhaus.

1910 – Intensivierung der Ausbildung zur Heranbildung von ehrenamtlichen und hauptberuflichen Mitarbeiterinnen im Kath. Fürsorgeverein;
bis 1917 werden insgesamt 58 berufliche Mitarbeiterinnen ausgebildet.

1917 – Beginn der einjährigen Lehrgänge an der Fürsorgerinnenschule unter Leitung von Frau E. Zillken. Die Lehrgänge dienen der Heranbildung beruflicher Fürsorgerinnen nicht nur für die Aufgaben des Kath. Fürsorgevereins, sondern auch für die behördliche Arbeit, insbesondere für die Polizeifürsorge (Polizeiassistentin genannt), für die soziale Gerichtshilfe, für die Gefährdetenfürsorge, u.a.; von 1917 bis 1927 werden insgesamt 175 Fürsorgerinnen ausgebildet.

1924 – Die Leitung der Schule übernimmt Fräulein Dr. Anna Hesse.

1927 – 27. April – Staatliche Anerkennung der Schule.
Die Westfälische Wohlfahrtsschule Münster und Dortmund bilden eine Einheit; die Abteilung Münster bildet aus für die Hauptfächer „Gesundheitsfürsorge“ und „Wirtschafts- und Berufsfürsorge“; die Abteilung Dortmund bildet aus für das Hauptfach „Jugendwohlfahrtspflege“.

1927 – Ab Oktober Ausbildung von Ordensschwestern für die geschlossene Fürsorge (Heimerziehung).

1927 – Beginn der Seelsorgehelferinnenausbildung.

1928 – Fräulein Dr. Hesse scheidet durch ihre Heirat aus. Frau Dr. Anna Zillken übernimmt die Leitung der Schule.

1934 – Umbenennung der Schule in „Westfälische Frauenschule für Volkspflege“. Das Wort „Wohlfahrt“ wird ausdrücklich verboten; die Berufskräfte erhalten den Namen “Volkspflegerinnen“.

1934 – Beginn der einjährigen Sonderlehrgänge für Ordensschwestern-Lehrerinnen für die offene Fürsorge.

1941 – Dunkle Wolken überschatten die Existenz der Schule. Am 17. Juli 1941 wird die Schließung der Schule angeordnet. Am 27. Juli 1941 ergeht erneut die Aufforderung durch den Oberpräsidenten der Provinz Westfalen über die Regierung Münster, die Schule der NSV zu übergeben. Dem hartnäckigen Einsatz von Frau Dr. Anna Zillken und Frau Elisabeth Zillken gelingt es, die Schließung der Schule hinauszuzögern. Es wird aber in Dortmund eine weitere Sozialschule für Frauen gegründet mit dem Ziel, die katholische Schule zu vernichten.

1943 – Der Krieg mit seinen Bombenangriffen auf die Stadt zwingt die Schule zur Evakuierung. Im Juni 1943 geben die Franziskanerinnen von Salzkotten der Schule Asyl und ermöglichen so die Weiterführung der sozialen Ausbildungsstätte.

1945 – Am 21. August Erlaubnis zur Wiedereröffnung der Schule durch die Militärregierung in Münster.

1949 – Im Februar kehrt die Schule nach Dortmund zurück und findet zunächst Aufnahme in einer Baracke und später in dem Gebäude der ehemaligen Marienschule, Silberstraße 13.

Abb. 31: Dr. Anna Zillken (1898–1966), 1928–1962 Direktorin der Westfälischen Wohlfahrtsschule der Zentrale des KFV in Dortmund.

1954 – Am 25. November werden die beiden Abteilungen der Westfälischen Wohlfahrtsschule in Münster und Dortmund selbständige Schulen. Jede Abteilung erhält das Recht, für alle drei Berufszweige auszubilden.

1959 – Ab 1. April wird die Ausbildung auf 3 Jahre verlängert, und die Schule erhält den Status der „Höheren Fachschule für Sozialarbeit".

1960 – Am 1. April wird das neue Schulgebäude in der Arndtstraße 5 bezogen.

1962 – 1. Juli – Frau Dr. Anna Zillken übergibt die Schulleitung an Frau Dr. Gertrud Weingarten.

1966 – 1. August – Die Schule erhält nach dem Tode von Frau Dr. Anna Zillken den Namen: „Anna-Zillken-Schule".

1968 – Beginn der staatlich anerkannten Erzieherausbildung, Schwerpunkt: „Jugend- und Heimerziehung".

1970 – Beginn der Ausbildung an der Höheren Fachschule für Außerschulische Sonderpädagogik – Institut für Heilpädagogik –.

1971 – Umwandlung der Höheren Fachschulen für Sozialarbeit in Fachhochschulen. – Die Anna-Zillken-Schule, Abteilung Sozialarbeit, wird für 2 Jahre Außenstelle der Katholischen Fachhochschule für Sozialwesen Paderborn.

1974 – Wiederbeginn der Ausbildung zum Sozialarbeiter an der Höheren Fachschule für Sozialarbeit.

1976 – Nach der Verabschiedung von Frau OStD. Dr. Weingarten übernimmt Herr StD. Heinz Dieter Mehlem die Schulleitung.

1978 – Erste staatliche Anerkennung der seit 1974 an der Höheren Fachschule für Sozialarbeit ausgebildeten Sozialarbeiter.

Aus: Anna-Zillken-Schule. Höhere Fachschule für Sozialarbeit Dortmund. Zum Jubiläum 1902 – 1917 – 1927, hg. von der Anna-Zillken-Schule und der Zentrale des Katholischen Fürsorgevereins für Mädchen, Frauen und Kinder, o. O. und o. J. [Dortmund 1967], 81–84 (Angaben bis 1962); Korrespondenzblatt Sozialdienst katholischer Frauen 1984, Sonderdruck 7, 3–4 (Angaben ab 1966).

„Die Lokomotive geht voran…“

5. Mai [19]19
Sr. Hochwürden Herrn Domkapitular Bartels, Paderborn

Hochwürdiger Herr Domkapitular!

Ich muß immer und immer wieder an den Unterschied in unserer Auffassung über die Zusammenarbeit mit den maßgebenden Interkonfessionellen auf dem Gebiete der Jugendfürsorge denken. Diese Gedanken lassen mich nicht los und wachsen vor meiner Seele an Wichtigkeit, je länger sie mich beschäftigen. Ich schicke Ihnen mal die Briefe zu, die mir allein in Weimar über diesen Gegenstand zugegangen sind. (Ein Teil derselben und die Depeschen sind sogar noch in Weimar geblieben.) Ich möchte Sie herzlich bitten, diese Briefe mit großer Aufmerksamkeit durchzulesen. Studieren Sie besonders mal den Brief von Dr. Polligkeit vom 13. II. [,] und zwar in dem Sinne, daß ich meine, auf diese Wünsche könnte man eingehen. Studieren Sie bitte ferner mal die Pläne des Vorstandes, die Vorschläge von Dr. Blaum in dem Sinne, daß der Verein sehr viel vorhat und sehr viel durchsetzen wird.

Nun stehen Sie auf dem Standpunkte, daß wir nicht mittun dürfen. Ich empfinde diesen Standpunkt mehr und mehr als gefährlich. Die Lokomotive geht voran, ob wir uns in den Zug hineinsetzen oder nicht. *Sie* wollen sich nun neben das Geleise stellen und sagen: „Ich fahre nicht mit“. *Ich* möchte mich am liebsten neben den Lokomotivführer stellen und tun, was ich kann, um die Weichenstellen so zurechtzubringen, also die Richtung und das Ziel soviel mit[zu]bestimmen, als in meinen Kräften steht. Wenn ich den Platz neben den Lokomotivführer nicht bekommen kann, so möchte ich mich wenigstens in den Zug hineinsetzen zu den andern und mit ihnen ehrlich verhandeln, damit sie unsere so wertvolle Arbeit erkennen und uns berücksichtigen. *Die reichsgesetzliche Regelung kommt ganz gewiß,*[1] denn ich weiß durch <bestimmte>[2] Persönlichkeiten, daß die Mehrheit dafür ist. Sollen wir nun daneben stehen und alles einen Weg gehen lassen, indem wir nicht mitbestimmen können? Ich sehe tatsächlich eine sehr große Gefahr in dieser Stellungnahme. Der Zug geht voran, und wir bleiben einfach zurück, und es ist doch ein schlechter Grund, wenn wir uns nachher sagen können, wenn die Dinge für uns möglichst schlecht stehen: „Wir haben wenigstens nicht mitgetan“. *Denn wir haben es jetzt tatsächlich in der Hand, die Dinge so mit zu beeinflussen, daß sie nicht so schlimm werden, wie sie ohne unsere Mitarbeit sein können.*

Ich sehe unsere Aufgabe darin, in dieser Mitarbeit persönliche innere Beziehungen zu finden zu den anständigen Menschen ehrlichen Charakters, zu den Menschen guten Willens auf der anderen Seite [,] und diese durch die Mitarbeit mit uns zu veranlassen, auch unserer ehrlichen Überzeugung gerecht zu werden.

Ich möchte Sie nochmals herzlich bitten, sehr geehrter Herr Domkapitular, sich diese Gedanken durch den Kopf gehen zu lassen. Ich glaube, daß wir gerade jetzt an einem entscheidenden Wendepunkte stehen, wo wir uns unter keiner Bedingung zurückziehen dürfen. Diese Überzeugung ist mir in den letzten Tagen mit geradezu elementarer Kraft gekommen, und ich kann mich nicht entsinnen, daß ich in meinem Leben mich geirrt hätte, wenn ich

1 [Gemeint ist hier die Jugendfürsorge und das spätere RJWG.]
2 [Texte in spitzen Klammern = handschriftliche Ergänzungen im Original.]

einem mit solcher Kraft von <innern> kommenden Drange gefolgt bin. Aber selbstverständlich werde ich nichts gegen Ihre Weisungen, überhaupt gegen meine geistlichen Vorgesetzten tun. Ich bin auch sehr einverstanden, wenn Sie die ganze Sache mit dem Hochwürdigsten Herrn Bischof besprechen.

Ich habe mich sehr gefreut, daß wir am Dienstag mal wieder zusammen arbeiten konnten, und ich glaube, daß wir ein Stück in der Arbeiterinnenkolonie weitergekommen sind. Hoffentlich bekommen Sie bald gute Nachricht <über> Haus Füchten. Ich muß doch sehr viel daran denken.

Ich vergaß, Sie noch ganz besonders auf den Brief von Geheimrat Schlosser an Oberbürgermeister Koch aufmerksam zu machen [,] und zwar auf den zweiten Absatz, wo es sich um die Armenpflege handelt. Ich bitte Sie, mir doch ausdrücklich mitteilen zu wollen, ob Sie in Bezug auf die reichsgesetzliche Regelung der Armenpflege dieselben Bedenken haben, wie für die Jugendfürsorge. Für mich bestehen diese Bedenken nicht. Ich könnte also von mir aus da kräftig mitarbeiten, möchte aber von Ihnen hören, ob ich da auf den falschen Weg geraten könnte oder ob es richtig ist, daß in dieser Beziehung zwischen Armenpflege und Jugendfürsorge ein großer Unterschied besteht.

Mit herzlicher Empfehlung
Ihre
[gez.] Frau A. Neuhaus

Aus: Archiv des Deutschen Caritasverbandes 319.4 I 05/03, Fasz. 1.

Auf dem Weg zum Reichsjugendwohlfahrtsgesetz

Neuhaus (Westfalen), Abgeordnete: Meine Damen und Herren! Ich will es vermeiden, auf den materiellen Inhalt des Gesetzes selbst einzugehen, sowohl in bezug auf den uns bekannten vorliegenden Gesetzentwurf, wie auch in bezug auf die Wünsche für die Zukunft. Diese werden wir am wirksamsten zur Geltung bringen, wenn der definitive Entwurf da ist und wir an die Bearbeitung kommen. Heute sehe ich meine Aufgabe vor allem in einem Doppelten, und zwar einmal darin, den augenblicklichen Stand dieser Bewegung ganz kurz zu skizzieren und festzuhalten, und dann möchte ich einigen der Vorredner, deren Ausführungen mich und vielleicht auch andere besonders interessiert haben, antworten.

Gestatten Sie mir einen ganz kurzen historischen Rückblick, der nur wenige Minuten in Anspruch nehmen wird, aber zum Verständnis der heutigen Situation notwendig ist. Vor etwa 20 Jahren entstanden auf dem Gebiete der *Jugendfürsorge* bedeutungsvolle Gesetze. In die gleiche Zeit fällt die Gründung von Organisationen, die heute eine lebhafte Tätigkeit in der Jugendfürsorge entfalten. Für die Gleichzeitigkeit des Entstehens war kein wahrnehmbarer äußerer Grund ersichtlich. Die Jugendfürsorge lag in der Luft. Wahrscheinlich hatten die sozialen Zustände die Ideen zum Durchbruch und zum Reifen gebracht. Auf einem Kongreß wurde die Situation damals sehr treffend mit den Worten gekennzeichnet: wenn die Rosen blühen, dann blühen sie überall.

Die damals in Kraft getretenen Gesetze haben sich bewährt; die Jugendfürsorgeorganisationen üben eine wahrhaft segensreiche Tätigkeit aus. Aber das Charakteristische in ihrem Entstehen, und das ist das völlige Fehlen eines inneren systematischen Zusammenhangs, das rein zufällige Nebeneinanderarbeiten hat sich in der Entwicklung all dieser Gesetze und Organisationen mitentwickelt bis auf den heutigen Tag und nun zu völliger Planlosigkeit und Zersplitterung geführt. Ich brauche das nicht zu schildern; das haben meine Vorrednerinnen getan. Mir liegt nur daran, den Faden bis zum heutigen Tage zu verfolgen und festzulegen.

Nun sollte dieser maßlosen Zersplitterung, die sich lähmend und hindernd auf die ganze Arbeit legte, wenigstens für Preußen durch ein *Jugendwohlfahrtsgesetz* abgeholfen werden, das

Abb. 32: Schlafsaal des Waisenhauses in Harburg (1922).

Abb. 33: Kindergruppe mit Pflegerinnen in Harburg (1922).

1918 im Abgeordnetenhaus in erster Lesung angenommen worden ist. Aber den Sachverständigen genügte das nicht. Ein Landesgesetz konnte uns nicht helfen. Die *Zersplitterung,* die *Planlosigkeit* war, genau so wie bei den örtlichen Behörden, auch in der gänzlichen Zusammenhanglosigkeit der Bundesstaaten untereinander zutage getreten. Die Not der Jugend, der jugendlichen Vagabunden und Ausreißer – angehende Verbrecher, wenn ihnen nicht geholfen wird –, der sittlich Gefährdeten, der leichtsinnigen jungen Mädchen, die zuerst von Arbeitsstelle zu Arbeitsstelle, dann von Stadt zu Stadt und von Land zu Land ziehen, die Not der mit ihren Kindern herumziehenden verwahrlosenden Familien überspringt alle Grenzen; die Hilfe macht vor jeder Landesgrenze Halt. Erkundigen Sie sich in Frankfurt und in anderen Städten, die an der Landesgrenze liegen. Der Frau Lang-Brumann[1] möchte ich sagen, daß mir ein genauer Kenner dieser Verhältnisse, ein tüchtiger praktischer Mitarbeiter auf diesem Gebiete gesagt hat, daß gerade von den jugendlichen bayerischen Verbrechern in Frankfurt, denen doch die ausgezeichnete und tatkräftige Arbeit der Jugendgerichtshöfe zuteil wird, 75 Prozent nur deshalb rückfällig werden, weil die Hilfsaktion an der bayerischen Grenze wieder vollkommen unterbrochen wird. Eine Not, die so sehr fluktuierenden respektive interlokalen Charakter trägt, kann man allein mit nur lokalen Hilfsmitteln nicht bekämpfen.

1 [Thusnelda Lang-Brumann (BVP) hatte unmittelbar vor Agnes Neuhaus gesprochen, a. a. O. (Quellenangabe zu Dok. 14), 2183–2184.]

Aus der Erkenntnis aller dieser Tatsachen und Zustände heraus kam der große Jugendfürsorgetag in Berlin zustande,[2] der vorhin schon erwähnt worden ist. Fast das ganze auf dem Gebiet der Jugendfürsorge arbeitende Deutschland ist dem Rufe gefolgt, Österreich hatte Gäste gesandt. Alle Vorträge und Debatten hatten nur ein einziges Thema: *Reichsgesetzliche Regelung der Jugendfürsorge.* Es wurde damals verlangt: Zusammenfassung aller in Frage kommenden örtlichen Stellen in einer Behörde, dem Jugendamt, und dann – das ist wesentlich – Sicherung ihrer Zusammenarbeit im ganzen Reich durch Reichsgesetz. Zugleich ist von allen Seiten einmütig betont worden, daß auch die freiwilligen Liebestätigkeitsorgane in dieses System miteingebaut werden müssen, ohne daß ihrer Selbständigkeit zu nahe getreten werden dürfe.

Das war kurz vor der Revolution, es kam Weimar, es kam die Beratung der Verfassung. Sie wissen, daß in der Verfassung in Art. 7 Nr. 7 dem Reiche die Gesetzgebung über die Kinder- und Jugendfürsorge übertragen ist. Nun hat die Regierung alsbald die Arbeit in Angriff genommen. Der Herr Staatssekretär hat uns geschildert, wie er mit Vertretern aller Richtungen an dem Gesetz zusammen gearbeitet hat, und ich möchte nachher noch auf die erfreuliche Tatsache zurückkommen, daß damals tatsächlich Vertreter aller Richtungen so einträchtig zusammengearbeitet haben, daß es eine Freude war. Die Sache war, wie der Herr Minister sagte, im Februar vorigen Jahres fertig. Sie sollte dem Reichsrat schleunigst zugehen, sollte noch vor Ostern in die erste Lesung des Reichstags kommen, damit sie in den Osterferien im Ausschuß beraten werden könnte. Für so dringend und eilig hat damals die Reichsregierung selbst die Sache gehalten. Dann kam der Kapp-Putsch, es kamen die Neuwahlen, und seit der Zeit hören wir durch Regierung und Reichsrat fast nichts mehr von dem Gesetz, desto mehr aber von allen Zentralorganisationen, die alle die Zwischenzeit benutzt haben, Stellung zu dem Gesetz zu nehmen, Wünsche zu äußern, vor allem sein Erscheinen dringend zu verlangen. Und wenn nun dem Reichstag am 20. Oktober ein Verzeichnis der Gesetze vorgelegt worden ist, die verabschiedet werden müssen, und das Jugendamt ist dann nicht dabei, dann bitte ich Sie, sich unsere Gefühle klarzumachen, nachdem wir so lange auf das Gesetz gewartet haben.

Hier möchte ich vor allen Dingen aus der Praxis noch betonen, daß ja die Städte – die Entwicklung geht weiter – gar nicht auf das Erscheinen des Gesetzes ihrerzeit gewartet haben, wir haben darauf gewartet, sie aber nicht. So wird ein Jugendamt nach dem andern gegründet, jedes nach seiner Fasson. In Berlin bestehen jetzt schon 7 Jugendämter, 11 sollen noch hinzukommen. Württemberg hat bereits ein Landesgesetz, das schon am 8. Oktober 1919 verabschiedet worden ist, das Jugendamtgesetz. Wenn das so weiter geht – und wir können die Bewegung gar nicht aufhalten –, dann bekommen wir eine Buntscheckigkeit, eine Uneinheitlichkeit, eine Zersplitterung in Gesetzgebung und Handhabung der Jugendfürsorge, die trostlos sein wird. Und vor allem: wir bekommen dann nicht das Netz der Hilfe über ganz Deutschland, die enge Zusammenarbeit der Jugendämter untereinander, die wir so notwendig brauchen. Bei einer Not, die so interlokalen Charakter trägt, kommen wir ohne ein Reichsgesetz nicht aus.

2 [Vgl. Jugendämter als Träger der öffentlichen Jugendfürsorge im Reich. Bericht über die Verhandlungen des Deutschen Jugendfürsorgetages am 20. und 21. September 1918 in Berlin, hg. im Auftrage der veranstaltenden Verbände vom Deutschen Verein für Armenpflege und Wohltätigkeit, Berlin 1919. – Agnes Neuhaus zählte zu den Teilnehmerinnen und lieferte einen längeren Redebeitrag (ebd., 174–178).]

Und nun hören wir heute, daß die Beratungen dieser dringenden Angelegenheit zwischen Reich und Staaten noch immer nicht beendet sind. Wir hören heute nur, daß der Entwurf binnen vier Wochen vorgelegt werden soll. Wir können ja hoffen, daß es dann weitergehen wird, aber wir hören doch, daß die *Kostenfrage* das einzige Hindernis ist und daß diese Schwierigkeit auch heute noch nicht überwunden ist. Wir müssen sparen und wollen sparen, aber gerade weil wir sparen müssen, können wir uns den Luxus einer derartigen Zersplitterung, einer derartigen Vergeudung von Kraft und Zeit nicht leisten, ganz abgesehen davon, daß die Ausgaben, die wir hier an einer Stelle sparen, wo sie im edelsten Sinne des Wortes produktiv wirken würden, nachher in Kranken- und Siechenanstalten, in Gefängnissen und Arbeitshäusern und an anderen Stellen trauriger Art doppelt und dreifach gezahlt werden müssen, ohne dann noch ein erstrebenswertes Ziel erreichen zu können.

Es kommt aber für die Sparsamkeit noch ein anderer Faktor in Frage, den wir nicht unterschätzen dürfen, und das ist die *freie Liebestätigkeit.* Tausende stehen bereit zu helfen, aber auch für sie müssen wir das Gesetz haben, um die planmäßige Verbindung zwischen ihrer und der behördlichen Arbeit zu bekommen.

Meine Damen und Herren! Wieviel haben wir schon von Planwirtschaft gehört. Wir haben eifrige Anhänger und leidenschaftliche Gegner gehört. Hier handelt es sich nun um eine Planarbeit, die von allen gewollt wird, die nicht das freie Spiel der Kräfte einengt und hindert, die im Gegenteil gerade durch planmäßige Verbindung die Arbeitsfreudigkeit und Wirkungsmöglichkeiten auf allen Seiten erhöhen wird. Wir brauchen diese Planarbeit auch schon deshalb unbedingt, damit nicht den einen von drei, vier Seiten planlos und unzusammenhängend geholfen wird und andere ohne jede Hilfe verloren gehen. Wir brauchen mit einem Wort das Jugendamt, die eine Behörde, wo alle Fäden zusammenlaufen, die jeder kennt, an die sich darum jeder wenden kann und die jedes schutz- und hilfsbedürftige Kind erfaßt, unmittelbar oder durch organisch angeschlossene Kräfte.

Ich möchte nun auf das kommen, was die beiden vorletzten Redner uns gesagt haben, die Vertreter der unabhängigen und der kommunistischen Partei. Meine Damen und Herren! Ich bin ganz erstaunt darüber, wie weit unsere Ansichten da zusammengehen. Ich habe das einfach nicht für möglich gehalten. Aber dann sehe ich auch wieder den Unterschied zwischen Theorie und Praxis. Ich glaube, wenn der Vertreter der unabhängigen Sozialdemokratie drei, vier oder fünf Jahre mit uns zusammengearbeitet hätte, dann würde er manches von dem, was er gesagt hat, nicht gesagt haben.

(Sehr wahr! im Zentrum und rechts. – Zuruf rechts: Die sind unbelehrbar!)

– Nein, die sind nicht unbelehrbar. – Also ich habe die feste Überzeugung, daß wir in der Zusammenarbeit weite Wegstrecken zusammengehen werden. Sie (zum Abgeordneten Dr. Löwenstein)[3] haben es dargestellt, als ob unser Standpunkt der der Sicherung der heutigen Gesellschaftsordnung wäre und als wenn wir von einem gesicherten Gefühl heraus auf die anderen sähen, die wir nun zu unserem Standpunkt, zu unserer Gesellschaftsordnung heranholen wollen. Das stimmt ja gar nicht, Herr Abgeordneter. Das ist ja gar nicht so. Sie betonen

3 [Dr. Kurt Löwenstein hatte für die USPD das Wort ergriffen, a. a. O., 2179–2181.]

die Solidarität der Gemeinschaft und das soziale Verantwortlichkeitsgefühl. Genau dasselbe wollen wir auch. Sie sagen „antikapitalistisch", wir sagen vielleicht „christlich". Wir wollen die beiden Worte heute einmal nicht besprechen. Aber im Resultat wünschen wir dann fast dasselbe, was Sie gesagt haben. Nur haben Sie einen außerordentlich großen Gegensatz konstruiert in dem, was Sie selbst ausgeführt haben. Das hat mich sehr interessiert. Sie sprechen von *Solidarität der Gemeinschaft* – das wollen wir auch –, und dann sprechen Sie zugleich vom *Klassenbewußtsein,* von Klassenaufreizung – das Wort haben Sie allerdings nicht gebraucht, aber den Sinn hatten Ihre Worte. Das widerspricht sich nach meiner Ansicht. Wir wollen kein Klassenbewußtsein, keinen Klassenkampf,

(sehr gut! im Zentrum)

wir wollen wirklich eine Solidarität aller Menschen untereinander, aller Kinder untereinander, ganz egal aus welchen Kreisen. Wenn wir dabei eine Autorität, einen Gehorsam, ein Pflichtgefühl wollen, so werden Sie, glaube ich, das nachher im Verlaufe Ihrer Arbeiten auch wollen. Unsere geistigen Kraftquellen werden verschieden sein, unsere Quellen liegen vielleicht irgendwo, wo Sie sie nicht suchen. Aber in den Resultaten werden wir ganze Strecken zusammengehen. Das werden Sie sehen.

Ebenso mit *Frau Zetkin.*[4] Ich bin ganz erstaunt, wie viel Gleiches wir da haben. Es tut mir leid, daß sie nicht mehr da ist. Sie hat gesagt: „Der Mensch ist das wertvollste von allen Gütern, die wir haben". Genau unsere Ansicht. Sie fordert eine Liebestätigkeit von Mensch zu Mensch, wir auch. Sie sagt: der Staat hat das Recht, er soll für seine Jugend sorgen. Genau dasselbe sagen wir auch, nur sagen wir: der Staat kann das im Einzelfalle von Mensch zu Mensch gar nicht, und dazu wollen wir die *Verbindung der freien Liebestätigkeit* – oder wie Sie das Wort nun nennen – *mit dem Staat,* damit wir Hand in Hand arbeiten können, wenn Sie wollen, unter Leitung des Staates unsere Arbeit ausführen, allerdings mit der individuellen lebensvollen und kraftvollen Art, die überhaupt nur in der Arbeit von Mensch zu Mensch Platz haben kann. Frau Zetkin will Ärzte, Lehrer, Frauen mit hineinhaben. Das wollen wir auch. Wir denken gar nicht anders. Sie will besoldete Kräfte haben. Das wollen wir auch. Aber mit besoldeten Kräften allein wird sie ja gar nicht fertig. Lassen Sie uns doch zusammen arbeiten! Dann wird auch Frau Zetkin sehen, daß es so nicht geht.

Vor allen Dingen freue ich mich auf den Zuwachs aus Arbeiterkreisen, der uns verheißen worden ist. Wir begrüßen das aufs freudigste. Wir erkennen an, daß die *Arbeiter* früher nicht so gestanden haben, daß sie in der *Jugendfürsorge* arbeiten konnten wie wir, die wir freier standen. Die Arbeiter befinden sich aber heute in einer anderen Lage und sie haben mehr Zeit und oft auch mehr Mittel als früher. Wir begrüßen ihre Mitarbeit freudig, je mehr, desto besser. Sie werden sehen, wie intensiv wir zusammen arbeiten können. Wir alle zusammen werden in der Zusammenarbeit dieselbe freudige Erfahrung machen, die der Herr Staatssekretär bei der Vorarbeit zu dem Gesetz gemacht hat, daß Menschen verschiedenster Richtungen sich in ehrlicher Arbeit für die gute Sache doch viel öfter einigen, als man vorher glaubt.

Ich muß auch heute wieder das zum Ausdruck bringen, was ich früher oft gesagt habe. Es kommt darauf an, nicht zu theoretisieren, sondern zusammenzuarbeiten. Meinungen trennen,

4 [Clara Zetkin (KPD), a.a.O., 2181 – 2183.]

Gesinnungen einigen. Wenn wir die Sache so beginnen und dabei Respekt vor der ehrlichen Überzeugung anderer haben, dann werden Sie sehen, wie oft wir zusammengehen können. Vor allen Dingen habe ich Vertrauen auf die sieghafte Kraft des Guten zum einigen für alle, die wirklich das Gute suchen. In diesem Geiste heiße ich mit Freuden alle Mitarbeiter willkommen und ich freue mich auf die Zusammenarbeit. Ich will nur hoffen, daß die Regierung uns auch recht bald Gelegenheit geben wird, diese Zusammenarbeit zu betätigen.

(Lebhafter Beifall im Zentrum und rechts.)

Aus: Stenographische Berichte über die Verhandlungen des Reichstags, Bd. 347, 2184–2186 (Reichstagsrede von Agnes Neuhaus am 27. 1. 1921).

Elisabeth Zillken

Welches ist der richtige Weg zur Besserung der Lage des unehelichen Kindes?

Die Frage stellen, heißt noch nicht, sich anmaßen, sie richtig zu beantworten. Diese Zeilen wollen nur versuchen, die *Frage* klarzustellen. Der Versuch scheint nötig, weil aus verschiedenen Artikeln – auch in dieser Zeitung – der unbefangene Leser den Eindruck gewinnen konnte, als ob es sich jetzt für uns (angesichts des neuen Gesetzentwurfes)[1] darum handele

entweder

für bessere Versorgung und Erziehung des unehelichen Kindes einzutreten, damit aber die Ehe und die Sittlichkeit zu gefährden,

oder

im Interesse der Sittlichkeit und der Hochhaltung der Ehe dem unehelichen Kinde möglichst wenig Rechte einzuräumen und damit seine leibliche und seelische Entwicklung zu gefährden.

Daß die Frage zunächst so gestellt wird, ist wohl in erster Linie auf den Gesetzentwurf selbst zurückzuführen. In der Begründung zu demselben wird es als Aufgabe des Entwurfes bezeichnet, „in Erfüllung des Artikels 121 der Verfassung[2] das Los der unehelich Geborenen weitgehend zu erleichtern und *ihre Stellung derjenigen der ehelichen Kinder soweit anzunähern, als das mit den gegebenen Verhältnissen des Lebens und mit der gebotenen Rücksicht auf das Interesse der Familie* (vergl. Artikel 119 der Reichsverfassung) *vereinbar ist*". In den einzelnen Paragraphen macht der Entwurf dann auch tatsächlich den Versuch, dem unehelichen Kinde dadurch zu helfen, daß er seine rechtliche Stellung derjenigen des ehelichen Kindes angleicht. Da aber das uneheliche Kind im Verhältnis zu seiner Mutter und ihrer Familie bereits heute die rechtliche Stellung eines ehelichen Kindes einnimmt, kann er diesen Versuch nur bezüglich des Rechtsverhältnisses zwischen dem unehelichen Kinde und seinem Vater machen. Auf diesem Gebiete liegen die wesentlichen Änderungen, die der Entwurf bringt. U. a. wird vorgesehen: Verleihung des Verkehrsrechtes an den unehelichen Vater, des Personensorgerechtes und der elterlichen Gewalt neben und zusammen mit der Mutter, die Verleihung des Namens des unehelichen Vaters an das Kind, familienrechtliche Gestaltung des Unterhaltes des unehelichen Vaters statt der klareren und in der Durchführung strengeren schuldrechtlichen Verpflichtung, und unter gewissen Voraussetzungen ein familienrechtlicher Anspruch auf Unterhalt an die Eltern väterlicherseits und für den Fall des Todes des Vaters unter besonderen Voraussetzungen Rechte, die nach einem Erbrecht aussehen. Weil man aber derartige familienrechtliche Beziehungen nur zwischen einem unehelichen Kinde und dem Manne schaffen kann, der, wenigstens nach juristischen Begriffen, mit Sicherheit als der uneheliche Vater anzusehen ist, die uneheliche Vaterschaft aber keineswegs immer feststeht, schafft der Gesetzentwurf neben diesem unehelichen Kinde mit einem feststehenden Vater, dem alle möglichen Rechte eingeräumt werden, eine zweite, mindere Gruppe von unehelichen Kindern, die keinen *„Vater"* mit familienartigen Rechten, sondern nur einen, oder falls die Mutter in der Empfängniszeit mit mehreren Männern verkehrte, auch mehrere solidarisch haftende *„Unterhaltspflichtige"* haben.

---

1 [Gemeint ist hier wohl der Entwurf eines Gesetzes über die unehelichen Kinder und die Annahme an Kindes Statt vom 22. 5. 1925 (Reichsratsvorlage), abgedruckt bei Werner Schubert, Die Projekte der Weimarer Republik zur Reform des Nichtehelichen-, des Adoptions- und des Ehescheidungsrechts, Paderborn – München – Wien – Zürich 1986, 153–188.]

2 [Art. 121 WRV: „Den unehelichen Kindern sind durch die Gesetzgebung die gleichen Bedingungen für ihre leibliche, seelische und gesellschaftliche Entwicklung zu schaffen wie den ehelichen Kindern."]

Angesichts dieser Tatsache ist die obige Fragestellung nicht weiter erstaunlich. Es ist auch nicht weiter erstaunlich, daß manche Kreise nun abwägen, wie weit man den Weg des Gesetzentwurfes mitgehen kann, ohne der Sittlichkeit zu ernsten Schaden zuzufügen, daß die Meinungen darüber, wo hier für uns die Grenze liegt, auseinandergehen.

Gegenüber dieser ganzen Diskussion soll die Frage gestellt werden, *ob dem unehelichen Kinde überhaupt dadurch geholfen werden kann, daß man seine rechtliche Stellung derjenigen des ehelichen Kindes annähert.*

Voraussetzung für die Erörterung dieser Frage ist (darin waren auch wohl alle, die sich von christlicher Seite zu dem Problem äußerten, einig), daß das uneheliche Kind ein Geschöpf Gottes ist, so gut wie das eheliche Kind, daß auch ihm eine Lebensaufgabe und ein Lebensziel vom Schöpfer gestellt ist, zu deren Erreichung es seine Kräfte voll einsetzen und entfalten soll; mit anderen Worten: das uneheliche Kind hat nach unserer Auffassung den gleichen Anspruch auf Erziehung zu leiblicher, seelischer und gesellschaftlicher Tüchtigkeit wie das eheliche Kind. Fraglich ist nur, auf welchem Wege dieser so ungeheuer gefährdete Anspruch des unehelichen Kindes einigermaßen erfüllt werden kann.

Es scheint, als ob diejenigen, die den Gesetzentwurf vertreten, die tatsächlichen Gegebenheiten nicht klar sähen. Das uneheliche Kind wächst unter ganz anderen Bedingungen heran als das eheliche Kind, und der uneheliche Vater ist etwas ganz anderes als ein ehelicher Vater. Das eheliche Kind wächst eben im Schutze einer durch die Ehe gegründeten Familie heran, die seine Familie ist, die seinetwegen da ist, in der Vater und Mutter mit ihren Eigenschaften und Fähigkeiten sich ergänzen und stützen, um eine neue Generation heranzuziehen. (Das eheliche Kind, das aus einer zerstörten Familie stammt, leidet auch unter dieser Zerstörung und der dadurch bedingten unvollkommeneren Erfüllung seines Erziehungsanspruches. Der Praktiker der Jugendfürsorge weiß, daß die Gefährdung ehelicher Kinder aus zerstörten Familien einen sehr hohen Grad erreicht.) Wenn nun diejenigen, die dem unehelichen Kinde das Leben gaben, ihm selbst das vorenthalten, was dem ehelichen Kinde gegeben ist, kann man es ihm nicht durch gesetzliche Bestimmungen verschaffen. Die Forderung des Artikels 121 der Verfassung, daß den unehelichen Kindern durch die Gesetzgebung die gleichen Bedingungen für ihre leibliche, seelische und gesellschaftliche Entwicklung zu schaffen seien, wie den ehelichen Kindern, ist unerfüllbar. Das kann kein *Gesetz* tun, das können nur die tun, die dem Kinde das Leben gaben, indem sie noch nachträglich die Ehe miteinander schließen und auch eine wirkliche Ehe miteinander führen. Wenn sie das tun, bekommt das Kind aber die rechtliche Stellung eines ehelichen Kindes, und das Problem ist gelöst. Wenn sie das aber nicht tun, und darum handelt es sich doch hier, dann kann dem unehelichen Kinde nicht dadurch geholfen werden, daß man seine rechtliche Stellung dem Vater gegenüber derjenigen des ehelichen Kindes angleicht. Es ist doch auch eine Tatsache, daß ein unehelicher Vater sich ganz anders zu seinem Kinde stellt als der eheliche Vater. Das Rechtsverhältnis zwischen dem ehelichen Vater und seinem Kinde ist auf der Voraussetzung aufgebaut, daß der eheliche Vater aus Freude an seinem Kinde und aus Liebe ihm gegenüber zunächst freiwillig, schließlich aber auch aus Nützlichkeitserwägungen heraus, alles daransetzt, um es zu einem wertvollen Menschen zu erziehen. Der verantwortungsbewußte uneheliche Vater aber ist, wie jeder Praktiker weiß, eine

Seltenheit. Und selbst wenn er sich zunächst verantwortlich fühlt, treten nachher, weil er keine Familie mit dem Kinde und seiner Mutter bildet, weil er eine ganz andere Familie gründet und ihr gegenüber Verpflichtungen hat, möglichst viele und schwere Versuchungen an ihn heran, sich seinen Verpflichtungen dem unehelichen Kinde gegenüber zu entziehen. Es kommt infolgedessen nicht darauf an, wie der Entwurf es vorsieht, dem *unehelichen Vater Rechte* gegenüber seinem *Kinde* einzuräumen, sondern darauf, dem unehelichen Kinde sehr klare und sehr scharf umrissene *Rechte* gegenüber seinem unehelichen Vater zu geben, d.h. mit anderen Worten: *Pflichten* des Vaters gegenüber dem Kinde, aber nicht Rechte. Man kann dem unehelichen Kinde niemals dadurch helfen, daß man seine rechtliche Stellung dem Vater gegenüber derjenigen des ehelichen Kindes angleicht, sondern nur, *indem man gesetzliche Bestimmungen schafft, die seiner besonderen Lage und den besonderen Bedingungen, unter denen es heranwächst, entsprechen.*

Die besondere Lage des unehelichen Kindes dürfte nach dem Gesagten vielleicht kurz dahin präzisiert werden, daß dem unehelichen Kinde die elterliche Familie fehlt, daß dadurch sein Erziehungsanspruch, seine materielle Versorgung gefährdet ist, daß ferne der Makel der Unehelichkeit auf ihm lastet. Diesen Gefährdungsursachen kann man zu begegnen versuchen, ganz beseitigen kann man sie nicht. (Man kann auch beim ehelichen verwaisten Kinde die erzieherischen und materiellen Folgen der Verwaisung nicht ganz beseitigen.) Gegenüber diesen Tatsachen wäre zugunsten des unehelichen Kindes zu fordern:

1. Ersatz für die fehlende elterliche Familie,
2. möglichst vollkommene Gestaltung dieses Ersatzes,
   a. durch Fernhaltung aller Störungen,
   b. durch Erhaltung des heute schon bestehenden öffentlich-rechtlichen Erziehungsschutzes gegenüber dem unehelichen Kinde.
   c. durch Sicherung der materiellen Versorgung.

Da die elterliche Familie fehlt, kann man den Ersatz dafür entweder beim Vater oder der Mutter oder in einer fremden Familie suchen. Bei der Entscheidung darüber wird man sagen müssen, daß aus natürlichen Gründen das Kind in erster Linie zur Mutter gehört. Steht man auf diesem Standpunkt, dann muß man gesetzlich alles tun, um diese mütterliche Ersatzfamilie in ungestörter und ungehemmter Funktion zu erhalten, d.h., der Vater muß so zum Unterhalt herangezogen werden können, daß die mütterliche Familie nicht aus Mangel an materiellen Mitteln versagt. Der Vater darf aber, wenn er die Mutter nicht heiraten konnte oder wollte, nicht das Recht haben, diesen an sich schon nicht vollkommenen Ersatz zu stören. Diese Gefahr bestände aber unbedingt bei einer gerichtlichen Verleihung des Verkehrsrechtes, bei einer Verleihung des Personensorgerechtes und der elterlichen Gewalt an ihn zusammen mit der Mutter. Soweit eine uneheliche Mutter dem unehelichen Vater freiwillig das Recht des Verkehrs mit dem Kinde gestattet, so lange sie ihn von sich aus in erzieherischen Fragen heranzieht, kann das kein Gesetz verhindern. Das im Gesetz vorgesehene Verkehrsrecht aber würde vom unehelichen Vater wesentlich dann beantragt werden, wenn die Mutter diesen Verkehr eben nicht wünscht, ihn nicht freiwillig gestattet. Mit diesem Verkehrsrecht kann der Vater dann das Familienleben des Kindes bei der Mutter, seine Erziehung dort, stören. Durch die

Verleihung des Personensorgerechtes oder gar der elterlichen Gewalt neben und zusammen mit der Mutter würde das Kind wahrscheinlich zwischen diesen beiden, die keine Familie gründen, hin- und hergezerrt. Es würde in eine noch schlechtere Lage geraten, als es heute leider schon die Kinder aus geschiedenen Ehen sind. Im Interesse des unehelichen Kindes fordern wir hier vom Gesetz, daß, so lange das uneheliche Kind zur Mutter gehört, so lange ihr das Erziehungsrecht zusteht, *auch die Geschlossenheit und Ungestörtheit dieses Ersatzes für eine elterliche Familie geschützt bleibt.* Das Gesetz darf unter keinen Umständen diesen an sich schon nicht vollwertigen Ersatz noch minderwertiger gestalten. Von Rechten des Vaters kann in solchen Fällen *im Gesetz* nicht die Rede sein, sondern nur von Pflichten. Er hat in einem solchen Falle die Pflicht, durch gewissenhafte Unterhaltszahlung der mütterlichen Familie eine möglichst wertvolle Leistung zu ermöglichen. Anders liegen die Dinge, wenn die Mutter tot ist, wenn ihr wegen Gefährdung des Kindes das Erziehungsrecht aberkannt werden mußte und auch, wenn sie freiwillig auf das Kind verzichtet. Dann kommt der Vater eventuell mit seiner Familie für die Erziehung des Kindes in Frage. Die Mutter darf dann aber ebensowenig wie in umgekehrtem Falle der Vater ein gesetzliches Recht haben, die Geschlossenheit dieser väterlichen Familie zu stören. Auch nach heutigem Recht konnte der Vater in einem solchen Falle schon dem Kinde die vollen Rechte eines ehelichen Kindes verschaffen, indem er es als sein eheliches Kind erklärte oder es adoptierte. Dann fielen ihm alle Rechte und Pflichten eines ehelichen Vaters zu. Diese Möglichkeit soll im neuen Entwurf erleichtert werden. Dagegen ist grundsätzlich nichts einzuwenden. Eine andere Frage aber ist, ob darüber hinaus noch ein Bedürfnis entsteht, auf neuen Sonderwegen dem unehelichen Vater die Personensorge und die elterliche Gewalt zu verleihen. Durch Ehelichkeitserklärung und Adoption werden *in erster Linie dem Kinde Rechte gegeben,* und zwar die Rechte des ehelichen Kindes. Durch Verleihung der Personensorge und der elterlichen Gewalt auf dem im Entwurf vorgesehenen Sonderwege aber würden *in erster Linie dem unehelichen Vater Rechte eingeräumt,* ohne daß er die weitgehenden Pflichten eines ehelichen Vaters übernimmt. Im Interesse des Kindes ist da Vorsicht geboten. Die Tatsache, daß bei Verleihung des Personensorgerechtes und der Verleihung der elterlichen Gewalt der uneheliche Vater bis zur Volljährigkeit zur Gewährung des Unterhaltes verpflichtet ist, fällt nicht schwer ins Gewicht für den unehelichen Vater, weil daneben die Bestimmung besteht, daß das Kind die Gewährung des Unterhaltes nicht verlangen kann, soweit der Ertrag seiner Arbeit zum Unterhalt ausreicht. Die große Masse der unehelichen Kinder müßte eben früh verdienen, könnte vom unehelichen Vater unter Umständen, gerade weil er diese Rechte in der Hand hat, ausgenutzt werden. Im Interesse des unehelichen Kindes ist da Vorsicht geboten. Unter allen Umständen ist die Verleihung der elterlichen Gewalt an den unehelichen Vater auf diesem Sonderwege abzulehnen. Unter gewissen Kautelen kann man vielleicht die Verleihung des Personensorgerechtes zugestehen. Die Verleihung der elterlichen Gewalt muß schon deshalb abgelehnt werden, weil damit die öffentliche Aufsicht über die Erziehung des unehelichen Kindes aufhört. Mit der Verleihung der elterlichen Gewalt erlöscht die Vormundschaft, und damit fällt der ganze öffentlich-rechtliche Erziehungsschutz, der heute durch Vormund, Vormundschaftsgericht, Gemeindewaisenrat, Pflegekinderaufsicht ausgeübt wird. Diesen öffentlichen Erziehungsschutz sollte man beim unehelichen Vater nur beseitigen, wenn er auch alle

Pflichten eines unehelichen Vaters übernimmt, d.h. das Kind legitimiert oder adoptiert, und sich durch längere Zeit hinaus [sic!] in der Erziehung und Versorgung des Kindes bewährt hat. Um der Erhaltung dieser öffentlichen Erziehungsaufsicht willen sollte man auch der unehelichen Mutter nur dann die elterliche Gewalt gewähren, wenn sie sich in der Erziehung wirklich voll bewährt hat. Dann sollte sie aber erfolgen, weil die Verleihung dann dazu beiträgt, die Geschlossenheit der mütterlichen Familie zu sichern.

Erst in dritter Linie kommt die Erziehung in einer fremden Familie in Frage. Der möglichst vollwertige Eintritt in sie wird durch die Adoption ermöglicht. Der Entwurf sieht die Erleichterung der Adoption vor, daneben den Pflegekindschaftsvertrag, der in solchen Fällen angewandt werden kann, in denen die Adoption nicht in Frage kommt. Grundsätzlich wird man diese Bestrebung des Entwurfes gutheißen können, wenn auch Einzelheiten hier noch sorgfältig erwogen werden müssen.

Die Leistungen der mütterlichen Ersatzfamilie, wie auch der fremden Ersatzfamilie (Pflegefamilie und Anstalt) sind zum großen Teil von der *materiellen Versorgung des unehelichen Kindes* durch den unehelichen Vater abhängig. Neben einer ausreichenden Versorgung ist hier in erster Linie eine Sicherung der Versorgung zu fordern. Aus bloßem Verantwortungsbewußtsein zahlende uneheliche Väter sind eine Seltenheit. Das weiß jeder Praktiker. Wer dem unehelichen Kinde helfen will, muß seinen Anspruch durch scharfe und klare, schuldrechtlich aufgebaute Bestimmungen sowohl im materiellen als auch im formellen Recht sichern. Die familienrechtliche Gestaltung, wie der Entwurf sie vorsieht, würde in erster Linie dem unehelichen Vater dazu dienen, in allen möglichen Einwendungen sich von Verpflichtungen zu befreien oder die Höhe seiner Verpflichtungen herabzusetzen. Auf schuldrechtlicher Grundlage könnte man unter gewissen Voraussetzungen die Eltern des unehelichen Vaters heranziehen, nämlich dann, wenn sie, wie es häufig geschieht, dem unehelichen Vater behilflich sind, sich seinen Verpflichtungen zu entziehen. Abzulehnen ist aber die familienrechtliche Gestaltung dieser Verpflichtung, wie der Entwurf sie vorsieht.

Schwierig ist die Frage des Unterhaltsanspruches, wenn die Vaterschaft nicht feststeht, weil mehrere Männer als Vater in Frage kommen können. Nach heutigem Recht kann dann der in Anspruch Genommene die Einrede des Mehrverkehrs stellen. In diesem Falle braucht keiner für das Kind zu zahlen. Diese Einrede, die so viele uneheliche Kinder unversorgt läßt, beseitigt der Entwurf, setzt aber an ihre Stelle die Solidarhaftung aller als Vater in Frage kommenden Männer. Im Interesse des unehelichen Kindes ist diese Lösung abzulehnen. Im Interesse der Achtung des unehelichen Kindes muß man es vermeiden, für alle Zeiten die Mehreren, die als Väter in Frage kommen, in seinen Akten festzulegen. Gewiß weist die sogenannte österreichische Lösung, daß einer von mehreren, dessen Vaterschaft nicht ausgeschlossen ist, allein als Vater herangezogen werden kann, auch erhebliche Mängel auf.[3] Eine wirklich zufriedenstellende Lösung ist hier auch nicht zu finden. Aber in ihren Wirkungen für das uneheliche Kind

3 [Daher trat eine Minderheit katholischer Fürsorgeexpert(inn)en, zu der zeitweise auch Agnes Neuhaus zählte, wie die SPD für die sog. „Lasterfonds-Lösung" ein. Danach sollte jeder Mann, der mit der Mutter in der Empfängniszeit verkehrt hatte, den vollen Unterhaltsbetrag für das uneheliche Kind an den Fürsorgeverband bzw. das Jugendamt zahlen. Von dort aus sollten dann die Unterhaltszahlungen erfolgen; erzielte Überschüsse waren für Härtefälle und Ausgleichszahlungen gedacht.]

Abb. 34: Schlafsaal eines Mutter-Kind-Heimes (Aufnahme vor 1930).

ist die österreichische Rechtsregelung die günstigste. Die Ehre des unehelichen Kindes wird auf diese Weise am wenigsten belastet, und das ist für seine Zukunft wichtiger als die stärkere Sicherung des Unterhaltes dadurch, daß man die Unterhaltspflicht mehrerer Männer feststellt. [...] Irgendein Unrecht gegenüber dem einen, der nun zahlen muß, trotzdem er nicht mit Sicherheit der Vater ist, liegt hier nicht vor, denn er kann nur herangezogen werden, wenn seine Vaterschaft nicht unmöglich ist. Wenn das aber einmal im Gesetz festgelegt ist, weiß ja jeder Mann, der sich in unehelichen Verkehr einläßt, daß er auch für die Folge seines Verkehrs für den Unterhalt eines Kindes herangezogen werden kann. Es ist hier nicht der Raum, um weiter auf diese an sich so komplizierte Frage einzugehen. [...]

Auf jeden Fall muß zugunsten des unehelichen Kindes eine ausreichende Versorgung der unehelichen Mutter durch den Vater während der letzten Wochen der Schwangerschaft und während der ersten Wochen nach der Geburt des Kindes gesichert werden.

Das Odium, das auf dem unehelichen Kinde infolge seiner unehelichen Herkunft lastet, ist heute nicht mehr so stark wie früher. Irgendwelche Gesetze, die seine bürgerlichen Rechte gegenüber dem ehelichen Kinde mindern, existieren nicht. Solange allerdings die Ehe die Grundlage des Familienlebens bildet, wird die uneheliche Geburt als etwas Minderwertiges angesehen werden. Das uneheliche Kind trägt die Unehre der Verbindung, aus der es stammt, so gut, wie auch ein eheliches Kind unverdient die Ehre oder die Unehre seiner Eltern mit durchs Leben nimmt. Das ist nicht zu ändern. Was man da tun kann, ist, die uneheliche Geburt möglichst zu verbergen. Das geschieht schon in weitgehendem Umfange, und die Möglichkeit wird im Entwurf durch die Verleihung des Namens des unehelichen Vaters noch um etwas erleichtert. Aber gerade hier muß auch betont werden, daß diese Namengebung nur dann zur Verbergung der Unehelichkeit dienen kann, wenn das Kind im Haushalt des Vaters und nicht in der Familie der Mutter erzogen wird. Hier muß die Grenze im Interesse des Kindes gewahrt bleiben.

Es ist nicht möglich, im Rahmen eines Zeitungsartikels alle Einzelheiten des Entwurfes zu behandeln. Es sollte hier nur gezeigt werden, in welcher Richtung die Gesetzgebung sich bewegen muß, wenn sie die Versorgung des unehelichen Kindes wirklich sicherstellen will.

Zwei Fragen sollen in diesem Zusammenhang zum Schluß noch gestellt werden:

1. Ist der Weg der Ersatz*familie* überhaupt der richtige? Soll man bei diesen grundsätzlich so verschiedenen Bedingungen, unter denen das Kind heranwächst, jede familienrechtliche Versorgung, soweit sie nicht freiwillig geleistet wird, ausschließen und das uneheliche Kind resolut als Kind der Gesellschaft betrachten, also primär die Verpflichtung der Gesellschaft zur Erziehung dieser Kinder festlegen, die dann in Anstalten oder auch Pflegefamilien auf Kosten und unter der Aufsicht der Gesellschaft, der Öffentlichkeit, durchzuführen wäre? Das würde allerdings ein Stück sozialisierter Kindererziehung bedeuten. Es würde aber noch etwas Schwerwiegenderes bedeuten: die Entlastung *derjenigen,* die dem Kinde das Leben gaben auf Kosten der Gesellschaft und der Gesamtheit. Bei der wachsenden Verantwortungslosigkeit unserer Zeit könnte eine derartige gesetzliche Regelung nur die verheerendsten Folgen für die ganze künftige Generation haben und damit auch für das uneheliche Kind im ganzen. Aber auch dem einzelnen unehelichen Kinde wäre damit nicht geholfen. Die Erziehung in einer Anstalt oder in einer fremden Familie ist doch im Durchschnitt schlechter als in der mütterlichen Familie, der man die Mittel zur Erziehung des Kindes gibt: Eine *Primär*verpflichtung der Gesellschaft lehnen wir also ab. Der Anspruch des unehelichen Kindes richtet sich in erster Linie gegen die, die ihm das Leben gaben. Davon kann kein Gesetz sie dispensieren.

2. Ist nicht, trotzdem bei diesen Forderungen von einer Angleichung der Rechtsstellung des unehelichen Kindes an die der ehelichen Kinder abgesehen wird, die Ehe und die Sittlichkeit dadurch gefährdet, daß das uneheliche Kind besser versorgt wird? Lockert nicht die bessere Versorgung des unehelichen Kindes an sich die sittlichen Anschauungen? Die Ehe dürfte durch die bessere Versorgung des unehelichen Kindes auf diesem Wege kaum gefährdet werden. Bezüglich der Folgen für die Sittlichkeit ist nicht ganz abzuweisen, daß die Auffassung über den unehelichen Verkehr dadurch etwas gelockert wird. Wenn man auch sicherlich denen Recht geben muß, die sagen, daß der Mensch kein Jurist ist und in dem Moment, wo unehelicher Geschlechtsverkehr für ihn in Frage kommt, die Erleichterung oder Erschwerung der Folgen seines Verkehrs ihn weder davon abhält noch ihn dazu hintreibt, so wird doch dadurch, daß man die Versorgung der unehelichen Kinder erleichtert, eine Atmosphäre im Volk geschaffen, die in zunehmendem Maße das uneheliche Kind als etwas Selbstverständliches ansieht. Dadurch kann die Erziehung der Knaben und Mädchen im Volk, ihre Behütung usw. beeinflußt und weniger sorgfältig in diesem Punkt werden.

Wirklich verhängnisvoll aber wäre diese bessere Versorgung nur, wenn sie unter Entlastung derjenigen geschähe, die dem Kinde das Leben gaben, und auf Kosten der Gesellschaft. Da durch obige Forderungen aber gerade die Verantwortung derjenigen gestärkt wird, die dem Kinde das Leben gaben, so ist an sich eine tiefgehende Störung der sittlichen Auffassung von dieser Regelung nicht zu befürchten.

Aus: Kölnische Volkszeitung Nr. 415 vom 8. 6. 1927.

A. Möllmann

Die katholische Mitternachtshilfe

Nach eingehender Beratung entschlossen wir uns in Köln im Dezember 1928, stärker als bisher die Prostituierten in unsere fürsorgliche Betreuung hineinzubeziehen. Am besten konnte dies geschehen analog der Tätigkeit der evangelischen Mission, die sich schon seit Jahren in verschiedenen Großstädten, auch hier in Köln, um die Prostituierten eifrig bemühte. Mit großem Entgegenkommen gab uns die Schwester der evangelischen Mitternachtsmission einen Monat hindurch Gelegenheit, sie auf ihren nächtlichen Wegen zu begleiten und an ihrem Wirken teilzunehmen. Nachdem wir auf diese Weise in die Tätigkeit der evangl. Mitternachtsmission Einblick gewonnen hatten, begannen wir mit Mut und Gottvertrauen im Januar 1929 unser neues Werk. Wir nannten es „die katholische Mitternachtshilfe". 25 Helferinnen, meist aus den Reihen unserer Mitarbeiterinnen, stellten ihre Kräfte für dieselbe für je eine Nacht im Monat zur Verfügung. Außerdem brauchten wir eine Kraft, die berufsmäßig zusammen mit einer jeweils wechselnden ehrenamtlichen Mitarbeiterin ständig den Mitternachtsdienst zu versehen hatte. Im ersten Jahre machte die Mitternachtshilfe gewöhnlich 2–3mal in der Woche von 10 Uhr abends bis 2 Uhr nachts ihren Rundgang durch die verrufenen Gassen der Altstadt und durch die Verkehrsstraßen, auf denen auch um Mitternacht und später noch ein lebhaftes Treiben zu beobachten ist. Trafen wir eine Prostituierte, so näherten wir uns ihr mit freundlichem Gruß und boten ihr ein Blättchen (Hoffnung, Leutersdorf) zum Lesen an. Meist war damit schon die Möglichkeit gegeben, eine weitere Unterhaltung anzuknüpfen, die Herkunft, Heimat, Eltern und Elternhaus, oft auch die gegenwärtige Lage der Frau, berührte. Irgendwo und irgendwann ließ sich dann beinahe immer, fast wie beiläufig scheinend, ein Wort anknüpfen über unsere Hilfsbereitschaft, wenn sie einmal in Not sei oder zu einer soliden Lebensweise zurückkehren wollte. Manchmal konnte man auch ein offenes, ernstes Mahnwort zur Besserung und Umkehr taktvoll und ungezwungen anbringen. Diese Annäherungsversuche wurden von den Prostituierten gut, fast nie frivol und ablehnend aufgenommen. Häufig, wenn auch nicht immer, konnten wir dabei beobachten, daß sie sich in unserer Gegenwart der Schamlosigkeit ihrer Kleidung schämten und sich zu bedecken suchten. Auf den größern Verkehrsstraßen beschränkten wir uns meist darauf, den Prostituierten das Blättchen anzubieten, da hier eine Unterredung leicht auffällt und von den Prostituierten peinlich empfunden werden könnte. Nachdem unsere Tätigkeit einmal bekannt war, fanden wir fast überall Vertrauen. Häufig kam die Annäherung nun schon von Seiten der Frauen, wenn diese irgend eine Hilfe oder einen Rat brauchten.

Die Eindrücke und Ergebnisse eines Nachtdienstes sind meist sehr verschiedenartig. Die Mitternachtsschwester gibt am nächsten Tage einen kurzen Bericht und besucht zu gelegener Zeit auch wohl diejenigen, die bereits in ein Vertrauensverhältnis zu ihr gekommen sind, in deren Wohnung, wo sie dann ungezwungener als in der Nacht und ohne Zeugen mit ihnen über ihre Lage und ihre Verhältnisse reden kann. Könnten wir gut bezahlte Stellen schaffen, so wären wohl 50 % aller ältern Prostituierten bereit, unsern Mahnungen zu folgen.

Die Erfahrung zeigte uns mit der Zeit, daß ein 1–2maliger Nachtdienst in der Woche vollkommen ausreichend war. Zuweilen bemerkten wir eine unruhige Haltung, Mangel an Entgegenkommen und Aufnahmebereitschaft unter den Prostituierten, ohne daß wir eine sichere Deutung dafür finden konnten. Wir unterließen dann für einige Zeit unsere Besuche ganz, um sie nach Verlauf einiger Wochen versuchsweise vorsichtig wieder aufzunehmen. Meist war von der mißlichen Strömung dann nichts mehr zu merken.

So läßt sich eine unbedingt feste Form und Methode für den Mitternachtsdienst wohl kaum festlegen. Sie muß sich immer den jeweiligen Verhältnissen und der Stimmung, die gerade unter den Prostituierten ist, anpassen. Um dies zu ermöglichen, ist von Zeit zu Zeit ein Gedankenaustausch der einzelnen Mitarbeiterinnen über die Erfahrungen und die Eindrücke bei der Arbeit unerläßlich. Daher werden diese monatlich zu einer Sitzung zusammen berufen, wo wir zuerst ein klares Situationsbild herausarbeiten und dann erst, diesem Bilde entsprechend, den Arbeitsplan für den folgenden Monat festlegen. Ein religiöser Vortrag, der im Anschluß an die Sitzung stattfindet, hat die Aufgabe, die übernatürliche Grundlage für die Arbeit zu schaffen und zu festigen.

Neben der bisher aufgezeigten mehr oder weniger direkten Arbeit der kath. Mitternachtshilfe an den Prostituierten, hat bei besondern Anlässen eine gelegentliche Zusammenarbeit stattgefunden mit dem städtischen Gesundheitsamt, der deutschen Gesellschaft zur Bekämpfung der öffentlichen Unsittlichkeit, der evangl. Mitternachtsmission und andern konfessionellen Vereinen.

Beachtenswert und für die Beurteilung der Mitternachtsarbeit stark in die Wagschale fallend ist das tiefe Interesse und die ernste Ausdauer unserer Mitarbeiterinnen bei ihrem schweren und nicht ganz gefahrlosen Werk der Nächstenliebe. Von denen, die sich von Anfang an für die Arbeit zur Verfügung gestellt haben, ist bisher kaum eine zurückgeblieben.

Manchmal haben wir uns im stillen, manchmal auch laut, in Bezug auf unsere Mitternachtsarbeit die Frage gestellt, ob der immerhin nicht geringe Aufwand von Zeit und Kraft für schon so tief Gesunkene, die doch nur sehr schwer und selten ganz zurückzugewinnen sind, zu rechtfertigen ist. Von anderer Seite ist diese Frage ebenfalls aufgeworfen und verneint worden. Selbst unter unsern Vorsitzenden auf der Tagung in Bühl[1] war die Ansicht darüber geteilt. Ehe wir unsere Stellungnahme, zu der wir gekommen sind, näher beleuchten, wollen wir die seelischen Voraussetzungen für die Mitternachtsarbeit festlegen, weil hiermit die Grundlage für die Beantwortung der Frage bereits gegeben ist.

Die erste seelische Voraussetzung für den Mitternachtsdienst ist eine tiefe Innerlichkeit. Nur aus dem Bewußtsein der Zugehörigkeit zum mystischen Leibe Christi können wir die richtige Einstellung auch zur tiefst gesunkenen Frau finden. Als lebendige Glieder des mystischen Leibes Christi, eins im Denken und Wollen mit dem Haupte, unserm Erlöser, leiden und opfern wir mit und für die kranken und abgestorbenen Glieder desselben, fühlen uns mitverantwortlich für sie und glauben, daß das ihnen durch die Taufe vermittelte übernatürliche Leben noch nicht endgültig und unwiderruflich in ihnen erstorben ist. Aus derselben Quelle schöpfen wir auch den Glauben an die Tat, die aus diesem Verantwortlichkeitsbewußtsein wächst. Wir glauben unerschütterlich an die Kraft des Lichtes, das wir mehr durch unser Tun, als durch unser Reden, zu den Prostituierten tragen. Mögen die Augen der Tiefgesunkenen noch so trübe und durch das Laster verschleiert sein, sie werden das Licht, wenn erst auch nur ganz schwach, wahrnehmen; und es wird heller und wärmer für sie aufleuchten, je häufiger wir es zu ihnen

1 [Vom 4.–11. 10. 1930, vgl. den ausführlichen Tagungsbericht in: Korrespondenzblatt KFV 10 (1931), 17–54.]

tragen; und wir wagen zu hoffen, daß ihnen, wenn vielleicht auch erst auf dem Sterbebette, Christus, die Sonne der Gerechtigkeit, noch einmal ganz in strahlendem Licht aufgeht. So sind ein aus religiöser Tiefe geschöpftes Verantwortungsbewußtsein und ein unerschütterlicher Glaube an die Wirksamkeit der Gnade die erste Voraussetzung für unsere Tätigkeit in der Mitternachtshilfe. Die zweite ist eine gewisse Lebenserfahrung und Selbstlosigkeit, eine seelische Reife, die gelernt hat, abzuwarten und darauf verzichten kann, Früchte für ihr Tun sehen zu wollen.

Aus der übernatürlichen Schau der Gliedschaft Christi und Kindschaft Gottes, sowie der Wirksamkeit der Gnade gesehen, bedarf die Frage nach der Berechtigung der Mitternachtsarbeit kaum noch einer Erörterung. Wir wollen es uns in diesem Zusammenhang auch versagen, von den äußern Erfolgen der Arbeit, die selbstverständlich auch vorhanden sind, zu sprechen.[2] Diese können ja nur das an die Oberfläche Gelangende umfassen und würden daher eine unvollständiges Bild und einen Maßstab vorgeben, der schon deswegen anfechtbar ist, weil nicht immer nachzuweisen ist, ob die äußere Um- und Abkehr durch eine innere Umwandlung bedingt wurde, oder aus rein natürlichen Rücksichten erfolgte.

Wenn wir die Mitternachtsarbeit ablehnen wollen, weil wir uns von den Prostituierten abgestoßen fühlen, oder weil wir den Gedanken aufkommen lassen: „Die Prostituierten haben sich ihrem Leben freiwillig verschrieben, sie wollen es nicht anders; darum können wir ihnen nicht helfen und brauchen auch nicht zu ihnen zu gehen“, so ist das ein Beweis, daß es unserm Glauben an Tiefe und unserer Liebe an Wahrheit und Kraft fehlt. Zudem kann in dieser Ansicht leicht eine Verletzung der Gerechtigkeit, die wir auch der Prostituierten schulden, liegen. Am Anfang steht bei ihr meistens ein Fehltritt, ein Stein der Schuld, wie er auch im Leben mancher anderen einmal gewesen ist, wo er aber rechtzeitig weggeräumt und ins Meer der Vergessenheit versenkt werden konnte. Ob wir unter 100 Prostituierten wohl eine finden, die ohne schicksalhafte Verkettung der Umstände, ohne die schwere Schuld anderer, ganz freiwillig mit offenen Augen sich für den Weg des Lasters entschieden hat?

In einem seiner religiösen Vorträge auf der Bühler Tagung sprach Herr Karitasdirektor Eckert ein Wort, für das wir ihm besonders danken sollten, weil es gleichzeitig Programm und Rechtfertigung für unsere Mitternachtsarbeit ist. Er sagte: „Selbst die tiefgesunkene Frau, die an der Straßenecke steht und sich feilbietet, auch sie steht letztlich da, weil sie um Liebe bettelt, um Liebe, die sie in edler Form vielleicht nie kennen gelernt hat. Auch ihr schamloses Tun ist ein lautloser Schrei nach Liebe.“

Möge dieses Wort uns Führer sein für unsere Tätigkeit in der Mitternachtshilfe.

Aus: Korrespondenzblatt Katholischer Fürsorgeverein für Mädchen, Frauen und Kinder 10 (1931), 2–5.

---

2 [Vgl. dazu ergänzend Gertrud Hopmann, Geschichtliche Entwicklung der Kölner Gefährdetenfürsorge, in: Korrespondenzblatt KFV 13 (1934), 92–99, hier 98 f. Demnach wurde ein eigenes Heim für ausstiegswillige Prostituierte eröffnet. „Der tragende Gedanke für seine Gestaltung ist, die ehemaligen Prostituierten innerhalb einer Familiengemeinschaft langsam umzuformen. In dem Hause, das auch über einen großen Garten verfügt, wohnen 2 berufstätige Frauen, die in großherziger Weise für Miete und Haushalt aufkommen. Eine Kraft, der alle wirtschaftlichen und erzieherischen Aufgaben voll verantwortlich zufielen, wurde gegen Taschengeld und Übernahme der sozialen Lasten eingestellt. [...] Seit der Eröffnung Oktober 1933 waren 5 Prostitutierte längere Zeit im Heim, von denen bis jetzt 4 durch Unterbringung in feste Dienststellen einem geordneten Leben zugeführt werden konnten.“]

Dokument 17:

„... ein Verwahrungsgesetz für geistig Minderwertige“

Frau Amtsgerichtsrat Neuhaus – Dortmund:

Ich möchte zwei Wünsche für die Gesetzgebung aussprechen, einen kleinen und einen großen, und ein kleines Wort sagen über die Aufnahme der Arbeit durch die städtische Verwaltung.

[...]

Nun der andere Wunsch. Es ist heute von der Entmündigung die Rede gewesen.[1] Jeder, der in dieser Arbeit steht, weiß auch, wie notwendig eine gelernte, sachgemäße Behandlung der hier in Frage kommenden armen Kranken ist, und wie dringend wir für diese sachgemäße Behandlung einer besseren, klareren, wirksameren, gesetzlichen Unterlage bedürfen. Wir kommen auf diesem Gebiete nicht in eine vernünftige Hilfsarbeit hinein, bis wir nicht *die* ausscheiden können, die richtig körperlich krank sind, die man in aller Liebe verwahren muß von denen, die man wirklich erziehen und dahin bringen kann, daß sie sich wieder für ihr Tun und Lassen verantwortlich fühlen. Der Direktor eines großen Erziehungshauses hat mir einmal gesagt: „Schicken Sie mir Mädchen, die ungezogen sind, die mit den Füßen stampfen, die der Schwester den Schleier vom Kopf reißen wollen – aber die ihren gesunden Menschenverstand haben, dann will ich mit ihnen fertig werden." Wie sinkt aber das Niveau unserer Anstalten, wenn wir immer auch die Mädchen aufnehmen müssen, die nirgendwo sonst bleiben können, die einfach verwahrt werden müssen, weil sie geistig minderwertig sind.

Nun dürfen Sie nicht glauben, – es spricht hier eine alte Praktikerin zu Ihnen –, daß man am Ende seiner Not ist, wenn man diese armen Geschöpfe entmündigt hat, wenn man also ihren Aufenthalt bestimmen kann. Ich habe in zwei Fällen die Entmündigung durchgesetzt, habe selbst die Vormundschaft übernommen, weil man selbst ausprobieren muß, wenn man andere belehren will, bin also Vormund geworden über zwei geistig Minderwertige, die verwahrt werden mußten, die aber nicht gerade dauernd anstaltsbedürftig waren. Sie mußten nur von Zeit zu Zeit einmal in einer Anstalt verwahrt werden. Sie konnten monatelang in ausgesuchten Dienststellen ruhig sich nützlich machen, aber wenn dann dieser krankhafte Trieb nach Abwechslung kam, dann ging es absolut nicht mehr, dann war auch der Zustand wieder schlimmer, dann hätte die Anstalt sie sofort wieder aufnehmen müssen. Das konnte aber nur mit allergrößter Mühe erreicht werden, – einmal habe ich z.B. Anfälle von krankhafter grober Ungezogenheit als Tobsuchtsanfälle hinstellen müssen – und ein nichterfahrener Vormund wird es überhaupt nicht erreichen; die Schwierigkeit liegt darin, daß die Pflegekosten aus öffentlichen Mitteln bestritten werden müssen. Ist aber die Aufnahme nach vielen Mühen glücklich erreicht und wird das Mädchen nun sachgemäß behandelt, so wird es infolge dieser Behandlung ruhig, vernünftig. Nach 6 Wochen bekommt man die Nachricht, das Mädchen ist gar nicht mehr anstaltsbedürftig und wird jetzt entlassen. Nun versucht man es wieder mit einer sorgfältig ausgesuchten Dienststelle. Kommt sie wieder irgendwo hin, wo sie nicht ganz so behandelt wird, wie es ihre Krankheit verlangt, – das kann man von jeder Herrschaft nicht verlangen – so ist sie nach kurzer Zeit wieder anstaltsbedürftig. Da fängt die ganze Quälerei von neuem an, sowohl für die Beamten wie für den Vormund. Man muß nun wieder bewei-

1 [Entmündigung nach § 6 BGB.]

sen, daß das Mädchen gemeingefährlich ist, daß sie eine öffentliche Gefahr bedeutet, sonst wird sie nicht aufgenommen, weil die Armenverwaltung sonst nicht bezahlt. Da muß man schon ganz verzwickte Wege gehen, muß schon ein ganz spitzfindiges Menschenkind sein, muß recht verborgene Paragraphen ausgraben, um wieder von neuem beweisen zu können, daß das Mädchen anstaltsbedürftig ist. Nach einigen Wochen wird sie wieder entlassen. Man bekommt vielleicht gar keine Nachricht, das Mädchen steht dann irgendwo auf der Straße. Einmal, als ich mein Mündel noch in der Anstalt glaubte, bekam ich aus Bayern die Nachricht: Das Mädchen hat das und das angefangen und sie behauptet, Sie wären ihr Vormund. Mir sind schon verschiedene Ratschläge gegeben worden von Beamten, um aus der Geschichte herauszukommen, und es ist mir allerdings unvergeßlich, wie mir einmal ein höherer Verwaltungsbeamter, an den ich mich gewendet hatte, schrieb: Benutzen Sie doch das ärztliche Attest, das Sie jetzt besitzen, daß das Mädchen nicht mehr anstaltsbedürftig ist, um von der Vormundschaft loszukommen.

Worauf ich hinaus wollte, ist Folgendes: Die Entmündigung nützt uns nichts in dem Augenblick, wo unser Mündel anstaltsbedürftig wird, dauernd oder vorübergehend, besonders wenn es vorübergehend anstaltsbedürftig ist. Wir haben kein Recht, das arme Geschöpf dauernd einzusperren, wenn es nur vorübergehend nötig ist. Was wir brauchen, ist *ein Verwahrungsgesetz für geistig Minderwertige,*[2] ganz ähnlich wie das Fürsorgegesetz für Verwahrloste oder solche, die in Gefahr der Verwahrlosung stehen. Für manche geistig minderwertigen Fürsorgezöglinge könnte die Verwahrung direkt an die Fürsorgeerziehung anschließen. Die Anamnese steht fest, die Fürsorgeerziehungsbehörde weiß ja, was vorliegt, kennt die Eltern und was alles nötig ist für den Arzt, denn das ärztliche Attest, das man zu einer Entmündigung haben muß, ist auch keine Kleinigkeit. Wo Fürsorgeerziehung Platz gegriffen hat, handelt es sich immer um ein verwahrlostes oder sehr stark gefährdetes Menschenkind, das behütet werden muß, und wenn geistige Minderwertigkeit der Grund der Verwahrlosung war, dann muß dieses Menschenkind auch nach dem 21. Jahre weiter verwahrt werden, sonst hat die ganze Fürsorgeerziehung für sie keinen dauernden Wert. Natürlich müßte die Wohltat eines solchen Gesetzes auch solchen geistig Minderwertigen zugute kommen, die nicht Fürsorgezöglinge waren, aber nach eingetretener Großjährigkeit wieder entmündigt werden müssen, wie es z. B. bei meinen Mündeln der Fall war. Jedenfalls spielt diese Frage bei den Frauen, über die wir heute reden, eine große Rolle. Da brauchen wir so notwendig ein Verwahrungsgesetz, welches bestimmt, „daß nach ausgesprochenem Beschluß auf Verwahrung" seitens des Vormundschaftsrichters, wie für die Fürsorgezöglinge auch für diese Armen dauernd eine Behörde

2 [Das geplante Verwahrungs-, später Bewahrungsgesetz sollte also die Entmündigung teils ergänzen, teils den durch sie erfaßten Personenkreis erweitern, vgl. den am 21. 3. 1921 erstmals von Agnes Neuhaus im Reichstag für das Zentrum eingebrachten „Entwurf eines Gesetzes, betreffend Überweisung zur Verwahrung", der in § 1 den in Frage kommenden Personenkreis wie folgt umschrieb: „Personen können, soweit dies zur Bewahrung vor körperlicher oder sittlicher Verwahrlosung oder zum Schutze des Lebens oder der Gesundheit erforderlich ist, einer Anstalt zur Verwahrung überwiesen werden, wenn sie a) in Fürsorgeerziehung stehen, für die Zeit nach Beendigung der Fürsorgeerziehung, b) wegen Geisteskrankheit oder Geistesschwäche entmündigt sind. Die Überweisung kann dauernd oder zeitig erfolgen, sie soll nicht für kürzer als 1 Jahr ausgesprochen werden" (abgedruckt bei Hilde Eiserhardt, Ziele eines Bewahrungsgesetzes, Frankfurt/M. 1929, 118–120). Im Vergleich dazu weiteten spätere Gesetzentwürfe den Kreis der betroffenen Personen erheblich aus und erhoben so verschwommene Diagnosen wie „eine krankhafte oder außergewöhnliche Stumpfheit des sittlichen Empfindens" (1925) zu Überweisungskriterien (ebd., 129–132).]

zuständig resp. verpflichtet ist. Nach meinem Dafürhalten sollte die Provinzialbehörde[3] diese Behörde sein, denn in dieser Arbeit hat sie sich außerordentlich bewährt. Die Provinzialbehörde würde also dann Vormundschaftsbehörde und zugleich Träger der Kosten für diese armen Geschöpfe sein, genau so wie sie es für die Fürsorgezöglinge ist. Dann würde der Nachweis genügen, daß es wieder einmal auf einer Stelle nicht geht, um dem Mädchen wieder Aufnahme in einer Anstalt zu ermöglichen, es würde eben dauernd dieselbe Behörde für dasselbe Menschenkind zuständig sein. Mit dem Standpunkt, den wir jetzt haben, daß immer von neuem bewiesen werden muß, hier liegt eine öffentliche Gefahr, Gemeingefährlichkeit und ähnliches vor, kommen wir nicht weiter. Also – glauben Sie meiner langjährigen Erfahrung – wenn Sie ein Mädchen entmündigt haben und sind Vormund für so ein armes Kind, so haben Sie erst den Anfang der Not, wenn das Mädchen anstaltsbedürftig ist; es müßte denn sein, daß Sie *dauernde* Anstaltsbedürftigkeit nachweisen könnten, also nur für einmalige Unterbringung zu sorgen hätten.

Ich möchte diejenigen, die in der Arbeit stehen, bitten, sich meinen Vorschlag wegen der Einführung eines Verwahrungsgesetzes einmal zu überlegen. Der eine Herr Vorredner hat ganz mit Recht gesagt: Erst arbeiten und dann an die Gesetzgebung herangehen. Aber wir müssen doch der Idee die Bahn frei machen, daß wir für diese armen Geschöpfe auch auf dem Wege der Gesetzgebung etwas ganz besonderes tun müssen, was ihrer Eigenart entspricht, daß wir sie nicht dauernd unter andere Menschenkinder rangieren, wo ihnen nicht geholfen wird und wodurch anderen, unter die man sie rangiert, geschadet wird. [...]

Aus: Gefährdetenfürsorge und Sittlichkeits-Gesetzgebung. Bericht über die Tagung am 10. und 11. Oktober 1918 in Frankfurt a.M., Frankfurt/M. 1919, 53–57 (Diskussionsbeitrag von Agnes Neuhaus).

3 [Gemeint sind hier die Provinzialverbände, die in Preußen als höhere Kommunalverbände eine Zwischenstellung zwischen Staat und Gemeinden einnahmen. Ihre Aufgaben erstreckten sich neben Kulturpflege, Wirtschaftsförderung und Straßenbau besonders auf den sozialen Bereich (überörtliche Armenfürsorge, Anstaltsfürsorge, Jugendhilfe).]

Informelle Durchführung der Bewahrung in Anstalten des Fürsorgevereins

Abb. 35: Anna-Katharinenstift Karthaus bei Dülmen (Aufnahme ca. 1925).

Der *Katholische Fürsorgeverein für Mädchen, Frauen und Kinder* (Zentrale in Dortmund) hat in seinen verschiedenen Anstalten eine bedeutende Zahl von Bewahrungsschützlingen untergebracht. Fast jede größere Anstalt[1] hat unter ihren Schützlingen einige, die nicht wieder herausgeschickt, sondern unentgeltlich da behalten werden. Außerdem befinden sich auf katholischer Seite eine ganz beträchtliche Anzahl von Bewahrungsschützlingen in den Häusern des Guten Hirten.

Der Katholische Fürsorgeverein besitzt aber in dem Anna-Katharinen-Stift bei Dülmen (Karthaus) eine Anstalt, die vornehmlich für großjährige weibliche Personen, die demnächst fast ausnahmslos unter das Bewahrungsgesetz fallen werden, eingerichtet wurde.[2]

Die Anstalt umfaßt über 100 Schützlinge, welche in vier Gruppen untergebracht sind. Zunächst einmal werden die Mädchen streng getrennt nach geschlechtskrank und nicht geschlechtskrank untergebracht. Diese beiden Gruppen erhalten dann jeweils noch eine Unterteilung.

In der 1. Gruppe befinden sich die jüngeren Gesunden bis zu 30 Jahren; allerdings werden in der Altersgrenze praktisch Ausnahmen gemacht, sodaß sich hier auch ältere Schützlinge mit jugendlichem Aussehen und Gebahren befinden können. Diese Gruppe umfaßt heute 32 Schützlinge.

---

1 Der Verein zählt z. Zt. 106 eigene Angestellte [es muß heißen: 109 eigene Anstalten, vgl. Statistik der Arbeit des KFV 1928, in: Korrespondenzblatt KFV 8 (1929), 25–28, hier 28].

2 [Vgl. ausführlich und unter Verwendung zahlreicher zeitgenössischer Quellentexte Bernhard Frings, Sorgen – Helfen – Heilen. Dülmen und seine sozial-caritativen Einrichtungen. Ein Beitrag zur münsterländischen Sozialgeschichte, Dülmen 1997, 223–258.]

In der 2. Gruppe sind die gesunden älteren Schützlinge, 30- bis etwa 48jährig. In dieser Gruppe befinden sich mehrere geschiedene Frauen, Mädchen mit vielen unehelichen Kindern, einige Trunksüchtige, und im übrigen entmündigte Schwachsinnige und solche, die sich wirtschaftlich nicht halten können. Die 2. Gruppe hat heute 27 Schützlinge.

Die 3. Gruppe ist die der Geschlechtskranken, die in Behandlung sind. Die Schützlinge dieser Gruppe, es sind dieses augenblicklich 21, mußten sich verpflichten, 1–2 Jahre in der Karthaus zu bleiben. Nach der Behandlung der akuten Krankheit kommen sie in die

4. Gruppe, in die Gruppe der Schützlinge, die geschlechtskrank waren (heute 23 Schützlinge).

Die Karthaus ist prinzipiell dagegen, eine Gruppe von Schwachsinnigen oder Psychopathen zu schaffen. Sie hält dieselben zwischen den anderen Schützlingen verteilt, und hat mit diesem System die besten Erfahrungen gemacht. Die letzte Entwicklungsmöglichkeit für die Persönlichkeit des schwachsinnigen oder psychopathischen Schützlings wird benutzt, da er soweit wie möglich als normal behandelt wird. Andererseits lernen die normalen Schützlinge, daß sie Rücksicht nehmen müssen und für Schwächere verantwortlich sind.

Die Schützlinge bleiben, solange es eben möglich ist, während der Aufenthaltsdauer in der ursprünglichen Gruppenteilung, auch wenn die Beschäftigungsart wechselt. Eine völlige Übereinstimmung von Lebens- und Arbeitsgemeinschaft läßt sich daher nur in der Aufnahmegruppe und nicht in den anderen Gruppen durchführen. Es kann z. B. wohl die Küchenarbeit regelmäßig wechseln zwischen den Gruppen der Gesunden. Dagegen befinden sich in den Nähwerkstätten und in den anderen Gruppen der Berufsausbildung die dazu befähigten Schützlinge der verschiedenen Gruppen.

Bei der Entlassung werden die Schützlinge häufig in andere Schwesternhäuser[3] gegeben, wo sie ihren Fähigkeiten entsprechend arbeiten können. Dieser Aufenthalt ist dann eigentlich eine Fortsetzung der Bewahrung. Ebenfalls gibt es offene Arbeitsstellen, in denen dem Schützling eine besondere Beobachtung zuteil wird, sei es durch die Dienstherrschaft selbst, die das Mädchen als Bewahrungsschützling empfängt, sei es in Stellen, in denen der Schützling durch Fürsorgevereine oder Vertrauenspersonen im Auge behalten wird. Es sind allerdings auch immer eine Reihe von Schützlingen, die völlig selbständig in ihre Stelle entlassen werden. Fast alle aber bleiben in Verbindung mit dem Haus durch Briefe oder durch persönliche Besuche.

Im Jahre 1928 befanden sich unter den 121 Schützlingen der Karthaus 9 normale Mädchen, 51 schwachsinnige und 36 geistigbeschränkte. 16 dieser Schützlinge waren sehr willensschwach, 68 waren Psychopathen. Unter den letzteren befanden sich drei Trinkerinnen und 1 Morphinistin.

Die Pflegekosten für die Schützlinge hatten in 49 Fällen die Wohlfahrtsämter übernommen. Die Höhe des Pflegesatzes belief sich auf 0,50 bis 2,– Mark; in einzelnem Fall Mark 2,20 und Mark 2,40. Für 11 Schützlinge zahlte der Landeshauptmann den Pflegesatz von Mark 2,–, in 10 Fällen wurden von Familien oder privater Seite Mark 0,30 bis Mark 2,– aufgebracht. 62 Schützlinge dagegen befanden sich unentgeltlich in der Karthaus. Die sehr häufig entstehen-

3 z. B. Krankenhäuser, zur Beschäftigung im Hausbetrieb oder im Garten, Hof etc.

den Krankenkosten hatten in 92 Fällen die Wohlfahrtsämter übernommen, in 46 Fällen fand keine Vergütung statt.

Uneheliche Mütter werden in der Karthaus nicht mit den Kindern aufgenommen. Im vergangenen Jahre befanden sich 36 uneheliche Mütter unter den Schützlingen. 24 davon hatten 1 Kind, 5 je 2 Kinder, 4 je 3 Kinder, 2 je 4 Kinder, 1 hatte 6 Kinder.

61 Neuaufnahmen fanden im vergangenen Jahre statt. Darunter befanden sich 11 uneheliche Mütter.

Zur Zeit befinden sich in der Karthaus in Dauerbewahrung 31 Schützlinge aus der Provinz Westfalen, 24 Schützlinge aus der Rheinprovinz und 4 Schützlinge aus verschiedenen Provinzen.

Aus: Hilde Eiserhardt, Ziele eines Bewahrungsgesetzes, Frankfurt/M. 1929, 100–102.

III. Soziale Arbeit unter den Bedingungen von Wirtschaftskrise, Sozialabbau und Nationalsozialismus (1930–1939)

Mit dem Beginn der Wirtschaftskrise in Deutschland und ihren verheerenden Auswirkungen auf den sozialen Sektor wurde eine strukturelle Paradoxie sichtbar, die Christoph Sachße wie folgt formuliert hat: „Je dringender der Wohlfahrtsstaat gebraucht wird, desto weniger steht er zur Verfügung."[1] Vorrangig aus Sozialversicherungsbeiträgen und Steuern finanziert, ist er in hohem Maße von derselben Wirtschaft abhängig, gegen deren Risiken er Schutz bieten soll. Der Abbau von Leistungen und Rechtsansprüchen ab 1930 war jedoch nur teilweise durch die ökonomische Krise erzwungen. Zum Teil wurde er auch durch eine rigide, dem Sparen um jeden Preis verpflichtete Deflationspolitik herbeigeführt, die politisch mit der Schwächung demokratischer Partizipation und einer Aufwertung der Exekutive einherging.[2] Sogar von vielen seiner eigenen Repräsentanten (vornehmlich aus dem liberalen und konfessionell-konservativen Lager) wurde der Wohlfahrtsstaat jetzt in Frage gestellt. Diese schleichende Aushöhlung von innen verstärkte eine „tiefe Struktur- und Sinnkrise", in deren Verlauf negativer Eugenik zuzurechnende bzw. offen rassenhygienische Argumentationsmuster bereits vor 1933 auf breiter Front immer lautstärker artikuliert und als Lösung angeboten wurden.[3] Ausgrenzungsdiskurse verdrängten zunehmend die mühsame Suche nach konstruktiven Hilfemodellen, die der Finanznot Rechnung trugen. Die Verbindungslinien zwischen dem zusammenbrechenden Weimarer Wohlfahrtsstaat und dem „Dritten Reich" sind mithin so unübersehbar, daß Sachße und Tennstedt in ihrem Standardwerk zum Wohlfahrtsstaat in der NS-Zeit eine erste, „autoritäre" Phase – über die Systemgrenze hinweg – von 1930 bis 1938 ausmachen und von einer zweiten, „völkischen" Phase, die im wesentlichen die Kriegsjahre umfaßt, unterscheiden.[4]

Dennoch ist das Jahr 1933 mit der nationalsozialistischen Machtübernahme – so wie 1918 für den demokratischen Wohlfahrtsstaat – als politischer Einschnitt keineswegs zu vernachläs-

1 Christoph Sachße, Wohlfahrtsstaat in Deutschland: Strukturen, Paradoxien, Perspektiven, in: Wollasch, Wohlfahrtspflege in der Region (wie Anm. I/1), 269–282, hier 278.

2 Zu den Auswirkungen von Wirtschaftskrise und Deflationspolitik auf die Sozialversicherung vgl. Preller, Sozialpolitik in der Weimarer Republik (wie Anm. II/3), 418–473.

3 Vgl. Uwe Lohalm, Die Wohlfahrtskrise 1930–1933. Vom ökonomischen Notprogramm zur rassenhygienischen Neubestimmung, in: Frank Bajohr/Werner Johe/Uwe Lohalm (Hg.), Zivilisation und Barbarei. Die widersprüchlichen Potentiale der Moderne. Detlev Peukert zum Gedenken, Hamburg 1991, 193–225, Zitat 194; Jürgen Reyer, Alte Eugenik und Wohlfahrtspflege. Entwertung und Funktionalisierung der Fürsorge vom Ende des 19. Jahrhunderts bis zur Gegenwart, Freiburg 1991; Michael Schwartz, Konfessionelle Milieus und Weimarer Eugenik, in: Historische Zeitschrift 261 (1995), 403–448 (ebd., 406 die Charakterisierung der Eugenik als „im Kern stets eine Kritik des expandierenden Sozialstaats, die denselben wenn nicht beenden, dann jedoch entscheidend ‚einhegen' wollte").

4 Sachße/Tennstedt, Geschichte der Armenfürsorge, Bd. 3 (wie Einl., Anm. 2). – Meines Erachtens bedarf diese im Grundsatz zutreffende Sicht an zwei Punkten einer Modifizierung: 1. ist die „autoritäre Phase" wohl doch noch negativer als bei Sachße/Tennstedt zu qualifizieren. Nicht das Anknüpfen des Systems auch nach 1933 „noch überwiegend an den Schutz der *individuellen* Existenz [...] in den Bahnen autoritärer Staatlichkeit" (274; Hervorhebung im Original) rechtfertigt hier die Einbeziehung der Jahre 1930–1932, sondern umgekehrt trägt das Aufkommen autoritärer Modelle *und* rassenhygienischer Argumentationen in den Jahren *vor* 1933 bereits Züge des „Dritten Reiches"; 2. scheint der Begriff „völkische Phase" nicht ganz glücklich gewählt, weil „völkisch" den gesamten NS-Wohlfahrtsstaat charakterisiert. Vielleicht sollte man hier eher „terroristische Phase" sagen.

sigen. Nun wurde in besonders radikaler Form politisch umgesetzt, was zuvor nur diskutiert und propagiert worden war. „Die Wohlfahrtspflege im völkischen Sinne bezweckt nicht die Erhaltung lebensgeschwächter Individuen und Schichten, ihr Streben geht vielmehr auf Ertüchtigung des durch äußere Verhältnisse gehemmten wertvollen Erbmaterials und auf seine Wiedereinsetzung in den Entwicklungsprozeß des künftigen deutschen Menschen"[5] – mit diesen Worten brachte eine zeitgenössische Denkschrift den Paradigmenwechsel auf den Punkt. Die als „Volkskörperpflege" bezeichnete NS-Fürsorge konnte in der Folgezeit zwar in vielen Einzelbereichen des Sozialwesens – etwa in der Jugendhilfe, der Tuberkulosefürsorge oder der Ausgestaltung der Sozialversicherung – materielle Fortschritte verzeichnen, die später teilweise sogar Eingang in die Nachkriegssozialpolitik fanden,[6] aber all ihre Leistungen kamen nur den „gesunden" und „rassisch wertvollen" Menschen zugute, während die „erbkranken" und „rassisch minderwertigen" zuerst ausgegrenzt, dann verfolgt und schließlich sogar physisch vernichtet wurden. Bis zum Beginn des Zweiten Weltkrieges vollzog das NS-System diese letzte Stufe inhumaner Radikalisierung zwar noch nicht planmäßig, sondern bewegte sich überwiegend „in den Bahnen autoritärer Staatlichkeit", aber „der Stabilisierung rassistisch definierter Ungleichheit" diente der nationalsozialistische Wohlfahrtsstaat von Anfang an.[7]

Dazu bediente er sich verschiedener Mittel, Techniken und Gesetze, von denen hier nur einige angedeutet werden können. Das „Gesetz zur Verhütung erbkranken Nachwuchses" (GVeN) vom 14. Juli 1933, welches am 1. Januar 1934 in Kraft trat, führte die Zwangssterilisierung ein, der bis 1945 Hunderttausende zum Opfer fielen.[8] Wenn dabei auch von Rechtsstaatlichkeit selbstverständlich keine Rede mehr sein konnte, waren die Verfahren vor den eigens eingerichteten Erbgesundheitsgerichten – ganz auf der Linie autoritärer Staatlichkeit – hinsichtlich ihres Ablaufs (einschließlich der Beschwerdemöglichkeit gegen ergangene Beschlüsse) doch zunächst noch als rechtsförmig zu bezeichnen. Gerade dies empfand der NS-Staat aber bald als Hemmschuh auf dem Weg zu einer „rassereinen" Volksgemeinschaft, und daher entsprach der seit 1939 beschrittene Weg von der Zwangsverhütung zur Zwangsvernichtung von Menschenleben, von der Sterilisation zur „Euthanasie", zwar keiner absolut zwingenden Logik, lag aber durchaus in der Konsequenz radikaler Züchtungsphantasien. Das entscheidende Bindeglied, welches erstmals den Weg zur Vernichtung „lebensunwerten Lebens" eröffnete, fiel indes noch mitten in die autoritäre Phase des NS-Staates und bezog sich bezeichnenderweise auf die Abtreibungsfrage: Das erste Änderungsgesetz zum GVeN vom 26. Juni 1935 erlaubte bei der Sterilisation von Schwangeren zugleich die Abtreibung der Leibesfrucht bis zum Ablauf des sechsten (!) Monats.

---

5 Emmy Wagner-Gnadenfrei, Das Wohlfahrtswesen im Dritten Reich. Eine Denkschrift über die Krise im Fürsorgewesen und ihre Lösung, Rudolstadt 1933, 5.

6 Vgl. unten Kapitel V. – Zu den „Positivbereichen" der NS-Wohlfahrtspflege vgl. Eckhard Hansen, Wohlfahrtspolitik im NS-Staat. Motivationen, Konflikte und Machtstrukturen im „Sozialismus der Tat" des Dritten Reiches, Augsburg 1991.

7 Sachße/Tennstedt, Geschichte der Armenfürsorge, Bd. 3 (wie Einl., Anm. 2), 274, 276 (Zitate); vgl. dies., Der Wohlfahrtsstaat im Nationalsozialismus 1933–1945, in: Theorie und Praxis der sozialen Arbeit 43 (1992), 419–430.

8 Vgl. Hans-Walter Schmuhl, Rassenhygiene, Nationalsozialismus, Euthanasie. Von der Verhütung zur Vernichtung „lebensunwerten Lebens" 1890–1945, Göttingen [2]1991; Jochen-Christoph Kaiser/Kurt Nowak/Michael Schwartz, Eugenik, Sterilisation, „Euthanasie". Politische Biologie in Deutschland 1895–1945. Eine Dokumentation, Berlin 1992; Kurt Nowak, „Euthanasie" und Sterilisierung im „Dritten Reich". Die Konfrontation der evangelischen und katholischen Kirche mit dem Gesetz zur Verhütung erbkranken Nachwuchses und der „Euthanasie"-Aktion, Göttingen [3]1984.

Der traditionell hohe Stellenwert der Jugendhilfe im Gesamtsystem der Fürsorge erhielt in der NS-Zeit dadurch eine besondere Brisanz, daß der alte individualfürsorgerische Grundgedanke vom Recht jedes Kindes auf Erziehung (§ 1 RJWG) zu einem „Recht des Staates auf Erziehung der Jugend"[9] umgebogen wurde. Hitlerjugend (HJ) und Nationalsozialistische Volkswohlfahrt (NSV) – ein seit 1933 parteiamtlich anerkannter Wohlfahrtsverband, der formalrechtlich zu den Spitzenverbänden der freien Wohlfahrtspflege zählte, tatsächlich aber ein janusköpfiges Gebilde darstellte, welches je nach Bedarf als freier Träger oder als Körperschaft des öffentlichen Rechts auftrat[10] – reklamierten dementsprechend die „erbgesunde" deutsche Jugend für sich und versuchten katholische und evangelische Kirche bzw. Caritas und Innere Mission auf die Betreuung „erbkranker", gebrechlicher und stark dissozialer Kinder und Jugendlicher abzudrängen.[11] Tatsächlich gelang dies genausowenig wie das übergeordnete Ziel einer Gleichschaltung oder gar Auflösung der beiden konfessionellen Wohlfahrtsverbände. Andauernde Engpässe bei Personal und Anstaltsplätzen machten den Rückgriff auf die ungeliebte konfessionelle Konkurrenz weiterhin unvermeidlich. Auf der anderen Seite wußte auch die kommunale Wohlfahrtspflege ihre Gestaltungsspielräume im Kompetenzgerangel mit NSV, Partei und Staat durchaus zu wahren.[12]

Daß wichtige Weimarer Wohlfahrtsgesetze wie das RJWG das „Dritte Reich" formal weitgehend unangetastet überstanden, war angesichts von Willkür und Terror auf der Maßnahmenebene kaum von praktischem Wert. Überdies verlor das RJWG 1935, als die Deutsche Gemeindeordnung die kollegiale Selbstverwaltung der Gemeinden abschaffte und durch das Führerprinzip ersetzte, gleichsam seine innere Struktur: Damit wurde nämlich auch der kollegiale Aufbau der Jugendämter Makulatur und mit ihm die Zwei-Fünftel-Regelung, um die Agnes Neuhaus seinerzeit so gekämpft hatte. Die Jugendämter waren spätestens seit diesem Jahr gleichgeschaltet, obwohl die formalrechtliche Besiegelung durch eine punktuelle Novellierung des RJWG noch bis Anfang 1939 auf sich warten ließ. Dies zeigt einmal mehr, daß rechtliche Kodifizierungen zweitrangig geworden waren, da sie oftmals nur nachvollzogen, was durch konkurrierende Sonderregelungen und durch rechtswidrige Übergriffe von HJ und NSV längst Wirklichkeit geworden war.[13]

Wie agierte der KFV in dieser Krisenzeit? Auch seine Position und diejenige seiner maßgeblichen Repräsentantinnen radikalisierte sich ab 1930 zunächst unleugbar. Vergleicht man die auf dem Höhepunkt der Wirtschaftskrise neu formulierten Gedanken von Agnes Neuhaus

9 Gottlieb Friedrich Storck, Jugendwohlfahrt im neuen Staat, in: Zentralblatt für Jugendrecht und Jugendwohlfahrt 25 (1933/34), 1–7, hier 5.

10 Vgl. Herwart Vorländer, Die NSV. Darstellung und Dokumentation einer nationalsozialistischen Organisation, Boppard 1988.

11 Neben DCV und Innerer Mission konnte sich von den Altverbänden nur das DRK im „Dritten Reich" als Spitzenverband halten. Die AWO wurde zerschlagen, die Zentralwohlfahrtsstelle der deutschen Juden schied „freiwillig" aus der Deutschen Liga der freien Wohlfahrtspflege aus, der Paritätische Wohlfahrtsverband ging in der NSV auf und die Christliche Arbeiterhilfe löste sich auf. Zur Geschichte der Liga im „Dritten Reich" vgl. Kaiser, Sozialer Protestantismus (wie Anm. II/7), 185–226.

12 Vgl. dazu Hansen, Wohlfahrtspolitik im NS-Staat (wie Anm. 6), und Vorländer, Die NSV (wie Anm. 10). Siehe als Fallstudie auch Julia Paulus, Die Verwaltung und Organisation der Jugendfürsorge in Leipzig zwischen 1930 und 1939 als Beispiel für die Selbstbehauptung der kommunalen Wohlfahrtspolitik angesichts der Übernahmeansprüche der parteiamtlichen Volkswohlfahrt (NSV), in: Wollasch, Wohlfahrt und Region (wie Anm. II/22), 101–124.

13 Vgl. Wollasch, Der Katholische Fürsorgeverein (wie Einl., Anm. 6), 283–315. – Mit Blick auf das Landesjugendamt Westfalen mußte E. Zillken schon im November 1933 ernüchtert feststellen, daß es „absolut von der Hitlerjugend beherrscht wird und nur Hitlerjugend ist", zit. nach ebd., 286.

zur Notwendigkeit eines Bewahrungsgesetzes *(Dokument 19)* mit ihrer früheren Position,[14] so wird deutlich, wie wenig die hier entwickelte Bewahrung „in der Masse" unter „Verzicht auf Bildung der selbständigen Persönlichkeit" mit dem sozialpädagogischen Optimismus früherer Jahre noch gemeinsam hatte. Daß Neuhaus dabei im Vergleich mit Elisabeth Zillken und anderen wesentlich maßvoller und zurückhaltender argumentierte,[15] zeigt nur, wie weit der Fürsorgeverein in den Sog des Zeitgeistes geraten war. Die Überlegungen seiner Generalsekretärin zur Entwicklung der öffentlichen Wohlfahrtspflege *(Dokument 20)* transportierten ein kulturpessimistisch-konservatives Gesellschaftsbild und stellten einen Frontalangriff auf Grundgedanken moderner Sozialstaatlichkeit dar. Das von Bismarck begründete System der Sozialversicherung war in ihren Augen „Staatssozialismus", aus dem sich „eine Art Rentenhysterie" entwickelt habe. Ihre Kritik am öffentlichen Hilfehandeln, welches „nicht nur die Energie im deutschen Volke, sich selbst, sich gegenseitig zu helfen, gelähmt", sondern auch dazu beigetragen habe, „die tiefsten Quellen der Hilfskräfte [Religion und moralische Normen] zu verschütten", ist bei aller Überzogenheit zwar sicherlich nicht völlig zurückzuweisen und findet zudem – zumindest, was den ersten Teil anbelangt – überraschende Parallelen in heutiger, konstruktiver Sozialstaatskritik,[16] verharrte im Gegensatz zu dieser jedoch in bloßer Verneinung und integralistischem Fundamentalismus.

Auf der anderen Seite grenzte sich der KFV schon vor 1933 immer deutlich von rassenhygienischen Forderungen ab[17] und begleitete auch eine am 4. November 1932 erlassene Notverordnung zur Jugendwohlfahrt, welche zu einer Massenentlassung von älteren und „schwierigen" Fürsorgezöglingen führte, mit weitgehender Ablehnung und unbürokratischer Hilfe.[18] Käthe Macha etwa, Dozentin aus Dortmund, plädierte in einem insgesamt besonnenen Aufsatz *(Dokument 22)* für einen vorsichtigen und verantwortlichen Umgang mit Begriffen wie „schwererziehbar", „unerziehbar" oder „psychopathisch" und stellte fest: „Von caritativer Fürsorge Ausgeschiedene kann es grundsätzlich nicht geben." Obwohl sachlich auf die Notverordnung von 1932 bezogen, gewinnt dieser Ausspruch dadurch, daß der betreffende Artikel in der Septembernummer 1933 der Zeitschrift „Jugendwohl", also bereits während des „Dritten Reiches" erschien, über seinen aktuellen Anlaß hinaus paradigmatische Bedeutung für die Verhältnisbestimmung katholischer Fürsorge zum Nationalsozialismus.

Zunächst allerdings waren die Reaktionen des KFV auf die NS-„Machtergreifung" nicht nur von Skepsis und Zurückhaltung, sondern auch von deutlichen Sympathiebekundungen für den Kampf des autoritären Staates um „Zucht und Ordnung" und gegen „die freche

---

14 Vgl. Dok. 17 und 18.

15 Belege bei Wollasch, Der Katholische Fürsorgeverein (wie Einl., Anm. 6), 209.

16 Vgl. etwa Warnfried Dettling, Politik und Lebenswelt. Vom Wohlfahrtsstaat zur Wohlfahrtsgesellschaft, Gütersloh 1995, bes. 71–78; Sachße, Wohlfahrtsstaat in Deutschland (wie Anm. 1), 277; auch Amitai Etzioni, Die Entdeckung des Gemeinwesens. Ansprüche, Verantwortlichkeiten und das Programm des Kommunitarismus, Stuttgart 1995.

17 Mit Ausnahme der Fürsorgerin und Zentrumsabgeordneten im Preußischen Landtag Helene Wessel, doch auch sie lehnte die Sterilisation als letzte Konsequenz unmißverständlich ab, vgl. Wollasch, Der Katholische Fürsorgeverein (wie Einl., Anm. 6), 220–224. Bei Schwartz, Konfessionelle Milieus (wie Anm. 3), findet Wessel keine Berücksichtigung.

18 Zur Notverordnung vgl. zusammenfassend Christa Hasenclever, Jugendhilfe und Jugendgesetzgebung seit 1900, Göttingen 1978, 117–120; ausführlich, aber teilweise ungenau und mit einigen fragwürdigen Wertungen Marcus Gräser, Der blockierte Wohlfahrtsstaat. Unterschichtjugend und Jugendfürsorge in der Weimarer Republik, Göttingen 1995, 167–191; mit Blick auf den KFV Wollasch, Der Katholische Fürsorgeverein (wie Einl., Anm. 6), 168–172.

Abb. 36: Vorsitzendentagung in Vierzehnheiligen 11.–18. 6. 1933.

Unsittlichkeit“ bestimmt *(Dokument 21)*.[19] Je mehr aber klar wurde, in welchen Bereichen die moralischen und sozialen Positionsbestimmungen der Nazis den eigenen diametral entgegengesetzt waren, desto mehr verstummten derartige Sympathieäußerungen und machten einer zunehmenden Gegnerschaft Platz. Dieser Prozeß setzte noch im Jahr 1933 ein, wobei Hauptkonfliktfelder die Verteidigung menschlicher Grundrechte in der Gefährdetenfürsorge und die Wahrung des katholischen Einflusses auf die Jugendfürsorge darstellten.

Dementsprechend unterlief der KFV die durch das GVeN in Gang gesetzte Praxis der Zwangssterilisierungen, wo er nur konnte. Die Dortmunder Vereinszentrale verfolgte dabei begreiflicherweise keinen offenen Konfliktkurs, sondern informierte die eigenen Ortsgruppen genau über die neue Gesetzeslage und wies dabei Wege, wie sich einzelne Bestimmungen entgegen den Intentionen des Gesetzgebers und zugunsten der anvertrauten Schützlinge auslegen ließen *(Dokument 24a)*. Bestätigt wird diese Interpretation von Dokument 24a durch Ausführungen von Elisabeth Zillken auf einer Tagung katholischer Fürsorgeexpert(inn)en am 17. Juli 1934 in Köln, wobei sie zum GVeN in aller Deutlichkeit feststellte: „Das Gesetz hat eine Reihe von Sieben und Filtern eingebaut, die verhüten sollen, daß Mißgriffe, daß unnötige Operationen vorkommen. Diese Siebe müssen wir evtl. in Tätigkeit treten lassen, um unseren Schutzbefohlenen zu helfen. [...] Aufgabe des gesetzlichen Vertreters [ist es] auf jeden Fall, nur [das] Interesse seines Mündels zu wahren – die Interessen des Staates – Ziele des Gesetzes hat das Erbgesundheitsgericht zu vertreten und *es* allein.“[20] In der alltäglichen Fürsorgearbeit

19 Das zweite Zitat stammt aus dem Eröffnungsreferat von E. Zillken auf der Vorsitzendentagung des Vereins im Juni 1933 in Vierzehnheiligen bei Bamberg, in: Korrespondenzblatt KFV 12 (1933), 128–132, hier 128 f. – Damit wird im Detail die vielbeachtete, erstmals 1961 von Ernst-Wolfgang Böckenförde aufgestellte These bekräftigt, wonach um 1933 „in weiten Teilen des deutschen Katholizismus eine ideologische Befangenheit und Wirklichkeitsferne erreicht [war], die auch in der NS-Bewegung, nur weil sie sich sehr betont als antiliberalistisch und antimarxistisch begriff und sich zahlreicher Vokabeln des ‚organischen' Denkens bediente, einen willkommenen Bundesgenossen im Kampf gegen den ‚liberalen Ungeist' und für eine christliche, die ‚volle Verwirklichung des Naturrechts' bringende Ordnung sehen ließ“, hier zit. nach: ders., Der deutsche Katholizismus im Jahre 1933. Kirche und demokratisches Ethos. Mit einem historiographischen Rückblick von Karl-Egon Lönne, Freiburg – Basel – Wien 1988, 66 f.

20 Referat E. Zillken, Die Lage im allgemeinen, mit besonderer Berücksichtigung der Stellung und Aufgabe des gesetzlichen Vertreters, in: Protokoll „Sitzung in Köln am 17. Juli 1934. Fragen zur Unfruchtbarmachung“, S. 2–9, hier 5 und 8, Archiv des Deutschen Caritasverbandes 319.4 G 01/06 Fasz. 2 (Hervorhebung im Original).

Abb. 37: Agnes Neuhaus als 81jährige auf Reisen (vor dem Monikaheim des KFV in Frankfurt/M. 1935).

vor Ort konnten auf diese Weise unter großem Einsatz der beteiligten Fürsorgerinnen immer wieder Menschen vor der Verstümmelung – und später, nach 1939, vor der Vergasung – bewahrt werden *(Dokument 24 b)*. Zu einem Zeitpunkt, als das Sterilisierungsgesetz noch nicht rechtskräftig war, hatte sich der KFV auch bemüht, die Bewahrung als Alternative zur Unfruchtbarmachung verbindlich festschreiben zu lassen *(Dokument 23)*, was sich indes in der Folgezeit nur in sehr begrenzter Form verwirklichen ließ.[21]

Wie weit der Fürsorgeverein in der Jugendhilfe durch die Pressionen der NSV gezwungen wurde, Terrain preiszugeben, mit welchen Mitteln es ihm aber doch auch bis weit ins „Dritte Reich" hinein gelang, seine Arbeit aufrechtzuerhalten und mit den kommunalen Behörden zu kooperieren, zeigt ein detaillierter Lagebericht von 1936, den der KFV gemeinsam mit dem Katholischen Männerfürsorgeverein (KMFV) für die deutschen Bischöfe erarbeitete *(Dokument 25)*. Dieser Text fußt auf einer Fragebogenaktion, die beide Vereine zuvor durchgeführt hatten. Langfristig mußten solche Bemühungen allerdings, wollte man die NS-Diktatur überleben, durch eine verstärkte innerkirchliche Verankerung der Fürsorgearbeit, durch die Einbindung der Ortsgruppen in die jeweiligen Pfarreien ergänzt werden. Verkirchlichung war jedoch nicht nur sachlich motivierte Defensivstrategie, sondern enthielt zugleich Elemente theologischer Neuorientierung.[22] Was Elisabeth Zillken etwa – ebenfalls 1936 – über die Aufgabenverteilung von Geistlichen und Laien zu Papier brachte *(Dokument 26)*, konturierte Fürsorge als Laienapostolat, speziell als „modernes Frauenapostolat",[23] und nahm damit gedanklich manches vorweg, was das Zweite Vatikanische Konzil vollendet hat. In der Praxis blieb das Verkirchlichungskonzept freilich weit hinter solch hochgesteckten Erwartungen zurück und verstärkte sogar indirekt zunächst hierarchische Tendenzen in der kirchlichen Sozialarbeit mehr, als daß es sie abbaute.[24]

---

21 Nach der ersten Ausführungsverordnung zum GVeN vom 5. 12. 1933 konnten unter bestimmten Umständen die Insassen „geschlossener Anstalten" von der Zwangssterilisation ausgenommen werden. Zur Problematik dieser Festlegung vgl. Wollasch, Der Katholische Fürsorgeverein (wie Einl., Anm. 6), 318 ff.

22 Dazu aus KFV-Sicht grundlegend Elisabeth Zillken, Einbau der caritativen Facharbeit in die Liebesgemeinschaft der Pfarrgemeinde, in: Caritas 39 (1934), 330–335, 373–379.

23 Hilde Lion, Zur Soziologie der Frauenbewegung. Die sozialistische und die katholische Frauenbewegung, Berlin 1926, 108.

24 Vgl. Ewald Frie, Zwischen Katholizismus und Wohlfahrtsstaat. Skizze einer Verbandsgeschichte der Deutschen Caritas, in: Jahrbuch für Christliche Sozialwissenschaften 38 (1997), 21–42, hier 34–38.

Agnes Neuhaus

Fürsorgeerziehung und Bewahrung

Als die Forderung nach einem Bewahrungsgesetz erhoben wurde – zuerst im engeren Kreise der freien Wohlfahrtspflege, dann von weiteren Kreisen –, wurde zugleich die Frage der durch ein solch neues Gesetz entstehenden Kosten ernsthaft erwogen. Durch die sich entwikkelnde und immer weiter sich ausdehnende Diskussion kam man dann allmählich zu der Überzeugung, daß ein solches Gesetz überhaupt keine neuen Kosten verursachen, sondern nur eine Verlagerung der Kosten bringen würde. Und heute gehen wir noch weiter und behaupten, daß ein Bewahrungsgesetz viele Kosten sparen würde und daß es also gerade in heutiger Zeit, in der nach jeder Möglichkeit zu sparen gesucht wird, ins Leben treten müßte.

Im Entwurf eines Bewahrungsgesetzes des Reichsinnenministeriums (Referentenentwurf) hat der hier in Frage kommende Paragraph folgenden Wortlaut:

„Wer zur Sorge für die eigene Person unfähig ist und verwahrlost ist oder zu verwahrlosen droht, kann, sofern er über 18 Jahre alt ist, durch Beschluß des Vormundschaftsgerichts der Bewahrung überwiesen werden, wenn dieser Zustand auf Geistesschwäche ... beruht."

„Geistesschwäche" soll ein zusammenfassender Ausdruck sein „für krankhafte oder außergewöhnliche Schwäche des Willens oder des Verstandes", wie eine frühere Formulierung lautete.

Gedacht war das Gesetz zunächst für Großjährige, die sich nicht selbständig in der Freiheit entwickeln und halten können, die ohne einen gesetzlichen Schutz in Verwahrlosung versinken würden. Im Verlauf der Diskussion entwickelte sich dann immer mehr die Ansicht, daß es falsch sei, mit dieser Schutzmaßnahme bis zur Großjährigkeit zu warten, daß vielmehr auch für das gefährliche Alter vom 18. bis 21. Lebensjahr die Möglichkeit der Bewahrung geschaffen werden müßte, daß diese Möglichkeit also an dem Zeitpunkt einzusetzen habe, wo nach unserer Terminologie das Alter der „Jugendlichkeit" abgeschlossen sei.

Dieses Resultat der langjährigen Beratungen über das Bewahrungsgesetz und der auf Grund dieses Resultates nunmehr festgelegte Wortlaut im Entwurf des Gesetzes ist von großer Bedeutung für den heutigen Stand der Fürsorgeerziehung. Bekanntlich liegt ja im Reichsinnenministerium auf Grund eines preußischen Vorstoßes der Entwurf einer Notverordnung vor, nach dem nicht nur die älteren Jahrgänge aus der Fürsorgeerziehung ausscheiden sollen, sondern auch diejenigen, deren Erziehung keinen Erfolg verspricht.

Preußens Sparmaßnahme eilte dem Inkrafttreten der Notverordnung voraus. Es setzte in seinem diesjährigen Etat statt der im Vorjahr bereitgestellten rund 25 Millionen nur mehr 15 Millionen, also 40 Prozent, für die Fürsorgeerziehung weniger ein und zwingt dadurch die preußischen Fürsorgeerziehungsbehörden, die ihrerseits selber in höchster finanzieller Bedrängnis sich befinden, zu Sparmaßnahmen, die in ihrer Durchführung nicht weit von der vorgesehenen, aber noch nicht in Kraft getretenen Notverordnung[1] abweichen. Das für die ganze Arbeit nicht ausreichende, noch verfügbare Geld wird für diejenigen Jugendlichen verwendet, bei denen der gesetzliche Zweck der Fürsorgeerziehung – „Erziehung zur Abwendung

1 [Aus dieser Formulierung ergibt sich, daß Neuhaus ihren Aufsatz ungeachtet seiner späteren Veröffentlichung (Dezember 1932, parallel auch in: Die Wohlfahrtspflege in der Rheinprovinz 8 (1932), 188–190) noch vor dem 4. 11. 1932 abgeschlossen hat! Dies ist zu berücksichtigen, will man die Härte mancher ihrer Gedanken richtig einordnen. Der durch die Notverordnung ausgelöste Praxisschock führte im KFV diesbezüglich zu einer Umorientierung.]

der Verwahrlosung" – erreichbar erscheint. Das ist vom Standpunkt der Fürsorgeerziehungsbehörden, denen man die Mittel zur Durchführung einer Pflichtaufgabe nimmt, nicht anders möglich, ist aber vom Standpunkt der Allgemeinheit, einer nur einigermaßen weitsichtigen Sparpolitik, unerträglich.

Es kann kein Zweifel darüber bestehen, daß von den auf Grund dieser Verordnungen zu entlassenden Fürsorgezöglingen die meisten zu den geistig Minderwertigen, also zu denjenigen Elementen gehören, für die schon seit Jahren ein Bewahrungsgesetz gefordert wurde. Wenn das aber zutrifft, dann machen die jetzigen Massenentlassungen aus der Anstaltserziehung nunmehr ein Bewahrungsgesetz zur unbedingten Notwendigkeit. Es ist nicht nur vom gesundheitlichen und fürsorgerischen Standpunkt, sondern auch vom Standpunkt der Sparsamkeit aus unmöglich, solche Minderjährige einfach auf die Straße zu setzen und sie der völligen Verwahrlosung preiszugeben.

Denn wie vollendet sich ihr Schicksal dann? Bei den Mädchen und Frauen vielfach in der Prostitution und wiederholter unehelicher Mutterschaft ohne Möglichkeit, den Erzeuger des Kindes zu nennen; also im bekannten traurigen Kreislauf: Obdachlosigkeit – Fürsorgeheim – Obdachlosenasyl – Einweisung zur Zwangsbehandlung – Entbindungsanstalt – Irrenanstalt – wieder Geschlechtskrankenstation – Gefängnis – und so immer weiter; es sei ein Beispiel erwähnt, in welchem für dasselbe Mädchen etwa 70 Unterbringungen aktenmäßig nachgewiesen werden können. Die größte Gefahr für die Allgemeinheit und die größte Kostenbelastung liegt hier in der völlig verantwortungslosen Verbreitung von Geschlechtskrankheiten und in der Tatsache, daß sie armseligen Kindern das Leben geben, die fast immer wieder dieselbe Belastung für die Allgemeinheit bedeuten wie die Mutter.

Für die Burschen und Männer ist die Form der Verwahrlosung, wenn auch eine andere, so eine nicht minder trostlose und vor allem nicht weniger die Allgemeinheit belastende. Hier handelt es sich zunächst um Vagabundage, Betteln, Landstreicherei – dann Diebstahl und schlimmere Verbrechen – um Homosexualität, Geschlechtskrankheiten usw. Diese jungen Menschen kommen ja schon aus schlimmen Verhältnissen in die Fürsorgeerziehung – sollen sie nun, weil die Fürsorgeerziehung mit ihren Erziehungsmaßnahmen bei ihnen keinen Erfolg voraussieht, diesen Verhältnissen einfach wieder überliefert werden? Arbeit bekommen diese geistig minderwertigen Elemente bei dem heutigen Wirtschaftskampf, bei dem Überangebot, ganz gewiß nicht – sie sind, geradezu schutzlos, dem Versinken in Verwahrlosung preisgegeben. Und dann kommt auch für die Burschen der bekannte traurige Rundlauf: Landstraße – Obdachlosenasyl – Gefängnis – Arbeiterkolonie – Landstraße – Krankenhaus – Gefängnis – Irrenanstalt – Arbeitshaus usw. Auch bei Männern sind 70 und mehr Unterbringungen für eine Person einwandfrei festgestellt.

Und nun stelle man sich die Summe der Kosten, von Zeit und Kraft vor, die von den Behörden wie von der freien Wohlfahrtspflege aufgebracht werden müssen, um all diese Hilfe, diese Unterbringungen von geistig minderwertigen Frauen und Männern bewerkstelligen zu können. Und wenn irgendwo, dann stehen hier Kosten und Erfolge in schroffem Mißverhältnis zueinander – diese hohen Kosten bringen nicht etwa geringen, sondern sie bringen gar keinen Erfolg. Nach jeder der vielen, durch Zufall herbeigeführten, miteinander in keinem ursächlichen Zusammenhang stehenden Unterbringungen, bezw. nach jeder Entlassung, ist die akute Gefahr der Verwahrlosung genau wieder so groß und so unmittelbar wie vor der Unterbringung. Hilfe finden nur die Wenigen, die dauernd im Irrenhaus bleiben, wo sie nicht hingehören – eine Verlegenheitsmaßnahme. Dort sind die Kosten viel zu hoch – Irrenhaus gegenüber Bewahrungsheim – die Behandlung nicht fehlerfrei, weil fast nur vom ärztlichen, nicht vom pädagogischen Standpunkt ausgehend, eine Förderung der Persönlichkeit so gut wie ausgeschlossen.

Angesichts dieser anerkannten Tatsachen kann kein Zweifel darüber bestehen, daß Unterbringung in Bewahrung - was durchaus nicht gleichbedeutend ist mit dauernder Anstaltsunterbringung – eine ganz erhebliche Sparmaßnahme sein würde gegenüber der einfachen Entlassung aus der Fürsorgeerziehung – sie ist es aber auch gegenüber dem Verbleiben in der Fürsorgeerziehung.

Inwiefern und wodurch ist denn diese Unterbringung billiger zu gestalten? Eine einfache Antwort würde sein: Weil diese Bewahrungsschützlinge nicht für das Leben erzogen werden können – es handelt sich ja nur um nichtnormale –, sondern beschützt und vor Gefahren, die in ihrer Veranlagung liegen, bewahrt bleiben sollen. Auch die dort Untergebrachten können und sollen noch erzogen, d.h. in ihrer Persönlichkeit weiter gefördert werden, aber mit anderen Methoden, mit einfacheren Mitteln und zu einem anderen, ihrer Veranlagung angemessenen, einfachen Ziel.

Wir müssen das etwas näher ausführen. Zunächst Verzicht auf Berufsausbildung; diese Bewahrungsschützlinge würden ja später im Leben die Stellen in einem gelernten Beruf nicht ausfüllen können; sie werden immer nur, und zwar unter verständnisvoller Leitung, Helferarbeit, Mitarbeit, leisten können. Sie dürfen daher fabrikmäßig beschäftigt werden. Ihre Arbeitskraft darf nach Möglichkeit zur Erlangung des eigenen Unterhalts benutzt werden.

Ferner: Verzicht auf Bildung der selbständigen Persönlichkeit, die befähigt wäre, nach eigenem Urteil in freier Wahl zu handeln; deshalb darf man die Bewahrungsschützlinge in der Masse, die weniger Gelegenheit zur selbständigen Betätigung gibt, bewahren. Diese Menschen können in ihrem Wollen und Streben sich nicht auf Pflichterfüllung einstellen – was ja eine Grundforderung jeder normalen Erziehung ist –, sondern die Anforderungen zur Pflichterfüllung müssen sich weitgehend auf sie einstellen. D.h., man kann von ihnen nur in sehr beschränktem Maße Arbeit und Leistungen verlangen, die für das Leben notwendig sind, die aber vielleicht schwierig, unbequem sind, zu denen Anstrengung, eine gewisse Opferbereitschaft und Selbstüberwindung, Ausdauer gehören –, man muß vielmehr Arbeits- und Leistungsforderungen durchaus ihren Anlagen, ihren Defekten, ihren Neigungen anpassen. Mit anderen Worten: Man muß ihnen Arbeit geben, die ihnen „liegt“, zu der sie Lust haben, an der sie Freude haben, in der sie es zu einer gewissen Fertigkeit bringen können, so daß dadurch ihre Arbeitsfreudigkeit wieder wächst und ihr Selbstgefühl in richtiger Weise gehoben wird – das beste Mittel, abwegige und gefährliche Neigungen abzubiegen und allmählich zu überwinden. Selbstverständlich muß diese weitgehende Einstellung auf Veranlagung der einzelnen für diese selbst unbemerkt bleiben; sie darf nicht an Schwäche heranreichen. Gerade auch diese labilen Naturen bedürfen sehr einer festen Hand in Leitung und Erziehung, und selbst empfindliche – aber nicht häufige – Strafmaßnahmen wirken günstig und dürfen nicht unmöglich sein.

Dieser obengenannte, durch die Wesensart der Bewahrungsschützlinge gebotene Verzicht auf Berufsausbildung und Erziehung zur Selbständigkeit bringt aus sich und ganz von selbst eine wesentliche Ersparnis. Es fällt fort der durch das Anlernen erforderliche Wechsel in der Arbeit. Wenn wir es in der Fürsorgeerziehung mit Recht für falsch halten, z.B. ein Mädchen Monate hindurch an der Waschmaschine, am Bügelapparat festzuhalten, oder ein anderes Mädchen wieder Monate hindurch nur Knopflöcher machen oder nur festonieren, nur feine Filet- oder Stickarbeit leisten zu lassen – anstatt in der Ausbildung weiterzukommen, ein ganzes Gebiet zu erlernen –, so ist ein solches Verfahren im Bewahrungsheim angebracht. Dann werden die Insassen des Bewahrungsheims dadurch, daß sie längere Zeit – in manchen Fällen immer – an derselben Arbeit bleiben, es zu einer gewissen, oft sehr beachtenswerten Fertigkeit in dieser Arbeit bringen, so daß sie die Kosten ihres Heimaufenthaltes verdienen werden.

Eine weitere Sparmaßnahme ergibt sich aus der Bewahrung in der Masse. Sie erfordert weniger und ein verhältnismäßig einfaches Erzieherpersonal. Hier möchte ich nun um keinen Preis mißverstanden werden. Wir brauchen in einem solchen Heim wertvolle Menschen, die Kopf und Herz auf dem rechten Fleck haben, die in selbstloser liebevoller Hingabe für die Schützlinge leben, aber eine vorherige eingehende und spezialisierte theoretische Ausbildung ist nicht immer nötig, sofern eine tüchtige, entsprechend vorgebildete Heimleiterin vorhanden ist. Es genügt für die übrigen dann die Erfahrung aus der praktischen Arbeit in Verbindung mit Fortbildung durch Vorträge, Kurse usw. Wir wissen aus der Erfahrung, daß oft einfache, in der Arbeit mit den Schützlingen beschäftigte Personen in Beurteilung und Behandlung dieser Schützlinge den Nagel auf den Kopf treffen, während andere, nach eingehendem theoretischen Studium vor lauter Bäumen den Wald nicht mehr sehen.

Eine weitere Kostenersparnis durch die Bewahrung liegt darin, daß bei sachgemäßer Behandlung im Bewahrungsheim die Bewahrungsschützlinge schneller und leichter in Dienst- und Pflegestellen gegeben werden können. Man wird bei dieser Maßnahme dem geistigen Niveau des Schützlings Rechnung tragen, wird geringeren Lohn verlangen, evt. sogar einen kleinen Pflegesatz gewähren; man wird vor allem leichter wechseln, d.h. den nicht genügenden Schützling durch einen anderen ersetzen, den ersteren wieder eine Zeitlang ins Heim zurücknehmen, um es dann von neuem mit einer Unterbringung in Familien zu versuchen. Man muß sich ganz klar machen, daß „Bewahrung" keine feststehende Maßnahme sein darf, sondern nur die gesetzliche Unterlage für ein möglichst bewegliches und anpassungsfähiges System der Hilfe für arme Menschen, die nicht nur untereinander sehr verschieden sind, sondern von denen auch oft der einzelne zu verschiedenen Zeiten verschiedener Formen der Hilfe bedarf. Es muß darum auch ein Austausch der Anstalten untereinander, eine Versetzung aus der einen in die andere, dazwischen Versuche der Unterbringung in ausgesuchte Familien usw. leicht möglich sein.

Man könnte nun fragen, ob in der Fürsorgeerziehung durchaus das 18. Lebensjahr abgewartet werden muß, wenn bei einem Fürsorgezögling die Notwendigkeit oder offenbare Zweckmäßigkeit einer Überweisung in ein Bewahrungsheim schon mit dem 16. oder 17. Jahre deutlich in die Erscheinung tritt. Darauf wäre folgendes zu sagen: Für ein Bewahrungsgesetz kann die untere Altersgrenze jedenfalls nicht unter das 18. Lebensjahr gesetzt werden. Das hindert aber nicht die Unterbringung von 17jährigen bewahrungsbedürftigen Fürsorgezöglingen in einem Bewahrungsheim. Nur würden sie hier nicht der Bewahrungs-, sondern der Fürsorgeerziehungsbehörde unterstehen. Auch die Kosten würden von letzterer getragen werden müssen. Mit Vollendung des 18. Lebensjahres würde sich dann nichts ändern, als die behördliche Zuständigkeit. Schwierigkeiten könnte das kaum machen, da ja Fürsorgeerziehung und Bewahrung unbedingt derselben Behörde unterstehen müssen, weil die beiden für unsere gefährdete Jugend so wichtigen Maßnahmen, Fürsorgeerziehung und Bewahrung, aus sich in lebendigster Beziehung zueinander stehen.

Und nun die Frage nach den Anstalten. – Müssen sie geschaffen werden? Die Anstalten sind da. Eine Reihe von Fürsorgeerziehungsanstalten klagt sehr über unzureichende Belegung; sie werden noch mehr geleert, wenn eine nennenswerte Anzahl von Fürsorgezöglingen in die billigere Bewahrung überwiesen wird. Auch die Einrichtungen der Anstalten werden ohne weiteres sich für diesen Zweck eignen oder mit geringen Mitteln geeignet gemacht werden können. Also auch da keine Schwierigkeit, keine neuen Kosten.

Viele werden nun sagen: Die ganze hier geschilderte Überweisung aus der Fürsorgeerziehung in die Bewahrung zum Zwecke erheblicher Kostenersparnis besteht bei nüchterner Betrachtung doch nur darin, daß die Minderjährigen aus der einen in eine andere Anstalt verlegt werden. Dazu bedarf es aber keiner neuen gesetzlichen Unterlagen – kann das denn nicht gerade so gut innerhalb und auf dem Boden der Fürsorgeerziehung selbst ausgeführt werden?

Unsere Antwort ist ein entschiedenes „Nein". Fürsorgeerziehung und Bewahrung sind zwei voneinander ganz verschiedene Maßnahmen. – Bewahrung wächst aus einem ganz anderen Boden als die Fürsorgeerziehung, hat eine andere psychologische und pädagogische Grundtendenz. Die pädagogischen Behandlungs- und Erziehungsmethoden beider sind nicht nur verschieden voneinander, sie widersprechen sich zum Teil sogar untereinander, sollten zum Besten beider Menschenklassen, sowohl der Fürsorgezöglinge wie der Bewahrungsschützlinge, auseinandergehalten werden. Jedenfalls kann die Fürsorgeerziehung, wenn sie von den bewahrungsbedürftigen Elementen von der Verantwortung für sie, entlastet ist, viel mehr leisten. Fürsorgeerziehung soll Ersatz für normale Erziehung sein, soll nach Möglichkeit bestrebt sein, deren Ziel zu erreichen. – – Bewahrung ist eine Hilfsmaßnahme für arme Menschen, die mit ihrer geistigen Verfassung zwischen dem Normalzustand und dem Irrsinn stehen, und denen darum weder mit den Anforderungen des einen noch des anderen gedient ist, weil der eine von ihnen zu viel, der andere zu wenig verlangt. Sie brauchen ihre eigene Lebensform, die ihrem Zustand entspricht, darum auch ihre eigene gesetzliche Grundlage.

Das wäre der innere, der in der Sache selbst liegende, und darum Hauptgrund für eine gesetzliche Trennung von Fürsorgeerziehung und Bewahrung. Ein anderer Grund ist schon angedeutet: eine zu erwartende erhebliche Erhöhung der Leistung innerhalb der Fürsorgeerziehung, wenn diese ihre Arbeit, ihr ganzes Streben ausschließlich auf mehr oder weniger normale Minderjährige einstellen kann – eine erhöhte Arbeitsfreudigkeit und Zielstrebigkeit des Erzieherpersonals, das dann andere Erfolgsmöglichkeiten sieht. Vielleicht könnte man sogar die Hoffnung haben, daß durch diese Entlastung in den Erziehern Kräfte frei werden, die mit wachsendem Erfolge der Gruppe normaler Zöglinge zugewendet werden können, die wir leider heute noch als relativ „Unerziehbare" bezeichnen müssen. – Weiter würde die Ausscheidung der zu Bewahrenden aus der Fürsorgeerziehung eine bedeutende finanzielle Entlastung auch dadurch bedeuten, daß die Erziehungszeit für die normalen Zöglinge in der Anstalt herabgesetzt werden könnte. Der Erziehungsprozeß in der Anstalt kann nicht so intensiv gefaßt, sondern muß ausgedehnt werden, wenn er gezwungen ist, sich auf Normale und Anormale zugleich einzustellen. Es wird dann nicht mehr so sein, daß da die größten Kosten aufgebracht werden müssen, wo die geringsten Erfolge zu erwarten sind, wie bisher, sondern dann werden die normalen Kosten der Fürsorgeerziehung voraussichtlich erhöhten Leistungen und Erfolgen dienen, und in der Bewahrung werden möglichst große Erfolge mit möglichst geringen Kosten erreicht werden. Denn auch in der Bewahrung ist ihre konsequente Durchführung nach ihren eigenen inneren Gesetzen nicht nur viel billiger, sondern auch viel besser, viel wirkungsvoller und erfolgreicher für ihre Schützlinge. Zusammenfassend kann man sagen: Erst dann, wenn die nur objektiv Verwahrlosten wieder in die Fürsorgeerziehung hineingenommen, die anormalen Unerziehbaren aber aus ihr herausgenommen und in Bewahrung gebracht werden, erst dann wird das richtige Verhältnis zwischen Kosten und Erfolgen hergestellt sein.

Aus dem Gesagten dürfte die Notwendigkeit eines Bewahrungsgesetzes deutlich hervorgehen. In einer Zeit, wo die Finanznot die Erziehung unserer Jugend aufs schwerste bedroht, wo Massenentlassungen schutzbedürftiger Minderjähriger in eine sicher bevorstehende schlimmste Verwahrlosung erfolgen, hat die Öffentlichkeit einen neuen und diesmal zwingenden Anlaß, das in der Versenkung verschwundene Bewahrungsgesetz nachdrücklich herauszuverlangen.

Aus: Westfälische Wohlfahrtspflege 5 (1932), 159–161.

Elisabeth Zillken

Die Entwicklung der öffentlichen Wohlfahrtspflege

Die Entwicklung der öffentlichen Wohlfahrtspflege ist ein Werk des letzten Vierteljahrhunderts, das Hauptwachstum aber setzte ein nach dem Kriege. Krieg, Kriegsausgang und Kriegsfolge haben ihre Entwicklung nicht bestimmt, sondern nur beschleunigt, allerdings wesentlich beschleunigt. Die Entwicklung an sich wurde von anderen Faktoren bestimmt.

Wir müssen über diese Entwicklung sprechen, um unsere eigene Arbeit, unsere eigenen Aufgaben, die Richtung, in der wir arbeiten müssen, besser sehen zu können.

Als wir im Verein mit der Arbeit begannen, war für die Gefährdeten, für die gefährdete Jugend auf behördlicher Seite fast nichts da. Aber ein reichliches Maß von Not war da, das wir als unser freies Arbeitsfeld betrachten konnten, wo wir ungestört helfen konnten, so wie es uns als kath. Frauen mit gesundem Menschenverstand und mit den Fachkenntnissen, die wir uns allmählich aneigneten, richtig und nötig schien. Heute haben wir an Umfang noch mehr Not, aber auch tiefere Not und neben uns eine Menge öffentlicher Wohlfahrtseinrichtungen, die uns zum Teil die Arbeit streitig machen und uns hineinreden. Wir sind ein Wohlfahrtsstaat geworden. Der Wohlfahrtsstaat garantiert dem Einzelnen seine Existenz.[1] Er garantiert ferner dem Kinde seine Erziehung.[2]

Insoweit der Anspruch des Kindes auf Erziehung von der Familie nicht erfüllt wird, tritt unbeschadet der Mitarbeit freiwilliger Tätigkeit öffentliche Jugendhilfe ein.

Wir haben ein Netz von Stellen, die im Auftrage des Staates diese Garantien verwirklichen sollen. Wir haben z. Zt. 1202 Jugendämter, 1072 Bezirksfürsorgeverbände (Wohlfahrtsämter), überdies die Landesjugendämter und Landesfürsorgeverbände. Wir haben in ähnlicher Zahl Arbeitsämter, desgleichen Gesundheitsämter, Gesundheitsbehörden, Pflegeämter und Polizeifürsorgestellen.

Die ungedeckte Fürsorgelast im deutschen Reich betrug 1928/29 1457 Millionen, gleich 23,33 Mk. auf den Kopf der Bevölkerung. Unter diesen Milliarden befindet sich ein Zuschuß von ganzen 22 Millionen an die freie Wohlfahrtspflege. Nicht darin eingerechnet sind die Summen, die für die Zweige der Versorgung und Versicherung ausgegeben werden. Wir müssen im ganzen die drei Zweige: Fürsorge, Versorgung und Versicherung nebeneinander sehen. Unter Versorgung verstehen wir die Sorge für die Kriegsbeschädigten und Kriegshinterbliebenen; die Versicherung umfaßt die Gebiete der Sozialversicherung, auch der Arbeitslosenversicherung. (Darüber hinaus sind 4/5 der deutschen Bevölkerung, stellenweise auch 9/10 heute krankenversichert.) Man rechnet damit, daß heute insgesamt für „soziale Zwecke“ aufgebracht

1 Verfassung Art. 163 Abs. 2: „Jedem Deutschen soll die Möglichkeit gegeben werden, durch wirtschaftliche Arbeit seinen Unterhalt zu erwerben. Soweit ihm angemessene Arbeitsgelegenheit nicht nachgewiesen werden kann, wird für seinen notwendigen Unterhalt gesorgt. Das Nähere wird durch besondere Reichsgesetze bestimmt.“

2 Verfassung Art. 120: „Die Erziehung des Nachwuchses zur leiblichen, seelischen und gesellschaftlichen Tüchtigkeit ist oberste Pflicht und natürliches Recht der Eltern, über deren Betätigung die staatliche Gemeinschaft wacht.“

Art. 121: „Den unehelichen Kindern sind durch die Gesetzgebung die gleichen Bedingungen für ihre leibliche, seelische und gesellschaftliche Entwicklung zu schaffen wie den ehelichen Kindern.“

Art. 122: „Die Jugend ist gegen Ausbeutung sowie gegen sittliche, geistige oder körperliche Verwahrlosung zu schützen. Staat und Gemeinde haben die erforderlichen Einrichtungen zu treffen.
Fürsorgemaßregeln im Wege des Zwanges können nur auf Grund des Gesetzes angeordnet werden.“
RJWG. § 1 Abs. 1: „Jedes deutsche Kind hat ein Recht auf Erziehung zur leiblichen, seelischen und gesellschaftlichen Tüchtigkeit.“

werden 9 Milliarden, von denen 3 1/2 Milliarden aus öffentlichen Mitteln stammen und 5 1/2 Milliarden von Arbeitgebern und Arbeitnehmern aufgebracht werden. Die Zahlen, die uns heute vorliegen, sind in der Wirklichkeit schon wieder um vieles überschritten.

Im Etat der Kommunen stellt die Wohlfahrtspflege 40–50 % der Gesamtlast. Auf 1 000 Einwohner entfallen im Durchschnitt 45,4 Personen, die hilfsbedürftig sind. Es haben also je 22 Einwohner für einen Hilfsbedürftigen aufzukommen. (Diese Zahlen sind in diesem Winter weit überholt.)

Diese Entwicklung hat ihre Ursachen. Zum großen Teil liegen diese Ursachen in der Industrialisierung und in dem wirtschaftlichen System der Industrialisierung. Die Industrie hat im Laufe des 19. Jahrhunderts einem Bevölkerungszuwachs von 30 Millionen in Deutschland Raum – Lebensraum geschaffen, freilich den Lebensraum eines Proletariers, d. h. eine Existenz, in der Vorsorge für die Zukunft, für Krankheit, Alter, Arbeitslosigkeit nicht möglich war. Sie schaffte entwurzelte Leute, die keinen Boden mehr unter den Füßen hatten.

Dem sollte die Sozialversicherung, die wir in den 80er und 90er Jahren schufen, abhelfen. Ihre Grundgedanken waren: 1. Gemeinsame Vorsorge, wo das Einkommen des einzelnen nicht ausreicht. 2. Zwang. Der Staat als Träger überlegener Einsicht zwingt die zur Selbsthilfe unreife Masse zu dem, was ihrem Besten entspricht. Diese Absicht war gut, es wurde aber damit unmittelbar ein Stück Selbstverantwortung, das begründet und gepflegt worden wäre, wenn man Versicherungsbeiträge in Form erhöhten Lohnes ausgezahlt hätte, zerstört. Die momentane Gefahr *dieser* Lösung würde gewesen sein, daß die Arbeiterfamilien den erhöhten Lohn nicht gespart, sondern verpulvert hätten. Auf die Dauer aber wären sie durch die Folgen doch zu verantwortungsbewußter Vorsorge gezwungen worden. Der heutige Zwang zur Versicherung macht unmutig wegen der hohen Beiträge. Es entwickelt sich eine Art Rentenhysterie; alle, selbst die Besten wollen nun auch mal etwas von der Kasse haben. Erhöhter Lohn hätte die Besten veranlaßt, zu sparen, sich Eigentum zu sichern, hätte gesunde Kräfte angespornt. Der Eigentümer eines Häuschens, eines Grundstückes, eines Sparkassenbuches wird nicht Sozialist; der eigentumslose Arbeiter mit Ansprüchen auf Kassen-Leistung wird es leicht. Bismarck wollte, indem er eine Art Staatssozialismus einführte, dem wirklichen Sozialismus den Boden nehmen, er verkannte aber, daß gerade dieser Staatssozialismus notwendig zum wirklichen Sozialismus führen mußte, indem er anspruchsvolle, verantwortungslose Menschen groß zog.

Die zwangsläufige Ergänzung der Sozialversicherung war die Wohlfahrtspflege. Allen Notständen konnte man mit der Versicherung nicht gerecht werden, zumal die Industriearbeit, die Erwerbsarbeit der verheirateten Frauen, die infolge der Industrialisierung sich bildenden Großstädte und Industriezentren, die Entwurzelung der Bevölkerung eine Menge von Schäden nach sich zogen. Die Familienzusammenhänge lockerten sich, weite Schichten der Jugend waren in der Familie nicht mehr gesichert. Die Bevölkerung konnte sich nicht selbst genügend helfen, weil das Einkommen zu gering war. Die Sozialversicherung, die der erste Anfang unseres modernen Fürsorgestaates ist, hatte sie auch schon daran gewöhnt, daß andere Stellen sorgten. Die Gemeinden richteten nun noch die Säuglingsfürsorge, die Tuberkulosenfürsorge, schließlich auch die Jugend- und Gefährdetenfürsorge, viele Zweige der Wohlfahrtspflege neben der bisherigen Armen- und Waisenpflege ein. Kriegs- und Nachkriegszeit vermehrten das Heer der auf die Hilfe anderer Angewiesenen um ein vielfaches.

Waren es früher einzelne, die auf die Hilfe anderer angewiesen waren, so wurden es und sind es jetzt infolge der Ursachen: Krieg, Kriegsfolgen, wirtschaftliche Krise usw. unübersehbare Massen. Die Hilfe der Nachbarn, die Hilfe der Caritas reicht nicht mehr, Staat und Kommunen treten ein. Wir haben ein Stück Staatssozialismus und haben eine Bevölkerung, die selbstverständlich auf diese Tatsachen so reagiert, daß sie sagt: Die Stellen, die mir helfen müssen, sind da, wenn es mit der Versicherung nicht mehr geht, dann mit der Wohlfahrtspflege; ich habe ein Anrecht darauf. Und wenn wir uns die Entwicklung in Deutschland klar machen, so haben sie auch ein Anrecht darauf, weil wir sie unselbständig und wurzellos gemacht haben. Sie dürfen auf dieses Recht pochen, wenn sie wirklich hilfsbedürftig sind. Klar ist es in der Verfassung so ausgesprochen.

Wir töten aber so die Kräfte des Volkes. Wir schaffen Staatspensionärtum, wir schaffen auf diese Weise neue Hilfsbedürftigkeit. Arbeitslose gehen nicht in andere Gegenden Deutschlands, wo Arbeitskräfte gesucht werden. Lieber leben sie kümmerlich von Versicherungsbeiträgen oder Fürsorgeleistungen. England klagt, daß der Pioniergeist verschwindet, der den Engländer groß gemacht hat, daß an seine Stelle das Staatspensionärtum trete.

Das alles sind Folgen, die vielleicht zunächst mit unserer Arbeit nichts zu tun haben. Sie haben es aber doch, denn der mangelnde Wille zur Selbsthilfe macht sich gerade in unserer Arbeit verheerend bemerkbar. Man fordert Hilfe, man diktiert die Art der Hilfe, man ist nicht mehr froh und dankbar, daß jemand hilft und vor allem, man setzt seine eigenen Kräfte nicht dabei ein. Und in unserer Arbeit geht es gar nicht, ohne daß die eigenen Kräfte desjenigen, dem wir helfen wollen, eingesetzt werden. Es ist wohl nicht in allen Fällen so, aber wir merken es doch in vielen als starke Hemmung.

Der mangelnde Wille zur Selbsthilfe hat noch weitere verhängnisvolle Folgen. Er löst auch den Willen zur gegenseitigen Hilfe, wir finden weniger Mitarbeiter, auch weniger finanzielle Unterstützung.[3]

Nach der Betrachtung des äußeren Aufbaues der Wohlfahrtspflege wenden wir uns dem inneren zu. Welcher Geist wurde an die von der öffentlichen Wohlfahrtspflege betreuten Menschen herangetragen?

Zunächst ein neutral-humanitärer, bürgerlich-deutscher Geist, der nichts Revolutionäres an sich hatte, der gesunde, tüchtige Staatsbürger erziehen sollte. Man verlangte eine allgemeine menschlich-würdige Lebensführung, wobei der Begriff der Wohlanständigkeit in 20 Jahren sehr nach unten gefallen ist. Das Niveau ist heute ein ganz anderes als vor dem Kriege. Daneben nahm die Auffassung zu, daß die Tatsache, daß jemand öffentliche Hilfe erhält, noch lange kein Recht gibt, ihm Vorschriften über seine Lebensführung zu machen. So bedauerlich an sich schlechte Lebensführung um des Einzelnen willen ist, so sehr wird man dieser Auffassung recht

3 Es soll durch diesen Vortrag nicht bestritten werden, daß die Entwicklung der Wohlfahrtspflege auch manche positive Seite, so das Wachsen der Volksgesundheit und vieles andere Gute, gebracht hat. Außerdem gehen die Ausführungen von der selbstverständlichen Voraussetzung aus, daß die öffentliche Wohlfahrtspflege heute nicht mehr zu entbehren ist. Die Schilderung der positiven Seiten ging aber über den Rahmen diese Ausführungen hinaus.

geben müssen. Wenn unser Wirtschafts- und Staatssystem so ist, daß normaler Weise so viele von der öffentlichen Wohlfahrtspflege leben müssen, obwohl sie alle Kräfte einsetzen, so kann das kein Recht zur Beschränkung persönlicher Freiheit mit sich bringen. Am deutlichsten zeigt dies die Lage der Kleinrentner und der Sozialrentner. Die öffentliche Wohlfahrtspflege ist daher auch immer zurückhaltender geworden, immer farbloser im geistig-sittlichen. Heute ist sie grundsätzlich weltanschaulich neutral. Vor 20 Jahren herrschte noch christlich-bürgerliche Auffassung. In den letzten Jahren aber hat die Wohlfahrtspflege an vielen Stellen zwei verhängnisvolle Schritte über die Grenze der Neutralität hinaus getan. Der erste Schritt betrifft das Gebiet des Denkens und Glaubens im weitesten Sinne, die Weltanschauung; der zweite Schritt betrifft das Gebiet der Sittlichkeit. Viele Jugend- und Wohlfahrtsämter haben in den letzten Jahren die Neutralität verlassen. Sie haben die Wohlfahrtspflege zum Instrument der Parteipolitik gemacht oder doch irgendwie – direkt oder indirekt – versucht, die Betreuten einer anderen Weltanschauung zuzuführen, vielfach von Parteien und parteigemäß eingestellter Wohlfahrtspflege dazu getrieben.[4]

Auf dem Gebiete der Sittlichkeit stoßen wir auf verhängnisvolle Maßnahmen, die teils um zu sparen, teils um die Gesundheit zu fördern, propagiert werden: Schutzmittel gegen Ansteckung mit Geschlechtskrankheiten; sogar gegen Empfängnis; Belehrung über empfängnisverhütende Mittel (die billiger sind als Wochenbettkosten), Tötung lebensunwerten Lebens.

In der Gefährdetenfürsorge werden an behördlicher Stelle unseren Schutzbefohlenen Dinge gezeigt, wie sie „sich nur vor den Folgen hüten". Das letzte Ziel ist nicht einmal die individuelle körperliche Gesundheit der eigenen Generation. Die öffentliche Wohlfahrtspflege ist zudem immer mehr auf Gebiete übergegangen, auf denen mit neutraler Einstellung nicht zu arbeiten ist, auf die Gebiete der Jugend- und Gefährdetenfürsorge. Da wo der Staat selbst die Erziehung in die Hand nimmt, geht er über das hinaus, was er bei uns in Deutschland leisten kann und darf.

Vor 20 Jahren war die öffentliche Wohlfahrtspflege auf allen diesen Gebieten noch neutral auf christlicher Basis, allen Bekenntnissen grundsätzlich freien Raum lassend. Heute ist sie so weit, daß sie sie vielfach bekämpft. Auch diese Tatsachen empfinden wir schwer in unserer Arbeit. Wir stehen in einem Kampf, zu dem wir viel Kraft brauchen. Wir verlangen in unserer Arbeit mehr als der Staat und verlangen Dinge, die der Staat nicht verlangt.

Die öffentliche Wohlfahrtspflege wird sowohl von der religiösen Krise als auch von der sittlichen Krise, die über unserem ganzen Volke schwebt, beherrscht, und sie trägt sie vermittels ihrer Arbeit weiter an ihre Schutzbefohlenen, zu denen heute ein so großer Teil des Volkes gehört, heran. Sie schafft dadurch neue, in erster Linie seelisch Hilfsbedürftige und erschwert uns dadurch unsere Arbeit.[5]

---

4 [Dieser Vorwurf zielte vor allem gegen SPD und Arbeiterwohlfahrt.]

5 [Die Gegenposition wurde etwa vertreten durch Hedwig Wachenheim, SPD-Politikerin und bis 1933 Schriftleiterin der Zeitschrift „Arbeiterwohlfahrt"; vgl. dies., Für den Wohlfahrtsstaat!, in: Arbeiterwohlfahrt 7 (1932), 353–357: Man könne nur bitter lachen über die Behauptung, „die Hilfe des Staates habe die moralischen Kräfte der Nation geschwächt", habe man doch erfahren müssen, „was die Not an Kräften verwüstet, und daß es dagegen nur die Hilfe des Wohlfahrtsstaates gibt." Moderne Wohlfahrtspflege sei nur so lange möglich, „wie die Sozialversicherung als Massenversorgung bestehen bleibt und Millionen von der Fürsorge fernhält. Wird die Sozialversicherung noch mehr als bisher abgebaut und der Andrang zur Wohlfahrtspflege noch größer, dann sinkt diese automatisch gegen die noch gültigen Gesetze auf den Stand der früheren Armenpflege, auf die Gewährung des Existenzminimums herab" (356).]

Der äußere Apparat der Wohlfahrtspflege befindet sich in einer Krise, deren Heftigkeit in den letzten Wochen enorm gewachsen ist. Wir stehen vor der Tatsache, daß wir es nicht mehr schaffen können, einen so großen Teil des Volkes zu ernähren. Diese ins Gigantische gewachsene Wohlfahrtspflege ist nicht nur verschuldet, sondern auch in den Verhältnissen begründet, durch wirtschaftliche Krise, Arbeitslosigkeit und Kriegsschuld. In diesem Winter [1930/31] stieg die Zahl der Erwerbslosen auf 4 Millionen. Die Gemeinden konnten schon im vergangenen Frühjahr ihre Etats nicht mehr in Ordnung bringen. Auch das Reich kann es nicht mehr und der Staat droht daran zugrunde zu gehen.

Die Krise wäre leichter zu überwinden, wenn der Wille zur Selbsthilfe ungebrochen wäre.

Jetzt heißt es Abbau der Wohlfahrtspflege, aber an den Hauptposten: Unterstützung der Arbeitslosen, der Sozialrentner usw. ist nichts zu ändern. Wenn man dieses System auch für falsch hält, so kann man es doch nicht plötzlich, sondern nur sehr langsam ändern. Man kann die Menschen nicht verhungern lassen; an öffentlicher Unterstützung kann nicht gespart werden. Es wird daher gespart in der Jugendwohlfahrtspflege und in der Unterstützung der privaten Wohlfahrtspflege.

Noch vor kurzem war die Situation so, daß der gewaltige Apparat behördlicher Wohlfahrtspflege nicht genug ausgebaut werden konnte. Man wollte immer noch mehr Arbeit in diesen Bezirk hineinziehen. Heute ist man in vielen öffentlichen Stellen schon bereit, von der Arbeit abzugeben, sogar viel abzugeben. Der Moment ist daher günstig für uns; zugleich entzieht man uns aber die kargen finanziellen Zuschüsse.

Auch die freie Wohlfahrtspflege befindet sich daher in einer krisenähnlichen Situation.

Wir stehen vielleicht vor einer Riesennot, der keine behördliche Wohlfahrtspflege mehr gewachsen ist, der nur noch ein lebendiges Christentum mit einer großen Liebe, nicht abhelfen, sondern überwinden helfen kann.

Die äußere Krise gibt uns im Augenblick, wenn wir alle Kräfte aufbieten, die Möglichkeit, an die Menschen heranzukommen, der behördlichen Wohlfahrtspflege zu zeigen, wo ihre Grenzen sind, was sie nicht kann. Es ist vielleicht ein Moment, der nie wiederkehrt. Werden wir Katholiken ihn fassen, und werden wir im Kath. Fürsorgeverein die Aufgabe dieses Augenblicks fassen? Gelingt es uns, die Menschen zu wecken und alle, die noch helfen können, zu denen zu bringen, die Hilfe brauchen? Das ist die Frage, die die äußere Krise der Wohlfahrtspflege an uns stellt.

Aber auch die innere Krise der Wohlfahrtspflege richtet eine Frage an uns. Die innere Krise besteht einmal in den Folgen des großen äußeren Apparates, in der mangelnden Selbsthilfe, in der Schwächung der gegenseitigen Hilfsbereitschaft, in der Tatsache, daß die Gesamtkrise, die unser Volk als Ganzes erlebt, zum Teil durch die öffentliche Wohlfahrtspflege an die Einzelnen von ihr Erfaßten herangetragen wird. Sie wissen nicht mehr, was recht und unrecht ist und haben kein Verhältnis mehr zu demjenigen, der ihnen wirklich seelisch helfen will. Hier liegt die in unserer Erziehungsarbeit entstandene Schwierigkeit, die einzelnen Hilfsbedürftigen, die Schützlinge noch wirklich seelisch zu erfassen und ihnen wirklich zu helfen. Das ist das verhängnisvollste, daß die öffentliche Wohlfahrtspflege, so wie sie sich ausgebildet hat, nicht nur die Energie im deutschen Volke, sich selbst, sich gegenseitig zu helfen, gelähmt hat, sondern daß sie auch mit dazu beigetragen hat, die tiefsten Quellen der Hilfskräfte zu verschütten. Sie hat teilweise die Verbindung des Menschen zu Gott zerstört oder wenigstens nicht gefördert und hat ihm damit die Kraft genommen, mit seinem Schicksal fertig zu werden, darüber zu stehen, es zu überwinden. Und ein sattes Bürgertum, das wir immer trotz aller Not der Zeit noch haben, hat sie in ruhigen Schlaf gewiegt. Nun steht der Staat vor einer Fülle von Not, der er nicht Herr werden kann. Nun muß er fürchten, daß die bisherigen Staats-Sozialisten, wenn der Staat versagen muß, zu Bolschewisten werden und den Staat zerstören.

Die augenblickliche Krise, ihre Überwindung ist entscheidend für den Bestand unseres Volkes und für die Zugehörigkeit großer Massen zum Christentum. Darum stellt sie uns in der caritativen Arbeit und im ganzen katholischen Volk vor eine große Verantwortung. Sie bringt uns die Aufgabe, vielen Tausenden zu helfen. Sie bringt uns zugleich die Möglichkeit, die Hilfe für katholische Kinder und Jugendliche stärker wieder in die Hand zu bekommen und so ihre religiöse Erziehung zu sichern. Dabei gestaltet die innere Krise, die unser Volk durchmacht, diese Arbeit schwieriger als je. Es ist so schwer geworden, die inneren Beziehungen zu unseren Schützlingen herzustellen, sie seelisch zu erfassen. Jeder einzelne Fall kostet uns mehr Zeit und mehr Kraft als je, dabei fehlen uns Mitarbeiter und das Geld für die Arbeit. Beides muß geschafft werden. Die Mitarbeiterinnen müssen in größerer Zahl geworben und geschult werden. In weiten Kreisen muß Verständnis für die Not und für die Aufgabe geweckt werden. Und es muß überlegt werden, wo noch ein Pfennig für diese Hilfe gefunden werden kann. Das ganze katholische Volk muß aufgerufen werden zur Hilfe für seine Jugend, so wie der letzte Katholikentag in Münster es schon gefordert hat.[6] Wir, die wir innerhalb des Kath. Fürsorgevereins stehen, müssen die Rufer sein für die fürsorgebedürftige Jugend.

An vielen Ecken und gegen viele Stellen müssen wir unser Arbeitsgebiet noch verteidigen. In letzter Zeit vielleicht weniger gegen behördliche Arbeit, aber desto mehr gegen die Stellen der sozialistischen und noch mehr der kommunistischen Wohlfahrtspflege. Das kostet viel Kraft.

Daneben müssen wir uns still darauf besinnen, wie wir es machen, um die Menschen von heute innerlich zu erfassen. Die Menschen sind anders geworden, die Zeit hat sie schnell anders geformt. Wir sind nicht immer mitgekommen. *Wir* müssen uns in Liebe *auf sie* einstellen, nicht sie auf uns. Dabei müssen wir die Fehler von heute klar sehen, die Verantwortungslosigkeit, die Genußsucht, die Diesseitseinstellung, den platten Materialismus, die Auswirkungen der religiösen und sittlichen Krise bei den Hilfsbedürftigen. Diese Krise tritt uns sichtbar und abschreckend in den unteren Schichten entgegen, in oberen verhüllt sie sich manchmal hinter den Schein von großer Kultur, und doch ist sie da noch um so vieles gefährlicher und schwerer zu besiegen. Wir wollen nicht blind sein, aber verständnisvoll. Mit gut bürgerlich katholischer Entrüstung ist nichts getan. Wir müssen uns fragen, wie wir Art und Methode der Hilfe ändern müssen, wenn wir wirken wollen. Vielleicht stehen wir davor, vieles an unseren Hilfsmethoden ändern zu müssen. Das ist die Frage, die uns auf dem Herzen brennt.

---

6 [Vgl. den Bericht über die Verhandlungen der 69. Generalversammlung der Katholiken Deutschlands zu Münster in Westfalen vom 4.–8. Sept. 1930, hg. vom Lokalkomitee, Münster o.J., 261 f.]

In den letzten Wochen und Monaten haben wir es deutlich gesehen, daß ein gewaltiges Ringen in unserem Volke ist. Wir sehen die materielle Not in diesem Winter in ungeahnter Größe über uns hereinbrechen. Wir sehen die seelische Not, ein Volk, in dem feindliche Mächte sich ständig bekämpfen. Wir sehen bereits heute und wissen, daß in Zukunft immer mehr ein gewaltiger Kampf ausgetragen wird zwischen den beiden stärksten Mächten – dem Bolschewismus und dem Katholizismus. Die Lebensfaktoren des Bolschewismus sind *Erkenntnis, Technik und Gewalt.* Er verspricht Hilfe für alle die, die heute noch im Schatten stehen. Der Katholizismus lebt aus *Glaube,* der Erkenntnis nicht verschmäht, aber überragt; aus *Ordnung,* einem geordneten Dienst aller am Ganzen, und stellt über die Technik und das Können die Gesinnung. Anstelle der Gewalt setzt er die *Liebe.*[7] Es kann in diesem Kampf die Gewalt nicht über die Liebe siegen, wenn diese stark ist. Es kann der Bolschewismus besiegt werden durch einen Katholizismus, der zu sterben bereit ist.

Das ist ein schweres Wort, es ist viel damit gesagt, aber wir wollen es nicht schwerer nehmen als es nötig ist. Ein Katholizismus, der um jeden Preis nach christlichen Grundsätzen lebt und dieses Leben zutiefst und ganz christlich formt, wird die Welt, die Massen, die heute in Gefahr sind, dem Bolschewismus zu verfallen, von der Kraft und der Wahrheit des Christentums überzeugen. Er wird zeigen, daß die Nächstenliebe mit dem Wort vom Bruder in Christo nicht Phrase sind, sondern ernste Tat. Wir haben in den letzten Jahren oft um unsere Arbeit gekämpft, die andere uns nehmen wollen; wir haben uns mit Behörden auseinandersetzen müssen und sind dadurch vielleicht selbst manchmal in bürokratische Methoden gekommen. Heute aber stehen wir vor viel schwereren Aufgaben, vor der Aufgabe, mit aller Kraft auf der Seite der guten Geister um die Seele des deutschen Volkes zu ringen, durch unser Leben und unsere Tat.

In unserer Arbeit bedeutet das: Scharen kath. gefährdeter Kinder eine katholische gute Erziehung zu sichern, Scharen gefährdeter Mädchen und Frauen auf den rechten Weg zurückzuhelfen. Und wenn wir ihnen helfen wollen, müssen wir fast immer die verschütteten Zugänge zu ihrem Innenleben, zum Innenleben ihrer Eltern erst freilegen.

Es mag Aufgabe der Politik sein, die Zustände von heute allmählich zu ändern. Unsere Sorge gilt den Seelen der Kinder, der gefährdeten Jugend von heute, die das Volk von morgen sein werden.

Aus: Korrespondenzblatt Katholischer Fürsorgeverein für Mädchen, Frauen und Kinder 10 (1931), 21–29.

---

7 [Die Bedeutungsverschiebung gegenüber 1 Kor 13,13 („Glaube, Hoffnung, Liebe") ist signifikant.]

Frühjahr 1933:

„Für die Lösung von Schwierigkeiten ist ein Überblick aus der katholischen Gesamtlinie unbedingt wichtig“

Vertraulich!

Zentrale des Kath. Fürsorgevereins für Mädchen, Frauen und Kinder.

Dortmund, den 5. Mai 1933

Sehr geehrte Frau Vorsitzende,

die zeitige Unklarheit bedrängt und bedrückt viele unserer Mitarbeiterinnen. In solchen Zeiten sind wir mehr denn je einander innerlich verbunden durch die große und beglückende Gemeinsamkeit unseres caritativen Apostolates.

Unsere persönliche Haltung, unsere sachliche Arbeit, unsere Stellungnahme gegenüber Anderen muß unserer Berufung gemäß würdig und entsprechend sein. Wir sind in unserer Arbeit nicht nur Beauftragte des katholischen Volkes, sondern in erster Linie Werkzeuge der Kirche in einer ihrer wesentlichen und ureigensten Lebensäußerungen. Aus ihrer Hand haben wir die Sendung erhalten, das Liebesgebot Christi zu erfüllen.

Innerhalb dieser Sendung ist es unsere besondere Aufgabe, jenen Kindern und Jugendlichen zu helfen, deren Familie nicht in der Lage ist, selbst die ganze Sorge für den jungen Menschen zu tragen. Wir müssen vor allem die Familie befähigen, die ihr geschenkten Kinder zu wertvollen Gliedern des Volkes, zu lebendigen Gliedern der Kirche und damit zu wahren Kindern Gottes zu erziehen. Wo ihre Kräfte nicht ausreichen, treten wir ergänzend an ihre Stelle. Von dieser Erziehungsarbeit gilt das Wort der Enzyklika „Rappresentanti" über die christliche Erziehung der Jugend:[1]

„Sie (die Kirche) hat einen doppelten Rechtstitel auf die Ausübung der Erziehungsaufgabe: Das Wort Christi, der ihr den Auftrag gegeben hat: „Gehet, lehret alle Völker" und ihre übernatürliche Mutterschaft, da sie die Seelen zum Leben der Gnade gebiert, nährt und bildet. Mit vollem Recht also und mit völliger Unabhängigkeit beschäftigt sie sich mit allem, was sich auf die Erziehung bezieht, auch die körperliche Erziehung eingeschlossen. Die erzieherische Tätigkeit der Kirche steht weder im Gegensatz zu den Rechten der Familie, noch zu denen des Staates, noch zu denen der Einzelperson auf eine Bildung, die den Forderungen der Zeit entspricht."

Ihr Ziel ist es vielmehr, wirksam zu machen, was allein dem Menschen und damit auch jedem wahren Volks- und Staatsaufbau wesensgemäß ist, die Kräfte der Natur durch die Heranziehung aller Kräfte der Übernatur in der Erziehung der Menschen zu voller Entwicklung zu bringen. Reichskanzler Adolf Hitler hat in der ersten Sitzung des neuen Reichstages betont, daß die beiden christlichen Konfessionen die großen Stützpunkte für den kulturellen Aufbau des Volkes bedeuten. Wir können diesen rein programmatischen Erklärungen, durch die er allen wesentlichen Lebensäußerungen der katholischen Kirche volle Auswirkung gewährleistet, nur aus innerster Überzeugung zustimmen.

Aus der Aufgabe der Kirche und unserer Sendung ergibt sich *unsere Haltung.*

---

1 [Pius XI., Enzyklika Divini illius Magistri (über die christliche Erziehung der Jugend) vom 31. 12. 1929.]

Sie ist *bestimmt* durch die Besinnung auf die Kräfte, die in unserer Religion und in der von ihr getragenen Arbeit liegen. Sie *verpflichtet* uns, uns selbst und unsere Arbeit zu vertiefen und zu verinnerlichen, die uns zuteil gewordenen Gaben in wirksamster Weise dem ganzen Volk weiterzugeben.

In dieser Aufgabe dürfen wir uns von niemand hemmen lassen; von der Verantwortung für ihre Erfüllung kann uns niemand entlasten. Das *bedeutet,* daß wir keine Arbeit aufgeben und daß wir unsere Leistung der Not unserer Zeit in Art und Ausmaß anpassen. Das bedeutet ferner, daß wir in unserer Arbeit die lebendige Verbindung mit der Pfarrgemeinde pflegen und die Gläubigen zur Teilnahme und Stützung der von der Kirche anerkannten Liebestätigkeit aufrufen und anhalten. – Wir achten auf die Umstellung in der öffentlichen Fürsorge, die manche Arbeitsgebiete nicht mehr beibehält, die ferner mehr als früher bereit ist, uns Arbeiten zu überlassen. Eine gute Zusammenarbeit mit den Behörden werden wir auf der Grundlage der Eigenständigkeit unserer Arbeit nach wie vor pflegen.

Es liegt uns besonders am Herzen, daß wir uns nicht zuletzt kümmern auch um die durch die Umwälzung dieser Zeit besonders bedrängten Familien und deren Kinder!

Aus der Lage der Zeit ist zu erwarten, daß neue Organisationen in der freien Wohlfahrtspflege auftreten. Wir sind bereit, mit ihnen zusammenzuarbeiten. Wo sie allerdings unsere Arbeit einschränken, bezw. hemmen, gilt das oben Gesagte. Für die Lösung von Schwierigkeiten ist ein Überblick aus der kath. Gesamtlinie unbedingt wichtig. Entscheidungen, aus der augenblicklichen örtlichen Lage getroffen, können die Gesamtlinie ernst gefährden. Deshalb ist in solchen Fällen jedes Mal *vorherige Fühlungnahme mit unserer Zentrale* geboten.

Wir anerkennen alles Wertvolle, das aus den Bestrebungen der neuen Bewegung erwächst: Kampf gegen die Unsittlichkeit, gegen Schmutz und Schund, Bemühungen um gesunden Familienaufbau und um stärkere Entwicklung der Selbsthilfe, Pflege von Zucht und Ordnung und des Gedankens der Dienstverpflichtung gegenüber der Volksgemeinschaft.

Aus der religiösen Grundlage unserer Liebestätigkeit ergibt sich für unsere gesamte Stellungnahme, daß wir jedem Mitmenschen mit Ehrfurcht gegenübertreten und Wahrheit, Gerechtigkeit und Liebe im Gemeinschaftsleben hochhalten und pflegen.

„Laßt uns Gutes tun und den Mut nicht verlieren." (Gal. 6,9)

gez. Frau Agnes Neuhaus gez. Elisabeth Zillken

Aus: Archiv des Deutschen Caritasverbandes 319.4 I 06/01 a Fasz. 1 (Rundschreiben KFV Zentrale an Vorsitzende der Ortsgruppen).

Käthe Macha

Zur Frage der Erfolgsaussicht in der Fürsorgeerziehung, der „Schwererziehbarkeit“ und der „Unerziehbarkeit“

I.

Die Verordnung vom 4. November 1932 zur Fürsorgeerziehung[1] verlangt verschärft die Untersuchung und Sichtung auf die Ausführbarkeit der Fürsorgeerziehung, ihre „Aussicht auf Erfolg" – sowohl *vor* als *nach* der Einweisung.

1. Minderjährige unter 18 Jahren werden nicht überwiesen, *„wenn offenbar keine Aussicht auf Erfolg"* besteht.

2. Für Jugendliche von 18–19 Jahren ist die Überweisung nur mit Zustimmung der Fürsorgeerziehungsbehörde möglich, wenn *„positive Beweise für die Aussicht auf Erfolg"* erbracht sind.

3. Die vorläufige Fürsorgeerziehung kann nicht nur bei Gefahr im Verzuge, sondern insbesondere auch zur *Prüfung der Erfolgsaussicht* angeordnet werden.

4. Die Fürsorgeerziehungsbehörde kann mit Zustimmung des Vormundschaftsgerichtes und nach Anhörung des Jugendamtes einen Minderjährigen nach Vollendung des 18. Lebensjahres *„wegen Unausführbarkeit der Fürsorgeerziehung aus Gründen, die in der Person des Minderjährigen liegen,* aus der Fürsorgeerziehung unter der Voraussetzung entlassen, daß die Fürsorgeerziehung mindestens ein Jahr gedauert hat."

Die vorzeitige Entlassung kann ebenfalls, und zwar auch *vor* Vollendung des 18. Lebensjahres und *vor* einjähriger Durchführung der Fürsorgeerziehung eintreten, sobald als *„erhebliche geistige oder seelische Regelwidrigkeiten"* beim Minderjährigen festgestellt sind. Diese Entlassungen sieht die Verordnung vor, auch ohne die bisherige Sicherstellung einer weiteren Bewahrung der als erzieherisch aussichtslos Bezeichneten.[2]

Das Ziel der gesamten Verordnung, ihrer scharfen Sichtung und Ausscheidung, geht dahin, unsere beschränkten Geldmittel der mit Sicherheit noch erziehungsfähigen Jugend rechtzeitig zuzuwenden unter möglichst weitgehender Verhütung erzieherischer Aussichtslosigkeit. Die FE soll auf die „erziehbaren Fälle" beschränkt, die „erfolglosen Fälle" sollen ausgeschlossen sein.

Beachtlich ist es, daß weder der Text zur Fürsorgeerziehung im RJWG noch die Verordnung vom 4. November 1932 sich der Begriffe „Schwererziehbarkeit" und „Unerziehbarkeit" bedienen. Die pädagogische und fürsorgerische Fachsprache sind es, die diese beiden letzteren Begriffe in die Besprechungen über Erfolgsaussicht, über Notverordnung usw. hineintragen. „Aussicht auf Erfolg", „Unausführbarkeit der FE aus Gründen, die in der Person des Minderjährigen liegen", „erhebliche geistige oder seelische Regelwidrigkeiten" sind die alleinigen und die zugleich umfassenderen, klareren Wendungen in den Gesetzestexten.

1 [„Verordnung des Reichspräsidenten über Jugendwohlfahrt vom 4. November 1932", durch die das RJWG auf dem Wege einer Notverordnung nach Art. 48 WRV novelliert wurde; abgedruckt in: Reichsgesetzblatt 1932, Teil I, 522 f.]

2 [Der alte § 73 RJWG hatte die vorzeitige Entlassung praktisch nicht erziehbarer Jugendlicher aus der Fürsorgeerziehung noch an die Bedingung geknüpft, „daß eine anderweitige gesetzlich geregelte Bewahrung des Minderjährigen sichergestellt" sei. Ohne Bewahrungsgesetz war dieser Paragraph mithin gar nicht anwendbar. Die Notverordnung strich nun einfach diesen Passus und führte statt dessen zeitliche Fristen ein (von Macha unter Punkt 4 wiedergegeben).]

II.

Es ist eine Tatsache, daß uns die Bezeichnungen „schwererziehbar", „unerziehbar" – nebenbei gesagt auch Bezeichnungen wie „psychopathisch" usw. – geläufig und innerlich leicht verfügbar geworden sind. Hier und da konnten wir den Eindruck haben, als gelte es als Beweis für „psychologische" Schulung und pädagogisches Können, wenn man recht häufig mit diesen und ähnlichen Bezeichnungen umging. Selbst eine breitere Öffentlichkeit bediente und bedient sich zum Teil stimmungmachend und oberflächlich solcher Wendungen. Unsere Jugend selbst führt sie nicht selten im Munde. Ausgesprochen und unausgesprochen nehmen die Jugendlichen es nicht selten für sich in Anspruch, sich dies und das auf Grund ihrer „Veranlagung" und ihrer Umwelt leisten zu dürfen, schwer- und unerziehbar zu sein. Zuweilen entschuldigen sie sich mit ihrer Schwererziehbarkeit, fordern sie einen Freibrief auf ihre Unberechenbarkeiten, ihre Faulheit usw.; zuweilen sprechen sie solche Worte mit Albernheit, in Interessantmacherei oder auch bitter aus. Ein von der Polizei aufgegriffenes Mädchen sagte: „Was wollen Sie von mir? Ich bin unerziehbar, als unerziehbar entlassen." Mögen solche Haltungen und Aussprüche motiviert und zu beurteilen sein wie immer, sie lassen zumindest auf einen da und dort gelegentlich unvorsichtigen Gebrauch der Worte schließen.

Mit der Geläufigkeit der Begriffe stimmt nicht immer ihre Klarheit überein. Zu vordergründlich verstanden und gebraucht, können sie Schaden anrichten. Sie können u.a. auch erzieherisch lähmen. Bedauerlich ist es, wenn die Aufmerksamkeit auf die Tatsachen – Erbmasse, Milieuwirkung und darausfolgender Schwer- und Unerziehbarkeit – zu falscher Nachgiebigkeit in der Erziehung, zu Verwöhnung führt, wenn wir uns verfrüht der ernsten Erziehungsbemühung entledigen und anfangen bloß zu beaufsichtigen und zu bewahren, wo wir *noch* erziehen, fordern könnten und sollten. Die so notwendige erhöhte Aufmerksamkeit auf das Moment der Erfolgsaussicht darf die Fürsorger und Erzieher nicht in falscher Weise hemmen. Die Beantragung einer Fürsorgeerziehung darf nicht aus falschem Pessimismus versäumt oder gar aufgeschoben werden. Dieses wäre ebenso bedauerlich, als wenn wir Einweisungen herbeiführen wollten, in Fällen, in denen eine Erziehung mit den Mitteln der Fürsorgeerziehung tatsächlich aussichtslos bleiben müßte.

III.

Zu einem gerechten und zweckmäßigen Umgang mit den Bezeichnungen „schwererziehbar" und „unerziehbar", zur jeweils richtigen Beantwortung der Erfolgsfrage ist es nötig, einige Grundwahrheiten vom Menschen und von der Erziehung innerlich klar festzuhalten:

In einem allerweitesten, aber buchstäblichen Sinne ist *jeder* Mensch schwererziehbar oder sogar un-erziehbar. Praktisch erfährt auch der ganz normale, vollbegabte Mensch seine Schwer-Erziehbarkeit, wenn er sich selbst gegenüber wachsam und ehrlich ist. Praktisch un-erziehbar ist jeder Mensch über die Grenzen seiner Individualität hinaus, d.h. *jeder* Mensch – nicht nur der „beschränkte" und abnorme – hat seine Grenzen, über die hinaus er selbst durch beste Erziehungsbemühung nicht gezogen werden kann. Jeder Mensch hat seine Grenzen und die

Möglichkeiten zu seiner Vollkommenheit innerhalb dieser Grenzen. Und jeder Mensch hat innerhalb seiner Grenzen seine Schwererziehbarkeit, die selbst so groß und wesentlich ist, daß *jeder* des Erziehers und sogar vieler Erzieher im Leben bedarf, ja, daß Gott *allein* der Vollender des Menschen sein kann. Zusammenfassend können wir sagen, daß in dem allerweitesten aber durchaus buchstäblichen Sinne der Mensch seiner Natur nach – als gefallenes und selbst noch als erlöstes Geschöpf, als wesensgemäß begrenzte Person – schwererziehbar und in dem erwähnten Sinne sogar unerziehbar ist, daß Gott allein ihn *heilt.*

Eine zweite Wahrheit gründet in dieser ersten und vermag nur von anderer Seite eine Bestätigung zu bringen. *Erziehung* im vollen Sinne ist immer *Arbeit* des inneren Menschen an und mit dem *inneren* Menschen. Sie ist immer, beispielsweise auch in der Selbsterziehung, mehr oder weniger mühevolle Arbeit. Wie schwer ist es auch für den normal ausgestatteten Menschen, über eine eingewurzelte Charakterschwäche hinwegzukommen, auch nur einige kleine Schritte in ihrer Überwindung zu tun. Wie schwer ist es, auch ein gar nicht so tief verwahrlostes Mädchen zu wachsender innerer Wahrhaftigkeit und Reinheit zu erziehen. Wie schwer, einem Menschen innerlich zu einem persönlichen Verhältnis zu Gott den Zuweg zu zeigen und gangbar machen zu helfen. Religiöse Erziehung beispielsweise, mit der ja aber alle übrige Erziehung steht und fällt, ist immer, auch einem *nicht* „schwererziehbaren" jungen Menschen gegenüber schwer. Der Erzieher muß Not haben um sie. Es gilt mehr oder weniger immer, um ihretwillen etwas zu wagen, die ganze Güte und Klugheit der Person und vieles andere darüber hinaus einzusetzen. Der hl. Paulus (Gal. 4,19) sagt noch seinen Brüdern, die er schon um der Taufe willen die Heiligen nennt: „Meine Kindlein, für die ich von neuem Geburtswehen leide, bis Christus in euch ausgestaltet ist." Wesentlich ist Erziehung in allen Fällen geduldige, des zähen, unbeirrbaren Wartens und Forderns fähige, liebende Anstrengung. Wer etwa meint, in „leichteren" Fällen erfülle sich Erziehung wie von selbst, instinktiv, kampflos, der hat im eigentlichen Sinne noch nicht angefangen zu erziehen. Erziehung erschöpft sich nicht in einer Aufeinanderfolge von Ermahnungen, Belohnungen, Strafen, Aufsichten usw. So wichtig und selbstverständlich unerläßlich Ordnungen als Erziehungsmittel und Ordnung als Erziehungsziel sind, so wenig *erfüllt* sich doch Erziehung in äußerlich angetragenen Ordnungen und Übungen. Erziehung ist, wie die Alten gesagt haben, eine Art Geburtshilfe, Hebammenkunst, eine in ganz herbem und geistigem Sinne mütterlich und väterlich sorgsame Hilfestellung in der Zeit der Reifung der jungen Natur. Sind die natürlichen Begabungsgrenzen eng gezogen, so ist die Zielsetzung entsprechend einfach; ist die Natur des Zöglings gesund und reich, so wächst der Umfang des zu Erreichenden. Die Mühe kann in beiden Fällen, bei rechter Kenntnis und bei rechtem Eingehen auf die Natur des Zöglings, gleich groß sein. Die Entwicklungsstufen, auf denen die Erziehung einsetzt, sind verschiedene. Die Grenzen des Erreichbaren, der wirksamste Erziehungsweg sind für jeden Menschen besondere. Gewiß ist praktisch auch die Mühe sehr verschieden groß. Das soll nicht geleugnet werden. Festzuhalten ist nur, daß Erziehung auf allen Altersstufen, auf allen Begabungsstufen, auf allen Werdestufen der sittlichen Person, am normalen wie am abnormen Menschen in sich schwer ist. Die Leichtigkeit, die wir beim begnadeten Erzieher zu beobachten glauben, ist die Leichtigkeit alles begnadeten und schöpferischen Tuns. Sie hat immer aber grundlegend hinter sich die von sich selbst leer gewordene, Gott und den Menschen liebende Hingabe eines geläuterten Geistes und erfahrenen Herzens. Jedenfalls kann es richtungweisend für jeden Erzieher sein, daß gerade die großen, begnadeten Erzieher allgemein viel von der inneren Schwierigkeit jedes Erziehungswerkes und verhältnismäßig wenig von „Schwererziehbarkeit", „Unerziehbarkeit" in unserem engeren Sinne gesprochen haben.

IV.

Im folgenden seien zunächst die Begriffe „Schwererziehbarkeit", „Unerziehbarkeit", die Erfolgsfrage der Reihe nach einzeln auf ihren Inhalt, Umfang und Sinn hin ein wenig des näheren betrachtet:

In einem allerweitesten Sinne ist jeder Mensch schwererziehbar. In einem Umfang nach eingeengteren Sinne nennen heute beispielsweise Eltern zuweilen ihr „schwieriges" Kind schwererziehbar, ohne daß es sich dabei um ein Kind bzw. einen Jugendlichen zu handeln braucht, der auch nur entfernt zu vergleichen wäre mit einem subjektiv für die Fürsorgeerziehung reifen Minderjährigen. In einem noch engeren Umfange nannten wir auch in der Fachliteratur der letzten Jahre *alle* Fürsorgezöglinge „schwererziehbar". Zumeist aber verstehen wir unter den „Schwererziehbaren" einen noch kleineren Personenkreis: die Schwierigsten unter den Zöglingen. In diesem letzteren, engsten Sinne sprechen wir hier in unserem Zusammenhang im folgenden von den Schwererziehbaren.

Betrachten wir das Wort und den Begriff „Schwererziehbarkeit", so ergibt sich die Feststellung, daß das Wort selbst zu Unklarheiten führen kann. Der Begriff „Schwererziehbarkeit" in dem hier zugrunde gelegten, engeren Sinne ist seinem Inhalt nach *nicht wesentlich* bestimmt durch das Merkmal der persönlich größeren *Mühe* auf seiten des Erziehers. Zuzeiten kann die Erziehung eines jungen Menschen ganz erhebliche und außergewöhnliche Mühe machen, ohne daß wir ihn jemals deshalb in die Gruppe der in unserem engeren Sinne „Schwererziehbaren" zählen würden. Auch ein ganz „hoffnungsvoller" junger Mensch kann namentlich in den Reifejahren unter bestimmten Umständen, insbesondere diesem und jenem Erzieher, erhöhte Schwierigkeiten bereiten. Eine Erfahrungstatsache ist es in unseren FE-Anstalten, daß umgekehrt die „Leicht"-Beeinflußbaren, die aus Schwäche oder Berechnung Unschwierigen im eigentlichsten Sinne „schwererziehbar" sein können. Das Moment der größeren Mühe und Schwierigkeit kann auch darum schlecht ausschlaggebend sein, weil die Mühe von Erzieher zu Erzieher, gelegentlich sogar von Heim zu Heim demselben Zögling gegenüber verschieden sein kann, ohne daß darum hier oder dort ein schuldhaft erzieherisches Versagen vorzuliegen braucht.

Die wesentlichen, praktisch ausschlaggebenden Kennzeichen für die Eingruppierung unter die Schwererziehbaren im engsten, fachsprachlichen Sinne müssen objektiverer Natur sein. Sie sind reiner im inneren Gesamtzustand und äußeren Gesamt- und Dauerverhalten des *Zöglings* begründet. In zwei Hauptrichtungen liegen die praktisch ausschlaggebenden Merkmale. Die unter die Gruppe der Schwererziehbaren gehörigen FE-Zöglinge sind:

1. diejenigen, die aus den verschiedensten Ursachen – periodisch oder dauernd – gemeinschaftsstörend und gemeinschaftsgefährlich wirken;

2. diejenigen, deren Erziehungswilligkeit während der gesamten Durchführungsdauer der FE gering bleibt;

3. diejenigen, deren Resozialisierung und ausreichende Selbststeuerung auf Grund der Fürsorgeerziehung im späteren Leben *besonders fraglich,* aber nicht ausgeschlossen bleibt, mit anderen Worten: die Erfolgsfraglichen, die *nicht* unter die Feststellung fallen, daß *„offenbar keine* Aussicht auf Erfolg" vorliegt.

Bis zur Auswirkung der Verordnung vom 4. 11. 32 war die Zahl der Schwererziehbaren in den FE-Anstalten erheblich größer als heute. Es liegt auf der Hand, daß Schwererziehbarkeit – aus welchen Anlage- und Umweltursachen immer sie sich herausbildet – mit dem Lebensalter – speziell in den Jahren zwischen 14 und 21 – sowie mit der Dauer und dem Grade der Verwahrlosung wächst. Die Anleitung der Verordnung zu möglichst recht- und frühzeitiger Erfassung schon schuldhaft im Elternhaus *objektiv* gefährdeter Kinder und erst im *Beginn* subjektiver Verwahrlosung stehender Minderjähriger, wird darum die FE in einer erzieherisch erfreulichen Weise weiterhin von den Schwererziehbaren um ein Bedeutendes entlasten. Um so mehr, als nach der Verordnung vor und nach der Einweisung die Erfolgsfrage so gründlich und entscheidend gestellt werden soll, und da die Schwererziehbarkeit mit der Häufung der Schwererziehbaren wächst, mit der Herabminderung ihrer Anzahl sich mildert.

Ein ausführlicheres Wort sei zu dem nach der Verordnung schicksalsschweren Begriff und dem auszuscheidenden Personenkreis der „Unerziehbaren" gesagt. Auch hier sei trotz aller großen *praktischen* Bedeutung und Notwendigkeit der Unterscheidung und Ausscheidung für die FE vorweg eine grundsätzlich pädagogische Erwägung erlaubt.

Es gibt eine Reihe ernster Pädagogen, die der Auffassung sind, daß es „Unerziehbarkeit" nicht gibt. Bei einer weitesten Fassung des Begriffes Erziehbarkeit haben sie grundsätzlich recht und haben wir immer ihre Anschauung geteilt. Es gibt beispielsweise Schwachsinnige auf unterst entwickelter menschlicher Lebensstufe, konstitutionell derartig verkümmert und verkrüppelt, daß sie zeitlebens nicht über den seelischen Gesamtzustand eines drei-, zweijährigen und sogar embryonalen Kindes hinauswachsen. Ähnlich wie das ganz kleine Kind sind sie ausschließlich wartungs- und pflegebedürftig. Gewißlich soll hier nicht behauptet werden, daß über die Lebenserhaltung und Wartung hinaus *erzieherische Kräfte* für die Idioten eingesetzt werden sollen. Die erfahrene Wärterin aber selbst des Schwer-Idioten weiß, wenn ihr Blick ein wacher und liebender ist, daß es auch auf dieser Stufe – wenn auch primitivste, triebhafteste – Regungen von Widerspenstigkeit (etwa bei der Säuberung, beim Waschen bemerkbar), von Eifersucht, Mißgunst usw., dementsprechend aber auch von Artigkeit, Lenksamkeit, Gutwilligkeit gibt, ähnlich, wie wir sie in unverzerrten, normalen Formen beim gesunden Säugling und Kleinkind beobachten. Und die Wärterin erfährt auch, daß sie bei einer ganz bestimmten, konsequenten und gütigen Grundhaltung in ihrer regelmäßigen Pflege diese gewissen kleinen Widerspenstigkeiten, „Boshaftigkeiten", mit der Zeit herabmindern oder überwinden kann. Mitten in ihrer rein wartenden Betreuung (um anderes braucht und kann es sich nicht handeln) ist es ihr aus der Güte und Konsequenz ihrer Persönlichkeit heraus gelungen, einen doch fraglos in einem weitesten Sinne begütigenden, erzieherischen Einfluß selbst innerhalb dieser engen natürlichen Grenzen zu gewinnen, auch wenn dieser Einfluß in nichts anderm als Gewöhnung, Instinktregelung besteht, in dem, was wir vielfach mit dem Worte „Dressur" bezeichnen. Wir dürfen erzieherische Erfolge nicht wie eine mechanische Größe berechnen. Sie bestehen in innerpersönlichsten Wirkungen, die sich weitgehend der Feststellung von außen her entziehen. Weniger als wir das Wachstum eines Grashalms bis ins Innerste begreifen, vermögen wir in personale Wirkungen und Entwicklungen verstandesmäßig einzudringen. Wir dürfen überzeugt sein: Alles Lebende wächst, wenn auch innerhalb ärmster Grenzen. In kleinen und kleinsten Schritten ist unter der wärmenden, wirkenden Sonne ursprünglicher menschlicher Güte in *jedem* Leben eine Förderung möglich. Auch sind wir überzeugt, daß jedes Sein, jedes Leben – insbesondere jedes menschliche und christliche Leben, als geschöpfliches, erlöstes, in der Taufe geheiligtes Leben – von unermeßlich hohem Wert ist. Caritas bleibt der Christ jedem Nächsten schuldig. Unsere caritativen Einrichtungen und Heime werden sich darum auch der „Unerziehbaren" in einer ihnen förderlichen Weise *immer* anzunehmen haben. Praktisch haben wir u. a. heute die *dringliche* Aufgabe, an der Schaffung einer allseitig ausreichend durchgeführten Bewahrung zu arbeiten. Von caritativer Fürsorge Ausgeschiedene kann es grundsätzlich nicht geben.

Die Fürsorgeerziehung aber, als staatliche Erziehung mit dem Ziel der Resozialisierung und Verselbständigung des Zöglings, hat Aufnahme*grenzen.* Die Verordnung vom 4. 11. 32 arbeitet notwendigerweise darauf hin, die Fürsorgeerziehung als *Erziehungs*einrichtung zu stärken. Die Fürsorgeerziehung ist nicht eine Bewahrungseinrichtung. Es ist folgerichtig, wenn sie die „erfolglosen Fälle" ausschließen will. Es ist darum richtig, alle für die Zöglingsauswahl mitentscheidenden Stellen vor falsch „theoretischer" und zu ängstlicher Übervorsicht bei der Annahme der *praktischen* Unerziehbarkeit zu warnen. Die mögliche Schädigung der vielen, namentlich heute auch *jüngeren* Kinder und Jugendlichen in der FE durch einige wenige Zöglinge mit praktisch mangelnder Erfolgsaussicht, dazu die erzieherisch hemmende Diskreditierung und unfruchtbare finanzielle Belastung der FE durch praktisch Unerziehbare sind Gründe genug, auch uns in der offenen Fürsorge zu klarer, zweckdienlicher Unterscheidung zu veranlassen.

Grundsätzlich und absolut gibt es keine Unerziehbarkeit. Wohl aber gibt es *praktische Unerziehbarkeit.* Insbesondere gibt es innerhalb der *Fürsorgeerziehung* praktische Unerziehbarkeit.

In der Rechtsprechung und in der erziehungsfürsorgerischen Praxis hat sich seit längerem der Grundsatz und das „pädagogische Kriterium" bewährt, daß ein Jugendlicher dann nicht erziehbar sei, wenn sein „Handeln der Ausfluß eines unabänderlich mechanisch wirkenden Triebes ist". Auch eine Reihe anderer Erfahrungen weisen die Richtung für die Sichtung.

Als praktisch unerziehbar in der Fürsorgeerziehung sind durchweg anzusehen:

1. die geisteskranken und sonstig schwer nervös-seelisch erkrankten Jugendlichen,
2. die Schwachsinnigen der idiotischen (schwersten) und imbezillen (mittleren) Stufe,
3. Schwachsinnige, die zugleich schwerpsychopathisch sind (in diesem Falle auch debile),
4. Jugendliche mit *schwerer* Psychopathie (bei der Feststellung ist die größte Vorsicht am Platze),
5. sexuell schwer Pervertierte und Verwahrloste (schwere Homosexualität, auch wegen ihrer Ansteckungsgefahr),

} „erhebliche geistige oder seelische Regelwidrigkeiten" (§ 73 [RJWG in der Fassung vom 4. 11. 1932])

6. ältere Jugendliche mit sehr großem moralischen Tiefstand, die innerlich schon – voraussichtlich für Jahre wenigstens – abgeschlossen, bewußt festgelegt sind, denen jede Erziehungswilligkeit innerhalb der FE fehlt, namentlich wenn dazu auch das Elternhaus die Erziehung nicht unterstützt. (Manche jugendliche Gewohnheitsverbrecher, Landstreicher, manche jugendliche Prostituierte gehören darunter.)

Für normale Minderjährige mit nicht zu tief eingewurzelter schwerster Verwahrlosung oder Opposition ist die Erziehbarkeit zu bejahen.

Die Aufzählung kann nicht umfassend sein. In jedem einzelnen Falle ist eine persönliche sorgfältige Prüfung nötig.

Regel sollte es sein, in allen Fällen des berechtigten *Zweifels,* zunächst bei Jugendlichen *Erziehbarkeit* anzunehmen. In Zweifelsfällen kann praktische Unerziehbarkeit erst dann berechtigterweise festgestellt werden, wenn ein ernster Versuch im Rahmen der FE gemacht worden ist. In allen Fällen des Zweifels sollte eine pädagogische „Prüfung der Erfolgsaussicht" (§ 67 [RJWG in der Fassung vom 4. 11. 1932]) auf Grund vorläufiger Anordnung und Durchführung der FE angestrebt werden.

Allgemein grundsätzlich und praktisch ist für uns die Beantwortung der Erfolgsfrage abzuleiten aus der Kenntnis und der Berücksichtigung:

1. der seelischen Struktur des Minderjährigen,
2. der Erziehung, die ihm zuteil geworden ist,
3. der Erziehungsmöglichkeiten und des Erziehungszieles innerhalb der Fürsorgeerziehung (in Familie und Anstalt),
4. der Erziehungswilligkeit des Jugendlichen,
5. dem Lebensalter,
6. dem Grade, der Art und der Dauer der Verwahrlosung,
7. der Stellung des Elternhauses zur Durchführung der Fürsorgeerziehung,
8. der Verhältnisse, in die der Zögling nach der Entlassung zurückkehrt usw.

Wir erfüllen die Möglichkeiten der Gesetzeslage nur dann in einer der Jugend unseres Volkes dienlichen Weise, wenn wir alles tun, was dazu beitragen kann, der Fürsorgeerziehung ihren *vorbeugenden* Charakter zu sichern. Manche der eben als aussichtslos bezeichneten Fälle lassen sich durch früh- bzw. rechtzeitigen Zugriff, durch rechtzeitige Antragstellung vorbeugend verhüten. Zu erstreben ist es, daß wir den in der Zöglingsfamilie und im einzelnen Schützling jeweils geeignetsten, pädagogisch reifsten Zeitpunkt für die Antragstellung wählen. Klar ist es uns dabei, daß ein solcher Zugriff eine äußerst feinarbeitende, *persönliche Fürsorge von Mensch zu Mensch* erfordert.

Die Antragstellung verlangt eine psychologisch gute Darstellung. Dabei kommt es *weniger* primär darauf an, sich bestimmter psychologischer Termini zu bedienen. Namentlich, wenn sie nicht gründlich durchschaut sind, sollten wir vorsichtig mit ihrer Anwendung sein, beispielsweise speziell mit der Bezeichnung „psychopathisch". Mehr kommt es darauf an, daß wir eine objektive, ins *einzelne Wesentliche,* gut beschreibende Darstellung mit Wiedergabe aufschlußreicher Aussprüche des Zöglings, der Eltern usw. geben. Vor allem sollen wir es vermeiden, psychologische Urteile mit Werturteilen zu verquicken. Namentlich die Regelwidrigkeiten werden endgültig nur vom Arzt oder geschulten, erfahrenen Pädagogen benannt werden können. Wichtiger für uns sind psychologisches *Wissen,* Menschenkenntnis, Eindringen in die persönliche Notlage des anderen Menschen, als der etwa allzu leichtfertige Gebrauch der einen oder anderen Bezeichnung.

In der Antragstellung werden wir vor allem zu unterscheiden und glaubwürdig, gut beschreibend darzustellen haben, ob die FE-Bedürftigkeit begründet ist in Mängeln, Erziehungsfehlern des Elternhauses, in Beeinflussungen durch den Umgang, in frühen Verführungen, in schlechtem Beispiel oder in der Veranlagung des Jugendlichen selbst. Die besondere Beachtung und Herausarbeitung der verschiedenen Ursachengruppen ist darum von Bedeutung, weil Aussicht auf Erfolg bei Charakterfehlern, die vor allem aus Umweltverhältnissen *gewachsen* und *geworden* sind, größer ist als im Falle vorherrschender Veranlagungsursachen. Besonders kommt es darauf an, daß wir die *Unzulänglichkeiten* der bisherigen *Erziehung* des Schützlings klar, ausführlich genug dartun.

Praktisch entsprechenden Gebrauch müssen wir machen von der Möglichkeit, durch die Eltern schuldhaft *objektiv* gefährdete Kinder frühzeitig der Fürsorgeerziehung zuzuführen.

So wichtig und notwendig es ist, entsprechend der Notverordnung die Erfolgsfrage so gewissenhaft und scharf wie möglich zu stellen, so wenig dürfen wir uns sowohl in der offenen wie auch geschlossenen Erziehungsarbeit selbst innerlich von der Erfolgsfrage lähmend *beherrschen* lassen. Der Fürsorger und Erzieher darf sich um des Erfolges selbst willen nicht von der Erfolgs*frage* falsch bestimmen, entmutigen lassen. Die Sichtung und Ausscheidung soll resolut erfolgen. In den Anstalten, Aufnahmeheimen insbesondere ist sorgsame, energische Prüfung der Erfolgsaussicht für das Zöglingswohl selbst von mitentscheidender Bedeutung. *Pädagogisches* Prinzip aber – selbst *während* und erst recht *nach* der Sichtung – *bleibt* ein geklärter, erzieherischer Glaube. Er allein schließt den inneren Zugang auf. Unerläßliche Voraussetzung für den erzieherischen Erfolg bleibt – bei aller Einsicht in die Grenzen der Erziehbarkeit – der Mut und die Liebe, an den jungen Menschen *Forderungen* zu stellen. Wir werden in mancher Hinsicht strenger werden müssen – nicht so sehr im Gebrauch der Erziehungs*mittel* (diesbezüglich dürften wir in der Vergangenheit vieles gelernt haben), als vielmehr in der Unbeirrbarkeit und Konsequenz, erfüllbare *Anforderungen* immer wieder starkmütig zu stellen. Die Grundsätze und das Beispiel unserer großen katholischen Erzieher der Vergangenheit lehren uns die Grenzen von Autorität und Freiheit, die Übereinstimmung von Strenge und Liebe in klassischer Weise.

Aus: Jugendwohl 22 (1933), 213–219.

Bewahrung *statt* Zwangssterilisierung

21. Juni 1933

Sr. Hochwürden
Herrn Caritasdirektor v. Mann,
z.Zt. Fulda
Hotel Kurfürst

Zi./Ri.

Sehr geehrter Herr Direktor,

Ihr Brief vom 16. Juni ist als Eilbrief hinter mir her gereist, überall zu spät angekommen, und schließlich heute morgen hier auf dem Büro in meine Hand gelangt. Nun bleibt nicht viel Zeit zur Beantwortung, denn ich nehme an, daß die Angabe in Ihrem Brief, daß der Überleitungsausschuß auf den 24. Juli einberufen ist, auf einem Schreibfehler beruht, und daß es sich um den 24. Juni handelt, sonst hätten Sie wohl nicht bis morgen früh um Nachricht nach Fulda gebeten.

Ich lege Ihnen nun bei den letzten Initiativ-Gesetzentwurf, den Frau Neuhaus z.Zt. im Reichstag eingereicht hat. Bitte, sorgen Sie dafür, daß dieser Gesetzentwurf uns richtig wieder zurückgeschickt wird; es ist das letzte Exemplar in unseren Akten, und es geht auch der Eile halber nicht, daß wir noch Abschriften machen. Ich lege Ihnen zweitens bei Notizen, die Frau Neuhaus z.Zt. niedergeschrieben hat. Ihr Hauptkampf ging ja alle die Jahre dahin, daß die Bewahrung Minderwertiger nicht ohne weiteres ausgedehnt wurde auf Gewohnheitsverbrecher, Landstreicher, Müßiggänger usw. Unter diesen befinden sich selbstverständlich viele Bewahrungsbedürftige, die muß man dann herausfinden, und man kann ja dann, wenn man dieses festgestellt hat, die Bewahrung für sie beantragen. Aber es gab damals eine Richtung, die behauptete, *alle* diese Leute seien nicht normal. Man dürfe sie deshalb *nicht bestrafen, sondern* man müsse sie *bewahren.*

Wir haben uns immer gegen diese Verweichlichung im Strafrecht gewehrt aus Gründen, die ich hier nicht näher zu bezeichnen brauche. Wir haben uns selbstverständlich auch dagegen gewehrt, weil damit ein Odium auf die Bewahrung fiele, das sie von vornherein als Maßnahme für Kriminelle diskreditieren würde. Es könnten sich dann doch Eltern und Vormünder kaum dazu verstehen, für Schwachsinnige oder sonst schwer belastete Zöglinge die Bewahrung zu beantragen. Für die augenblickliche Zeit wäre zur Bewahrung vielleicht noch folgendes zu sagen: Sie muß gesehen werden neben den Bemühungen um ein Sterilisierungsgesetz. Nach allem, was ich höre, muß man mit einem Gesetz über Zwangssterilisierung rechnen. Wir müssen zu erreichen versuchen, daß an die Stelle der Sterilisierung die Bewahrung treten kann. Die <Begründung>[1] ist bei weiblichen Personen leichter.

1 [Text in spitzen Klammern = handschriftliche Ergänzung im Original.]

a) Die Operation ist technisch schwer und lebensgefährlich, wenn man nicht gerade Röntgenbestrahlungen anwendet, die nicht immer sicher in der Wirkung sind und andere böse gesundheitliche Folgen haben können.
b) Der Eingriff beeinträchtigt das Wesen der Frau sehr stark.
c) Mit der Unfruchtbarmachung ist es bei der Mehrzahl der weiblichen Personen, für die eine Bewahrung infrage kommt,[2] nicht getan: doppelt hemmungslos werden sie nämlich jetzt unter Umständen, falls man sie nicht gleichzeitig bewahrt, die schlimmsten Verbreiterinnen von Geschlechtskrankheiten. Es müßte also doch bei der Mehrzahl unserer Schützlinge[3] neben die Sterilisierung die Bewahrung treten, dann sollte man sich auch mit der Bewahrung aus den vorgenannten Gründen begnügen, umsomehr, als die Operation selbstverständlich teuer ist; sie bedeutet soviel, wie eine zweimalige Blinddarmoperation.

Es liegt uns sehr viel daran in diesem Moment, wo man mit der Zwangssterilisierung rechnen muß, zu erreichen, daß an *ihre Stelle* eine Bewahrung treten kann. Die letzten Gründe dafür brauche ich Ihnen hier ja nicht auseinander zu setzen.

Ich konnte Frau Neuhaus leider vor Absendung meines Briefes nicht mehr sprechen. Geben Sie uns doch bitte die Adresse von Herrn Prälat Kreutz in Frankfurt an, für den Fall, daß Frau Neuhaus meinem Brief noch etwas hinzufügen möchte.

Mit vielen freundlichen Grüßen

gez. E. Zillken

Anlagen. [...]

Aus: Archiv des Deutschen Caritasverbandes 319.4 D 04/05 Fasz. 3.

2 [Dies waren ca. 1 % aller KFV-Schützlinge, vgl. Wollasch, Fürsorgeverein, Tab. 6 (S. 362).]
3 [Gemeint sind auch hier die als bewahrungsbedürftig angesehenen Schützlinge.]

Das „Gesetz zur Verhütung erbkranken Nachwuchses" und der Fürsorgeverein: Verweigerung in der Theorie

Zentrale
des Kath. Fürsorgevereins
für Mädchen, Frauen und Kinder.

Dortmund, den 27. Februar 1934.

An unsere Ortsgruppen und Heime.

Wir bringen in dieser Nummer des Korrespondenzblattes den Wortlaut des Gesetzes zur Verhütung erbkranken Nachwuchses vom 14. Juli 1933 und der dazu erlassenen Ausführungsverordnung vom 5. Dezember 1933 zum Abdruck.[1]

A.

Die Durchführung des Gesetzes trifft unsere Arbeit an verschiedenen Stellen:

I. in der Fürsorgeerziehung,
II. in unseren Zufluchtshäusern und Vorasylen,
III. in der offenen Fürsorge, vor allem in der Vormundschaftsarbeit.

Zu I:

Gesetzliche Bestimmung bezüglich der *Anzeigepflicht.*

Art. 3, Abs. 4, letzter Satz der Ausführungsverordnung:

„Bei Insassen von Anstalten trifft den Anstaltsleiter die Anzeigepflicht".

Wegen der Fürsorgezöglinge scheinen allgemein die Fürsorgeerziehungsbehörden den Anstalten, und zwar sämtlichen Fürsorgeerziehungsanstalten, die Anzeigepflicht in einem gewissen Sinne abnehmen zu wollen, und zwar aus pädagogischen Erwägungen, denn:

a) Alle Bemühungen, das Odium von der Fürsorgeerziehung fortzunehmen, werden durchkreuzt, wenn demnächst auch nur entfernt im Volke die Meinung verbreitet ist, daß Fürsorgeerziehungsanstalten ein Durchgang zur Sterilisierung sind.
b) Unsere Kinder müssen sich im Heim wirklich geborgen fühlen. Sie dürfen niemals auf den Gedanken kommen, daß der Anstaltsleiter, die Oberin, oder wer es auch immer sei, sie anzeigt und einer Operation ausliefert. Wenn das der Fall ist, hört die pädagogische Wirkungsmöglichkeit der Anstalten auf. Auf diesem Standpunkt steht auch der Allgemeine Fürsorgeerziehungstag. In diesem Sinne lautete seine Eingabe.

Die Anzeigepflicht soll deshalb nach allgemeiner Ansicht den Fürsorgeerziehungsanstalten tunlichst auf diese Weise abgenommen werden aus erzieherischen Gründen. Die Fürsorgeerziehungsbehörde muß doch ihren Psychiater in regelmäßigem Turnus durch die Anstalten schicken. Die Anstalt führt bestimmte Beobachtungsbogen für alle Zöglinge. Und wenn der Psychiater vorher seinen Besuch anmeldet, so muß die Anstaltsleitung bestimmen, welche Zöglinge dem Psychiater bei seinem Besuch vorgestellt werden. Dabei dürfen und sollen nicht nur

1 [Korrespondenzblatt KFV 13 (1934), 27–35.]

solche vorgestellt werden, bei denen *vielleicht die Sterilisierung infrage kommt,* sondern auch Zöglinge, die psychopathische Züge haben, die besondere Erziehungsschwierigkeiten bereiten usw. (Für Psychopathen kommt ja Sterilisierung niemals infrage.) Diese allgemeine Vorstellung muß geschehen, weil der Psychiater grundsätzlich *alle* diese Kinder sehen muß. Es soll aber auch aus Klugheit geschehen, damit nicht durch Auswahl bei der Vorstellung bei den Zöglingen des Heims die Meinung entstehen kann, daß die Vorstellung beim Arzt gleichbedeutend mit Anordnung der Sterilisierung ist. Wenn dann der Psychiater feststellt, daß Erbkrankheiten im Sinne des Gesetzes vorliegen, so macht die Fürsorgeerziehungsbehörde ihrerseits Anzeige und gibt die Sache in die Hand des beamteten Arztes, und dann setzt das Verfahren ein. Nach Ansicht maßgebender Juristen ist als beamteter Arzt (Kreisarzt) zuständig der des Wohnorts des Zöglings, nicht derjenige, in dessen Bereich die Anstalt liegt.

Die Anstalt als solche erstattet also keinerlei Anzeige. Sie arbeitet nur in der geschilderten Weise zusammen mit dem Arzt, den die Fürsorgeerziehungsbehörde schickt.

Die Durchführung der Sterilisierung wird auch in keinem Falle im Erziehungsheim selbst erfolgen, selbst wenn es eine Krankenstation hat, sondern in einem dafür bestimmten Krankenhaus (§ 11 des Gesetzes). Aus erzieherischen Gründen wird die Fürsorgeerziehungsbehörde Westfalens auch versuchen, die Durchführung der angeordneten Sterilisierung möglichst bis zum Ende der Heimerziehung hinauszuschieben.

Die Anstalten werden darauf achten müssen, daß in ihrem Hause nichts geschieht, was als Stimmungsmache gegen das Gesetz angesehen werden kann. Es dürfte sich im besonderen empfehlen, daß Gespräche über Sterilisierung bei den Zöglingen unterbunden werden. Soweit sich Zöglinge mit Anfragen an die Erzieher wenden, wird es gut sein, wenn die Erzieher die Fragenden an die Anstaltsleitung selbst verweisen.

Zu II:

Die Durchführung des Gesetzes trifft nur 4 Arten von Anstalten:

1. Heil- und Pflegeanstalten,
2. Fürsorgeerziehungsanstalten,
3. Strafanstalten,
4. Krankenanstalten.

(Siehe § 3 des Gesetzes und Art. 3, Abs. 2 der A.V.)

Unsere Fürsorgeheime fallen also nur soweit unter das Gesetz, als sie Fürsorgezöglinge haben, und nur wegen der Fürsorgezöglinge, nicht wegen der anderen Insassen. Für unsere anderen Heime oder für die übrigen Insassen ist Folgendes zu sagen: Die Insassen sind nicht anders zu sehen wie andere im freien Leben stehende Menschen, bei denen ja auch Erbkrankheiten vorliegen können. D.h. wenn ein approbierter Arzt in seiner Praxis auf diese Tatsache stößt, so ist er zur Anzeige verpflichtet (Art. 3, Abs. 4 der A.V.). Aber den Anstaltsleiter trifft keine Anzeigepflicht auf Grund dieses Gesetzes.

Es ist in einzelnen Fällen schon vorgekommen, daß Kreis- und Amtsärzte sich an solche von unseren Anstalten wenden, die nicht Fürsorgeerziehungsanstalten sind, oder daß sie wegen der freien, also Nicht-Fürsorgeerziehungszöglinge mit unseren Anstalten überlegen und sie zur

Anzeige auffordern. Hierzu muß folgendes klar gesehen werden: Wenn der beamtete Arzt (unter beamtetem Arzt ist der Kreis-, Amts- oder Bezirksarzt zu verstehen) eine derartige Forderung an uns stellt, so wird man ihm freistellen, sich die Schützlinge anzusehen, oder mit dem Arzt, der im Haus als Hausarzt tätig ist, zusammen zu arbeiten. Eine gesetzliche Anzeigepflicht trifft uns aber in diesen Fällen, wie bereits oben gesagt, nicht.

Zu III:

Hier kommen vor allen Dingen infrage die §§ 2, 8 und 9 des Gesetzes, sowie Art. 2 und 3 der A.V.

§ 2 regelt die Antragsberechtigung. Danach ist antragsberechtigt neben demjenigen, der unfruchtbar gemacht werden soll, der gesetzliche Vertreter. Wir weisen aber gleich darauf hin, daß es sich hier um eine *Antragsberechtigung,* nicht aber um eine *Antragspflicht* handelt. Es gibt ja auch noch andere Antragsberechtigte (siehe § 3 des Gesetzes, insbesondere auch Art. 3, Abs. 5 der A.V.). „Hält der beamtete Arzt die Unfruchtbarmachung für geboten, so soll er dahin wirken, daß der Unfruchtbarzumachende selbst oder sein gesetzlicher Vertreter den Antrag stellt. *Unterbleibt dies, so hat er selbst den Antrag zu stellen.*"

Ein *Recht,* den Antrag zu stellen, hat der gesetzliche Vertreter unter folgenden Voraussetzungen:

a) Wenn der Unfruchtbarzumachende geschäftsunfähig ist. (Geschäftsunfähig ist das unter 7 Jahre alte Kind, und ferner der wegen Geisteskrankheit Entmündigte.)
b) Bei beschränkt Geschäftsfähigen, soweit es sich um Jugendliche unter 18 Jahren oder um Personen handelt, die wegen Geistesschwäche entmündigt sind.

Einem solchen Antrag muß eine Bescheinigung eines für das Deutsche Reich approbierten Arztes beigefügt werden, daß der gesetzliche Vertreter über das Wesen und die Folgen der Unfruchtbarmachung aufgeklärt worden ist (Art. 2 der A.V.).

Wenn in den übrigen Fällen beschränkt Geschäftsfähige (über 18 Jahre alte Minderjährige, wegen Trunksucht oder Verschwendungssucht Entmündigte) selbst den Antrag stellen, so ist hierzu die Zustimmung des gesetzlichen Vertreters erforderlich. Das Gleiche gilt, wenn ein Volljähriger, der einen Gebrechlichkeitspfleger hat, den Antrag auf Sterilisierung stellt. (§ 2 des Gesetzes, Abs. 1, Satz 3 und 4). Da unsere katholischen Mündel und Pfleglinge in der Regel ja den Antrag nicht selbst stellen werden, kommt auch eine solche Genehmigung des Vormundes nicht infrage. Wird nach § 3 die Unfruchtbarmachung eines Mündels oder Pfleglings von einem beamteten Arzt beantragt und vom Erbgesundheitsgericht angeordnet, so kommt die Zustimmung des gesetzlichen Vertreters oder des Pflegers überhaupt nicht infrage. Diesen steht aber in gewissen Fällen das Recht der Beschwerde zu:

Nach § 8 letzter Satz muß der Beschluß auf Unfruchtbarmachung, falls der Unfruchtbarzumachende nicht antragsberechtigt ist, seinem gesetzlichen Vertreter zugestellt werden. Nach § 9 steht dann in solchen Fällen dem gesetzlichen Vertreter auch das Beschwerderecht zu.

Der gesetzliche Vertreter hat auch noch andere Möglichkeiten, die Unfruchtbarmachung zu verhüten, und zwar nach Art. 6, Abs. 4 der A.V.: Der gesetzliche Vertreter ist bei Geschäftsunfähigkeit, sowie bei unter 18 Jahre alten Minderjährigen berechtigt, den Antrag zu stellen, den Unfruchtbarzumachenden in eine geschlossene Anstalt aufzunehmen und dadurch die Vornahme des Eingriffes abzuwenden.

In diesen Angelegenheiten müssen unsere Ortsgruppen imstande sein, den Vormündern und Pflegern, aber auch den Eltern richtige Ratschläge zu erteilen.

B.

Besonders wichtige Bestimmungen.

Das Gesetz enthält wichtige Bestimmungen und auch Sicherungen vor mißbräuchlicher Anwendung, die wir kennen müssen. Die wichtigsten sind folgende:

1.) Die Erbkrankheiten (sie sind im § 1 des Gesetzes aufgezählt) müssen durch einen approbierten Arzt festgestellt sein (Art. 1, Abs. 1 der A.V.).

2.) Zu dieser Feststellung muß die weitere treten, daß mit großer Wahrscheinlichkeit nach den Erfahrungen der ärztlichen Wissenschaft zu erwarten ist, daß die Nachkommen an schweren körperlichen oder geistigen Erbschäden leiden werden (§ 1 Abs. 1 des Gesetzes).

3.) Der Antrag auf Unfruchtbarmachung soll nicht gestellt werden, wenn

a) der Erbkranke nicht fortpflanzungsfähig ist,	(
b) wenn der Eingriff eine Gefahr für sein Leben	(
bedeuten würde,	(Art. 1
c) wenn er wegen Anstaltsbedürfigkeit in einer	(Abs. 2
geschlossenen Anstalt dauernd verwahrt werden	(der A.V.
muß.	(

4.) Wenn der Antrag von dem Unfruchbarzumachenden oder seinem gesetzlichen Vertreter gestellt wird, so ist ärztlich zu bescheinigen, daß der Antragsteller über das Wesen und die Folgen der Unfruchtbarmachung aufgeklärt ist (§ 2 Abs. 2 des Gesetzes, Art. 2 der A.V.).

5.) Über den Antrag muß zunächst das Erbgesundheitsgericht in erster Instanz entscheiden (§ 5 des Gesetzes).

6.) Der Beschluß des Erbgesundheitsgerichtes ist dem Antragsteller sowie demjenigen zuzustellen, dessen Unfruchtbarmachung beantragt wurde, und wenn dieser nicht antragsberechtigt ist, seinem gesetzlichen Vertreter (§ 8 des Gesetzes letzter Satz).

7.) Gegen den Beschluß des Erbgesundheitsgerichtes kann Beschwerde eingelegt werden binnen einer Notfrist von einem Monat nach der Zustellung des Beschlusses. Über die Beschwerde entscheidet das Erbgesundheitsobergericht. Beschwerdeberechtigt sind neben dem beamteten Arzt der Unfruchtbarzumachende oder, falls er nicht antragsberechtigt ist, sein gesetzlicher Vertreter (§ 9 des Gesetzes).

8.) Die Unfruchtbarmachung soll nicht vor Vollendung des 10. Lebensjahres vorgenommen werden (Art. 1 Abs. 3 der A.V.). Bei Jugendlichen (unter 18) darf der Eingriff unter Anwendung unmittelbaren Zwanges nicht vor Vollendung des 14. Lebensjahres ausgeführt werden (Art. 6 Abs. 5 der A.V.).

9.) Ist die Unfruchtbarmachung endgültig beschlossen, so kann sie im übrigen auch gegen den Willen des Betreffenden vorgenommen werden evtl. mit Hilfe der Polizeibehörde, nötigenfalls unter Anwendung unmittelbaren Zwanges (§ 12 des Gesetzes, Art. 6 Abs. 1, 2 und 5 der A.V.).

10.) Das Gericht hat anzuordnen, daß die Vornahme des Eingriffes *ausgesetzt* wird, wenn durch ein Zeugnis des zuständigen Amtsarztes nachgewiesen wird, daß die Unfruchtbarmachung mit Lebensgefahr für den Erbkranken verbunden wäre (Art. 6 Abs. 3 der A.V.).

11.) Das Gleiche muß geschehen, wenn sich der Unfruchtbarzumachende auf seine Kosten in eine geschlossene Anstalt aufnehmen läßt, die volle Gewähr dafür bietet, daß die Fortpflanzung unterbleibt (Art. 6 Abs. 4 der A.V.).

12.) Auch eine bereits endgültig beschloßene Unfruchtbarmachung kann vorläufig durch das Erbgesundheitsgericht untersagt werden, wenn sich inzwischen Umstände ergeben, die eine nochmalige Prüfung des Sachverhalts erfordern, also wenn z. B. nach dem endgültigen Beschluß des Erbgesundheitsgerichtes erst festgestellt wird, daß die Vornahme des Eingriffs mit Lebensgefahr verbunden ist, oder daß der Unfruchtbarzumachende doch trotz Vornahme der Operation dauernd in einer Anstalt interniert werden muß usw. (§ 12 Abs. 2 des Gesetzes).

Diese Bestimmungen müssen unsere Ortsgruppen und Heime kennen, damit sie sie in richtiger Weise anwenden können, damit sie ferner Eltern und sonstigen Erziehungsberechtigten Rat und Auskunft erteilen können.

Aus: Archiv des Deutschen Caritasverbandes 319.4 I 06/01a Fasz. 2 (Rundschreiben KFV Zentrale an Ortsgruppen und Heime).

...Verweigerung in der Praxis

Abschrift

Berlin, den 13. 5. 1963

Bericht

Über die Zahl <der>[1] während der Nazizeit durch den Kath. Fürsorgeverein, Berlin, einschl. der Heime „St. Michael" und „Maria Frieden", vor der Sterilisierung bewahrten Mädchen und Frauen kann ich keine genauen Angaben machen. Ich kann nur aus der Erinnerung sagen, daß ungefähr 1935, als Frau Dr. Margarete Sommer[2] auf Veranlassung des Bischöfl. Ordinariats als Leiterin der Geschäftsstelle in den KFV kam, ein sehr reges Arbeiten in dieser Richtung begann. Frau Dr. Sommer war vorher als Dozentin an der Wohlfahrtsschule des Pestalozzi-Fröbel-Hauses (Alice-Salomon-Schule) tätig und mußte ihre Lehrtätigkeit dort aufgeben, weil es zu Differenzen über das „Gesetz zur Verhütung erbkranken Nachwuchses" gekommen war.

Das Bischöfl. Ordinariat und in Zusammenhang mit diesem die verschiedenen Pfarrämter schickten die besorgten Eltern geistig und körperlich gebrechlicher Töchter zu uns. Das Gesetz ließ die Möglichkeit offen (ich glaube Art. 6), die Sterilisierung zu vermeiden, indem die Kranken sich freiwillig in eine geschlossene Anstalt begaben, und zwar auf eigene, nicht öffentliche Kosten. Ein Haus unseres Heim[es] „Maria Frieden" wurde mit Hilfe des Bischöfl. Ordinariats und des Caritasverbandes ausgebaut und Heim „St. Michael" genannt. Die Unterbringungskosten wurden teils von den Eltern, teils von den Pfarrämtern und [dem] Caritasverband getragen.

Im Gegensatz zu den Frauen und Mädchen aus geordneten kath. Familien hatten wir Schwierigkeiten, unsere ausgesprochen gefährdeten Schützlinge, die geistig gebrechlich waren, zu einem freiwilligen Aufenthalt im Heim „St. Michael" zu bewegen. Bei ihrer Triebhaftigkeit drängten sie in die Freiheit und wurden dann nach erfolgter Sterilisierung wegen ihrer starken sittlichen Verwahrlosung doch wieder und dann auf öffentliche Kosten im Heim „St. Michael" untergebracht.

Die Fürsorgerinnen des KFV (Frau v. Krogh, Frau Rappich, Frau Sindermann) übernahmen Pflegschaften und Vormundschaften über die Kranken, auch über solche, die nicht im Heim St. Michael untergebracht waren, und versuchten, für ihre Pfleglinge, meistens durch Beschwerde beim Erbgesundheits-Obergericht, die Sterilisierung zu verhindern.

Es gelang bei *den* Fällen, in denen ärztlich nachgewiesen werden konnte, daß die Gebrechlichkeit nicht angeboren, sondern durch Krankheit erworben war, oder bei denen die geistige Gebrechlichkeit durch die Vorsicht der Eltern erst gar nicht zur Kenntnis der behördlichen Stellen gelangt war.

Später mußten wir dazu übergehen, die sterilisierten und nicht sterilisierten Schützlinge vor der Verlegung in die sogen. „Sterbeanstalten" zu bewahren. Es war uns bekannt geworden, daß

1 [Text in spitzen Klammern = handschriftliche Ergänzung im Original.]

2 [Zur Person vgl. Ursula Pruß, Margarete Sommer (1893–1965), in: Jürgen Aretz/Rudolf Morsey/Anton Rauscher (Hg.), Zeitgeschichte in Lebensbildern. Aus dem deutschen Katholizismus des 19. und 20. Jahrhunderts, Bd. 8, Mainz 1997, 95–106.]

allen über 5 Jahre in geschlossenen Anstalten Untergebrachten dieses Schicksal drohte. Wir gaben diese Schützlinge als Hausgehilfinnen in Familien und Schwesternhäuser, die mit großer Geduld die meist sehr schwierigen Menschen bei sich behielten. Es handelte sich dabei nicht nur um Schützlinge, die in „St. Michael", sondern auch um solche, die in Heil- und Pflegeanstalten und in Arbeitshäusern untergebracht waren und über die unsere Fürsorgerinnen Pflegschaften und Vormundschaften übernommen hatten.

(gez.) Josepha Rappich

Aus: Archiv des Deutschen Caritasverbandes 319.4 G 01/06 Fasz. 1 (Bericht von Josepha Rappich, Fürsorgerin der Ortsgruppe Berlin, über vor der Sterilisierung und „Euthanasie" bewahrte Mädchen und Frauen).

„Zur Lage in der katholischen Jugendfürsorge" (1936)

Der nachfolgende Bericht ist zusammengestellt von den beiden Fürsorgevereinen – Kath. Fürsorgeverein für Mädchen, Frauen und Kinder und Kath. Männerfürsorgeverein – auf Grund ihrer Erfahrungen. Wo in der Niederschrift der Ausdruck „Verein“ oder „wir“ gebraucht ist, sind, soweit beide Fürsorgevereine am Orte bestehen, auch immer beide gemeint.

Unter „alten Fällen“ sind solche zu verstehen, die bereits früher in fürsorgerischer Betreuung der Fürsorgevereine standen. Dagegen sind „neue Fälle“ solche, die zum erstenmal beim Jugendamt durchlaufen und vorher nicht von den Vereinen betreut wurden.

Der stärkste Einbruch in unsere Arbeit ist in den Gegenden erfolgt, die vorwiegend katholische Bevölkerung haben oder konfessionell gemischte Bevölkerung mit starkem katholischen Anteil,

in denen die Katholiken früher eine politisch starke Stellung hatten,

und in denen sich infolgedessen auch unsere Arbeit starker behördlicher Förderung und Unterstützung erfreute.

Wo wir in der Jugendfürsorge aktiv und rege waren, vor allem da, wo ganze Gebiete der Jugendfürsorge vom Jugendamt auf uns delegiert waren, zum Teil unter Gewährung eines behördlichen Zuschusses, da hat auch die NSV. sich meistens veranlaßt gefühlt, ihre Hand nach diesem Arbeitsgebiet auszustrecken. Wo unsere Arbeit im Hintergrund stand, wo sie unbeachtet, wo keine Delegation erfolgt war, da hat auch die NSV. sich bisher meistens um die Arbeit nicht bemüht. Eine eigene Jugendfürsorge hat <sie>[1] im wesentlichen da aufgezogen, wo unsere Arbeit stark entwickelt war und sich einem großen Teil der Jugend zuwandte.

Wo bis zum Jahre 1933 sozialistische Jugendämter unsere Arbeit nicht zuließen, geht es uns heute teilweise besser.

Unangetastet ist unsere Arbeit durchweg in der Diaspora. In den stark protestantischen Gegenden besteht keine starke evangelische Jugendfürsorge. Man hat von der evangelischen Kirche aus dort diese Arbeit durchweg den Behörden überlassen. Die katholische Arbeit spielt dort eine quantitativ sehr geringe Rolle, die man von der Behörde aus gern duldet, zum Teil sogar fördert. Die NSV. fühlt sich infolgedessen durchweg nicht veranlaßt, dort eine eigene Jugendfürsorge aufzuziehen.

Zur Lage im einzelnen:

Wir geben die Schilderung an Hand der Gaueinteilung. Der stärkste Einbruch erfolgte in die Arbeit im Gau Düsseldorf. Hier ist auch die Lage am einheitlichsten. Ihm folgen nach dem Grade der Schwierigkeiten die Gaue Essen, Köln-Aachen, Westfalen-Nord, Baden, Koblenz-Trier.

Im Gau Düsseldorf gibt das Jugendamt durchweg alle Fälle an die NSV.. Was diese an uns weitergibt ist verschieden und von uns nicht ohne weiteres kontrollierbar. Durchweg handelt es sich um sieche, schwererziehbare, nicht-arische und Ausländer-Kinder, oder aber um schwierige Ehe- und Familienrechtssachen, oder um Fürsorgefälle und Vormundschaften für Erwachsene. Zum Vorschlag von Vormündern für normale Minderjährige werden wir fast nirgendwo

1 [Text in spitzen Klammern = handschriftliche Ergänzung im Original.]

Nationalsozialistische Deutsche Arbeiter-Partei
Gauleitung Düsseldorf

Gaugeschäftsstelle:
Düsseldorf, Hermann-Göring-Straße Nr. 19
Postscheckkonto: Köln Nr. 63855
Ludwig Kraft, Düsseldorf
Fernsprecher: Sammel-Nummer 10131

Gaukampfblatt: „Rheinische Landeszeitung"
Anschrift: „Rheinische Landeszeitung"
Düsseldorf, Albert-Leo-Schlageter-Allee 17-25
Fernsprecher 10213

Amt für Volkswohlfahrt
bei der Kreisleitung M.Gladbach-Rheydt
Postscheckkonto: Köln Nr. 1463
Bank-Konto:
Städtische Sparkasse M.Gladbach Nr. 6280

Rheydt, den 23.10.35
Wilhelm-Strater-Str. 58. Fernsprecher S.-N. 44286. Postfach 141

Kr./Kl.
Abt.: Jugendhilfe.
Betr.

An den
Kath. Fürsorgeverein für
Mädchen, Frauen und Kinder e.V.
M. G l a d b a c h
Fliethstr. 63

Bereits zu wiederholten Malen habe ich feststellen müssen, dass Sie, anscheinend bewusst, bei Ihrem Schriftverkehr die Kreisamtsleitung der NSV. übergehen. Heute geht mir wieder ein Schreiben durch das Jugendamt zu, das Sie unmittelbar am 18.10.35 an das Jugendamt M.Gladbach geleitet haben. Wie sich aus den vorläufigen Richtlinien der Arbeitsgemeinschaft der freien Wohlfahrtspflege ergibt, ist die NSV. in jedem Falle einzuschalten. Ihr Verhalten steht durchaus im Einklang mit anderen mir zu Ohren gekommenen Vorgängen. Ich bin nicht gewillt, Ihre dauernden Verstösse gegen die Richtlinien hinzunehmen. Sie wollen umgehend zu diesem Schreiben Stellung nehmen, die mir geeignet erscheindenden Schritte behalte ich mir vor. Frist bis zum 26.10.35.

F.d.R.
Krall.
Unterabteilungsleiter

Nationalsoz. Deutsche Arbeiterpartei
Amt für Volkswohlfahrt
Kreis Gladb.-Rheydt

Heil Hitler!
gez. E g g e l i n g ,
Kreisamtsleiter

Abb. 38: Im Konflikt mit der Nationalsozialistischen Volkswohlfahrt.

mehr herangezogen, auch die Pflegekinderaufsicht ist uns überall entzogen. Alte Fälle, d.h. solche Fälle, in denen wir bereits früher tätig waren, werden uns an manchen Stellen von der NSV. zugewiesen; einige Jugendämter überweisen uns diese Fälle auch direkt ohne Zwischenschaltung der NSV.. Dort können wir für diese Fälle dann meistens auch direkt mit den Behörden arbeiten. Im allgemeinen ist uns der direkte mündliche und schriftliche Verkehr mit den Behörden untersagt. Ohne Unterschrift der NSV. handeln in manchen Orten weder Jugendamt noch Vormundschaftsgericht.

In einigen Städten und Kreisen waren Voraussetzungen für eine gute persönliche Fühlungnahme gegeben, auf Grund deren es auch gelang, mehr von der behördlichen Arbeit zu erhalten, als offiziell zugestanden ist. Stellenweise konnte die NSV. die Arbeit bis jetzt auch nicht bewältigen und hat uns auf irgend welchen Wegen stärker an der Arbeit beteiligt. Die behördlichen Zuschüsse sind fast überall gestrichen oder auf ein Minimum reduziert.

Gau Essen:

Die Lage ist ähnlich wie im Gau Düsseldorf.

Gau Westfalen-Nord:

Das vom Gau Düsseldorf Gesagte gilt für die Stadt Münster (dort wird die Arbeit mit Ausnahme der Vorschläge von Vormündern allerdings durch das Jugendamt selbst durchgeführt), für das ganze sehr große Gebiet von Recklinghausen, für Gelsenkirchen, für Coesfeld. Dagegen wird in Rheine, Burgsteinfurt, Bottrop, Gronau und im östlichen Teile Westfalens (Bielefeld, Beckum, Minden, Paderborn) unsere Arbeit noch nicht angetastet. In Lünen war die Delegation auf uns zu Gunsten der Frauenschaft[2] zurückgezogen worden; da diese versagte, hat das Jugendamt die Arbeit selbst in die Hand genommen und führt sie mit Hilfe von Einzelhelfern durch. Diese Einzelhelfer stellen wir in hohem Maße, so daß praktisch die Arbeit zum Teil wieder in unseren Händen ist.

Gau Köln-Aachen:

Hier ist die Lage nicht einheitlich. Die Richtlinien vom 4. 11. 1935[3] scheinen nur in der Stadt Köln durchgeführt zu werden. Dort gibt das Jugendamt alle Arbeit an die NSV., die ihrerseits uns überweist

a) wenn der Erziehungsberechtigte einen diesbezüglichen Wunsch ausspricht. (Bisher wurde in Köln noch kein Fall auf Grund eines solchen Wunsches uns überwiesen, d.h. Erziehungsberechtigte haben den Wunsch wahrscheinlich nicht ausgesprochen.)
b) wenn weder der Jugendliche noch ein Familienangehöriger der NSDAP. oder einer ihrer Gliederungen angehört;
c) wenn es sich um Erbgeschädigte handelt.

2 [Gemeint ist die NS-Frauenschaft.]

3 [Sie sollten die Zusammenarbeit von Jugendämtern, NSV und konfessionellen Verbänden im Gau Köln-Aachen regeln; abschriftlich erhalten als Anlage 1 zum Rundschreiben des Diözesancaritasverbandes Köln an die Ortsgruppen der kath. Fürsorgevereine im Gau Köln-Aachen, 5. 6. 1936, Archiv des Deutschen Caritasverbandes 319.4 I 03/01 b Fasz. 2.]

In Fällen, die wir selbst aufgreifen, und in sogenannten alten Fällen ist uns der direkte Verkehr mit der Behörde gestattet.

Schlechter ist die Lage im Landkreis Köln, im Stadt- und Landkreis Bonn, Stadt- und Landkreis Siegburg. Wir bekommen dort weder vom Jugendamt noch von der NSV. Fälle zugewiesen. Wenn wir in Fällen, die wir selbst aufgegriffen haben oder die wir als alte Fälle weiterbetreuen, von uns aus an die Behörde herantreten, nimmt die Behörde Veranlassung, nunmehr die Fälle der NSV. zuzuweisen. Zum Teil lehnt die Behörde aber auch die Hilfe für die Jugendlichen ab mit der Begründung, daß dafür kein Geld da sei. Günstiger ist die Lage in *Aachen,* wo bisher der NSV. nur die Jugendgerichtshilfe übertragen ist. In Stolberg zieht uns das Jugendamt seinerseits zu einem Teil der Arbeit heran. Vormundschaftsarbeit und Pflegekinderaufsicht ist uns überall entzogen, ebenso die behördlichen Zuschüsse.

Gau Baden:

Die Lage ist nicht einheitlich. Unangetastet ist die Arbeit noch in Baden-Baden und Karlsruhe. In Heidelberg steht der Verein noch in starker Zusammenarbeit mit dem Jugendamt, das aber nicht alle katholischen Fälle uns überweist. Ein Teil geht an die NSV., die ihrerseits wieder in vielen Fällen uns an der Arbeit beteiligt. Die Vereine haben direkten Zugang zur Behörde. In Mannheim ist uns die Arbeit schon früh zu Gunsten der NSV. entzogen worden, kommt aber langsam wieder zurück. Das Jugendamt zieht uns in wachsendem Umfange wieder heran. Zugewiesen werden uns insbesondere die Fälle, die besondere Schwierigkeiten machen oder die eine rasche Erledigung fordern, oder in denen man unsere Dienst- und Pflegestellen braucht. In Konstanz spielt die NSV. keine Rolle in der Jugendhilfe; das Jugendamt erledigt die Arbeit selbst und übergibt uns nur einen gewissen Ausschnitt der Fälle. In Waldshut werden die Fälle katholischer Kinder der NS.-Frauenschaft zur Betreuung überwiesen.

Gau Koblenz-Trier:

Das Bild ist nicht einheitlich. In Koblenz-Stadt ist die Zusammenarbeit zwischen Jugendamt und uns noch unverändert. In Koblenz-Land hat das Jugendamt nie gut mit uns zusammengearbeitet und tut es auch heute nicht; vielleicht haben wir gerade deshalb die Arbeit als eigene Arbeit stark in der Hand. Ebenso erhalten wir viel Arbeit durch gute Zusammenarbeit mit den Bürgermeisterämtern und dem Vormundschaftsgericht. In Trier besteht keine Zusammenarbeit mit der NSV.; wir bekommen die Fälle aber auf anderen Wegen, die hier nicht angegeben werden können. In Neuwied und Kreuznach geht seit kurzem die Arbeit offiziell an die NSV., die uns aber vorläufig noch stark heranzieht. In den Kreisen Ahrweiler, Bitburg, Daun, Mayen, Prüm, Saarburg, Simmern, St. Goar und Wittlich bestand nie Delegation, sondern Zusammenarbeit von Fall zu Fall, die nach wie vor gut ist.

Gau Pfalz-Saar:

Die Lage ist unverändert in Saarbrücken-Stadt, Saarbrücken-Land und im Kreis Ottweiler. Im Kreise St. Wendel geht die Jugendamtsarbeit an die NSV., die uns aber ihrerseits alle katholischen Fälle weitergibt. Im Kreise Saarlautern hat die NSV. eine eigene Kraft für die Jugendfürsorge-Arbeit angestellt, die aber keine fachliche Ausbildung hat. Im Kreise Merzig verschiebt man eine endgültige Entscheidung und läßt die Arbeit zunächst durch eine amtliche, nicht fachlich ausgebildete Kraft durchführen, die ehrenamtliche Helfer von uns in den einzelnen Fällen heranzieht.

Gau Westfalen-Süd:
Bis auf Hamm und Bochum ist die Arbeit hier noch in unserer Hand. Der erste Einbruch erfolgte vor mehr als Jahresfrist in Hamm auf Grund der dort stark entwickelten Deutschen Glaubensbewegung.[4] In Bochum wurden zum 1. 4. 36 alle Delegationen gekündigt. In beiden Städten gehen auch die Zuschüsse an die NSV., der es überlassen bleibt, was sie uns gibt.

Unverändert gut ist dagegen die Lage in dem übrigen zu diesem Gau gehörigen Industriegebiet: Dortmund-Hörde, Witten. In Wanne-Eickel ist die NSV. zwischengeschaltet, gibt aber alle katholischen Fälle dem Fürsorgeverein. Viel besser geworden ist die Lage in Herne, wo früher ein stark sozialistisches Jugendamt war. Besser als früher ist die Lage auch in Hagen. In den sauerländischen Kreisen ist die Arbeit durchweg unangetastet. Mit Ausnahme von Herne sind aber die Zuschüsse überall gestrichen oder auf ein Minimum reduziert, das geschah aber teilweise vor 1933 schon infolge der ungünstigen Finanzlage.

Gau-Halle-Merseburg,
Gau Magdeburg-Anhalt,
Gau Osthannover,
Gau Süd-Hannover-Braunschweig,
Gau Thüringen,
Gau Sachsen,
Gau Groß-Berlin,
Gau Mecklenburg-Lübeck,
Gau Weser-Ems,
Gau Hamburg,
Gau Schleswig-Holstein:
Zunächst ist von diesen 11 Gauen übereinstimmend zu sagen, daß eigene Arbeit in der Jugendfürsorge seitens der NSV. kaum besteht. Eine Ausnahme bildet der Gau Groß-Berlin, wo durch die Übernahme früherer nicht konfessioneller Spezial-Organisationen für Jugendhilfe eine bestimmte Arbeit aufgezogen ist, die aber unsere katholische Arbeit, da die Linie der früheren nicht-konfessionellen Vereine eingehalten wird, wenig berührt. Im übrigen sind in diesen Diaspora-Gauen zwei verschiedene Haltungen der Behörden uns gegenüber zu unterscheiden:

1. Man übergibt uns *alle* katholischen Fälle nach wie vor. Wir sind dort ein sehr kleiner Teil der Bevölkerung, der keine Rolle spielt. Man sagt großmütig: „Für Ihre katholischen Kinder wollen Sie natürlich selbst sorgen, das verstehen wir.“ Das gilt besonders für den ganzen Gau Thüringen mit Ausnahme der katholischen Bezirke Heiligenstadt und Worbis, wo die Frauenschaft die Arbeit übernommen hat, für Sachsen mit Ausnahme von Bautzen.

4 [Gemeint sind die „Deutschen Christen“, welche die NS-Fraktion innerhalb der protestantischen Kirche darstellten.]

2. Stadt- und Landkreise mit stark ausgebauten Jugendämtern, die die Arbeit grundsätzlich stets durch eigene Kräfte erledigten. In diesen Bezirken haben wir unsere eigene Arbeit immer stark ausgebaut und fanden dann, soweit wir für einzelne Fälle die Hilfe der Behörde in Anspruch nahmen, entgegenkommende Hilfe und Unterstützung. Vorschläge, die wir im Interesse katholischer Kinder machten, Anträge, die wir einreichten, wurden, wenn sie sachgemäß begründet waren, gern angenommen. So ist die Lage auch heute noch. Die Mitarbeiter des Vereins sind bei den Behörden gern gesehen, und wenn sie mit einer Sache, die sie selbst aufgegriffen haben, kommen, übergibt man ihnen auch weitere katholische Fälle, für die man eine persönliche Betreuung seitens der Behörde sucht. So ist die Lage in den Gauen Halle-Merseburg, Magdeburg-Anhalt (wobei in Magdeburg eine vorbildliche gute Zusammenarbeit zwischen Jugendamt und Fürsorgeverein besteht. Fast alle katholischen Fälle werden uns zugewiesen), Mecklenburg-Lübeck, Osthannover (die Lage in der Stadt Hannover ist für uns günstiger geworden als früher, weil dort früher der Vaterländische Frauenverein alles beherrschte; er mußte sich aus dieser Arbeit zurückziehen.), Süd-Hannover-Braunschweig und Schleswig-Holstein. Im *Gau Weser-Ems* ziehen uns die Jugendämter auch aus eigener Initiative stark in Einzelfällen zur Mitarbeit heran, besonders in Bremen, Osnabrück und einigen Oldenburger Ortsgruppen.

Etwas schwieriger ist die Lage im Gau Groß-Berlin. Aber auch dort ist der Aufbau einer eigenen Hilfsarbeit möglich und eine Zusammenarbeit mit den Behörden, wenn wir eine gute Arbeit leisten und die nötige Anzahl von geschulten Hilfskräften haben. In Hamburg bestand immer ein stark ausgebautes Jugendamt, das die Arbeit selbst erledigte. Die Delegation der Waisenpflege auf die Pfarrer ist zurückgezogen. Sie wurde von den Pfarrern infolge mangelnder fachlicher Schulung auch nicht immer wirksam erledigt. Es ist dem Fürsorgeverein möglich, mit geschulten Helfern nicht nur eigene Arbeit aufzubauen, sondern auch vom Jugendamt stark in der Betreuung von Einzelfällen katholischer Kinder herangezogen zu werden. Die Arbeit der NSV. spielt in der Jugendhilfe keine besondere Rolle.

Gau Ostpreußen:

Hier ist die Lage nicht einheitlich. Behindert, aber nicht stillgelegt, ist die Arbeit in den katholischen Kreisen Braunsberg und Heilsberg durch das Betätigungsverbot für katholische Vereine. In Allenstein ist die Arbeit, wie im übrigen Ostpreußen – mit Ausnahme von Elbing und Königsberg – unangetastet. In Elbing ist die Vormundschaft stillschweigend, ohne daß uns Mitteilung gemacht worden ist, der NSV. übertragen worden. Die andere jugendfürsorgerische Arbeit geht uns nach wie vor zu. In Königsberg hat die Zuweisung katholischer Fälle an uns abgenommen. Der Grund ist auch nach Rücksprache mit dem Jugendamt nicht klar erkennbar. Die NSV. betätigt sich selbst auf diesem Gebiete nicht.

Gau Franken:

Im Bamberg ist die direkte Zusammenarbeit zwischen Jugendamt und uns noch unangetastet, Delegationen bestehen nach wie vor. Neu-Einteilung ist angekündigt in der Form, daß der Verein die Arbeit behalten, sie aber auf dem Wege über die NSV. zugeteilt bekommen soll.

Für Nürnberg gilt das, was über die Diaspora-Gaue, vor allem über die Städte wie Halle und Magdeburg oben gesagt wurde.

Aber auch da, wo der starke Einbruch in die Arbeit erfolgt ist, wie z.B. in den Gauen Düsseldorf, Essen usw. muß gesagt werden, daß die Fürsorgevereine trotzdem gut in der Arbeit stehen und eine große Anzahl katholischer erziehungsgefährdeter Minderjähriger erfassen. Sie fanden immer einen Teil der Hilfsbedürftigen und Gefährdeten selbst, durch gute Zusammenarbeit mit Seelsorge, Pfarrei, Pfarr-Organisationen usw. Ebenso kamen ratsuchende Eltern, Jugendliche, Familienangehörige selbst zu ihnen. Diese „eigene" Arbeit haben unsere Vereine in den letzten Jahren stark ausgebaut. Wo diese eigene Arbeit sachgemäß und fachlich richtig geleistet wird, gelingt es, sie in der Hand zu behalten, auch wenn im Laufe der Durchführung der Betreuung behördliche Maßnahmen nötig werden. Es wächst das Vertrauen der Bevölkerung zu uns; die Zusammenarbeit zwischen Pfarrei und uns wird intensiver. Dabei sind unter Pfarrei neben den Seelsorgern alle die Stellen zu verstehen, die in verantwortlicher Hilfsarbeit innerhalb der Pfarrei tätig sind.

Wir erwähnen diese Tatsache deshalb, weil sich aus ihr wesentliche Folgerungen für alle Verhandlungen an der Spitze ergeben. Unter allen Umständen muß gesichert werden die freie eigene Arbeit der katholischen Jugendfürsorge, d.h. was sie selbst aufgreift, muß sie ungehindert in eigener Arbeit durchführen können, auch dann, wenn im Laufe der Betreuung sich die Notwendigkeit behördlicher Hilfsmaßnahmen ergibt. – Wer einen Fall zuerst aufgreift, muß ihn bis zum Schluß durchführen können, sonst zerstört man das Vertrauen zwischen Helfer und Schützling, das Vertrauen, das notwendige Voraussetzung jeder erzieherischen Hilfe ist. Für diese eigene Arbeit müssen wir unter allen Umständen auch direkten und ungehinderten Zugang zu den Behörden – Jugendamt, Vormundschaftsgericht usw. – haben. Der Kampf um die eigene Arbeit ist das Wichtigste bei allen Verhandlungen. Wichtig ist dann aber auch, daß die kirchlichen Stellen uns bei diesem Aufbau der eigenen Arbeit unterstützen. Die Fürsorgevereine brauchen die moralische Unterstützung der kirchlichen Stellen, um ihre Zusammen[arbeit] mit den übrigen pfarrlichen und caritativen Stellen zu gestalten. Sie brauchen aber auch die finanzielle Unterstützung des katholischen Volkes, der Pfarrei, der Diözese, wenn diese Arbeit durchgehalten werden soll.

Neben dem Kampf um die freie Arbeit muß natürlich selbstverständlich auch um die Beteiligung an der behördlichen Arbeit gekämpft werden. Es scheint uns, daß Abmachungen an der Spitze, die heute vielleicht für Düsseldorf günstig sein könnten, für andere Gebiete, wo die Arbeit noch unangetastet ist, sich sehr ungünstig auswirken könnten. Wenn *günstige* Abmachungen an der Spitze nicht zu erreichen sind, hat es auch etwas für sich, die Sache örtlichen Abmachungen zu überlassen. Wenn man einen tüchtigen, hingabefreudigen und geschulten Helferstab hat, ist dann nach und nach auf Wegen, die hier nicht beschrieben werden können, die aber bereits begangen worden sind, manches zu erreichen. Wir haben auch in den eigentlichen Einbruchsgebieten zum Teil mehr behördliche Arbeit in der Hand, als es nach der obigen Darstellung scheinen möchte. Die Wege dazu sind sehr verschieden; es ist nicht zweckmäßig, sie alle schriftlich zu schildern.

Nötig ist aber überall, wenn es uns glücken soll, die erziehungsgefährdeten katholischen Kinder in eigene Betreuung zu nehmen, eine *fachliche hochstehende Arbeit.* Wir brauchen *geschulte Helfer.* Wenn unsere Vereinsleitungen Mut behalten, und wenn wir die nötige Zahl wirklich in christlicher Nächstenliebe stehender Helfer haben, dann wird es uns gelingen, katholische erziehungsgefährdete Kinder so zu betreuen, wie sie als katholische Kinder einen Anspruch darauf haben, betreut zu werden.

Aus: Archiv des Deutschen Caritasverbandes 319.4 I 03/01b Fasz. 2 (von KFV und KMFV im April 1936 gemeinsam erstellter Situationsbericht für die deutschen Bischöfe).

Laienapostolat und Geistliche Beiräte (1936)

Gedanken über die Aufgabe des Geistlichen Beirates, des Vorstandes und der tätigen Mitglieder im Kath. Fürsorgeverein.

I.

Die Aufgabe des Kath. Fürsorgevereins für Mädchen, Frauen und Kinder ist die helfende Fürsorge für Kinder, deren Erziehung gefährdet ist, Beratung und Stützung der Eltern und Familien, die Schwierigkeiten mit der Erziehung ihrer Kinder haben, sowie die rettende Fürsorge für sittlich verwahrloste und gefährdete Mädchen und Frauen. Die Verwirklichung dieses Zieles liegt bei den tätigen Mitgliedern, die diese caritativ-soziale Arbeit aus den Kräften ihres religiösen Lebens und aus den Grundsätzen des katholischen Glaubens leisten wollen, die daneben auch über fachliches Können und Wissen auf erzieherischem, privatrechtlichem und fürsorgerechtlichem Gebiet verfügen müssen, wenn die Arbeit im Einzelfall fruchtbar und wenn die Gesamtarbeit des Vereins von Bedeutung im sozialen Leben des Volkes sein soll.

Diese Mitglieder haben sich im Verein zu der Arbeit verbunden,

a) um sich hier die Werkstätte zu schaffen, die ihnen eine geordnete und fachlich richtige Erfüllung ihrer Aufgaben ermöglicht,
b) um eine organische Verbindung zur Kirche zu finden, aus deren Kräften und an deren Wirklichwerdung in den Seelen sie helfen wollen,
c) um ihre in der Arbeit gemachte Erfahrung in wirksamer Weise dem Volksganzen zugute kommen zu lassen.

Die tätigen Mitglieder sind es, die den Verein und seine Idee tragen und sie in ihrer Arbeit verwirklichen.

II.

Der Kath. Fürsorgeverein für Mädchen, Frauen und Kinder ist also keine Personal-, sondern eine Sachorganisation.

Als Sachorganisation bezeichnen wir eine Vereinigung, die in erster Linie einen sachlichen Zweck verfolgt und bei der die Mitglieder Subjekt der Vereinstätigkeit sind. Als Personalorganisation dagegen bezeichnen wir eine Vereinigung, bei der die Mitglieder Objekt der Vereinstätigkeit sind. Als Beispiel einer kirchlichen Personalorganisation nennen wir die Jungfrauenvereine. Die katholischen Jungfrauen, die die Mitglieder dieses Vereins bilden, sind selbst Objekt seiner Tätigkeit. Objekt der Tätigkeit des Kath. Fürsorgevereins dagegen sind seine Schutzbefohlenen: die Kinder, deren Erziehung gefährdet ist, die Jugendlichen, die Mädchen und Frauen, die sich in sittlicher Gefahr und Not befinden, denen die Mitglieder des Vereins helfen wollen.

Aufgabe einer Personalorganisation ist es, etwas für ihre Mitglieder zu tun; Aufgabe einer Sachorganisation, zu erreichen, daß die Mitglieder eine bestimmte sachliche Vereinsaufgabe erfüllen.

Abb. 39: Werbeschild des KFV für Kirchtüren und Pfarrbüros (1936).

III.

Der Unterschied zwischen Personal- und Sachorganisation bedingt wesentliche Unterschiede im gesamten Organisationsaufbau. Soweit es sich um kirchliche Vereine handelt, bedingt er auch Unterschiede in der Stellung, die der Geistliche im Vorstand resp. als Präses oder Geistlicher Beirat einnimmt. Wir verweisen hier auf den Jungfrauenverein. Wenn bei ihm die Mitglieder Objekt der Tätigkeit sind, und wenn diese Mitglieder durch den Verein in besonderer Weise gefördert werden sollen, wenn der Verein insbesondere eine Standes- oder Spezialseelsorge für seine Mitglieder neben der allgemeinen Seelsorge ausübt, so ist damit gegeben, daß der Geistliche hier Präses ist und einen Vorstand aus den Mitgliedern zur Seite hat, sich evtl. auch die geeigneten Mitarbeiter und Helfer selbst beruft. Soweit es sich nicht um direkt seelsorgliche Aufgaben handelt, wird auch hier der kluge Präses die Aufgaben weit dezentralisieren und von sich loslösen.

Bei einer Sachorganisation sind die Dinge anders gelagert. Hier sind die Mitglieder Subjekt der Vereinstätigkeit. *Sie* müssen befähigt werden, eine bestimmte Aufgabe zu erfüllen. Die Mitarbeiterinnen des Kath. Fürsorgevereins im besonderen müssen eine fachlich hochstehende und wirksame Jugend- und Gefährdetenfürsorge leisten können. Sie müssen fähig sein, die dazu nötigen Einrichtungen zu schaffen und zu unterhalten. Sie müssen die finanzielle Verantwortung dafür tragen. Sie müssen auch die Arbeit des Vereins und die dabei gemachten Erfahrungen in wirksamer Weise dem Volksganzen zugute kommen lassen und so Einfluß auf die Gestaltung der Kulturgebiete nehmen, die mit Jugend- oder Erziehungsfürsorge und Gefährdetenfürsorge bezeichnet werden.

Aber neben dieser fachlichen Seite steht die religiöse und seelsorgliche Seite der Tätigkeit des Vereins. Jede christliche Erziehungsarbeit hat ein religiöses Ziel, und die katholische Erziehungs- und Gefährdetenfürsorge ganz besonders. Die Menschen, denen diese Arbeit dienen will, sind durch die erzieherische und sittliche Gefährdung, durch die Unordnung in ihrem Leben, nicht nur in ihrem natürlichen und diesseitigen Leben bedroht; stets berührt diese Gefährdung und Unordnung auch ihr übernatürliches Leben, und ganz besonders bedürfen sie der Kraft des religiösen Lebens, um ihr natürliches Leben wieder in Ordnung zu bringen. Mehr als je besteht heute die Gefahr, daß solche fachliche Hilfsarbeit in der Jugend- und Gefährdetenfürsorge von anderer Seite, aus nicht gläubiger Sicht des Menschen, geleistet wird, und damit diese Kinder und Menschen der Kirche entfremdet, vom Wege zu ihrem Heile weggezogen und in die Irre geführt werden. Um so wichtiger wird dann katholische Jugend- und Gefährdetenfürsorge, um so wichtiger ist es, daß sie imstande ist, eine gute wirksame Arbeit zu leisten, die sich trotz aller Hindernisse durchsetzen kann.

Die Ziele und Beweggründe der Vereinsarbeit sind religiöser, die Mittel zur Erreichung des Zieles sind in weitem Umfang fachlicher Art. Zum Seelsorger gewandt, läßt sich die Arbeit des Vereins als Vorarbeit der Seelsorge bezeichnen. Sie ermöglicht die Seelsorge an den Schutzbefohlenen, die sie betreut, indem sie sie der Kirche und ihrem Wirken zuführt. Die Mitarbeit<erin>[1] des Kath. Fürsorgevereins hat für die Seelsorge dieselbe Bedeutung, die christliche Eltern haben, die ihre Kinder der Kirche zuführen.

Aus dieser Sicht der Arbeit des Kath. Fürsorgevereins, ihrer religiösen Zielsetzung und Motivierung und ihrer fachlichen Hilfsarbeit, aus der hohen seelsorglichen Bedeutung dieser Hilfsarbeit, ergibt sich die Stellung des Geistlichen Beirates, die Aufgabe der tätigen Mitglieder und der von ihr gewählten Vorstände.

IV.

Wenn wir im Nachstehenden versuchen, die Aufgabe des Geistlichen Beirates im Fürsorgeverein zu zeichnen, so sind wir uns bewußt, daß dieser erste Versuch eben nur ein Versuch ist, der der Verbesserung bedarf.

a) Die Fürsorgearbeit des Vereins am einzelnen Menschen muß aus den Grundsätzen des katholischen Glaubens geleistet werden. Es darf angenommen werden, daß, sobald der Fall nicht außerordentlich liegt, die katholische Frau, die im Fürsorgeverein mitarbeitet, über das Wissen in der Glaubens- und Sittenlehre verfügt, daß sie das Rechte tun kann. Es gibt aber auch anders gelagerte Fälle, in denen der Geistliche Beirat klare Entscheidungen tref-

1 [Texte in spitzen Klammern = handschriftliche Ergänzungen im Original.]

fen und den Mitgliedern auch erläutern muß. Auf jeden Fall ist es Aufgabe des Geistlichen Beirates, die Mitglieder auf den Gebieten der Glaubens- und Sittenlehre weiter zu führen und ihnen auf diese<n> Gebiete<n> all' das zu geben, was ihrer besonderen Aufgabe entspricht. *Seine Aufgabe ist also zunächst eine theologische.*

b) Es ist aber auch seine Aufgabe, die Mitglieder selbst religiös zu betreuen, damit sie ihre Arbeit als echte Liebesarbeit, als echt apostolische Arbeit tun, damit sie selbst innerlich an dieser Arbeit wachsen. Es ist Aufgabe des Geistlichen Beirates, dafür zu sorgen, daß ein lebendiger religiöser Geist im Fürsorgeverein herrscht, der nicht nur die ganze Arbeit trägt, sondern auch immer weitere Helferinnen in seinen Bann zieht. Die gesamte Pfarrei wird lebendiger werden, wenn in den Mitarbeiterinnen eines caritativen Vereins Verantwortungsbewußtsein und Liebe wachsen und in die Gesamtpfarrei hinausstrahlen. *Seine Aufgabe ist also ferner eine religiöse.*

c) An 3. Stelle ist es seine Aufgabe, dafür zu sorgen, daß diese Arbeit des Vereins, die im Vorraum der Seelsorge steht, in rechter Verbindung zu ihr und zur Pfarrei geschieht. Der Geistliche Beirat wird durch seinen Einfluß zu erreichen versuchen, daß das einmal vom Verein, d. h. von seinem Vorstand und seinen Mitarbeiterinnen aus in der richtigen und zweckmäßigen Weise geschieht. Er wird aber auch dafür sorgen, daß die Seelsorger, <in deren Bereich der Verein arbeitet,> und die anderen pfarrlichen und caritativen Einrichtungen und Vereine ihn in seiner Aufgabe kennen und unterstützen. *Seine Aufgabe ist also an dritter Stelle eine organisatorisch-seelsorgliche.*

In dieser dreifachen Form fällt, wie uns scheint, dem Geistlichen Beirat Verantwortung und darum Führung zu für die Erreichung des religiösen Zieles des Vereins. Seine Aufgabe ist kurz gesagt, die Mitarbeiterinnen des Vereins zu befähigen, ihre Aufgabe vom Wesen des Christlichen her richtig zu sehen und zu erfüllen. Dafür trägt er Verantwortung und hat die dieser Verantwortung entsprechende Führung.

Ganz anders ist seine Stellung, wenn es um die fachliche und praktische Durchführung der Vereinsaufgabe geht, die eben Angelegenheit der Vereinsmitglieder ist.

V.

Sobald es sich um die Fachfragen der Jugendfürsorge, der Wohlfahrtspflege, der Gefährdetenfürsorge handelt, darum, die nötigen Einrichtungen, vielleicht auch Heime zu schaffen, das Büro richtig zu leiten, die Mitarbeiterinnen zu schulen, kurz darum, eine mustergültige Jugend- und Gefährdetenfürsorge aufzubauen, die sich auch alle modernen Errungenschaften zudienste macht, liegt nicht mehr bei ihm die letzte Verantwortung, sondern bei den tätigen Mitgliedern und den von diesen gewählten Vereinsvorständen. Die Verantwortung für die Ausgestaltung dieser Facharbeit muß beim Laien liegen, wenn wir es wirklich ernst meinen mit seiner Mündigerklärung, wenn wir wirklich daran glauben, daß er durch die Kraft des religiösen Lebens imstande ist, seinen Auftrag zu erfüllen, die Kulturgebiete zu verchristlichen. Hier steht also nicht mehr der Priester und nicht mehr der Seelsorger an der Spitze, sondern hier steht der Laie, also die Frau, die Vorsitzende an der Spitze.

Wie weit es dabei zweckmäßig ist, daß der Geistliche Beirat in Fachfragen mit Rat und Tat zur Seite steht, hängt ganz von den örtlichen Gegebenheiten ab, auch von den Fähigkeiten und der Initiative der Vorstandsmitglieder, aber auch von seinen eigenen Fähigkeiten und Neigungen. Wenn der Geistliche Beirat zufällig ein guter Jurist oder ein erfahrener Bauherr ist, wenn er gute Erfahrungen auf dem Gebiete der Wohlfahrtspflege oder organisatorische Befähigung besitzt usw., wird man sich gern von ihm raten und führen lassen. Es wird aber auch oft nötig sein, daß er in diesen Angelegenheiten väterlich rät und führt. Aber Rat und Führung sind hier rein persönliche Dinge und nicht an das Amt des Geistlichen Beirates geknüpft. Sie ergeben sich aus persönlichen Eigenschaften, nicht aus dem priesterlichen Amt. Und je mehr es dem Geistlichen Beirat gelingt, sich aus diesen Fachfragen und aus dieser Gestaltung der Kulturgebiete zurückzuziehen und seine ganze Arbeit darauf einzustellen, daß der Laie fähig ist, hier selbständig zu handeln und selbständig zu führen, um so mehr hat er geleistet für die Verchristlichung des öffentlichen Lebens. Es kommt heute nicht darauf an, Laien, es kommt auch nicht darauf an, Frauen zu gängeln, die ihre Verantwortung spüren und die ihre Verantwortung erfüllen wollen, sondern es kommt darauf an, sie zu immer größerer Selbständigkeit und Sicherheit in der Erfüllung ihrer Aufgaben zu führen; wenn das im wachsenden Maße geschieht, wenn die Laien so wirklich ihre Verantwortung spüren und daraus Freude und Lust an ihrer Tätigkeit zunimmt, dann gewinnen wir die Welt wieder für Christus.

Aus: Archiv des Deutschen Caritasverbandes 319.4 I 05/06 Fasz. 1 (Niederschrift Elisabeth Zillken für Prälat Albert Lenné im April 1936).

IV. Zweiter Weltkrieg – Zusammenbruch – Wiederaufbau (1939–1948)

Die etwa mit Beginn des Zweiten Weltkrieges einsetzende „terroristische" Phase des NS-Sozialstaates[1] war durch eine gewaltige Radikalisierung seiner Ausgrenzungspraktiken gekennzeichnet. Die planmäßigen Mordaktionen gegen Behinderte hatten ihren Ausgangspunkt in Hitlers Ende Oktober 1939 unterzeichnetem und auf den Tag des Kriegsbeginns zurückdatiertem „Euthanasie"-Erlaß, demzufolge – wie es in einer heuchlerisch pseudohumanen Diktion hieß – „nach menschlichem Ermessen unheilbar Kranken bei kritischster Beurteilung ihres Krankheitszustandes der Gnadentod gewährt werden" konnte.[2] Ebenfalls sozialrassistischen Kategorien entsprang die zunehmende Stilisierung des arbeitsunwilligen „Asozialen" als Gegenbild zum „schaffenden Volksgenossen", die Einweisung dieser Menschen in Konzentrationslager und die intendierte, dann aber doch nicht rechtskräftig gewordene Radikallösung der „Asozialenfrage" durch ein „Gemeinschaftsfremdengesetz", womit die Nationalsozialisten die Bewahrungsdiskussion der Weimarer Republik weiterführten und endgültig pervertierten.[3] Überboten wurde diese Folter- und Mordpolitik in ihrer Brutalität nur noch durch die primär rassenideologisch begründete Vernichtung der Juden, aber auch die Massentötungen von Sinti und Roma.

Die beiden Kirchen waren in ihrem Kampf gegen die „Euthanasie" sicherlich nicht immer so mutig und entschieden wie Bischof von Galen in seiner berühmt gewordenen Predigt von August 1941 in der Münsteraner Lambertikirche, aber auf jeden Fall waren es, wenn überhaupt, kirchliche Anstalten und Einrichtungen, die in dieser Zeit noch für eine menschenwürdige Behandlung der Betroffenen bürgten und ihnen einen gewissen Schutz vor dem Zugriff des NS-Staates boten.

Dieser ausgrenzende und ausmerzende Grundzug nationalsozialistischer Wohlfahrtspolitik ist es denn auch, der ungeachtet vieler moderner Elemente im einzelnen und einer durchgängig professionellen Ausgestaltung der verschiedenen Fürsorgefelder den NS-Sozialstaat insgesamt „nur als wohlfahrtsstaatliche Regression angemessen [...] begreifen" läßt. Dadurch, daß dieser die Inklusion, die Teilhabechancen einer immer größeren Zahl von Betroffenen am jeweiligen Sozialprodukt, durch Exklusion ersetzte, brach er „mit einem zentralen, säkularen Entwicklungstrend der Moderne" und verweigerte die Leistungen zudem gerade denen, die sie am meisten gebraucht hätten.[4]

1 Zur Terminologie vgl. Kapitel III, Anm. 4 der Einführung.

2 Zur „Euthanasie" vgl. hier nur die ebd., Anm. 8 aufgeführte Literatur; außerdem Hans-Josef Wollasch, Caritas und Euthanasie im Dritten Reich. Staatliche Lebensvernichtung in katholischen Heil- und Pflegeanstalten 1936 bis 1945, in: ders., Beiträge (wie Einl., Anm. 4), 208–224, wonach auch zitiert wurde (208).

3 Dazu grundlegend Wolfgang Ayaß, „Asoziale" im Nationalsozialismus, Stuttgart 1995; vgl. auch Sachße/Tennstedt, Geschichte der Armenfürsorge, Bd. 3 (wie Einl., Anm. 2), 261–272; Wollasch, Von der Bewahrungsidee der Fürsorge (wie Anm. II/18).

4 Sachße/Tennstedt, Geschichte der Armenfürsorge, Bd. 3 (wie Einl., Anm. 2), 277; zum Verhältnis von Professionalität und sozialer Modernisierung vgl. auch Andreas Wollasch, Professionalität und Qualitätssicherung. Eine historische Spurensuche, in: Diakonie Jubiläumsjahrbuch 1998, Stuttgart 1998, 96–103.

Die Jahre von 1942 bis 1948 erscheinen aber auch in vielerlei Hinsicht als eine die politische Zäsur von 1945 überwölbende Einheit, als eine Periode der Not und des Umbruchs.[5] Hunger, Rationierung von Nahrungsmitteln, Wohnraumbewirtschaftung, Leben in Ruinen und auf der Flucht prägten das Leben der Menschen in dieser Zeit. Der Evakuierung von Ausgebombten und der vom NS-Staat propagandistisch groß aufgezogenen Kinderlandverschikkung[6] folgten seit den letzten Kriegsmonaten ein zielloses Herumirren Entwurzelter und ihrer Behausung Beraubter von Ort zu Ort, Flucht und Vertreibung der Ostdeutschen aus ihrer Heimat und später die Rückführung der Evakuierten. Victor Klemperer, den es zum Kriegsende in das bayerische Dorf Unterbernbach verschlagen hatte, beschrieb jene Kontinuität der Unsicherheit in seinen inzwischen berühmt gewordenen Tagebüchern mit den Worten: „Der Krieg lag hinter uns, während wir ihn noch vor uns glaubten."[7]

Die politische Zäsur, die das Jahr 1945 markierte, soll damit nicht geleugnet werden. Gleichwohl ist das Bild von der „Stunde Null", die „das vermeintliche oder gewollte Vakuum zwischen 1945 und der Neubegründung deutscher Staatlichkeit ausfüllen sollte", von der Sache her nicht zutreffend.[8] Dies gilt unter politikgeschichtlicher Perspektive ebenso wie unter sozial- und wohlfahrtshistorischen Gesichtspunkten. Hier erforderten die skizzierten Problemlagen der letzten Kriegsjahre und der unmittelbaren Nachkriegszeit oft nahezu deckungsgleiche Problemlösungen.

Durch den Zusammenbruch der staatlichen Strukturen und mit ihnen des behördlichen Apparats der öffentlichen Wohlfahrtspflege gegen Kriegsende bahnten sich indes zugleich Veränderungen an, die eine beachtliche Langzeitwirkung entfalten sollten. Die konfessionellen Wohlfahrtsverbände mit ihren Untergliederungen, die den Krieg organisatorisch weitgehend intakt und politisch vergleichsweise wenig belastet überstanden hatten, wuchsen für einige Zeit in die zentrale Rolle von Ausfallbürgen staatlicher Sozialpolitik hinein. Die Menschen hungerten nicht nur nach Brot, sondern auch nach Sinn, und DCV wie Innere Mission bzw. das 1945 neu gegründete Evangelische Hilfswerk wollten und konnten nach ihrem Selbstverständnis für beides sorgen.[9] Die christlichen Wohlfahrtsverbände beiderlei Konfession entwickelten sich in

---

5 Ich folge hier weitgehend dem Ansatz von Broszat/Henke/Woller, Von Stalingrad zur Währungsreform (wie Einl., Anm. 1).

6 Dazu neuerdings ausführlich Gerhard Kock, „Der Führer sorgt für unsere Kinder ..." Die Kinderlandverschickung im Zweiten Weltkrieg, Paderborn – München – Wien – Zürich 1997.

7 Victor Klemperer, Ich will Zeugnis ablegen bis zum letzten. Bd. 2: Tagebücher 1942–1945, Berlin [7]1996, 765 (Eintragung unter dem 3. 5. 1945). – Ein anschauliches und facettenreiches Bild dieser Monate vor und nach Kriegsende vermitteln Klaus-Jörg Ruhl (Hg.), Deutschland 1945. Alltag zwischen Krieg und Frieden in Berichten, Dokumenten und Bildern, Darmstadt – Neuwied 1984, und – aus der Perspektive der Besatzungsmächte – Lucius D. Clay, Entscheidung in Deutschland, Frankfurt/M. o. J. [1950]. Clay war amerikanischer General und von 1947–1949 Militärgouverneur der amerikanischen Besatzungszone.

8 So zu Recht Wolfgang Benz, Potsdam 1945. Besatzungsherrschaft und Neuaufbau im Vier-Zonen-Deutschland, München [3]1994, 246. Allenfalls als „Metapher für eine diffuse Stimmungslage" zwischen erlebtem Zusammenbruch und der Hoffnung auf einen wirklichen Neuanfang behält die Rede von der „Stunde Null" einen gewissen heuristischen Wert, vgl. Kleßmann, Die doppelte Staatsgründung (wie Einl., Anm. 3), 37 ff. (Zitat 37). – Eine materialreiche mentalitätsgeschichtliche Bestandsaufnahme dieser Zeit bieten Alexander von Plato/Almut Leh, „Ein unglaublicher Frühling". Erfahrene Geschichte im Nachkriegsdeutschland 1945–1948, Bonn 1997.

9 Ewald Frie, Brot und Sinn. Katholizismus und Caritasarbeit in der Zusammenbruchgesellschaft 1945, in: Historisches Jahrbuch 117 (1997), 129–146; vgl. Hans-Josef Wollasch, „Sociale Gerechtigkeit und christliche Charitas" (wie Einl., Anm. 4), 333–365; ders., 1945: Keine „Stunde Null" der Caritas, in: ders., Beiträge (wie Einl., Anm. 4), 225–230; Johannes Michael Wischnath, Kirche in Aktion. Das Evangelische Hilfswerk 1945–1957 und sein Verhältnis zu Kirche und Innerer Mission, Göttingen 1986; Thomas Kleinknecht, Der Wiederaufbau der westfälischen Verbandsdiakonie nach 1945. Organisatorisch-methodischer Neubeginn und nationalprotestantische Tradition in der kirchlichen Nothilfe, in: Westfälische Forschungen 40 (1990), 527–616.

der Folgezeit zu wichtigen Verteilungsinstanzen der seit 1945 aus dem Ausland einlaufenden Geld- und Sachspenden, welche vor allem in Gestalt der legendären „CARE-Pakete" im Bewußtsein geblieben sind.[10] Eingebunden waren diese vermittelten sowie die aus eigener Kraft geleisteten Überlebenshilfen für Notleidende, Flüchtlinge und Heimkehrer („Brot") in ein umfassendes Konzept der Rechristianisierung Deutschlands („Sinn"), der kirchlicherseits eine Definition des Nationalsozialismus als Materialismus und Abwendung von Gott zugrunde lag.[11] Es zeigte sich allerdings bald, daß die verbandlichen Erfolge bei Soforthilfe und Wiederaufbau nicht mit einer bleibenden Verchristlichung Hand in Hand gingen, daß mit anderen Worten auf diese Weise „das prekäre Verhältnis von traditionsgesicherter Kirchlichkeit und Modernisierung nicht zu festigen war."[12] Die freien (insbesondere kirchlichen) Wohlfahrtsverbände besaßen aber durch ihre in den Jahren der Besatzungszeit erlangte starke Stellung einen Vorsprung gegenüber der öffentlichen Seite, der es ihnen auch nach 1949 erleichterte, die sozialpolitischen Rahmenbedingungen in ihrem Sinn dauerhaft und nachhaltig zu beeinflussen.

Die Wiederaufbau- und Rekonstruktionsphase in Deutschland zog sich bis weit in die fünfziger Jahre hinein – manche sagen sogar mit beachtlichen Argumenten, bis 1966, wofür dann die eingängige Formel von den „Langen Fünfziger[n]" gefunden worden ist.[13] Gleichwohl erscheint es – zumal unter wohlfahrtsgeschichtlichen Vorzeichen – berechtigt, zwischen Währungsreform und Gründung der Bundesrepublik (und der DDR) nochmals einen gewissen Einschnitt vorzunehmen: Bis 1948 (wir werden es gleich am Beispiel des KFV sehen) war ein Großteil der unmittelbaren Wiederaufbauarbeiten bereits vollzogen und die Reorganisation der verbandlichen Strukturen weit vorangekommen; danach wurden andere sozialpolitische Grundfragen bestimmend, die vor allem um die Neukodifizierung der rechtlichen Rahmenbedingungen von Fürsorge kreisten.[14]

Das Verhalten des KFV bewegte sich in Krieg und Zusammenbruch zwischen dem Bemühen, den Alltagsnotwendigkeiten der Fürsorgearbeit auch unter extremen Bedingungen gerecht zu werden, und einer ethisch begründeten Resistenz gegen Grundlinien des NS-Wohlfahrtsstaates, die sich bis zu Aktionen gewaltlosen Widerstandes steigern konnte. In den laufenden Akten fand dies begreiflicherweise kaum einen direkten Niederschlag, um die mutigen Helferinnen nicht zusätzlich zu gefährden.[15] Indirekte Hinweise, wie sie etwa in einem Rund-

---

10 Hans-Josef Wollasch, Humanitäre Auslandshilfe für Deutschland nach dem Zweiten Weltkrieg. Darstellung und Dokumentation kirchlicher und nichtkirchlicher Hilfen. Hg. vom DCV, Freiburg 1976; vgl. daneben Godehard Weyerer, C.A.R.E. für Deutschland, in: DIE ZEIT vom 7. Juni 1996, 38.

11 Vgl. aus regionaler Perspektive Rainer Auts, Vom „Volksopfer" zur „Nächstenliebe". Das westfälische Winternothilfswerk 1945/46 im Spannungsfeld von Volksgemeinschaft und Rechristianisierung, in: Wollasch, Wohlfahrtspflege in der Region (wie Anm. I/1), 205–227. – Eine solche Definition des NS als materialistische Gottlosigkeit war sicherlich nicht erschöpfend, und sie ließ sich später im Kalten Krieg auch in relativierender Weise gegen den Kommunismus ummünzen, aber abwegig war sie deswegen nicht – man denke nur an die Mordaktionen gegen Behinderte! Im übrigen gab es durchaus gehaltvolle Varianten dieses Deutungsmusters, vgl. etwa den Artikel „Nationalsozialismus" in dem populärwissenschaftlichen Lexikon des katholischen Lebens, hg. von Wendelin Rauch unter Schriftleitung von Jakob Hommes, Freiburg 1952, 840–842.

12 Frie, Zwischen Katholizismus und Wohlfahrtsstaat (wie Anm. III/24), 36.

13 Werner Abelshauser, Die Langen Fünfziger Jahre. Wirtschaft und Gesellschaft der Bundesrepublik Deutschland 1949–1966, Düsseldorf 1987.

14 Vgl. Wollasch, Wohlfahrtspflege und Sozialstaat (wie Einl., Anm. 2), 426 ff. sowie unten Kapitel V.

15 Derartige Rücksichtnahmen klingen an in Dok. 25.

schreiben der KFV-Zentrale an die Ortsgruppen von 1943 enthalten sind *(Dokument 27)*, sprechen gleichwohl eine zumindest für Insider unmißverständliche Sprache, wenn dort mit Bezug auf das Matthäusevangelium festgestellt wird, viele Mitarbeiterinnen seien bedrückt, „wenn selbst Seelsorger davon sprechen, daß man die Hauptsorge den Gesunden zuwenden solle. Als ob nicht der Herr selbst gesagt hätte: ‚Nicht die Gesunden bedürfen des Arztes, sondern die Kranken. [...]'" Daß nach diesen Grundsätzen im KFV immer wieder Schützlinge vor der Vernichtung bewahrt werden konnten, zeigen zumindest einige nachträglich verfaßte Erinnerungsberichte.[16]

In der praktischen Arbeit vor Ort nahm die Suche nach geeigneten Pflegestellen für katholische Kinder einen immer breiteren Raum ein, weil die Heime des Vereins infolge der Kriegsereignisse derartig überfüllt waren, daß sie andernfalls keine Neuaufnahmen mehr hätten vornehmen können. Wie sehr der KFV dabei selbst von Zerstörungen, Leid und Tod unmittelbar betroffen war und wie wenig er sich ungeachtet aller Verluste an Mitarbeiterinnen, Häusern und Hilfsmitteln aus der Überlebensfürsorge für die ihm Anvertrauten zurückzog – dies alles belegen ein Rundbrief der inzwischen nach Paderborn und Salzkotten evakuierten Vereinszentrale vom Dezember 1944, der die sich überstürzenden Ereignisse „nur im Telegrammstil" notieren konnte *(Dokument 29)*, und ein anschaulicher Situationsbericht von Elisabeth Zillken über die Formen und Wege spontaner Hilfe für Evakuierte *(Dokument 28)*.

Frauen und Mädchen!

Ihr seid vielleicht zum erstenmal auf dieser Station des Krankenhauses, seid unerwartet hierhin gekommen und habt Sorge um Angehörige, die Ihr unversorgt oder ohne Nachricht zuhause lassen mußtet.

Möglich auch, daß Euch die Lage, in der Ihr seid, Eure Krankheit, zu denken gibt und daß Ihr um Eure Gesundheit, Eure Zukunft und das Glück Eures Lebens fürchtet. Möglich auch, daß Ihr Aussprache, Rat und Hilfe braucht. Ihr findet sie beim Kath. Fürsorgeverein.

Wendet Euch dorthin. Gebt Nachricht und bittet um einen Besuch. Oder sucht sofort nach der Entlassung das Büro des Kath. Fürsorgevereins

Ort: .... Straße: .... Telefon: ....

Sprechstunden täglich von .... bis ....

auf. Dort wird man Euch helfen, wenn nötig Euch ein vorläufiges Unterkommen verschaffen.

C. Jos. Laumanns, Lippstadt. BAL /9.47/2000/2577/A

Abb. 40: Handzettel aus der Geschlechtskrankenfürsorge des KFV in der unmittelbaren Nachkriegszeit (1947).

16 Vgl. Dok. 24b und den nur mit „J." (= Luise Jörissen?) gezeichneten, expressis verbis auf KFV-Material fußenden Artikel: Ehrfurcht vor dem Menschen in der fürsorgerischen Arbeit, in: Gertrud Ehrle (Hg.), Licht über dem Abgrund. Aufzeichnungen und Erlebnisse christlicher Frauen 1933–1945, Freiburg 1951, 124–133.

Die Generalsekretärin des KFV stand schon seit Jahren unter laufender Gestapo-Überwachung und entging im Sommer 1944 nur knapp einer Inhaftierung. Als der Verein im gleichen Jahr den Tod der inzwischen fast 91jährigen Gründerin Agnes Neuhaus verkraften mußte, der allerdings in keinem unmittelbaren Zusammenhang mit den Kriegsereignissen stand *(Dokument 30)*, übernahm Elisabeth Zillken in Personalunion auch die Leitung des Gesamtvereins.

Das Ende des „Dritten Reiches“ erlebte der KFV organisatorisch funktionsfähig und in kontinuierlicher Arbeit. Wie rasch und energisch die Wiederaufbauarbeiten in Angriff genommen wurden, geht aus einer kurzen Aktennotiz wenige Monate nach Kriegsende hervor *(Dokument 31)*. Bis August 1945 waren demnach bereits 14 Heime mit über 450 Betten neu errichtet worden. „Wir sind überall im Wiederaufbau begriffen und versuchen, auch der Not entsprechend größere Heime und mehr Heime zu schaffen“, schrieb Zillken etwa an den Osnabrücker Bischof Berning. „An vielen Stellen sind Vorasyle dringend nötig, vor allem aber Heime für uneheliche Mütter und für geschlechtskranke Mädchen. Es kommen jetzt besonders viele aus dem Osten, denen wir unsere Hilfe nicht versagen dürfen.“[17] Dieses rasche Handeln war sicherlich eine wichtige Vorbedingung, um zum einen in der Zusammenbruchgesellschaft der Trümmer- und Besatzungsjahre von Anfang an als Anlaufstelle für Hilfesuchende dienen und zum anderen als strukturbildende Kraft bei der anstehenden Neuvermessung des wohlfahrtsstaatlichen Terrains zum Zuge kommen zu können.

---

17 E. Zillken an Berning, 14. 12. 1945, Archiv des Deutschen Caritasverbandes 319.4 H 03/04 Fasz. 1.

„Nicht die Gesunden bedürfen des Arztes, sondern die Kranken“ – Fürsorge in der „Zusammenbruchgesellschaft“ des Weltkrieges (1943)

Dortmund, den 22. November 1943

Sehr geehrte Frau Vorsitzende, liebe Mitarbeiterinnen,

unser heutiges Schreiben bringt Ihnen verschiedene Anlagen [...]

Leider müssen wir wieder mit schmerzlichen Nachrichten aus den verschiedenen Heimen und Zweigen[1] des luftgefährdeten Gebietes beginnen. Das luftgefährdete Gebiet hat sich in den letzten Wochen räumlich sehr ausgedehnt. Viele unserer Zweige und Heime sind Gott sei Dank bis jetzt behütet geblieben. Einige haben zu unserem großen Schmerz schwere und sogar totale Schäden erlitten [...]

Gott sei gedankt, daß wir diesmal keine Opfer an Leben zu melden brauchen. Mit allen Betroffenen und in ständiger Gefahr Lebenden tragen wir Leid und Sorge zusammen. Einige Mitarbeiterinnen aus dem weniger gefährdeten Gebiet haben nach Empfang unseres letzten Schreibens ihrer Mitsorge und ihrem Gedenken auch brieflich Ausdruck gegeben. Wir danken allen dafür. Einige Mitarbeiterinnen haben uns nach Paderborn, Klingelgasse 1, in großmütiger Weise Haus- und Leibwäsche, sowie Kleidungsstücke und Gegenstände des täglichen Gebrauchs für total geschädigte Mitarbeiterinnen geschickt. Wir konnten einigen, wenn auch längst nicht allen, damit helfen und sagen in deren und im eigenen Namen ein herzliches und aufrichtiges „Vergelt's Gott".

Wie aus der Anlage mit den neuen Adressen hervorgeht, bauen alle, (auch die in früheren Schreiben bereits als zerstört oder beschädigt gemeldeten Zweige und Heime) wieder neu auf oder richten sich an anderen Stellen neu ein.[2] Die Arbeit geht überall weiter. Wir sind in den zerstörten Städten noch notwendiger geworden mit unserer Hilfe. Die Vorstände, die beruflichen und ehrenamtlichen Mitarbeiterinnen, die Ordensfrauen und die weltlichen Kräfte in den Heimen, halten überall – auch da, wo erfreulicherweise noch keine Schäden eingetreten sind – tapfer schwerste Tage und Wochen durch in Arbeit und Hilfeleistung. Wo schwere Angriffe waren, haben wir wohl oft gewünscht, in der Linderung der allgemeinen Not, die sich unseren Augen manchmal grauenhaft darbot, noch mehr mithelfen zu können. An einigen Stellen, besonders in den Heimen, konnten wir vorübergehend auch vieles leisten, besonders durch Kochen und sonstige Sorge für Obdachlose usw. Im allgemeinen aber ist folgendes festzustellen: Die Hilfe ist von anderer Seite gut organisiert und kann auf viele Einzelhelfer zurückgreifen. Wo wir uns anstelle solcher Einzelhelfer einschalten, leisten wir meist eine Arbeit, die auch von andern geleistet werden kann, und für die sich auch andere melden. Unsere eigene Arbeit aber bleibt ungetan, d.h. unsere Schutzbefohlenen und viele Gefährdete warten vergebens auf uns in Tagen, da die Ratlosigkeit und darum die Gefährdung, zugleich aber auch die seelische Bereitschaft, eine tiefergehende Hilfe anzunehmen, besonders groß ist. So darf wohl grundsätzlich gesagt werden, daß wir nach feindlichen Angriffen auf unserer Arbeitsstelle stehen bleiben und unsere eigene Hilfsarbeit besonders gut durchdacht und den Zeitverhältnissen angepaßt weitertun.

---

1 [Seit März 1938 hatten sich alle Ortsgruppen des KFV in „Zweige" umbenennen müssen, um nicht in Konflikt mit den Bestimmungen des „Gesetzes zum Schutze von Bezeichnungen der NSDAP" vom 7. 4. 1937 zu geraten.]

2 [Vgl. auch Dok. 31.]

Was tun wir? Wir suchen unsere Schutzbefohlenen auf, stellen evtl. ihre neue Adresse fest, sehen zu, ob sie besonderen Rates, besonderer Hilfe bedürftig sind. Wir sorgen auch, daß wir diesen Rat in zureichender Weise erteilen können, wir informieren uns genau über die geltenden Bestimmungen, halten Verbindung mit den infragekommenden öffentlichen und privaten Hilfsstellen, besonders auch mit den Pfarreien, sowie mit den anderen caritativen Stellen. Da, wo Akten und Kartotheken verloren gegangen sind, versuchen wir möglichst schnell aus dem Gedächtnis die Unterlagen für unsere Arbeit zu ergänzen. Wo mehrere von uns gemeinsam daran arbeiten können, ist das wohl möglich, wenn es schnell genug geschieht. Ergänzungen finden wir evtl. bei den Pfarreien, bei Pfarrhelferinnen, bei den Fürsorgerinnen anderer Stellen, bei Behörden usw. Wo es angebracht ist, bieten wir auch Behörden und anderen Stellen, insbesondere auch den Pfarreien, unsere Hilfe – besonders auf unserem eigenen Arbeitsgebiete – erneut an, je nachdem für den Einzelfall oder für bestimmte Arbeitsgebiete. Die öffentliche Wohlfahrtspflege hat an vielen Stellen auf unsere Akten und Kartotheken zurückgegriffen, wo sie selbst ihre Unterlagen durch Brand verloren hat. Sie hat an mehreren Stellen auch dankbar unsere Hilfe entgegengenommen.

Nicht zuletzt gilt den Mitarbeiterinnen nach Angriffen unsere herzliche Sorge. Wir suchen zu erfahren, wie es ihnen geht, resp. wir erwarten, daß sie uns Nachricht geben. Wir überlegen in den Konferenzen vorsorglich mit ihnen, wie diese Nachrichten am praktischsten gegeben werden können. In diesen Zeiten gehören wir noch enger zusammen als sonst. Auch die Zentrale bittet die Zweige und Heime, nach Angriffen, die in den Heeresberichten als schwere Angriffe gemeldet werden, ihr so schnell wie möglich eine Nachricht zu geben. Wir sind oft lange in großer Unruhe um unsere Mitarbeiterinnen.

Unsere besondere Sorge gilt überall evakuierten Schützlingen; dabei macht es keinen grundsätzlichen Unterschied, ob die Evakuierung nach Angriffen, oder ob sie vorsorglich vorgenommen wurde. Die Aufgabe fällt sowohl den Zweigen der Entsendegebiete als auch den Zweigen der Aufnahmegebiete zu; eine enge gute Zusammenarbeit beider ist erforderlich. Es sind insbesondere zu sehen:

a) unsere bisherigen Schützlinge, die wir in offener Fürsorge oder in unseren Heimen betreuten, und auch ihre Familien. Wo sind sie geblieben, und wie können wir mit ihnen in Verbindung bleiben und ihnen weiter helfen?
b) Kinder aus evakuierten katholischen Heimen (Waisenhäuser, Erziehungsheime, Kinderheime, Säuglingsheime usw.), bei denen wir uns fragen müssen, wer in Zukunft Familien-Pflegestellen für diese Kinder sucht, sich ihrer Familien und Mütter annimmt, usw.
c) Auch die evakuierten Kinder, die bisher unserer Betreuung nicht unterstanden, die aber jetzt besonderen Gefährdungen in der Fremde ausgesetzt sind, oft auch ihre Mütter; sie müssen im Falle akuter Gefährdung Hilfe von unserer Seite erfahren.

Wir fragen uns, wo die Kinder unserer Stadt hingekommen sind. Wir fragen ferner, ob die im Aufnahmegebiet liegenden Fürsorgevereine in der Lage sind, ausreichend zu helfen, oder ob wir unsererseits einspringen, oder zum mindesten die Hilfe der Fürsorgevereine im Aufnahmegebiet verstärken müssen. Die Fürsorgevereine des Aufnahmegebietes und des Entsendegebietes werden diese Fragen gemeinsam überlegen müssen. An vielen Stellen haben die Heimatdiözesen auch Seelsorger der Heimat in die Aufnahmegebiete entsandt. Die Zusammenarbeit mit diesen ist wesentlich. Sie müssen die Adressen unserer Zweige und Heime im Aufnahmegebiet haben, aber sie müssen auch wissen, daß wir von der Heimat aus zu jeder Hilfe bereit sind. Wenn es angebracht und möglich ist, sollte eine unserer Fürsorgerinnen aus dem Entsendegebiet im Aufnahmegebiet helfend und nachgehend einspringen in Zusammenarbeit sowohl mit den entsandten Heimatseelsorgern als auch mit den Fürsorgevereinen des Aufnahmegebietes. Von den Fürsorgevereinen der Aufnahmegebiete erbitten wir vor allem auch starke Anregung bezüglich Gestaltung der Hilfe. Wir bitten sie, sich über die Lage zu orientieren und ihrerseits an die Fürsorgevereine des Entsendegebietes oder auch an die Zentrale heranzutreten mit Vorschlägen, Fragen, Nachrichten usw.

In den evakuierten Städten selbst fallen uns zum Teil neue und große Aufgaben zu. So sind z.B. viele berufstätige Mädchen ohne Familie zurückgeblieben, und infolge der Zerstörungen haben sie nur eine wenig gemütliche Unterkunft. In dieser Lage brauchen viele unsere Hilfe; wir sollten für sie leicht zu finden sein.

Ein besonderes Wort zur Vorsorge: Wie schützen wir in Geschäftsstellen und Heimen noch vorhandene Akten und Kartotheken? Manches läßt sich im Keller oder an anderen besser gesicherten Stellen unterbringen. Eine Anregung in dieser Hinsicht kann vielleicht die Anweisung eines großstädtischen Jugendamtes geben: Es wird eine zweite Kartei eingerichtet für die Amtsvormundschaft, die als Notkartei bezeichnet wird, um für den Fall der Vernichtung von Amtsvormundschaftsakten die Neubeschaffung der wichtigsten Urkunden sicherzustellen und die weitere Betreuung der Amtsmündel zu sichern. Diese Notkartei wird außerhalb der Stadt untergebracht und im Tresor einer ländlichen Kreissparkasse aufbewahrt. Einmal in der Woche fährt jemand zur Notkartei hin, um die im Laufe der vergangenen Woche notwendig gewordenen Ergänzungen vorzunehmen. (Die Notkartei muß also die wichtigsten Personalangaben und Daten, auch wichtige Aktenzeichen, enthalten, damit Urkunden neu beschafft werden können. Auch Nummer und Endsumme des Sparkassenbuches des Schützlings usw. sind zu notieren.) Empfehlenswert ist es auch, ein Inventarverzeichnis des Büros und des Heimes, sowie ein Verzeichnis der Sparkassenbücher, Bankbücher, Bilanzabschriften usw. des Vereins in gleich gesicherter Weise aufzubewahren. Es empfiehlt sich ferner, monatlich eine Abschrift der Abschlußsummen des Postschecks, der Sparkasse, der Bank usw. an dieser Stelle zu hinterlegen. Die Geltendmachung der Schadensersatzansprüche erleichtert sich dadurch wesentlich.

Die Zentrale steht im übrigen allen Zweigen und Heimen, die Schädigungen erlitten haben, gern mit Rat und Tat zur Verfügung, insbesondere auch bei Geltendmachung der Schadensersatzansprüche, bei Wiederaufbau usw.

Sehr verehrte Mitarbeiterinnen, es ist die Stunde da, die besondere Anforderungen an unsere Liebe und an unser Wirken aus der Liebe stellt. Die Not ist so vielgestaltig und groß, daß wir unsere letzte Kraft zur Linderung einsetzen müssen. Es genügt nicht mehr, daß wir vom Überschuß unserer Zeit und unserer Kraft geben, die Forderung geht vielmehr an die Substanz unserer Kraft. Die Erscheinungsformen der Not sind z.T. kompliziert. Die Hilfe erfordert, sofern sie echte Hilfe sein soll, viel natürliches Können und Fachwissen, sie erfordert übernatürliche Weisheit. Um diese beten wir gemeinschaftlich, daß sie uns gnädig geschenkt werde, um jene ringen wir in unserer Arbeit, in unseren Konferenzen, in unserer Schulung, in eigener Weiterbildung. Viele sagen uns in dieser Zeit ein Wort, das uns in müden Stunden unsicher macht und fast entmutigt: das Wort vom „minderwertigen" Menschen – und sie meinen dann, es sei richtiger, alle Hilfe auf den gesunden, wertvollen Menschen zu konzentrieren. Die Begriffe „gesund" und „krank", „wertvoll" und „minderwertig" bedürfen schon im natürlichen Bereich, sobald sie auf Seelisches und Geistiges und auch, wenn sie auf den Stellen-Wert des Einzelnen im Volks-Ganzen bezogen werden, einer eingehenden und tiefgründigen Erläuterung. Auf diese Frage können wir hier nicht näher eingehen. Auch die Frage der Schuld: (warum jemand so schwach, so unheilvoll ist und inwiefern er darum ein Recht auf Hilfe der Gemeinschaft hat,) bedürfte der Erörterung. Unsere Schützlinge sind ja meist nur die Opfer des Unrechtes, das andere begangen haben, sie sind die Opfer einer Schuld, die die ganze Gemeinschaft in vielen Generationen trägt. Wir sollten bei solchen Fragen manchmal vielleicht die Antwort des Herrn, die uns Johannes im 9. Kap., Vers 2 ff berichtet, beherzigen: „Da fragten ihn seine Jünger: Meister, wer hat gesündigt, daß er blind geboren wurde: er oder seine Eltern? Jesus antwortete: Weder er noch seine Eltern haben gesündigt, vielmehr sollen die Werke Gottes an ihm offenbar werden."

Sobald wir den übernatürlichen Bereich mit berücksichtigen, sobald wir versuchen, aus christlichem Glauben die Antwort zu geben auf die Frage: „Was ist der Mensch?", bekommt das Wort vom Wertvollen und Minderwertigen einen ganz anderen Hintergrund. Wir wissen, daß diese Fragen viele Mitarbeiterinnen innerlich beschäftigen, daß viele bedrückt sind, wenn selbst Seelsorger davon sprechen, daß man die Hauptsorge den Gesunden zuwenden solle. Als ob nicht der Herr selbst gesagt hätte: „Nicht die Gesunden bedürfen des Arztes, sondern die Kranken. Geht hin und lernt verstehen, was es heißt: Barmherzigkeit will ich, nicht Opfer. Ich bin nicht gekommen, die Gerechten zu berufen, sondern die Sünder." Math. 9,12–13. Wir glauben vielen Mitarbeiterinnen gerade in dieser Hinsicht Trost und Ermutigung zu geben, wenn wir zum Schluß unseres heutigen Schreibens eine Stelle aus der letzten Enzyklika unseres Heiligen Vaters über den Mystischen Leib Christi vom 29. 6. ds. Js.[3] bringen. Im 3. Teil der Enzyklika, der pastorale Ermahnungen enthält (der erste Teil behandelt die Kirche als den mystischen Leib Christi, der zweite die Verbindung der Gläubigen mit Christus) spricht der Heilige Vater von unserer Liebe zur Kirche, die eine zuverlässige und unverfälschte sein soll, und fährt dann fort:

> „Damit solch zuverlässige und unverfälschte Liebe in unseren Herzen Platz greife und täglich wachse, müssen wir uns angewöhnen, in der Kirche Christus selbst zu erblicken. Denn Christus ist es, der in seiner Kirche lebt, der durch sie Lehre, Leitung und Heiligung spendet. Christus ist es auch, der sich auf verschiedene Weise in den verschiedenen Gliedern seiner Gemeinschaft darstellt. Wo dies Streben nach lebendigem Glaubensgeist wirklich das Handeln aller Christgläubigen bestimmt, da werden sie gewiß nicht allein den hervorragenden Gliedern des mystischen Leibes Ehre und gebührenden Gehorsam entgegenbringen, zumal denen, welche im Auftrag des göttlichen Hauptes einmal Rechenschaft abzulegen haben über unsere Seelen: sie werden auch um jene sich kümmern, denen die besondere

3 [Pius XII., Enzyklika Mystici Corporis vom 29. 6. 1943.]

Liebe unseres Erlösers gilt: die Schwachen, Verwundeten und Kranken, ob sie natürlicher oder übernatürlicher Heilung bedürfen, die Kinder, deren Unschuld heute so leicht gefährdet, deren kleine Seele wie Wachs formbar ist, die Armen endlich, in denen unsere helfende Liebe mit innigem Mitleid die Person Jesu Christi selber erkennen soll.

So mahnt ja der Apostel mit vollem Recht: ‚Viel notwendiger sind jene Glieder des Leibes, die als die schwächeren erscheinen; und die, welche wir für die weniger achtunggebietenden ansehen, umkleiden wir mit reicherem Schmuck.'[4] Im Bewußtsein der Uns auferlegten hohen Amtspflicht glauben Wir diesen ernsten Satz heute erneut betonen zu müssen."

Diese Worte sind uns Trost und geben uns Sicherheit in schwerer Zeit. Aber nicht nur diese kurze Stelle, die ganze Enzyklika ist geeignet, uns innerlich zu stärken für die Anforderungen der Stunde. Wenn es möglich ist, sollten wir sie lesen und sogar in unseren Konferenzen durch den Geistl. Beirat oder einen anderen geeigneten Geistlichen besprechen lassen. Unser ganzes Wirken ist ein Wirken als Glied am Leibe Christi für Glieder dieses Leibes. Und alles, was wir tun können, geschieht aus dem Lebensstrom, der uns durch die Zugehörigkeit zu diesem Leibe zufließt. Der hl. Johannes [ge]braucht im 15. Kap. den Vergleich vom Weinstock und den Reben: „Bleibet in mir, dann bleibe ich in euch. Wie die Rebe, wenn sie nicht am Weinstocke bleibt, aus sich selbst keine Frucht bringen kann, so auch ihr nicht, wenn ihr nicht in mir bleibt. Ich bin der Weinstock, ihr seid die Reben. Wer in mir bleibt, und in wem ich bleibe, der bringt viele Frucht, denn ohne mich könnt ihr nichts tun."[5]

Am 8. Dezember[6] sind wir im Gebet noch besonders vereint.

Frau Neuhaus denkt täglich an alle Mitarbeiterinnen und läßt alle grüßen. Wir von der Zentrale in Dortmund, Salzkotten und Paderborn bemühen uns mit unserer ganzen Herzkraft das gleiche zu tun und grüßen Sie in treuer Verbundenheit.

Ihre
gez. Elisabeth Zillken

Anlagen.
[...]

Aus: Archiv des Deutschen Caritasverbandes 319.4 I 06/01a Fasz. 3 (Rundschreiben KFV Zentrale an Ortsgruppenvorsitzende und -mitarbeiterinnen).

4 [1 Kor 12,22 f.]
5 [Joh 15,4 f.]
6 [Mariä Empfängnis.]

Evakuierung

Paderborn, Klingelgasse 1
1. November 1944

Sr. Gnaden
Herrn Präsident Dr. Kreutz,
Freiburg i. Brsg.
Werthmannhaus

Zi./Ri.

Sehr verehrter, Hochwürdigster Herr Präsident,

Ihr Brief vom 21. Oktober, für den ich herzlich danke, ist vorgestern in Paderborn eingetroffen. Und inzwischen erhielt ich auch über Lippstadt den Fahrtausweis, für den ich meinen ganz besonderen Dank sagen möchte. Es ist zwar inzwischen noch schwerer geworden zu reisen, aber ich glaube, er wird mir doch in der allernächsten Zeit noch gute Dienste leisten können.

Unsere Arbeit und Sorge um die Unterbringung flüchtender Heime wächst. Sonntag abend kam plötzlich das Antoniusstift-Münster mit Zöglingen und Schwestern in Haus Widey an, weil es in Münster vollständig zerstört ist. Auf die Kölner haben wir bis jetzt vergeblich gewartet, haben auch keine Nachrichten mehr. Wahrscheinlich wird das zerstörte Marienheim aus Essen-Borbeck in den nächsten Stunden vor uns stehen. Das Josefshaus-Mülheim/Ruhr, das Gertrudenhaus-Düsseldorf haben einen Teil ihrer Kinder bereits hergebracht. Wir fürchten, daß unser Anna-Katharinen-Stift auf der Karthaus bei Dülmen sich auf die Wanderschaft begeben muß, ebenso die Marienburg in Coesfeld usw. Wir suchen Plätze, d. h. Räume und Betten und die nötigsten Einrichtungsgegenstände. Die Beschaffung von Betten ist fast noch schwieriger als die Beschaffung von Räumen. Schützenzelte sind schon eine willkommene Bleibe; wenn die ganze Umgebung hilft, kann man auch schulpflichtige Jungen dort unterbringen. Für schulentlassene Mädchen haben wir jetzt die ersten Versuche in Behelfsheimen einer Domäne und in Baracken von Industriefirmen. Auf diese Weise ergibt sich gleichzeitig eine Arbeit für die Heime, und die Firmen helfen, die Heime einzurichten. Wenn wir nur mehr solcher Möglichkeiten fänden. Schwer ist eine ordentliche Bleibe für Schwangere, für stillende Mütter und Säuglinge zu finden, und vor allem die nötigen Einrichtungsgegenstände. Hier im Gebiet wissen wir allmählich auch nicht mehr, wo mit den Schwestern bleiben. Die älteren und kranken Schwestern werden aus den verschiedensten Mutterhäusern hierher gebracht, und viele haben auch keine Bleibe. Aber allmählich gibt es auch arbeitsfähige Schwestern, die keine Aufgabe mehr haben. Sie kommen aus den Kampf- und schweren Bombengebieten, in denen dann durchweg auch ihre Mutterhäuser liegen. Wir suchen in Zusammenarbeit mit dem Diözesan-Caritasverband zu helfen und, so weit es geht, allen diesen zum Teil wirklich über uns hereinstürzenden Dingen noch eine Form und Ordnung aufzuprägen. Wie lange werden wir es noch können?

Ich hörte vor einigen Tagen, daß Hohenlind auch gebrannt hat, daß aber der Brand nach Schädigung der obersten Etage gelöscht werden konnte. Ich hoffe, daß den Menschen dort nichts passiert ist, und war froh und dankbar, daß die Nachricht nicht schlimmer war. Hoffentlich ist es auch heute noch so.

Ich bin froh und dankbar für den angekündigten Geldbetrag. Sobald das Geld eingeht, lasse ich Ihnen eine Empfangsbestätigung zugehen. Wir werden den Betrag gut verwenden können und unsere bombengeschädigten Mitarbeiterinnen werden sich über die Hilfe ganz besonders freuen.

Ich danke Ihnen für alle Sorge und für alle Güte, sehr geehrter Herr Präsident. Sagen Sie bitte allen Ihren Mitarbeitern und Mitarbeiterinnen unsere Grüße. Wir sind froh in dem Bewußtsein, daß Sie und die Mitarbeiter des Werthmannhauses mit uns beten.

Mit dankbaren Grüßen bin ich
Ihre sehr ergebene
gez. E. Zillken

Anlage.

Aus: Archiv des Deutschen Caritasverbandes 319.4 A 02/05 e Fasz. 1.

Tod und Zerstörung

Paderborn, im Dezember 1944

Aus der Arbeit des Vereins.

Wir geben nachstehend nur im Telegrammstil Auszüge aus Briefen unserer Zweige, die durch Krieg und Fliegerangriffe besonders getroffen sind. Papiermangel und Kräftemangel verbieten leider, ausführlich zu berichten.

Die Zentrale bittet vorweg dringend, ihr bei der Suche nach geeigneten Familienpflegestellen zu helfen. Die wenigen verbliebenen Heime für Säuglinge und Kinder sind überfüllt. Familienreife Kinder müssen unbedingt aus diesen Anstalten herausgebracht werden, um sie wieder aufnahmefähig zu machen. Es ist überall schwer, noch Familienpflegestellen zu finden, aber jede einzelne gefundene Stelle bedeutet eine Hilfe, bedeutet Rettung eines gefährdeten Kindes. Meldungen bitte an Frl. Anna *Reisinger,* Salzkotten (21), Osternstr. 229.

Aachen: Büro der Außenfürsorge und Heim (Liebfrauenhort) befinden sich in Stadthagen (20). Frl. Jungbluth und Frl. Schimmel sind mitgegangen. Der Fürsorgeverein Aachen kümmert sich um Aachener Evakuierte, soweit sie in unseren Aufgabenkreis fallen, die im Bereich der Pfarrei von Stadthagen und im Kreis Bückeburg untergebracht sind, leistet überhaupt Fürsorgearbeit in diesem Bezirk. Adressiert wird am besten persönlich an Frl. Jungbluth oder Frl. Schimmel, Domäne Schäferhof. Das Heim zieht demnächst in Behelfsheime der Domäne Schäferhof um. Die Schützlinge werden auf der Domäne mitarbeiten. Die Schwestern führen unter Mithilfe einiger Schützlinge die Gemeinschaftsküche für die Evakuierten. Von der Vorsitzenden und ihrer Familie fehlt jede Nachricht.

Bielefeld: Die Fürsorgerin, Frl. Elisabeth Hellweg, ist am 30. 9. beim Terrorangriff ums Leben gekommen.

Bochum: Am 4. 11. Büro wiederum zerstört. Unsere Fürsorgerin, Frl. Erna Paul, in einem öffentlichen Luftschutzraum ums Leben gekommen. Frl. Bartel und Frl. Böcker Wohnung wieder verloren. Frl. Böcker hat nichts gerettet, Frl. Bartel nur etwas Wäsche. Frl. Böcker hatte am 1. 10. ihr 25jähriges Jubiläum beim Fürsorgeverein. Anschrift: Frl. Maria Bartel, Bochum-Gerthe, Hiltroper Landwehr 7.

Bonn: Büro zerstört, Akten und Inneneinrichtung gerettet. Weiterarbeit von der Wohnung der Vorsitzenden aus.

Bottrop: Am 31. 10. Heim zerstört, ein neues Behelfsheim bereits vorhanden. Büro beschädigt, aber benutzbar.

Braunschweig: Die Vorsitzende verlor bereits im April ihre Wohnung. Die neue Anschrift: Wilhelm-Bode-Weg 12.

Bremen: Büro beim ersten Oktoberangriff total ausgebrannt, behelfsmäßig eingerichtet im Elisabethhaus, Kohlhökerstr. 22. Die Vorsitzende schreibt: „Wir leben in einer Trümmerstadt. Viele Mitarbeiterinnen mußten ihr Heim hergeben, auch meine Mutter (die frühere Vorsitzende Frau Ehrling). Von unserem Elisabethheim aus helfen wir soviel wir können."

Dillingen/S.: Kriegsgebiet, es fehlt jede Nachricht.

Dortmund: hatte inzwischen mehrere schwere Angriffe. Das Haus von Frau Neuhaus wurde total zerstört, sogar der Keller brannte aus, auch der Teil, in dem Frau Neuhaus ihre Akten, Manuskripte usw. aus der Frühzeit des Vereins geborgen hatte. Das Vorasyl, zuerst im Oktober mit dem Elisabeth-Waisenhaus vernichtet, dann wiederum mit dem Vincenzheim am 29. 11. Von Letzterem stehen nur noch die Wäscherei und der Flügel mit dem Säuglingsheim. 2 Abteilungen der Zöglinge wurden inzwischen in Westuflen über Werl untergebracht und einige auf dem Strüwerhof, Allen, Werl-Land. Einige Abteilungen sind noch da, ebenso wie unser Vorasyl. – Das Haus Schulgasse 5 wurde so beschädigt, daß ein Darinverbleiben auf die Dauer für Zentrale und Zweig infrage gestellt ist. Die Arbeit des Zweiges Dortmund geht trotzdem weiter, man überlegt, die Konferenzen in die Vororte zu verlegen. Frl. Fuhrmann, Frl. Hald, Frl. Dr. Jörissen, Frl. Wessel, Frl. Klein und Frl. Dr. Wiese haben ihre Wohnung verloren.

Düren: Kriegsgebiet, Heim und Büro aufgelöst. Die Vorsitzende, Frau Irma Jansen, ist nach Zerstörung ihres Hauses nach Hinter-Eichholz über Steinheim Krs. Höxter verzogen. Frl. Lüttgen wohnt wahrscheinlich in Wolfen/Bitterfeld bei Dr. Kaascht.

Düsseldorf: Bürohaus des Fürsorgevereins schwer beschädigt, Gertrudisheim schwere Schäden. Für Letzteres suchen wir andere Unterbringung. Die Wohnung der Vorsitzenden, Frl. Hopmann, schwer beschädigt. Einige der Fürsorgerinnen verloren ihre Wohnung.

Duisburg: Im November stand das Bürohaus noch, war aber kaum benutzbar. Arbeit geschah noch soweit wie möglich.

Emden: Die Wohnung der Vorsitzenden zerstört. Briefe und Anfragen erreichen sie in Aurich, Ostfriesland, Extennerweg 16.

Erkelenz: Kriegsgebiet. Es fehlt jede Nachricht.

Eschweiler: Kriegsgebiet. Frl. Dostall befand sich im Oktober in Mehlem/Rh. Königswintererstr. 4 bei Verwandten van Rhedt, beabsichtigt demnächst nach Honnef überzusiedeln.

Essen-Borbeck: Marienheim und Büro am 25. 10. zerstört. Vieles gerettet. Der Wäschereibetrieb z.T. stehen geblieben, wird auch wieder aufgebaut, da er der Flak und der ausgebombten Bevölkerung dient. Büro im Hause der Vorsitzenden: Frau H. Optelaak, Germaniastr. 287 Tel. 30283. Für den Nähbetrieb des Hauses sind Maschinen von der Bevölkerung zur Verfügung gestellt worden. Z. Zt. wird ein übrig gebliebener Teil des Exerzitienhauses, (das Viele von unseren Tagungen her kennen) für das Marienheim wieder hergestellt.

Emmerich: geräumt, von Frl. Jansen fehlt jede Nachricht.

Frankfurt/M.: arbeitet weiter trotz größter Schwierigkeiten. Die Arbeit nimmt zu, vor allem die Gefährdetenfürsorge und die Zusammenarbeit mit den Behörden.

Freiburg: Das Jungmädchenheim total zerstört, sämtliche Insassen sollen verschüttet sein, so daß mit deren Tod gerechnet werden muß. Darunter ist die Gräfin Tattenbach, die seit 6 Jahren als Erzieherin im Heim war. Frl. Bäumer lebt, da sie an dem Tage auswärts war. Nähere Nachrichten fehlen noch, vor allem auch Nachricht über das danebenliegende Augustinusstift und über die Vorsitzende.

Gelsenkirchen: Büro erhalten, Gertrudisheim bekam Volltreffer. Der alte Teil vollständig vernichtet. Neubau kann wieder hergestellt werden. Das Heim ist behelfsmäßig untergebracht in G.-Flöz-Sonnenschein 9.

Gladbeck: Büro zerstört, Haus der Vorsitzenden halb zerstört, dadurch die Fürsorgerin, Frl. Heekmann, obdachlos.

Goch: Vorsitzende, Frau Velling, ist in Paderborn, Mallinckrodtstr. 23 bei Dr. Hustedde.

Hamm: Büro arbeitet von der alten Adresse aus, Heim zerstört, befindet sich z. Zt. in Schloß Herdringen/Arnsberg. Vorsitzende: Frau Justizrat Schwering, Arnsberg, Wedinghauserstr.

Hamburg: Der Fürsorgeverein hat schon im März dieses Jahres ein neues Heim wieder aufmachen können. Es ist mit dem Büro, Papenhuderstr. 10, verbunden und hat Platz für 20 Schützlinge. Die Leitung des Heimes übernahmen 2 langjährige Mitarbeiterinnen, die bei den Angriffen im vergangenen Jahr totalgeschädigt waren und nun auf diese Weise selbst wieder eine Heimat fanden. Frl. Feische schreibt im Juli: „In Hamburg habe ich einen Zug überschlagen. Frau Albers zeigte mir das neue Heim, von dem ich begeistert bin: große, helle, freundliche Räume, Veranda vorn und hinten, großer Garten und überall Blick ins Grüne. Es ist auch alles geschmackvoll eingerichtet."

Hannover: wieder voll in der Arbeit. Die Vorsitzende schreibt: „Inzwischen hatten wir die 1. Mitgliederversammlung, die gut besucht war. Sie stand unter dem Zeichen des Alarms. Wir konnten aber mit einstündiger Verspätung beginnen und alles gut zu Ende führen. Herr Propst überbrachte uns den Dank der gesamten Pfarrgeistlichkeit Hannovers für den Wiederbeginn und Neuaufbau unserer Arbeit und versprach, daß von dieser Seite unsere Arbeit unterstützt und getragen würde. Da wir den 90. Geburtstag von Frau Neuhaus am Tage selbst wegen der schwierigen Verhältnisse nicht hatten feiern können, wies ich in dieser Mitgliederversammlung darauf hin. Wir lasen das Schreiben der Zentrale zum Geburtstag von Frau Neuhaus, das so recht geeignet war, uns Anfang und Kern der Arbeit vor Augen zu führen. Es wurde der Wunsch ausgesprochen, in gemeinschaftlicher hl. Messe und Communion des Tages zu gedenken. Herr Propst schlug vor, den 9. 10. als Jahrestag der Zerstörung zu wählen, an dem man wohl das Werk, aber nicht die Liebe zerstören konnte. Am 9. 10. morgens

8 1/4 Uhr im Marienhaus hl. Messe mit Ansprache, in der wir aufs neue gelobten, im Geiste unserer lieben verehrten Frau Neuhaus das schöne Werk fortzusetzen. Wir alle waren in sehr froher Stimmung, und das ‚Großer Gott, wir loben Dich' am Schluß kam aus dankerfülltem Herzen."

Homberg: Wohnung und Büro der Vorsitzenden zerstört. Frau Dr. Hamacher mußte Homberg am 11. 12. verlassen. Briefe und Anfragen erreichen sie bei Gutsbesitzer Hessels in Barneberg über Völpke Krs. Eisleben.

Insterburg: Kriegsgebiet. Frau Krämer ist in Frauenburg/Ostpreußen, Langgasse 122.

Kiel: Heim und Büro wieder neu eingerichtet. Frl. Feische schreibt am 1. 12.: „Nun muß ich Ihnen noch sagen, daß wir z. Zt. schon 5 Mädchen haben und noch ein 6. aufnehmen können, sobald wir Bettstellen haben. Wir sind alle froh, daß es soweit gelungen ist. Vor Weihnachten gedenken die Schwestern auch noch eine Kapelle einzurichten."

Kleve: geräumt, über den Aufenthalt der Vorsitzenden ist uns leider nichts bekannt.

Köln: Am 15. 10. das schon mehrmals erheblich beschädigte Heim Maria-Schutz vollständig zerstört. 28. 10. das St. Josefs-Hospital Bayenthal, der Neubau durch Volltreffer vollständig zerstört. Die Schwestern richten sich im Altbau notdürftig ein. 30. 10. das Haus von Frau Hopmann vollständig zerstört, ihre Adresse: Düsseldorf-Meererbusch, Hindenburgstr. 6. Frl. Kaup und Frl. Thomas verloren ihre Wohnung. Der Fürsorgeverein Köln arbeitete am 19. 11. noch. Adresse: Georgsplatz 18. Dort steht ein Raum für die gesamte Kölner Caritas zur Verfügung, den der Fürsorgeverein an einem Wochentag benutzen darf. Am 30. 10. wurde auch das Kloster vom Guten Hirten, Köln-Melaten, vollständig zerstört. Die Provinzialoberin befindet sich in Haus Nazareth, Honnef/Rh., Wilhelmstr. 7.

Königsberg: Theresienheim und Büro arbeiten wieder. Das Büro befindet sich z. Zt. in dem behelfsmäßig wieder hergestellten Theresienheim, Rennparkallee 76/78. Das Theresienheim ist z.Zt. Vorasyl wie auch Erziehungsheim.

Kohlscheid: Kriegsgebiet, von der Vorsitzenden fehlt jede Nachricht.

Leipzig: Büro und Agnesheim sind seit der im letzten Schreiben gemeldeten Zerstörung an der 2. Stelle gelandet. Sie waren zuerst im Vinzentiushaus, nach der Beschlagnahme dieses Hauses fanden sie eine neue Bleibe in der Härtelstr. 27, IV. Das Heim kann z. Zt. 25 Zöglinge aufnehmen. Büro im gleichen Hause. Viele Schwierigkeiten auf der einen Seite und viel gütige Hilfe auf der anderen Seite haben die Leipziger Mitarbeiterinnen erfahren.

Ludwigshafen: Das Büro ist Mitte November wegen schwerer Schädigung des Pfarrhauses, in dem es untergebracht war, erneut verlegt worden nach Oppenheimerstr. 27.

Mainz: Das Monikaheim zerstört, einige Tote. Die Schwestern befinden sich im Hause der Englischen Fräulein, Ballplatz 1.

Mannheim: Büro wieder neu eingerichtet, auch das Heim arbeitet. Frl. Hauer schreibt: „Viel Gefangenenhilfsarbeit, Vormundschaftsarbeit; auch neue Leute im Heim."

München: Die Vorsitzende, Frau Stöckler, hat ihre Wohnung verloren und wohnt jetzt im St. Annaheim in Tandern b. Aichach. Die Fürsorgerinnen, Frl. Linhart und Gräfin Brühl haben ihre Wohnung verloren.

Münster: Am 30. 9. wurde die Westf. Wohlfahrtsschule zerstört. Frl. Picker, die langjährige Sekretärin der Schule, 2 Schülerinnen, 24 alte Damen und 2 Schwestern kamen ums Leben. Im November wurden Büro und Antoniusstift vollständig zerstört. Das Antoniusstift wurde zunächst behelfsmäßig in Haus Widey aufgenommen und kam von da in eine Fabrikbaracke der Firma Falke-Roden in Schmallenberg i.W. Die Mädchen arbeiten unter Leitung der Schwestern in der Strumpffabrik und Spinnerei der Firma. Die Fürsorgerinnen des Vereins arbeiten noch in Münster. Post wird am besten adressiert an Frl. Agnes Plaßmann, H.-Göringstr. 45, oder Lippstadt, bei Frau Adams, Bückeburgersr. 11.

Rheine: Heim und Büro total zerstört. Was von der Einrichtung des Heimes und dem Eigentum der Fürsorgerin, Frl. Plüschke, die dadurch auch ihre Wohnung verloren hat, zuerst gerettet werden konnte, verbrannte später. Schwester Margarete ist schwer verletzt. Ein früheres, langjähriges Vorstandsmitglied, Frl. M. van Heyden, kam beim Angriff ums Leben, ebenso die früheren Besitzerinnen des Hauses Talstr. 4, die noch im Hause wohnten. Der gesamte Vorstand hat die Wohnung verloren. Die Vorsitzende, Frau Budde, wohnt jetzt Harsewinkel über Gütersloh, Dechanei. Die Anschrift des Büros: Dutumerstr. 31 bei Bütergards.

Saarbrücken: Büro und Margaretenstift total ausgebrannt. Nach den letzten Nachrichten, die an uns gelangten (27.10.) befindet sich der Fürsorgeverein Saarbrücken in Gersweiler/Saar, Kirchstr. 37. Am besten adressieren an Frl. Heim oder Schwester Rita. Die Mütter und Kinder des Margaretenstiftes sind z.T. in Gersweiler, z.T. in Saarbrücken, Kantstr., untergebracht. Seit Mitte November fehlen Nachrichten.

Saarlautern: Kriegsgebiet, es fehlen seit Mitte November Nachrichten.

Stolberg: Kriegsgebiet, es fehlt bis heute jede Nachricht von Büro, Heim und Vorsitzender.

Trier: Letzte Nachricht vom 7. 11., das Büro befindet sich noch in Trier. Das Annastift wurde verlegt nach Lonzenburg bei Pluvig, Bezirk Trier.

W.-Elberfeld: Die Oberin des nach Kissingen evakuierten Augustinusstiftes (Mütter-Säuglingsheim, Säuglingspflegerinnenschule) Wenzelstr. 4, schreibt: „Wir dürfen lt. behördlicher Anordnung nur solche unehelichen Kinder und Mütter aufnehmen, die aus dem Gau Düsseldorf kommen. Entweder müssen diese also aus dem Gau Düsseldorf stammen oder aus einem der im Gau Düsseldorf gelegenen Heime kommen. Die Kosten trägt dann der Familienunterhalt."

Krefeld, M.-Gladbach und Viersen sind zur Zeit noch am Ort und arbeiten, soweit es eben möglich ist.

Erfurt meldet unter dem 25. 11., daß dort untergebracht sind: Das Waisenhaus Düren, das Saarbrücker-Waisenhaus und das Bonner-Waisenhaus, ferner das Altersheim aus Hoengen Krs. Geilenkirchen.

Die mitteldeutschen Zweige sind mit uns in Paderborn bemüht, evakuierte Heime so gut wie möglich unterzubringen, eine schwierige und herzbewegende Arbeit.

Aus: Archiv des Deutschen Caritasverbandes 319.4 I 06/01a Fasz. 3 (Rundschreiben KFV Zentrale an Ortsgruppen).

Letzte Lebenstage und Begräbnis von Agnes Neuhaus

Abb. 41: Agnes Neuhaus als 90jährige.

Frau Neuhaus ist schnell von uns gegangen, viel schneller, als wir es trotz ihres hohen Alters erwartet hatten. Am Sonntag, den 12. November, war sie morgens im Hochamt im Dom zu Soest, den sie so liebte, und von dem sie wohl mit Recht sagte, daß er der charaktervollste westfälische Dom sei. Am Nachmittag war ein Orgelkonzert im Dom; sie ging wieder hin, weil sie ein großes Verlangen nach guter Musik hatte. Das war zu viel. Sie kam mit einer Grippe nach Hause, aus der sich eine Lungenentzündung entwickelte, die das Herz nicht mehr bewältigte. Am 18. November wurde sie mit den Sterbesakramenten versehen, die sie bei vollem Bewußtsein empfing. Ihre Schwiegertochter schrieb am Tage darauf: „Sie ist so ruhig und hat solch schönen Gesichtsausdruck." Am Abend des 19. November traten Bewußtseinstrübungen auf, am Abend des 20. November, gegen 20.15 Uhr, ist sie sanft und ruhig entschlafen.

Gott hat in den letzten Wochen ihres Lebens noch schwere Opfer von ihr gefordert. Zu diesen Opfern gehörte auch die völlige Zerstörung ihres Dortmunder Hauses, dessen Keller sogar ausbrannte. Sie hatte dieses Haus selbst mit viel Sorgfalt gebaut – es war fertig geworden, als sie die Fürsorgearbeit begann. In seinen Räumen hat sich die Arbeit entwickelt, haben viele grundlegende Besprechungen stattgefunden, ist soviel Gutes geschehen. Die Räume sind nicht mehr; das Gute, das darin geschah, ist bestehen geblieben.

Am schwersten war es Frau Neuhaus, daß dabei auch ihre persönlichen Akten über die Anfänge und Entwicklung der Arbeit, ihre Vorträge und persönlichen Aufzeichnungen, eine umfangreiche Korrespondenz mit den ersten Mitarbeiterinnen, sowie mit anderen wichtigen Stellen, die sie im Keller sicher geborgen glaubte, mit verbrannten. Sie hat diese und andere Opfer schweren Herzens, aber wie eine starke christliche Frau, gebracht. Gott hat sie die letzten Jahre von vielem losgeschält, woran ihr Herz hing. Sie ließ sich willig loslösen und, die sie näher kannten, sprechen davon, daß eine noch innigere Gottverbundenheit als sonst sich in ihrem ganzen Wesen ausprägte.

Am Samstag, dem 25. November 1944, trugen wir Frau Neuhaus zu Grabe. Um 8 Uhr hatten sich im Patroklidom zu Soest die nächsten Familienangehörigen der Verstorbenen zusammen mit den Mitgliedern der Zentrale des Vereins, soweit diese jetzt in Salzkotten und Paderborn ansässig sind, zur Trauerfeier eingefunden; nur Fräulein Elisabeth Zillken, die nächste und vertrauteste Mitarbeiterin von Frau Neuhaus, war leider durch Krankheit verhindert. Von den Zweigen des Vereins waren nur Dortmund, Hamm, Lippstadt, Paderborn, Soest und Werl vertreten, dabei durch Frau Schwering aus Hamm und Herrn Domkapitular Dr. Braekling auch der Zentralvorstand des Vereins. Von Soest hatte sich außer den Hausgenossen vom St.-Antonius-Heim und den Vereinsmitgliedern auch eine ansehnliche Zahl von Mitgliedern des Elisabeth- und Müttervereins eingefunden. Die Ungunst der Zeit mit ihren Post- und Reiseschwierigkeiten hatte es den Vereinsmitgliedern und den Mitarbeitern und Mitarbeiterinnen am Fürsorgewerk unmöglich gemacht, aus größeren Entfernungen ihrer heimgegangenen Führerin das letzte Geleit zu geben.

Im Auftrag des Protektors des Kath. Fürsorgevereins, des Hochwürdigsten Herrn Erzbischofs Lorenz Jäger von Paderborn, der selbst dienstlich verhindert war, war der Geistliche Beirat der Vereinszentrale, Herr Domkapitular Dr. Braekling, anwesend.

Das feierliche Requiem zelebrierte mit seinen beiden Vikaren Herr Propst Völlmecke von Soest; der Schwesternchor begleitete das Amt mit seinem Gesang und sang auch zur Einsegnung der Tumba das Libera. Dann sprach Herr Domkapitular Dr. Braekling der Trauergemeinde, besonders den Angehörigen der teuren Verstorbenen, herzliche Teilnahme aus im Namen des Hochwürdigsten Herrn Erzbischofs, als Vertreter der Vereinszentrale, des Kath. Männerfürsorgevereins, des Paderborner Diözesan-Caritasverbandes und des Deutschen Caritasverbandes, dessen Präsidialmitglied Frau Neuhaus war. Er brachte das oberhirtliche Schreiben des Erzbischofs zur Verlesung und widmete der Toten einen kurzen Nachruf.

Gegen 9.30 Uhr war auf dem Osthofen-Friedhof die Beisetzung, vorgenommen unter der Assistenz der Soester Vikare von Herrn Domkapitular Dr. Braekling. Ohne Störung durch eigentlichen Alarm konnte die Trauerfeier durchgeführt werden. Die spätherbstliche Natur mit ihren Regenwolken schien an der Trauer teilzunehmen; aber als wir noch am offenen Grabe weilten und dann Abschied nahmen, brachen auch die Sonnenstrahlen wieder durch und beleuchteten die Bäume und Denkmäler der ehrwürdigen Ruhestätte und die Wohnstätten und die ragenden Türme der alten westfälischen Stadt.

Aus: Dem Gedächtnis von Frau Agnes Neuhaus geb. Morsbach, geboren in Dortmund am 24. März 1854, gestorben in Soest am 20. November 1944, der Gründerin und Führerin des Kath. Fürsorgevereins für Mädchen, Frauen und Kinder, Lippstadt o. J. [1945], 5–7.

Wiederaufbau 1945

Der Kath. Fürsorgeverein für Mädchen, Frauen und Kinder
– Zentrale Dortmund –

hatte vor dem Kriege 460 Zweigstellen. Er hatte ferner 97 Erziehungs- u. Zufluchtsheime mit 6440 Betten. Die Zweigstellen und Heime breiteten sich über 22 Diözesen aus.

Zur Zeit hat die Zentrale noch keinen vollständigen Überblick über die Lage im Gesamtverein. (Es fehlen ihr insbesondere Nachrichten aus der russischen Zone, stellenweise auch aus der französischen und amerikanischen Zone.) Soweit wir es übersehen können, stellen wir folgendes fest:

Unbeschädigt geblieben sind nur	12 Heime mit 1355 Betten.
Zerstört sind	48 Heime mit 2640 Betten.
Beschädigt sind	16 Heime mit 1603 Betten.

Von den zerstörten und beschädigten Heimen sind 24 Heime mit 1506 Betten wieder in Betrieb, z.T. in den Resten der beschädigten Gebäude, z.T. in behelfsmäßigen Unterbringungen. Neu errichtet sind bereits 14 Heime mit 454 Betten.

Es stehen also z. Zt. in der Arbeit:

	12 unzerstörte Heime mit	1355 Betten
	24 behelfsmäßig eingerichtete Heime mit	1506 Betten
	14 neue Heime mit	454 Betten
insges.		
	50 Heime mit	3315 Betten
Von	7 Heimen mit	310 Betten
		fehlt jede Nachricht.
	57	3625

Der Ausfall beträgt bis jetzt 40 Heime mit 2815 Betten.

Es fehlen ferner Nachrichten von mehreren zerstörten Heimen, deren Wiedereinrichtung wir vermuten dürfen.

Von den Geschäftsstellen des Vereins sind nur 25 ganz unbeschädigt geblieben. Die anderen sind zerstört oder schwer beschädigt. Soweit wir es übersehen können, sind die Geschäftsstellen alle wieder neu errichtet, wenn auch z.T. erst behelfsmäßig.

Das Haus der Zentrale in Dortmund, Schulgasse 5, ist so schwer beschädigt, daß zur Zeit weder die Büros der Zentrale noch die Wohlfahrtsschule des Vereins dort arbeiten kann. Die Wiederherstellung ist infrage gestellt, dürfte aber mindestens 2 Jahre beanspruchen. Es muß ein neues Anwesen gesucht werden.

Aus: Archiv des Deutschen Caritasverbandes 319.4 I 01/10 Fasz. 4 (Anlage zu einem Schreiben der KFV-Zentrale an die deutschen Bischöfe vom August 1945).

V. „Sozialreform“ und Sozialgesetzgebung (1949–1961)

Das 1949 durch den Parlamentarischen Rat verkündete Grundgesetz stellte in Artikel 20 unmißverständlich fest: „Die Bundesrepublik Deutschland ist ein demokratischer und sozialer Bundesstaat.“ Diese Sozialstaatsklausel war alles andere als ein Lippenbekenntnis; sie bestimmte die soziale Wirklichkeit von Anfang an nachhaltig. So wurden in den Jahren zwischen 1949 und 1953 mehr Sozialgesetze erlassen als selbst in der Frühphase der Weimarer Republik, und ein Großteil von ihnen betraf die Bewältigung der Kriegsfolgen. Hinzu kamen sogenannte Errichtungsgesetze, welche die Institutionen der Sozialversicherung in Anlehnung an Vorbilder aus der Weimarer Republik rekonstruierten und teilweise neu konzipierten, ein Anpassungsgesetz zur materiellen Verbesserung der Sozialleistungen und später umfassende Bereiche der „sozialen Förderung“ wie Familienlastenausgleich oder Wohngeld. Ihnen allen gemeinsam war der Grundgedanke, daß das gesamte soziale System nun vorrangig auf der Sozialversicherung aufbauen und damit seine alte Fürsorgezentrierung hinter sich lassen sollte.[1]

Unterschiedliche Kontinuitätslinien verbanden die Sozialpolitik der jungen Bundesrepublik mit derjenigen des „Dritten Reiches“. Unbestreitbare Verbesserungen aus der NS-Zeit im Bereich der Renten-, Kranken- und Unfallversicherung wurden sinnvollerweise in den Neuaufbau einbezogen, doch gab es auch andere Traditionsbildungen. So galt für den öffentlichen Gesundheitsdienst noch lange die 1934 geschaffene gesetzliche Grundlage, während das GVeN formalrechtlich erst 1974 endgültig aufgehoben wurde und bis in die achtziger Jahre juristisch nicht unter die NS-Rassengesetze fiel. Bruchlos verlaufende Karrieren von in der NS-Zeit erheblich belasteten und kompromittierten Sozial- und Fürsorgeexperten oder (Sozial-)Medizinern gehören ebenfalls in diesen Zusammenhang.[2]

Solch restaurative Tendenzen waren nicht marginal, aber auch nicht charakteristisch für die Gesamtentwicklung im sozialen Sektor. Die Kritik, der sich das neu entstehende Sozialleistungsrecht bald ausgesetzt sah, zielte daher vornehmlich in eine andere Richtung: Zersplitterung und mangelnde Transparenz wurden ihm attestiert und mit der Forderung nach einer allgemeinen Sozialreform verbunden. Neben dem Kieler Nationalökonomen Gerhard Mackenroth ist hier vor allem auf die „Rothenfelser Denkschrift“ von 1955 zu verweisen, die Bundeskanzler Adenauer persönlich bei den Professoren Achinger, Muthesius, Höffner und Neun-

---

1 Vgl. dazu und zum folgenden Hans Günter Hockerts, Sozialpolitische Entscheidungen im Nachkriegsdeutschland. Alliierte und deutsche Sozialversicherungspolitik 1945–1957, Stuttgart 1980; ders., Vorsorge und Fürsorge: Kontinuität und Wandel der sozialen Sicherung, in: Axel Schildt/Arnold Sywottek (Hg.), Modernisierung im Wiederaufbau. Die westdeutsche Gesellschaft der 50er Jahre, Bonn 1993, 223–241; ders. (Hg.), Drei Wege deutscher Sozialstaatlichkeit. NS-Diktatur, Bundesrepublik und DDR im Vergleich, München 1998; Hentschel, Geschichte der deutschen Sozialpolitik (wie Anm. I/1), 150–167; für einen ersten Zugriff auf die materiell-rechtlichen Bestimmungen in BRD und DDR – auf letztere kann im folgenden nicht weiter eingegangen werden – auch Johannes Frerich/Martin Frey, Handbuch der Geschichte der Sozialpolitik in Deutschland, Bd. 3: Sozialpolitik in der Bundesrepublik Deutschland bis zur Herstellung der Deutschen Einheit, München – Wien [2]1996, 1–157; Bd. 2: Sozialpolitik in der Deutschen Demokratischen Republik, München – Wien [2]1996. – Aus der zeitgenössischen Literatur sind hervorzuheben: Beiträge und Studien zu einem Sozialatlas, Heft 1: Die öffentliche Fürsorge; Heft 2: Die freie Wohlfahrtspflege; beide hg. vom Bundesministerium des Innern, Köln 1956 (wertvoll v. a. aufgrund des reichhaltigen Zahlenmaterials und der statistischen Übersichten).

2 Vgl. dazu exemplarisch Christian Schrapper, Hans Muthesius (1885–1977). Ein deutscher Fürsorgejurist und Sozialpolitiker zwischen Kaiserreich und Bundesrepublik, Münster 1993; Thomas Bauer/Heike Drummer/Leoni Krämer, Vom „stede arzt“ zum Stadtgesundheitsamt. Die Geschichte des öffentlichen Gesundheitswesens in Frankfurt am Main, Frankfurt/M. 1992, 108–111.

dörfer in Auftrag gegeben hatte. Diese forderten und konzipierten daraufhin nichts Geringeres als ein „Soziales Grundgesetz", worunter sie „ein umfassendes Gesetzeswerk" verstanden, „das alle sozialen Leistungen übersichtlich zu einer einheitlichen Ordnung zusammenfügt." Soziale Sicherung bedeutete für sie dabei „eine wesentliche Voraussetzung des inneren Friedens der Gesellschaft im industriellen Zeitalter."[3]

Die Verwirklichung dieses ambitionierten Programms erwies sich indes als politisch nicht durchsetzbar – aus der Sozialreform wurde 1957 die Rentenreform. Dies war wesentlich weniger und dennoch ein großer Fortschritt, fungierte die Rente doch fortan nicht mehr als Zuschuß zum Lebensunterhalt, sondern als zumeist subsistenzsichernder Lohnersatz, der durch das Prinzip der Dynamisierung jeweils an die Entwicklung des Volkseinkommens angepaßt wurde. Grundannahmen waren dabei eine Erwerbsbiographie von vierzig Arbeitsjahren und eine traditionelle Familienstruktur, in welcher sich als Hausfrauen tätige Mütter nur mittelbar über die Rente ihrer Ehemänner abgesichert sahen.[4]

Aus der Sozialreform war eine Sozialleistungsreform geworden, und die Rentenreform war ihr Herzstück, nicht aber ihr Abschluß. Diesen markierte vielmehr die breit gefächerte Fürsorgerechtsreform von 1961 mit Bundessozialhilfe- (BSHG) und Jugendwohlfahrtsgesetz (JWG), welche 1962 fast zeitgleich in Kraft traten und damit eine ähnlich tiefe wohlfahrtspolitische Zäsur setzten wie die beiden nunmehr abgelösten großen Fürsorgegesetze der Weimarer Republik – RFV und RJWG – im Jahre 1924. Sozialversicherungen können immer nur typische Lebensrisiken abdecken, und daher war die Einbeziehung der individualisierenden, das allgemeine Risiko persönlichen Scheiterns betreffenden Fürsorge in den Umbau des Sozialsystems ebenso notwendig wie folgerichtig. Das Thema des Deutschen Fürsorgetages 1957 in Essen – „Die Neuordnung des Fürsorgerechts als Teil einer Sozialreform" – erwies sich in dieser Hinsicht als programmatisch; die zahlreichen Referate zeigten Möglichkeiten zur praktischen Umsetzung.[5]

Mit dem BSHG wurde der Bereich der materiellen Fürsorge einer insgesamt überzeugenden Neuregelung unterworfen.[6] Das Gesetz schrieb erstmals (zumindest grundsätzlich) ein subjektiv-öffentliches Recht auf Unterstützung fest und regelte die finanziellen Hilfen zum Lebensunterhalt neu, wollte indessen vor dem Hintergrund ausgebauter Sozialversicherungen das Schwergewicht auf eine erweiterte Hilfe in besonderen Lebenslagen legen, welche die Führung eines der Würde des Menschen entsprechenden Lebens ermöglichen sollte („Maximierung von

3 Neuordnung der sozialen Leistungen. Denkschrift, auf Anregung des Herrn Bundeskanzlers erstattet von den Professoren Hans Achinger, Joseph Höffner, Hans Muthesius, Ludwig Neundörfer, Köln 1955, 132–134.

4 Beide Grundannahmen – Arbeit und Familie – haben inzwischen ihre gesellschaftliche Verbindlichkeit in beträchtlichem Ausmaß verloren, womit nicht nur die Rentenversicherung, sondern der Wohlfahrtsstaat insgesamt in eine Strukturkrise geraten ist, vgl. Sachße, Wohlfahrtsstaat in Deutschland (wie Anm. III/1), bes. 276 ff. – Teilweise ist diese bedrohliche Entwicklung sogar „hausgemacht", da die seinerzeit erfolgreiche Finanzierung der Alterssicherung ohne eine vergleichbare Lösung bei der Nachwuchssicherung („Kinderkasse") einen Geburtenrückgang begünstigte, der inzwischen zu demographischen Veränderungen geführt hat, welche den Generationenvertrag nach der Massenarbeitslosigkeit am nachhaltigsten bedrohen, vgl. Franz-Xaver Kaufmann, Herausforderungen des Sozialstaates, Frankfurt/M. 1997, 77–82.

5 Die Neuordnung des Fürsorgerechts als Teil einer Sozialreform. Gesamtbericht über den Deutschen Fürsorgetag 1957 in Essen, Köln – Berlin 1958.

6 Vgl. zum folgenden Dieter Giese, 25 Jahre Bundessozialhilfegesetz. Entstehung – Ziele – Entwicklung, in: Zeitschrift für Sozialhilfe und Sozialgesetzbuch 25 (1986), 249–258, 305–314, 374-382; Michael Heisig, Armenpolitik im Nachkriegsdeutschland (1945–1964). Die Entwicklung der Fürsorgeunterstützungssätze im Kontext allgemeiner Sozial- und Fürsorgereform, phil. Diss. Bremen 1990/91 (gekürzte Druckfassung Frankfurt/M. 1995).

persönlicher Hilfe als Krisenintervention"[7]). Diese Akzentsetzung fand zugleich ihren Niederschlag in einer veränderten Begrifflichkeit („Sozialhilfe" statt „Fürsorge") und implizit in einer veränderten Verhältnisbestimmung von Helfer und Empfänger, welche nun verstärkt als Partner begriffen wurden.[8] Beides war allerdings nicht ganz neu, sondern durch die Reform der Ausbildungs- und Prüfungsordnungen im Sozialbereich schon vorbereitet worden, wobei die 1959 in Nordrhein-Westfalen gefundene Lösung Vorbildfunktion besaß.[9] Nachdem es in den frühen fünfziger Jahren bereits zu einigen landesgesetzlichen Regelungen gekommen war, schuf der Paragraph 73 des BSHG erstmals bundesweit als letzte Konsequenz die Möglichkeit der Freiheitsentziehung bei Gefährdeten und damit gleichsam ein integriertes Bewahrungsgesetz. Strukturell wurde schließlich das Subsidiaritätsprinzip in der Form eines Nachrangs des Staates vor den Verbänden der freien Wohlfahrtspflege im BSHG noch weit stärker verankert[10] als in der alten RFV – beides Entscheidungen, die auf Jahre hin für erheblichen innenpolitischen Streit sorgen sollten.

Das JWG war demgegenüber weniger eng mit den allgemeinen Diskussionen zur Sozialreform verknüpft, seine inhaltlichen Veränderungen im Vergleich zum RJWG hielten sich in Grenzen, aber dennoch war es hochgradig umstritten.[11] Zunächst hatte eine RJWG-Novelle von 1953, für die sich eine breite Mehrheit fand, die Gleichschaltung der Jugendämter von 1939 auch formalrechtlich wieder rückgängig gemacht und diese als demokratische und selbständige Behörden rekonstruiert, dabei der freien Jugendhilfe im Jugendwohlfahrtsausschuß erneut zwei Fünftel der stimmberechtigten Mitglieder zugesprochen. Außerdem konnten bei dieser Gelegenheit einige gravierende, durch die Finanznot von 1924 bedingte Verwässerungen gegenüber der ursprünglichen Gesetzesfassung des RJWG von 1922 korrigiert werden: Aufgaben der Jugendpflege wurden somit wieder zu bedingten Pflichtaufgaben; ebenso waren jetzt verbindlich Landesjugendämter zu errichten.

Das JWG selbst war zunächst lediglich eine weitere Novelle, die jedoch aufgrund einer Ermächtigung durch den Bundestag in neuer Paragraphenfolge bekanntgemacht und so in den Rang eines Gesetzes erhoben wurde. An wichtigen Neuerungen brachte es u. a. einen – zurückhaltend formulierten – individuellen Rechtsanspruch auf Erziehungsleistungen, die verstärkte Betonung des Elternrechts in der Erziehung (jedoch keine Ausweitung von Kinderrechten), eine Ausdifferenzierung des Aufgabenkatalogs der Jugendämter im Bereich der Jugendpflege, die Einführung von Freiwilliger Erziehungshilfe neben der Fürsorgeerziehung und die Übertragung der wirtschaftlichen Hilfen für Minderjährige vom Wohlfahrts- bzw. Sozialamt auf das Jugendamt.

7 Giese, 25 Jahre Bundessozialhilfegesetz (wie Anm. 6), 376.

8 In den Worten von Hans Achinger „Partner der Fürsorge", die sich „wirklich verstehen lernen" sollten, in: Die Neuordnung des Fürsorgerechts (wie Anm. 5), 38–48, hier 46.

9 Vgl. Hannes Kiebel, Die Ausbildung zum Sozialarbeiter in der frühen Bundesrepublik – Biographische Anmerkungen, in: Wollasch, Wohlfahrtspflege in der Region (wie Anm. I/1), 65–71, hier 67 ff.

10 § 93 Abs. 1 BSHG: „Die Träger der Sozialhilfe [...] sollen eigene Einrichtungen nicht neu schaffen, soweit geeignete Einrichtungen der [...] Träger der freien Wohlfahrtspflege vorhanden sind, ausgebaut oder geschaffen werden können."

11 Vgl. zum folgenden Hasenclever, Jugendhilfe und Jugendgesetzgebung (wie Anm. III/18), 154–206; Edward Ross Dickinson, The Politics of German Child Welfare from the Empire to the Federal Republic, Cambridge, Mass. – London 1996, 244–283; Markus Köster, Jugend, Wohlfahrtsstaat und Gesellschaft. Westfalen zwischen Kaiserreich und Bundesrepublik, phil. Diss. Münster 1998, 527–542. – Für die Erlaubnis zur Einsichtnahme vor der Drucklegung (voraussichtlich Paderborn 1999) danke ich Markus Köster herzlich.

Hauptstreitpunkt zwischen CDU, Bundesfamilienministerium und katholischen Verbänden auf der einen sowie SPD und kommunaler Selbstverwaltung auf der anderen Seite bildete indes eine analog zum BSHG überdeutlich ausgeprägte Subsidiaritätsklausel zugunsten der freien Wohlfahrtspflege,[12] die hier jedoch viel mehr ins Gewicht fiel, weil sie im Vergleich zur Gleichrangigkeitsformel des RJWG eine Umdeutung vornahm: Bei den damaligen Beratungen war ein auch von Agnes Neuhaus verfochtener Antrag, die öffentliche Jugendhilfe nur subsidiär zur privaten eintreten zu lassen, ausdrücklich mit dem Argument verworfen worden, daß es „nicht die Absicht des Gesetzes sein könne, die private Hilfe vor die öffentliche zu stellen“.[13] Da die CDU/CSU Mitte 1961 im Bundestag noch über die absolute Mehrheit verfügte, vermochte sie diese „Verbändesubsidiarität“ im JWG durchzusetzen. Einen gesellschaftlichen Konsens bildete das Gesetz damit allerdings nicht mehr ab, und dies ließ seine Konzeption von Anfang an fragil erscheinen. Ein Indikator dafür war, daß noch vor Inkrafttreten mehrere Städte Verfassungsbeschwerde erhoben, weil sie durch die Subsidiaritätsklauseln in JWG und BSHG einen unzulässigen Eingriff in das kommunale Selbstverwaltungsrecht nach Artikel 28 Grundgesetz erblickten; unmittelbar nach Inkrafttreten ließen mehrere Länder gar eine Normenkontrollklage folgen. Die Entscheidung des Bundesverfassungsgerichts erging erst 1967 und wird uns daher im nächsten Kapitel noch zu beschäftigen haben.

Die personelle Situation in der Führungsspitze des KFV blieb bis weit in die Bundesrepublik hinein unverändert: Elisabeth Zillken leitete den Verein bis 1958 als Vorsitzende und Generalsekretärin in Personalunion – ausgenommen die Jahre von 1950 bis 1953, in denen bis zu ihrem Tod Johanna Schwering aus Hamm als Vorsitzende amtierte – und behielt den Vorsitz noch bis 1971. War es ihr Hauptverdienst gewesen, den Fürsorgeverein durch eine ebenso umsichtige wie grundsatztreue Politik innerlich unbeschädigt und äußerlich ohne subsistenzgefährdende Verluste über die NS-Zeit gerettet zu haben, so muteten ihre Grundsätze und Strategien in bundesrepublikanischer Zeit doch zunehmend „wie ein Stemmen gegen die Zeit“[14] an. Die Ernennung von Else Mues 1958 zur neuen Generalsekretärin *(Dokument 36)* ließ hier aufhorchen: Die promovierte Volkswirtin und Sozialwissenschaftlerin, bereits lange Jahre hindurch engste Mitarbeiterin von Zillken und über eine zeitgemäße, soziologisch geschulte Sichtweise verfügend, stand damit für Kontinuität und Wandel zugleich.[15]

Was die Ausgestaltung der Arbeitsgebiete des Vereins und die hinter ihnen stehenden Diagnosen und Deutungen anging, so überwogen in den vierziger und fünfziger Jahren zumindest strukturell die Kontinuitäten den Wandel. Die Hilfe gliederte sich weiter in die bekannten Spezialdisziplinen der Jugend- und Gefährdetenfürsorge. Manche dieser Einzelfelder wie etwa

---

12 § 5 Abs. 3 JWG: „Soweit geeignete Einrichtungen und Veranstaltungen der Träger der freien Jugendhilfe vorhanden sind, erweitert oder geschaffen werden, ist von eigenen Einrichtungen und Veranstaltungen des Jugendamts abzusehen. Wenn Personensorgeberechtigte [...] die vorhandenen Träger der freien Jugendhilfe nicht in Anspruch nehmen wollen, hat das Jugendamt dafür zu sorgen, daß die insoweit erforderlichen Einrichtungen geschaffen werden.“

13 Zit. nach Wollasch, Der Katholische Fürsorgeverein (wie Einl., Anm. 6), 134. – Zum Wortlaut der Gleichrangigkeitsformel in § 6 RJWG siehe oben Einführung zu Kapitel II, Anm. 12. Sie tauchte übrigens in § 7 JWG als zusätzliche Bestimmung nahezu wörtlich erneut auf, bewirkte hier aber vor dem Hintergrund des veränderten Kontextes einen noch größeren Bedeutungszuwachs für die freien Verbände.

14 Von der Osten, Rettung – Fürsorge – Sozialarbeit (wie Einl., Anm. 6), 110.

15 Zur Biographie vgl. auch die Nachrufe in: Korrespondenzblatt SkF 4/97, 88–91; Nachrichtendienst des Deutschen Vereins für öffentliche und private Fürsorge 77 (1997), 367 f.

die Truppenplatzfürsorge änderten den Namen und das Gesicht, jedoch weniger den inneren Gehalt: Es ging hierbei um klassische Gefährdetenhilfe in gewandeltem Umfeld, nämlich in Orten, an denen alliierte Besatzungstruppen stationiert waren, wobei sich die fürsorgerischen Folgeprobleme zwischen veränderten Arbeits- und Sozialbeziehungen auf der einen sowie Prostitution und Geschlechtskrankheiten auf der anderen Seite bewegten *(Dokument 37)*. In diesen Zusammenhang gehörte auch eine wachsende Zahl von Mischlingskindern, bei denen es sich um meist nichteheliche Nachkommen farbiger Besatzungssoldaten und deutscher Frauen handelte. Auffällig ist dabei, daß sich der KFV nicht nur deutlich von der latent rassistischen Unbarmherzigkeit und Gleichgültigkeit abgrenzte, die diesen Kindern im Nachkriegsdeutschland vielfach entgegenschlug, sondern sich im Gegenteil für deren Integration und Gleichberechtigung in Theorie und Praxis mit allem Nachdruck einsetzte *(Dokument 34)*.[16]

Abb. 42: V. r. n. l.: Elisabeth Zillken (Generalsekretärin des KFV 1916–1958, Vorsitzende des Gesamtvereins 1944–1950 und 1953-1971) – Dr. Luise Jörissen (seit 1943 an der KFV-Zentrale, 1946–1970 Aufbau und Leitung der Landesstelle Bayern des KFV/SkF in München) – Dr. Elisabeth Wiese (Referentin an der KFV/SkF-Zentrale 1925–1971).

Einige Arbeitsgebiete wie Vormundschaften und Pflegekinderwesen mußten, da sie im Nazideutschland weitgehend untersagt waren, mit viel Aufwand neu aufgebaut werden; anderes wie zum Beispiel die Einrichtung von Erziehungsberatungsstellen markierte echtes Neuland. Anthropologie und vor allem Psychologie eroberten seit den fünfziger Jahren die Jugend- und Familienhilfe und wurden von konfessionellen Expert(inn)en als wirksame Wege zur Unterstützung erzie-

Abb. 43: Johanna Schwering (1878–1953), Vorsitzende des Gesamtvereins 1950–1953.

16 Sehr aussagestark ist hier auch Abb. 46.

Abb. 44: Mitarbeiterinnentagung in Braunschweig 8.–12. 10. 1951.

hungsschwacher Familien akzeptiert.[17] Einen gerafften und dennoch umfassenden Überblick über diese und weitere Arbeitsfelder sowie über die Entwicklung des KFV bis 1955 bietet *Dokument 32.* Es wird im Dokumententeil als Faksimile wiedergegeben, weil es einen sehr dichten Gesamteindruck vermittelt. Verantwortet von dem katholischen Journalisten Franz Maria Elsner, einem Redakteur bei der Zeitschrift „Ruhrwort" in Essen,[18] der regelmäßig für KMFV und KFV arbeitete und zeitweise sogar als Schriftleiter des Korrespondenzblattes fungierte, zeichnet sich dieser Rechenschaftsbericht überdies durch ein gekonntes und modernes Layout sowie durch zeitgenössische Bilder von Schützlingen aus, die mit einfühlsamem Blick differenzierte Persönlichkeitsportraits bieten.

Auch nach Gründung der DDR und eines im Zuge des Kalten Krieges immer stärkeren Auseinanderdriftens der beiden deutschen Staaten ließ der KFV die Zusammenarbeit und solidarische Verbundenheit mit den im Osten verbliebenen Mitarbeiterinnen nicht abreißen, wie ein Informationspapier für die westdeutschen Ortsgruppen aus den frühen fünfziger Jahren zeigt *(Dokument 33).* „Verbreitungsgebiet des Vereins ist die Bundesrepublik, *die Sowjetzone* und das Saargebiet", hieß es noch im Jahre 1955.[19] Erst der Mauerbau 1961 sorgte hier für einen gewaltsamen Einschnitt, doch auch in der Folgezeit hielten sich Reste der Arbeit in der DDR, aus Dortmund nach Kräften unterstützt, aber von zunehmender personeller Auszehrung bedroht. Im Meißener Bischof Spülbeck besaß diese „Katholische Fürsorge für Mädchen, Frauen und Kinder" (bemerkenswerterweise ohne die Bezeichnung „Verein"!) lange Jahre einen engagierten Protektor.[20]

---

17 Vgl. Dickinson, Politics (wie Anm. 11), 271–273.

18 Vgl. Archiv des Deutschen Caritasverbandes 319.5/6 M 600.

19 Zit. nach Dok. 32, Hervorhebung A.W.

20 Vgl. die Aktenüberlieferung in: Archiv des Deutschen Caritasverbandes 319.4 I 04/04 m Fasz. 1 und I 09/05 Fasz. 1. – Zur Situation von caritativer Arbeit und Katholizismus in der DDR vgl. allg. Gerhard Lange/Ursula Pruß, Caritas in der DDR, in: Gatz, Geschichte des kirchlichen Lebens, Bd. 5 (wie Einl., Anm. 4), 343–377; Christoph Kösters, Katholiken in der Minderheit. Befunde, Thesen und Fragen zu einer sozial- und mentalitätsgeschichtlichen Erforschung des Diasporakatholizismus in Mitteldeutschland und der DDR (1830/40–1961), in: Wichmann-Jahrbuch des Diözesangeschichtsvereins Berlin N.F. 4, 36/37 (1996/97), 169–204.

Abb. 45: Romfahrt des KFV mit Audienz bei Papst Pius XII. (Ostern 1952).

Wie schon in der Weimarer Republik konnte der KFV nun auch die frühe bundesrepublikanische Fürsorgegesetzgebung nachhaltig mitgestalten. Elisabeth Zillken wählte dafür allerdings nicht den direkten Weg über das Parlament – eine ihr angetragene Bundestagskandidatur hatte sie abgelehnt[21] –, sondern den indirekten über die Mitarbeit in verschiedenen Expertenkommissionen (Deutscher Verein, DCV, Kommissariat der deutschen Bischöfe) und über enge persönliche Kontakte in die zuständigen Ministerien.

Die Grundüberzeugungen, aus denen heraus sie dabei agierte, blieben die gleichen wie schon in früheren Jahren. Sie waren geprägt durch eine eigentümliche Mischung von moralischer Unbedingtheit und reformkatholischer Spiritualität einerseits sowie einer Überbetonung von Fürsorge als Einzelfallhilfe *(Dokument 38)* mit latentem Hang zu autoritären Lösungen („verantwortungsbewußte Hilfe und Führung der mündigen Staatsbürger" – *Dokument 35*) und einer durchgängigen Überschätzung der realen Gestaltungsmöglichkeiten von Selbsthilfe in modernen, hochkomplexen Industriegesellschaften andererseits. So unverzichtbar subsidiäre Organisationsmodelle für das Gelingen einer von unten aufbauenden Sozialreform auch waren (und noch heute sind), so hieß (und heißt) es doch, sie überzustrapazieren, wenn man sie wie Zillken unhinterfragt auf das Gebiet der Sozialversicherung übertrug. Die bereits erwähnte „Rothenfelser Denkschrift", für deren Katholizität übrigens die Mitautorenschaft des

21 Vgl. Elisabeth Zillken, Mein Leben – meine Arbeit (wie Anm. II/14); zum folgenden vgl. Petra von der Osten, Katholische Jugend- und Gefährdetenfürsorge im Sozialstaat: Vom KFV zum SkF (1945–1968), in: caritas '98, Jahrbuch des DCV, Freiburg 1997, 417–424, hier 420 f.

Münsteraner Sozialethikers und späteren Kölner Kardinals Höffner bürgte, argumentierte hier realitätsnäher und überzeugender, wenn sie feststellte, es gebe auch Felder, „die *nur* in der größeren Gemeinschaft gemeistert werden können. Hier muß das umfassendere Sozialgebilde [der Staat] *nicht* wegen eines zufälligen Ungenügens der einzelnen oder kleineren Lebenskreise, sondern wesentlich und dauernd tätig werden. Subsidiarität bedeutet also keineswegs rechthaberisches Festhalten der kleineren Gemeinschaften an Aufgaben, die ihre Kräfte übersteigen."[22]

Wie Fürsorgegesetze konkret auf dem Wege eines neokorporatistischen Expertenkonsenses erfolgreich beeinflußt und gestaltet werden konnten, zeigt exemplarisch die enge Kooperation zwischen Elisabeth Zillken und Ministerialrat Dr. iur. Friedrich Rothe, seit 1950 einflußreicher Lobbyist konfessioneller Wohlfahrtspflege im Bundesinnenministerium, 1958 aufgestiegen zum Abteilungsleiter im neu organisierten Ministerium für Familien- und Jugendfragen *(Dokumente 39a–e).*[23] Zillken unterstützte Rothes Installation an herausgehobener Stelle in der Bonner Ministerialbürokratie, und es tut nichts zur Sache, daß ihr Vorstoß vom 3. Februar 1956 in dieser Richtung (Dok. 39 a) noch nicht vom gewünschten Erfolg gekrönt war. Im Gegenzug erhielt sie von Rothe Entwurfstexte des JWG zur vertraulichen Stellungnahme, noch bevor diese vom zuständigen Minister Wuermeling freigegeben worden waren.[24] Die parallele Zusammenarbeit Zillkens mit dem Innenministerium in Sachen BSHG scheint nicht so eng gewesen und stärker über die entsprechenden Gremien des Deutschen Vereins gelaufen zu sein, ist jedoch ebenfalls dokumentiert.[25] Insbesondere die Aufnahme der Bewahrungsparagraphen in das BSHG zählte dabei zu den Hauptanliegen des Fürsorgevereins.

Die programmatischen Aufsätze von Elisabeth Zillken[26] und Else Mues *(Dokument 40)* zur neuen Fürsorgegesetzgebung konnten deswegen so schnell und ausführlich erscheinen, weil die beiden wichtigsten KFV-Repräsentantinnen hier nur kommentieren mußten, was sie zuvor selbst mit erarbeitet hatten. Beide Texte enthalten auf diese Weise gleichsam die authentische Stellungnahme des Fürsorgevereins zum neuen Gesetzeswerk. Wenn Else Mues ihren Artikel mit der Forderung schließt, es müßten nicht nur ehrenamtliche Helferinnen, sondern verstärkt auch berufliche Mitarbeiterinnen gewonnen werden, um die von den Gesetzen intendierte persönliche Hilfe leisten zu können, so zeichnen sich in diesem bei allem Festhalten am Ehrenamt doch gewandelten Verständnis von Fürsorge als Sozialhilfe und Sozialarbeit bereits die Konturen eines „neuen" KFV – eben des SkF – ab.

---

22 Neuordnung der sozialen Leistungen (wie Anm. 3), 23 (Hervorhebungen im Original).

23 Zur Person vgl. den Nachruf im Nachrichtendienst des Deutschen Vereins für öffentliche und private Fürsorge 76 (1996), 367 f.

24 Weitere Korrespondenz (darunter detaillierte Ausarbeitungen von Zillken und Mues für Rothe): Archiv des Deutschen Caritasverbandes 319.4 E 02/07 Fasz. 4 und I 09/02 Fasz. 1.

25 Vgl. exemplarisch Dankschreiben Ministerialrat Gottschick (BMI) an E. Zillken, 3. 6. 1961, ebd. B 01/06 Fasz. 3.

26 Elisabeth Zillken, Wichtiges zum „neuen" Jugendwohlfahrtsgesetz, in: Korrespondenzblatt KFV 32 (1962), 69–79; vgl. auch KFV Zentrale (Hg.), Jugend- und Gefährdeten-Hilfe heute. Arbeitsblatt zum Gesetz für Jugendwohlfahrt [...] und zur Hilfe für Gefährdete Bundessozialhilfegesetz [...] mit Hirtenwort der deutschen Bischöfe zu den neuen Sozialgesetzen, Dortmund o.J. [1962].

Dokument 32:

GEHE HIN
UND TUE
DESGLEICHEN

ZEHN JAHRE ARBEIT DES
KATH. FÜRSORGEVEREINS
FÜR MÄDCHEN, FRAUEN
UND KINDER

1945-1955

UND SIEHE, ein Gesetzeslehrer stand auf . . . und sagte zu Jesus: Und wer ist mein Nächster?

JESUS nahm das Wort und sprach:

Ein Mensch zog von Jerusalem nach Jericho hinab und fiel unter die Räuber. Und die plünderten ihn aus und brachten ihm Wunden bei, gingen weg und ließen ihn halbtot liegen. Es traf sich aber, daß ein Priester jenen Weg hinabging, und er sah ihn und ging vorüber. Gleicherweise kam aber auch ein Levit an den Platz, sah ihn und ging vorüber.

EIN durchziehender Samariter aber ging zu ihm, sah ihn und wurde von Mitleid ergriffen. Und er trat hinzu, goß Oel und Wein in seine Wunden und verband sie, hob ihn auf sein Reittier, führte ihn zur Herberge und sorgte für ihn. Und am anderen Tage holte er zwei Denare hervor, gab sie dem Wirt und sagte: Sorge für ihn, und was du sonst noch aufwendest, werde ich dir erstatten, wenn ich zurückkomme.

WER von diesen dreien ist dem, der unter die Räuber fiel, der Nächste geworden, was meinst du?

Er sprach: Der an ihm Barmherzigkeit übte.

DA sagte ihm Jesus: Gehe hin und tue desgleichen.

Lukas 10, 25, 29-37

Der Kath. Fürsorgeverein für Mädchen, Frauen und Kind

möchte mit diesem Zehn-Jahre bericht allen denen danken, d ihm in den schweren Jahren d Wiederaufbaus tatkräftig geho fen haben.

Er möchte ihn allen anderen übe reichen als Anruf zu tätiger M wirkung im Dienst an gefährdete Mädchen, Frauen und Kindern.

Wir verdanken den Schnitt der Titelseite: Wal Habdank, München · die Fotos: Erich, Rudi u Christiane Angenendt, Dortmund · Die Gesamtg staltung der Schrift verantwortet: F. M. Elsn Dortmund. Herausgeber: Zentrale des Kath. F sorgevereins für Mädchen, Frauen und Kind Dortmund, Agnes-Neuhaus-Straße 5 · Postsche konto Dortmund 15564 · Lensingdruck, Dortmu

Wer fragt heute noch?

Wer fragt heute noch nach seinem Nächsten? Einer unter zehn? Vielleicht nur zwei von hundert.

Diese Frage ist außer Kurs. Nicht nur, weil man vorab und voran nach dem eigenen Wohlergehen fragt. Auch, weil die Frage geregelt scheint. Für die eigenen Nöte sind wir selbst zuständig, für die des Nächsten glauben wir uns nicht kompetent. Dafür sind Zuständigkeiten geschaffen, an denen unsere Entschuldigungen ansetzen können. Es gibt so viele, die amtlich und hauptamtlich, von staats- und organisationswegen dafür zuständig und vorgebildet sind. Was kann da schon der Einzelne! Vielleicht richtet er sogar mit seinem guten Willen nur Schaden an?

Die Frage nach dem Nächsten ist außer Kurs. Aber nur der Fragende erhält die Antwort des Herrn. Nur ihm kann klar werden, daß er falsch fragt. Denn: Wer mein Nächster ist, bestimmt sich nicht vom Ich her, sondern vom Du. „Ein durchziehender Samariter ging zu ihm, sah ihn und — wurde von Mitleid ergriffen." Er wurde nicht nur räumlich des schwer Zerschundenen Nächster. Er ließ auch innerlich an sich heran, was da geschehen war. Er wurde der Hilfsbedürftigkeit des Halbtoten inne und ließ sich vom Mitleid ergreifen. So wurde er Nächster im Sinne des großen Doppel-Gebotes der Liebe. Er benahm sich menschlich im Sinne der gott-menschlichen Liebe. Er benahm sich wie Christus uns gegenüber. Er benahm sich als Christ. Ein Volksfremder! Ein „Unbeteiligter". Ein „Nichtamtlicher". Ein „Unzuständiger". — Ein Mensch! Einer wie Du und ich. Ein Mann, der nicht außer Dienst sein konnte, weil er immer im Dienst ist. Immer dienstwillig gegenüber dem Nächstliegenden und Notwendigen. Immer offen für den Anruf, der in der Situation liegt. Immer irgendeines Hilfsbedürftigen Nächster. Ein „Laie" — das ist ein Angehöriger des neuen Volkes Gottes, das aus der Gewißheit des Anbruchs der Heilszeit, aus dem göttlichen Leben im getauften Menschen lebt. Ein Mensch also, den wir suchen, den wir brauchen, ohne den die Welt eiskalt und bitterhart wird. Ein Mensch, der nicht nach Nationalität, Farbe und Rasse fragt. Ein Mensch, der sich nicht seine Hilfsbedürftigen aussucht, nicht nur Konfessions- oder gar nur Vereins-Angehörigen hilft. Der nicht zuerst einen Fragebogen anlegt und eine Kartei ausfüllt, bevor er zufaßt. Einer, der als einfacher Christenmensch die Unbegrenzbarkeit seiner Nächstenliebe kennt und wahr nimmt.

So will die Welt uns Christen. So will sie uns mit Recht, wiewohl sie gewiß noch erbitterter auf uns dreinschlagen würde, wären wir alle so. Aber sie erkennt: So sollten die Christen sein. Und sie hat recht: Wären wir so, die unter die raffinierten Räuber unserer Zeit Gefallenen brauchten nicht zum Gegenstand der Schlagzeilen von Sensationsblättern zu werden.

Jeder Christ ist hier zuständig, kompetent und fähig. Einer zu sein, der nicht fragt: Wer ist mein Nächster, sondern wessen Nächster bin ich hier, heute, zu dieser Stunde. Es gibt Möglichkeiten, diesen fragenden Christen noch fähiger zu machen, ohne daß er hauptamtlicher Samariter mit Dienstzimmer und Sprechstunden wird. Von diesen, auch notwendigen Kräften ist unmöglich all das zu fordern, was wir ihnen aufbürden. Wir beladen sie mit unserer eigenen Nächstenpflicht wie die Maultiere und kritisieren sie obendrein, weil sie als unsere Packesel nicht alles bewältigen. Dabei sind wir auch ihre Nächsten.

In der Satzung des Katholischen Fürsorgevereins für Mädchen, Frauen und Kinder steht die nüchterne, darum aber nicht minder verpflichtende Uebersetzung des Bekenntnisses zum Nächsten-Dienst am Hilfsbedürftigen: „Haupttätigkeit ist . . . Personen, die infolge ihrer körperlichen oder geistigen Beschaffenheit der Hilfe bedürfen, vor allem sittlich-gefährdete Mädchen und Frauen, sowie gefährdete, mißhandelte und verwahrloste Kinder und Jugendliche, . . . aufzusuchen, ihnen zur Führung eines geordneten Lebens zu verhelfen, die entgegenstehenden Hindernisse aus dem Wege zu räumen und sich der Schutzbefohlenen dauernd anzunehmen. Dabei übernimmt nach Möglichkeit in jedem Einzelfall eine bestimmte Frau die mütterliche Verantwortung . . ."

Wer dieses Aufsuchen und Betreuen bis zur Verselbständigung der Lebensführung der Hilfsbedürftigen ernsthaft unternimmt, weiß sehr um die Mängel und das Bruchstückhafte seines eigenen Tuns. Er weiß aber auch sehr bald um einen neuen Reichtum: den Reichtum des Reiches Gottes. Das eine wie das andere drängt ihn, andere herzlich zu bitten: Gehe hin und tu auch du gleicherweise als Christenmensch das, dessen die bedürfen, die da halbtot an Deinem Wege liegen. Es sind ihrer nicht wenige.

F.M.E.

1945-1955 · Zehn Jahre Wiederaufbau

DES KATH. FÜRSORGEVEREINS FÜR MÄDCHEN, FRAUEN UND KINDER

Zehn Jahre bedeuten für die Entwicklung eines Vereins, der bereits mehr als fünf Jahrzehnte besteht, im allgemeinen nicht so viel, daß die in diesem Zeitraum geleistete Arbeit Anlaß für eine besondere Hervorhebung wäre. Der allgemeine Zusammenbruch 1945 stellte jedoch auch für den Kath. Fürsorgeverein für Mädchen, Frauen und Kinder einen tiefgehenden Einschnitt dar. Die Nachkriegsjahre brachten zudem eine solche Fülle von Aufgaben und Problemen, daß ihnen ein ganz besonderes Schwergewicht zukommt. Ein Bericht über diese schweren Jahre ist neben der notwendigen Rechenschaft auch ein Dank an alle, die innerhalb und außerhalb des Vereins im katholischen wie im öffentlichen Raum beim Wiederaufbau halfen.

SCHWIERIG WIE NIE ZUVOR

Noch nie hat der Kath. Fürsorgeverein vor einer so schwierigen Situation gestanden wie im Jahre 1945. Die Jahre nach 1933 und insbesondere die Kriegszeit hatten ihm schmerzliche Verluste gebracht. Der Gesamtverein hat die Jahre der Bedrängnis überstanden. Manche Ortsgruppe jedoch, manche Heime und vor allem viele treue und bewährte Mitarbeiterinnen haben sie nicht überlebt. Das Kriegsende brachte allein in den abgetrennten Ostgebieten den Verlust von 30 Ortsgruppen. Von den 466 Ortsgruppen im Jahre 1939 bestanden 1946 noch 413.

In den zerstörten Städten waren fast überall die Mitarbeiterinnen versprengt, ausgebombt, nach auswärts verzogen. Von den Verbliebenen waren viele durch den Wiederaufbau der eigenen Häuslichkeit voll in Anspruch genommen. Sie fielen daher zunächst für die Mitarbeit aus.

Von den 81 Heimen des Kath. Fürsorgevereins waren bei Beendigung der Kampfhandlungen unbeschädigt und voll arbeitsfähig nur 15 Heime, vollständig arbeitsunfähig 39 Heime, teilweise arbeitsfähig 27 Heime.

UNTER AUFBIETUNG ALLER KRÄFTE

An die wenigen noch zur Verfügung stehenden Mitarbeiterinnen wurden außergewöhnliche Anforderungen gestellt. Unter Aufbietung aller Kräfte haben sie — das gilt besonders auch für die hauptamtlichen Fürsorgerinnen — unter meist völlig unzureichenden Arbeitsbedingen, in unzulänglichen Büros und Unterkünften, bei mangelhafter Verpflegung und Besoldung die schwere Arbeitslast der Fortsetzung und des Wiederaufbaues der Arbeit auf sich genommen.

Die Zentrale, seit 1943 gezwungen in der Zerstreuung — teils in Dortmund, teils in Salzkotten, teils in Paderborn bzw. in Geseke — zu leben, konnte erst 1948 ihr Haus soweit wiederherstellen, daß eine Vereinigung der getrennten Büros möglich war. Unmittelbar nach Kriegsende aber begann sie, die mit dem Zusammenbruch völlig abgerissenen Verbindungen

mit den Ortsgruppen wieder mühsam neu zu knüpfen. Die Schwierigkeiten dieser Wiederherstellung der Kontakte kann nur ermessen, wer berücksichtigt, daß Post- und Bahnwesen zunächst gar nicht und lange Zeit völlig unzulänglich funktionierten.

Bevor jedoch wieder normale Züge verkehrten, gelang es, schon im Juni 1945 in Bottrop Mitarbeiterinnen zu einer Bezirkskonferenz zusammenzuholen. Noch im gleichen Jahr wurden in Wattenscheid-Höntrop drei fünf- bis zehntägige Schulungskurse durchgeführt, an denen Mitarbeiterinnen aus fast allen Diözesen teilnahmen.

Um die durch Kriegsfolgen, Tod und andere Umstände in den Ortsgruppen gelichteten Reihen der Vorstandsmitglieder und ehrenamtlichen Helferinnen zu schließen, nahm die Zentrale unmittelbar nach dem Kriege gemeinsam mit den Ortsgruppen die mühsame und zeitraubende Arbeit in Angriff, ehrenamtliche Helferinnen zu suchen, die Vorstände zu ergänzen oder neu zu bilden. Ganz besondere Anforderungen an Zeit und Kraft stellten in dieser Hinsicht die ländlichen Gebiete und die Diaspora.

STRUKTURWANDEL

Die kriegsbedingte Evakuierung der Bevölkerung und Industrieverlagerungen aus den zerbombten Städten hatte eine Umstruktuierung in Umfang und Zusammensetzung der Bevölauf dem Lande und in den Kleinstädten zur Folge gehabt. Zudem wuchs die Bevölkerung stark durch den Zustrom der Flüchtlinge. Der Aufbau unserer Arbeit in diesen Gebieten war um so notwendiger, als in der Zeit des Nationalsozialismus unsere Hilfe auf dem Lande besonders behindert worden war. Neugründungen von Ortsgruppen erfolgten verhältnismäßig wenig; der Aufbau vollzog sich vielmehr wesentlich in einem systematischen Ausbau bereits vorhandener Ortsgruppen. Auch in den Diasporagebieten machte der ungeheuere Zustrom katholischer Flüchtlinge die Durchführung katholischer Jugend- und Gefährdetenfürsorge in ganz anderem Umfang notwendig als bisher.

So war es trotz aller Bemühungen, auch trotz tatkräftiger Hilfe der Behörden, infolge der erschwerten äußeren Umstände und des Mangels an hilfsbereiten Menschen nicht möglich, die Arbeit überall und in einem der außergewöhnlichen Not entsprechenden Umfang auszubauen.

BESONDERE NOTSTÄNDE

In den Jahren 1945 und 1946 erwuchsen aus der Katastrophensituation Notstände besonderer Art:

Kinder waren im Trubel der Flucht von ihren Eltern getrennt worden. Sie wurden vorläufig in Heimen gesammelt und mußten weiter untergebracht werden. So übernahm allein im Jahre 1946 die Ausgleichsvermittlungsstelle unserer Zentrale die Sorge für die Unterbringung von 335 Ostkindern, von denen 299 in sorgfältig ausgewählten Familienpflegestellen untergebracht werden konnten. Über die entsprechende Arbeit der einzelnen Ortsgruppen liegen — verständlicherweise — keine Zahlen vor.

Eine weitere vordringliche Aufgabe erwuchs den Fürsorgevereinen für die Kinder, die seinerzeit von der NSV oder im Anschluß an die Flucht in nichtkatholischen Heimen untergebracht waren. Ein besonderes Problem bildete damals auch die Sorge für vergewaltigte Mädchen und Frauen. Der Fürsorgeverein konnte hier auf Grund seiner Sachkenntnis in vielen Fällen durchgreifende und wirksame Hilfe leisten.

Über diese Sonderfälle hinaus wurden in den letzten zehn Jahren Gefährdungen sichtbar, die weiteste Kreise erfaßten. Sie erwuchsen aus den Erlebnissen und Folgen des Krieges — Tod oder Gefangenschaft des Ernährers, Trennung der Familien, Flucht und Lagerleben —; dazu: Wohnungsnot, Tausch- und Schwarzhandel, zunehmende Erziehungsunsicherheit der Eltern, steigende Berufstätigkeit der Mütter, Gefährdung durch Film, Funk und minderwertiges oder schlechtes Schrifttum, Flucht in praktischen Materialismus, die immer noch zunimmt. Die besonderen Probleme der Sowjetzonebewohner-Flüchtlinge und der Gebiete mit starken Truppenansammlungen meldeten sich energisch an.

STEIGENDE BETREUUNGSLEISTUNG

Der ins Riesenhafte angewachsenen erzieherischen und sittlichen Not suchte der Kath. Fürsorgeverein durch seine Arbeit — der Jugendfürsorge und der Gefährdetenfürsorge — nach besten Kräften zu begegnen. Der äußere Umfang der Arbeit wuchs rapide und mit ihr die Notwendigkeit, gleichzeitig um die Erhaltung und Förderung der Intensität besorgt zu sein. Ein äußeres Barometer war die Zahl der betreuten Schützlinge, die nach dem Krieg sprungartig anstieg und seither stetig steigt. Bereits 1946 wurden wieder mehr Schützlinge betreut als 1939. Im Jahre 1947 überschritt die Zahl der betreuten Schützlinge den bisherigen Höchststand, der im Jahre 1932 erreicht worden war. Die nachfolgende Aufstellung vermittelt ein Bild dieser Entwicklung.

	Betreute Schützlinge		davon standen im Alter von		
Jahr	insgesamt	0—14 Jahre	14—21 Jahre	21—25 Jahre	über 25 Jahre
1932	122 151	47 723	40 585	33 843	
1939	81 547	33 324	24 484	23 739	
1946	108 522	49 567	31 579	26 376	
1947	131 855	65 141	35 993	30 721	
1953	179 111	81 586	53 957	12 791	30 777
1955	183 941	79 123	58 874	12 870	33 074

Die vorstehende Aufstellung läßt zugleich erkennen, daß während der letzten zehn Jahre
rund 44—55 % der Betreuten Kinder unter 14 Jahren und
27—33 % Jugendliche von 14 bis 21 Jahren waren.

Faßt man den Begriff „Jugendliche" bis zum 25. Lebensjahr, so macht die Gruppe der im Jahre 1955 vom Kath. Fürsorgeverein insgesamt betreuten Kinder und Jugendlichen über 80 % der Gesamtzahl aus.

Ständig steigt der Anteil der betreuten Kinder aus geschiedenen und zerrütteten Ehen. Der Rückgang der Zahl der Ehescheidungen seit dem Höchststand von 1948 wird sich in unserer Arbeit erst später auswirken. Im übrigen muß gesehen werden, daß über die geschiedenen Ehen hinaus viele zerrüttete Ehen formal nicht gelöst werden, sei es aus wirtschaftlichen Erwägungen, sei es wegen der Kinder oder aus anderen Gründen. Hier wie dort ist die Zerrüttung ein erhebliches Gefährdungsmoment vor allem für die Kinder; hier wie dort werden sie in der Regel von den Eltern hin- und hergezerrt und wissen nicht, zu wem sie halten sollen. Infolgedessen geraten sie nicht selten in noch tiefere Unordnung und Gefährdung als unehelich Geborene. Die Gesamtzahl der durch Ehescheidung und Ehezerrüttung betroffenen minderjährigen Kinder dürfte gegenwärtig im Bundesgebiet bei 2,5 Millionen liegen.

IMMER MEHR KINDER AUS GESCHIEDENEN UND ZERRUTTETEN EHEN

Die Mitarbeiterinnen des Kath. Fürsorgevereins bemühen sich, so früh wie möglich die Betreuung solcher gefährdeten Familien zu übernehmen. Ihre Sorge gilt in diesen Fällen den Eltern nicht weniger als den Kindern; sie suchen, soweit irgend möglich, die Ehe zu erhalten und wieder in Ordnung zu bringen. Ist eine Scheidung nicht zu verhindern, so geht das Bemühen dahin, auf die Regelung der Personensorge Einfluß zu nehmen, um eine gute Erziehung der Kinder zu sichern.

Die Zahl der vom Kath. Fürsorgeverein betreuten Kinder aus zerrütteten und geschiedenen Ehen betrug im Jahre

1939: 9688, 1946: 17 230, 1947: 22 329, 1953: 36 170, 1955: 38 926.
Rund 20 % aller vom Kath. Fürsorgeverein betreuten Schützlinge sind zur Zeit Kinder aus geschiedenen oder zerrütteten Ehen.

Die Statistik des Fürsorgevereins weist auch eine steigende Zahl der betreuten unehelichen Kinder und deren Mütter aus. Die Zahl der 1955 erfaßten 30 151 unehelichen Kinder hat sich gegenüber 1932 mehr als verdoppelt.

ZAHL DER UNEHELICHEN KINDER MEHR ALS VERDOPPELT

Ein besonderes Problem der Nachkriegszeit beschäftigt uns bis in die Gegenwart hinein: die große Anzahl der Kinder von Besatzungsangehörigen und ausländischen Truppen. Die Lage dieser Kinder ist besonders auch deshalb schwierig, weil es schwer hält, die Väter zur Zahlung des Unterhaltes heranzuziehen. Mit Sorge beobachten wir in den letzten Jahren, daß die Fälle sich mehren, in denen uneheliche Mütter sich der Verantwortung für ihre Kinder zu entledigen suchen, indem sie sie abgeben, gleichgültig wohin. In der Frage, ob man eventuell farbige Kinder im Ausland unterbringen könnte, sind wir zu der Überzeugung gekommen, daß es am richtigsten ist, sie in Deutschland zu belassen, ihnen Geborgenheit und eine solide Ausbildung zu vermitteln, die sie — gegebenenfalls — in die Lage versetzt, in späteren Jahren auszuwandern.

Bei der Betreuung unehelicher Mütter war uns von jeher ihre rechtzeitige Erfassung und Betreuung schon während der Schwangerschaft besonders wichtig, weil in zunehmendem Maße die Gefahr der Abtreibung gegeben ist. Diese frühzeitige Erfassung war aber gerade in den letzten zehn Jahren nicht leicht. Ein ernstes Anliegen war uns daher auch der Wiederaufbau der kriegszerstörten Zufluchtsheime für uneheliche Mütter, weil diese Heime erfahrungsgemäß ihre ganz besondere Bedeutung haben für die fernere Lebensgestaltung der unehelichen Mütter und die Sicherung einer guten, christlich fundierten Erziehung der Kinder.

Der Fürsorgeverein beherbergte in seinen Heimen

im Jahre 1932: 3203 uneheliche Mütter, 3458 uneheliche Kinder,
im Jahre 1939: 3097 uneheliche Mütter, 3959 uneheliche Kinder,
im Jahre 1946: 2577 uneheliche Mütter, 3772 uneheliche Kinder,
im Jahre 1955: 4086 uneheliche Mütter, 6579 uneheliche Kinder.

PFLEGEKINDER UND VORMUNDSCHAFTEN

Manche Arbeitsgebiete des Fürsorgevereins, wie das Pflegekinderwesen und die Vormundschaftsarbeit, die durch die politische Entwicklung fast ganz in die Hände der NSV geraten waren, mußten nach 1945 neu aufgebaut werden. In verschiedenen Orten wurde dem Kath. Fürsorgeverein die Überprüfung der in den Vorjahren eingerichteten Einzelvormundschaften übertragen. Dabei mußte er die traurige Feststellung machen, daß eine ganze Anzahl katholisch getaufter Kinder bereits jahrelang in nichtkatholischen Pflegestellen und Heimen untergebracht waren. Manchen von ihnen konnte eine katholische Erziehung nicht mehr vermittelt werden. Der Gerechtigkeit halber muß leider gesagt werden, daß viele dieser Kinder trotz aller zur Zeit des Nationalsozialismus tatsächlich vorhandenen Schwierigkeiten nicht in diese Situation hätten zu kommen brauchen, wenn unsere intensiven Bemühungen um die Erfassung vormundschaftsbedürftiger Kinder seitens der katholischen Bevölkerung besser gestützt worden wären.

In steigendem Umfang wurden in den letzten zehn Jahren wieder neue Vormünder vorgeschlagen und Vormünder für die Durchführung ihrer Aufgabe laufend beraten und geschult. Eine entscheidende Hilfe bedeutete dabei das Hirtenwort der deutschen Bischöfe zur Vormundschaftsfrage vom August 1945. Von 1945 bis 1955 wurden für insgesamt rund 125 000 Schutzbefohlene Vormundschaften und Pflegschaften durch Mitarbeiterinnen und Helfer des Fürsorgevereins übernommen. Viele dieser Vormundschaften wurden inzwischen durch Erreichung der Volljährigkeit beendet. Mit der Einführung des Gleichberechtigungsgrundsatzes im Familienrecht im Jahre 1953 kamen die Vormundschaften über Kinder wiederverheirateter Witwen, die bis dahin zahlenmäßig sehr ins Gewicht fielen, in Wegfall. Ende 1955 standen unter der ständigen Betreuung der Fürsorgevereine trotzdem noch 39 300 Mündel, über die Einzelvormundschaften geführt werden.

HILFE AUCH FÜR JUGENDÄMTER

In katholische Familienpflegestellen vermittelt wurden seitens des Fürsorgevereins von 1945 bis 1955 mehr als 21 000 Kinder, davon rund ein Viertel in Adoptionsstellen.

Die Mitarbeiterinnen des Kath. Fürsorgevereins haben in den ersten Jahren nach dem Kriege nicht nur ihre eigenen Ortsgruppen wieder in Gang gebracht, nicht nur die eigenen Heime mühsam nach und nach wiederaufgebaut, sondern vielerorts entscheidend dazu beigetragen, den geordneten Wiederaufbau der Jugendämter herbeizuführen. Die Ortsgrup-

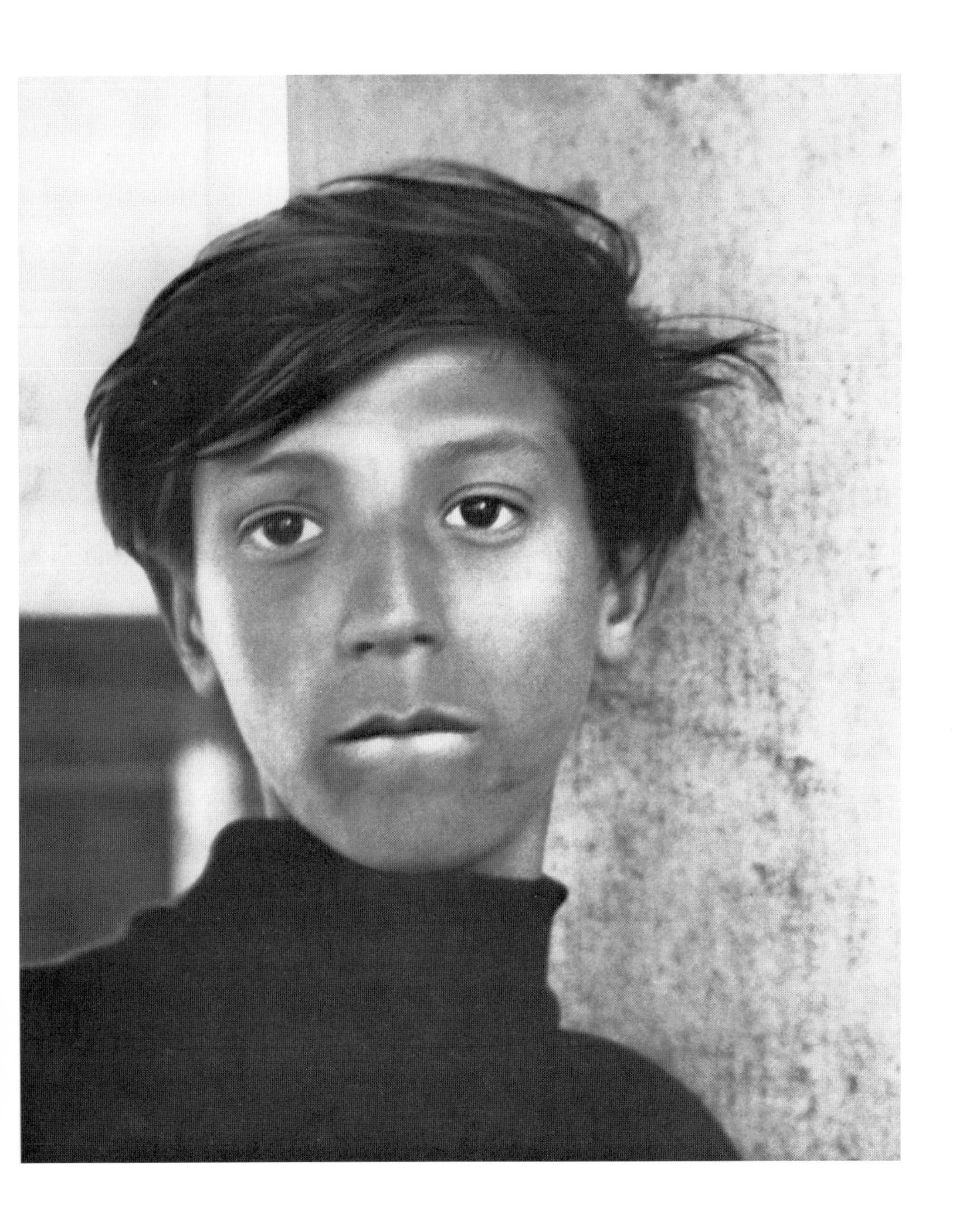

pen des Kath. Fürsorgevereins waren oft die einzige Stelle, die entweder Akten oder genauere Kenntnis der Schützlinge besaßen. Sie waren auf Grund der ununterbrochenen personellen Kontinuität trotz des ausgedehnten Personalabbaus der Behörden 1945 in der Lage, die Durchführung der jugendfürsorgerischen Arbeit, wie sie ursprünglich im RJWG gewollt war, wieder zur Geltung zu bringen.

ERZIEHUNGS-BERATUNG

In der Arbeit der Jugendfürsorge wächst die Bedeutung der Erziehungsberatung, weil tiefgreifende seelische Schädigungen kennzeichnend sind für viele Kinder und Jugendliche. Die Erziehungsberatungsstellen haben dort ihre Aufgabe, wo spezielle wissenschaftliche Erkenntnisse und Methoden notwendig sind, um Symptome zu deuten oder seelische Schäden zu heilen, deren Ursachen nicht ohne weiteres erkennbar sind. Diese Frage war im Kath. Fürsorgeverein in den letzten Jahren wiederholt Gegenstand gründlicher Überlegungen aus der Erkenntnis, daß die Beratung katholischer Eltern in der Erziehung ihrer Kinder auch aus katholischer Grundhaltung heraus geschehen sollte. Das Ergebnis dieser Überlegungen wurde im Jahre 1950 in einer Denkschrift niedergelegt. Die erste Erziehungsberatungsstelle im Kath. Fürsorgeverein entstand in Würzburg im Zusammenwirken mit dem Psychologischen Institut der Universität. Dieser Beratungsstelle ist zugleich ein heilpädagogisches Heim zur Behandlung besonders gestörter Kinder mit 20 Plätzen angegliedert. Eine weitere Erziehungsberatungsstelle entstand in Dortmund. An einigen anderen Orten hat der Fürsorgeverein die Gründung katholischer Erziehungsberatungsstellen angeregt. Überall arbeitet er eng mit ihnen zusammen.

DER KATH. FÜRSORGEVERE

Der Katholische Fürsorgeverein für Mäd
Frauen und Kinder wurde 1900 von Frau A
Neuhaus aus der Sorge um gefährdete j
Menschen und Familien gegründet. Sehr sc
breitete er sich über ganz Deutschland aus
wuchs bald heran zu der großen katholis
Selbsthilfe- und Fachorganisation der Jug
und Gefährdeten-Fürsorge.

Unter den rund 60 000 Frauen, die z. Z.
recht schwierige Arbeit tragen, stehen
1400 hauptberufliche Fachkräfte. Alle and
sind ehrenamtliche Mitarbeiterinnen und
fer, die sich für ihre Aufgaben ständig ö
und in Kursen der Zentrale weiterbilden.

Wie die übrigen katholischen Hilfsorga
tionen gehört der Kath. Fürsorgeverein
Mädchen, Frauen und Kinder zum Deuts
Caritasverband. Das Symbol des Katholis
Fürsorgevereins für Mädchen, Frauen und
der ist das Ankerkreuz, das auf dem Ums
dieser Schrift erscheint.

Der Verein steht unter dem Protektorat
Exzellenz des Hochwürdigsten Herrn
bischofs von Paderborn, Dr. Lorenz Jaege
Der Gesamtverein umfaßt zur Zeit 459
gruppen, 103 Heime mit 9547 Plätzen, die
trale des Gesamtvereins und die Westfä
Wohlfahrtsschule, Dortmund.

Der Kath. Fürsorgeverein für Mädchen, Fr
und Kinder, umfassend die in vielen
Deutschlands bestehenden rechtlich selbst
gen Ortsgruppen mit ihren Heimen und
Zentrale mit ihren Einrichtungen, ist ein
ziger Verein. Vorstand des Gesamtverein
der Zentralvorstand. Vereinigungs-Organ
Mittelpunkt des Gesamtvereins ist der Ze
vorstand mit der Zentrale.

Verbreitungsgebiet des Verein
die Bundesrepublik, die Sowjetzone und
Saargebiet.

Aufgabe des Gesamtvereins
Schutz und Hilfe für gefährdete, mi
delte und verwahrloste Kinder (Ju
fürsorge)
Hilfe für sittlich gefährdete Mädchen
Frauen (Gefährdetenfürsorge).

Arbeitsgebiete:
1. Stützung erziehungsschwacher und u
ständiger Familien

N, FRAUEN UND KINDER

e für Kinder aus zerrütteten und ge-
denen Ehen

e für uneheliche Mütter und Kinder

willige Ubernahme von Vormundschaf-
Pflegschaften, Beistandschaften, Schutz-
ichten, Beratung und Schulung der
nünder usw. (organisierte Einzelvor-
dschaft) und Mitarbeit in der Amts-
nundschaft

eit im Pflegekinderwesen durch Be-
ffung einwandfreier Pflegestellen, Prü-
von Pflegestellen, Beaufsichtigung
Pflegekindern, Adoptionsvermittlung.

ematische Zusammenarbeit mit dem
ndamt, Vormundschaftsgericht und Ju-
dgericht

arbeit in der staatlichen Fürsorge-
ehung

ammenarbeit mit Erziehungsanstalten
r Art zur Betreuung der aus ihnen zur
assung kommenden Schutzbefohlenen

ammenarbeit mit den öffentlichen Für-
everbänden zwecks vorbeugender und
ender Arbeit für die Schutzbefohlenen
ihre Familien

uch der Frauenkliniken und Kranken-
ser zur Erfassung Gefährdeter

ammenarbeit mit der Polizei, dem Ge-
dheitsamt, den Beratungsstellen für Ge-
echtskranke und der behördlichen Ge-
rdetenfürsorge zur Hilfe für sittlich
ährdete

endgerichtshilfe

ichtshilfe für Erwachsene, Strafgefan-
en- und Entlassenenfürsorge

e bei Vermittlung von Lehr- und Ar-
sstellen für die Schutzbefohlenen

chtung von Geschäftsstellen, in denen
esuchende sowie Helferinnen, Vormün-
(innen) usw. Rat und Auskunft finden
den Behörden die gewünschte Mit-
eit geleistet wird.

re 1955 wurde insgesamt 183 941, 1954:
Schutzbefohlenen in offener Fürsorge
n; in den Heimen des Vereins 1955:
1954: 30 454.

Sachgerechte Jugend- und Gefährdetenfürsorgearbeit kann heute die Auswertung der psychologischen Erkenntnisse nicht mehr entbehren. Deshalb war der Kath. Fürsorgeverein in den vergangenen Jahren bemüht, neben der Einrichtung institutioneller Erziehungsberatung, in Kursen und Tagungen, bei denen katholische Psychologen, Psychiater, Psychotherapeuten und Ärzte mitwirkten, seinen hauptberuflichen und ehrenamtlichen Mitarbeiterinnen in der offenen Fürsorge und in den Heimen das erforderliche Rüstzeug zu vermitteln, das befähigt, in ihrer Betreuungsarbeit funktionale Erziehungsarbeit durchzuführen.

AUSBAU DER GEFÄHRDETEN-FÜRSORGE

Die allgemeine Situation nach diesem Kriege, aber auch spezielle Gefährdungssituationen, waren Anlaß, auch die Gefährdetenfürsorge im engeren Sinne, das heißt, die Sorge für geschlechtlich gefährdete oder bereits verwahrloste Frauen intensiv auszubauen. Sittlich gefährdete Mädchen und Frauen gibt es heute in allen sozialen Schichten und in allen Altersstufen. An die Seite der Prostitution ist eine riesenhafte heimliche Prostitution getreten.
Von den drei Stationen — Geschlechtskrankenstation, Gefängnis, Entbindungsstation —, die ursprünglich Hauptansatzpunkte des Fürsorgevereins für die Erfassung der Gefährdeten zwecks Einleitung der fürsorgerischen Hilfe bildeten, hat in den letzten zehn Jahren infolge der Fortschritte in den medizinischen Behandlungsmethoden (verkürzte Behandlungsdauer und ambulante Behandlung) die Geschlechtskrankenstation erheblich an Bedeutung verloren. Gewonnen hat dafür die Zusammenarbeit mit der Polizei, den Staatsanwaltschaften und den Gerichten, dem Gesundheitsamt und Beratungsstellen für Geschlechtskranke.

Intensiviert wurde auch die Zusammenarbeit mit Gesundheits- und Beratungsstellen, besonders nachdem das neue Gesetz zur Bekämpfung der Geschlechtskrankheiten von 1953 ausdrücklich die Einschaltung der freien Wohlfahrtspflege in der Betreuungsarbeit an diesen Gefährdeten vorsieht. Der Wandel der Formen der Prostitution, die als solche oft nicht sofort erkennbar ist, sowie auch Schwierigkeiten, die sich infolge der veränderten Verhältnisse in der Anwendung der bestehenden Gesetze ergeben, die bisher eine Handhabung für die Erfassung der Gefährdeten boten, führten zur Pflege der oben bereits erwähnten Verbindungen auch nach anderen Seiten hin. Die Zusammenarbeit mit der Bahnhofsmission war immer von großem Wert. Von den vielen sonstigen Stellen, die durch ihre Tätigkeit Gelegenheit haben, Gefährdeten wieder zu begegnen, seien hier nur die Arbeitsämter und die Berufsschulen genannt.

WANDEL DER FORMEN DER PROSTITUTION

Dem Kath. Fürsorgeverein genügt es nicht, die Gefährdeten oder Gestrandeten aus den für sie gefährlichen Bindungen zu lösen und sie zur Ordnung ihres äußeren Lebensbereichs zu führen. Eigentliches Ziel seiner fürsorgerischen Hilfe ist darüber hinaus die Hinleitung des Menschen zur Erkenntnis und zur Bejahung einer Lebensordnung, in der sich das Heil des Menschen nicht im Diesseits erschöpft, sondern die Vollendung im ewigen Leben liegt, das schon hier und heute ein sicheres Fundament für eine geordnete Lebensführung bildet. Bei vielen abgeglittenen Mädchen und Frauen genügt ambulante Betreuung nicht oder nur wenig zur Heilung. Der *Unterbringung in Heimen*, in denen sie Abstand zu ihrem bisherigen Leben, innere Ruhe, Ordnung und Gewöhnung an Arbeit finden, kommt gerade hier ausschlaggebende Bedeutung zu. Es ist immer wieder erstaunlich, festzustellen, wie gut es gelingt, die Menschen wieder zu dem selbständigen Leben zu befähigen, das sie später außerhalb des Heimes in Ordnung zu führen haben.

HEILUNG DURCH UNTERBRINGUNG

Den erhöhten Anforderungen der Nachkriegszeit, besonders der nachstehend geschilderten Arbeit an den Truppenplätzen, waren die vorhandenen Heime hinsichtlich der Platzzahl nicht gewachsen. Es wurden daher das Anna-Katharinen-Stift Karthaus bei Dülmen, das seit Jahrzehnten dieser Aufgabe dient, ausgebaut und neue Heime in Würzburg und Kordel bei Trier errichtet.

In besonders konzentrierter Form stellen sich die Aufgaben der Gefährdetenfürsorge in *Gebieten mit Truppenansammlungen* dar. Seit 1950 beschäftigt uns das Problem dieser Arbeit im Bereich der Truppenplätze in steigendem Maße.

TRUPPENPLÄTZE ALS SCHWERPUNKTE

Die Truppenplätze der Besatzungs- und NATO-Truppen brachten eine Ansammlung von Männern, die von ihren Familien getrennt leben: zunächst deutsche Bauarbeiter, die Wochen und Monate oft in primitiven Unterkünften oder als Untermieter untergebracht waren, und dann vor allem Tausende von ausländischen Soldaten. Sie zogen Mädchen und Frauen oft von weither an. Manche kamen in dirnenhafter Absicht, andere begannen mit einer Arbeitsstelle bei den Truppen und erlagen dann den ständig auf sie eindringenden Gefährdungen. Die neuen Arbeitsplätze boten auch einheimischen Mädchen und Frauen bisher nicht vorhandene Verdienstmöglichkeiten. Sie waren damit vielfach den gleichen Gefähr-

dungen ausgesetzt. Durch den hohen Sold der Truppen gefördert, entstanden sehr schnell Gast- und Vergnügungsstätten, zum Teil üblen Charakters. Viele einheimische Familien erlagen dem Geldrausch. Sie vermieteten Zimmer zu Wucherpreisen, ohne die dadurch gegebene Gefährdung ihrer Kinder zu sehen. Das Beispiel der dirnenhaften Frauen wirkte demoralisierend auf die einheimische Bevölkerung und ihre Jugend. Dieser Notstand im Bereich der Truppenplätze hat uns vor eine doppelte Aufgabe gestellt: einerseits individuelle Hilfe für gefährdete und gefährdende Frauen zu leisten, andererseits Dämme aufzurichten, um die einheimische Bevölkerung an solchen Orten vor dem Verlust aller sittlichen Maßstäbe zu bewahren und die einheimische Jugend zu schützen. Hier ist insbesondere eine aufklärende und beratende Zusammenarbeit mit den Eltern und Erziehungsberechtigten sowie eine intensive und sachgerechte jugend- und gefährdetenfürsorgerische Arbeit notwendig geworden.

Zur Durchführung all dieser Aufgaben wurden im Bereich der Truppenplätze viele neue Stützpunkte errichtet, Spezialfürsorgerinnen eingesetzt, ehrenamtliche Mitarbeiterinnen gewonnen und geschult, Erst-Auffangstellen und Heime der „Offenen Tür" geschaffen.

HILFE FÜR STRAFFÄLLIGE VERVIERFACHT

Nach alledem ist nur verständlich, daß auch die S t r a f f ä l l i g e n f ü r s o r g e sowohl als Ansatzpunkt für die Erfassung und Bekämpfung unmittelbarer sittlicher Gefährdung wie als uraltes selbständiges Gebiet christlicher Gefährdetenfürsorge und Liebestätigkeit in den Nachkriegsjahren ständig gewachsen ist. Ganz abgesehen davon, daß Frauen, denen wir in Gefängnissen begegnen, nicht selten sexuell gefährdet und oft sogar verwahrlost sind. Ihre Wiedereinordnung in das normale Leben hängt immer weitgehend davon ab, daß ihre Entlassung während der Strafzeit sorgfältig vorbereitet wird und die nachgehende Betreuung langfristig gesichert ist. So war eine Intensivierung und Ausrichtung der Straffälligenfürsorge auf die gewandelten Verhältnisse in der Nachkriegszeit unsere selbstverständliche Sorge. Die Zahl der von Mitarbeiterinnen des Kath. Fürsorgevereins betreuten Strafgefangenen und Strafentlassenen ist heute viermal so hoch als vor dem letzten Kriege. Erheblich gestiegen ist parallel dazu die Zahl der betreuten Familien Straffälliger, insbesondere auch straffälliger Männer. Die Erfahrung auch des Nachkriegsjahrzehnts bestätigt: Je mehr die Inhaftierte das Gefühl hat, daß die Helferin nicht in der Durchführung des Strafvollzugs als solchem steht, sondern von „draußen" kommt, desto leichter gelingt es dieser im allgemeinen, das Zutrauen der Gefangenen zu erringen.

HEIMATVERTRIEBENEN- UND SBZ-FLÜCHTLINGSBETREUUNG

Die Zahlen der Arbeit spiegeln viel innere Heimatlosigkeit wider. Dazu kommt bei manchem Betreuten noch eine äußere Heimatlosigkeit. Hatte nach dem Kriege der Zustrom der Heimatvertriebenen, wie bereits erwähnt, eine Intensivierung der Arbeit erfordert, so erwuchsen in den letzten Jahren der Jugend- und Gefährdetenfürsorge mit dem anschwellenden Flüchtlingsstrom aus dem Osten neue Aufgaben, deren Umfang noch von Jahr zu Jahr steigt.

Der Kath. Fürsorgeverein beteiligt sich stark an der Hilfe für die Heimatvertriebenen und Flüchtlinge aus der sowjetischen Besatzungszone (SBZ). Das „Haus Elisabeth" in Gießen, dessen Träger der Kath. Fürsorgeverein ist, gilt als Nebenlager für Jugendliche. Die Zeit des Heimaufenthaltes, bis die Aufnahmekommission über sie entschieden hat, ist ein guter Ansatzpunkt, den jungen Menschen die Hilfe für ihren künftigen Lebensweg zu leisten. Die auf Rheinland-Pfalz entfallenden arbeitsvermittlungsfähigen jungen Mädchen kommen größtenteils in das Juliaheim in Koblenz, das dem Fürsorgeverein gehört und praktisch als Landesaufnahmeheim gilt. In Hagen-Boele haben die Salzkottener Franziskanerinnen auf unsere Anregung ihre Haushaltungsschule und ihre Fachkräfte für jugendliche SBZ-Flüchtlinge zur Verfügung gestellt und führen dort sechswöchige Kurse durch. Das Agnesheim des Fürsorgevereins Hannover leistet ebenfalls wertvolle Hilfe auf diesem Gebiet.

	Betreute Heimatvertriebene		SBZ-Flüchtlinge
1948		7 356	
1949		14 805	
1953	13 189		4013
1954	11 009		5981
1955	10 794		6448

Manche SBZ-Flüchtlinge sind aus reiner Abenteuerlust gekommen, manche haben äußerst ungute Erlebnisse hinter sich. Mit einer kurzfristigen Betreuung ist es daher oft nicht getan. Die Zuwanderer bedürfen einer längeren, oft mehrere Jahre dauernden Hilfe oder Stütze, bis sie hier im Westen richtig Fuß gefaßt haben. Hierbei leisten Jugendgemeinschaftswerke, von denen auch der Kath. Fürsorgeverein verschiedene einrichtete, gute Dienste. Noch mehr könnte geholfen werden, wenn die Gesetze es ermöglichten, junge Menschen auch gegen ihren Willen in Arbeits- und Lehrplätzen festzuhalten, um sie vor dem Abgleiten zu bewahren. Der weitverbreitete falsche Freiheitsbegriff verhindert heute weitgehend rechtzeitige Maßnahmen. So kann oft bei Uneinsichtigkeit des Jugendlichen erst dann geholfen werden, wenn er bereits abgeglitten ist.

WENIG GUTES VORBILD

Die Eingliederung der Zugewanderten ist allerdings auch erschwert durch das wenig gute Vorbild, das der Westen bietet. Je mehr Menschen den Zugewanderten aus der SBZ im Westen begegnen, deren Wertordnung sich nicht an rein materiellen Vorteilen orientiert, um so leichter ist die Frage der Eingliederung, der äußeren und inneren Beheimatung zu lösen. Entscheidend ist das gute Beispiel, wichtig aber auch, daß der Westen sich stärker mit den Problemen des Ostens und insbesondere mit dem dialektischen Materialismus vertraut macht, um den jungen Menschen richtig zu verstehen und ihm begegnen zu können.
In dieser Betreuungsarbeit steht der Kath. Fürsorgeverein in enger Zusammenarbeit mit den anderen katholischen Stellen, die sich in dieser Arbeit einsetzen und die sich im „Katholischen Lagerdienst" zusammengeschlossen haben.

UNTER 60000 MITARBEITERINNEN 1400 HAUPTAMTLICH

Die Arbeit des Kath. Fürsorgevereins wird von ehrenamtlichen und hauptamt- Mitarbeiterinnen geleistet. Es ist uns im Kath. Fürsorgeverein ein besonderes Anliegen, das Verhältnis beider Gruppen zueinander recht zu gestalten. Entsprechend dem größeren Umfang der Arbeit wurden in der Nachkriegszeit eine Anzahl hauptberuflicher Mit-

arbeiterinnen zusätzlich eingestellt, so daß ihre Zahl heute mehr als doppelt so groß ist wie 1939. Trotzdem ist das Zahlenverhältnis auch heute noch: 1376 hauptberufliche (davon 416 in der offenen und 960 in der Heim-Fürsorge tätige) und 58 600 ehrenamtliche Mitarbeiterinnen. Nach wie vor können wir jedoch in der Jugend- und Gefährdetenfürsorge die ehrenamtlichen Mitarbeiterinnen keinesfalls entbehren. Sie sind als tragendes Laienelement lebendiger Beweis freiwilliger christlicher Liebestätigkeit. Wir brauchen viele Mitarbeiterinnen aus allen Schichten und Berufen, um die Not so rechtzeitig und so früh wie möglich zu erfassen und möglichst vielen Menschen helfen zu können.

HELFER KÖNNEN NIE GENUG SEIN

Das Problem des ehrenamtlichen Helfers ist in der Nachkriegszeit Ziel und Ausgangspunkt vieler Erörterungen gewesen. Immer wieder taucht die Frage auf, ob es noch Menschen gibt, die bereit sind, sich einzusetzen, um ihren Mitmenschen zu helfen. In den ersten Nachkriegsjahren war im Gegensatz zur Zeit des Nationalsozialismus eine besondere Bereitschaft zum Helfen, zum Mitwirken beim Neuaufbau unseres Volkes zu beobachten. Eine Änderung trat ein mit der Währungsreform, mit der wachsenden materialistischen Einstellung. Es darf nicht übersehen werden, daß fast alle Menschen heute eine stärkere persönliche und arbeitsmäßige Belastung tragen. Trotzdem können wir auf Grund unserer Erfahrung feststellen: Der Wille zum Helfen ist noch keineswegs erloschen, wenn auch geschwächt. Bei 58 600 ehrenamtlichen Mitarbeiterinnen allein im Kath. Fürsorgeverein gibt es keinen Grund zur Resignation. Freilich dürfte sich ihre Zahl getrost verdoppeln, ohne daß damit die Arbeit ausgeschöpft würde. Allerdings kommt es entscheidend darauf an, daß und wie Menschen für die Hilfe angesprochen und wie die Helfer entsprechend ihren Fähigkeiten eingesetzt werden. Es kommt darauf an, ihnen das notwendige Rüstzeug für die Arbeit mitzugeben. Die Mitarbeiterinnen selbst gewinnen aus dieser Arbeit vertiefte Einsichten, die ihnen ihre Aufgabe in der Familie, in der Erziehung der Kinder und in der Überwindung von Schwierigkeiten und Aufgaben im Beruf meistern helfen. Sie erfassen auf Grund ihrer Mitarbeit leichter Zusammenhänge des Lebens und wachsen so in die Verantwortung für Kirche, Volk und Staat hinein und tragen zur Formung der öffentlichen Meinung und Änderung „unguter" Zustände bei.

FORCIERTE FACHLICHE SCHULUNG

Mit gutem Herzen und mit Opferbereitschaft allein kann die Hilfe jedoch nicht gemeistert werden, wenn dies auch wesentliche Voraussetzungen sind. Die Arbeit erfordert eine gute fachliche Schulung der Mitglieder. Diese Schulungsarbeit wurde sofort nach dem Kriege vorsorglich wieder aufgenommen. Aus der Vielzahl der Tagungen dieser letzten Jahre ragen drei große Veranstaltungen des Gesamtvereins besonders hervor; sie waren zugleich ein eindrucksvoller Beweis für die Aufgeschlossenheit und Einsatzbereitschaft ehrenamtlicher Mitarbeiterinnen: Kurz nach der Währungsreform kamen 300 Mitarbeiterinnen zu mehrtägiger Schulung in Werl zusammen. Die Feier des 50jährigen Jubiläums im Jahre 1950, der mehrtägige Arbeitsgemeinschaften über alle wichtigen Aufgabengebiete des Vereins angeschlossen waren, vereinigte 800 Mitarbeiterinnen in Dortmund. Im Jahre 1953 kamen 400 Mitarbeiterinnen zur Generalversammlung in Würzburg zusammen.

Im Laufe der Zeit erwies es sich als notwendig, auf die Praxis früherer Jahre zurückzugreifen und Sonderkurse zu veranstalten. So fanden inzwischen vier sechstägige Einführungskurse für führende ehrenamtliche Mitarbeiterinnen, drei große Sondertagungen für Fürsorgerinnen und acht Tagungen für führende Mitarbeiterinnen statt. Insgesamt hatten wir 185 Bezirkstagungen und Tagungen des Gesamtvereins, auf denen Grundlagen der Fürsorgearbeit und spezielle Fachfragen behandelt wurden. An 1400 Schulungskonferenzen in einzelnen Ortsgruppen wirkten Mitarbeiterinnen der Zentrale mit. Nicht mitgezählt sind dabei die zahllosen regelmäßigen Schulungskonferenzen in den einzelnen Ortsgruppen. 1500 Vorträge aus Fachgebieten wurden gehalten. 5800 Einzelberatungen in den Ortsgruppen durchgeführt.

WESTFÄLISCHE WOHLFAHRTS-SCHULE

An der ununterbrochenen Bildungs- und Schulungsarbeit der Zentrale war auch in den letzten zehn Jahren die von ihr unterhaltene Wohlfahrtsschule wesentlich beteiligt.

Im Frühjahr 1948 kehrte die Wohlfahrtsschule der Zentrale des Kath. Fürsorgevereins aus der kriegsbedingten Evakuierung von Salzkotten nach Dortmund zurück. Da die Räume der Zentrale nicht mehr ausreichten, wurde für sie ein Unterkommen in der Silberstraße 13 geschaffen, wo zugleich ein Internat mit 25 Betten für die Studentinnen ausgebaut werden konnte. Die Wohlfahrtsschule bildet in zweijährigen Lehrgängen auf den Beruf der Jugendfürsorgerin vor. Während der Studienzeit wird zugleich Gelegenheit zur Ausbildung als Seelsorgshelferin geboten. Von 1945 bis 1955 bestanden 253 Wohlfahrtspflegerinnen das Examen. Ein großer Teil von ihnen arbeitet heute im Fürsorgeverein oder in sonstiger freier Wohlfahrtsarbeit. Andere sind in behördlichen Stellen oder als Werksfürsorgerin tätig. Im Jahre 1955 wurde diese Wohlfahrtsschule als Vollschule ausgebaut. Seitdem kann das Examen auch in zwei weiteren Fachrichtungen: der Gesundheitspflege und -fürsorge und der Wirtschafts- und Berufsfürsorge, abgelegt werden. Neben ihrer Hauptaufgabe, der Ausbildung von Wohlfahrtspflegerinnen, führt die Schule seit 1952 wieder regelmäßig vier- bis sechswöchige Fortbildungskurse für Ordensfrauen, die bereits längere Zeit in der Heimerziehung stehen, durch. Außerdem nimmt sie entscheidend teil an vielen, von der Zentrale durchgeführten Kursen für ehrenamtliche und hauptberufliche Mitarbeiterinnen.

MITARBEIT AN DER GESETZGEBUNG

Im Zusammenhang mit der jugend- und gefährdetenfürsorgerischen Arbeit befaßte sich die Zentrale mit allen damit zusammenhängenden Rechtsfragen, von der praktischen Gesetzesanwendung bis zur Mitarbeit an der einschlägigen Gesetzgebung. Das Anliegen dabei war, eine den Erfahrungen der Arbeit und der christlichen Grundhaltung entsprechende Gestaltung der Gesetze zu erreichen. So hatte die Zentrale des Kath. Fürsorgevereins u. a. Stellung zu nehmen zum Recht des unehelichen Kindes, zur Gestaltung der Hilfe für uneheliche Kinder und Mütter, zur Ehescheidung und zur Sorge für die Ehescheidungswaisen und Kinder aus zerrütteten Ehen, zum Gesetz zum Schutz der Jugend in der Öffentlichkeit, zum Gesetz über die Verbreitung jugendgefährdender Schriften, zur Novelle zum Reichsjugendwohlfahrtsgesetz, zum Ausbau der Familienfürsorge, zur Umgestaltung des Adoptionsrechtes und der Adoptionsvermittlung, zum Ausbau der Pflegestellenvermittlung, zum Ausbau der Schutzaufsicht und der Bewährungshilfe, zu Problemen der Erziehungsberatungsstellen, zum Gesetz zur Bekämpfung der Geschlechtskrankheiten, zum Jugendgerichtsgesetz, zum Strafrechtsänderungsgesetz, zum Gesetz über die Freiheitsentziehung, zur Familienrechtsform und zur Frage der Gleichberechtigung, zum Bewahrungsgesetz bzw. Fürsorgehilfsgesetz sowie zu Fragen der Anstaltsaufsicht.

Rechtsberatung von Ortsgruppen und Privatpersonen erfolgte durch die Zentrage von 1945 bis 1955 in 2122 Fällen.

In den Jahren 1945 bis 1955 wurden allein durch die Ausgleichsvermittlungsstelle der Zentrale 1660 Kinder in Pflege- bzw. Adoptivstellen untergebracht

103 HEIME MIT 29801 SCHÜTZLINGEN

Für die Durchführung einer guten und sachgerechten Fürsorgearbeit sind Heime unentbehrlich, so die Erstauffangstelle bzw. das Vorasyl, das Übergangsheim, das Zufluchtshaus für Mutter und Kind, das Erziehungsheim, das Wohnheim, das Bewahrungsheim. Der Kath. Fürsorgeverein hat im Laufe der letzten Jahre seine zerstörten Heime weitgehend wieder aufgebaut und der Not der Zeit entsprechend neue geschaffen.

Ende des Krieges waren noch 42 Heime des Vereins teilweise oder ganz arbeitsfähig. Ende 1946 waren es bereits wieder 80 Heime. Heute verfügt der Fürsorgeverein für seine Arbeit über 103 Heime mit 9547 Betten. Die Entwicklung der letzten zehn Jahre in der Heimfürsorge des Vereins ist an der folgenden Tabelle ablesbar.

1955	Vorasyle bzw. Erstauffangstelle	Mütter- und Säuglingsheime	Erziehungsheime einschl. Kinderheime	Jugendwohnheime	Insgesamt
Zahl der Betten	1128	4306	2851	1262	9547
Zahl der aufgenommenen Schützlinge	12411	10472	4328	2590	29801
Zahl der Pflegetage	266373	1110642	757848	368611	2503474

Die Gliederung nach Heimarten ergibt folgendes Bild:

	Zahl der Heime des Vereins	Bettenzahl	Schützlinge	Pflegetage	Erzieherkräfte		
					Ordensschwestern	weltl. Kräfte	Insgesamt
1946	80	5844	17509	1290000	502	400	902
1949	87	7562	23469	1920796	614	633	1247
1955	103	9547	29801	2503474	610	960	1570

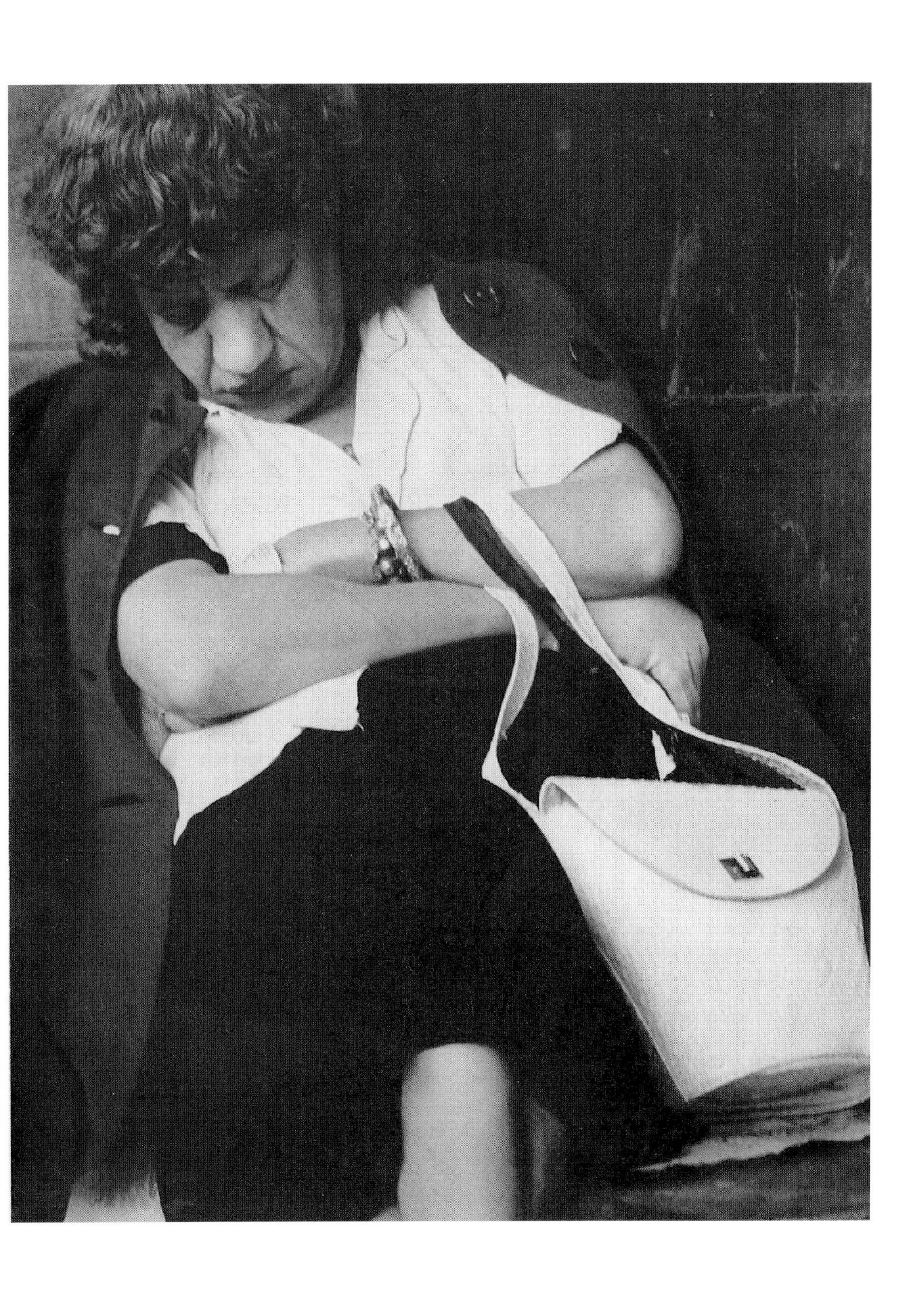

Entsprechend der Eigenart der Aufgabe der Vorasyle — den Schutzbefohlenen Aufnahme zu bieten bis zur Klärung ihrer Verhältnisse und der Regelung der endgültigen Unterbringung — ist die Aufenthaltsdauer dort erheblich kürzer als in den anderen Heimen. Die durchschnittliche Aufenthaltsdauer in den Vorasylen betrug im Jahre 1955 21,5 Tage, in den anderen Heimen im Gesamtdurchschnitt 128,5 Tage.

GEFÄHRDUNG SITZT TIEFER – ARBEIT SCHWIERIGER

Das Ausmaß der insgesamt geleisteten Arbeit in den vergangenen zehn Jahren erscheint noch größer, wenn berücksichtigt wird, daß Gefährdung und Verwahrlosung nicht nur in der Breite, sondern auch in der Tiefe rapide zugenommen haben. Die Hilfsarbeit für den einzelnen Schützling erfordert heute im allgemeinen viel mehr Mühe und Intensität als früher. Die Arbeit ist auch deshalb schwieriger geworden, weil es nicht mehr nur darum geht, einzelnen Kindern, Jugendlichen, Familien, Mädchen und Frauen zu helfen, die bei einem intakten sozialen Gefüge und bei scheinbar allgemein gültiger sittlicher Ordnung aus irgendwelchen persönlichen Gründen in Gefahr geraten oder gar gescheitert sind oder von allgemein gültigen Wegen abgeirrt sind und zur sozialen und sittlichen Einordnung der Hilfe bedürfen. Heute steht unsere Hilfsarbeit den vielen tatsächlich oder geistig Heimatlosen, den vielen Ungeborgenen gegenüber. Sie steht der Tatsache gegenüber, daß eine Riesenzahl von Menschen gefährdet oder sogar gescheitert ist, die niemals in die äußerste Gefährdung hineingeraten, die niemals gescheitert wären, wenn nicht die schweren Schicksalsschläge über uns gekommen, wenn nicht die sozialen und sittlichen Gefüge so schwer erschüttert worden wären. Freilich sind die Fundamente nicht erst jetzt, sondern schon vor Jahrzehnten erschüttert worden, aber die Unordnung ist erst nach diesem Krieg voll offenbar geworden. Ein festes soziales Gefüge trägt auch die Labilen, die geistig oder willensmäßig Schwachen und die vielen Normalen in der Stunde der Gefährdung. Heute bietet ihnen keine führende Schicht die Norm, die von allen, die sozial anerkannt sein wollen, bejaht wird. Nur noch der in einer festen Wertordnung Lebende und aus ihr Handelnde vermag Orientierung und Halt zu geben. Auch in den Landgebieten ist die Situation nicht anders. Die Fassaden der Tradition brechen zusammen. Der große sittliche Notstand ist offenbar. Dieser Notstand kann nur überwunden werden, wenn alle katholischen Christen, die sich noch ihrer Kirche verbunden fühlen, sich der Not entgegenstellen, jeder an seinem Platz, jeder auf seine Weise. Viele Menschen müssen sich bereitfinden, sich dieser Aufgabe in besonderer Weise zu widmen.

„In der Kirche Gottes bedeutet jeder Versuch, die Verantwortung abzuschieben, ganz gleich, ob er von den Hirten oder einfachen Gläubigen erfolgt, eine Sünde gegen die Liebe und damit gegen Christus in Person." So schreibt Gérard Philips in „Der Laie in der Kirche", (S. 50.) Sorgen wir dafür, das weder wir noch andere sich dieser Sünde schuldig machen.

1945–1955 ZEHN JAHRE ARBEIT DES KATH. FÜRSORGEVEREINS FÜR MÄDCHEN, FRAUEN UND KINDER 1945–1955

„Betr. Korrespondenz mit Berlin und dem Osten (DDR.)“

In letzter Zeit häufen sich die Fälle, daß unsere Ortsgruppen bei ihrer Korrespondenz mit Berlin und dem Osten (DDR.) die einfachsten Vorsichtsmaßnahmen außer acht lassen. Sie gefährden damit nicht nur den unter großen Opfern erhaltenen Rest *unserer* dortigen Arbeit, sowie der caritativen und kirchlichen Arbeit überhaupt, sondern auch *Freiheit* und *Leben* unserer Mitarbeiterinnen. Es muß in diesem Zusammenhang erwähnt werden, daß auch der Kath. Fürsorgeverein Berlin einen Teil seiner Anstalten im Ostsektor hat, daß er in allen Sektoren arbeitet und 5 von seinen 7 Fürsorgerinnen im Ostsektor, bzw. [in] schon zur DDR. gehörigen Vororten von Berlin wohnen.

Wir möchten in folgendem nochmals zusammenstellen, was unmöglich und was möglich ist.

Unmöglich:

In der Korrespondenz mit der Zone *und* dem Kath. Fürsorgeverein Berlin:

1. jedes Ansinnen, zu illegalem Grenzübertritt zu verhelfen,
2. jede Aufforderung zu Devisenvergehen (Umwechseln von West- in Ostmark),
3. jede Aufforderung zur illegalen Übermittlung von im Westen eingeklagten Alimenten über Berlin in die DDR.

Alle diese Dinge sind mit Zuchthaus und Zwangsarbeit bedroht. (Bautzen, Waldheim, etc.)

Unerwünscht:

Korrespondenz auf Firmenbogen! Bitte, *privaten* Absender! Soweit im Adressenverzeichnis private Anschriften für unsere Fürsorgestellen in der DDR. angegeben sind, nur diese benutzen.

Mit der Geschäftsstelle des Kath. Fürsorgevereins Berlin, W 35, Pohlstr. 89, kann mit Firma, aber *nur per Luftpost* korrespondiert werden. *Keine Korrespondenz* aus dem Westen, auch wenn sie Schützlinge in der DDR. betrifft, über die *Ostgeschäftsstelle* des Vereins Berlin leiten. Diese ist ausschließlich für die Arbeit zwischen Berlin und der DDR. bestimmt.

Es muß damit gerechnet werden, daß *jeder* Brief in die DDR. geöffnet wird. Auch wenn nicht gleich etwas passiert, können Fotokopien zu gegebener Zeit schwer belastendes Material gegen Empfänger und Absender sein. Die meiste zensierte Post trägt keinerlei sichtbares Zeichen der Öffnung. Auch Postwaggons der Interzonenzüge mit Westberliner Post werden gelegentlich beschlagnahmt. Der einzige sichere Weg nach *Westberlin* geht daher *per Luftpost!* (Mehrausgabe je 20 Gramm = 0,05 DM!)

Unsere Dezernentin für den Osten, *Fräulein Bertha Voigt, Berlin*-Charlottenburg 5, Wundtstraße 44 (Tel. 92-82-45), ist über die Verhältnisse, gesetzliche Bestimmungen etc. in der DDR. und in Ostberlin bestens orientiert. Wir bitten, alle Korrespondenz, die die DDR. betrifft, *per Luftpost* über sie gehen zu lassen. Wir bitten aber auch, Fräulein Voigt nicht durch unvorsichtige Erwähnung dieser Tatsache in Korrespondenzen nach drüben zu gefährden, wie es bereits geschehen ist.

Undatiertes Informationspapier der KFV-Zentrale für die westdeutschen Ortsgruppen (ca. 1952).

Vermittlung von Adoptionen in das Ausland

Immer wieder gehen uns von den Ortsgruppen Anfragen zu bezüglich der Vermittlung von Adoptionen an US.- oder kanadische Staatsbürger in Deutschland oder an persönlich nicht bekannte Familien in den USA oder Kanada. Wir verstehen wohl, daß die materielle Lage der in Deutschland stationierten Amerikaner auf den ersten Blick sehr ansprechend erscheint. Machen wir uns aber doch einmal klar, daß diese uns so hoch erscheinenden Gehälter in den Heimatländern der Betreffenden nur einen Bruchteil der Kaufkraft besitzen wie in Deutschland. Abgesehen von den – auf die Dauer gesehen – materiell gar nicht so viel besseren amerikanischen Verhältnissen ist es aber auch schon vorgekommen, daß durchaus nicht vermittlungsfähige Kinder mit geistigen und körperlichen Schäden an amerikanische Familien, die sich um ein Adoptivkind bemühten, vermittelt worden sind. Dieses erfüllt uns deswegen mit so großer Sorge, weil insbesondere geistige Schäden bei Kleinkindern nicht so ohne weiteres ersichtlich sind und oft für Laienaugen erst sichtbar werden, wenn die betreffenden Kinder unter Umständen schon jahrelang adoptiert und sie unserer Kontrolle also schon ebenso lange entwachsen sind. Wenn wir unsere Arbeit verantwortungsvoll verrichten wollen, ist eine Vermittlung solcher Kinder aber sowohl gegenüber den gutgläubigen amerikanischen Adoptiveltern als auch gegenüber dem Kinde nicht zu verantworten.

Hier treten bedeutsame Probleme in Erscheinung. Was geschieht mit diesen Kindern, bei denen sich erst nach einiger Zeit herausstellt, daß sie für die Adoptionsfamilie (oder umgekehrt) nicht geeignet waren? Wer ist überhaupt Vormund und Sorgerechtsinhaber während ihres Aufenthaltes in den USA, solange sie noch nicht adoptiert sind? Welche tatsächlichen Mittel hat der deutsche Vormund, bzw. das Vormundschaftsgericht, ein Kind aus einer ungeeigneten Pflegestelle wieder herauszuholen? Wer übernimmt die Kosten für eine evtl. Rückführung aus den USA?

Dazu muß man wissen, daß die sozialen Verhältnisse in den USA grundlegend verschieden sind von denen auf dem europäischen Kontinent. Obgleich das traditionsreiche amerikanische community-Denken und das community-Fühlen sehr ausgeprägt sind und gefördert werden und sicher in mancher Beziehung der deutschen Nachbarschaftshilfe weit überlegen sind, so besteht doch letztlich kaum eine soziale Fürsorge, die im Falle eines Versagens der Nachbarschaftshilfe (neighborhood-community) einspringt. Wohl sind einige amerikanische Staaten dazu übergegangen, für die in ihrem Staatsgebiet fürsorgebedürftig werdenden Menschen auf jeden Fall einzutreten, wenn die subsidiären Organe der Gesellschaft (Nachbarschaft, Kirchen und wohltätige Vereine) aus irgendwelchen Gründen nicht in Erscheinung treten können. Dieses entspricht auch christlicher Gesellschaftsauffassung. Der Staat soll nur dann eintreten, wenn diese Teile der Gesellschaft versagen.

In den USA ist es aber so, daß der Staat gar nicht immer zur Stelle ist, wenn primär-verpflichtete Organe versagen, und diese Tatsache ist es, die uns die Adoptionsvermittlungen nach den USA so bedenklich erscheinen lassen. Das Fehlen staatlicher Fürsorge beruht auf der zum Teil noch gepflegten puritanischen Geisteshaltung der amerikanischen Gesellschaft, die die calvinistische Theorie der Prädestination vertritt. Das heißt mit anderen Worten, daß die zur Seligkeit Vorherbestimmten auch im gesellschaftlichen Leben ihren Mann stehen. In dieser Gesellschaftstheorie gibt es keinen Platz für freie Liebestätigkeit oder für behördliche Fürsorge, der ja doch erfahrungsgemäß die nach den USA vermittelten Kinder auf Grund ihrer Anlage leider so oft bedürfen, weil solche, nach unserer Meinung fürsorgebedürftigen Menschen, der puritanischen Auffassung nach in der Ewigkeit verdammt sein werden. Es sei noch eindringlich auf die Verschiedenheit kontinentalen Calvinismus' und überseeischen Calvinismus' hingewiesen, falls hier eingewendet werden sollte, daß zum Beispiel in der Schweiz des 18. Jahrhunderts die Calvinisten vorbildliche Sozialeinrichtungen geschaffen haben.

Hier kann eingewendet werden, daß natürlich niemand von uns daran denkt, Kinder in protestantische Familien zu vermitteln. Es ist aber leider so, daß der Puritanismus das gesamte geistige und gesellschaftliche Leben der Vereinigten Staaten nachhaltig geprägt hat und daß sich eine Umkehrung zu einer katholischen Gesellschaftsauffassung nur langsam, schrittweise und unter Kompromissen und Opfern und oft in der Konkurrenz mit weniger erwünschten Staatsideen (wie z.B. die nachhaltige Unterstützung durch die Rechtsprechung des Justice Holmes,[1] der Nihilist und Pantheist gleichzeitig war) vollzieht. Teilergebnisse dieser Umkehrung sind z.B. Sozialeinrichtungen in verschiedenen Staaten. Diese Einrichtungen kommen aber meistens in staatliche oder gemeindliche Hand. Dazu muß man wissen, daß nach der amerikanischen Verfassung in staatlichen Anstalten die Religionsfreiheit jedes einzelnen beachtet werden muß, d.h. sie können nicht ausgesprochen christlich sein (wie wir es vielleicht von unseren christlichen Gemeinschaftsschulen her kennen), wenn auch nur *ein* Insasse Jude, Mohammedaner oder Buddhist ist.

Die sich aus diesen Andeutungen ergebenden Probleme sollte man beachten, wenn man ein Kind, das – seiner gesamten Anlage nach zu rechnen – mit großer Wahrscheinlichkeit einmal fürsorgebedürftig wird, und das in Deutschland auf Grund seiner Anlagen gar nicht erst vermittelt werden würde, nach den USA vermittelt.

Außerdem spielt schon bei der Vermittlung eines gesunden Kindes in eine Adoptionsfamilie das geistige Gut, das es durch seine Geburt und seine Religionszugehörigkeit mitbringt, eine entscheidende Rolle. Man sollte sich dieses Problem insbesondere bei der Vermittlung von älteren Kindern vor Augen halten, wobei auf Bekenntnisgleichheit unter allen Umständen und in allen Fällen zu sehen ist.[2]

Es ergeben sich noch weitere Probleme. Wir geben nachstehend einen Auszug aus dem Zentralblatt für Jugendrecht und Jugendwohlfahrt, Heft 1, Januar 1954 S. 8, über die in den USA praktizierten Gepflogenheiten hinsichtlich des Menschenhandels:

> „Über 30000 Kinder werden gegenwärtig von unverheirateten Mädchen unter siebzehn Jahren in den Vereinigten Staaten geboren. Die amerikanische Kriminalpolizei stellte jetzt fest, daß es unter diesen jungen Müttern durchaus üblich sei, mit ihren Kindern auf den ‚Schwarzmarkt' zu gehen, der so gut sei, daß ‚bei Lieferung frei Haus' 2000 DM extra gezahlt würden. Der übliche Preis auf dem Schwarzmarkt ist etwa 8400 DM für ein Baby. Die Nachfrage nach Babies ist in den USA so groß, daß das Angebot der legalisierten Adop-

1 [Vermutlich Oliver Wendell Holmes jr. (1841–1935), ein amerikanischer Jurist, der eine soziologische Rechtsphilosophie vertrat und seit 1902 als Richter am Obersten Bundesgericht amtierte.]

2 Siehe dazu das Schreiben vom Deutschen Caritasverband vom 18. 6. 1953, das im Korrespondenzblatt Juni/Juli 1953 veröffentlicht worden ist [Korrespondenzblatt KFV 23 (1953), 158 f.].

tions-Agenturen nicht ausreicht. Nun will der amerikanische Senat in Kürze ein Gesetz einbringen, das diese Form von Menschenhandel unter Strafe stellt."

Ergänzend ist dazu zu sagen, daß der Verkauf von Kindern in den USA bisher nur dann strafbar war, wenn der Verkauf von einem in den anderen Staat erfolgte (also im *interstate commerce,* der unter die Jurisdiktion der amerikanischen Bundesregierung fällt).

Neben diesen Problemen besteht noch ein grundsätzlich anderes.

Vielfach wird behauptet, eine Adoption von farbigen Kindern nach Frankreich oder den USA sei günstiger für das einzelne Kind, als wenn es in Deutschland verbliebe. Man macht geltend, daß der Anteil der Farbigen an der Bevölkerung Frankreichs und den USA sehr viel höher ist als in Deutschland und deswegen das farbige Kind in diesen Ländern nicht so sehr in Erscheinung träte. Für Frankreich könnte dies unter Umständen richtig sein, wo farbige Staatsangehörige die gleiche rechtliche, aber auch die gleiche soziale Stellung innehaben wie die weißen Staatsangehörigen. Es kann aber für ein farbiges Kind nur bedingt richtig sein, nach den USA vermittelt zu werden, selbst wenn es sich dort in einer Umgebung wiederfinden sollte, die oft zu 50 % und mehr (in den Großstädten und im Süden der Staaten) farbig ist. Nach Ansicht von Psychologen kann ein plötzlicher Wechsel von einer ausschließlich weißen Umgebung in eine vorwiegend farbige sogar eine ungünstige Schockwirkung auf ein Kind ausüben.

Abb. 46: Mischlingskinder gehören dazu!

Trotz aller Fortschritte, die die Organisationen der farbigen Bevölkerung in den letzten Jahrzehnten errungen haben, besteht doch noch eine beträchtliche soziale Diskriminierung der farbigen Bevölkerung, die zum Teil als der einzige Grund für die höhere Kriminalität der Farbigen angesehen werden muß.[3]

Wohl machen sich auch in Deutschland Bewegungen bemerkbar, die den Farbigen in unserem Volk nicht die gleiche soziale Stellung einräumen wollen wie die Weißen sie innehaben. Diese Bewegung ist aber neu und beruht eigentlich nur auf Gefühlsmomenten, die durch öffentliche Meinungsbildung zu beeinflussen sind, und auf überlieferten rassischen Vorurteilen, die man auch in dieser Form leicht kompromittieren könnte. Jedenfalls wird

3 Siehe dazu Gunnar Myrdal, An American Dilemma.

es viel leichter sein, für die farbigen Kinder erträgliche seelische Verhältnisse in Deutschland zu schaffen als in den USA – wie groß auch dort die Fortschritte und der gute Wille sein mögen. In den USA stützt sich die Ablehnung des Farbigen durch den Weißen auf jahrhundertelange Tradition und dazu noch auf ganz konkrete finanzielle Vorteile, die der Weiße durch die Diskriminierung des Farbigen bisher erlangt hat. Eine erträgliche seelische Situation für den Farbigen ist also in den USA selbst unter größten Anstrengungen nicht eher zu erreichen als in Deutschland, wenn hier nur einigermaßen guter Wille vorhanden wäre.

Unsere Aufgabe muß es sein, diesen guten Willen zu wecken und zu stärken. [In][4] dieser Beziehung sieht sich der Kath. Fürsorgeverein ganz besonders auch dem Volksganzen gegenüber verpflichtet, insofern, als durch eine gesellschaftliche Gleichstellung unserer Mischlingskinder mit unseren weißen Kindern die besten Kräfte unseres Volkes geweckt werden und – man muß auch das sehen und einmal sagen – unser Volk vor weiteren Sünden des Hochmuts und der Hoffart bewahrt bleibt.

Es kann nicht angehen, daß unsere Mischlingskinder von einer Schule zur anderen wandern, weil sie nirgendwo von ihren Mitschülern geduldet werden und schließlich in einer Heimschule landen, die einer FE-Anstalt angeschlossen ist. Wir sollten uns darüber im klaren sein, daß nicht nur diese Mitschüler gegen die Liebe sündigen, sondern auch deren Eltern und Erziehungsberechtigte, die es offensichtlich daran fehlen ließen, in den jungen Menschen die Ehrfurcht vor dem Mitmenschen zu wecken. Denken wir doch an das Wort der Schrift: „Ich war fremd, und ihr habt mich nicht beherbergt! Hinweg von mir, ihr Verfluchten, ins ewige Feuer, das dem Teufel und seinen Engeln bereitet ist!“[5] Gott wird auch uns zur Rechenschaft ziehen, ob des Beitrages, den wir zu dem irdischen Lose dieser Kinder geleistet haben.

Aus: Korrespondenzblatt Katholischer Fürsorgeverein für Mädchen, Frauen und Kinder 25 (1955), 47–50. Der Aufsatz ist mit dem Kürzel „Ke.“ gezeichnet.

4 [Im Original versehentlich: „An“.]
5 Mt. 25, 43/41.

Elisabeth Zillken

Der Eigenwert der kirchlichen Liebestätigkeit in der öffentlichen Wohlfahrtspflege

Was die kirchliche Liebestätigkeit bedeutet, geht aus den Zahlen über das Wirken der Gesamt-Caritas in Deutschland hervor, die die Statistik vorlegt.[1] Wieviel und was das im wohlfahrtspflegerischen Raum bedeutet, kann niemand exakt ausdrücken. Wir wissen, daß es noch längst nicht genügt.

Eine andere Frage ist, wie Andersdenkende uns und unser Wirken sehen. Von antiklerikaler Seite (worunter hier sehr verschieden schillernde Gruppen zusammengefaßt sind) werden die caritativen Werke und Einrichtungen der Kirche als Außenforts angesehen, durch die die Macht der Kirche gestärkt werden soll.

Wie kommen wir in unserer grundsätzlichen Haltung zurecht? „Diese geschiedene Frau muß wieder heiraten", wird von einer neutralen Wohlfahrtspflege geraten – und so unser Helfen durchkreuzt. Der Einwand, daß wir das wirkliche Heil dieser Frau wollen, ihr wirkliches Glück, wird als veraltet abgetan. Unsere Auffassung, daß man einer unehelichen Mutter und einem unehelichen Kind nicht gründlich genug, nicht wirksam genug helfen kann, daß die uneheliche Geburt aber kein Grund zum Festefeiern ist, wird als ebenso altmodisch bezeichnet. Ich kann hier nur andeuten, wie die Auseinandersetzung mit der behördlichen Wohlfahrtspflege liegt, die uns oft die Zusammenarbeit erschwert. Daß sie uns die Zusammenarbeit erschwert, das wäre das geringste. Schwerer ist, daß so echtes christliches Helfen erschwert wird. Wir wissen, daß überzeugte katholische Menschen in der behördlichen Wohlfahrtspflege anders sprechen; aber sie sind nicht die Mehrzahl, und nur zu viele Stellen sagen unseren Schutzbefohlenen, daß unsere Forderungen zu schwer seien, daß sie es ihnen leichter machen wollten. Und so machen sie die Hilfe, die dem ganzen Menschen, seinem Leib und seiner Seele dienen soll, oft unmöglich. Es geht um Auseinandersetzungen, wo und wie ein Kind erzogen, wie der Familie geholfen, wie die Hilfe für Gestrauchelte durchgeführt werden kann und soll. Es geht um Auseinandersetzungen, die um des Menschen willen geführt werden, der als Ebenbild Gottes geschaffen ist, die um der Gesundheit und des Glückes des Volkes willen geführt werden.

Von da aus möchten wir das Verhältnis unserer caritativen Arbeit innerhalb der gesamten Wohlfahrtspflege und gegenüber dem Staat bzw. der Kommune erörtern. Es liegt mir daran, noch eine andere Gegenüberstellung zu machen als die von Staat und Kirche. Ich möchte zunächst einmal Staat und Volk sagen, oder Staat und Gesellschaft. Wir werden nachher sehen, daß die Kirche es praktisch nicht nur mit dem Staat, sondern zuletzt mit dem Volk zu tun hat. Obwohl wir wenigstens grundsätzlich im katholischen Raum beide zu unterscheiden wissen, können wir es weithin praktisch noch nicht. Und im nichtkatholischen Raum werden weithin beide auch grundsätzlich und erst recht praktisch gleichgesetzt. Da liegt meines Erachtens die tödliche Gefahr – tödlich nicht nur für die freie Wohlfahrtspflege – sondern tödlich für das Leben des Volkes.

Sind oder werden wir nur ungegliederte Masse, die verwaltet und nötigenfalls vom Staat betreut wird, die von ihm Sicherheit und Versorgung verlangt? Auf der staatlichen Seite entsteht dann ein Apparat, der immer mechanischer funktioniert, auf der Seite des Volkes die

---

1 [Referat, gehalten im Arbeitskreis „Caritas" des Zentralkomitees der Deutschen Katholiken, Köln, 28./29. 8. 1956.]

Masse, die im Egoismus, im Streben nach gutem Lebensstandard untergeht. „Macht die Sozialstrukturen stark" – das war der Ruf, der vom Ulrichsjubiläum in Augsburg ausging –, d.h. seid oder werdet nicht ungegliederte Masse mit einem Überbau von Staatsapparat, sondern baut bzw. stärkt die vertikalen Strukturen, die einerseits ein Volk gliedern und verhindern, daß es zur Masse wird, die andererseits aber auch als Streben den Überbau von Regierung und Verwaltung tragen.

Sozialstrukturen: lebendige Gliederung des Volkes, des gesellschaftlichen Raumes. Dazu gehören die Familie, weiter Verwandtschaft, Berufsgemeinschaften und berufsständische Gruppen, Betriebe und Einrichtungen gesellschaftlicher Selbsthilfe, vor allem aber Einrichtungen der freien Wohlfahrtspflege, kurz, alle die freien Gebilde, die ein Verantwortung tragendes Volk schafft, die Menschen schaffen, die sich ihrer Berufung und ihrer Würde bewußt sind.

Der Mensch ist ein soziales Wesen – er braucht die Hilfe des Mitmenschen und hat ihm seinerseits wieder Hilfe zu leisten. Aus diesem Grunde bildet er Gemeinschaften verschiedenster Art, nicht nur die Familie. Wo das nicht mehr geschieht, kommt die Starre des Todes. In einem lebendigen Volk helfen sich die Familienmitglieder, die Nachbarschaften usw. Die Menschen bilden aber auch neue Gemeinschaften, um gewissen Notständen abzuhelfen, besonders dann, wenn die Familie zur Kleinfamilie, zur „zweistöckigen Familie", geworden ist und die weitere Familie weit entfernt ist. In einem lebendigen Volk fühlt man sich verantwortlich, sofern und soweit man mündiger Mensch geworden ist, für sich selbst und für die Gemeinschaften, mindestens für die näheren, und wenn es ein starker Mensch ist, auch für die weiter entfernten Gemeinschaften und schließlich für das Ganze. Ohne diese Verantwortung ist alles Reden von Demokratie leeres Geschwätz.

Wir wissen alle, daß wir zur Zeit eine soziale Umschichtung allergrößten Ausmaßes erleben. Die kleinen und die kleinsten Gemeinschaften sind nicht mehr wie früher in der Lage, die Schutz- und Hilfsaufgaben zu erfüllen; sie sind selbst schwächer geworden. Aber auch die Anforderungen und auch die Ansprüche sind ungeheuer gewachsen. (Wann ging man z.B. um 1900 ins Krankenhaus – wann geht man heute! Was bedeutet die Zerstörung der Familienhabe seit 1914 – was bedeuten Vertreibung und Flucht?) Der Staat und die durch staatliche Gesetzgebung geschaffenen Sozialleistungsträger treten an die Stelle der kleinen und kleinsten Gemeinschaften. Heute fordert man es, findet es am angenehmsten, am unverbindlichsten, daß der Staat für alle sorgt und für alle einspringt. Beruhigend ist es, in dieser unruhigen Zeit zu denken, daß der Staat zuletzt da ist und hilft; erregend der Gedanke, daß auch er wieder in eine Katastrophe geraten und versagen könnte.

Diese Änderung der gesellschaftlichen Zustände ließ den berechtigten Ruf nach der Sozialreform laut werden, zu der nicht nur die Neuordnung der Sozialversicherung und Versorgung, sondern auch *die der Fürsorge gehört.* Diese Sozialreform ist nötig, und doch fehlt uns auf katholischer Seite eine einheitliche, klare Konzeption, wie sie *praktisch* aussehen soll. Als die erste Sozialversicherung in den achtziger Jahren des vorigen Jahrhunderts beraten wurde, hatten Persönlichkeiten wie Hertling und Hitze und ihre Freunde eine andere Konzeption als Bismarck; aber die von Bismarck hat sich mit einigen Abstrichen durchgesetzt. Hertling war mehr für die Stärkung der Sozialstrukturen. Der Arbeitnehmer sollte die Möglichkeit haben, selbst Vorsorge für sich und seine Familie zu treffen, er sollte in freien Zusammenschlüssen auch zu solidarischer Hilfe kommen. Die Bismarcksche Lösung stand dem Staatssozialismus viel näher.[2] Der Staat schafft Träger und Einrichtungen und führt gesetzliche Zwangsmitgliedschaft ein und gewährt Zuschüsse. Die Kehrseite kennen wir alle: Jeder will aus seiner Versicherung möglichst viel herausschlagen; er sieht im Staat den bequemen, unerschöpflichen Geber auch in der Fürsorge. Man möchte wünschen, daß diese Sozialreform, die wir jetzt machen, Eigenverantwortung, Solidarität und Gemeinsinn stärkt. Unter diesem Gesichtspunkt wollen wir heute die gesamte freie Wohlfahrtspflege und insbesondere auch die Caritas in ihrer Bedeutung sehen.

Hier ist etwas aus der freien Initiative der Bürger entstanden, aus echter Verantwortung, aus Gerechtigkeitssinn, aus Liebe. Es besteht die Gefahr, daß der einzelne in unserer Zeit den Ursprung, die Entstehung dieser Werke gar nicht mehr sieht, nicht mehr das Bewußtsein hat, daß hier in seinem Namen gehandelt wird. Einrichtungen der freien Wohlfahrtspflege können infolgedessen auch zum Apparat erstarren, sich vom Volk entfernen. Die einzige Verbindung mancher Christen zu den caritativen Einrichtungen ist die Sammelbüchse.

Was bedeutet freie Wohlfahrtspflege, die auf der wirklichen *Mitarbeit* der Bürger beruht? Kenntnis der wirklichen sozialen Zustände, in denen wir leben, die nicht aus den Geschäfts-

Abb. 47: Spendenplakat zugunsten der Gefährdetenhilfe.

2 [Vgl. zu dieser Sicht der Dinge auch Dok. 20.]

straßen und Märkten, aus Schaufensterauslagen, aus dem Leben der Etablissements, in denen sich das sogenannte öffentliche Leben abspielt, nicht aus Berichten über die Wirtschaftskonjunktur und auch nicht aus Berichten über die Zunahme der Jugendgefährdungen, über das Treiben der „Halbstarken" oder die Zunahme der Kriminalität der Erwachsenen und Jugendlichen zu ersehen ist. Wer sich persönlich um Kranke und Alte, um elternlose Kinder, um Kinder aus geschiedenen Ehen, um uneheliche Kinder und ihre Mütter und Väter, um Straffällige und ihre Familien kümmert, der weiß um das wirkliche Leben, der weiß auch, wo Ursachen der Not, wo Ursachen des Versagens liegen. Er erfährt tiefer, was jeden von uns gefährdet. Er erfährt auch, was gesunde Familie, gesundes Volkstum zerstört. Er tritt aus eigener Erfahrung und Überzeugung in Gesprächen, wo immer er sie führt, für Änderung gefährdender Zustände, für Schaffung guter Umwelt ein und hilft so, eine gesunde öffentliche Meinung zu bilden. Menschen, die sich alter Leute annehmen, werden nicht in erster Linie für die Vermehrung von Altersheimen eintreten, sondern fragen, wie man es im Wohnungsbau und in der Gesinnungspflege macht, damit die Kleinfamilie ihren Großeltern Platz und Pflege schaffen *kann.* Wer in der Jugendfürsorge wirklich hilft, wird fragen, ob wir die Freiheit für die Presse auf Schundliteratur in einem solchen Maße ausdehnen müssen, daß eine Schweizer Zeitschrift davon spricht, daß die Bundesrepublik die größten Produzenten von Schundliteratur beherbergt, die auch die Schweiz mit ihren Riesenauflagen überschwemmen.[3] Er weiß aber zugleich, daß zuletzt hier nicht Gesetze und Polizei hilfreich sind – so nötig wir sie brauchen –, sondern daß der mündige Erwachsene dafür sorgen muß, daß die Nachfrage nach diesen Produkten aufhört. Solange die Erwachsenen oder schon die Achtzehnjährigen die Nachfrage ungeniert geltend machen und die erworbenen Erzeugnisse überall liegenlassen, solange haben wir eben eine giftige Atmosphäre in der Wohnstube des deutschen Volkes, und die Jugend atmet diese Luft ein. Wer in der Jugendhilfe arbeitet, weiß, daß, nachdem die Erwachsenen es so weit haben kommen lassen, jetzt gegen die sogenannten Halbstarken etwas unternommen werden muß, daß aber im übrigen hierher gehört, daß Erwachsene ein wirklich gutes Beispiel für die Jugend sind, daß Mütter nicht Erwerbsarbeit übernehmen sollten, wenn die Not nicht dazu zwingt, daß wir Zeit für gute Gespräche mit der Jugend haben müßten – er weiß, was in Schule und Religionsunterricht fehlt, daß es nicht gut ist, wenn unsere vierzehnjährigen Mädchen sofort in Fabrikarbeit gehen.

Ich kann hier nur andeuten, was eine praktisch geübte freie Wohlfahrtspflege bedeutet; daß sie alle Bürgertugenden entwickelt: Sorge für das Ganze, menschliches Verstehen, Gerechtigkeit, Güte, Liebe. Wenn der Behördenapparat von sich allein aus Mißstände beseitigen will, werden immer neue entstehen – wie die Köpfe der Lernäischen Schlange. Die verantwortungsbewußte Hilfe und Führung der mündigen Staatsbürger aber ändert auf die Dauer die gefährlichen Zustände. Sie wird auf die Dauer nicht nur dem Hilfsbedürftigen helfen, auch der Helfer selbst wird wertvoller. Es gehört zum Wesen des Menschen, daß er hilfreich ist. Wo diese Wesensäußerung aufhört, erstirbt zuerst etwas in dem betreffenden Menschen selbst, dann in der Gemeinschaft.

---

3 Fachblatt für Schweizerisches Anstaltswesen, Nr. 294, August 1956, S. 307: Probleme der Schundliteratur.

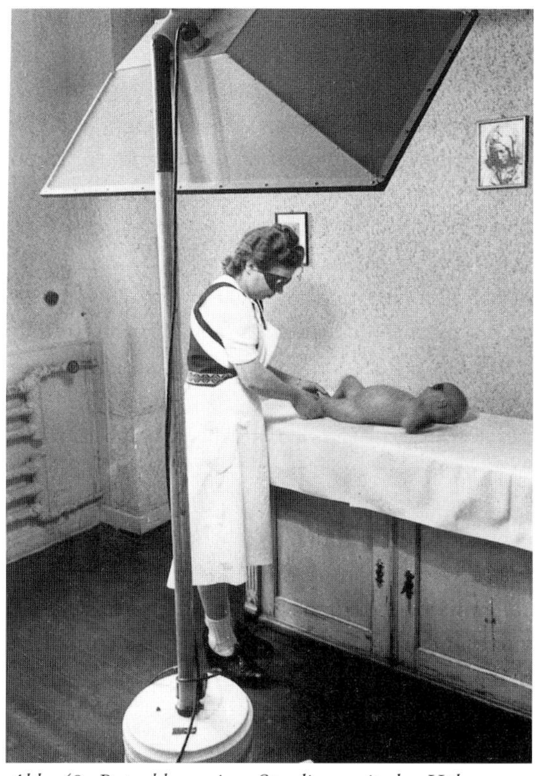

Abb. 48: Bestrahlung eines Säuglings mit der Höhensonne im Agnesheim Rheine (1949).

Der Staat muß die im Grundgesetz verankerten Grundrechte des Bürgers achten und darum positive Toleranz üben. Es muß seine Sorge sein (ganz gleich, welche Mehrheit regiert), daß das Kind in vollem Umfang die weltanschaulich-religiöse Erziehung bekommt, auf die es selbst ein Anrecht hat oder die seine Erziehungsberechtigten reklamieren. Er muß infolgedessen katholische Kindergärten und Heime, Jugendfürsorgearbeit, Altersheime, Krankenhäuser usw. fördern, auch mit Subsidien. Aber das Subsidiaritätsprinzip ist nicht nur deshalb da, um konfessionelle Einrichtungen auf dem Gebiet der Fürsorge zu fördern und zu erhalten, sondern es ist wirklich um des gesunden Volkslebens und um des kraftvollen Staates willen da, damit nicht zwei unverbundene Horizontale, eben Staat und Masse, nur verbunden durch gelegentliches Streben am Wahltag, einander ihr Leben gefährden, sondern die vom gegliederten Volk ausgehenden Streben das Gemeinschaftsleben und den Staat tragen und in seinem Bestande sichern.

Für uns gehört zum Lieben, daß wir das ganze Heil der Menschen wollen, nicht nur ihr irdisches Wohl. Darum müssen wir fordern: katholische Kindergärten, Schulen, Krankenhäuser, Altersheime, Jugendfürsorge, Gefangenen- und Gefährdetenfürsorge.

So können indes nur wir es verstehen. Aber verantwortliche Nichtkatholiken verstehen doch auch, daß wir neue innere Bindungen brauchen, und zwar religiöse Bindungen. [...] Aber was manche Leute an der Spitze erkennen, ist noch längst nicht geistiges Eigentum des Durchschnitts und der Masse. Und die erkennende Spitze selbst hat noch so viel Angst vor der Kirche – sie sagt, vor dem „Klerikalismus" –, daß sie nicht wagt, die Folgerungen aus dieser Erkenntnis zu ziehen.

Zweierlei hat zu geschehen, wenn wir ja sagen zu der uns hier vorschwebenden Relation Staat und Gesellschaft. Der Staat muß die freie und darum auch die kirchliche Wohlfahrtspflege fördern – sie zur Mitarbeit heranziehen, ihr gegebenenfalls die Hilfsbedürftigen auch zuschicken, die einen Anspruch auf sie haben bzw. den Anspruch stellen. Er muß die Bürger, die Verantwortungsbewußtsein in der Gemeinschaft zeigen, auch schätzen und anerkennen. Die öffentliche Anerkennung des verantwortungsbewußten Bürgers ist wichtig.

Die Verwaltung darf keine Sünden gegen die austeilende Gerechtigkeit begehen. Es ist aber eine Ungerechtigkeit, wenn aus öffentlichen Mitteln ein Zuschuß gezahlt wird für den Bürger, der sich in ein städtisches Krankenhaus begibt, und nicht für den Bürger, der in ein Krankenhaus geht, das der Caritas oder der freien Wohlfahrtspflege gehört. Es ist eine Ungerechtigkeit, wenn für das Kind, das einen öffentlichen, von der Behörde geführten Kindergarten besucht, ein sehr erheblicher Zuschuß aus Steuermitteln gegeben wird, der verweigert wird für die Kinder, die einen Kindergarten der freien Wohlfahrtspflege besuchen. Die Beispiele lassen sich vermehren.

Unsere Parlamentarier und unsere Beamten der betreffenden Ressorts müssen in diesem Sinne informiert werden. Man kann die hier ausgesprochenen Grundsätze so aussprechen, daß sie allen einleuchten.

Wir haben auch selbst vieles zu tun. Die Seelsorge hat vieles zu tun. Sie muß die Verantwortung des einzelnen für die Gemeinschaft wecken und pflegen. Die Katholiken müssen den ihnen im Volk zustehenden gesellschaftlichen Raum füllen. Wir aber brauchen, wenn wir unserer katholischen Jugend, unseren katholischen Kranken und katholischen Alten ausreichend helfen wollen, hilfreiche, caritative Menschen in großer Zahl; wir brauchen erhebliche materielle Mittel.

Jeden Monat verlassen 20000 Menschen unsere Strafanstalten; sie müssen wieder eingegliedert werden. Und ebenso viele werden neu eingewiesen. Während ihrer Strafzeit muß man sich um sie selbst und um ihre Angehörigen kümmern, ihnen zu ihrer inneren Umkehr helfen, ihre Entlassung vorbereiten. Im Beirat des Bundesarbeitsministeriums für Sozialreform sprechen wir über die Resozialisierung der Strafentlassenen. Auch in unseren Fachkreisen sprechen wir darüber. Aber bis auf den Katholikentag und zur katholischen Gemeinde bringen wir die Frage nicht!

Es war nicht immer in der Kirche so, daß diese Hilfe nur von kleinen Kreisen versucht wurde. Ich erinnere an das Fest von der Erlösung der Gefangenen, an die Orden, die gegründet wurden, Gefangene loszukaufen. Muß das katholische Volk nicht wissen, daß es Glieder des Leibes Christi sind, die in den Gefängnissen materiell heute zwar besser versorgt werden, dafür aber mitsamt ihren Familien seelisch mindestens so gefährdet sind wie damals? Sollen also alle helfen in der Straffälligenfürsorge? Nein, aber alle sollen davon wissen. Sollen alle helfen in der Fürsorge für gestrauchelte Frauen, für gefährdete Jugend? Nein, aber alle sollen davon wissen und die Anliegen mit ihrem Gebet und ihrem Opfer unterstützen. Wenn wir in der Kirche mehr zum Fürbittgebet für die Allgemeinheit aufriefen und das Beten des einzelnen für sich und seine nächsten Angehörigen in die Weite führten, würden wir die katholischen Christen stärker dazu bringen, den gesellschaftlichen Raum, den sie heute in erheblichem Umfange Andersdenkenden überlassen, zu füllen. Könnten wir nicht z.B. je einen Tag im Monat beten: für unsere Kranken und die sie pflegen – für unsere Kinder und ihre Eltern und Erzieher – für die, die besonders gefährdet sind – für die Irrenden und Strauchelnden – für die Gefangenen und ihre Angehörigen – für die Zweifelnden und die in Gefahr sind, den Glauben zu verlieren – für die Ungläubigen – für die Missionare in Deutschland und in allen Teilen der Erde – für die Hungernden in der Welt – für die, welche die Geschicke der Völker leiten – für die Priester und Laien, die den Menschen helfen – für die Wirtschaftsführer und für die Arbeitnehmer? (Man kann den Katalog gewiß besser fassen.) Glauben Sie nicht, unse-

Abb. 49: Agnes-Neuhaus-Heim in Bamberg mit Insassen.

re Werktagsmessen und Andachten wären besser besucht? Glauben Sie nicht, daß durch eine solche Erweiterung des Betens und Opferns auch die Fundamente gelegt werden könnten für eine kraftvolle caritative und soziale Missionsarbeit, die aus dem Egoismus und praktischen Materialismus hinausführt? Wenn wir dazu mit Monographien sehr einfacher und präziser Art den führenden Männern und Frauen Handreichungen böten, damit sie wissen: Was geschieht an caritativer Hilfe in der katholischen Kirche für die Kranken, für die Kinder, für die Jugend, für die Gefährdeten, für die Gefangenen, für die Missionen, für die Hungernden in der Welt usw. usw. – dann kann man auch die Frage stellen: „Und wo hilfst Du?" „Wozu bist Du vielleicht gerufen?" „Wo könntest Du vielleicht ehrenamtlich, wo könntest Du beruflich mitarbeiten?" „Was könnte in Deiner Familie noch geleistet werden?" „In welchem Umfang bist auch Du zum materiellen Opfer verpflichtet?"

Wir müssen die Herzen weit machen. Wir müssen die Bereit-Gewordenen auch wirklich zu mehr als Handlangerdiensten heranziehen und sie gründlich vorbereiten, „schulen". Dann können wir auch um das materielle Opfer bitten. Das katholische Volk muß für alle Brüder und Schwestern hilfs- und opferbereit sein und dadurch für die Liebe Christi Zeugnis ablegen. Wenn das geschieht, wird auch der Staat unsere Stellung und Aufgabe, um die wir vielleicht noch kämpfen müssen, schließlich anerkennen, wird uns auch fördern, wird schließlich merken, daß wir zu seinen wichtigsten Stützen gehören. Denn gerade wir Katholiken wissen um die Bedeutung des Staates und daß wir ihn mit zu verantworten haben. Dann werden diese Katholiken überhaupt ein anderes Leben führen; sie werden offenen Auges und Herzens durch die Welt gehen. Der praktische Materialismus fällt ab von ihnen. Der Kampf um den Lebensstandard wird zweitrangig. Über die Sorge für die vielen Brüder und Schwestern finden sie ihren eigenen Weg zu Gott und führen zu Gott. Die Zustände werden anders. Nur so wird Sozialreform, nur so wird lebendiges Volk, nur so werden Gemeinschaften, die den Staat tragen.

Die Kirche steht nicht an erster Stelle dem Staat gegenüber, sondern vor allem dem Volk, der Gesellschaft, haben wir zu Anfang gesagt. Das Volk ist der Souverän. Wer von behördlicher Seite, gleich auf welcher Ebene, mit der Kirche und der Caritas verhandelt, spricht im Namen des Volkes und muß sich dessen bewußt sein. Dabei kommt es nicht nur – aber auch – auf die Mehrheit an, die aus den Wahlen hervorgegangen ist. Es kommt gemäß den Grundrechten, die

die Freiheit des einzelnen, vor allem seine Gewissens- und Glaubensfreiheit, sichern, gerade in der caritativen Arbeit auch auf die Entscheidung des einzelnen Bürgers im konkreten Falle an.

Ist das Volk, sind unsere Christen in der Lage, den Raum des Souveräns auszufüllen? Sind sie in der Lage, den gesellschaftlichen Raum auszufüllen auf all den verschiedenen Ebenen, auf denen er ausgefüllt werden muß? Erfüllen Kirche und Seelsorge hier ihre Aufgabe? Erfüllen wir als Caritas unsere Aufgabe? Die Verantwortung im gesellschaftlichen Raum kann nicht von den einzelnen erfüllt werden gemäß Weisungen, die von der Kirche gegeben werden. Sie muß erfüllt werden auf Grund von Entscheidungen, die der mündige Christ treffen muß, der dann freilich religiös nicht mehr in den Kinderschuhen stecken darf. Ist er entsprechend gebildet und in seinem Gewissen informiert? Der Raum der Wohlfahrtspflege müßte von uns katholischen Christen so gefüllt werden, daß die Hilfe für jeden katholischen Hilfsbedürftigen (ich meine nicht Fälle, in denen lediglich materielle Hilfe in Frage kommt) durch den katholischen Bruder, die katholische Schwester geleistet wird. Dazu brauchen wir eine andere religiöse Bildung der Kinder, der Jugend, der Erwachsenen. Dazu brauchen wir den Anruf zur Nächstenliebe, die Belehrung der Seelsorge über das Große Gebot. Wir brauchen auch mehr materielle Mittel, und es bleibt eine ernste Frage, ob aus Kirchensteuermitteln nicht auch noch mehr für die Erfüllung der caritativen Aufgaben abgezweigt werden muß, damit die nächste Generation es noch hören will, wenn die Glocken zum Gottesdienste rufen.

Von der aktiven Nächstenliebe aus lernt der Christ das wirkliche Leben, seine Not, seine Gefahren, die gesellschaftlichen Zustände gründlich kennen. Aus den hier gewonnenen Einsichten wird er auch sorgen, daß im sozialen Raum die Dinge entsprechend gestaltet werden. Durch ihn tritt auch dem Abständigen und auch dem in die Irre gegangenen Menschen das Zeichen Gottes unter den Völkern wieder entgegen. Wer Caritas aufbaut, baut den Leib Christi auf. Aber er baut auch den gesunden Leib des Volkes auf.

Aus: Caritas 57 (1956), 268–275.

Dr. Else Mues, unsere neue Generalsekretärin

Abb. 50: Dr. Else Mues (1914–1997), Generalsekretärin des Gesamtvereins 1958–1980 (Aufnahme von 1966).

Der Zentralvorstand hat Frau Dr. Else *Mues* zur Generalsekretärin unseres Vereins ernannt. Frau Dr. Mues hat dieses Amt angenommen. Damit ist die seit dem Tode von Frau Johanna Schwering bestehende Personal-Union in den beiden Ämtern der 1. Vorsitzenden und der Generalsekretärin wieder aufgelöst. Als 1. Vorsitzende werde ich auch weiterhin wie bisher ständig an der Zentrale und für den Gesamtverein tätig sein in der beruhigenden Gewißheit, mit Frau Dr. Mues, die schon fast 10 Jahre meine engste Mitarbeiterin war, so zusammen arbeiten zu können, wie Frau Neuhaus mit mir zusammen gearbeitet hat, – so Gott will, noch manches Jahr.

Den meisten von Ihnen wird Frau Dr. Else Mues seit langem bekannt sein. Ihnen, und vor allem aber jenen, die sie noch nicht näher kennen, sind wir in diesem Augenblick einige Daten aus dem Leben der neuen Generalsekretärin schuldig.

Dr. Else Mues stammt aus Lippstadt in Westfalen. Nach ihrem Abitur 1933 leistete sie ein halbes Jahr Freiwilligen Arbeitsdienst in Handorf bei Münster und war anschließend zwei Jahre Haustochter in einer Familie in Bad Kreuznach. Es folgten bis zum Beginn ihres Studiums viereinhalb Jahre Tätigkeit in der Direktion der Westfälischen Landeseisenbahn, Lippstadt. Nach dem Studium der Volkswirtschaft in Münster, München, Tübingen und Marburg legte sie im Frühjahr 1945 in Marburg ihr Staatsexamen ab. Ihre Diplomarbeit hatte „Die Stellung des Lehrlings in der Industrie – seine Erziehung und Betreuung" zum Thema. Nach ihrem Staatsexamen kam sie zu uns. Frühjahr und Sommer 1945 arbeitete sie zunächst in der Ortsgruppe Lippstadt in der offenen und Jugend- und Gefährdetenfürsorge, und anschließend als Mitarbeiterin in der Zentrale. Ende 1953 ließ sich Dr. Else Mues beurlauben, um zu promovieren. Das geschah im Frühjahr 1957 mit einer Arbeit „Probleme der Hilfe für heimatlose weibliche Jugendliche". Anschließend kehrte Frau Dr. Mues an die Zentrale zurück.

Schenken auch Sie ihr das Vertrauen, das der Zentralvorstand ihr mit ihrer Ernennung zur Generalsekretärin entgegengebracht hat.

Im Namen des Zentralvorstandes:
Elisabeth Zillken
1. Vorsitzende

Aus: Korrespondenzblatt Katholischer Fürsorgeverein für Mädchen, Frauen und Kinder 28 (1958), 82–83.

Gefährdung und Gefährdetenfürsorge im Bereich ausländischer Truppenansammlungen

Als ein besonders brennendes Problem in der Gefährdetenfürsorge stellten sich uns nach dem Kriege bis in die Gegenwart die Gebiete dar, in denen die ausländischen Truppen in bestimmten Räumen der Bundesrepublik schwerpunktmäßig stationiert und zusammengefaßt wurden. [...][1]

Starke Truppenkonzentrationen haben wir im Bundesgebiet heute sowohl am Rande von Großstädten als auch in rein ländlichen, oftmals landwirtschaftlichen Notstandsgebieten mit den dazu gehörigen Dörfern und Kleinstädten. Daneben müssen noch als gefährdete Gebiete Ausflugsorte bzw. Städte mit besonderen Vergnügungszentren, die im Einwirkungsbereich der Truppenplätze liegen, gesehen werden.

Gegenüber der zunehmenden Gefährdung in diesen Gegenden haben wir nach voraufgegangener zweijähriger Beobachtung vor acht Jahren begonnen, unsere praktische Fürsorgearbeit systematisch auszubauen.

Die Wandlung des Problems

Schon in dem Aufsatz von Frau Dr. Jörissen[2] [...] wurde darauf hingewiesen, daß die Gefährdung i.e.S. kein reines Dirnenproblem, so wie es in der Vergangenheit gesehen wurde, mehr ist. Die veränderten Formen der Prostitution wurden uns auf dem neuen Arbeitsgebiet deutlich sichtbar. Die amtlich bekannten und vom Gesundheitsamt überwachten Dirnen machen auch im Raum der Truppenplätze den weitaus kleineren Teil der der Gewerbsunzucht nachgehenden Frauen aus.

Die Truppenansammlungsgebiete werden ununterbrochen von Frauen aus allen Teilen Deutschlands und aus dem Ausland, aber auch aus allen Bevölkerungsschichten aufgesucht. Die scheinbar so günstigen Verdienstmöglichkeiten – auch im geordneten Sinn gemeint – üben geradezu einen Sog aus. Wie der Zustrom wächst, besonders auch der Einheimischen, weisen an allen Orten der Umgebung von Truppenplätzen der außergewöhnlich angewachsene Autobuslinienverkehr und die groß angelegten Autobahnhöfe aus.

Eine Anzahl der Zuwanderinnen kommt aus abenteuerlichen Absichten oder vagabundierend. Viele kommen bereits mit ausgesprochen dirnenhaften Absichten. Manche wechseln ständig ihren Partner, wechseln von Truppenplatz zu Truppenplatz; andere gehen Verlöbnisse auf Zeit ein, lassen sich ganz oder zeitweise von dem jeweiligen „Verlobten" aushalten; wieder andere machen sich und andere glauben, daß echte Eheabsichten bestehen. Zu einer Heirat kommt es jedoch nur ganz selten, und dann handelt es sich oft um eine charakterlich oder menschlich äußerst zweifelhafte Partnerschaft. So reiht sich bei ihnen ein Verhältnis an das andere, wenn die Soldaten ihre Standorte wechseln oder sich anderen Frauen zuwenden. Mädchen und Frauen werden oft aus weit entfernten Gegenden für die Bars angeworben. Wir haben den Eindruck, daß die Unternehmer dort, wo sie Frauen anwerben, als seriös in Erscheinung treten, aber relativ hohe Löhne versprechen sowie ein erstes Handgeld geben. Die Mäd-

1 [Vgl. den Bericht: Aufgaben und Möglichkeiten der Gefährdetenfürsorge im Gebiet der Truppenübungsplätze, in: Korrespondenzblatt KFV 23 (1953), 151–158.]

2 [Luise Jörissen, Möglichkeiten und Aussichten zur Gefährdetenfürsorge, in: Korrespondenzblatt KFV 30 (1960), 33–44.]

chen kommen zum Teil ahnungslos und völlig unvorbereitet auf das zu, was sie erwartet, besonders dann, wenn sie nur um der so günstigen Verdienstmöglichkeiten willen dem Stellenangebot folgen. Nach Angabe der Mädchen halten die Unternehmer in vielen Fällen nicht, was sie versprochen haben. Wenn dann die Mädchen ihre Situation erkennen, schämen sie sich oft und geraten unter Umständen auch in große Not, falls sie die Stelle verlassen, und sinken ab. Verlassen sie die Stelle aber nicht, so ist es fast unmöglich, in Ordnung zu bleiben. Bar- und barähnliche Betriebe mehr oder weniger zweifelhafter Art schießen wie Pilze aus der Erde.

In steigendem Maße sind die einheimischen Jugendlichen gefährdet. Man trifft kaum schulentlassene oder sogar noch schulpflichtige Mädchen in und vor berüchtigten Lokalen. Nicht immer ohne Wissen und Unterstützung der Angehörigen versuchen sie Beziehungen mit den Soldaten anzuknüpfen. Es kommt sogar vor, daß jugendliche Zuhälter ihre eigenen „Freundinnen" verkuppeln, was jedoch schwer nachzuweisen ist. Die von der Anwesenheit der Truppen ausgehende Gefährdung ist wie eine Lawine, die ständig wächst, wie ein schleichendes Gift, das langsam und dem betreffenden Menschen oft unbewußt eingesogen wird.

Auswirkungen auf die Bevölkerung

Schon bald ließ sich ein für die gesamte Bevölkerung verhängnisvoller Situationswechsel beobachten. Die Durchführung militärischer Bauten, die Massierung von Soldaten und ihrer Familien bewirkten einen erheblichen Aufschwung des gesamten Geschäftslebens. Die einst so bescheidenen Ortschaften haben ein wohlhabendes, fast städtisches Aussehen bekommen. Während sich jedoch in den Großstädten durch die Höhe der Einwohnerzahl und die Vielgestaltigkeit des Lebens die Auswüchse sittlich ungeordneten Lebens weiten Bevölkerungskreisen nicht ohne weiteres darbieten, wird die ländliche und kleinstädtische Bevölkerung fast in ihrer Gesamtheit täglich neu niederreißend beeinflußt. Kaum je haben wir in solchem Umfang die Möglichkeit gehabt, zu beobachten und festzustellen, wie verheerend sich in ursprünglich ländlichen Gebieten öffentlich vorgelebte Unsittlichkeit auszuwirken vermag.

Im Anfang erkannte die einheimische Bevölkerung noch, wie sehr die Frauen und Mädchen durch die Nähe der Soldaten und der bereits abgeglittenen Frauen sittlich gefährdet waren. Es hat sich aber im Laufe der Jahre eine charakteristische Änderung in den Auffassungen vollzogen. Weitgehend wird es nicht mehr als diffamierend angesehen, Arbeit in ausländischen Familien und in den Betrieben der ausländischen Streitkräfte anzunehmen. Das gilt sowohl für Ehefrauen als auch für die noch minderjährigen Töchter, die oft im Einvernehmen der Eltern derartige Stellen suchen. Von verschiedenen Truppenplatzgebieten wird zudem übereinstimmend auf das verstärkte Auftreten der unter 18 Jahre alten Mädchen hingewiesen.

Die sprunghaft angestiegene Nachfrage nach Wohnraum läßt die Mietpreise hochschnellen. Die hohen Einkünfte aus Untervermietungen werden angenehm empfunden und lassen Bedenken gegen unzüchtiges Treiben der Untermieter nur zu schnell schwinden bzw. gar nicht aufkommen. Neuerdings ist zu beobachten, daß Appartements erstellt werden, in denen unsolide Frauen noch ungestörter als bisher ihr ungeordnetes Leben fortsetzen können. Es hat sich die Situation in einer Weise verändert, die unsere anfänglichen Befürchtungen und die tiefgreifenden Auswirkungen der Zustände voll bestätigt. Die einheimische Bevölkerung hat die Situationswandlungen keineswegs innerlich verarbeitet. Die Jagd nach materiellen Dingen, die rein äußere Hebung des Lebensstandards verwirren die sittlichen Begriffe, und deshalb sollten wir neben den fürsorgerischen auch die allgemeinen volkspädagogischen Aufgaben im Auge behalten – wir dürfen diesen nicht ausweichen.

Eine andere Sicht

Bei all dem müssen wir uns allerdings auch darüber klar sein, daß wir die Truppengebiete als Arbeitsplätze für deutsche Frauen nicht durchweg ablehnen können. Viele Mädchen und Frauen suchen in ehrlicher Absicht einen Arbeitsplatz in der Nähe der Truppenkonzentrationen in den Haushaltungen ausländischer Militärangehöriger, besonders der Amerikaner und bei den Militärdienststellen, in Kantinen, Krankenhäusern, u. ä. Aber erhöhte Wachsamkeit besonders im Hinblick auf die Jugendlichen, und daher gute Zusammenarbeit mit den Jugendämtern, der Polizei, den Arbeitsämtern, den Gewerbeämtern wie auch mit der amerikanischen Maidregistration ist dringend erforderlich. Keinesfalls darf übersehen werden, daß es eine nicht geringe Zahl sauberer und gut wollender Einheimischer gibt, die bisher allen Anstürmen widerstanden haben.

Aber auch neue Gefahren entstehen

Die amerikanischen Haushaltungen sind durchweg sehr technisiert. Durch diese Vereinfachung der Hausarbeit sind die Hausgehilfinnen nicht voll ausgelastet. Sie werden deshalb manchmal an befreundete Familien „ausgeliehen", was sich natürlich kaum günstig auswirkt. Das ganztägige Beschäftigungsverhältnis der Hausangestellten, das zugleich Wohnung und Verpflegung – wenn auch oft völlig unzureichend – bietet, geht zurück.

Statt dessen werden Stundenhilfen und in verstärktem Maße „Babysitters" eingestellt. Die oft damit verbundene Heimkehr in später Stunde bringt große Gefahren.

Der Anspruch auf eine Wohnung in der amerikanischen Siedlung fällt bei einer Arbeitsleistung von weniger als 24 Wochenstunden weg. Nicht voll beschäftigte ortsfremde Frauen und Mädchen sind dadurch gezwungen, Unterkunft in deutschen Wohnungen zu suchen, die sie aber wegen des hohen Mietpreises von ihrem Lohn allein nicht bezahlen können. Sie müssen sich also „Nebeneinnahmen" verschaffen. Viele deutsche Hausgehilfinnen wechseln häufig ihre Stellen. In der Zwischenzeit oder in der reichlich bemessenen Freizeit sind sie sich selbst überlassen und dadurch nur zu sehr geneigt, Verbindung mit den Soldaten zu suchen. Eine geringere Anzahl von Mädchen und Frauen sind bereits seit mehreren Jahren in derselben Familie und werden durchweg geachtet und gut behandelt; es sind meist die Solideren. Bedauerlich ist, daß sie unterschiedslos von der Bevölkerung als „Amimädchen" bezeichnet werden, so daß sie sich von der eigenen Volksgemeinschaft ausgeschlossen fühlen und sogar dem Pfarrgottesdienst deswegen fernbleiben.

Wie eine große Dame zu leben ist der Wunsch vieler. Dazu gehört vor allem Autofahren und der Konsum von Genußmitteln. Süchtigkeit in Bezug auf Alkohol und Zigaretten wird zur Regel.

Neue Wege in unserer Gefährdetenfürsorge

werden den neuen Umständen entsprechend immer wieder gesucht und gefunden, obgleich die bisherigen Methoden allgemein in keiner Weise an Bedeutung verloren haben.

Auf dem Sektor, von dem wir sprechen, geht es uns vor allem darum, bei den amerikanischen Hausfrauen Verständnis für die Lage ihrer deutschen Hausgehilfinnen zu wecken. Anfangs standen die amerikanischen Frauen unseren Bemühungen um die Deutschen teils ablehnend, teils skeptisch oder gleichgültig gegenüber. Es ist erfreulich für uns, im Laufe der Zeit immer mehr Unterstützung zu finden. Die Amerikanerinnen kommen stärker auf uns zu und sind dankbar, wenn wir ihnen helfen, mit den deutschen Mädchen besser zurecht zu kommen. In Zusammenarbeit mit amerikanischen Frauenclubs hat die Vorsitzende einer unserer Ortsgruppen eine kleine Schrift in englischer Sprache verfaßt, die den Hausfrauen Hinweise für den Umgang mit ihren Hausgehilfinnen gibt. Außerdem wird unter maßgeblicher Führung unserer Vorsitzenden in demselben Ort durch spezielle Clubabende einmal den Hausfrauen und zu anderer Zeit auch den Mädchen Gelegenheit geboten, ihre Wünsche und auch ihre Klagen ungehemmt vorbringen zu können. Dadurch wächst das gegenseitige Verständnis und werden manche Schwierigkeiten behoben.

Auch an anderen Orten wurden mit ähnlichen Zielsetzungen Kontakte mit amerikanischen Frauenclubs aufgenommen.

Gute gruppenpädagogische und jugendfürsorgerische Arbeit

ergänzt und unterstützt die immer notwendig bleibende Einzelbetreuung. Freizeitabende und -nachmittage haben für die fürsorgerische Hilfe – auch als Ansatzpunkte – entscheidende Bedeutung. Durch sie bieten wir den Heimat- und Bindungslosen die gute menschliche Begegnung und machen sie wieder ihrer eigenen menschlichen Würde bewußt. Vor allem sollen unsere Schützlinge eine Atmosphäre des Vertrauens finden, ohne welche fürsorgerische Hilfe und das Wieder-hinein-wachsen ins normale, geordnete Leben unmöglich ist. Im persönlichen Gespräch soll jedes Mädchen, jede Frau in ihrer besonderen Notsituation Rat und Hilfe finden.

Die Gestaltung des Raumes für den Heimabend, die Auswahl der Musik, die Anleitung zur hausfraulichen Betätigung und Heimgestaltung und vieles andere mehr führen langsam aber stetig aus der Welt der Unordnung, des Scheins und der Großtuerei zu einer rechten Zielsetzung und Wertordnung. Dies alles fordert intensive, meist mühsame Vorarbeit: Hausbesuche, Sprechstunden, Hilfe durch Stellenvermittlung, Kontaktnahme mit zuständigen Behörden usw.

Bei der Durchführung der Gruppenarbeit schien es wichtig, unter den Mädchen selbst Helferinnen zu finden. In einem Ort fanden sich sogar zwei Mädchen, die keineswegs unsere Schützlinge sind, bereit, als Hausangestellte in den amerikanischen Familien zu arbeiten, um ein Apostolat auszuüben. Die fürsorgerische Hilfe an den Truppenplätzen ist eben nicht ohne Wagnis durchzuführen!

Die Mittelbeschaffung

für die besonders schwierige Arbeit macht uns begreiflicherweise große Sorge. Für die Freizeitgestaltung brauchen wir Bastelmaterial, Spiele, Bücher; wir brauchen Geschirr, Nähmaschinen. Wir brauchen Autos (!) oder wenigstens einen Sonderfonds für gelegentliche Mietwagen. Die ausgedehnten Truppenplätze sind meist sehr abgelegen. Die Fürsorgerinnen müssen aber Zeit und Kraft sparen können, nicht zuletzt auch für das Hin- und Herschaffen des Materials für die Heimabende – ganz abgesehen von der persönlichen Gefahr auf den einsamen Fußwegen und beim Heimweg an späten Abenden.

Die bisher von zentralen Behörden verständnisvoll zur Verfügung gestellten Mittel reichen jedoch nicht aus.

Die örtlichen Behörden sind dem Anwachsen der fürsorgerischen Aufgaben aber meist weder personell noch finanziell gewachsen. Die Durchführung notwendiger Maßnahmen scheitert häufig an der Ablehnung der Verpflichtung zur Kostenübernahme. Es geht jedoch nicht an, daß Gerichtsurteile, in denen Unterbringungen angeordnet werden, um auch die Ordnung im Staat aufrecht zu erhalten bzw. wieder herzustellen, nicht ausgeführt werden, weil die Kostenträger sich durch das Gerichtsurteil nicht gebunden fühlen. – Es darf natürlich nicht übersehen werden, daß viele der betroffenen Gemeinden in Notstandsgebieten liegen und tatsächlich nicht in der Lage sind, die gesamten notwendigen Mittel allein aufzubringen.

Die alten erprobten Wege der Gefährdetenfürsorge

sind – wir deuteten bereits darauf hin – keineswegs überflüssig geworden. Es gibt Formen der Gefährdung und Verwahrlosung, denen mit der auf Freiwilligkeit aufgebauten gruppenpädagogischen Arbeit nicht beizukommen ist. Hier kommen nach wie vor straffe fürsorgerische und nötigenfalls auch polizeiliche und strafrichterliche Maßnahmen infrage.

Die geltenden Gesetze bedürften allerdings der Anpassung an die verfeinerten und raffinierten Formen der öffentlichen Unsittlichkeit.[3] Die Anwendung des § 180 StGB setzt z.B. für den Tatbestand der Kuppelei voraus, daß sich die Betreffende (Mieterin) ausgebeutet fühlt. Dies wird jedoch von den Mädchen und Frauen fast nie zugegeben. Es erfolgen auch von seiten der Bevölkerung leider äußerst selten Anzeigen.

Das Gaststättengesetz bedürfte einer gründlichen Überprüfung, besonders in Verbindung mit der Frage der Barbetriebe. Gleiches gilt von der Regelung der Polizeistunden. Die Anwerbung der in den Bars beschäftigten weiblichen Personen ist unseres Erachtens weitgehend als „Mädchenhandel“ zu bezeichnen. Leider ist auch hier eine Lücke im Gesetz. Mädchenhandel im Sinne unseres geltenden Rechtes liegt nur vor und ist strafbar, wenn Mädchen zum

3 Vgl. Korr[espondenz]bl[att KFV 23] (1953), 265 ff.

Zwecke ihrer Zuführung zur gewerbsmäßigen Unzucht unter arglistiger Verschweigung dieses Zweckes ins Ausland gelockt werden.

Die Überprüfung der üblen Lokale ist sehr erschwert, weil ein Teil der Betriebe konzernartig organisiert ist. Werden die Inhaber der Polizei auffällig, so können sie durch den ringartigen Zusammenschluß leicht ausgewechselt werden.

Das Gesetz [zum] Schutz der Jugend in der Öffentlichkeit sowie das Gesetz zur Bekämpfung jugendgefährdender Schriften werden längst nicht in genügender Weise angewandt.

Auf die Lücke in der Kostenübernahme bei Unterbringungen wiesen wir bereits hin.

Die anregende Mitarbeit für die Gestaltung ausreichender Gefährdetengesetzgebung gehört zu unseren „alten Wegen"!

Unsere altbewährten kleineren Zufluchtshäuser (Vorasyl, Auffangstelle) spielen an den Plätzen mit starken Truppenansammlungen wieder eine besondere Rolle. Hunderte von gefährdeten Frauen und Mädchen haben in diesen Auffangstellen, die wir für die neuen Arbeitsgebiete errichteten, Schutz und Hilfe gefunden.

Die Auswirkungen unserer Arbeit

gehen über die Hilfe für die einzelnen Gefährdeten und Verwahrlosten weit hinaus. Die Tatsache der Bemühungen unserer Mitarbeiterinnen ist ein ständiger Hinweis auf die richtige Wertordnung im Leben der Menschen, wenn sie sichtbar und glaubhaft gemacht wird durch deren eigene geordnete Lebensweise. Besonders der Umstand, daß sich die Helferinnen nicht nur um die äußere Ordnung, sondern auch darum bemühen, die menschliche Würde der Gefährdeten und Gestrauchelten zu schützen, dürfte zur Gewissensbildung der einheimischen Bevölkerung beitragen. Unsere Fürsorgerinnen betrachten es als vordringliche Aufgabe, die Eltern auf die Gefahren, die den Kindern drohen, hinzuweisen und sie zu beraten.

In den Gesprächen und Berichten der Mitarbeiterinnen klingt immer wieder die eigene Unruhe darüber durch, ob die eingeschlagenen Wege und die versuchten Methoden die richtigen sind. Dabei darf nicht übersehen werden, daß die geschilderte Fürsorgearbeit tatsächlich nur mit fast übermenschlicher Einsatzbereitschaft durchgeführt und systematisch ausgebaut werden konnte. Neben der fachlichen Beherrschung der Hilfsmittel und der gediegenen Kenntnis der einschlägigen Gesetze ist die Persönlichkeit der Mitarbeiterin von grundlegender Bedeutung. Gemeint sind menschliche und vor allem religiöse Reife, Kontaktfähigkeit, Urteilskraft, gute Kombinationsgabe und schöpferische Initiative. Die mutige und geduldige Betreuungsarbeit bewirkt eine heilsame innere Unruhe und schafft Ansatzpunkte für die notwendige allgemeine Besinnung.

Die Tätigkeit unserer Mitarbeiterinnen ist fast allgemein sowohl von den behördlichen als auch von den kirchlichen Stellen mit Wohlwollen – oft freudig – begrüßt worden. Entsprechend günstig gestaltet sich daher auch i.a. die Zusammenarbeit.

Aus: Korrespondenzblatt Katholischer Fürsorgeverein für Mädchen, Frauen und Kinder 30 (1960), 55–62.

Elisabeth Zillken

Besinnung um die Jahreswende (1960/61)

Am Ende eines Jahres fragen wir uns, was gewesen ist, wie wir den Schickungen und Anrufungen Gottes begegnet sind. Wir überlegen, wie wir im kommenden Jahre unserer Aufgabe gerecht werden können.

Die Frage für uns im Kath. Fürsorgeverein heißt, wie war es um die Menschen bestellt, denen unsere Hilfe gilt; konnten wir gründlich und ausreichend, konnten wir sachgerecht helfen? Und die weitere Überlegung: Was wird im kommenden Jahr von uns verlangt?

Wie war und wie ist es um die Menschen bestellt?

Wenn wir zu antworten versuchen, wird uns klar, daß die Antwort nicht nur die betrifft, denen wir als Helfenwollende gegenüber treten, sondern die ganze Generation von heute. Unser Apostolat ist ja ein zweifaches; einerseits gilt es denen, die unserer Hilfe bedürfen, andererseits der kath. Frauenwelt, ja der ganzen Elterngeneration, die zur helfenden Liebe und um der Verantwortung für die kommende Generation willen gerufen ist.

Es ist das Wort geprägt worden von den satten 50er Jahren, die vorüber sind, und den harten 60er Jahren, die kommen, die schon begonnen haben und dunkel vor uns stehen. Die Härte der 60er Jahre spüren vorläufig die, die sich für mehr verantwortlich fühlen als ihre eigene Umwelt. Die Sattheit der 50er Jahre aber hat noch nicht aufgehört, die Gewissen der anderen [ein]zuschläfern.[1] Es ist ja noch Vorwärtskommen möglich, noch Teilhabe am gedeckten Tisch, den unter Umständen andere bereiten, zu dem man, wenn man es geschickt und eventuell ohne Gewissensbedenken anfängt, auch ohne eigenen Beitrag Zutritt erlangen kann. Und doch ist die Sorge um das, was kommen mag, und die Unruhe in *allen* Kreisen vorhanden. Deshalb zum Teil das sich Hineinstürzen in Arbeit und Karriere bei den einen, in Wohlleben, Gegenwartsgenuß und Betäubung bei den anderen. Materielle Werte sind z.T. die einzigen allgemein anerkannten Werte, und zugleich weiß man bewußt oder unbewußt, daß sie nicht beständig sind, daß ihre Vernichtung schneller kommen kann, als wir ahnen. Wo das Bewußtsein der Zerstörbarkeit materieller Werte vorhanden ist, wird die Frage nach den unzerstörbaren Werten deutlicher als je – wenn auch oft skeptisch und zynisch – gestellt.

Die Menschen sind weitgehend desorientiert; sie haben die Orientierung, die Richtung ihres Lebens verloren. Die geistigen und religiösen Werte gelten nicht ohne weiteres. Es gibt keine allgemein gültigen Verhaltensmuster, keine allgemein anerkannten Lebensziele, keine alle umschließende und tragende Tradition. Nicht nur die Jugend, z.T. auch die heutige Elterngeneration wehrt sich gegen Forderungen und Konsequenzen, die von traditionsgebundenen Helfern und Erziehern vertreten werden. Auch aus diesem Grunde läßt bei Eltern, Lehrern und beruflichen Erziehern, und dazu gehören die Fürsorger, Mut und Entschlossenheit zu erzieherischem Helfen nach. Die Gefährdung aber wächst, und der Wille zum freiwilligen Helferdienst in der Jugendfürsorge wird lahmer. Erziehungswille und Erziehungsfähigkeit der Eltern lassen nach. Wenn man Fürsorgeakten zur Hand nimmt, werden am Einzelschicksal die Gründe für das Unorientiertsein der Eltern, für ihren Verzicht auf erzieherisches Handeln, für ihre Ratlosigkeit schnell klar. Wir müssen uns klar machen, was die Eltern, die heute Kinder zu erziehen haben, selbst erlebt haben, wann sie geboren sind, wann sie zur Schule gingen, was ihnen an religiöser Bildung versagt blieb.

1 [Im Original versehentlich: „anzuschläfern".]

Eltern, die heute zwischen 25 und 45 Jahre alt sind, wurden zwischen 1915 und 1935 geboren. Sie haben zum Teil keinen Religionsunterricht erlebt. Soweit Kriegsereignisse sie in der Kindheit trafen, haben sie nicht einmal Schulunterricht gehabt. Sie sind in der nationalsozialistischen Zeit durch Hitlerjugend, Kinderlandverschickung und sonstige Maßnahmen der Familie entfremdet worden. Aber nicht nur deshalb stehen diese Eltern unentschlossen und ratlos vor der Erziehung eigener Kinder. Die allgemeine Orientierungslosigkeit kommt hinzu, von der oben schon die Rede war. Wenn ein allgemein gültiges Wertbild, eine feste Tradition existierte, würde es für diese persönlich unorientierten und erzieherisch unentschlossenen Eltern eine erhebliche Hilfe und Rückenstärkung bedeuten. Aber hier fehlt es, und wir leben in einer Zeit, in der alles sich ohnehin zu ändern scheint, in der sich Arbeits- und Lebensweise, ja die ganzen Strukturen ändern, die unser gesellschaftliches Leben tragen. Wir leben in einer sich wandelnden Welt, die von den heutigen Menschen einerseits Anpassung und andererseits Widerstand fordert: Anpassung soweit vernünftig und erlaubt – Widerstand, soweit wirkliche Werte gefährdet werden, menschliche Werte, ewige Werte. Täglich werden vom heutigen Menschen, von uns allen, Unterscheidungen und Entscheidungen, ja Gewissensentscheidungen, gefordert, zu denen Orientiertheit und Denken und oft auch Härte gegen sich selbst gehören.

Dieses Wissen um die Desorientiertheit des heutigen Menschen und die daraus sich ergebende Gefährdung, die Erfahrung, wie schwer uns selbst oft die richtigen Entscheidungen werden, ist nötig, um richtig zuhören zu können, wenn sie zu uns sprechen, um ihre Äußerungen richtig zu verstehen und um das richtige Wort der Antwort zu finden. Nötig ist das immer wieder ins Bewußtsein erhobene Glaubenswissen, daß der, der zu mir spricht, mein Bruder in Christus ist, daß er Gottes Ebenbild in sich birgt und daß der Herr sein Leben für ihn und für mich hingegeben hat. Und zur Antwort, die wir geben: Feste Speise vertragen viele von ihnen noch nicht, sondern nur die Speise, die man Kindern

Abb. 51 u. 52: Haus Widey in Salzkotten – Mutter-Kind-Heim und Erziehungsanstalt. Die Bilder zeigen Nähsaal, Waschküche.

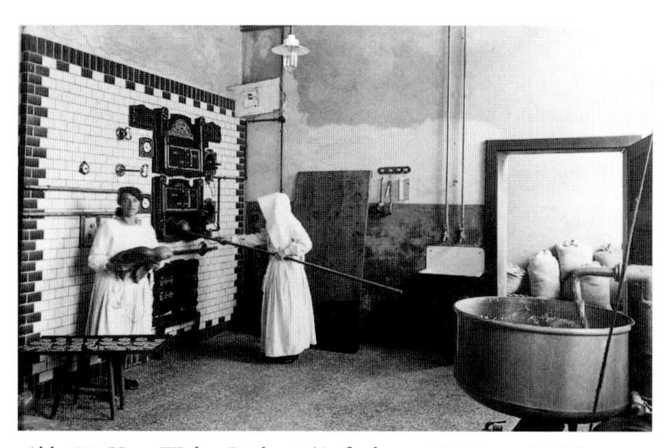

Abb. 53: Haus Widey, Bäckerei (Aufnahmen 51–53 ca. 1957).

und Kranken reicht. Ich kann und muß deutlich erkennen lassen, wie meine Stellungnahme ist; aber ich muß wissen, daß die *ganze Begründung* meiner eigenen Stellungnahme für sie oft noch nicht verständlich ist. Ich muß langsam und geduldig zu diesem Verstehen führen. Und es wirkt sicher dabei sehr stark mit, wie der Sprecher persönlich wirkt. Das Beispiel ist entscheidend. Man kann mit der Jugend heute sehr wohl über natürliche Tugenden wie Zuverlässigkeit, Ehrlichkeit, Anständigkeit, über Rücksicht im Umgang mit Mitmenschen sprechen, man kann sie auch dahin führen zu verstehen, aus welchen Motiven sie selbst bisher handelten, und mit ihnen überlegen, wie sie nun in Zukunft handeln wollen. Man kann mit ihren Eltern darüber sprechen, wie ihre Kinder im Leben glücklich oder unglücklich werden können, wo bestimmte Verhaltensweisen enden können. Man kann ihnen sagen, daß sie die wichtigsten und verantwortlichen Erzieher ihrer Kinder sind und nicht den Mut und die Geduld verlieren dürfen. Aber wie man sie zu *übernatürlichen* Werten und Kraftquellen führt, muß sehr sorgfältig überlegt und gut vorbereitet sein.

Viele in der fürsorgerischen Arbeit suchen heute neue Methoden.

Tiefenpsychologie und Psychotherapie scheinen Mittel zu sein, deren man sich zur Hilfe und zur Entlastung des Helfers bedienen kann. Wir erliegen alle in der gesamten Sozialhilfe (auch in der Medizin) heute leicht der für unsere Zeit typischen Versuchung, daß man alles mit der Technik, die eine hochentwickelte Naturwissenschaft uns zur Verfügung stellt, „machen" kann. Die Enttäuschung in der Erziehungsarbeit ist schon da. Erziehen kann man nur mit Liebe, Menschen wirklich helfen kann man nur mit persönlicher Hingabe, aber nicht mit Technik, d.h. es muß eine echte persönliche Beziehung zwischen dem der hilft, und dem, dem geholfen werden soll, entstehen. Alle Hilfe gilt immer einem Einzelnen – das bleibt gültig, auch wenn ich mich gelegentlich der Methode der Gruppenarbeit bediene; denn ich will auch durch sie dem *Einzelnen*

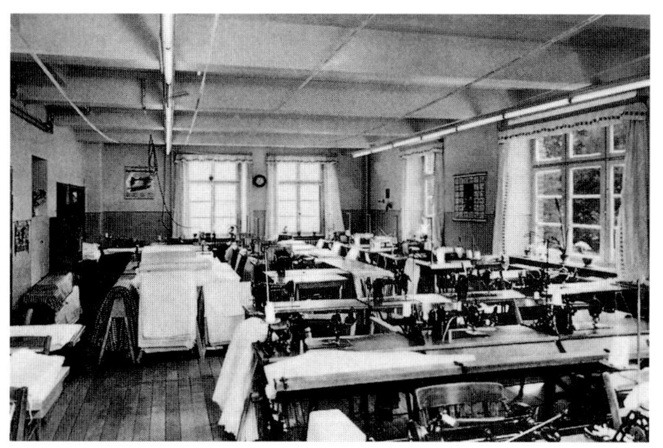

Abb. 54: Anna-Katharinenstift Karthaus bei Dülmen: Weißnäherei (Aufnahme vor 1960).

helfen. Liebe aber heißt Opfer und Hingabe, heißt sich nicht selbst suchen. Die Versuchung der Selbstsucht kann sehr fein und gefährlich in der fürsorgerischen Hilfe sein. Man möchte Erfolg sehen, von den Schützlingen geachtet und geliebt, von zuständigen Autoritäten mit seiner Leistung anerkannt werden.

Die Frage, die Sie als Leser jetzt stellen, lautet wahrscheinlich, für wieviel Menschen man diese Liebe und Hingabe aufbringen kann. Der Herr konnte sie für alle aufbringen. Wir aber sind begrenzt, und es bedarf in unserem helferischen Tun vieler Mitarbeiter, die diese Hingabe, diese liebende Zuwendung zu einem Menschen aufbringen. Finden wir diese Mitarbeiter? Manche antworten mit einem mutlosen „Nein". Eine Krise der ehrenamtlichen Helfer ist schon vorhanden. Woher kommt sie?

Aber ehe über diese Krise gesprochen werden darf, muß eine Gegenfrage gestellt werden: Suchen wir diese Mitarbeiter ernsthaft und auf richtige Weise? Führen wir sie richtig in die Arbeit ein? Nehmen wir uns die nötige Zeit und Liebe dafür? Es gehört sachliche, fachliche und religiöse Einführung dazu. Leisten wir sie? Wird sie in richtiger Zusammenarbeit von Vorstand und beruflichen Fürsorgerinnen geleistet? Sind wir uns unseres zweifachen Apostolats bewußt: gegenüber denen, die unsere Hilfe brauchen, und gegenüber den katholischen Frauen, die zur Hilfe berufen sind?

Aus einem sehr anerkannten soziologischen Werk eines amerikanischen Schriftstellers,[2] der die wachsende seelische Verarmung der Frau beklagt, möchte ich die folgende Stelle zitieren:

> „Die Schwierigkeit liegt jedoch darin, daß die Frauen aus vielen Bereichen vertrieben werden, in denen sie früher ihre freie Zeit mit irgendwelchen Liebhaberbeschäftigungen verbrachten. Sie finden z.B. keine Anerkennung mehr als Wohltäterin in der Armenpflege, da dieses Gebiet durch die Fürsorgeberufe berufsmäßig derart organisiert worden ist, daß jedes Eindringen wohltätiger ‚Laien' auf ihren empfindlichen Widerstand stößt und starke Verstimmung auslöst. Ebenso können sich die Amateure nicht mehr in der Krankenpflege betätigen, es sei denn, sie sind bereit, als Hilfspersonal die Stellung der Berufsschwestern zu stützen, indem sie diesen ihre ‚berufsfremde' Schmutzarbeit abnehmen. ...Wo immer sie sich hinwenden, um ihre freien Kräfte einzusetzen, sehen sie sich einer Interessengruppe gegenüber, die darauf besteht, daß sie, wenn sie sich betätigen wollen, den ‚Dienstweg einhalten', oder die Lakaien und Geldbeschaffer jener werden müssen, die den ‚Dienstweg' kontrollieren. Und da heute die Geldbeschaffung selbst auch immer berufsmäßig ausgeübt wird, bleibt für die ‚Mitglieder' der Vereine nur noch das Geldspenden übrig. Die Folge davon ist, daß die Frauen entweder gleichgültig werden oder ebenso wie ihre Schwestern in der Arbeiterklasse zu der Überzeugung gelangen, daß sie nur durch Berufsarbeit, die im öffentlichen Bewußtsein auch als solche gewertet wird, befreit werden können."

Es gibt Fürsorgerinnen an den Behörden, aber vielleicht auch in unserem Verein, die von nicht ausreichenden ehrenamtlichen Mitarbeiterinnen reden und sie beiseite schieben resp. ihnen nicht helfen, eine fachlich ausreichende Arbeit zu leisen. Es gibt aber auch Vorstände, die nicht dafür sorgen, daß ehrenamtliche Mitarbeiterinnen in richtiger Weise geworben und

2 David Riesman: „Die einsame Masse", Rowohlts deutsche Enzyklopädie. Verlag Rowohlt, Hamburg.

durch sie selbst zusammen mit den beruflichen Fürsorgerinnen und evtl. mit Hilfe der Zentrale richtig in die Arbeit eingeführt werden. Es gibt bei uns auch Vorstände und ehrenamtliche Mitarbeiterinnen, die nicht das rechte Verhältnis zur fürsorgerischen Fachkraft finden. Der Gründe sind viele. Aber *ein* solcher Grund liegt darin, daß wir nicht erkennen, daß das A und O der Hilfe die persönliche Liebe zu einem Menschen und die persönliche Hingabe in dieser Hilfe ist, und nicht die Anwendung technischer Mittel und nicht die Kenntnis gesetzlicher Bestimmungen. Die Nichtkenntnis dieser nicht unwichtigen technischen Hilfsmittel erweckt manchmal bei ehrenamtlichen Mitarbeiterinnen zu Unrecht Minderwertigkeitsgefühle. Sie wagen es dann nicht, in richtiger Weise neben die berufliche Fachkraft zu treten. Diese Minderwertigkeitsgefühle müssen bewußt überwunden werden.

Ich glaube, wir sind uns klar darüber, daß das, was aus den USA geschildert wird, auch uns bedroht. Wir sind uns ebenso klar, daß es doch nicht Wirklichkeit werden darf. Wenn es nicht Wirklichkeit werden soll, müssen wir alle der Frage des Zusammenwirkens von beruflicher und freiwilliger Hilfe unsere ernste Aufmerksamkeit im neuen Jahr und wahrscheinlich noch mehrere Jahre hindurch zuwenden. Wir haben uns zu fragen, an welche Schichten wir uns noch wenden können und wer für die Einführung neu gewonnener Mitarbeiterinnen in das Werk der Hilfe verantwortlich ist. Denken wir an die zwei Millionen alleinstehenden Frauen zwischen 28 und 45 Jahren, aber auch daran, daß die Frau des Arbeiters heute oft ebenso viel Zeit erübrigen kann wie die Frau des Lehrers oder des Arztes. Bedenken wir aber vor allem, was es für diese Frauen selbst, für die Glaubwürdigkeit des Christentums, für das Leben des ganzen Volkes, für die immer einheitlicher werdende Welt, die vom Materialismus bedroht ist, bedeutet, wenn katholische Frauen diese Hilfe an der heranwachsenden Jugend und an ihren oft ratlosen und unsicheren Eltern leisten. Jeder, der hier hilft, wird aus der Ich-Bezogenheit und der Sorge für die eigene kleine Umwelt herausgerissen. Der Blick für das Leben weitet sich. Die Entscheidungen für die eigene Familie in den persönlichen Angelegenheiten werden mit größerer Sicherheit gefällt. Man erfährt täglich mehr, wo man Widerstand leisten und wo man sich anpassen muß. Wir führen aus der Sattheit der 50er Jahre heraus zu Nüchternheit und christlicher

Abb. 55: 50 Jahre Ortsgruppe Solingen (1958), 2. v. r.: die Festrednerin Agnes Plaßmann aus Münster.

Haltung. Je mehr Menschen sich dafür einsetzen, daß auch denen, die sich in den Wirren der Zeit nicht zurecht finden, der Weg gezeigt wird, um so klarer wird der Weg für die ganze Gesellschaft. Es entsteht dann nach und nach wieder Tradition und eine allgemein verbindliche Ordnung, die in Stunden der Schwäche, der Versuchung oder besonderer Not für alle eine Hilfe bedeutet. Je mehr allgemein anerkannte Ordnung wir haben, um so geringer wird die Gefährdung, die jeden Einzelnen – auch uns und unsere Kinder – bedroht. Unsere eigene Umwelt und die unserer Kindeskinder aber ist bedroht, wenn die große Umwelt ohne Ordnung, ohne Orientierung ist und schließlich im Materialismus versinkt.

Das Jahr 1961 bietet uns eine Chance. Wir wollen sie nutzen und unser zweifaches Apostolat ausüben. Wir brauchen einen klaren Arbeitsplan dazu, der in jeder Ortsgruppe aufgestellt und schrittweise verwirklicht werden sollte. Wir wollen auch gemeinsam darum beten – wir erinnern an die Aufforderungen vergangener Jahre besonders von Frau Schwering –, daß der Herr unser Mühen, dem in unserer Zeit eine besondere Bedeutung zukommt, segne.

Aus: Korrespondenzblatt Katholischer Fürsorgeverein für Mädchen, Frauen und Kinder 30 (1960), 206–211.

„... daß die Übersendung dieser Formulierungen völlig vertrauensvoll erfolgt“ – Elisabeth Zillken, Ministerialrat Dr. Friedrich Rothe und die Entstehung des Jugendwohlfahrtsgesetzes von 1961

Dokument 39 a:

3. Februar 1956

Herrn Dr. H. Krone,
Vorsitzender der CDU-Fraktion
Bonn
Bundestag

Sehr geehrter Herr Dr. Krone,

heute wende ich mich zum ersten Male an Sie als den Vorsitzenden der Bundestagsfraktion der CDU. Ich tue es in einer sehr dringenden, mir sehr am Herzen liegenden Angelegenheit, mit der Sie aber auch bereits befaßt sind.

Es handelt sich um die Besetzung der Stelle des Leiters der Abteilung Jugendwohlfahrt im Ministerium des Innern. Soviel mir gestern abend Herr Domkapitular Tenhumberg sagte, haben Sie geholfen zu verhindern, daß die Ernennung des unrichtigen Mannes erfolgte. Nun geht der Minister in 2 oder 3 Tagen für einige Wochen in Urlaub. Ich meine, vorher muß ein energischer und durchgreifender Schritt geschehen. Wenn Herr Ministerialrat Dr. Rothe jetzt nicht Leiter der Abteilung wird, haben wir für die katholische Jugendwohlfahrt und auch für die Jugendverbände an dieser Stelle alles verloren.

Ich bitte Sie herzlich um einen nachdrücklichen Schritt. Wir können jetzt nicht mehr mit leisen und bitten<den>[1] Worten auftreten. Unsere Stellung im Innenministerium ist dafür zu schwach. Es steht jetzt wirklich viel auf dem Spiele.

Sie können natürlich die taktische Lage besser beurteilen, aber ich meine, die Regelung der Stellung von Dr. Rothe müßte gesichert sein, ehe der Minister in Urlaub geht, sonst verschwimmt die Sache wieder während dieser Wochen.

Ich bitte Sie herzlich um Hilfe und danke Ihnen für jeden Schritt, den Sie tun.

Mit herzlichen Grüßen
Ihre
gez. E. Zillken

1 [Text in spitzen Klammern = handschriftliche Ergänzung im Original.]

Dokument 39 b:

Deutscher Bundestag

Bonn, den 24. 2. 1956
Bundeshaus
Fernruf 20141 (Ortsverkehr)
20151 (Fernverkehr)

Abgeordneter
Emil Kemmer

An die
Zentrale des Kath. Fürsorgevereins
Z. Hd. Frau E. Zillken
Dortmund
Agnes-Neuhausstr. 5

Sehr geehrte Frau Zillken!

Ich habe vor mir liegen den Brief, den Sie an Herrn Dr. Krone geschrieben haben. Leider war eine Intervention unsererseits zu spät, da zu dem fraglichen Zeitpunkt alles schon geschehen war. Wir müssen bald einmal in einem Kreis zusammenkommen, um die ganze Lage – sowohl hinsichtlich dieses Falles, als auch wegen der ganzen Jugendpolitik überhaupt – einmal zu besprechen. Vielleicht werden wir in einer freien Woche einmal einen Tag herausfinden, an dem sich die führenden Leute aus unserem Raum treffen.

Mit freundlichen Grüßen

Ihr
[gez.] Kemmer

Dokument 39 c:

Ministerialrat Dr. Rothe

Bonn, den 22. 5. 1959
Berliner Freiheit 7
Tel.: 5 29 41

An
Frau Zillken
Dortmund
Silberstr. 9 1/2

Sehr verehrte Frau Zillken!

In der Anlage übersende ich eine Neufassung von Formulierungen für das Jugendhilfegesetz (Stand 23. 5. 1959). In dieser Neufassung sind einige der Anregungen berücksichtigt, die mir auf Grund der persönlichen Beratungen übermittelt wurden. Es war noch nicht möglich alle Anregungen in den Entwurf einzubauen, insbesondere nicht die Umstellung des Aufgabenkatalogs, wie sie verschiedentlich angeregt wurde. Es ist nur eine teilweise Umgruppierung des Aufgabenkatalogs erfolgt.

Zur Finanzierung laufen noch Verhandlungen, deren Ergebnisse in § 113, der in den beiliegenden Formulierungen fehlt, aufgenommen werden soll[en].

Ich bitte zu verstehen, daß ich auch diesmal ausdrücklich darauf hinweise, daß die Übersendung dieser Formulierungen völlig vertrauensvoll erfolgt, daß es sich noch nicht um einen Referentenentwurf des Ministeriums für Familien- und Jugendfragen handelt,[1] sondern um vorläufige Formulierungen für einen solchen Referentenentwurf.

Ich bitte wie bisher um Ihre persönliche Beratung zu den übersandten Formulierungen.

<Mit freundlichen Grüßen
Ihr dankbar ergebener>[2]
[gez.] Dr. Rothe

1 [Der 1. Referenten*vor*entwurf wurde von Rothe erst am 8. 6. 1959 – immer noch vertraulich – „den zuständigen Fachkreisen zur Stellungnahme zugeleitet“. Im Gegensatz zu Dok. 39 c trägt dieses hektographierte Rundschreiben den offiziellen Briefkopf des Bundesministeriums für Familien- und Jugendfragen (Aktenzeichen: J1 – 1048 – 12 – 3); die Ausfertigung an E. Zillken ist erhalten in: Archiv des Deutschen Caritasverbandes 319.4 E 02/07 Fasz. 4.]

2 [Text in spitzen Klammern = handschriftlicher Zusatz im Original.]

Dokument 39 d:

Deutscher Caritasverband e.V.

Frau
Elisabeth Zillken
z. Zt. Schloß Hausbaden
Badenweiler (Baden)

Referat
Jugendfürsorge
Freiburg i. Br., Werthmannhaus
den 29. Dezember 1960
Dr.Sch/Br.

Sehr verehrte, liebe Frau Zillken!

In der Anlage gebe ich Ihnen ein Schreiben des Ausschußsekretariats des Ausschusses für Familien- und Jugendfragen des Deutschen Bundestages sowie die Rückantwort unseres Herrn Präsidenten zu Ihrer freundlichen Kenntnis. Wie Sie aus dem Vorgang entnehmen können, soll am 12. Januar 1961 die Sachverständigenanhörung zur Novelle[1] vor den beiden befaßten Ausschüssen stattfinden. Der Herr Präsident hat nach Rücksprache mit mir Sie und mich als Sachverständige benannt. Ich würde vorschlagen, daß wir uns die Aufgabe in der Weise teilen, daß Sie zum materiell-rechtlichen Teil der Novelle (Pflegekinderwesen, Heimaufsicht und Fürsorgeerziehung) und ich zu den Grundsatzfragen des Artikel 1 und 2 (vor allem § 2a, § 4 und § 4a) Stellung nehmen. Es stehen uns, wie aus dem Schreiben hervorgeht, insgesamt nur 30 Minuten (also je 15 Minuten) Zeit zur Verfügung. Wie mir Herr Dr. Klein, der zum Bundessozialhilfegesetz als Sachverständiger gebeten war, berichtete, wird diese Zeiteinteilung sehr streng gehandhabt, so daß man nicht allzu viel wird sagen können. Ich nehme an, daß es Ihnen recht ist, wenn Sie sich bei dieser Gelegenheit u.a. noch einmal zur Frage der Pflegekinderaufsicht für uneheliche Kinder werden äußern können.

Ich möchte Ihnen bei dieser Gelegenheit schon heute meine herzlichsten Glück- und Segenswünsche für das kommende Jahr übermitteln und Ihnen recht herzlich für alle gute Zusammenarbeit in dem zu Ende gehenden Jahr danken. Herzlich wünsche ich mir, daß diese gute Zusammenarbeit uns auch in Zukunft und noch für viele Jahre verbinden möge.

Mit herzlichen Grüßen
Ihr
[gez.] Dr. Schmidle
(Dr. Schmidle)

Anlagen

1 [Gemeint ist das spätere JWG.]

Dokument 39 e:

Der Bundesminister
für Familien- und Jugendfragen
J1 – 1048 –
Bitte bei Antwortschreiben dieses
Geschäftszeichen angeben

Bonn, den 22. August 1961
Berliner Freiheit 7
Fernruf 5 29 41 Hausruf 2 53
Fernschreiber 8/86 473

Frau
Elisabeth Zillken
Dortmund
Silberstraße 9 1/2

Sehr verehrte Frau Zillken!

Am 16. August 1961 ist im Bundesgesetzblatt I S. 1193 ff. das Gesetz zur Änderung und Ergänzung des Reichsjugendwohlfahrtsgesetzes vom 11. August 1961 und gleichzeitig die Bekanntmachung des neuen Jugendwohlfahrtsgesetzes vom 11. August 1961 verkündet worden.

Wie mir wiederholt berichtet wurde, war gerade Ihr persönlicher Rat in entscheidenden Situationen während des Gesetzgebungsverfahrens von besonderem Wert. Ich möchte Ihnen daher sehr herzlich für Ihre unverdrossene Mitarbeit am Gesetz danken.

Anliegend übersende ich Ihnen noch einen Sonderdruck des Gesetzes für Jugendwohlfahrt.

Mit freundlichen Grüßen
Ihr
[gez.] Wuermeling

Aus: Archiv des Deutschen Caritasverbandes 319.4 I 09/02 Fasz. 1 (Dok. 39 a und b), E 02/07 Fasz. 4 (Dok. 39 c–e).

Else Mues

Grundsätzliche und zeitbedingte Aufgaben der Jugendhilfe unter Berücksichtigung der neuen Gesetzgebung

I. Was ist Jugendhilfe?

Jugendhilfe im Sinne des Reichsjugendwohlfahrtsgesetzes umfaßt „die Gesamtheit der Bestrebungen zur Förderung der Jugend aller Altersklassen".[1] Ihr Ziel ist das Wohl der Jugend; die Jugendwohlfahrt soll verwirklicht werden.

II. Grundsätzliche Aufgaben der Jugendhilfe

Jeder Jugendliche soll, wie § 1 RJWG[2] sagt, zur leiblichen, seelischen und gesellschaftlichen Tüchtigkeit erzogen werden. Gemeint ist ein Normalmaß an Tüchtigkeit und Wohl, dessen Erreichung unter Berücksichtigung der jeweiligen Zeitverhältnisse für den Durchschnitt der Jugend gefordert wird. Gemeint ist der sozial tüchtige Mensch, der nicht nur ein nützliches Glied der menschlichen Gesellschaft, sondern auch eine verantwortungsbewußte, eine sittliche Persönlichkeit ist, die später fähig ist, eine neue Generation gut zu erziehen. Die brauchbaren Eigenkräfte des jungen Menschen sollen entfaltet oder, wie Friedrich Wilhelm Foerster sagt, sie sollen „herausgezogen" werden. Auf diese Erziehung hat jeder junge Mensch einen natürlichen und gesetzlich garantierten Anspruch. Die Eltern sind von Natur aus die Erstverantwortlichen, die Erstverpflichteten und daher die Erstberechtigten in der Sorge für ihre Kinder. Die Jugendhilfe hat soweit Erziehungshilfe zu leisten, als der Anspruch des jungen Menschen auf Erziehung von den Eltern, der engeren oder weiteren Familie nicht oder nicht ausreichend erfüllt wird. Sie soll nicht sogleich an deren Stelle treten, sondern in erster Linie Eltern und Familie bei ihren Erziehungsaufgaben stützen, fördern und die notwendigen Voraussetzungen schaffen, damit diese ihre Aufgabe selber erfüllen können. Darüber hinaus hat sie die nicht ausreichende Erziehung im Elternhaus zu ergänzen und nötigenfalls zu ersetzen. In die Rechte der Eltern darf nur dann eingegriffen werden, wenn die Eltern versagen und die Kinder nicht anders vor Gefahren geschützt werden können.

Diese grundsätzlichen Aufgaben der Jugendhilfe bleiben unverändert; aber ihr konkreter Inhalt wandelt sich mit der Verschiedenartigkeit der Zeitverhältnisse und Zeitsituationen und den durch sie hervorgerufenen besonderen Erziehungsnotständen; er bestimmt sich nach der allgemeinen Lebensanschauung einer Zeit wie auch nach der Sicht neuer Erkenntnisse und Erfahrungen.

III. Zeitbedingte Aufgaben der Jugendhilfe

1. Jede Zeit stellt der Jugendhilfe ihre besonderen Aufgaben und fordert die ihrer Notsituation entsprechende Hilfe. Eine hochzivilisierte, industrielle, technisch geprägte Welt z.B. for-

---

1 Friedeberg-Polligkeit, Das Reichsgesetz für Jugendwohlfahrt, Kommentar, [Nachdruck der] 2. Auflage, Berlin – Köln 1955, S. 6.

2 § 1 des Reichsjugendwohlfahrtsgesetzes lautet:
„(1) Jedes deutsche Kind hat ein Recht auf Erziehung zur leiblichen, seelischen und gesellschaftlichen Tüchtigkeit.
(2) Das Recht und die Pflicht der Eltern zur Erziehung werden durch dieses Gesetz nicht berührt. Gegen den Willen des Erziehungsberechtigten ist ein Eingreifen nur zulässig, wenn ein Gesetz es erlaubt.
(3) Insoweit der Anspruch des Kindes auf Erziehung von der Familie nicht erfüllt wird, tritt, unbeschadet der Mitarbeit freiwilliger Tätigkeit, öffentliche Jugendhilfe ein."

Abb. 56: Deckblatt einer KFV-Broschüre (um 1960).

dert allgemein eine andere Jugenderziehung und daher eine andere Jugendhilfe als eine bäuerlich-handwerklich strukturierte Welt. Darüber hinaus stellen Zeiten besonderer Not der Jugendhilfe noch besondere Aufgaben.

Wir haben heute einen umfassenden Erziehungsnotstand. Er ist in seiner Eigenart und in seinem Umfang weitgehend verursacht durch den grundstürzenden Wandel, der in allen gesellschaftlichen Lebensbereichen vor sich geht, im wirtschaftlichen, kulturellen und sozialen Bereich, in der Familie, Schule, am Arbeitsplatz und im sonstigen Leben. – Die moderne Industriewelt hat ganz neue Erziehungsprobleme und -aufgaben hervorgerufen; sie steigert die Anforderungen an die Erziehung mehr und mehr. Dazu ist jeder junge Mensch heute in seiner leiblichen, geistigen und seelischen Entwicklung in zunehmendem Umfange Störungen durch Einflüsse der sozialen Umwelt unterworfen, die oft dem Erziehungsziel und den Erziehungskräften der Familie entgegenwirken. – Die Begründung des neuen Jugendwohlfahrtsgesetzes spricht deshalb vom *gesellschaftlichen Defizit.*

Die Familie ist aus vielerlei Gründen in ihren Möglichkeiten zur Erziehung ihrer Kinder beschränkt und weithin in ihrer Erziehungskraft geschwächt. Auch die normale Familie kann heute ihre Kinder den zeitlichen Anforderungen entsprechend nicht mehr allein erziehen. Das gilt verstärkt für die schwache Familie.

Hingewiesen sei auch auf den Wandel der Entwicklung der jungen Menschen – Akzeleration und Retardierung –, der diese in schwierigste innere und äußere Situationen bringt. Er stellt erzieherische Probleme und Aufgaben, zu deren Lösung Erfahrungen und Vorbilder für die Allgemeinheit nicht vorliegen. Sie überfordern z.Z. die erzieherische Kraft und Fähigkeit vieler Eltern, Familien und anderer Erziehungsträger. – Die Begründung des JWG spricht vom *familiären Defizit.*

Angesichts der viel größeren inneren und äußeren Schwierigkeiten, die der junge Mensch heute gegenüber früher zu bestehen hat, um seine Persönlichkeit entfalten und seine Lebensaufgabe meistern zu können, braucht er umfassendere Hilfe als früher; er braucht vor allem Lebens- und Orientierungshilfe. – Auch die Familie bedarf heute umfassenderer Hilfe, damit sie ihre Kinder auf die erweiterten Anforderungen des modernen Lebens besser vorbereiten kann.

2. Die beiden neuen Gesetze, Jugendwohlfahrtsgesetz (JWG), in Kraft ab 1. 7. 1962 und Bundessozialhilfegesetz (BSHG), in Kraft ab 1. 6. 1962, nehmen die vergrößerte geistig-seelische Not – das Jugendwohlfahrtsgesetz den vergrößerten, zeitbedingten Erziehungsnotstand der Jugend – zum Ausgang, um die erforderliche Hilfe zu ermöglichen. Sie haben einen stärker pädagogischen Grundzug als die alten Gesetze.[3] Beide Gesetze regeln deutlicher als die alten die Stellung des Hilfsbedürftigen bzw. seines Erziehungsberechtigten, soweit es sich um Minderjährige handelt; ferner das Verhältnis zwischen öffentlicher und freier Wohlfahrtspflege, insbesondere die Förderung der freien Träger durch Gemeinden und Staat, wie auch die Verpflichtung der öffentlichen Träger zur Hilfe. Diese Fragen sind in beiden Gesetzen nach gleichen Grundsätzen geregelt.

Im folgenden wird eingegangen auf die wichtigsten Grundsatzbestimmungen des JWG über
das Elternrecht (§§ 1 und 3) und
das Verhältnis der öffentlichen zu den freien Trägern bei der Durchführung der Jugendhilfe (§§ 5, 7, 8, 18)

ferner auf
die Erweiterung des Aufgabenkatalogs (§§ 4 und 5) und
die Hilfe für Gefährdete nach dem Bundessozialhilfegesetz (§§ 72–74, 100).

Die materiell-rechtlichen Bestimmungen des JWG, die ebenfalls wichtige Änderungen bzw. Neuregelungen erfahren haben, bleiben in diesem Zusammenhang unberücksichtigt.

a) Das Elternrecht (§§ 1 und 3)

Das Elternrecht ist an sich naturrechtlich begründet, im Grundgesetz Art. 6[4] als Grundrecht verankert und auch bereits im § 1 des alten RJWG als vorrangig herausgestellt. Der § 1 wurde unverändert ins neue Gesetz übernommen. Seine klaren, wenn auch allgemein formulierten Bestimmungen reichen grundsätzlich aus, um das Elternrecht und das der Familie zu sichern und voll zum Zuge kommen zu lassen. Da diese Bestimmungen aber in der Vergangenheit häufig (zum Schaden des Elternrechts) nicht richtig angewandt worden sind, wurde eine stärkere Betonung des Vorranges des Elternrechts gegenüber dem Staate für erforderlich gehalten. Das erschien um so notwendiger, als das neue Gesetz die Verpflichtung des Staates zur öffentlichen

3 [Gemeint sind RJWG und RFV von 1924.]

4 Art. 6 Abs. 1–3 des Grundgesetzes lautet:
„(1) Ehe und Familie stehen unter dem besonderen Schutze der staatlichen Ordnung.
(2) Pflege und Erziehung der Kinder sind das natürliche Recht der Eltern und die zuvörderst ihnen obliegende Pflicht. Über ihre Betätigung wacht die staatliche Gemeinschaft.
(3) Gegen den Willen der Erziehungsberechtigten dürfen Kinder nur auf Grund eines Gesetzes von der Familie getrennt werden, wenn die Erziehungsberechtigten versagen oder wenn die Kinder aus anderen Gründen zu verwahrlosen drohen."

Jugendhilfe so umfassend und ins einzelne gehend regelt, ein vielfältiges Angebot an Hilfen bereitstellt und weil ferner im Denken breiter Bevölkerungskreise der Anspruch auf öffentliche Hilfe in zunehmendem Maße Wurzel faßt.

Die stärkere Betonung des Elternrechts bringt der neu eingefügte § 3. Er präzisiert und konkretisiert das im § 1 enthaltene Elternrecht. Er sagt, in welcher Weise dieses sich verwirklichen muß, nämlich in der Bestimmung der Grundrichtung der Erziehung (§ 3 Abs. 1). Er legt die Erstverantwortlichkeit der Eltern bei der Bestimmung der Grundrichtung der Erziehung klar und bindend fest; dabei spricht er allgemein von den Personensorgeberechtigten, zu denen die Eltern an erster Stelle gehören.

Deutlich regelt § 3 die Verpflichtung der öffentlichen Jugendhilfe, die in der Familie des Kindes begonnene Erziehung zu unterstützen und zu ergänzen.

„Die von den Personensorgeberechtigten bestimmte Grundrichtung der Erziehung ist bei allen Maßnahmen der öffentlichen Jugendhilfe zu beachten, sofern hierdurch das Wohl des Kindes nicht gefährdet wird." Das gilt auch im Falle der Beschränkung der elterlichen Gewalt, z.B. bei der Anordnung von Fürsorgeerziehung (§ 71). Die Eltern, nicht der Staat oder eine sonstige Stelle, bestimmen die Grundrichtung der Erziehung. Die uneheliche Mutter bestimmt sie bei ihrem Kind, nicht der Amtsvormund und nicht eine andere, etwa die kostentragende Stelle.

Ausdrücklich betont § 3, daß das Recht der Eltern, die religiöse Erziehung zu bestimmen, im Rahmen des Gesetzes über die religiöse Kindererziehung[5] *stets* zu beachten ist.

Der Staat kann – vor allem nicht in einer pluralistischen Gesellschaft – keine eigene, für alle Staatsbürger verbindliche Erziehungsrichtung und kein für alle gesellschaftlichen Gruppen verbindliches Erziehungsziel aufstellen. Denn das Erziehungsziel ist abhängig vom Menschenbild, es hängt davon ab, ob der Mensch nur in seiner natürlichen oder auch in seiner übernatürlichen Bestimmung gesehen wird. Erziehung vollzieht sich daher immer auf dem Boden religiöser oder weltanschaulicher Wertgebundenheit. Sie kann in diesem Sinne nur von den entsprechenden gesellschaftlichen Gruppen geleistet werden. Darauf muß der Staat Rücksicht nehmen und sich neutral verhalten. Dem Staat obliegt das Wächteramt in der Erziehung; er hat einzugreifen, wenn der Anspruch des Kindes auf Erziehung nicht erfüllt wird.

In dem Recht des Personensorgeberechtigten auf Bestimmung der Grundrichtung der Erziehung ist sein Wahlrecht enthalten. Es ist in § 3 Abs. 2 verankert und lautet: „Den Wünschen der Personensorgeberechtigten, die sich auf die Gestaltung der öffentlichen Jugendhilfe im Einzelfall richten, soll entsprochen werden, soweit sie angemessen sind und keine unvertretbaren Mehrkosten erfordern." Der Personensorgeberechtigte soll selbst wählen, von welchem Träger der Jugendhilfe er betreut sein will, von einem konfessionell resp. weltanschaulich gebundenen oder neutralen, von einem freien oder behördlichen Träger. Auch bei der Inanspruchnahme eines Kindergartens, Kinderhortes, einer Jugenderholungsstätte, Erziehungsberatungsstelle, eines Erziehungsheimes, Wohnheimes u.a. soll er unter vorhandenen Einrichtungen diejenige wählen dürfen, von der er glaubt, daß sie der von ihm bestimmten Grundrichtung der Erziehung am besten entspricht. Das den Personensorgeberechtigten zustehende Aufenthalts-

5 [Gesetz über die religiöse Kindererziehung vom 15. 7. 1921.]

Abb. 57: Kindergartengruppe (Anfang 60er Jahre) des Walburgisheims in Werl – Säuglings- und Entbindungsheim, ab 1948 Heim für nichteheliche Kinder.

bestimmungsrecht erfährt durch diese Bestimmung eine erfreuliche Bestätigung. – Nach gleichen Grundsätzen regelt der § 3 des BSHG das Wahlrecht des Hilfeberechtigten. Jeder Hilfeberechtigte soll wählen dürfen, von wem und in welchen Einrichtungen er die ihm zustehende Hilfe empfangen will. – Das Wahlrecht des Hilfeberechtigten resp. des Personensorgeberechtigten ist Ausdruck des im Grundgesetz garantierten Rechtes der freien Entfaltung der Persönlichkeit; es entspricht der Würde des Menschen.[6]

Auch § 3 Abs. 3 [JWG] verdient besondere Beachtung. Er bestimmt, daß bei allen Maßnahmen der öffentlichen Jugendhilfe die Zusammenarbeit mit den Personensorgeberechtigten anzustreben ist.

b) Das Verhältnis der öffentlichen zu den freien Trägern bei der Durchführung der Jugendhilfe (§§ 5 Abs. 2 u. 3, 7, 8, 18)

Im alten Gesetz ist das Verhältnis zwischen öffentlicher und freier Jugendhilfe durch die grundsätzliche Bestimmung des § 6 klar und gut geregelt, ferner durch die Spezialvorschrift des § 11. Beide Paragraphen sind in das neue Gesetz übernommen, und zwar als § 7 und § 18. Das neue Gesetz geht – wie bei den Bestimmungen zum Elternrecht – über die grundsätzliche, allgemeine Bestimmung des § 7 hinaus, indem es in § 5 und § 8 das Verhältnis zwischen öffentlichen und freien Trägern konkreter regelt.

Das Jugendamt ist nach wie vor verantwortlich dafür, „daß die für die Wohlfahrt der Jugend erforderlichen Einrichtungen und Veranstaltungen ausreichend zur Verfügung stehen" (§ 5). Es soll sie nicht primär selber schaffen, sondern darauf hinwirken, daß die notwendigen Hilfen

6 Art. 1 Abs. 1 des Grundgesetzes lautet:
„(1) Die Würde des Menschen ist unantastbar. Sie zu achten und zu schützen ist Verpflichtung aller staatlichen Gewalt."
Art. 2 des Grundgesetzes lautet:
„(1) Jeder hat das Recht auf die freie Entfaltung seiner Persönlichkeit, soweit er nicht die Rechte anderer verletzt und nicht gegen die verfassungsmäßige Ordnung oder das Sittengesetz verstößt.
(2) Jeder hat das Recht auf Leben und körperliche Unversehrtheit. Die Freiheit der Person ist unverletzlich. In diese Rechte darf nur auf Grund eines Gesetzes eingegriffen werden."

unter Berücksichtigung der verschiedenen Grundrichtungen der Erziehung bereitgestellt werden. Nur dann soll das Jugendamt selber Jugendhilfe leisten, eigene Maßnahmen durchführen, eigene Einrichtungen schaffen, wenn geeignete Einrichtungen und Veranstaltungen der freien Träger der Jugendhilfe nicht vorhanden sind, nicht erweitert oder geschaffen werden. In dieser Deutlichkeit ist die Erstzuständigkeit der freien Träger im alten Gesetz nicht ausgesprochen, obschon sie in gleicher Weise bereits in den grundsätzlichen Bestimmungen des alten § 6, jetzt § 7, enthalten ist.[7]

Das Jugendamt soll einheitlicher Mittel- und Sammelpunkt aller Jugendhilfe und gegebenenfalls Ausfallbürge sein. Seine wichtigste Aufgabe besteht darin, alle Kräfte, die für die Mitarbeit infrage kommen, zu wecken, anzuregen, zu fördern, zu aktivieren und zur lebensvollen Entwicklung zu führen. Ihre Arbeit soll es koordinieren, damit das in § 7 geforderte planvolle Zusammenwirken und die notwendige gegenseitige Ergänzung zustande kommen.

Die eigentliche Durchführung der Hilfe soll es den freien gesellschaftlichen Kräften überlassen.

Entsprechend deutliche Bestimmungen für den übrigen Wohlfahrtsbereich finden wir im Bundessozialhilfegesetz in den §§ 10 und 93 jeweils Abs. 3.

Zu sehen ist aber, daß die Bestimmung über die Erstzuständigkeit der freien Träger nur dann praktisch wirksam wird, wenn die Personensorgeberechtigten einen freien Träger wünschen. Wollen sie Hilfe durch die Behörde, so muß diesem Willen entsprochen werden.

Eine wichtige Bestimmung zur Regelung des Verhältnisses von öffentlicher und freier Jugendhilfe bringt § 8 Abs. 3: Danach „sind bei der Förderung der Träger der freien Jugendhilfe unter Berücksichtigung ihrer Eigenleistungen die Grundsätze und Maßstäbe anzuwenden, die für die Finanzierung der Maßnahmen der öffentlichen Jugendhilfe gelten". Diese Bestimmung ist ebenfalls neu und war dringend erforderlich. Sie soll sicherstellen, daß die örtlich vorhandenen Gelder gerecht im Interesse der Jugendlichen verteilt werden und keine Benachteiligung erfolgt. Ein Anspruch der freien Träger auf finanzielle Förderung in bestimmter Höhe besteht nicht. Die Entscheidung über das Ausmaß der Förderung liegt nach wie vor im pflichtgemäßen Ermessen der Träger der öffentlichen Jugendhilfe. Die freien Träger sollen auf alle Fälle bei ihren Maßnahmen eine angemessene finanzielle Eigenleistung erbringen.

Gegen den § 8 Abs. 3 wird eine Verfassungsbeschwerde erwartet, ebenso gegen den § 5 Abs. 3.[8] Die Stadt Dortmund und eine Reihe anderer Städte haben bereits beschlossen, die Verfassungsmäßigkeit dieser Bestimmungen anzufechten, weil sie darin einen unzulässigen Eingriff des Bundes in das Selbstverwaltungsrecht der Gemeinden erblicken. Sie sprechen vom Subventionszwang und von der Funktionssperre der behördlichen Jugendhilfe.

Erwähnt sei in diesem Zusammenhang auch der 2. Absatz des § 8. Er sagt: „Bei Förderung gleichartiger Maßnahmen mehrerer Träger der freien Jugendhilfe sind unter Berücksichtigung ihrer Eigenleistungen gleiche Grundsätze und Maßstäbe anzulegen." Es soll also Gleichheit und Gerechtigkeit herrschen auch hinsichtlich der Förderung der verschiedenartigen freien Träger.

---

7 [Diese Bewertung ist korrekturbedürftig; vgl. die Einleitung zu Kapitel V.]

8 Gegen die entsprechenden Bestimmungen des BSHG §§ 10 und 93 wird ebenfalls eine Verfassungsbeschwerde erwartet.

c) Die Erweiterung des Aufgabenkatalogs (§§ 4 und 5)

Der Aufgabenkatalog der öffentlichen Jugendhilfe ist in den §§ 4 und 5 des neuen JWG enthalten. Die im § 4 aurgezählten Aufgaben entsprechen denen des alten § 3 RJWG und sind nur erweitert um die Aufgabe der Mitwirkung bei der Freiwilligen Erziehungshilfe. § 5 enthält die Aufgaben des alten § 4, ist aber darüber hinaus stark erweitert. Er nennt vor allem auch Einzelaufgaben der Jugendpflege, die im alten § 4 nur allgemein umrissen waren.

Die Aufgaben der §§ 4 und 5 sind Pflichtaufgaben der Jugendämter; das heißt allerdings nicht, daß die Behörde sie selber durchführen soll. Die Pflicht zur öffentlichen Jugendhilfe ist gegenüber früher viel umfassender und stärker ins einzelne gehend geregelt. Das Entsprechende ist bezüglich des Sozialhilfegesetzes zu sagen. Fast jede Art von Jugend- und Sozialhilfe kann begehrt und gewährt werden, vom fehlenden Lebensunterhalt bis zur Erziehungsberatung und Ausbildungsbeihilfe, von der Gesundheitsfürsorge bis zur Gerichtshilfe. Der 3. Erziehungssektor, der neben Elternhaus und Schule besteht, wächst sehr in seiner Bedeutung.

Die Aufgaben des § 5, auch einige Aufgaben des § 4, können durch Landesrecht näher geregelt werden. Dadurch ist die Möglichkeit gegeben, Jugendhilfe zu gewähren unter besonderer Berücksichtigung der orts- und zeitbedingten Gegebenheiten.

Im neuen Aufgabenkatalog wird der stärker pädagogische Akzent des neuen Gesetzes besonders deutlich. Es soll z.B. Beratung in Fragen der Erziehung gewährt werden; diese und andere Arten der Beratung werden als wichtige Form persönlicher Hilfe herausgestellt. Bei der Hilfe für Säuglinge und Kleinkinder wird bereits, entsprechend modernen psychologischen und pädagogischen Erkenntnissen, außer der Pflege die Erziehung betont. Das alte Gesetz sprach von der Wohlfahrt der Säuglinge und übrigen Kinder. Die frühere Schutzaufsicht ist umgewandelt in Erziehungsbeistandschaft. Ferner wird im neuen Gesetz unter Berücksichtigung der heute besonders schwierigen erzieherischen Situation der jungen Menschen das Alter an einigen Stellen heraufgesetzt, wie es im Jugendgerichts- und einigen anderen Gesetzen bereits in den vergangenen Jahren erfolgt ist und wie es in weiteren Gesetzen angestrebt wird.

Bemerkt sei an dieser Stelle, daß manche der Aufgaben, die nunmehr in den §§ 4 und 5 JWG als Pflichtaufgaben aufgeführt sind, bereits in der Vergangenheit bei richtiger Auslegung der alten Bestimmungen erfüllt werden konnten und auch erfüllt wurden. Zum Teil wurden sie vor Jahren durch Bund und Länder angeregt und ihre Erfüllung durch Bundes- und Landesmittel ermöglicht.

d) Die Hilfe für Gefährdete nach dem Bundessozialhilfegesetz (§§ 72–74, 100)

Die Hilfe für Gefährdete ist im BSHG erstmalig ausdrücklich gesetzlich verankert. Sie ist geregelt im Abschnitt 3 „Hilfe in besonderen Lebenslagen", und zwar in den §§ 72, 73, 74. Hinzu kommt noch der § 100 Abs. 1 Ziff. 5, der die Zuständigkeit hinsichtlich der Kostentragung betrifft.

§ 72 Abs. 1 sieht Personen, die das 20. Lebensjahr vollendet haben, als gefährdet an, wenn „sie aus Mangel an innerer Festigkeit ein geordnetes Leben in der Gemeinschaft nicht führen können". Was als geordnete Lebensführung gilt, bestimmt sich jeweils nach der allgemeinen Lebensanschauung.

Dem Gefährdeten soll Hilfe gewährt werden, um ihn zu einem geordneten, verantwortungsbewußten Leben hinzuführen. Auch der Gefährdete soll ein Leben führen können, wie es der Würde des Menschen nach § 1 Abs. 2 BSHG entspricht. Er soll vor allem an regelmäßige Arbeit gewöhnt, der Nichtseßhafte auf die Dauer seßhaft werden. Die Hilfe soll *vorbeugend* gewährt werden, wenn dadurch eine Gefährdung ganz oder teilweise abgewandt werden kann.

Wenn offene Hilfe nicht ausreicht, so soll dem Gefährdeten geraten werden, sich in die Obhut einer Anstalt, eines Heimes oder einer gleichartigen Einrichtung zu begeben. Der Gefährdete soll also möglichst dahin gelenkt werden, daß er *freiwillig* ein Heim aufsucht. Wenn ein freiwilliger Eintritt in ein Heim oder eine Anstalt nicht erreicht werden kann, so ist eine Freiheitsentziehung möglich. Das Gericht kann solche schwer Gefährdete anweisen, sich in einer Anstalt, einem Heim oder einer gleichartigen Einrichtung aufzuhalten. Eine solche *zwangsweise Einweisung* ist aber nur möglich, wenn folgende drei Voraussetzungen gleichzeitig gegeben sind, wenn:

„1. der Gefährdete besonders willensschwach oder in seinem Triebleben besonders hemmungslos ist und
2. der Gefährdete verwahrlost oder der Gefahr der Verwahrlosung ausgesetzt ist und
3. die Hilfe nur in einer Anstalt, in einem Heim oder in einer gleichartigen Einrichtung wirksam gewährt werden kann."

Man kann einem über 20-jährigen Gefährdeten also nach Inkrafttreten dieser Bestimmungen gegen seinen Willen die notwendige Hilfe gewähren, ihn in einem Heim unterbringen. Damit ist der dringend erforderliche Anschluß an die Fürsorgeerziehung gegeben.

Hinsichtlich der Kosten ist zuständig bei Gewährung offener Hilfe der örtliche, bei Heimunterbringung immer der überörtliche Kostenträger. Alle Hilfe soll ohne Rücksicht auf vorhandenes Einkommen oder Vermögen gewährt werden; bei Heimunterbringung jedoch soll der Gefährdete je nach seinem Einkommen oder Vermögen zu den Kosten beitragen.

Durch diese Vorschriften des BSHG über die Freiheitsentziehung sind die um 1920 begonnenen langwierigen Bemühungen um ein Bewahrungsgesetz, an denen Frau Agnes Neuhaus maßgeblich beteiligt war, zum Abschluß gekommen.

IV. Welche Aufgaben ergeben sich für unsere Arbeit auf Grund der neuen Gesetze?

1. Allgemein

Die neuen Gesetze ermöglichen die volle Entfaltung unserer Arbeit; und die Situation der Jugend und der Familie fordert diese Entfaltung. Ein Mehr an Arbeit wird auf uns zukommen, weil die Pflicht des öffentlichen Trägers zur Hilfe so deutlich ausgesprochen und bis ins einzelne gehend konkretisiert ist; weil ferner das Recht auf Hilfe erstmals ausdrücklich gesetzlich verankert und damit den Menschen klar ins Bewußtsein gehoben ist. [...]

2. Gefährdetenhilfe

Die Gefährdeten und Verwahrlosten sind diejenigen unter unseren Schützlingen, die in der schwersten Not stehen. Für sie sind wir zu besonderer Verantwortung gerufen. Auf Grund der weitreichenden neuen gesetzlichen Möglichkeiten können und müssen wir unsere Gefährdetenfürsorge exakt durchführen. Ein intensiver Ausbau vor allem unserer vorbeugenden Arbeit ist notwendig. Das Gesetz fordert ausdrücklich vorbeugende Hilfe für Gefährdete. Die Behörde wird diese Arbeit großzügiger als bisher stützen, nicht zuletzt auch deshalb, weil in vielen Fällen durch frühzeitigen Einsatz relativ geringer Mittel nachhaltiger Erfolg erzielt und höhere Kosten erspart werden können.

Es fragt sich, ob unsere Heime ausreichen und ob sie pädagogisch gut geführt sind. Genügen unsere Vorasyle, denen eine große Bedeutung in unserer Hilfe für Jugendliche und Gefährdete zukommt, den vielfältigen zeitbedingten Anforderungen? Wie müßten heute unsere Erziehungsheime, unsere Mutter- und Kindheime gestaltet sein? Und wie sollten unsere Wohnheime aussehen, baulich, pädagogisch? Der Anteil der stärker erziehungsbedürftigen, gefährdeten Jugendlichen wächst unter den Insassen mehr und mehr. Wir ringen um die richtige Form dieser Heime.

[...]

3. Betonte Erstverantwortlichkeit der Personensorgeberechtigten

Wir selber müssen diese Erstverantwortlichkeit in jedem Einzelfalle ernst nehmen und sie mehr denn je stützen nach innen und nach außen. – Wissen die Personensorgeberechtigten um ihre Rechte? Wie weit sind sie im Stande, von ihnen den richtigen Gebrauch zu machen? Wissen sie um die Verantwortung, die mit dem Wahlrecht, dem Recht, die Art der Erziehungshilfe selber zu wählen, verbunden ist? Und können sie überhaupt im Interesse ihrer Kinder richtig wünschen und wählen? Eltern und andere Personensorgeberechtigte, auch die uneheliche Mutter, müssen über ihre Pflichten und Rechte gut orientiert, zur verantwortlichen Ausübung und auch zur richtigen Vertretung ihrer Rechte befähigt werden.

Dazu sind notwendiger denn je intensive Beratung, geduldige, ermutigende Gespräche. Sie sind notwendiger, aber auch mühevoller als früher, weil die geistigen Fundamente weithin geschwunden sind und neu aufgebaut werden müssen. In der Beratung und Stützung ratloser, erziehungsunsicherer Eltern aus allen sozialen Schichten, der Befähigung erziehungsschwacher, in Krisen geratener oder zerrütteter Familien sehen wir heute den wichtigsten Ansatzpunkt für die Hilfe.

Diese Hilfe muß gut gestaltet sein. Wir können sie nicht allein leisten und dürfen uns daher nicht auf das eigene Tun beschränken. Unsere Hilfe ist angewiesen auf Ergänzung durch die verschiedenartigsten örtlichen und überörtlichen Stellen, die sich im kirchlich-caritativen und übrigen freien Raum mit der Hilfe für Eltern, Familien, Jugendliche befassen. [...] Regen wir gegebenenfalls die Schaffung erforderlicher Einrichtungen und Veranstaltungen zur Förderung und Befähigung der Eltern an, z. B. Eheseminare, Elternseminare, Mütterkurse, Eheberatungsstellen? Notwendig ist es, daß wir die von uns betreuten Eltern bewegen, an solchen Veranstaltungen teilzunehmen. Wichtig ist unsere Mitarbeit dort! – Gut und entsprechend gestaltete Eltern-, Familienerholung und -ferien, aber auch Einzelerholung sind (unter den verschiedensten Gesichtspunkten) eine oft unentbehrliche Hilfe in unserem Bemühen um die Befähigung von Eltern und Familien. Wir sollten sie stärker für unsere Hilfsbedürftigen in Anspruch nehmen und in unseren Hilfsplan einbauen.

In diesem Zusammenhang gewinnt auch die Hilfe durch den Seelsorger und unsere Zusammenarbeit mit ihm ganz besondere Bedeutung. Denn Erziehungsschwäche und mangelnde Verantwortung der Eltern haben häufig ihre Ursache in der Unordnung im religiösen Bereich. Hier kann der Priester Eltern und Familie oft tiefer erreichen als wir, sie daher auch anders und intensiver fördern.

[...]

4. Verhältnis der freien zur behördlichen Jugendhilfe

Eine gut gestaltete Zusammenarbeit mit dem Jugendamt muß gepflegt werden. Die Fülle der Arbeit kann nur von beiden Seiten in gegenseitiger Ergänzung geleistet werden. Eine Zusammenarbeit, bei der jeder seine Fähigkeiten einsetzt, sich auf das Wesentliche, ihm Gemäße beschränkt, steigert und verbessert die Leistungen auf beiden Seiten, die wiederum zusammengenommen erst die ganze Hilfe bewirken. So wird jeder frei für *seine* Aufgaben, die niemand ihm abnehmen kann. Beide Seiten gewinnen dabei, das Jugendamt und wir. Eine bessere Hilfe kommt zustande.

Unsere ureigene Aufgabe ist die menschlich-personale Hilfeleistung, die erzieherische Hilfe und persönliche Betreuung. Aufgabe des Jugendamtes ist es, dieses unser Mühen und das der übrigen freien Kräfte ständig zu befruchten, anzuregen, zu fördern. Als echter Mittelpunkt der Jugendhilfe seines Bezirkes kommt ihm ferner die Planung und Koordinierung der Arbeit auf dem Gebiet der Jugendhilfe zu, ohne sich mit Aufgaben zu belasten, die es den freien gesellschaftlichen Kräften überlassen sollte. – Aus der so verstandenen Aufgabe ergibt sich die Forderung, daß wir alle Kräfte mobilisieren, um die personellen und fachlichen Voraussetzungen für eine gute, lebendige, eigenständige Arbeit bei uns zu schaffen. Der im Gesetz verankerte Vorrang der freien Verbände verpflichtet.

Nicht nur in allgemeinen und grundsätzlichen Fragen, sondern auch bei der Durchführung der Hilfe im Einzelfalle werden wir häufig mit dem Jugendamt gut überlegen und gute Vorschläge unterbreiten müssen.

Geschieht in der Zusammenarbeit mit dem Jugendamt, der Verwaltungsstelle, dem Leiter, den Fürsorgerinnen, den einzelnen Sachbearbeitern, ferner mit dem Jugendwohlfahrtsausschuß und seinen einzelnen Mitgliedern das, was notwendig ist? Finden z.B. häufiger, wenigstens ein paarmal im Jahre, gemeinsame Besprechungen zwischen Jugendamt und freien Organisationen statt, Besprechungen, die wirklich informieren, klären, anregen, Lücken in der Arbeit aufzeigen? Regen wir solche Besprechungen an, und geben wir genügend Anregungen dafür?

Für die Zusammenarbeit mit allen übrigen behördlichen Stellen, die Hilfe für Jugendliche, Gefährdete und Familien leisten, oder an ihr beteiligt sind, gilt Entsprechendes. Diese Stellen müssen wissen, daß wir da sind und wofür wir da sind. Auch die Vertreter im Stadtrat und im Sozialausschuß müssen wir kennen und mit ihnen sprechen. Das ist wichtig auch hinsichtlich der Beratung und Gestaltung des Haushaltsplanes. – Wichtig ist unsere Mitarbeit an den örtlichen Satzungen und Geschäftsordnungen der Jugendämter und Sozialämter, wie auch an den zu erwartenden Landesausführungsbestimmungen zu den neuen Gesetzen.

5. Persönliche Hilfe

Geistiger Ausgangspunkt der neuen Gesetze ist der Gedanke, eine solche Hilfeleistung zu ermöglichen, die der Würde des Menschen entspricht. Der hilfsbedürftige Mensch in seiner Einmaligkeit steht im Mittelpunkt der Hilfe. Diese richtet sich in Art und Umfang nach seiner Person. Persongerechte Hilfe kann sich nur in der Begegnung von Mensch zu Mensch vollziehen. Sie fordert den mütterlichen, brüderlichen, schwesterlichen Menschen, den Freund.

Persönliche Hilfe erfordert Zeit. In der Mehrzahl der Fälle, die wir heute erreichen, ist länger andauernde Betreuung, Beratung, Wegbegleitung notwendig. Eine solche Hilfe kann bei der Fülle der Einzelnot nur mit entsprechend vielen Einzelhelfern durchgeführt werden; ohne sie können wir dem einzelnen Schützling nicht gerecht werden.

Die Fürsorgerin als Fachkraft, auch die Vorsitzende, sollten in erster Linie das bewegende und belebende Element, Motor und Mittelpunkt unserer Hilfsarbeit sein; sie sollen hilfsfähige und hilfsbereite Menschen anregen, heranziehen, zur Mitarbeit befähigen und immer tiefer in unsere Arbeit einführen. Dementsprechend und im Rahmen ihrer gegebenen Möglichkeiten können die Helferinnen stufenweise zunehmend Verantwortung übernehmen.

Eine solche in gestufter Verantwortung durchgeführte Hilfe stellt die qualifizierte Fürsorgerin als Fachkraft, stellt auch die bereits mit Fachkenntnissen und -erfahrungen ausgestattete Vorsitzende frei für die Aufgaben, die nur sie selber tun kann; sie gibt Raum, damit die Fähigkeiten der Helfer zum Zuge kommen und sich entfalten können, die je nach Alter, Erfahrung, Ausbildung, Temperament, Lebensumständen verschieden, als solche aber wichtige Voraussetzung für die individuelle Hilfeleistung sind; sie gibt auf der ganzen Linie mehr Zeit für das helfende Gespräch, für die Beratung im Einzelfalle. Durch eine gute Zusammenarbeit im Sinne echter Ergänzung zwischen beruflichen und ehrenamtlichen Mitarbeiterinnen kommt eine differenziertere, persongerechtere Hilfe zustande.

Es ist heute schwerer als früher, Helfer zu finden. Die gegenwärtigen Zeitverhältnisse fördern egozentrisches Denken und Verhalten stärker als Verantwortung und Sorge für den Mitmenschen. Die jedem Menschen eigene Hilfsbereitschaft liegt oft tief verschüttet. Aber trotz des allgemeinen Trends zum Sich-zurückziehen-auf-sich-selbst, zum besseren, bequemeren Leben im Zusammenhang mit zunehmender Glaubensschwäche wächst die Zahl derer, die diese Dinge nicht einfach hinnehmen, sondern die anfangen zu suchen, zu fragen und die zur persönlichen Entscheidung drängen. Diese Menschen müssen wir gewinnen und in die verantwortliche Mitarbeit führen. Wir müssen heute, um einen Menschen als Helfer zu gewinnen

– für unsere Arbeit am Hilfsbedürftigen gilt das gleiche – ganz anders als früher den Kern seiner Person und seine bewußte Entscheidung erreichen.

Wir brauchen auch, um unsere Arbeit den vergrößerten Aufgaben entsprechend auszubauen, mehr berufliche Mitarbeiterinnen – Fürsorgerinnen. Der Engpaß, in dem wir heute stehen und der vermutlich in den nächsten Jahren noch drückender wird, ist besorgniserregend. Eine planmäßige Nachwuchswerbung ist notwendig, um soziale, caritative Berufe zu wecken und zu fördern. Wir dürfen die Entwicklung nicht mehr sich selbst überlassen. Die Familie und jeder einzelne muß dazu beitragen, daß ein Klima entsteht, das diesen Berufen förderlich ist. Es ist zu überlegen, wo und auf welche Weise wir an junge und nicht mehr ganz junge Menschen herankommen, die für eine soziale Ausbildung zu gewinnen wären. [...] Unsere Aufgabe ist es, den jungen Menschen die Arbeit im caritativen Dienst attraktiv zu machen.

Es ist aber auch eine wichtige und noch nicht genügend gesehene Aufgabe des Priesters und der Kirche, die Menschen vom Religiösen her zur mitmenschlichen Verantwortung zu führen. Das kann auf vielfältige Weise geschehen, mündlich und schriftlich, durch allgemeine und persönliche Gespräche und vor allem durch eine andersartige Verkündigung von der Kanzel. Viel intensiver und anders als bisher müßte von hier aus der Boden bereitet werden, damit es für uns etwas leichter wird, Mitarbeiter für den caritativen Dienst – berufliche wie auch ehrenamtliche – zu gewinnen.

Unsere Mitarbeiterinnen brauchen auch immer wieder das ermutigende Wort des Priesters; und sie brauchen eine vertiefte Persönlichkeitspflege, vor allem vom Religiösen her. [...] Stärker als bisher brauchen unsere Mitarbeiterinnen auch die fachliche Schulung und Weiterbildung, um den erhöhten Anforderungen entsprechen zu können.

Um die Aufgaben, die sich aus den neuen Gesetzen für unsere Arbeit ergeben, erfüllen zu können, müssen wir unsere Arbeit qualitativ und quantitativ ausbauen. – Wir müssen uns besinnen auf unsere eigene Kraft und alle sonst verfügbaren Kräfte wecken und zum Einsatz bringen. Ergänzende Zusammenarbeit mit allen Stellen, die sich mit der Hilfe für Familie und Jugend befassen, ist notwendiger denn je, mit dem Jugendamt und anderen Behörden, mit den Stellen und Organisationen im kirchlichen, caritativen und übrigen freien Bereich, Zusammenarbeit zwischen hauptberuflichen und ehrenamtlichen Mitarbeiterinnen und Helfern. Denn bei der Unüberschaubarkeit der Verhältnisse, des Wissens, dem Auseinanderfallen der einzelnen Lebensbereiche, der zunehmenden Spezialisierung, auch auf dem Gebiet der Hilfe, kann heute keiner mehr alles allein tun. Alles Auf-uns-zurückziehen bedeutet Verkürzung und Verkümmerung unserer Arbeit, hindert uns an der rechten Erfüllung der neuen Aufgaben.

Aus: Korrespondenzblatt Katholischer Fürsorgeverein für Mädchen, Frauen und Kinder 32 (1962), 148–162.

VI. Der bundesdeutsche Sozialstaat zwischen Ausbau und Krise (1962–1973)

Auch in dem auf die Fürsorgerechtsreform von 1961/62 folgenden Jahrzehnt – der Hochzeit innerhalb des „golden age of the welfare state“[1] – wurden noch wichtige neue Sozialgesetze erlassen. Genannt seien hier nur das Arbeitsförderungsgesetz, welches eine präventive Arbeitsmarktpolitik verfolgte, das Lohnfortzahlungsgesetz mit seiner Gleichstellung von Arbeitern und Angestellten im Krankheitsfall sowie im Bereich der Kinder- und Jugendhilfe das Gesetz über die rechtliche Stellung der nichtehelichen Kinder (alle von 1969), denen durchgreifende Verbesserungen im Mietrecht und das Rentenreformgesetz von 1972 folgten, welches nicht zu Unrecht als „zweite Rentenreform“ bezeichnet wurde. Vor allem die Einführung der Rente nach Mindesteinkommen war dabei ein wichtiges Instrument zur Anhebung des allgemeinen Niveaus der Renten und damit zur Verbreiterung ihrer subsistenzsichernden Funktion. Möglich wurde dies alles, weil sowohl die von 1966 bis 1969 regierende Große Koalition von CDU/CSU und SPD unter Kurt Georg Kiesinger wie auch die sie ablösende sozialliberale Koalition unter Willy Brandt für die Kontinuität einer aktiven und gestaltenden Sozialpolitik bürgten.[2]

Die zwischen 1962 und 1973 erlassenen Gesetze reichten allerdings in ihrer grundsätzlichen Bedeutung nicht an diejenigen aus den Jahren der Sozial- und Fürsorgerechtsreform heran, sondern konsolidierten, modifizierten und erweiterten die damals geschaffene Rechtslage. Signifikant für diese „langen sechziger Jahre“ ist vielmehr etwas anderes geworden: der materielle Ausbau des Wohlfahrtsstaates, also die Umsetzung jener rechtlichen Vorgaben in die sozialstaatliche Praxis, was zu einer erheblichen quantitativen wie qualitativen Verbesserung des Leistungsniveaus geführt und allgemein zu einer breiten Anhebung des Lebensstandards beigetragen hat.

Die relative Armut nahm in der Bundesrepublik in dieser Zeit stark ab. Verfügten 1963 noch 14,8 Prozent der deutschen Bevölkerung über ein Einkommen, das 50 Prozent unterhalb des Durchschnitts lag, so waren es 1969 noch 9,1 und 1973 nur noch 5,5 Prozent. Die Zahl der Sozialhilfeempfänger hielt sich im gleichen Zeitraum auf einem konstant niedrigen Niveau, wobei der Anteil derjenigen unter ihnen, die laufende Hilfe zum Lebensunterhalt bezogen, 1970 mit 749 000 seinen Tiefststand erreichte – ein deutlicher Indikator dafür, wie erfolgreich die strenge Armut inzwischen bekämpft worden war.[3] Als Anzeichen für verbesserte qualitative Standards im sozialen Sektor darf die erhebliche Zunahme von hauptamtlichen Mitarbeiter(inne)n in der Jugendhilfe gelten, welche den öffentlichen und den freien Bereich in ähnlicher Weise betraf.[4]

---

1 Frie, Brot und Sinn (wie Anm. IV/9), 145.

2 Verwiesen sei hier nur auf Christoph Kleßmann, Zwei Staaten, eine Nation. Deutsche Geschichte 1955–1970, Bonn ²1997, 225–228; Hentschel, Geschichte der deutschen Sozialpolitik (wie Anm. I/1), 176–205; Frerich/Frey, Handbuch, Bd. 3 (wie Anm. V/1).

3 Zahlen nach Rainer Geißler, Die Sozialstruktur Deutschlands. Zur gesellschaftlichen Entwicklung mit einer Zwischenbilanz zur Vereinigung, Opladen ²1996, 182–185; Giese, 25 Jahre Bundessozialhilfegesetz (wie Anm. V/6), 382, Tab. 8. – Wegen der verdeckten Armut (nur ca. 50 % der Sozialhilfeberechtigten machen ihre Ansprüche auch geltend) ist die absolute Zahl der unterhalb des Existenzminimums Lebenden etwa doppelt so hoch zu veranschlagen.

4 Vgl. Hasenclever, Jugendhilfe und Jugendgesetzgebung (wie Anm. III/18), 221 f.

Von der stimulierenden Wirkung, die für eine solchermaßen veränderte Wahrnehmung und Bearbeitung sozialer Probleme vom gelungenen Abschluß der Fürsorgerechtsreform und hier insbesondere vom BSHG ausging, war bereits die Rede.[5] Für die katholischen Wohlfahrtsexpert(inn)en, die auch in den sechziger Jahren zu den Hauptakteuren gehörten, kam als eine weitere zentrale Motivation der religiös-spirituelle Impuls durch das Zweite Vatikanische Konzil (1962–1965) hinzu. Insbesondere mit der Pastoralkonstitution „Gaudium et spes" erkannte die katholische Kirche die relative Autonomie weltlicher Sachgebiete an und damit den Prozeß „funktionsorientierter Ausdifferenzierung moderner Gesellschaften".[6] Ohne direkt auf die Sozialarbeit Bezug zu nehmen, war dieser an Leitgedanken wie Dialog und Kooperation orientierte Text dennoch geeignet, katholische Christen zu bestätigen und zu ermutigen, den vom BSHG vorgezeichneten Weg positiv weiter mitzugestalten.[7]

Mental folgenreich für das Klima in der Sozialpolitik erwies sich auch die 68er Bewegung, die sich auf diesem Feld deutlich als Studenten- *und* Lehrlingsbewegung artikulierte und mit neuen Formen des Protests, medienwirksamen Aktionen und radikalen Forderungen auf Mißstände aufmerksam machte und Reformen in Gang setzen half. Besonders faßbar wird dieser Einsatz etwa im Kampf gegen die autoritären Strukturen der Fürsorgeerziehung und für eine Psychiatriereform.[8] Allerdings muß gerade für den Sozialbereich angesichts einer hier seit den ausgehenden fünfziger Jahren unübersehbaren Reformbereitschaft und Reformpolitik mit Christoph Kleßmann gefragt werden, „was wirklich neu und umwälzend war und wo die APO nur latente Strömungen und schon spürbare Veränderungen bewußtgemacht, vorangetrieben und formuliert, teilweise aber auch diskreditiert hat." Insgesamt gesehen hat die Protestbewegung auch hier eher eine „Verstärkerfunktion ausgeübt".[9]

Manche sozial- und gesellschaftspolitische Reformen aus dem Wechselspiel von APO, neuer Frauenbewegung und sozialliberaler Regierungsarbeit produzierten indessen offenkundig wieder neue Konflikte und Probleme im Sinne der „perverse effect-doctrine", nach welcher der Wohlfahrtsstaat oftmals das Gegenteil von dem erreicht, was er bezweckt, nämlich die möglichst umfassende Herstellung sozialer Gerechtigkeit.[10] Im Zuge einer gesamtgesellschaftlich vorangetriebenen Individualisierung, welche die Gleichberechtigung der Geschlechter und das Selbstbestimmungsrecht der/des einzelnen beförderte – beides legitime und notwendige Ziele demokratischer Gesellschaftspolitik –, wurden auch neue Entwürfe des § 218 diskutiert, die sich später in der Fristenlösung (1974) und nach deren Verwerfung durch das Bundesverfassungsgericht in der erweiterten Indikationenlösung (1976) niederschlugen. Gemeinsam war

5 Vgl. Einführung zu Kapitel V.

6 Franz-Xaver Kaufmann, Zur Einführung: Probleme und Wege einer historischen Einschätzung des II. Vatikanischen Konzils, in: ders./ Arnold Zingerle (Hg.), Vatikanum II und Modernisierung. Historische, theologische und soziologische Perspektiven, Paderborn – München – Wien – Zürich 1996, 9–34, hier 28.

7 Besonders deutlich wird dieser Zusammenhang in Dok. 41 c.

8 Vgl. die von einem „Autorenkollektiv" (Rose Ahlheim, Wilfried Hülsemann, Helmut Kapczynski, Manfred Kappeler, Manfred Liebel, Christian Marzahn und Falco Werkentin) verfaßte Kampfschrift: Gefesselte Jugend. Fürsorgeerziehung im Kapitalismus, Frankfurt/M. [5]1978, bes. Dok. 8 und 9 (S. 334–347); zur Psychiatriereform Franz-Werner Kersting, Psychiatriereform und '68, in: Anstalten, Angehörige und Alternativen: Diakonische Arbeit im Wandel der Diakonie- und Psychiatriegeschichte, hg. vom Diakonischen Werk der Evangelischen Kirche von Westfalen, erscheint Münster 1999.

9 Kleßmann, Zwei Staaten, eine Nation (wie Anm. 2), 282.

10 Vgl. dazu allg. Sachße, Wohlfahrtsstaat in Deutschland (wie Anm. III/1), 269, 275–279.

ihnen, daß sie das Selbstbestimmungsrecht der Frau zu einem höheren Gut als das Lebensrecht des ungeborenen Kindes erklärten. Schon die Diskussionen hierüber ließen die zugrundeliegenden Wertkonflikte offenkundig werden, die das Gesetz dann einseitig Partei ergreifend und dadurch neue Benachteiligungen produzierend löste. Vor allem konfessionelle Organisationen fanden sich damit nicht ab und entwickelten in der Folgezeit andere Beratungs- und Hilfeangebote, die Lebensrecht und Selbstbestimmung zu verbinden suchten.

Solch schwere Konflikte zwischen kirchlichen Akteuren und dem Staat waren nicht die Regel. Sie sind gleichwohl ein Indiz dafür, daß die neokorporatistischen Verflechtungen kirchlicher Sozialarbeit mit staatlicher Sozialpolitik zwar generell ein hohes Maß an partnerschaftlicher Zusammenarbeit bewirkten, die freien Träger sich dabei aber keineswegs mit der Rolle von willenlosen Erfüllungsgehilfen zufriedengaben.[11] Dies gilt übrigens nicht nur für die geschilderten weltanschaulichen Konflikte mit der sozialliberalen Koalition. Auch nach 1982 unter einer CDU-geführten Regierung artikulierten die konfessionellen Verbände offen und selbstbewußt ihre abweichenden sozialpolitischen Konzeptionen.[12]

Das im Sommer 1967 ergangene Urteil des Bundesverfassungsgerichts zu BSHG und JWG hatte, bedingt durch den Prinzipienstreit um die Subsidiarität, zugleich wegweisende Aussagen zum Verhältnis von öffentlichen und freien Hilfeanbietern in Deutschland enthalten, die den dual strukturierten Wohlfahrtsstaat in Deutschland auf eine rechtlich gesicherte Grundlage stellten. Das Gericht wies die Klagen der Beschwerdeführer im wesentlichen zurück und erklärte das in beiden Gesetzen verankerte Subsidiaritätsmodell für verfassungskonform. Dies geschah allerdings in sehr vorsichtigen und auf Konsens bedachten Formulierungen. Wenn das Gericht etwa feststellte, es sei in BSHG und JWG nicht darum gegangen, „der freien Wohlfahrtspflege schlechthin einen Vorrang vor der öffentlichen Sozialhilfe einzuräumen", sondern die „bewährte Zusammenarbeit zwischen den öffentlichen Trägern der Sozialhilfe und den freien Wohlfahrtsverbänden [zu] gewährleisten, um mit dem koordinierten Einsatz öffentlicher und privater Mittel den größtmöglichen Erfolg zu erzielen",[13] dann konnten damit im Grunde alle Kontrahenten leben. Vor allem aber hatte dieses an die alte Gleichberechtigungsformel des RJWG erinnernde Votum den Vorteil, ziemlich genau die soziale Wirklichkeit, wie sie sich in der Bundesrepublik bis Ende der sechziger Jahre inzwischen herausgebildet hatte, abzubilden. Damit trug das Urteil in einem hohen Maße zum sozialen Frieden bei.

Keinen Bestand hatte dagegen vor den Augen der Richter das integrierte Bewahrungsgesetz im BSHG. Sie erklärten die „zwangsweise Anstalts- oder Heimunterbringung eines Erwachsenen, die weder dem Schutz der Allgemeinheit noch dem Schutz des Betroffenen selbst, sondern ausschließlich seiner ‚Besserung' dient", für verfassungswidrig, da eine solche Bestimmung „das Grundrecht der persönlichen Freiheit in seinem Wesensgehalt an[taste]."[14] Das

11 Zum Modell des „Neokorporatismus" als Deutungsmuster für das Verhältnis von öffentlicher und freier Wohlfahrtspflege vgl. zusammenfassend und mit Literaturangaben Rudloff, Konkurrenz, Kooperation, Korporatismus (wie Anm. II/8), 186 ff.; Wollasch, Wohlfahrtspflege und Sozialstaat (wie Einl., Anm. 2), 417 f.

12 Vgl. unten Kapitel VII und VIII.

13 Urteil des Zweiten Senats des Bundesverfassungsgerichts vom 18. 7. 1967, Gründe: C.I.1.b), hier zit. nach: Die neuen Sozialgesetze vor dem Bundesverfassungsgericht. Urteil des BVerfG vom 18. 7. 1967, Essen 1967, 17.

14 Zit. nach ebd., 5, 27 (Amtliche Leitsätze: 5. und Gründe: C.IV.) mit Bezug auf § 73 Abs. 2 und 3 BSHG.

Abb. 58: Fürsorgerinnen aus Ortsgruppen der Erzdiözese Köln bei einer Besichtigung des Bayerwerks in Leverkusen 1964.

Gericht machte damit deutlich, daß es nach bundesrepublikanischen Wertvorstellungen nicht angängig sein konnte, Weimarer Bewahrungskonzepte gleichsam an den Erfahrungen des „Dritten Reiches" vorbei in die deutsche Sozialgesetzgebung einzuschleusen.

Für den KFV enthielt dieses Urteil unüberhörbare Alarmsignale. Zwar war sein Einsatz für eine subsidiäre Ausgestaltung der sozialen Hilfe grundsätzlich bestätigt worden und hinderte ihn auch die Niederlage beim Bewahrungsparagraphen nicht daran, weiterhin nach verbliebenen legalen Möglichkeiten zu suchen, Bewahrung im Einzelfall durchzusetzen.[15] Auf der anderen Seite zeigte der Dissens in der Bewahrungsfrage aber, daß wichtige Arbeitsziele des Vereins offensichtlich nicht mehr mit den gesamtgesellschaftlichen Grundüberzeugungen übereinstimmten, so daß sich für den KFV „die Gefahr der Isolierung in einer weltanschaulichen Nische"[16] abzeichnete. Schon der Name „Fürsorgeverein" mußte vor dem Hintergrund des Bundessozialhilfegesetzes und seines auf Partnerschaftlichkeit abzielenden Denkens zunehmend wie ein Anachronismus wirken.

Bemühungen um eine modernisierte Identität hatten im KFV daher bereits seit den frühen sechziger Jahren mit der Suche nach einem neuen Vereinsnamen begonnen. 1962 hatte sich die KFV-Spitze in dieser Frage noch mehr als zurückhaltend geäußert und die Sorge als den im Vergleich zur Hilfe „gefülltere[n] Begriff" bezeichnet *(Dokument 41a)*. Die Basis drängte jedoch immer stärker auf eine Namensänderung; Befragungen und Probeabstimmungen ergaben ein eindeutiges Bild zugunsten von „Sozialdienst katholischer Frauen" als neuem Namen *(Dokument 41b)*.[17] Sicherlich war dies zunächst einmal eine begriffliche Anpassung an die neue Sozialterminologie, zugleich spiegelte es jedoch ein grundlegend gewandeltes und bewußt reflektiertes Fürsorgeverständnis. „Es ist der persönlichen menschlichen Würde des Hilfeempfängers mehr Rechnung getragen, wenn er unseren Dienst annehmen oder ablehnen kann, als

15 Vgl. Elisabeth Zillken, Die Entscheidung des Bundesverfassungsgerichts zu § 73 Abs. 2 und 3 BSHG, in: Korrespondenzblatt KFV 37 (1967), 146–149, hier 146 f.

16 Von der Osten, Katholische Jugend- und Gefährdetenfürsorge (wie Anm. V/21), 423.

17 Eine umfassende Analyse dieses Prozesses und der Rolle, welche die Vereinsbasis dabei gespielt hat, wird die Dissertation von Petra von der Osten liefern.

wenn wir ihm mit unserer Sorge die Selbstentscheidung fühlbar nehmen: Ich meine, in einem Dienen liegt immer die Sorge; nicht aber muß in der Sorge das Dienen liegen", merkte etwa ein namentlich nicht genanntes Vereinsmitglied an.[18]

In Stellungnahmen wie dieser bahnte sich der Paradigmenwechsel von der vormundschaftlichen Fürsorge zur anwaltschaftlichen Hilfe an. Franz Maria Elsner griff diese Argumentationslinie in einem programmatischen Artikel im Korrespondenzblatt, der die über die Namensänderung entscheidende Generalversammlung in Fulda 1968 vorbereiten half, auf und erweiterte sie durch eine Gegenüberstellung mit den Aussagen des Zweiten Vatikanischen Konzils. Brüderlichkeit und Schwesterlichkeit, Dienst und Dialog machte er dabei zu Recht als zentrale Gedanken aus; die Bezeichnung „Sozialdienst" wurde für ihn so „Bekenntnis zum Apostolat der Kirche in der nachkonziliaren Zeit" *(Dokument 41 c)*. Durch die auf der Generalversammlung in Fulda mit überwältigender Mehrheit angenommene Namensänderung von „Katholischer Fürsorgeverein für Mädchen, Frauen und Kinder" in „Sozialdienst katholischer Frauen" vollzog der Verein also auch eine inhaltliche Wandlung. „Der KFV überlebte", so hat es Petra von der Osten treffend ausgedrückt, „als SkF durch die Öffnung zur Gesellschaft."[19]

Dies zeigte sich auch in neuen Konzepten und einer veränderten Praxis. Bei der Arbeit mit Problemgruppen wurde die individuelle Hilfestellung verstärkt unter sozialkulturellen Bezügen gesehen und schon früh mit entsprechenden Methoden wie der Gemeinwesenarbeit verbunden *(Dokument 44)*. In der geschlossenen Jugendhilfe, die den gesellschaftlichen Umbruch in Gestalt von Protesten und Heimrevolten besonders unmittelbar und drastisch erlebte, wurden partnerschaftliche und solidarische Erziehungsmodelle nicht nur gelebt, sondern in durchaus aufmüpfiger Form auch in die innerverbandliche Diskussion eingebracht *(Dokument 42)* – ein Stück „1968" im SkF! Als Else Mues im Jahr 1973 auf der Generalversammlung in Essen ihren Rückblick auf die vergangenen ersten fünf Jahre seit der Namensänderung präsentierte *(Dokument 43)*, ließ sich das Ausmaß des inzwischen vollzogenen Wandels deutlich erkennen: eine mehr in die Tiefe als in die Breite gehende Hilfsarbeit – durchaus den Intensionen des BSHG entsprechend –, eine stärkere Verberuflichung der Arbeit und eine Schwerpunktverlagerung hin zu ambulanter und beratender Hilfe.

Besonderes Gewicht hatte hierbei die Hilfe für Frauen in Not- und Konfliktsituationen (§ 218) bekommen. Der SkF reagierte damit auf entsprechende Reformdiskussionen im politischen Raum, lange bevor diese Gesetzeskraft erlangten.[20] Bereits die richtungweisenden frühen Texte und Stellungnahmen des Verbandes zu dieser Thematik *(Dokument 45)* zeigen ein bis heute gültiges argumentatives Grundmuster. Danach erscheint die gängige Formel „Hilfe statt Strafe" als unfruchtbare Alternative, der die Forderung nach vorbeugenden, mit den Betroffenen gemeinsam erarbeiteten und ausgewählten Hilfsmaßnahmen unter Beibehaltung des Rechtsschutzes für das ungeborene Leben entgegengestellt wurde. Dabei verlängerte sich von Anfang an die Hilfe für das werdende Leben in eine Hilfe für das gewordene Leben, ver-

18 Zit. nach Korrespondenzblatt SkF 38 (1968), 26.

19 Von der Osten, Katholische Jugend- und Gefährdetenfürsorge (wie Anm. V/21), 424.

20 Das Korrespondenzblatt verfügt seit 1970 über eine eigene Rubrik „Schutz des werdenden Lebens", die 1971 in „Schutz des ungeborenen Lebens" umbenannt wurde und unter abgewandelten Bezeichnungen bis heute als „Schwangerschafts-/Schwangerschaftskonfliktberatung" fortbesteht.

banden sich die aus eigener Kraft geleisteten Hilfen und die vom Gesetzgeber eingeforderten strukturellen Veränderungen im Sozialbereich, die z.B. auch Unterstützungen für Alleinerziehende und eine durchgreifende Förderung des Wohnungsbaus einschlossen, zu einem stimmigen gesamtgesellschaftlichen Reformkonzept. Grundsätzliche Ablehnung der Abtreibung und gelebte Solidarität mit den betroffenen Frauen (und deren Angehörigen) in ihren vielfältigen Notlagen widersprechen sich also keineswegs.

Seit Ende 1973 begegnete die Durchsetzung kostenintensiver Sozialprogramme jedoch unerwarteten Schwierigkeiten von außen. Die plötzliche Erhöhung der Rohölpreise durch die OPEC während der Ölkrise – von den unmittelbaren Zeitgenossen in ihren langfristigen Auswirkungen durchaus verkannt – stürzte als global wirksames Ereignis die westlichen Industriestaaten in eine Krise mit tiefgreifenden Folgen auch und gerade für den Sozialbereich. In der Bundesrepublik kam es zu ersten Einschnitten in das soziale Netz (wenngleich vorerst noch mit sozialpolitischem Augenmaß) und zu einem steilen Anstieg der Arbeitslosenzahl seit 1974, die sich zwischen 1960 und 1973 abgesehen von der Rezession 1966/67 auf einem ausgesprochen niedrigen Niveau gehalten hatte.[21] Die Sozialhilfe entfernte sich dementsprechend zunehmend von ihrem anspruchsvollen, freilich nie mehr als ansatzweise verwirklichten Programm einer individualisierenden Hilfe in besonderen Lebenslagen und konzentrierte sich statt dessen verstärkt wieder auf laufende Hilfeleistung zum Lebensunterhalt, die eine wachsende Zahl von Menschen in Anspruch nehmen mußte.[22] 1973/74 war der Wohlfahrtsstaat in Deutschland an seine Grenzen gestoßen.

---

21 Vgl. die Graphik „Schicksalskurve auf dem Arbeitsmarkt", in: Helmut Kistler, Die Bundesrepublik Deutschland. Vorgeschichte und Geschichte 1945–1983, Bonn 1985, 397; Martin und Sylvia Greiffenhagen, Ein schwieriges Vaterland. Zur politischen Kultur im vereinigten Deutschland, München – Leipzig 1993, 308 f. – Zusätzliche Belastungen für die nationale wirtschaftliche Entwicklung ergaben sich wenig später aus der japanischen Technologie- und Exportoffensive.

22 Vgl. Geißler, Die Sozialstruktur Deutschlands (wie Anm. 3), 182–185; Giese, 25 Jahre Bundessozialhilfegesetz (wie Anm. V/6), 376, 382 (Tab. 8); Richard Hauser/Werner Hübinger, Arme unter uns, Teil 1: Ergebnisse und Konsequenzen der Caritas-Armutsuntersuchung, hg. vom DCV, Freiburg 1993, 48–52.

Vom „Katholischen Fürsorgeverein für Mädchen, Frauen und Kinder“ zum „Sozialdienst katholischer Frauen“ (1968)

Dokument 41 a:

Unser Name „Kath. Fürsorgeverein..." Eine Überlegung zu „Sorge" und „Hilfe"

Es melden sich immer wieder Mitarbeiterinnen zu Wort, die den Namen „Fürsorgeverein" nicht mehr für zeitgemäß halten. – Ist er das wirklich nicht mehr? Drückt er nicht mehr das aus, was wir wollen? Und ist es richtig, im Sprechen so oft „Sorge" durch „Hilfe" zu ersetzen? Das scheinen uns grundsätzliche Fragen zu sein, die des ernsten Überlegens wert sind.

Was meinen wir, wenn wir sagen „Hilfe", und was wollen wir mit dem Wort „Sorge" aussagen?

Wenn ein Mensch Hilfe braucht, bedeutet dies, daß er an einem bestimmten Mangel leidet, den er mit den eigenen Kräften und Fähigkeiten nicht allein beheben kann; er braucht die Ergänzung durch die Kraft und Fähigkeit eines andern. Wenn durch das Zusammenwirken beider der Mangel beseitigt werden konnte, ist dem ersteren „geholfen". Wenn ein Blinder eine ihm fremde Straße nicht zu überqueren vermag, und ein anderer kommt mit seiner Sehkraft und begleitet ihn bis dahin, wo ihm die Straße wieder bekannt ist, hat die Hilfeleistung ihr Ziel erreicht; beide können sich wieder trennen.

Viele Menschen reagieren sehr oft spontan auf die Hilfsbedürftigkeit eines andern – das ist natürlich-menschlich. Man hilft auch *gern,* es macht einen selber froh. Wenn wir scharf zusehen, dann entdecken wir allerdings nicht selten sogar ein subjektives Bedürfnis zu helfen, das befriedigt werden will. Es tritt also der Helfende in den Vordergrund; er bedient sich des Hilfsbedürftigen, um sich in der eigenen Überlegenheit wohl zu fühlen. Hier lauert hinter der Hilfsbereitschaft die Gefahr des Egoismus und die Gefahr des Aktivismus. Sie liegt in unserm Erfahrungsbereich nicht allzu fern.

Und wie ist das mit der Sorge um einen Mitmenschen?

Sorge tut weh. Sie ist im Mit-Leid ein echtes Leid. Sie kommt aus dem Herzen, aus dem inneren Kern der Persönlichkeit. Mit ihr kommt die Ich-Du-Beziehung zustande, die der Gemeinsamkeit der Menschen zugeordnet ist und schon im Paradies als wesentliches Menschheitsphänomen da gewesen ist. Diese Gemeinsamkeit fesselt den Sorgenden an den, der Mangel, d.h. der Leid hat – ob dieser sich dessen bewußt ist oder nicht, ist zunächst kein Kriterium für das wirklich vorhandene Leid. Es trifft also in der Sorge Leid auf Leid. Leid um einen anderen Menschen kann aber nur da entstehen, wo Liebe die bewirkende Kraft ist. Jeder Sorge vorgelagert ist die Liebe. Für jeden, der sich sorgt, ist die Liebe Ansatzpunkt für sein Tun – sein Helfen. Jetzt darf die Hilfe nicht mehr spontan einsetzen; jetzt muß sie behutsam geplant und vorbereitet werden. Jetzt muß kluges Überlegen vorangehen. Jetzt muß zur Hilfeleistung Geduld und Beharrlichkeit hinzukommen. Christliche Hilfeleistung läßt sich von der Sorge und Liebe nicht trennen. Weil Sorge die Hilfe dringend fordert, erscheint sie als der gefülltere Begriff, eben, weil sie die Hilfe einschließt. Und weil sie mit der Liebe gekoppelt ist, steht sie im religiösen Raum, denn alle Liebe wurzelt in Gott. In Christus aber gewinnt das Leid – also auch das Mitleid – erlösende Kraft.

Im Fürsorgeverein hat das Moment der Sorge von jeher den Charakter der Hilfeleistung geprägt. Die Satzung fordert dazu auf, die Schutzbefohlenen „aufzusuchen", sich ihrer „dauernd anzunehmen", als Einzelhelferinnen „mütterliche Verantwortung" zu tragen.

Wir fragen uns: Gewinnen wir oder geben wir etwas preis, wenn unser Name die Sorge nicht mehr zum Ausdruck bringt?

Aus: Korrespondenzblatt Katholischer Fürsorgeverein für Mädchen, Frauen und Kinder 32 (1962), 19–20.

Dokument 41 b:

Zur Frage der Namensänderung des Vereins

Die Diskussion um die Änderung des Namens ist nach wie vor im Gang. Auf der nächsten Generalversammlung, die vom 18.–21. Juni 1968 in Fulda stattfindet, soll hierüber entschieden werden. Nachstehend möchten wir unsere Ortsgruppen über die Entwicklung in dieser Frage orientieren.

Auf das Rundschreiben der Zentrale vom 21. 7. 1964 an die *Ortsgruppen* haben sich von den 198 Ortsgruppen, die antworteten, 139 = 70,2 % für eine Änderung entschieden.

In der Mitgliederversammlung, die im Zusammenhang mit der Generalversammlung 1965 in Köln stattfand, wurde eine Probeabstimmung vorgenommen, die folgendes Ergebnis hatte: von den 444 von den *Mitgliedern* abgegebenen Stimmen entschieden sich 351 = 79 % für eine Namensänderung. Von diesen sprachen sich 59,8 % für einen Namen aus, der das Wort „Sozial" oder „Sozialdienst" enthält; der größte Teil wünscht den Namen „Sozialdienst Kath. Frauen".[1] In dieser Mitgliederversammlung wurde bekanntgegeben, daß eine Entscheidung in der Angelegenheit der Namensänderung nicht vor Abschluß des Konzils erfolgen sollte.

Im Hinblick auf die vorgenannten Ergebnisse hat der Zentralvorstand am 28. 6. 1967 beschlossen, in der satzungsgemäßen Mitgliederversammlung in Fulda, die in Verbindung mit der Generalversammlung dort stattfinden wird, endgültig abstimmen zu lassen. Als einziger Änderungsvorschlag soll der Name „Sozialdienst Kath. Frauen" unterbreitet werden.[2]

Aus: Korrespondenzblatt Katholischer Fürsorgeverein für Mädchen, Frauen und Kinder 37 (1967), 161.

1 [Der KMFV hatte sich bereits mit Wirkung vom 1. 4. 1963 in „Sozialdienst Katholischer Männer" (SKM) umbenannt, vgl. den Hinweis in: Korrespondenzblatt KFV 33 (1963), 92.]

2 [Auf der Mitgliederversammlung am 19. 6. 1968 in Fulda wurde der neue Name „Sozialdienst katholischer Frauen" (SkF) mit der überwältigenden Mehrheit von knapp 84 % (361 von 430 stimmberechtigten Mitgliedern) in geheimer Abstimmung angenommen, vgl. Korrespondenzblatt SkF, Sonderdruck Generalversammlung 17.–20. Juni 1968 in Fulda, 76 f.]

Dokument 41 c:

F[ranz] M[aria] Elsner

Immer großherziger und wirksamer dienen

Zur inhaltlichen Vorbereitung unserer Generalversammlung in Fulda hatten sich in den Tagen vom 8. bis 10. Februar d. J. [1968] der Zentralvorstand und ein größerer Kreis von Mitarbeiterinnen aus Ortsgruppen und Zentrale in der Kommende in Dortmund zusammengefunden.

Die beiden Referenten dieser Tage, Prof. Dr. J. *Hirschmann,* Frankfurt a. M. und Dozent Dr. A. *Hunziker,* Luzern boten eine Fülle von Stoff, der in den sehr regen Aussprachen noch weiter angereichert wurde.

Aus diesem reichhaltigen Material und manchen weiteren Anregungen aus unseren Reihen haben wir – zum Teil in Frageform – einige Gedanken formuliert, die unseren Ortsgruppen in der eigenen geistigen Vorbereitung auf die Generalversammlung helfen sollen. Die nachstehenden Ausführungen sind also absichtlich bruchstückhaft gehalten und in manchen Punkten auch zugespitzt formuliert. Auf diese Weise wollen sie einen größeren Anreiz zur Diskussion in den Ortsgruppen bieten.

Nach zwanzig Jahren schon wieder Neuorientierung?

Vor rund 20 Jahren erst haben wir unsere Arbeit nach dem totalen Zusammenbruch ganz neu überdenken müssen. Wir haben das damals angesichts der ungeheuren Not zunächst mit dem Blick auf die neuen Formen des Elends und der Gefährdung getan: Entwurzelung jeder Art, Heimatlosigkeit, Verwaisung, Kriegswitwenschaft, Häufung der Schicksale Alleinstehender, Zerbrechen altgewohnter Ordnungen und Konventionen, Wandel im Lebensgefühl, neue Gefährdungen durch Truppenlager, Wohnungselend usw.

Ist nun nach zwanzig Jahren wieder eine größere Neuorientierung nötig, nachdem bereits in den Generalversammlungen dieser zwanzig Jahre und auf vielen Fortbildungsveranstaltungen versucht wurde, sich einzustellen auf die jeweils sich wandelnde Situation? Was spricht dafür?

Die Zeit und die Menschen, die sich heute schneller wandeln als in früheren Jahrhunderten. Die mobile Gesellschaft mit ihrer rasanten Entwicklung, das Zusammenrücken der Völker zu neuen größeren Einheiten, die Summierung von wissenschaftlichen Erkenntnissen und menschlichen Erfahrungen, die umfassende Information des Menschen von heute.

Je schneller sich die Gesellschaft umformt, desto kritischer wird die Lage für alle, die sich nicht schnell mitumorientieren können. Es kommt zu neuen Notständen aus der Isolierung jener, die nicht Schritt halten und das Neue nicht bewältigen können. Die Flut neuer Gedankengänge unterspült die früher noch festen Ufer ihres Lebensstils und Lebenszuschnitts. Die Lage der Gefährdeten zeigt nicht nur immer neue Aspekte, sie ändert sich auch schnell.

Ändert sich aber die Lage der Gefährdeten, so muß sich auch die angebotene Hilfe ändern. In ihrem grundsätzlichen Ansatz und in ihrer äußeren Form, also im Angebot. Oder genügt es, daß die Betroffenen umdenken, wir aber die gleichen bleiben? Gibt das den Gefährdeten sicheren Halt? Müssen wir nicht mit ihnen umdenken, uns anpassen?

Genügen nicht fast siebzig Jahre Erfahrung?

Können wir überhaupt die „Alten" bleiben? Sind wir nicht auch Kinder unserer Zeit? Gehen die Gedanken der Gegenwart spurlos an uns vorüber?

Rücken nicht auch in unseren Reihen neue, jüngere Generationen nach mit neuen Vorstellungen von unserer Arbeit, von neuen Methoden, neuen Formen der Hilfe, anderer Haltung gegenüber dem Hilfsbedürftigen, den wir nicht mehr „Schützling" nennen und auch nicht mehr im alten Sinne „betreuen" können?

Dennoch fragen wir: Geben uns nicht die fast siebzigjährigen Erfahrungen in der Fürsorgearbeit so viel Orientierung, auch für die Gegenwart, daß wir nicht umzudenken, neuzudenken brauchen?

Aus unseren Reihen kamen die „Mütter" des alten Reichsjugendwohlfahrtsgesetzes und des neuen Jugendwohlfahrts- und Bundessozialhilfegesetzes. Wir haben also auch die gesetzlichen Formen entscheidend mitbestimmt, in denen sich noch heute die Hilfe vollziehen muß. Gibt das nicht Sicherheit genug? Oder: Entwickeln wir nicht immer wieder aus der Zeit heraus von selbst neue Kräfte, um neuer Not zu begegnen? In den Gründerjahren mit der persönlichen Hilfe der Frauen der Gründerjahre, an der Spitze Agnes Neuhaus, in den Kriegs- und Nachkriegsjahren bis zum Jugendwohlfahrtsgesetz? Ja selbst in der Zeit eines Hitlers helfend „mit verdeckter Laterne"? In der Nachkriegszeit nach 1945: Waren es nicht die gleichen Frauen, die sich immer wieder mit großem Erfolg wandelnden Situationen anpaßten? Braucht es denn, wenn so die Kräfte aus den Frauen selbst erwachsen, noch bewußter Umorientierungen? Genügt nicht die natürliche Elastizität der Frauen?

Oder aber: Ist der Bewußtseinswandel heute so fundamental, daß man mit Elastizität nicht mehr auskommt? Was spricht dafür?

Wie verhält sich die Kirche?

Die Kirche versucht, in und nach dem Konzil mit Riesenschritten die Menschheitsentwicklung einzuholen. Sie tut das nicht mit äußeren Reformen. Sie betreibt mit Macht Selbstbesinnung, um das zu können. Offenbar, weil sie glaubt, keine klare Vorstellung mehr von sich selbst, von ihrem Verhältnis zu Mensch und Welt, von ihrer Aufgabe in dieser Welt zu haben. In dieser Selbstbesinnung münzt sie ihr ewiges Gold ganz neu aus. Und das ist so gründlich, daß manche ihrer Angehörigen glauben, sie könnten in diesen neuen Ausprägungen nicht mehr sicher das alte Gold erkennen. Anderen leuchtet dafür gerade in diesen Neuprägungen frisch wie am ersten Tag das ewig junge Evangelium auf. Die Kirche nach dem Konzil versteht sich als Volk Gottes. In diesem Volk Gottes gibt es trotz aller Unterschiede in den Ämtern und Würden nur Brüder und Schwestern. Diese Kirche versteht sich als ein brüderliches Volk. Sie weiß, daß sie nicht vollendet ist, sondern auf dem Wege, und sie nennt sich pilgernde Kirche.

Sie weiß, daß sie bei aller Heiligkeit auch die Kirche von Sündern ist, und sie bekennt sich dazu. Sie erinnert sich an die Bedeutung der Charismen. Und sie faßt den Menschen und die Welt wieder fest in ihren Blick. Sie weiß wieder, daß sie menschennah sein muß, um den Menschen die Botschaft Gottes zu verkünden. Daß sie den Menschen dienen muß wie ihr Meister und sich wie er mit dieser Welt einlassen muß.

Zwei Worte werden in dieser Kirche groß geschrieben: *Dienst* und *Dialog*. Beides sind Worte der unmittelbaren Nähe zum Menschen, der Realität einer Gleichheit auf gleicher Ebene, der Begegnung im Dienst.

Papst Johannes wurde das Symbol dieses Dienstes und dieser Menschennähe, nicht nur für die Katholiken, für die Menschen aller Zungen und Rassen. Und was das Verhältnis der Kirche zu den Menschen angeht, ist jenes Schlußwort aus der Pastoralkonstitution des Konzils, aus dem das Leitwort unserer Generalversammlung genommen ist, auch ihr Herzwort:

Die Christen können eingedenk des Wortes des Herrn: „Daran werden alle erkennen, daß Ihr meine Jünger seid, wenn Ihr einander liebt" (Joh 13,35), nichts brennender wünschen, als den Menschen unserer Zeit *immer großherziger und wirksamer zu dienen.*[1]

Wendung der Kirche ohne Folgerungen für uns?

Kann eine solche Wendung der Kirche zum Menschen hin, wie sie sich im Konzil vollzog, ohne Folgerungen für unsere Arbeit sein? Müssen wir unsere eigene Arbeit in diesem Zusammenhang nicht neu durchdenken?

Müssen wir nicht überlegen, was die neue Sicht des Dienstes am Menschen für das Fundament unserer Arbeit und für ihre Praxis bedeutet?

Ist hier nicht das uralte große Gebot in einem neuen, unmittelbaren Zusammenhang zu sehen? Ist nicht in dieser sich erneuernden Kirche Gottes- und Nächstenliebe in eine neue, ganz unmittelbare, sogar einander durchdringende Nähe gerückt? Wie könnten sonst Bischöfe das Wort wagen, daß wer den Menschen verrate, auch Gott verrate, und wer Gott verriete, auch den Menschen verriete. Wie hätte Professor Rahner auf der Kölner Generalversammlung so beschwörend von der Einheit von Gottes- und Nächstenliebe sprechen können?[2] Und wie könnte sonst das schon zitierte Schlußwort fortfahren: Der Vater will, daß wir in allen Menschen den Bruder Christus sehen und lieben in Wort und Tat und so der Wahrheit Zeugnis geben und anderen das Geheimnis der Liebe des himmlischen Vaters mitteilen? Des Vaters, der seinen Sohn in diese Welt gab als Zeugnis der Liebe, und dessen Nachfolge wir mit der Taufe in dem Namen „Christ" übernommen haben.

Wird der Mensch von dieser Kirche in seiner eigenen Würde heute nicht noch ernster genommen als es je geschah? Sprechen nicht die neuen Enzykliken des Papstes Johannes und seines Nachfolgers Paul unentwegt davon, daß gerade der Christ die Freiheit und Würde des Menschen zu vertreten und zu verfechten habe?

---

1 [Pastoralkonstitution über die Kirche in der Welt von heute „Gaudium et spes", Ziff. 93.]

2 [Karl Rahner, Der neue Auftrag der einen Liebe, in: Korrespondenzblatt KFV 35 (1965), 206–216.]

Entsprechen unsere Hilfsformen den Menschen von heute?

Wie müssen wir dann in unserer Arbeit diesem Bruder Mensch begegnen? Entsprechen unsere Formen der Hilfe der neu anerkannten Würde jedes Menschen? Wie weit kann man ihn dann noch „betreuen" oder „befürsorgen"?

Oder enthalten alle diese Worte und das, was sie aussagen, etwas, was unseren „Betreuten", unseren „Klienten" in seiner eigenen Würde in Spannung zu unserem Anspruch setzt? Man muß das wohl überlegen. Und wir sollten das gerade vor unserer Generalversammlung tun, damit wir dort diese Überlegungen miteinander weiterführen können.

Ist nicht in einer Welt, die auch außerhalb des Christentums sehr empfindlich geworden ist gegenüber unnötigen Unterschieden, in einer Welt, die zur Universalität und zur Brüderlichkeit drängt, Hilfe nur annehmbar auf gleicher menschlicher Ebene und in jenem Entgegenkommen, das Dialog und Dienst als eine völlige Selbstverständlichkeit ansieht, die nichts für sich selber sucht?

Was folgt aus der neuen Sicht des Apostolats und des Laien?

Ergibt sich aus der neuen Haltung der Kirche zur Welt und aus der neuen Einschätzung des Laien eine Veränderung unserer Arbeit? Ergeben sich aus der neuen Sicht des Apostolats, wie das Konzil es versteht, Folgerungen für unsere Arbeit?

Vor Jahren galt es noch als Sensation, daß Professor Pater Hirschmann gelegentlich auf einer KFV-Tagung unsere Arbeit als Tun des verlängerten Armes der Kirche definierte.[3] Laien als „verlängerten Arm" zu betrachten, war damals offenbar noch ungewöhnlich. Inzwischen hat das Konzil klargestellt, daß es nur ein einziges Apostolat gibt. Man kann es nicht in ein kirchliches und profanes trennen.

Die Kirche hat inzwischen auch neue Gedanken über ihr Wirken in der Welt geäußert. Sie erkennt den Sachbereichen eine erheblich große Eigenständigkeit und Eigengesetzlichkeit zu, die im Grunde nur der Fachmann richtig beurteilen kann. Sie begreift, daß das innerweltliche Wirken der Kirche so sachgerecht wie möglich sein muß, um fruchtbar zu sein, und sie sieht den Laien, so paradox es klingt, als den entscheidenden Fachmann an, bei dem sich die Priester manchen Rat holen können und sollen.[4]

Sachliche und fachliche Ausbildung ist also für die Beurteilung und für die Wirksamkeit der Kirche in der Welt von unschätzbarem Wert. Damit wird fachliche Ausbildung und Weiterbildung gerade des Laien unabdingbar.

Das entspricht aber auch der außerkirchlichen Entwicklung, in der nur noch der Sachverständige – und auch der oft nur noch im Team – eine Situation richtig beurteilen und richtige Folgerungen daraus ziehen kann.

3 [Johannes Hirschmann, Seelsorge und Fürsorge, in: Korrespondenzblatt KFV 26 (1956), 163–170, hier 163: „[...] daß Fürsorge in einem katholischen Verein Seelsorge *ist*; nicht nur im Vorfeld derselben steht, sondern in ihrem zentralen Bereich; nicht ‚verlängerter Arm' der Kirche ist – denn solche Verlängerungen wären ja nichts Organisches und Gesundes –, sondern einfach Arm der Kirche."]
4 [Vgl. Gaudium et spes, Ziff. 43 u. 44.]

Mit alledem ist nicht nur eine wachsende Eigenverantwortlichkeit des Laien gegeben, auch der Sachverständige bekommt in unseren Reihen neues, vermehrtes Gewicht. Es erhebt sich die Frage, was unter solchen Umständen aus unseren ehrenamtlichen Mitarbeiterinnen wird. Müssen wir auf sie verzichten oder müssen sie sich, soweit es nur geht, ebenfalls zu Fachkundigen machen – wenigstens auf einem bestimmten Spezialgebiet? Ist gegenüber dieser erhöhten Sachgerechtigkeit aber das Herz überflüssig? Wie müssen Kopf und Herz, um es so abzukürzen, zusammenwirken?

Die Notwendigkeit der sachlichen Qualifikation unserer Arbeit muß sehr ernst genommen, die Aufgabe und Stellung der ehrenamtlichen und beruflichen Mitarbeiterinnen neu umschrieben werden. Beide Gruppen gehören heute zu den tragenden Kräften des Vereins. In neuer Kommunikation der professionellen mit den ehrenamtlichen Mitarbeiterinnen, bei der jeder das Seinige einbringt, könnten beide Gruppen gewinnen zum Wohle des Klienten.

Genügt die heutige Mitverantwortung der Frau?

Unter den Laien bilden die Frauen eine ganz erhebliche Gruppe. Sie sind also auch seit dem Konzil in stärkere Verantwortung gerufen. Das ist für uns im Kath. Fürsorgeverein nichts Neues. Wir haben diese Verantwortung oft so selbstverständlich wahrgenommen, daß es manchen Geistlichen nicht ganz recht war. Jetzt aber ist das, was wir bisher schon taten, im Konzil sozusagen in besonderer Weise legalisiert worden.

Wie wäre nun unsere Mitverantwortung als Frau in und durch unsere Arbeit weiter zum Tragen zu bringen? Denn gerade auf diesem Sektor der Anerkennung der Frau in der Kirche bleibt noch viel zu tun.

Zum anderen aber: Nutzen wir genügend die Aufforderung des Konzils aus, den Seelsorgern den Rat zu geben, den sie von uns verlangen können und – nach dem Konzilstext – auch bei uns holen sollen? Oder haben wir uns vielfach so sehr an unsere „Eigenständigkeit" gewöhnt, daß seelsorgerliche Winke aus unseren Reihen die Priester zu wenig erreichen?

Haben wir die richtige Struktur?

Das Konzil verlangt außerdem eine Überprüfung aller Strukturen. Der Papst geht in der Kurienreform mit einem guten Beispiel voran. Die Bischöfe reorganisieren oder verändern die Strukturen ihrer Bistümer. Sie bauen Regionaldistrikte auf, bilden Seelsorge-, Priester- und Laienräte im Bistum und in den Regionen oder Städten bis zu den Pfarrgemeinderäten. Die Vereine und Verbände überlegen im eigenen Kreis, was sie tun müssen, um eine zeitgerechte Verfassung und eine lebendige Reform zu erreichen und ihre Wirksamkeit zu verbessern.

Wie ist der Kath. Fürsorgeverein – fast 70 Jahre alt – in diesem Zusammenhang zu sehen? Ist auch er, wie so viele Organisationen, nicht „von dieser Welt" der Gegenwart, sondern zu stark aus der Vergangenheit und ihren Gedanken?

Wie ist seine Struktur, seine Zuordnung zu anderen, verwandten Verbänden? Wie wird sich die Art der Zusammenarbeit mit anderen Fachverbänden entwickeln können und müssen, zum Caritasverband, zum ehemaligen Männerfürsorgeverein, dem heutigen Sozialdienst kath. Männer, den Personalorganisationen u. a.? Wir brauchen heute nochmals ein fundamentales Aufarbeiten all dieser Fragen, um die Struktur unserer Arbeit und Organisation und den Stellenwert der einzelnen Bereiche unserer Arbeit neu zu bestimmen.

Sehen wir genug das katholische Ganze?

Wieweit sind wir mit unserer Arbeit in der gesamtkatholischen Entwicklung investiert? Müssen wir uns stärker investieren?

Zumindest an den Pfarrgemeinderäten, die durchweg mit einer für kirchliche Wahlen ungewohnten Beteiligung gewählt worden sind, ist abzulesen, wie sich ein neues Zusammenwirken von Priestern und Laien nicht nur auf freiwilliger, sondern auch auf institutioneller Basis abzeichnet. Dieses Zusammenwirken wird – sicher hier und da noch zögernd, dann aber zwangsläufig – sich auf die Dauer in der ganzen Skala der Ebenen, von der Gemeinde über die Stadt, über Regionen des Bistums und das Bistum selbst hinaus, im ganzen deutschen Katholizismus als wesentliche nachkonziliare Komponente durchsetzen. Wenn man auch das Wort von der konzertierten Aktion hier nicht unbedingt anwenden kann, so ist für uns doch die Frage akut: Wie stehen wir mit unserem Soloinstrument im Orchester, und wo und in welcher Weise müßten wir mitspielen, um einerseits unsere Gedanken über die Sozialarbeit miteinfließen zu lassen und andererseits bestimmte Gremien für sie zu aktivieren?

Sind viele unserer Mitarbeiter bei den Pfarrgemeinderatswahlen mitgewählt oder doch miternannt? Stehen wir nur in der Fachgruppe oder dem Fachausschuß der Caritas? Investieren unsere Fachleute und unsere Vorsitzenden ihr Wissen und Können auch auf anderen, allgemeinen Gebieten, in der Pfarrei, in der Stadt oder im Bistum, und bringen damit unsere Sache ungenannt mit zum Tragen? Oder meinen wir, uns gehe die Verlebendigung der Gemeinden nur am Rande und nur auf unserem Sektor an? Und ein guter Kontakt mit *einem* Seelsorger sei einem Gesamtkontakt mit *allen* Geistlichen und Laien in der Gemeinde, Stadt und Bistum vorzuziehen?

Und die Zusammenarbeit mit anderen – Christen und Nichtchristen?

Wie steht es darüber hinaus mit der Zusammenarbeit mit den anderen Christen und den Nichtchristen?

Ist nicht gerade unser Arbeitsgebiet so weitgehend sozial, daß gerade auch unser Wirken gemeint ist, wenn das Konzil zu praktischer Zusammenarbeit mit den anderen Christen im Dienste der Einheit auffordert und darüber hinaus betont, daß es gerade eine Sache der Laien sei, die Welt zusammen mit allen anderen – auch den Nichtchristen – weiter zu entwickeln und zu sozialer Gerechtigkeit, zu Frieden und Wohlfahrt der Menschheit zu führen?[5]

Vieles von dem, was unter den Konfessionen sich 400 Jahre nebeneinanderher entwickelte, ist jetzt in Bewegung aufeinanderzu geraten. Das konfessionelle Gefälle tritt zurück; daher ist

5 [Vgl. Gaudium et spes, Ziff. 26, 29, 92.]

viel breitere Zusammenarbeit nötig in allen öffentlichen Bereichen, im kulturellen, politischen, im sozialen. Ja, wie die jüngste Vergangenheit zeigt, auch im theologischen Bereich (gemeinsame Bibelübersetzung, Texte zu Festen, gemeinsames Vaterunser). Kann praktische Zusammenarbeit nicht heilsam für die Einheit im Glauben sein oder werden?

Mehr als das: Im Bereich der Ersatzreligionen, etwa im liberalen Humanismus oder gar im dialektischen Materialismus sind Aufweicherscheinungen nicht zu übersehen. Die geistigen Grundlagen des liberalen Humanismus und des dialektischen Materialismus (Aufklärung und Wissenschaftsbegriff) sind in spürbarer Wandlung. Auch sie sind in einer neuen Entwicklungsphase – nicht unähnlich der der Kirche. Eröffnen sich bei dieser Entwicklung nicht neue Möglichkeiten des Kontaktes und der Zusammenarbeit in unserem Sachbereich?

Wie steht es mit der Existenzberechtigung katholischer Sozialarbeit?

Das alles kann gewiß nicht bedeuten, daß wir unsere Prinzipien preisgeben. Aber ist nicht auch die Gefahr gegeben, daß wir in einer falschen Weise zu konservativ oder gar konservativistisch sind?

Heute wird in zunehmendem Maße Sozialarbeit von weiten Kreisen verstanden als rein innerweltliche Tätigkeit mit rein irdischem Ziel; zu dessen Erreichung werden profane Mittel angewandt. Diese Sozialarbeit hat sich enorm ausgebaut und entwickelt sich zusehends mehr.

Ergibt sich hier – man kann sagen, angesichts des Mündigwerdens der Gesellschaft in diesem Bereich – nicht ein Spannungsfeld bezüglich Sinn, Aufgabe, ja Existenzberechtigung einer katholischen Sozialarbeit?

Solche Spannungen bestehen. Sie lösen sich aber auf, wenn man die Entwicklung des Zweiten Vatikanischen Konzils ins Auge faßt. Die Pastorale Konstitution über die Kirche in der Welt von heute bietet neue Gesichtspunkte und grundsätzliche Lösungen an. Sie definiert, was dynamische Gesellschaft ist, zeigt die Situation des Menschen in ihr, sieht als zentrales Problem die Anpassungs- und Beziehungsstörungen und verlangt, daß mittels neuer Beziehungen eine Behebung der Gestörtheit zu erfolgen habe. Sie betont vor allem auch die Notwendigkeit der Zusammenarbeit auf dem Gebiet der Sozialarbeit[6] mit nichtkatholischen Einrichtungen. Dabei bejaht sie, wie bereits gesagt, die Eigenständigkeit und Eigengesetzlichkeit vieler oder fast aller weltlichen Bereiche. Und nicht nur das. In der Pastoralkonstitution wird ein Bild von der Entwicklung der Welt und von unserer Aufgabe in ihr gezeigt, das uns geradezu auffordert, die Angst vor den weltlichen Bereichen, den weltlichen Entwicklungen aufzugeben und auch äußerlich Anpassungen zu wagen, weil auch in dem weltlich natürlichen Bereich Gottes Kraft investiert ist und unsere Aufgabe in der Entfaltung von Mensch und Welt gegeben ist. Das, was die Pastoralkonstitution über die Störung der Gleichgewichte in der Welt sagt, ist *auch* und gerade eine Diagnose, sogar eine wichtige, für die Sozialarbeit des Christen. – Der Auftrag, die Werke der geistlichen und leiblichen Barmherzigkeit zu tun, kommt zwar von der religiösen frohen Botschaft. Er verwirklicht und verleiblicht sich aber mitten in dieser Welt. Und je mehr

6 [Eher indirekte Anklänge finden sich in Gaudium et spes, Ziff. 52, 57, 60, 66.]

das mit den Erkenntnissen und dem Sachverstand dieser Welt geschieht (d.h. auch der natürlichen Offenbarung), desto größer ist die Aussicht, der Welt und Gott zugleich „vorwärtszuhelfen“. Das innerweltliche Ziel ist aller Sozialarbeit gemeinsam. Aber christliche Sozialarbeit hat aufgrund ihres Menschen- und Gottesbildes außer dem innerweltlichen noch ein zweites Ziel: ein transzendentes, das in eine höhere Ordnung eingebettet ist und Natur und Übernatur des Menschen einschließt.

Wenn die rein innerweltliche Sozialarbeit die letzten Zielsetzungen nicht kennt oder sie nicht billigt, dann bleibt ein erheblicher „Bedarf“ an Menschen und wohl auch Einrichtungen, die mit den Augen Gottes sehen und das zum guten Ende führen können, was andere nur auf einer Teilstrecke zu leisten vermögen. In diesem Sinn soll die Kirche – grob gesprochen – nach der Meinung der Pastoralkonstitution sich vor allem dort betätigen, wo die Gesellschaft, die „Welt“ versagt. Das gilt auch auf sozialem Gebiet, auch für die Sozialarbeit.

Müssen wir bestimmte Aufgaben aufgeben?

Kann das aber nicht dazu führen, daß wir bestimmte Aufgaben aufgeben müßten?

Das kann, vor allem auf lange Sicht gesehen, durchaus sein. Doch sollte man nicht übersehen, daß dabei in anderer Richtung ganz neue Aufgaben erwachsen können. So ist es aber auch schon früher gewesen. Viele Aufgaben, die heute die Gesellschaft aus eigener Initiative leistet, sind früher von der Kirche aufgegriffen und durchgeführt worden. So wird es um so mehr bleiben, je stärker unsere Augen offen sind für die Form der Liebe, die Menschen und Gesellschaft gerade jetzt und heute oder morgen brauchen.

Fürsorge oder Sozialarbeit?

Tun wir Fürsorgearbeit oder Sozialarbeit? Sind beide Begriffe gegensätzlich, oder gibt es da fließende Übergänge?

Wir leben in einer dynamischen Gesellschaft. Die Begriffe aber, mit denen wir vielfach noch arbeiten, stammen aus der mehr statischen Gesellschaft mit fundamentalen Familienstrukturen. In den letzteren war mitgegeben: stabiles Beziehungsgefüge, feste Ordnungen und daher feste soziale Normen. Für die meisten Menschen gab es keinen sehr großen Bereich der Entscheidungsfreiheit. Ein Ausfall aus der gegebenen Ordnung war etwas Negatives, ein Versagen, begleitet von sozialer Minderwertigkeit. – Das „Fürsorge“modell dieser statischen Gesellschaft hing zusammen mit dem Familiengedanken; es war paternalistisch (der pater familias war Herrscher in rechtlicher und fürsorgerischer Hinsicht): z.B. Vormundschaft (Vaterersatz), Patronat, Schützling. Bei der Hilfe ging es im wesentlichen um die Rückführung des Hilfsbedürftigen zur sozialen Norm oder um das Vertrautmachen mit ihr oder um Betreuung des Untüchtigen i.S. von Führung eines Unselbständigen. Eine Analyse der sozialen Gegebenheiten war bei diesem Fürsorgemodell nicht vorhanden. Die Hilfe war mehr auf das Symptom und seine Beseitigung abgestellt, da tiefere wissenschaftliche Erkenntnisse noch fehlten. Eine solche Behandlung wird heutigen Notsituationen nicht mehr gerecht.

Die „Fürsorge“ ist weithin abgelöst durch den Wandel der Gesellschaft, durch den Umbruch, den die dynamische Gesellschaft mit sich bringt. Wir stehen in einem starken Sozialisationsprozeß mit massiven gesellschaftlichen Verflechtungen, die immer größere Abhängigkeit voneinander bringen. Wir stehen in einer dynamischen Entwicklung mit ständig wechselnden sozialen Gegebenheiten, die einen Schwund an sozialer Stabilität zur Folge haben: Anpassungsprobleme, Status-, Rollenproblematik. Die primäre Not in dieser Gesellschaft bilden gestörte mitmenschliche und soziale Beziehungen. Dadurch ist heute oft die gesamte soziale Existenz des einzelnen in Frage gestellt. Wenn heute Ausfall beim einzelnen vorliegt, sind immer auch seine sozialen Beziehungen gestört.

Wie versucht Sozialarbeit Antwort zu geben?

Wie versucht die moderne Sozialarbeit als neues Modell der Hilfeleistung auf diese Nöte Antwort zu geben?

Ihren Ausgangspunkt und spezifischen Gegenstand bilden die gestörten mitmenschlichen und sozialen Beziehungen. Beziehungspflege in ihren verschiedenen methodisch gegliederten Formen (z.B. als Casework, Groupwork, Gemeinwesenarbeit) ist *das* entscheidende Mittel der Hilfe. Ziel der Hilfe ist die soziale Integration des einzelnen, von Gruppen und Gemeinwesen. Die Methoden der Hilfe sind vor allem dazu angelegt, den inneren Menschen zu bewegen und Reifungshilfe zu geben; denn nicht nur äußerliche Einordnung und Anpassung an die Mit- und Umwelt soll erreicht werden. Die Methoden haben ihre Grenzen dort, wo der innere Mensch nicht mehr bewegt werden kann. In begrenztem Umfang bleibt demnach „Fürsorge“, nämlich das Handeln für oder anstelle des anderen, nötig. Das Verhältnis zwischen Helfer und Klient in der Sozialarbeit ist partnerschaftlich; die Fähigkeit und das Recht des Klienten auf Selbstbestimmung fallen entscheidend ins Gewicht. Die moderne Sozialarbeit bringt auch für unser Arbeitsgebiet eine stärkere Verwissenschaftlichung, Versachlichung, Entideologisierung, Methodisierung.

Die Entwicklung der „Fürsorge“ zur „Sozialarbeit“ vollzog sich in langen fließenden Übergängen. Sie bedeutet nicht Bruch mit dem Vergangenen, sondern die Elemente hängen miteinander zusammen. Altes und Neues verbindet sich, aber Transformation ist nötig. – Auch die Schulen haben allgemein diese Wendung vollzogen. Der einschlägige Beruf heißt heute Sozialarbeiter, Sozialarbeiterin.

Angesichts dieses Wandels und der neuen Sicht des Dienstes am Menschen müssen wir unsere Arbeit neu durchdenken. Manche Formen des Helfens, die uns früher selbstverständlich waren, werden als nicht mehr vereinbar mit der Würde und Freiheit des Menschen gehalten. Das geht bis in die Formulierungen hinein.

Umstrittene Begriffe – halten oder aufgeben?

Können wir uns darauf beschränken, lediglich zu konstatieren, daß „Fürsorge“, „Schützling“, „Betreute“ heute umstrittene Begriffe sind, die sowohl im Klienten als auch in der Gesellschaft Unbehagen auslösen? Müssen wir hier nicht größeres Verständnis für die Bedürfnisse des Klienten aufbringen, das sich in der Arbeit wie auch in den Formulierungen niederschlägt?

Wenn es stimmt, daß der Mensch heute empfindlicher ist, sich etwas schenken zu lassen, von dem er allgemein annimmt, daß er Anspruch darauf hat, wenn neben dem Wunsch, persönlich sehr geachtet zu werden, das Verlangen nach Anonymität besteht, so ist das rechtens und ist positiv zu sehen. Allzu persönliche Behandlung kann ihn wegen allzu großer Kontaktnähe des Behandelnden in seinem Freiheitsempfinden verletzen. Alle genannten Ausdrücke – außer Klient – sind aber heute mit der Vorstellung allzunaher und allzupersönlicher Behandlung verknüpft. So gern sich der Mensch früherer Zeiten unter ein Patronat begab, weil es ihm wirklich Schutz versprach, so bringen heute paternalistisches Verhalten wie auch entsprechende Begriffe Empfindungen einer allzu starken „Oberhand" und Abhängigkeit ins Bewußtsein, weil das heutigen Vorstellungen von Achtung menschlicher Freiheit und Selbstbestimmungsfähigkeit widerspricht und die volle Menschenwürde nicht zum Ausdruck kommen läßt.

Was wird mit unserem Namen?

Ist der Name „Kath. Fürsorgeverein" heute noch zweckmäßig und zeitgerecht? Bedeutet seine Verwendung für uns in der Arbeit eine echte Hilfe, oder bedeutet er Belastung, Erschwernis, von der wir uns im Dienste der Sache frei machen sollten?

Was ist das Image? Was verbinden Klient und Gesellschaft mit diesem Namen? Nachdem Prof. Hirschmann in seinem Vorbereitungsreferat in der Kommende das Problem zunächst vom Theologischen und Philosophischen her aufriß, betonte er, daß es für uns vordergründig ein praktisches Problem ist. In unserem Dienst ist der Name, mit dem man vor dem Menschen antritt, sofort auch ein Stück des Gesprächs. Wenn dieses mit einem belasteten Namen beginnen müßte, kommt es in vielen Fällen vielleicht nicht oder schwerer zustande. Gespräche aber müssen gerade wir nach vielen Seiten führen.

Es geht nicht nur darum, wie der Name von uns selbst aufgefaßt wird, auch nicht nur darum, wie er aufgefaßt wird von demjenigen, dem geholfen wird, sondern es geht auch darum, wie er aufgefaßt wird von den vielen Dritten, mit denen wir zusammenarbeiten müssen und die wir für die Mitarbeit gewinnen möchten. Die Schwierigkeiten und Hemmungen sind zum Teil sehr groß und in allen drei Bezügen nicht zu leugnen.

Die Gesellschaft hat umgeschaltet. Sie selber ist in die neue Dimension gestellt, die sie für diejenigen bereithält, die sie aus gestörten Beziehungen, Kontaktlosigkeit, Isolierung herausbringen möchte. Sie gab das Stichwort „Sozial", nicht zuletzt in den neuen Gesetzen. Sie will dem Klienten sozial, umfassend weiterhelfen. Das würde der Name „Sozialdienst" deutlicher zum Ausdruck bringen als der Name „Fürsorge". Das Wort „Sozial" hat, entsprechend der aufgezeigten Entwicklung, besonders positive Seiten. Es wäre allerdings möglich, daß sich das Wort „Sozial" in den Ohren der Menschen eines Tages so entwickelt, daß es ebenfalls als belastet empfunden wird. Dazu ist zu sagen: Wenn ein Begriff fraglich geworden ist und für die Gesellschaft nicht mehr das ausdrückt, was erwartet wird und nötig ist, dann muß man erneut umdenken und die Freiheit und Beweglichkeit haben, die die jeweilige Zeit verlangt. Unsere Zeit erfordert Umstellung. Gegenwärtig ist eine günstige Atmosphäre für den Ausdruck „Sozial".

Das Wort „Fürsorge“ bringt den Unterschied zwischen dem, der hilft und dem, der die Hilfe empfängt, zum Ausdruck. Das Wort „socius“ – „sozial“ hingegen läßt erkennen, daß Helfer und Klient nebeneinander auf der gleichen Stufe stehen: in der nachkonziliaren Sprache das Verbindende, das Brüderliche. Das ist der eigentliche Inhalt des Wortes „Sozial“. Es ist einer der großen Inhalte der neuen Kirche.

In gleicher Weise würde das Aufgreifen des Wortes „Dienst“ im Augenblick ein Bekenntnis sein: Bekenntnis zum Apostolat der Kirche in der nachkonziliaren Zeit. Das Konzil hat sich positiv zum Dienst bekannt. In den Worten „Sozial“ und „Dienst“ liegt auch eine stärkere Elastizität gegenüber den sich ständig wechselnden Gestalten der Not als in dem zu eng abgrenzenden Wort „Fürsorge“.

Die Änderung unseres Namens in „Sozialdienst kath. Frauen“ ist eine notwendige Anpassung an die Zeit. Sie bedeutet eine Chance für unsere Arbeit sowohl im kirchlichen als auch im weltlichen Bereich.

Aus: Korrespondenzblatt Sozialdienst katholischer Frauen 38 (1968), 33–45.

Christa Herrmann

Können wir mit unseren Moralvorstellungen der Jugend noch gerecht werden?

Aus der Sicht der Jugendhilfe wird die Frage gestellt: Können wir mit unseren Moralvorstellungen der Jugend noch gerecht werden?[1]

Wenn ich zu diesem Thema heute einiges zusammentrage, gleichsam als Diskussionsgrundlage, dann möchte ich von vornherein betonen, daß ich nur als Fragende hier stehe.

Beachten wir zunächst, daß es in unserer Themenstellung heißt: „Können wir mit unseren Moralvorstellungen der Jugend noch gerecht werden?" Das scheint mir sehr wesentlich zu sein. Es gibt moralische Grundsätze, Normen, die unumstößlich sind und die sich darum jeder Diskussion entziehen. Solche Grundsätze sind z.B. Recht auf Leben, Recht auf Freiheit, Wahrung der Ordnung usw. Das sind unantastbare Grundsätze, die sich aus dem Naturrecht ableiten. Trotzdem begegnen sie uns nicht bei allen Völkern und zu allen Zeiten in gleicher Klarheit und Form. So kennen wir alle noch Beispiele aus jüngster Zeit, wo ganzen Volksstämmen das Recht auf Leben und Freiheit abgesprochen wurde. Die moralischen Grundsätze sind klar und unwandelbar, die moralischen Vorstellungen oder sagen wir die Auslegung und Anwendung dieser Grundsätze sind wandelbar, hängen ab von dem jeweiligen Stand der Kultur, des Wissens, der Entwicklung, der Religion. Darum ist es sicher notwendig, daß wir von Zeit zu Zeit unsere Moralvorstellungen sehr genau und kritisch überprüfen. Mir scheint, daß in dem Thema, das wir uns gestellt haben, zwei Fragen enthalten sind:

1. Inwieweit müssen wir unsere moralischen Vorstellungen revidieren und sie auf die moralischen Grundsätze hin neu überprüfen?
2. Wieweit darf unsere Toleranz den moralischen Vorstellungen unserer Jugend gegenüber gehen?

Beide Fragen greifen ineinander über und lassen sich in der Praxis nicht klar auseinanderhalten. Ganz grundsätzlich, glaube ich, müßte einmal ausgesprochen werden, daß die Moral des Menschen wegen da ist, nicht aber der Mensch der Moral wegen. Alle *die* moralischen Vorstellungen und Vorschriften sind sicher verkehrt und entbehren der Fundierung durch die Norm, die den Menschen verbiegen, die ihn nicht richtig Mensch, freier Mensch, sein lassen. Es ist sicher so, daß sich heute Eltern und Erzieher mehr denn je bemühen, den jungen Menschen einen freien Lebensraum einzuräumen, sich auf sie einzustellen, sie ernstzunehmen. Aber trotz aller Bemühungen kommen wir doch noch nicht immer ganz von unseren Vorstellungen und übernommenen Meinungen los und erschweren uns dadurch oft selbst unnötig den Weg zum Verständnis der jungen Menschen. Vielleicht sollten wir uns in diesem Zusammenhang einmal fragen, nach welchen Gesichtspunkten und Vorstellungen wir die jungen Menschen auch heute meistens beurteilen, wie wir sie einstufen. Gammlertyp, Beatlemähne usw., mit diesen Bezeichnungen urteilen wir Jugendliche rein nach ihrem Äußeren ab. Ihr Auftreten, ihr Verhalten paßt nicht zu unseren Vorstellungen, es läßt sich nicht einordnen. Eigentlich sind das Äußerlichkeiten und Dinge, die gar nicht unter den Begriff Moral fallen, trotzdem werden sie aber nur allzu häufig noch unter diesem Gesichtspunkt gesehen und entsprechend bewertet und überbetont. Die Gefahr liegt nahe, daß die Jugend, die sich mit Recht gegen ein solches Aburteilen wehrt, die Wertwelt der Erwachsenen überhaupt ablehnt und sich so unserem

1 [Referat auf einem Begegnungstreffen des SkF am 7. 9. 1968 im Rahmen des 82. Deutschen Katholikentages in Essen. Die Referentin war Leiterin des Gelsenkirchener Gertrudisheims, einer Einrichtung der Ortsgruppe Gelsenkirchen des SkF.]

Einflußbereich entzieht. Glauben Sie nicht, daß es die pädagogische Einwirkung im Heim erschwert, ja vielleicht sogar unmöglich macht, wenn den jungen Mädchen bei der Heimeinweisung die Haare geschnitten oder serienmäßig hochgebunden werden, wenn die Röcke, entgegen jedem modischen Empfinden, unzumutbar verlängert werden, oder wenn überhaupt die persönliche Kleidung der Heimkleidung weichen muß? Solche Dinge geschehen aber immer wieder. Das ist ein kleines Beispiel, das zeigt, wie oft noch zu Gunsten sicherlich falscher moralischer Vorstellungen in den freien persönlichen Raum der jungen Menschen eingegriffen wird. Ist nicht Hauptforderung jeder Moral, vor allem der christlichen, die Achtung der menschlichen und persönlichen Würde und Freiheit? Wieweit darf unsere Hilfestellung überhaupt gehen? Sind wir berechtigt, den anderen Menschen unserer Vorstellungs- und Begriffswelt entsprechend umzuformen? Unser ganzes Bestreben müßte sich doch eigentlich nur darauf richten, den Jugendlichen zu verantwortungsvoller Kritik- und Entscheidungsfähigkeit zu erziehen. Das werden wir aber niemals fertigbringen, wenn wir ihm entgegen seiner Überzeugung unsere moralischen Vorstellungen aufzwingen und ihm so die Freiheit der Entscheidung nehmen. Ich wage das auch zu behaupten in bezug auf die wirklich echten Fehlhaltungen z.B. auf sexuellem Gebiet. Und damit befinden wir uns im Bereich der 2. Frage: Wieweit dürfen wir die Vorstellungen unserer Jugend tolerieren? Ich glaube einfach nicht, daß wir durch Verbote und Strafen etwas erreichen. Müssen wir nicht in den meisten Fällen davon ausgehen, daß die Jugend sich von irrigen moralischen Vorstellungen leiten läßt? Es gibt einen Grundsatz in der Moraltheologie, der lautet: „Der Mensch muß nach seinem Gewissen handeln, selbst wenn das Gewissen irrt!" Wenn wir diesen Satz analog auf die irrigen Moralvorstellungen unserer Jugend anwenden, dann können wir vielleicht zu einer neuen Auffassung unserer pädagogischen Hilfeleistung kommen.

Es geht dann nämlich nicht darum, den Jugendlichen für seine „Entgleisung" oder sein unmoralisches Verhalten zu strafen, ihn schuldig zu sprechen, sondern es geht darum, seine moralischen Auffassungen so weit wie möglich mit seiner Verantwortung für die zwischenmenschlichen Beziehungen in Einklang zu bringen. Ist dieses Ziel nicht oft schon erreicht, auch wenn die von uns geglaubten und erkannten moralischen Grundsätze noch nicht erreicht sind? Ein kleines Beispiel dafür: Der voreheliche Verkehr, die freie Liebe, wird von der denken-

Abb. 59–62: Vinzenzheim in Dortmund – Erziehungsheim und Waisenhaus. Die Bilder zeigen Kapelle (1963), Zimmer mit Kinderbetten (Krankenzimmer?), Aufenthaltsraum und Großküche (alle 1968).

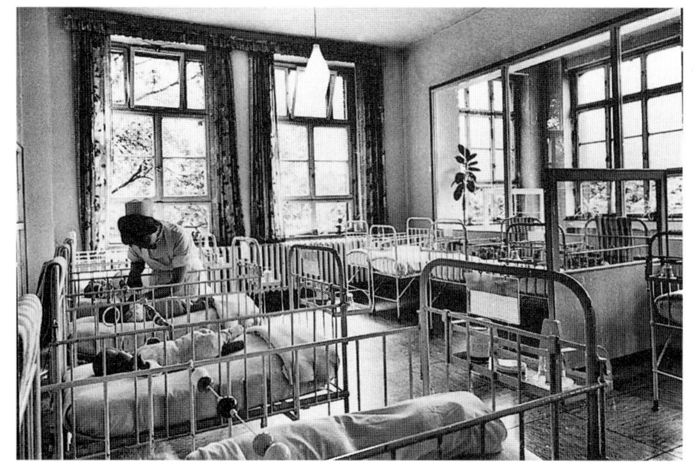

den Jugend nicht nur triebhaft gelebt, sondern auch durchaus gut begründet. Im Gespräch mit mehreren, durchaus nicht verwahrlosten Jugendlichen wurde mir auf meine Frage nach der Bedeutung der Ehe erklärt, daß man sie anerkennt als gesetzlichen Schutz für das heranwachsende Leben, nicht aber als notwendigen und allein erlaubten Ort geschlechtlicher Liebe, schon gar nicht als Sakrament. Die personale Liebesbegegnung könne und brauche nicht erst in einen Vertrag eingezwängt zu werden, sondern unterliege einzig und allein der persönlichen Entscheidung. Bei aller Bemühung würden wir es kaum erreichen, diese Jugendlichen zu unserer Auffassung über die Ehe zu bringen. Haben wir aber nicht schon ein großes Ziel erreicht, wenn der Jugendliche seine Verantwortung im zwischenmenschlichen Bereich erkennt und aus dieser Verantwortung heraus zu der Überzeugung kommt, daß eine letzte personale Liebesbegegnung nicht zwischen mehreren Partnern möglich ist, sondern nur auf einen einzigen zielt, und wenn aus dieser Erkenntnis heraus die Treue erwächst? Müssen wir nicht in dem Zusammenhang sagen, daß wir in der Sozialarbeit oft unsere Maßstäbe noch zu hoch ansetzen? An einem Beispiel aus jüngster Zeit möchte ich das etwas verdeutlichen:

Ich denke da an eine 18jährige Jugendliche. Sie war in FEH,[2] aus dem Heim entwichen und hatte sich 11 Monate bei ihrem Verlobten, einem Ausländer, aufgehalten. Inzwischen war sie im 8. Monat schwanger, und da wurde sie entdeckt, sofort von ihrem Verlobten getrennt und in das Heim zurückgeführt. 11 Monate hatten die beiden zuammengelebt und waren in dieser Zeit in keiner Weise irgendwie auffällig geworden. Man mußte dem jungen Mädchen sogar bescheinigen, daß sie den Haushalt in dieser Zeit tadellos ordentlich geführt hatte. Ich frage mich,

2 [Freiwillige Erziehungshilfe nach §§ 62 ff. JWG.]

ob es wirklich absurd gewesen wäre, wenn die Vormünderin einer Eheschließung zugestimmt hätte? Statt dessen hat sie auf Rückführung in das Heim bestanden, ohne vorher auch nur ein Wort mit dem jungen Mädchen gesprochen zu haben. Es sieht manchmal fast nach Mechanismus aus: Ein solches Fehlverhalten fordert diese Maßnahme. Vielleicht hatten diese jungen Menschen ihren moralischen Vorstellungen entsprechend gar nicht so unmoralisch gehandelt.

Für uns in der Sozialarbeit stellen sich immer wieder die verschiedensten Fragen:

Können und dürfen moralische Forderungen so hart und unerbittlich sein, daß sie einen Menschen total unglücklich machen? Bin ich als katholische Vormünderin auf jeden Fall verpflichtet, für einen nach meinen Vorstellungen moralisch einwandfreien Lebenswandel meines Mündels zu sorgen, auch wenn ich das nur gleichsam durch eine Vergewaltigung der Person meines Mündels erreiche? Gibt es für uns unter gewissen Umständen Tolerierung sogar der Prostitution?

Eine solche Tolerierung vorausgesetzt, wie müßte in dem Fall unsere Hilfe aussehen?

Wenn wir wirklich von einer christlichen Moral sprechen und im Sinne dieser christlichen Moral arbeiten wollen, sollte nicht dann unsere Hilfe in erster Linie darin bestehen, einem solchen zerrissenen Menschen wieder zur Selbstachtung und zu einem Leben zu verhelfen, das nicht durch die ständige Belastung von Schuldgefühlen zu zerbrechen droht? Aber wie ist dies zu erreichen? Eine, wie mir scheint, befreiende Klärung dieses Konflikts habe ich in einem Buch von Oraison mit dem Titel „Eine Moral für unsere Zeit" gefunden. In diesem Buch wird zur Klärung dieser Frage unterschieden zwischen der Verantwortlichkeit und der Schuld des Menschen. Bisher sind wir es gewohnt, von Schuld notwendig dann zu sprechen, wenn die Verantwortlichkeit gegeben ist. Oraison sagt dagegen: „Wenn unter dem Einfluß des Moralismus diese beiden Dinge miteinander verwechselt werden, dann gibt es in gewissen Lebenslagen nur noch zwei Möglichkeiten: entweder den Selbstmord oder die Ablehnung seiner Verantwortung, d.h. die Leugnung der Moral oder seiner eigenen Moralität.

Wenn der Mensch aber beide Dinge, nämlich die Verantwortung und die Schuld in der richtigen Weise unterscheidet, antwortet er Gott, der ihn anruft, und wird ganz einfach für sich und seinen Fall die Worte des Apostels Paulus an die Römer (7. Kap.) wiederholen: ‚Ich tue das Böse, das ich nicht will ... Wer wird mich von dieser Last des Todes befreien! Dank sei dem Herrn Jesus Christus.' Er wird die religiöse Haltung des Zöllners aus dem Gleichnis annehmen: ‚Herr, sei mir Sünder gnädig' – und weiß dabei aus Christi eigenen ausdrücklichen Worten, daß er ‚gerechtfertigt' wird. Doch besagt dieser Ausdruck in der biblischen Sprache keine

,Entschuldigung' für ein Verhalten oder eine Aufhebung der Verantwortung; er bedeutet, daß der Sünder, der sein persönliches Drama auf sich nimmt, durch die unendliche Gnade der Verzeihung des persönlichen Gottes wieder gerecht gemacht wird. Das Schwierigste für den Menschen ist, dahinzugelangen, daß er *zugleich* in vollem Umfang seine Verantwortlichkeit auf sich nimmt und sich dabei Gott *über*antwortet, um das Verkehrte wieder gutzumachen und das Unvollkommene zu vollenden."

Darf ich zum Schluß noch einmal sagen, daß ich manchmal Angst habe, daß wir in unserer Arbeit oft Gefahr laufen, vor lauter Moral, Moralität und geltender Gesetzlichkeit den Menschen, so wie er nun einmal ist, aus dem Auge zu verlieren und dabei das Schönste und Eigentlichste des Christseins zu verraten, nämlich die Liebe. Vor einiger Zeit fand ich einmal ohne Quellenangabe folgenden Ausspruch: Mehr Weltlichkeit, mehr Menschlichkeit, mehr Leiblichkeit ist für die Verwirklichung des Christseins heute notwendig.

Sollten wir nicht den Mut haben, unser Menschsein im Lichte der Inkarnation wieder ernster zu nehmen, selbst auf Kosten einer lange geübten und verkündeten gewissen Moralität hin?

Aus: Korrespondenzblatt Sozialdienst katholischer Frauen 39 (1969), 3–8.

Else Mues

Aus der Arbeit des Sozialdienstes katholischer Frauen 1968–1973

Sehr geehrter Herr Weihbischof,
sehr geehrte Damen und Herren,

zwei Linien durchziehen unsere Generalversammlung: die innerkirchliche Ortsbestimmung unserer Arbeit; sie führt zu den Quellen der Arbeit, die aus dem Zentrum des Glaubens geschieht.[1] Die zweite Linie ist die Ortsbestimmung im Spannungsfeld von Staat und Gesellschaft. Die zunehmende Durchdringung beider ändert ständig die konkreten Voraussetzungen, die Möglichkeiten und Begrenzungen unserer Freiheit in der Arbeit, zumal in einer pluralistischen Gesellschaft. Mit den Spannungen, die sich daraus ergeben, sind wir in unserer praktischen Arbeit auf allen Ebenen ständig konfrontiert, und zwar grundsätzlich wie auch im konkreten Einzelfall.

Indem der Staat einerseits die Freiheit unseres Helfens in entscheidender Weise ermöglicht und sichert, ist auch ständig die Gefahr des Übergriffs gegeben, der die Freiheit der freien Kräfte schmälern kann. Und trotz wohlklingender Regierungserklärungen beobachten wir zunehmend staatsdirigistische Tendenzen in den verschiedensten Lebensbereichen.

Ich möchte nur hinweisen auf den Gesundheitssektor, z.B. das Krankenhausfinanzierungsgesetz, staatliche Ambulatorien, die in der Diskussion sind; auf den kulturellen Sektor, z.B. die Erwachsenenbildung. In beiden Bereichen zeigen sich deutliche Tendenzen – z.T. bestehen bereits entsprechende Ländergesetze –, die Förderung freier Träger zu begrenzen, so daß sie gegenüber den öffentlichen Trägern benachteiligt sind. Ich darf hinweisen auf den Erziehungssektor, insbesondere auf den Vorschulbereich: es besteht die Gefahr, daß die Erziehung immer stärker in den öffentlichen Bereich hinübergleitet. Bei den Beratungen eines neuen Jugendhilfegesetzes zeigt sich, daß nicht der Vorrang freier Träger, sondern nur deren Beteiligung an den Aufgaben der öffentlichen Jugendhilfe gewollt ist. Bei den Neuregelungen familienrechtlicher Vorschriften, z. B. des Eltern-Kindesrechts, des Adoptionsrechts wird ein starker Trend zur übermäßigen Aushöhlung des Elternrechts erkennbar.

Weiterhin nehmen zu Bestrebungen zur Bildung großer Superstrukturen, Stiftungen u. a., in denen der Staat durch Beteiligung großen Einfluß hat, oder über die er leicht Einfluß nehmen kann. Diese Tendenzen wirken sich auch in unserer konkreten Arbeit aus. In dieser Wirklichkeit stehen und arbeiten wir.

Der Anspruch auf Freiheit, auf Emanzipation wird heute allgemein gestellt. Er entspricht der Würde des Menschen. Wenn er aber unter dem Anspruch auf vollen Lebensgenuß zunehmend der Willkür verfällt, dann verkehrt Freiheit sich in ihr Gegenteil. Das trifft zu, wenn Normen immer mehr abgebaut, alles austauschbar wird und nichts mehr feststeht, wenn auch keine Folgen mehr übernommen werden, wenn die Pornographie freigegeben und dadurch der Schutz für Jugend und Familie abgebaut, die Ehescheidung erleichtert, das Sexualstrafrecht zunehmend gelockert, die Tötung ungeborenen Lebens freigegeben wird. Wenn die einzelnen die Freiheit unbegrenzt für sich in Anspruch nehmen auf Kosten und durch Vergewaltigung der Freiheit anderer, die sich nicht wehren können, so ist der Begriff Freiheit pervertiert. Mit diesen Fragen sind wir in unserer Arbeit konfrontiert.

1 [Dieser Tätigkeitsbericht wurde auf der Generalversammlung des SkF vom 16. bis 18. 10. 1973 in Essen vorgetragen.]

Unsere Arbeit hat sich gewandelt – oder:
Zum Wandel unserer Arbeit

Im folgenden werden einige Aspekte aus der Entwicklung unserer Arbeit seit der letzten Generalversammlung in Fulda aufgezeigt. Wir arbeiten seitdem unter dem Namen Sozialdienst katholischer Frauen, der sich gut eingespielt hat.

Eine starke Umstrukturierung unserer Arbeit hat stattgefunden und ist noch im Gange. Sie zeichnete sich bereits vor Fulda kontinuierlich ab. Die Umstrukturierung der Arbeit zeigt sich wie folgt:

Die Zahl der Klienten, denen wir geholfen haben, hat abgenommen. Das gilt für die offene Arbeit in den 309 Ortsgruppen wie auch für die in den 84 Heimen des Verbands.

Die Zahl der Fachkräfte in beiden Bereichen hat zugenommen; unter ihnen steigt die Zahl der Teilzeitbeschäftigten, der verheirateten Frauen, der männlichen Fachkräfte.

Die Zahl der ehrenamtlichen Mitarbeiterinnen ist gesunken; dennoch wurden neue Aktivitäten entwickelt und deutlichere Schwerpunkte in der Arbeit herausgebildet.

Die Hilfe durch Unterbringung in Heimen hat abgenommen zugunsten der ambulanten Hilfe. Die Zahl der Heime wie auch der Plätze in ihnen hat abgenommen; eine Umstrukturierung der Heime ist im Gange.

Ein starker Wandel in der Zusammenarbeit mit der Behörde ist eingetreten: nur gut 35% aller Fälle erreichen uns über die Behörde, knapp 65% kommen durch Einzelpersonen, kirchliche und andere Stellen zu uns. Somit haben wir jetzt fast ein umgekehrtes Verhältnis gegenüber früheren Jahren, als im Durchschnitt 70% aller Fälle der offenen Arbeit durch die Behörde und 30% durch andere Stellen zu uns kamen.

Diesen Wandel unserer Arbeit haben wir teilweise gezielt beeinflußt im Interesse einer Qualifizierung der Arbeit und damit einer besseren Hilfe für den Klienten. Auf einzelne Kriterien des Wandels soll näher eingegangen werden:

Die Zahl der Klienten hat abgenommen

In der offenen Arbeit halfen wir im Bundesgebiet 1968 rd. 140000 Klienten, 1972 waren es 104000, d.h. 31% weniger. Die Heime nahmen auf und halfen in den beiden Jahren 1968 21973 und 1972 15057 Klienten.

Die aufgezeigte Entwicklung hängt vor allem zusammen mit dem Wandel der Fürsorge zur Sozialarbeit. Die Notsituation im Einzelfall stellt sich heute viel schwieriger dar als früher. Hinter ihr steht oft bewußt oder unbewußt, z.T. deutlich gestellt die Frage nach dem Sinn des Lebens. Die Hilfe muß daher tiefer und zugleich umfassender einsetzen und beansprucht viel Zeit und Kraft. Viel intensiver als es früher geschah, müssen wir heute die Kräfte des Klienten mobilisieren, damit er zur größtmöglichen Eigenständigkeit, zur selbstverantwortlichen Entscheidung und Bewältigung seiner Konflikte fähig wird. Die Zunahme unserer Hilfe an Intensität und Qualität wird auch deutlich aus der stärkeren Inanspruchnahme von Erziehungsberatungsstellen, jugendpsychiatrischen Kliniken, der zunehmenden Heranziehung von Psychologen und Fachleuten verschiedenster Art. Die ambulante Hilfe wie auch die in den Heimen wird zunehmend mehrdimensional geleistet.

Wir beziehen heute in die Hilfe für den Klienten stärker als früher das soziale Umfeld ein, insbesondere die Arbeit mit den Eltern und der Familie des Klienten (Familientherapie). Auch das erfordert mehr Einsatz an Zeit und Kraft. Wenn das häusliche Milieu nicht gleichzeitig mit dem Klienten in einen positiven Entwicklungsprozeß eintritt, so bleibt die Hilfe für das einzelne Kind, den Jugendlichen unzulänglich und ist oft nur vorübergehende Teilhilfe. Durch die Arbeit mit der Familie kann häufig Fremdunterbringung, auch Heimunterbringung vermieden werden. Nach heutigen wissenschaftlichen Erkenntnissen soll ja das Kind im Interesse seiner Entfaltung möglichst nicht aus seinem häuslichen Milieu herausgenommen werden. Das entspricht auch der ausdrücklichen Forderung des kommenden Jugendhilfegesetzes,[2] nach dem offene Hilfen den Vorrang haben vor geschlossenen. Wenn dem Kind zugemutet wird, im häuslichen Milieu mit den Spannungen, Konflikten und Auseinandersetzungen fertigzuwerden – das entsprechende gilt für seine Eltern und Familie –, so werden beide Seiten in einer Weise zur Mitwirkung herausgefordert und ermutigt, die bei Fremdplazierung in dieser Form nicht geschieht. Auf diese Mitwirkung aber hat der Betroffene ein Recht. Wir wissen, wie sehr das Mitwirkungsrecht der Betroffenen in verschiedenartiger Hinsicht heute gefordert wird. Mit der Einräumung gerade dieses Rechts hängt eng zusammen die Verbesserung der heute hochgespielten Lebensqualität für unsere Klienten: ein größerer Mitwirkungs- und Entscheidungsraum bedeutet größeren Freiheitsraum zur Entfaltung und zur Gestaltung des eigenen Lebens. Auch unsere Klienten sind heute freiheitsbewußter als früher. – Damit die heute erforderliche Hilfe dem Klienten und seiner Familie besser geleistet werden kann, führen wir von der Zentrale aus neben den seit Jahren veranstalteten Zusatzausbildungen auf dem Gebiet des Casework und Groupwork seit einem guten Jahr einen 2jährigen Aufbaukurs zum Thema „Familientherapie“ durch. Es ist einer der ersten Kurse dieser Art im Bundesgebiet.

Auch das inzwischen allgemein praktizierte Wahlrecht des Klienten, insbesondere oft die Art und Weise seiner Handhabung, wirkt reduzierend auf die Zahl der Klienten. Hier wirkt sich einmal aus, daß wir in der Öffentlichkeit und den Klienten zu wenig bekannt sind; zum anderen wählen heute Klienten oft lieber die nicht konfessionell geprägte Hilfe. Gleichzeitig aber machen wir die Erfahrung, daß Klienten gern zu uns zurückkommen und auch andere bewegen zu kommen, wenn sie positive Erfahrungen mit uns gemacht haben. Unsere Statistik zeigt, daß die Zahl derer, die aus eigenem Antrieb oder durch Eltern und Verwandte kommen, stark angestiegen ist.

Die Entwicklung neuer Aktivitäten und besonderer Schwerpunkte in unserer Arbeit verbunden mit entsprechender verstärkter Öffentlichkeitsarbeit erforderte einen beachtlichen Einsatz an Kraft und Zeit, der wiederum eine Reduzierung konkreter Hilfeleistung für Klienten und damit der Zahl der Klienten zur Folge hatte.

---

2 [Das spätere Kinder- und Jugendhilfegesetz (KJHG) von 1990.]

Entwicklung neuer Aktivitäten und Schwerpunkte in der Arbeit verbunden mit entsprechender verstärkter Öffentlichkeitsarbeit

Das *Pflege- und Adoptionsstellenwesen* wurde in einer Reihe von Ortsgruppen ausgebaut. Insgesamt wurden 1972 rd. 1 500 Kinder in Pflege- und Adoptionsstellen vermittelt. Die Zahl der Kinder in Kinder-, Säuglings- oder Erziehungsheimen ist beachtlich gesunken. Mit der Pflege- und Adoptionsstellenvermittlung und neuen Modellen auf diesem Gebiet haben wir uns erst vor 14 Tagen in einer mehrtägigen Fortbildungsveranstaltung befaßt. Es wurde die zunehmende Bedeutung dieser Form der Hilfe gerade im Vor- und Nachfeld der Heimerziehung und im Zusammenhang mit ihr herausgearbeitet: die Pflegefamilie als Teil oder Ergänzung oder als Alternative zur Heimerziehung. Mit der Änderung des Adoptionsrechts wird die Bedeutung des Pflege- und Adoptionswesens weiterhin wachsen. Die kleine Reform im August d. J. [1973] hat bereits wesentliche Erleichterungen zur Adoption gebracht, insbesondere durch die Herabsetzung des Adoptionsalters auf 25 Jahre; ferner durch die Möglichkeit, die Abtretungserklärung der Mutter zu ersetzen, falls diese sich gröblicher Pflichtverletzung dem Kind gegenüber schuldig gemacht hat und sich um dieses längere Zeit nicht gekümmert hat. Die Änderung des Eherechts wird eine Erleichterung der Scheidung ermöglichen mit der Folge, daß eine wachsende Zahl von Kindern ihr Elternhaus verliert. Für viele von ihnen wird die Vermittlung in Pflege- oder Adoptionsfamilien die ihnen gemäße Form der Hilfe sein.

Frauen in besonderen Not- und Konfliktsituationen (§ 218) kann durch das Angebot der Fremdplazierung eines Kindes in eine Familie je nach Lage des Falls wirksam geholfen werden.

Wir versuchen zunehmend, auch schwierigere Kinder in Fremdfamilien unterzubringen. Das setzt eine besonders sorgfältige Auswahl und Vorbereitung der Pflegeeltern voraus und erfordert nachfolgende intensive Beratung und Begleitung, damit die Eltern auf das Kind eingestellt werden und die Schwierigkeiten bewältigen können (sog. heilpädagogische Pflegestellen). Neben der Beratung im Einzelfall werden Gruppentreffen für Pflege- bzw. Adoptiveltern zunehmend durchgeführt und gern in Anspruch genommen. – Manche Ortsgruppen haben sich zum Zwecke der Intensivierung der Arbeit zu regionalen Vermittlungsstellen entwickelt; hier ist eine Sozialarbeiterin für das Arbeitsgebiet verantwortlich.

Der Ausbau dieser Arbeit geschieht in Zusammenarbeit mit unserer Zentrale, insbesondere ihrer zentralen Ausgleichsvermittlungsstelle für das Pflege- und Adoptionswesen, die anregt und begleitende Hilfe gibt. Sie führt auch die entsprechenden Schulungs- und Fortbildungsveranstaltungen für haupt- und ehrenamtliche Mitarbeiter durch; die Teilnahme daran wurde auch den Mitarbeitern der Caritasverbände angeboten.

Außer dem Pflege- und Adoptionsstellenwesen kommen weitere wichtige Aufgaben im *Vor- und Nachfeld der Heimerziehung* auf uns zu. [...] Erwähnt seien die Gruppen heimentlassener Jugendlicher, die nachgehend betreut werden; pädagogische Gruppenarbeit mit Eltern und Kindern; Spiel- und Lernstuben, die vorwiegend in sozialen Brennpunkten wie in Obdachlosensiedlungen eingerichtet wurden.[3] – Die therapeutische Gruppenarbeit wird in der Regel durch Zusammenarbeit mit den Erziehungsberatungsstellen durchgeführt. – Der Ausbau heil-

3 [Vgl. Dok. 44.]

pädagogischer Gruppenarbeit als ambulante Maßnahme scheint dringend erforderlich. Das in den letzten Jahren vom SkF Dortmund errichtete Zentrum (4 Heilpädagogen, 1 Psychologin) behandelt verhaltensschwierige und sozialgeschädigte Kinder aus entsprechenden Familien und aus Heimen. Gleichzeitig wird mit den Eltern und Familien der Kinder bzw. mit den Erzieherkräften in den Heimen gearbeitet. Ziel ist, auch bei diesen schwierigen Kindern möglichst Fremdplazierung zu vermeiden oder – falls Heimerziehung bereits besteht – diese zu unterstützen und möglichst abzukürzen. In einem zweiten Schritt ist geplant, diesem Zentrum „heilpädagogische" Pflegestellen zuzuordnen.

Die Hilfe für *Frauen in besonderen Not- und Konfliktsituationen* (§ 218) wurde im Zusammenhang mit der Diskussion um die Reform des § 218 zielstrebig ausgebaut.[4] Wir haben hier viel Zeit und Kraft eingesetzt, angefangen von unserm Bemühen um öffentliche Bewußtseinsbildung, um die Qualifizierung der Hilfe im Einzelfall bis hin zur systematischen Schaffung und dem Ausbau eines Netzes von Beratungsstellen. Wir konnten weithin auf unsere Ortsgruppen zurückgreifen. Neben zwei Zentralen Beratungsstellen auf Diözesanebene in Köln und Paderborn konnten viele Kontaktstellen eingerichtet werden. Zahlreiche Informations- und Fortbildungsveranstaltungen für die haupt- und ehrenamtlichen Mitarbeiter im Beratungsdienst, die teilweise auch anderen Verbänden offenstanden, wurden von unserer Zentrale durchgeführt. Wir arbeiten zusammen mit den katholischen Verbänden und zuständigen Stellen im kirchlichen und gesellschaftlichen Raum bis hin zu den einschlägigen Bundes- und Landesstellen und Abgeordneten. In vielen entsprechenden Fachgremien ist unsere Mitarbeit gefordert. – Die Hilfe für Frauen in besonderen Not- und Konfliktsituationen infolge Schwangerschaft ist ein Aufgabengebiet, das der Sozialdienst katholischer Frauen seit Beginn seines Bestehens wahrgenommen hat. Wir sind den deutschen Bischöfen dankbar, daß sie die Hilfe für diese Frauen großzügig, ideell und materiell unterstützen.

Ähnlichen Ausbau und Intensivierung erfordern auch die Hilfen für einige andere Klientengruppen, die sich immer deutlicher als Schwerpunkt in unserer Arbeit abzeichnen. Dazu gehört die Hilfe für *Kinder aus geschiedenen und zerrütteten Ehen,* die seit eh und je zur stärksten Gruppe unserer Klienten gehören. Fast 30 000 fanden im vergangenen Jahr Hilfe durch uns, eine Riesenzahl, wenn man bedenkt, welche Not und Konflikte hier gelöst werden müssen! Die Zahl dieser Kinder wird vermutlich bedeutend ansteigen infolge der bevorstehenden Erleichterung der Ehescheidung im Zusammenhang mit der Reform des Scheidungsrechts und der Scheidungsfolgen. Anstelle des derzeitigen Verschuldensprinzips wird das Zerrüttungsprinzip für die Scheidung ausschlaggebend sein. Dadurch wird die Zahl der Scheidungen stärker noch als bisher ansteigen. Bereits jetzt scheitert jede 7. Ehe im Bundesgebiet. 1971 wurden dadurch rd. 90 000 Kinder, sog. Ehescheidungswaisen, betroffen. Die Ortsgruppen des SkF waren in rd. 3 500 Fällen mit der Regelung des Sorgerechts nach geschiedener Ehe befaßt. In einer noch größeren Zahl von Fällen waren wir mit sonstigen vormundschaftsgerichtlichen Maßnahmen befaßt. Es ist die Frage, ob wir diese Kinder früh genug erreichen. Oft stoßen wir erst auf sie, wenn bereits tiefe Schädigungen vorliegen. Die dahinter stehende Arbeit – zahlreiche schwierige Gespräche und Beratungen – Sorge für die Kinder – Gewinnung und Beglei-

4 [Vgl. Dok. 45, 49, 56.]

tung von Vormündern und ihre Befähigung für die Aufgabe – weitere Arbeit mit den alleinstehenden Elternteilen – ist nicht zu ermessen.

Im Zusammenhang damit zu sehen sind die rd. 13 500 *alleinerziehenden Mütter,* die getrenntlebenden, die geschiedenen, verwitweten und die nicht verheirateten Mütter. Die Zahl dieser Frauen wird steigen; ihre Not ist groß und vielfältig. – Eine besondere Gruppe unter diesen Frauen bilden die nichtverheirateten Mütter mit ihren Kindern. 5 000 dieser Mütter und 11 000 nichtehelich geborene Kinder haben wir betreut. Das Alter der nichtverheirateten Mütter, die zu uns kommen, sinkt zunehmend. Entsprechend groß ist die Hilfsbedürftigkeit und damit schwierig und umfassend die erforderliche Hilfe. Aufs ganze gesehen aber nimmt unter unseren Klienten die Zahl der nichtehelichen Mütter und ihrer Kinder ab. Das hängt zusammen mit dem Rückgang der nichtehelichen Geburten insgesamt, mit der finanziellen Besserstellung der nichtehelichen Mutter, dem Nachlassen der Diskriminierung von Mutter und Kind in der Gesellschaft, aber auch in der Kirche. Nach einer neuesten Nachricht von Herrn Kardinal Döpfner wird die Kommission in der päpstlichen Kurie, die sich mit der Reform des Kirchenrechts befaßt, eine Bestimmung streichen, nach der nichteheliche Kinder zu Orden und bestimmten kirchlichen Ämtern nicht zugelassen sind.

Die Hilfe für alleinerziehende Mütter gehört ebenfalls zu den ältesten Arbeitsgebieten des Sozialdienstes katholischer Frauen. [...] Unsere Hilfe für alleinerziehende Mütter und Kinder aus zerrütteten und geschiedenen Ehen wie auch die Hilfe für die gefährdete Familie muß intensiviert und ausgebaut werden – einhergehend mit einer wirksamen Öffentlichkeitsarbeit.

1972 haben wir für 7 000 *Halb- und Vollwaisen* gesorgt. 6 000 Vormünder, Pfleger und Beistände betreuten rd. 14 000 Mündel. Die Vormünder wurden von uns beraten und geschult. Ihre Zahl nimmt ständig ab. Die Gründe sind bekannt; sie sind vor allem Folge zurückliegender rechtlicher Neuregelungen (z. B. Gleichberechtigungsgesetz, Nichtehelichenrecht).

7 000 *psychisch Kranke* betreuten wir 1972. Ihre Zahl steigt seit Jahren an. Gerade diese oft sehr einsamen Menschen brauchen eine persönliche Beziehung. Hier eröffnet sich ein weites Feld für ehrenamtliche Mitarbeiter, die die Isolierung des Kranken mildern, auch den oft abgebrochenen Kontakt zu seiner Familie wiederherstellen könnten. Darüber hinaus sind dringend Wohnmöglichkeiten für solche Kranke nötig, die aus dem Krankenhaus entlassen werden, aber nicht in ihrer Familie leben können. Die Einrichtung von zusätzlichen Tages- und Nachtheimen könnte vielen ein grundsätzliches Verbleiben in der Familie ermöglichen. – Über 1 500 *Süchtige* kamen allein in der offenen Arbeit auf uns zu. Diese Personengruppe nimmt zu, auch in unseren Heimen. Wir stehen hier oft vor kaum lösbaren Problemen. Die Hilfe für Süchtige können wir allein nicht leisten; wir arbeiten zusammen mit den Suchtkrankenstellen des Caritasverbands, mit Kliniken, Ärzten u. a.

Rd. 6 500 *straffälligen Frauen und Mädchen* haben wir geholfen, davon 3 500 jugendlichen. Die Zahl der letzteren ist anteilsmäßig gestiegen. Unsere Mitarbeit in der Jugendgerichtshilfe hat beachtlich zugenommen. Das zeigt sich an der Zunahme der Berichte, die gegeben wurden, und der Teilnahme an Gerichtsterminen. Die insgesamt wachsende Jugendkriminalität spiegelt sich in unserer Arbeit wider. [...]

Unsere Hilfe für *Gefährdete* im engeren Sinn – ich fasse zusammen Prostituierte, Geschlechtskranke, Verwahrloste, Nichtseßhafte – erreicht rd. 2500 Klienten in der offenen Arbeit und eine ähnlich große Zahl nochmals in unseren Heimen. Wir haben hier eng zusammengearbeitet mit den Pflegeämtern, den Gesundheitsbehörden wie auch mit der Polizei. Viele dieser Klienten sind aber aus eigenem Antrieb oder durch Personen und Stellen aus unserem eigenen Bereich zu uns gekommen.

Die Erreichung Gefährdeter ist heute viel schwieriger als früher. Das Schwinden der Normen, die Forderung des Rechts auf Lebensgenuß und immer freiheitlichere Lebensführung, entsprechende Einwirkung der Massenmedien lassen Begriff und Tatbestand der Gefährdung fragwürdig erscheinen. Was kann Maßstab sein, wenn der Wert der Familie heute von vielen radikal in Frage gestellt wird, die in unserer Leistungsgesellschaft überspitzt geforderte Arbeit von vielen jungen Menschen abgelehnt wird? Demgegenüber bekommt das Gammeln einen Sinn, das Füreinander-dasein, Einander-Liebe-geben. Wo ist die Grenze, wann die Gefährdung gegeben? Wann kann jemand als bereits abgesunken oder in Fehlverhalten verstrickt bezeichnet werden? Die Verschiebung der Maßstäbe erschwert unsere Arbeit und die Möglichkeiten der Hilfe sehr.

Unsere Heime

Mit seinen 84 Heimen bzw. Heimkomplexen ist der SkF eine der stärksten katholischen Trägergruppen von Heimen mit erzieherischem Charakter. Darum fühlen wir uns hier auch in besonderer Weise verantwortlich, erst recht angesichts der öffentlichen Kritik, in der Heime heute stehen. Unsere Heime sind in starker Umstrukturierung begriffen.

Die Zahl der Heime ist in der Zeit von 1968 bis 1972 gesunken von 105 auf 84; die Zahl der Plätze von 8696 auf 4920; die Zahl der Klienten von 21973 auf 15057. In der gleichen Zeit ist die Zahl der hauptamtlichen Fachkräfte von 1900 (davon 484 Ordensschwestern) auf 2400 (davon etwa 400 Ordensschwestern) gestiegen. Abnahme der Heime und Klienten, Bildung kleinerer und alters- und geschlechtermäßig gemischter Gruppen bei starkem Anstieg der Fachkräfte, insbesondere auch Zuziehung von Fachkräften von verschiedenartigen Disziplinen deutet auf Qualifizierung der Arbeit in den Heimen hin. Hier wie auch in Richtung einer größeren Differenzierung sind beachtliche Schritte nach vorn bereits vollzogen, wenn es auch noch viele ungelöste Probleme und unerfüllte Forderungen gibt, nicht zuletzt hinsichtlich der Personalfrage. Die Fortbildung der Mitarbeiter nimmt einen breiten Raum ein. Sie wird nicht nur in besonderen Veranstaltungen außerhalb des Heims, sondern zunehmend kontinuierlich in differenzierter Form im Heim selbst durchgeführt. Wir haben hier mit einigen mehrdimensional zusammengesetzten Teams, die regelmäßig im Heim mit den Erzieherkräften arbeiteten, gute Modelle der Praxisanleitung und Supervision entwickelt.

Zusammenarbeit mit der Behörde

Es wurde bereits gesagt, daß sich das Verhältnis der Fälle, die von der Behörde und aus dem freien Bereich an uns gekommen sind, gegenüber früher nahezu umgekehrt hat: gut 35% aller

Fälle gelangen durch die Behörde, ca. 65% durch andere Stellen und Personen an uns. Wir haben unter drei Gesichtspunkten gezielt auf diese Einschränkung hingewirkt: *die Quantität der Arbeit wurde zugunsten der Qualität reduziert; ferner sollte eine bessere Differenzierung der Arbeit zugunsten von Schwerpunktbildung erreicht werden; es wurden insbesondere Aufgaben abgegeben, die die Behörde leisten kann, zugunsten neuer oder dringlicher Aufgaben, die noch niemand erfüllt, und die besser von einem freien Verband zu leisten sind.* – Wir haben die Freiheit, so zu helfen und die Schwerpunkte unsern Kräften und Möglichkeiten wie auch den Dringlichkeiten der Zeit entsprechend zu setzen, wie wir glauben, unserem Auftrag jeweils am besten gerecht zu werden. Die manchmal geäußerte Meinung, der SkF erfülle zu stark sog. „Delegationsaufgaben", trifft längst nicht mehr die Wirklichkeit.

Allerdings darf nicht übersehen werden, daß ein solcher Rückgang in der Zusammenarbeit mit der Behörde immer auch ein Verlust der Präsenz in diesem wichtigen gesellschaftlichen Bereich bedeutet. Entsprechend unterbleibt dort das Einbringen des Spezifisch-christlichen, und es müssen andere oder der Staat diesen ursprünglich uns belassenen Freiheitsraum ausfüllen. Die Frage muß in jedem Fall gut durchdacht werden. Sicher darf es nicht dahinkommen, daß wir uns in unserem Bemühen um innerkirchliche Präsenz in ein katholisches Getto zurückziehen.

Ehrenamtliche Mitarbeit

Die Zahl der ehrenamtlichen Mitarbeiter und Einzelhelfer ist von 1968 bis 1972 von 16633 auf 12568 gesunken. Die starke Abnahme läßt uns aufmerken. Denn auf die Dauer ist die Freiheit unseres Helfens im kirchlichen wie im gesellschaftlichen Bereich nur garantiert, wenn eine große Zahl ehrenamtlicher Mitarbeiter in unseren Reihen steht und sich für den Mitmenschen in Not engagiert. Nur dann haben wir die Möglichkeit, die Freiheitsräume auszufüllen, die der Staat uns im Bereich der sozialen Hilfen beläßt, um für die Bereitstellung eines ausreichenden pluralen Hilfeangebots unseren Teil beizutragen. Wesentliche Einschränkung der ehrenamtlichen Mitarbeit engt gleichzeitig die Möglichkeiten und damit die Freiheit unseres Helfens ein. Sie engt auch ein und läßt nicht zum Zuge kommen diejenigen, die zu freiwilliger Hilfe bereit sind oder dazu motiviert werden könnten, und baut das Klima für freiwilliges Helfen ab.

Die Einstellung der Sozialarbeiter zur ehrenamtlichen Mitarbeit ist überwiegend positiv. Sie sehen deren spezifischen eigenständigen Beitrag, der gleichzeitig eine wichtige Ergänzung zur Arbeit des hauptamtlichen Mitarbeiters darstellt. Das geht auch deutlich aus der Arbeitsplatzanalyse hervor, die wir in den Jahren 1970/71 zusammen mit dem Sozialdienst Katholischer Männer bei den Fachkräften beider Verbände durchgeführt haben.

Wir fragen nach den Gründen für den Rückgang unserer ehrenamtlichen Arbeit. Läßt die wachsende Professionalisierung und Qualifizierung der Arbeit sie nicht genug zum Zuge kommen? Oder überschauen wir noch nicht recht, in welchen Aufgabenbereichen oder Teilaufgaben der insgesamt schwieriger gewordenen Arbeit die Ehrenamtlichen sinnvoll tätig werden

Abb. 63: Landesstelle Bayern des SkF 1969, 2. v. r.: die Leiterin Luise Jörissen, in der Mitte ihre spätere Nachfolgerin Thea Schroff.

können? Haben wir deshalb vielleicht manchmal nicht den Mut, Ehrenamtliche heranzuziehen? Oder sprechen wir sie nicht richtig an? Bieten wir ihnen die Arbeit an, die sie leisten können, oder überfordern oder unterfordern wir sie? Nehmen wir uns vor allem auch die Zeit, um neue Mitarbeiterinnen richtig einzuführen und in der Arbeit zu begleiten, oder lassen wir sie allein, so daß sie sich entmutigt abwenden?

Sicher ist die Gewinnung ehrenamtlicher Mitarbeiter in unserer Leistungsgesellschaft bei zunehmender Berufstätigkeit der Frauen wie auch starker Inanspruchnahme der oft noch in besten Jahren stehenden Großmutter nicht einfach. Und dennoch fällt auf, daß es viele Frauen gibt – unverheiratete, berufstätige oder nichtberufstätige verheiratete –, die sich einsam und isoliert fühlen. Wir könnten Alternativen anbieten, Aufgaben, die ihnen einen Einsatz „über ihre vier Wände hinaus" ermöglichen; Aufgaben, die unsere Hilfe für den Klienten verbessern und die gleichzeitig die Frauen aus der Isolierung herauslösen könnten, die ihnen Kontakt vermitteln und sie integrieren in eine Gruppe außerhalb ihrer Familie, nämlich in die Gruppe des Sozialdienstes katholischer Frauen. Sie fänden eine Gruppe, die ihren Neigungen und Interessen entsprechen könnte, wo es auch um Information, Erfahrung, Austausch und Weiterbildung geht.

[...]

Wir gehen aufeinander zu – Strukturfragen

Wir gehen insgesamt stärker aufeinander zu. Trotz Pluralität in unserer Gesellschaft, trotz verschiedenartiger Standpunkte sind wir allenthalben dabei, miteinander partnerschaftlich zu sprechen. Wir erleben im weltweiten Bereich das Aufeinanderzugehen der Kirchen einschließlich der katholischen. In unserem Land erleben wir das Aufeinanderzugehen von katholischer und evangelischer Kirche und das Bestreben nach *ökumenischer* Zusammenarbeit. Dies auch im caritativen Bereich.

In der Synode[5] erleben wir, wie Bischöfe, Klerus und Laien aufeinander zugehen, partnerschaftlich miteinander sprechen und gemeinsam um die Lösung von Problemen ringen. Auch

5 [Gemeinsame Synode der Bistümer in der Bundesrepublik Deutschland (1971–1975).]

im gesamten caritativen Bereich hat eine stärkere Zusammenarbeit eingesetzt, die jedoch noch fortentwickelt werden muß – unter anderem die Zusammenarbeit unseres Fachverbands mit dem Caritasverband wie auch mit dem Sozialdienst Katholischer Männer. Die neue Satzung unseres Gesamtverbands, die wir hier beschlossen haben, spricht von der Zuordnung des SkF zum Caritasverband auf den verschiedenen Ebenen.

Damit bin ich beim Problem der Strukturfragen angelangt, das uns in den letzten Jahren stark beschäftigt hat.[6] Wir sind bestrebt, die organisatorische Zuordnung unseres Fachverbands auf der Diözesanebene – auf der Orts- und Bundesebene besteht sie längst – sobald wie möglich zu vollziehen. Die Formen der Zuordnung werden in einer besonderen Kommission erarbeitet.

Im Zusammenhang damit steht die Verlagerung unserer Organisationsarbeit, die bisher fast ausschließlich von Dortmund aus geleistet wurde, auf die Diözesanebene. Nach dem Konzil hat sich allgemein ein stärkeres Diözesanbewußtsein herausgebildet, und neue kirchliche Diözesanstrukturen sind gewachsen. Das macht auch für den SkF eine stärkere Präsenz in und am Sitz der Diözese erforderlich. Auch der Anspruch unserer Arbeit, insbesondere Ausbau der ehrenamtlichen und der pfarrbezogenen Arbeit, verlangt eine größere Ortsnähe der Diözesanreferentin. Diese wird ihren Dienstsitz in der Diözese haben. Bei allem aber ist zu sehen, daß es neben der Zuordnung nach außen auch eine innerverbandliche Zuordnung gibt, und zwar die horizontale und die vertikale. Außerverbandliche und innerverbandliche Zuordnung müssen in ein richtiges Verhältnis zueinander gebracht werden. Es kann nicht eines auf Kosten des anderen entwickelt werden. Die innerverbandliche Zuordnung sichert den überdiözesanen Sachzusammenhang unseres Fachverbands. Die spezifischen Aufgaben und Probleme unserer Arbeit müssen überdiözesan in Blick genommen und entsprechend den Notwendigkeiten des Ganzen bearbeitet werden. Das ist die wichtige Aufgabe der Fachverbandszentrale in Zusammenarbeit mit den Diözesanreferentinnen. Die Fachverbandszentrale wird somit andere Aufgaben als bisher zu erfüllen haben.

[...]

Bei der Fortentwicklung jedes einzelnen der genannten Arbeitsgebiete sind die gleichzeitige
verstärkte Einbeziehung ehrenamtlicher Mitarbeit
verstärkte Zusammenarbeit mit der Pfarrei
verstärkte Öffentlichkeitsarbeit
verstärkte Pflege der Spiritualität

ein Gebot der Stunde. Indem wir so unsere Arbeit fachlich gut entwickeln aus dem Zentrum unseres Glaubens und getragen von der Freiheit, mit der jeder von uns sich selbst zur Liebe bestimmt, leisten wir unseren spezifischen Beitrag zur Beseitigung und Linderung von Not, zu einer besseren Gestaltung des Lebens in der Gesellschaft.

Aus: Korrespondenzblatt Sozialdienst katholischer Frauen 44 (1974), 177–190.

6 [Vgl. dazu auch Dok. 46.]

Ems Biermann

Gemeinwesenarbeit in einem Brennpunkt sozialer Jugendnot

Wenn wir hier über unsere Erfahrungen in Gemeinwesenarbeit in einer Obdachlosensiedlung berichten, so zögern wir, dieses Projekt als Modell zu bezeichnen. Es handelt sich um einen Versuch, der noch nicht abgeschlossen ist, wenngleich wir nach dem, was bisher erreicht wurde, glauben dürfen, daß wir auf dem richtigen Wege sind.

Von einem Modell kann bestenfalls deshalb die Rede sein, weil unser Projekt im Vergleich zu ähnlichen Unternehmungen im Zusammenhang mit einer Stadtsanierung klein und für alle Beteiligten überschaubar ist. Es erübrigten sich deshalb aufwendige Fragebogenaktionen; eine langfristige Planung, die in der Regel durch Immobilismus und Kompetenzstreitigkeiten einer Vielzahl zuständiger Instanzen behindert wird, war nicht nötig; die Finanzierung war infolgedessen recht einfach. Falsche Ansätze unserer Arbeit konnten rasch erkannt und korrigiert werden, und Erfolge zeigten sich in relativ kurzer Zeit.

Wir glauben, daß der „Ad-hoc-Versuch“ des Sozialdienstes katholischer Frauen (SkF) in Gemeinwesenarbeit als ein Beispiel unter anderen die Arbeitsmöglichkeiten freier Verbände verdeutlicht. Je mehr solche Versuche unternommen und in geeigneter Form publiziert werden, desto mehr erleichtern wir es professionellen Raum- und Regionalplanern, Stadtsanierern und Sozialbehörden, denen es im Chaos von Kompetenzverteilung, von Plänen und Theorien verschiedener Provenienz schwerfallen muß, Maßstäbe für Prioritäten zu setzen, von unseren Erfahrungen zu profitieren. Mehr und mehr hat sich in der Öffentlichkeit der Gedanke durchgesetzt, daß man sich in Fragen der Raumplanung, Raumerschließung und Stadtsanierung mit verkehrs- und bautechnischen Überlegungen, mit der Berücksichtigung von Erholungsgebieten und „Begrüßungsmaßnahmen“ nicht begnügen kann. Dieser Aufgabenbereich wird heute unter einer gesellschaftlich-sozialen Perspektive gesehen. Planungsgremien müssen sich deshalb auch über die soziale Eingliederung der gesellschaftlich Unterprivilegierten – wie etwa der Obdachlosen – Gedanken machen. Für uns als Vertreter unserer Klienten bedeutet das, daß wir, von den kommunalen Verwaltungsbehörden bis hin zum Gesetzgeber auf allen Ebenen, konkrete Maßnahmen ebenso wie die Planung beeinflussen und damit jene politische Aufgabe wahrnehmen können, die nach allen einschlägigen Definitionen zur Gemeinwesenarbeit gehört und die im SkF bisher vielleicht etwas zu kurz gekommen ist.

Die „Flughafenbaracke” Senne I

Der Arbeitskreis „Gemeinwesenarbeit” für die sogenannte Flughafenbaracke der Gemeinde Senne I im Landkreis Bielefeld ist interkonfessionell und entstand im August 1968. Schon Anfang der 60er Jahre, längst bevor Gemeinwesenarbeit als neue Methode der Sozialarbeit hierzulande ein Begriff wurde, hatte der SkF unter seinem alten Namen „Katholischer Fürsorgeverein für Mädchen, Frauen und Kinder“ dort die Arbeit aufgenommen.

Die Baracke, im letzten Krieg für den Reichsarbeitsdienst gebaut, steht auf einem massiven Sockelgeschoß, dessen Fenster und Türen von außen vernagelt sind, und das sich nicht einmal als Abstellraum eignet. Die Wohnungen darüber sind aus Holz. Sie sind von einem dunklen Gang aus erreichbar, die Räume in den Zwei- bis Dreizimmerwohnungen sind nur durch Vorhänge getrennt. Die hygienischen Einrichtungen sind trotz der inzwischen installierten Dusche menschenunwürdig. Keine der Wohnungen hat einen Wasseranschluß, das Wasser muß aus der Waschküche geholt werden. Die wenigen Toiletten werden von allen Familien benutzt. Die Räume sind nicht schallisoliert und so hellhörig, daß bis spät abends keine Ruhe herrscht. Die Zahl der hier lebenden Obdachlosen hat in den vergangenen Jahren gewechselt. Im September 1970 wohnten in 17 Wohnräumen acht Familien mit 36 Kindern.

Die Baracke liegt isoliert in einem Kiefernwäldchen. Der Wald – eine natürliche Milieusperre – gibt immerhin den Kindern genügend Möglichkeiten zum Spielen und schützt sie vor bedrohlichen Diffamierungen selbstbewußten Bürgersinns. Den Bürgern ihrerseits, ob sie an Wochenenden den nahegelegenen Sportflugplatz besuchen oder ob sie auf der Kreisstraße vorbeifahren, wird durch den Wald der Einblick in diese Trostlosigkeit erspart. Außenkontakte der Bewohner gibt es nur über Schulen, Behörden, Arbeitsplätze und Kirchengemeinden; hier werden defizitäre Entwicklungen mit allen Konsequenzen der Diffamierung und Unterdrückung durch die Umwelt bemerkbar, hier lagen von Anfang an die Schwerpunkte unserer vermittelnden sozialen Aufgaben.

Unsere ersten Schritte

Die Mitarbeiterinnen des SkF, die von der individuellen Betreuung ausgingen, erlebten in den ersten Jahren fast ausschließlich Mißerfolge. Sie mußten erkennen, daß die Beeinflussung der Problemfamilien untereinander, die Diffamierung durch die „Wohlstandsgesellschaft“, die Diskriminierung der Kinder durch Mitschüler und oft auch durch Lehrer Faktoren waren, die ihren Anschluß an die Gesellschaft mit ihren oft fragwürdigen Normen unmöglich machten. Ohne unsere Einflußnahme auf die Umwelt und das Engagement weiter Kreise für die Rehabilitierung dieser Außenseiter waren sie nicht herauszulösen aus dem verhängnisvollen „Circulus vitiosus“ von Benachteiligung und Abstempelung und der daraus entstehenden Lähmung der Eigeninitiative.

Die Bemühungen der Mitarbeiterinnen des SkF, die sich auch um evangelische Familien kümmerten, stießen auf lebhaftes Interesse der zuständigen evangelischen Kirchengemeinde. Der Zusammenschluß evangelischer und katholischer Frauen zu einer Arbeitsgemeinschaft ergab sich deshalb als Selbstverständlichkeit. Seit zwei Jahren trifft sich dieser Arbeitskreis alle vier Wochen und öfter. Unter Anleitung und in Zusammenarbeit mit einer Fachkraft des SkF, die besonders für die Arbeit in „Brennpunkten sozialer Jugendnot“ eingestellt worden war und vom Landschaftsverband Westfalen-Lippe dafür einen Zuschuß erhält, wird für jede Familie ein Hilfsplan entwickelt, dessen Verwirklichung je einer bestimmten Mitarbeiterin unter Assistenz der Fachkraft und in Zusammenarbeit mit der betroffenen Familie obliegt. An der Konferenz nehmen, wenn möglich, auch der evangelische und katholische Gemeindepfarrer und seit September 1970 eine Sozialarbeiterin der Inneren Mission teil. Auf diesen Konferenzen werden Erfahrungen ausgetauscht. Vor allem wird überlegt, wie man Behörden und deren Vertretern, Arbeitgebern, Schulleitern und Lehrern verständlich machen kann, warum dieses oder jenes Kind, diese oder jene Familie so sehr benachteiligt sind. Dies alles geschieht unter der Voraussetzung, daß die Obdachlosen selbst, soweit das möglich ist, ihre eigene Situation in der

Gesellschaft, ihr Verhältnis zueinander und zu den politischen Instanzen begreifen. Inzwischen ist es uns gelegentlich gelungen, einige Probleme angemessen zu lösen, ohne den Routineweg über Versorgungsamt oder Gesundheitsbehörde, über Polizei oder andere offizielle Instanzen gehen zu müssen.

Einrichtung einer Spielstube

Äußerer Anlaß der Konstituierung der interkonfessionellen Arbeitsgruppe „Gemeinwesenarbeit" war allerdings ein konkretes Projekt, nämlich die Einrichtung einer Spielstube.

Daß dies als erstes in Angriff genommen werden konnte, lag nicht zuletzt an der Aufgeschlossenheit des Landkreises Bielefeld, der in einem Bericht an den Landschaftsverband über die Situation der Obdachlosen und den desolaten Zustand der Notunterkünfte in der Region, darunter auch über die Flughafenbaracke, eingehend unterrichtet hatte. Die Aufgabe des Arbeitskreises war es, die Erwartungen und Wünsche der Eltern in der Baracke für sich selbst und ihre Kinder zu erfragen und ihnen bewußt zu machen. Die erste Elternbesprechung Ende August 1968, an der die Fachkraft und eine freitätige Mitarbeiterin teilnahmen, ergab eine eindeutige Antwort: „Möglichkeiten schaffen, damit man auf unsere Kinder nicht mehr mit den Fingern zeigen kann." Das vorsichtige Angebot der Einrichtung einer Spielstube kam den Vorstellungen der Eltern sehr entgegen, zumal ein Raum, zwar völlig verwahrlost und mit allem möglichen Kram vollgestopft, zur Verfügung stand. Der Kreis Bielefeld übernahm zusammen mit dem Landesjugendamt die Kosten für Instandsetzung und Einrichtung, der Landkreis zahlte den Rest sowie die laufenden Unkosten. Träger wurde der SkF. An dem Arbeitskreis lag es jetzt, die Familien in der Baracke – die Mütter, die am stärksten interessiert zu sein schienen, aber auch die Väter, auf deren Hilfe nicht zu verzichten war – zu eigener Initiative zu ermutigen und Ansätze zur Emanzipation, die sie bereits entwickelt hatten, weiter zu fördern.

Mit der Arbeit wurde kurz darauf begonnen. Unter der Leitung und ständigen Aneiferung der Fachkraft und der freitätigen Mitarbeiterinnen legten die Eltern selbst mit Hand an, als der Raum entrümpelt und gesäubert werden mußte, der Fußboden zu verlegen, Wände und Dekken zu streichen, neue Fenster einzusetzen, die Installation einzurichten und Gardinen zu nähen waren. Heute findet man an Stelle des verwahrlosten Abstellraumes ein helles, freundliches Zimmer, dessen Fenster den Blick auf die weite Fläche des Flughafens freigeben. Obwohl die Möbel nicht alle neu sind, wirkt die Spielstube anheimelnd, und es gibt einen Schrank mit größtenteils gespendeten Spielsachen für die Kleinen. Am Nikolaustag 1968 war die Einweihung. Es wurde ein fröhliches Fest. Dreißig strahlende Kinder im besten Sonntagsstaat stürzten in den adventlich geschmückten Raum und erhielten vom Nikolaus Tüten mit Süßigkeiten und Obst. Später saßen die Erwachsenen bei Kaffee und Likör gesellig beisammen: die Mitarbeiterinnen des Arbeitskreises und die Väter und Mütter, die diesen Raum für ihre Kinder selbst geschaffen hatten.

An zwei Vormittagen der Woche betreut seitdem eine Kindergärtnerin die Kinder im Vorschulalter; eine Vorschulerziehung, wie sie heute für die Vier- bis Sechsjährigen verlangt wird, soll in Zukunft auch hier gefördert werden. An zwei Nachmittagen hilft eine Mitarbeiterin den

Größeren bei den Schulaufgaben. Sie soll von Schülern der Gymnasialoberstufen unterstützt werden, so daß für etwa drei Kinder je ein Betreuer zur Verfügung steht. Die Schüler haben für diese Aufgabe reges Interesse gezeigt.

Erfolge sind nicht ausgeblieben. Die schulischen Leistungen der Kinder haben sich zum Teil wesentlich gebessert, die Eltern haben Kontakt mit den Lehrern aufgenommen, und es scheint sich zwischen beiden Seiten eine Vertrauensbasis zu bilden. Eine Zusammenkunft von Lehrern und Eltern in der Baracke, wo allgemeine Schul- und Erziehungsaufgaben besprochen werden sollen, ist ebenso geplant wie drei Gruppenabende zum Thema Erziehung, die eine kinderreiche Mutter, Gattin eines Psychiaters, leiten wird.

Die Nähstube

Das nächste Anliegen der Frauen in der Baracke war die Einrichtung einer Nähstube. Die Gemeinde Senne I hatte dazu wesentlich beigetragen. Unter Anleitung einer freitätigen Mitarbeiterin, die fachlich ausgebildet ist, werden die Frauen in einem Nähkurs, der auf eigenen Wunsch zweimal im Monat vormittags stattfindet, an fünf gespendeten Nähmaschinen angelernt. Zwei Frauen aus der Baracke, die eine eine gelernte Weißnäherin, die andere Zuschneiderin, erklärten sich bereit, der Mitarbeiterin bei der Leitung zu assistieren. Für die Stoffe, die teils gespendet, teils verbilligt gekauft werden, zahlen die Teilnehmerinnen einen kleinen Betrag in eine gemeinsame Kasse, aus der weiterer Bedarf an Nähzeug gedeckt wird.

Kleine Erfolge

Wie sehr sich im Zuge dieser Arbeit die Atmosphäre zwischen sogenannten guten Bürgern und den Barackenbewohnern entspannt hat und gegenseitiges Verständnis gewachsen ist, erleben wir ständig an kleinen Erfolgen, die zwar nicht spektakulär sind, aber unsere Methode der „kleinen Schritte“ bestätigen. Dafür einige Beispiele:

Die Frauen aus der Baracke kommen gelegentlich zu Besprechungen in das bürgerliche Einfamilienhaus einer Mitarbeiterin und diskutieren unbefangen ihre Probleme. Der Hausherr begrüßt die Damen dann und sorgt für die Getränke; Bier wird meist bevorzugt. Mag sein, daß Hemmungen und Vorbehalte gegenüber „reichen Wohltätern“ noch nicht vollkommen beseitigt sind; immerhin können wir nicht übersehen, daß die Barackenbewohner selbst bemüht sind, solche Hemmungen zu überwinden.

Das Verhältnis zu den Kirchengemeinden hat sich ebenfalls gebessert. Eine Reihe von Frauen aus den Gemeinden sind bereit, bei Kindertaufen Paten zu sein. Die Scheu der Kinder, in den Gottesdienst zu kommen, hat sich vielfach gelegt, wenn beim ersten Versuch die Eltern ihre Kinder vorbereiteten, entsprechend ihren Möglichkeiten gut und sauber kleideten und die mißtrauisch erwartete Reaktion anderer Kirchenbesucher („man hat uns beobachtet“) daraufhin nicht zur gewohnten Ablehnung führte. Zu Familienfesten wie Taufe, Konfirmation, Erstkommunion wird die Mitarbeiterin, die sich der Familie seit Jahren gewidmet hat, ebenso selbstverständlich eingeladen wie zum Geburtstag. Bei solchen Gelegenheiten sind hin und wieder auch die Pfarrer zu Gast. Selbst als im vergangenen Jahr in der Baracke ein einjähriges nicht getauftes Kind starb, stand der Gemeindepfarrer mit der Mutter, den Frauen aus der Baracke und unseren Mitarbeiterinnen, die ihre Trauer über den Verlust teilten, mit am Grab – obwohl er, wie er selbst sagte, strenggenommen „dort nicht stehen durfte".

Ferner gibt es in der Gemeinde Senne I eine Reihe von Familien, die bereit sind, ihren Möglichkeiten entsprechend den Obdachlosen entgegenzukommen, sei es, daß sie mit musikalisch begabten Kindern aus der Baracke gemeinsam musizieren, sei es, daß sie ein Kind einladen, wenn die Mutter plötzlich erkrankt. Wir haben dabei die Erfahrung gemacht, daß die Hilfsbereitschaft der Bürger weitaus größer ist, als man vermutet, sofern sie nur in der richtigen Form angesprochen werden. Oft ist es nicht Gleichgültigkeit, sondern Hilflosigkeit und Unkenntnis, die viele Familien hindert, Hilfen anzubieten, wenn man sie pauschal mit dem ebenso allgemeinen wie vergleichsweise anspruchsvollen Aufruf „Sozialer Dienst" zu werben versucht. Es hat sich gezeigt, daß gerade am meisten geeignete Familien vor der Verantwortung zurückschrecken, weil sie glauben, der Aufgabe nicht gewachsen zu sein.

Die gezielte Information hat auch bei den zuständigen Behörden zu einem ähnlichen Erfolg geführt. Die Gemeinde Senne I, seit der Gebietsneuordnung 1970 für die Baracke zuständig, hatte sich an den Arbeitskreis gewandt, um sich im Zusammenhang mit der geplanten Umsiedlung der Barackenbewohner in einen Neubau über dessen Erfahrungen zu orientieren. Eine Mitarbeiterin hatte dann schriftliches Material über Gemeinwesenarbeit in Maastricht (Niederlande), die über die Grenzen des Landes als vorbildlich gilt, in Auszügen übersetzt und dem Gemeindedirektor als Grundlage für weiter zu führende Gespräche zugeleitet. Dieses Material wurde hektografiert und den Mitgliedern des Sozialausschusses übergeben. Daraufhin besuchte der Vorsitzende des Sozialausschusses die Notunterkunft und lud alle Familien zu einer Besprechung ein, damit die Betroffenen Gelegenheit hätten, ihre Vorstellung von einer ihnen gemäßen Wohnung vorzutragen. Die Unterredung fand in der Baracke statt. Es fehlte jener verhängnisvolle Beigeschmack von „offizieller Inspektion", so daß die Barackenbewohner auf Jammern und Schimpfen verzichten konnten; sie fanden verständnisvolle Zuhörer. Die Ansprüche der Frauen und Männer waren bescheiden, was Anzahl und Ausstattung der Wohnräume und der hygienischen Einrichtungen betrifft; leidenschaftlich äußerten sie sich jedoch, als die Gefahr zur Sprache kam, daß sie wieder einmal als Außenseiter abgestempelt werden könnten. Den Wünschen der obdachlosen Familien will die Gemeinde Senne I weitgehend Rechnung tragen.

Arbeitsfeld für einen freien Verband

Die Entwicklung der Sozialarbeit des SkF in dieser Notunterkunft ist bis zur heutigen methodischen Gemeinwesenarbeit kontinuierlich gewesen. Die freitätigen Mitarbeiterinnen des Vereins sind zwar in theoretischen Kursen regelmäßig über methodische Sozialarbeit, von der Einzel- und Gruppenhilfe bis zur Gemeinwesenarbeit, orientiert worden. In der Praxis hatte sich jedoch die Umschaltung von der mehr individualistisch zur mehr gesellschaftlich geprägten Sozialhilfe, wie Gemeinwesenarbeit sie voraussetzt, allmählich vollzogen, ohne daß die theoretischen Implikationen dieses Vorgangs uns sofort bewußt geworden wären. Als schließlich Gemeinwesenarbeit in der Bundesrepublik populär wurde, brauchten wir unsere Arbeit nicht auf eine neue theoretische Basis zu stellen und prinzipiell zu revidieren; das theoretisch Neue schloß sich nahtlos an die Praxis an.

Wir glauben deshalb, daß Frauen, die sich in dieser Arbeit engagieren, weiterhin auf ihre Erfahrungen als Ehefrauen und Mütter und aus früher erlernten (oft sozialen) und zum Teil praktizierten Berufen, wie auf Einfühlungsvermögen und Vorstellungskraft angewiesen sind, um Hilfsmöglichkeiten zu entdecken, die in der „Ausbildungsliteratur" der Sozialarbeiter, wo solche Erfahrungen erst Jahre später zur Methode destillieren, nicht erwähnt werden. Die Verschiedenheit von Erfahrung, Neigung und Eignung der einzelnen Mitarbeiterin ermöglicht ein entsprechend differenziertes Hilfsangebot. Nicht zu unterschätzen ist dabei der Rat und die Vermittlung von Ehemännern, die als Angestellte in Betrieben, als Kommunalbeamte, Lehrer, Ärzte, Juristen oder in welcher Berufssparte sie auch tätig sein mögen, dazu beitragen können, konkrete Fragen zu beantworten, akuten Notständen abzuhelfen und gesellschaftliche Zusammenhänge durchsichtig zu machen. Dieser Multiplikationseffekt ist dann besonders wirksam, wenn die ausgebildeten Sozialarbeiterinnen, ohne die ehrenamtliche Helfer nicht auskommen können, die Fähigkeiten besitzen, ein solches Instrument im Interesse der Klienten und einer möglichst unbürokratischen und effektiven Arbeit optimal zu nützen.

Aus: Caritas '70, Jahrbuch des Deutschen Caritasverbandes, Freiburg o. J. [1970], 299–303.

Stellungnahme zu § 218 StGB aus Erfahrungen der sozialen Arbeit des Sozialdienstes katholischer Frauen

Der Sozialdienst katholischer Frauen (SkF) ist im Rahmen seiner Arbeit mit Fällen unerwünschter Schwangerschaft und den damit zusammenhängenden Konfliktsituationen der Frauen und ihrer Familien befaßt.

[...]

Eine Rundfrage bei den Ortsgruppen des SkF im August 1971 ergab, daß viele von ihnen Frauen geholfen haben, die ein unerwünschtes Kind erwarten und sich zum Teil bereits mit dem Gedanken der Abtreibung trugen. Von einer kleineren Zahl von Ortsgruppen liegen konkrete Zahlenangaben vor. Eine Übertragung dieser Zahlen auf die Gesamtheit der Ortsgruppen ergibt, daß vom SkF in den letzten Jahren etwa 3000 bis 4000 Frauen jährlich geholfen wurde, für die sonst ohne diese Hilfe die Abtreibung letzter Ausweg aus ihrer Situation gewesen wäre. Diese Zahl würde sich vervielfachen, wenn auch die Hilfe berücksichtigt würde, die durch Caritasverband, Diakonisches Werk, Eheberatungsstellen, Telefonseelsorge u.a. geleistet wurde. Man wird in der Annahme nicht zu hoch greifen, daß durch all diese Stellen jährlich in rund 30000 bis 40000 Fällen eine Abtreibung verhindert wurde. Wenn es möglich wird, Umfang und Intensität der Arbeit der genannten Stellen durch finanzielle Hilfe zu erweitern, so könnten sich diese Zahlen beträchtlich erhöhen.

Der SkF hat durch die genannte Untersuchung die sozialen *Hintergründe der Abtreibungsproblematik* sowie die Hilfsmöglichkeiten zu durchleuchten versucht. Aus 95 auswertbaren Antworten und ergänzenden Erfahrungen in der Hilfe für ledige Mütter und ihre Kinder sowie für Ehefrauen und ihre Familien ergeben sich nachfolgende Gesichtspunkte:

I.

Die eigentliche Problematik für die Betroffenen selbst liegt außerhalb des Bereichs der strafrechtlichen Bestimmungen. Die *Motive zu einem beabsichtigten Schwangerschaftsabbruch* und zur Unerwünschtheit eines Kindes sind *vor allem:*

- finanzielle Schwierigkeiten: Das Kindergeld reicht bei dem Einkommen eines normal verdienenden Ehemannes als Alleinverdiener bei weitem nicht aus, den durch das Aufziehen von Kindern bedingten finanziellen Mehraufwand auszugleichen. Vor allem sinken Familien mit mehreren Kindern weit unter den Lebensstandard der übrigen ab;
- wohnungsmäßige Enge: es fehlen familiengerechte, kinderfreundliche Wohnungen zu einem für die Familien tragbaren Preis, insbesondere für kinderreiche Familien und alleinstehende Mütter;
- Berufstätigkeit der verheirateten Frau und Mutter, um das Familieneinkommen aufzubessern;
- gesundheitliche Beeinträchtigung infolge Überbelastung der Frau durch die Doppelaufgabe in Familie und Beruf; der kinderreichen Mutter durch die Mühen des Alltags und oft durch Schwierigkeiten im Zusammenleben mit dem Ehemann; durch schwierige finanzielle und wohnungsmäßige Verhältnisse;
- gesellschaftliche Diskriminierung der ledigen Mutter und daher oftmals die Alternative: Schwangerschaftsabbruch oder Verlassen des Elternhauses bzw. der bisherigen Umgebung und in Verbindung damit die Unsicherheit der Existenz für Mutter und Kind.

Außerdem stellten wir fest:

Familiäre Konfliktsituationen, Eheprobleme, Ehescheidung oder Zerrüttung der Ehe sowie Außerehelichkeit des zu erwartenden Kindes spielen nach dem Ergebnis der Untersuchung im Zusammenhang mit einem beabsichtigten Schwangerschaftsabbruch in einer kleineren Zahl von Fällen eine entscheidende Rolle.

Weniger noch werden die Fälle einer zu großen *Jugendlichkeit der Mutter* in den Antworten erwähnt. Diese Fälle liegen sehr differenziert; die Hilfe ist vielschichtig und richtet sich nach der persönlichen Situation der jugendlichen Mutter. Nach unseren Erfahrungen können wir jedoch sagen, daß Abtreibungen in all diesen Fällen das ungeeignete Mittel zur Lösung der Konfliktsituationen ist.

Die Fälle der sog. *ethischen Indikation* werden in den Antworten nicht erwähnt. Wir wissen aus Erfahrungen, vor allem auch aus den ersten Nachkriegsjahren, in denen wir viele vergewaltigte Frauen betreut haben, daß meist in Zusammenarbeit mit dem Ehemann und anderen Angehörigen eine Hilfe zur seelischen und sonstigen Bewältigung der Situation gegeben werden kann und eine Notwendigkeit zur Abtreibung nicht besteht.

Auch Fälle der sog. *genetischen Indikation* kommen in den Antworten nicht vor. Wir möchten in diesem Zusammenhang zu bedenken geben, daß nach Erkenntnissen der heutigen medizinischen Wissenschaft in sehr vielen Fällen bereits weitgehend geholfen werden kann und daß andererseits vor der Geburt des Kindes eine mögliche Schädigung oft nur schwer feststellbar ist.

Viele Frauen, die von sich aus den Abbruch der Schwangerschaft nicht wollen, werden vom Kindesvater, Ehemann, den Eltern oder anderen zu einer Abtreibung gedrängt.

Zusammenfassend ist festzustellen: In den weitaus meisten Fällen überwiegen nach der Untersuchung die Unzulänglichkeiten der *allgemein sozialen* Lebensumstände, wie finanzielle, wohnungsmäßige und berufliche Schwierigkeiten, die im Gegensatz zu den Tatbeständen der echt medizinischen Indikation veränderbar sind und in einer Wohlfahrtsgesellschaft auch verändert werden müssen.

Es gibt auch *außergewöhnlich soziale* Konfliktsituationen (z.B. sogenannte unsoziale Verhältnisse); sie sind nach dem Ergebnis der Untersuchung im Zusammenhang mit einem beabsichtigten Schwangerschaftsabbruch relativ selten. Auch ihnen kann und muß durch ein qualifiziertes Hilfsangebot begegnet werden.

Gleichzeitig auftretende *gesundheitliche* Beeinträchtigungen sind durchweg sekundär. Auch hier kann weithin durch entsprechende Hilfeleistung die Situation bewältigt werden. Viele gesundheitliche Schäden brauchten bei rechtzeitiger Inanspruchnahme der verschiedensten Hilfsmöglichkeiten oft gar nicht erst zu entstehen. Die Untersuchung hat ferner gezeigt, daß die meisten Frauen im Grunde genommen gar nicht abtreiben wollen. Abtreibung ist für sie ein letzter Weg der Hilflosigkeit und Verzweiflung; sie wissen oft nur keinen anderen Ausweg aus ihrer Notsituation.

II.

Die Ergebnisse unserer Umfrage beweisen, und Erfahrungen der Arbeit bestätigen, daß wirksam geholfen werden kann. Im Einzelfall geht es um *konkrete persönliche Hilfe,* die sehr differenziert zu leisten ist.[1] Hier ist es oft entscheidend, daß sich eine sozial geschulte und erfahrene Persönlichkeit der Mutter und des zu erwartenden Kindes annimmt. Die Hilfe umfaßt neben der Möglichkeit der Aussprache vor allem intensive *Beratung* der Frau wie auch ihres Ehemannes und der Angehörigen, insbesondere auch in schwierigen Familien- und Eheproblemen; gemeinsame Überlegung, was zur Behebung der Not geschehen kann; *Informationen* über gesetzliche Sozialleistungen und sonstige Hilfsmöglichkeiten sowie, falls nötig, *Vermittlung in Frage kommender Leistungen,* z.B. Beschaffung der nötigen finanziellen Mittel, Ermöglichung der Fortsetzung von Ausbildung und Studium, Suche nach einem geeigneten Arbeitsplatz, erforderlichenfalls auch Wiederherstellung der Kontakte zur eigenen Familie und, wenn angebracht, Vermittlung einer Heirat mit dem Vater des Kindes.

Die Vermittlung von Erholungskuren für Mütter, Kinder und Familien, der Einsatz von Familienpflegerinnen, genügend Plätze in Kindergärten und Tagesstätten bedeuten für erschöpfte und überforderte Mütter eine wesentliche Hilfe; ein Mangel an ausreichenden Möglichkeiten sowie der Nachteil einer zu großen finanziellen Selbstbeteiligung kommt in vielen Antworten zum Ausdruck.

Die Vermittlung von Kindern in eine Adoptionsstelle erfolgte nach den Angaben in dem Fragebogen sehr häufig, relativ selten war die Vermittlung in eine Pflegefamilie (desgleichen die Vermittlung in eine Pflegefamilie während des Tages oder nur für Stunden): beide Möglichkeiten bedeuten nicht nur für die ledige schwangere Frau, sondern auch für die durch ein weiteres Kind in jeder Weise überforderte Familie eine große Erleichterung der Situation, ohne daß es zum Schwangerschaftsabbruch kommen muß. Es ist auch nicht einzusehen, warum ungeborene Kinder getötet werden, während andererseits für viele adoptionswillige Eltern keine Kinder da sind. Aufgrund langjähriger Erfahrungen können wir sagen – andere Stellen bestätigen ähnliches –, daß auf 10 adoptionswillige Eltern nur 1 Kind entfällt, das zur Adoption freigegeben ist. Das deutsche Volk ist durchaus bereit, mehr Kinder aufzuziehen.

Für Kinder, die vorübergehend nicht bei ihrer Mutter oder ihren Eltern bleiben können, und für ledige schwangere Mütter, die ihr Elternhaus verlassen müssen, ist ein vorübergehendes Unterkommen in einem Heim oft eine wichtige Hilfe, bis eine andere Lösung gefunden ist. Es wird in fast allen Antworten bemängelt, daß einerseits zu wenig Heimplätze besonders für Mutter und Kind gemeinsam vorhanden sind und andererseits die kostenbedingten Pflegesätze für viele Frauen zu hoch sind. Daher werden freie Plätze oft nicht in Anspruch genommen; oder aber die Heime verzichten auf den kostendeckenden Pflegesatz.

Beratung und Hilfe erstrecken sich auch auf die Bewältigung zukünftiger Probleme; es gehört dazu die Hilfe zu verantwortlicher Elternschaft sowie die ärztliche Beratung zur Geburtenregelung und zur Vermeidung weiterer Schwangerschaften.

---

1 [Vgl. dazu ausführlicher: Ausbau des Beratungswesens, in: Korrespondenzblatt SkF 42 (1972), 194–198.]

III.

Die flankierenden Maßnahmen dürfen aber nicht allein in der individuellen Hilfe im konkreten Einzelfall bestehen. Zur Bewältigung des Problems der Abtreibung sind umfangreiche *strukturelle Hilfen, die bei den Ursachen ansetzen,* nötig:

– zeitnahe und familiengerechte Verbesserungen auf dem Gebiete der sozialen *Gesetzgebung* und der *Sozialpolitik:*
  Verbesserung des Famlienlastenausgleichs, familiengerechte Wohnungs- und Steuerpolitik, Änderung sozialversicherungsrechtlicher Bestimmungen zugunsten der Frau (u. a. Übernahme ärztlicher Beratungskosten durch die Krankenversicherung), bessere Berücksichtigung der Situation der ledigen Mutter bei der Rückzahlung erhaltener finanzieller Leistungen an das Sozialamt. (Der Ersatzanspruch ist durchweg zu hoch, was ein wesentliches Absinken der ledigen Mutter unter die Lebensverhältnisse ihrer Berufskolleginnen und Familie zur Folge hat oder die Inanspruchnahme dieser Leistungen von vornherein ausschließt.) – Nötig ist die Sicherung kostendeckender Pflegesätze und Bereitstellung finanzieller Mittel zur Umstrukturierung und baulichen Umgestaltung mancher Heime. Dies alles sind vordringliche Aufgaben in Staat und Verwaltung, insbesondere der gesetzgebenden Körperschaften.

Darüber hinaus gibt es viele Aufgaben, die am wirksamsten von Kirchen und freien Verbänden wahrgenommen werden können, z. B.:

– Ausbau vorhandener und Schaffung zusätzlicher *sozialer Einrichtungen,* wie Kindergärten, -krippen, -tagesstätten, Heime für Mutter und Kind, Erholungsmaßnahmen, verstärkter Einsatz von Familienpflegerinnen.
– Ausbau und Intensivierung des *Beratungswesens,* Durchführung von Fortbildungsveranstaltungen für die in der beratenden und sozialen Arbeit tätigen Kräfte. Beratungsstellen und andere Hilfseinrichtungen müssen in der Öffentlichkeit entsprechend bekannt sein. Eine gute Zusammenarbeit dieser Stellen mit Ärzten, Seelsorgern und anderen kirchlichen Stellen und Personen, Sozial- und Jugendämtern, Betrieben, die Frauen beschäftigen, Schulen usw. ist im Interesse der Hilfesuchenden dringend erforderlich.
– Umfassende *Sexualerziehung* der Jugendlichen, der Frauen und Männer; Aufklärung und Wissensvermittlung sind notwendig, reichen aber bei weitem nicht aus. Es gehört vor allem die Hilfe zu einer verantwortungsbewußten Einstellung zum Leben und zum Partner dazu. Diese müssen besonders auch dem Mann vermittelt werden.
– Grundlegende Änderung in der *Einstellung und Verhaltensweise der Gesellschaft* gegenüber der ledigen Mutter und kinderreichen Familie sowie stärkeres Engagement privater Hilfen im Bereich der Nachbarschaft und kirchlichen Gemeinde. Im kirchlichen Raum werden hierzu besonders im Zusammenhang mit neueren Strukturen weitgehende Initiativen entwickelt.

Eine finanzielle staatliche Unterstützung derer, die die genannten Aufgaben als freie und konfessionelle Einrichtungen und Fachorganisationen wahrnehmen, wird erforderlich sein, um den Anforderungen im Blick auf Umfang und Wirksamkeit entsprechend gerecht werden zu können. Alle vorgenannten, zu den sog. flankierenden Maßnahmen gehörenden Aufgaben müssen *gleichzeitig* mit einer Reform des § 218 eingeleitet und zügig durchgeführt werden.

IV.

Folgerungen zu einer ausdrücklichen Einbeziehung sozialer Lebensumstände in die gesetzlichen Bestimmungen zum Schwangerschaftsabbruch:

1. Die medizinische Indikation kann, wenn die von uns erwähnten sozialen Hilfen entsprechend ausgebaut sind, auf die echt medizinischen Tatbestände beschränkt bleiben.
2. In gemischt sozial-medizinischen Konfliktsituationen muß unterschieden werden: Soweit echt medizinische Tatbestände vorliegen, findet die medizinische Indikation Anwendung. Soweit soziale Notstände die Gesundheit der Mutter beeinträchtigen, muß im Einzelfall alles an persönlicher und sozialer Hilfe geleistet werden, was erforderlich ist, um die Notsituation zu bewältigen. Eine andere Frage ist es, ob und wie in diesen Fällen Schwangerschaften in Zukunft zu vermeiden sind.
3. Eine ausdrückliche gesetzliche Fixierung der sozialen Lebensumstände im Sinne einer medizinisch-sozialen Indikation ist ebenso wie die rein soziale Indikation aus der Sicht der sozialen Arbeit und im Interesse der betroffenen Frauen abzulehnen:
   - sie käme in Anbetracht des weit auslegbaren Begriffes „sozialer Lebensumstände" einer weitgehenden Freigabe der Abtreibung gleich;
   - sie kommt einer Kapitulation von Staat und Gesellschaft auf dem Gebiet sozialer Leistungen und mitmenschlicher Hilfen gleich und wird auch als solche empfunden werden. Sie bedeutet Verzicht auf die vornehmste Aufgabe des Staates, sozialer Rechtsstaat zu sein.
   - Für einen bestimmten Personenkreis eröffnet sich damit die Abtreibung als neue Möglichkeit der Geburtenregelung; aus dem Rechtfertigungsgrund zu einem Schwangerschaftsabbruch würde ein vorher einplanbares Mittel der Geburtenregelung.
   - Die Zahl der Abtreibungen würde erheblich steigen;
   - Relativität und Dehnbarkeit der Begriffe „sozial" und „Lebensumstände" leisten einer unterschiedlichen und somit möglicherweise ungerechten Behandlung der Fälle Vorschub;
   - in Zeiten wirtschaftlichen Tiefstandes würden sich die Fälle der sozialen Indikationen so häufen, daß sie praktisch einer Aufhebung der strafrechtlichen Bestimmungen gleichkämen.
   - Wegen sozial ungünstiger Lebensumstände allgemeiner oder besonderer Art dürfen in einem Sozialstaat keine Abtreibungen erfolgen. Bei einer vorrangig in den äußeren Lebensumständen begründeten Ablehnung des Kindes wird man den Frauen nicht durch eine Legalisierung der Abtreibung gerecht, sondern durch konkrete individuelle Hilfe und an den eigentlichen Ursachen ansetzende soziale Maßnahmen von seiten des Staates und der Gesellschaft. Dadurch könnte die Zahl der Abtreibungen wesentlich gesenkt werden.
4. Notwendig ist eine gesetzliche Möglichkeit für den Richter, von Bestrafung absehen zu können, wenn die Schwangere aus einer besonderen Bedrängnis heraus gehandelt hat.

5. Eine gutachterliche Tätigkeit muß für die Schwangere vertrauenerweckend sein. Sie darf nicht als willkürliche Maßnahme eines einzelnen empfunden werden und nicht als abschreckende Maßnahme erneut in die Illegalität führen.

V.

Gesichtspunkte zur *Fristenlösung*[2] aus der Sicht der sozialen Arbeit und den Erfahrungen und Beobachtungen im Umgang mit Frauen und deren Familien.

1. Mit der grundsätzlichen Freigabe des Schwangerschaftsabbruchs bis zum 3. Schwangerschaftsmonat bekommt die Mutter alleiniges Verfügungsrecht über die Fortsetzung des Lebens ihres Kindes; damit entfällt jeder Schutz für das ungeborene Leben. Eine willkürliche Handhabe des Schwangerschaftsabbruchs läßt diesen zu einem *Mittel der Familienplanung* werden, und zwar zum sichersten Regulativ. Infolgedessen würde hiervon sehr häufig Gebrauch gemacht werden, ungeachtet der Tatsache, daß bei einer mehrfachen Wiederholung des Schwangerschaftsabbruchs mit gesundheitlichen und seelischen Schäden für die Frau zu rechnen ist.
2. Der dritte Schwangerschaftsmonat ist medizinisch kein zu begründender Zeitpunkt. Daher wird die 3-Monatsfrist als nicht ernst zu nehmende Grenze angesehen und die Rechtsbestimmung als willkürlich empfunden werden. Da außerdem der Schwangerschaftsbeginn nicht immer eindeutig festliegt, wird mancher Schwangerschaftsabbruch praktisch im 4. oder 5. Monat oder noch später erfolgen. Um Unannehmlichkeiten auszuschalten, wird man daher häufig vorsichtshalber nach wie vor die Illegalität vorziehen.
3. Wird die 3-Monatsfrist streng gehandhabt, so verbleibt angesichts der Tatsache, daß eine Schwangerschaft oft erst in der 4. bis 9. Woche festgestellt wird, bis zur Entscheidung eine relativ kurze Zeit, die außerdem durch psychische und physische Sonderbelastungen der Frau gekennzeichnet ist. Man kann davon ausgehen, daß in einer solchen Bedrängnis voreilige Entscheidungen getroffen werden, die bei ernsthaftem Überlegen und Einbeziehen vorhandener Möglichkeiten nicht erfolgt wären.
4. Nach Einführung der Fristenlösung wären viele Frauen in noch stärkerem Maße als bisher dem nicht zu unterschätzenden Druck Dritter (Kindesvater, Ehemann, Familie) ausgesetzt.
5. Es ist zu befürchten, daß die große Verständnislosigkeit gegenüber der kinderreichen Familie und die diskriminierende Haltung in Umwelt und Gesellschaft gegenüber der ledigen Mutter, die wir gern geändert sähen, verschärft wird, wenn diese Frauen trotz Freigabe der Abtreibung von der Möglichkeit, sich auf diese Art aus ihrer Notsituation zu befreien, keinen Gebrauch machen wollen.
6. Das als Begründung zur Fristenlösung häufig angeführte Verlangen der Frau nach Selbstverwirklichung, ohne den Zwang der Schwangerschaft hinnehmen zu müssen sowie ihre eigene Entscheidungsfreiheit zu einer Schwangerschaft, ist als persönliche Einstellung zu

2 [Im Jahr 1974 wurde die Fristenlösung, die eine Abtreibung bis zum dritten Schwangerschaftsmonat zuließ, verabschiedet; ihr Inkrafttreten verhinderte 1975 das Bundesverfassungsgericht. Am 18. 5. 1976 trat dann die sog. erweiterte Indikationenlösung in Kraft, wonach die Abtreibung straffrei blieb bei medizinischer Indikation, in den ersten 22 Wochen bei eugenischer Indikation sowie in den ersten 12 Wochen bei ethischer/kriminologischer und sozialer Indikation.]

respektieren. Diesem Verlangen kann man mit den heutigen und noch zu schaffenden Möglichkeiten vorbeugender Hilfen jedoch besser gerecht werden als durch ständige operative Eingriffe.

Eine Fristenlösung ist ebenso wie die völlige Freigabe des Schwangerschaftsabbruchs im Interesse der Frau, des Kindes und der Gesellschaft abzulehnen. Eine, wenn auch befristete, Freigabe würde unverantwortliche negative Auswirkungen für die Frau sowie Schutzlosigkeit des ungeborenen Lebens zur Folge haben und bedeutet letztlich Mißachtung des Lebens überhaupt mit allen damit verbundenen Gefahren.

Sozialdienst katholischer Frauen
– Zentrale e.V. – Dortmund

Dr. Else Mues Anneliese Ullrich

Aus: Korrespondenzblatt Sozialdienst katholischer Frauen 42 (1972), 175–183.

VII. Sozialstaat auf dem Prüfstand (1974–1989)

In den Jahren zwischen dem Rücktritt von Willy Brandt als Bundeskanzler und dem Ende der deutschen Zweistaatlichkeit befand sich der bundesrepublikanische Wohlfahrtsstaat in einem andauernden, wenngleich unterschiedlich starken Gegenwind. Während die DDR – trotz Stützung durch Milliardenkredite – langsam implodierte, zwang die gesamtwirtschaftliche Situation zunächst die sozialliberale Regierungskoalition unter Helmut Schmidt zu diversen Kostendämpfungsbemühungen im sozialen Sektor. Die für die moderne Industriegesellschaft allgemein diagnostizierten „Grenzen des Wachstums" machten in den siebziger Jahren auch vor ihrem sozialen Sicherungssystem nicht halt.[1] Es würde also zu kurz greifen, wenn man – wie in der Publizistik später vielfach geschehen – erst den Regierungswechsel von 1982 mit seinem Übergang zur christlich-liberalen Koalition unter Helmut Kohl als Wendepunkt hin zu einer restriktiveren Sozialpolitik ausmachen wollte.

Dennoch bedeutete der Regierungswechsel von 1982 in dieser Hinsicht einen Einschnitt. In der Folgezeit wurden nämlich die einzelnen sozialen Sicherungssysteme nicht nur nachhaltiger und schneller zurückgebaut, sondern zugleich geriet der wohlfahrtsstaatliche Grundkonsens als solcher unter dem Druck des Wirtschaftsflügels der CDU und mehr noch aufgrund einer lautstark vorgetragenen Individualisierungsoffensive der FDP („Leistung muß sich wieder lohnen") ins Wanken. Weniger Solidarität und mehr Eigenverantwortung – auf diese gemeinsame Formel liefen die entsprechenden Denkfiguren und Politikmodelle letztlich hinaus, die sich auch auf Kongressen und in Publikationen zunehmend Gehör verschaffen konnten.[2]

Gespart und gekürzt wurde seit Mitte der siebziger Jahre an vielen Punkten, aber nicht überall mit gleicher Intensität, und es hatten auch nicht alle sozialen Gruppen unterschiedslos die Folgen zu tragen.[3] In den zentralen Sicherungssystemen – Arbeitslosen-, Kranken- und Rentenversicherung – kam es zu sukzessiven Erhöhungen der Beitragssätze bei gleichzeitiger Minderung der Leistungen bzw. Einführung von privaten Kostenbeteiligungen, zudem wurden Kosten zwischen den einzelnen Versicherungszweigen nach Opportunitätsgesichtspunkten verschoben. Besonders drastisch fielen die Einschnitte bei der Arbeitslosenversicherung und bei der Sozialhilfe aus, während der soziale Wohnungsbau bis Ende der achtziger Jahre seinen vorläufigen Tiefststand erreichte.[4] Dies war um so gravierender, als angesichts von Massenarbeits-

1 Vgl. dazu allg. Christoph Sachße/H. Tristram Engelhardt (Hg.), Sicherheit und Freiheit. Zur Ethik des Wohlfahrtsstaates, Frankfurt/M. 1990.

2 Vgl. exemplarisch: Der Wohlfahrtsstaat auf dem Prüfstand. Was kann Politik noch leisten? Ein Cappenberger Gespräch [mit] Referate[n] von Guy Kirsch und Hans F. Zacher, veranstaltet am 25. 11. 1982 in Bonn, Köln 1983. Die ungebremste Radikalisierung dieser Debatte, in der historische Fakten inzwischen offenbar je nach Bedarf ausgeblendet, verkürzt oder absolut gesetzt werden können, zeigt sich bei Gerd Habermann, Der Wohlfahrtsstaat. Die Geschichte eines Irrwegs, Frankfurt/M. – Berlin 1994.

3 Diese Zeit ist historisch noch wenig aufgearbeitet, da die Übergänge zur aktuellen Politik oftmals fließend sind. Zu den materiell-rechtlichen Inhalten vgl. ausführlich Frerich/Frey, Handbuch, Bd. 3 (wie Anm. V/1), 159–423; aus politikwissenschaftlicher Sicht Manfred G. Schmidt, Sozialpolitik. Historische Entwicklung und internationaler Vergleich, Opladen 1988, 85–95.

4 Vgl. Frerich/Frey, Handbuch, Bd. 3 (wie Anm. V/1), 175–183, 358–365, 392 (Tab. 70); zur Öffnung der Schere zwischen Armutsgrenze und Durchschnittseinkommen vgl. auch Geißler, Die Sozialstruktur Deutschlands (wie Anm. VI/3), 188 f.; zu zeitgenössischen Reformkonzepten für den sozialen Wohnungsbau Christian Ude (Hg.), Wege aus der Wohnungsnot, München 1990.

losigkeit (mit einer zunehmenden Zahl von Langzeitarbeitslosen) immer mehr Menschen auf eine soziale Grundversorgung angewiesen waren.[5]

Verglichen mit der dramatischen Endphase der Weimarer Republik bewegte sich diese neue Krise des Wohlfahrtsstaates jedoch noch immer auf einem hohen Niveau. Die skizzierten Kürzungen im Sozialbereich berührten bis 1989 alles in allem „nur die Ränder und nicht den Kern der sozialen Sicherungssysteme".[6] Indiz für die Gleichzeitigkeit des Ungleichzeitigen war dabei, daß auch die CDU/CSU/FDP-Regierung durchaus zusätzliche Sozialprogramme auflegte, die innovativ waren – etwa die Anrechnung von Kindererziehungszeiten bei der Rente oder die Einführung von Erziehungsurlaub und Erziehungsgeld (1986).

Dennoch zählten, rechnet man Streichungen und Reformen gegeneinander auf, gerade Kinderreiche, Alleinerziehende und Langzeitarbeitslose zu den Hauptbetroffenen der Krise, während die Gruppe der Rentner insgesamt vergleichsweise geringe Einbußen hinnehmen mußte. Natürlich gilt dies nur generell und soll nicht eine vorhandene und sich verschärfende Altersarmut bagatellisieren, von der wiederum überproportional Frauen (vor allem alleinstehende ledige und geschiedene) betroffen waren. Diese Schieflage hatte sicherlich viel mit wahltaktischen Erwägungen zu tun: Die auch zahlenmäßig weit überlegenen Rentner verfüg(t)en über eine ungleich bessere Lobby und über weit mehr „bargaining power"[7] als etwa Arbeitslose, Sozialhilfeempfänger und Kinder.

Zusammengefaßt lagen die Ursachen für den krisenhaften Zustand des bundesdeutschen Sozialstaates in einer eigentümlichen Mischung aus unhintergehbaren Sparzwängen und einem radikalen wirtschaftsliberalen Marktdenken, welches – der Wirtschaftsethiker Peter Ulrich hat jüngst darauf hingewiesen – keineswegs einer vermeintlichen ökonomischen Folgerichtigkeit gehorcht, sondern dem Recht des Stärkeren zum Durchbruch verhelfen will und damit letztlich dem „Wert"-System des Sozialdarwinismus verpflichtet ist.[8]

Nur scheinbar im Widerspruch dazu steht die Tatsache, daß die Sozialleistungsquote, also der prozentuale Anteil der öffentlichen Sozialausgaben am Bruttoinlandsprodukt, in Deutschland im Zeitraum zwischen 1973 und 1981 nicht etwa gesunken, sondern um knapp vier Prozentpunkte gestiegen ist, was im übrigen der allgemeinen Tendenz in westlichen Industriestaaten entsprach und der Bundesrepublik einen Platz im oberen Mittelfeld einbrachte. In der Folgezeit sank die Quote in Deutschland zwar – entgegen dem allgemeinen Trend! – geringfügig ab, verblieb aber dennoch auf einem insgesamt hohem Niveau.[9] Die Gründe dafür können hier

5 Frerich/Frey, Handbuch, Bd. 3 (wie Anm. V/1), 183 (Tab. 42), 354 (Tab. 66).

6 Schmidt, Sozialpolitik (wie Anm. 3), 91.

7 Diesen in der Rechtssoziologie gängigen Begriff, den man mit „Verhandlungsmacht in tauschförmigen Rechtsbeziehungen" übersetzen kann, gebraucht Gunnar Folke Schuppert mit Blick auf den Sozialbereich in: Rückzug des Staates? Zur Rolle des Staates zwischen Legitimationskrise und politischer Neubestimmung. Ein Cappenberger Gespräch mit Referaten von Kurt Sontheimer und Gunnar Folke Schuppert, veranstaltet am 4. Mai 1995 in Erfurt, Köln 1996, 93.

8 Peter Ulrich, Arbeitspolitik jenseits des neoliberalen Ökonomismus – das Kernstück einer lebensdienlichen Sozialpolitik, in: Jahrbuch für Christliche Sozialwissenschaften 38 (1997), 136–152, hier 145. – Einen Beleg für Ulrichs These liefert etwa Carl Christian von Weizsäcker, Verkürztes Denken – der entmündigte Bürger, in: liberal 36 (1994), Heft 3, 109–118, mit seinem offenen Plädoyer für einen ökologisch ummäntelten Sozialdarwinismus als Leitidee der Sozialpolitik (116).

9 Vgl. die tabellarischen Übersichten bei Schmidt, Sozialpolitik (wie Anm. 3), 150 und Kaufmann, Herausforderungen des Sozialstaates (wie Anm. V/4), 50.

nicht ausführlich diskutiert werden, so viel aber dürfte feststehen: Komplexe sozialpolitische Systeme gehorchen offensichtlich einer Eigendynamik, die nur in Grenzen gesteuert werden kann. Die ungünstige demographische Entwicklung mit ihrem Druck auf die Rentenkassen gehört ebenso in diesen Zusammenhang wie die Auswirkungen der Massenarbeitslosigkeit auf steigende Etats der Sozialhilfe. Auch der Wohlfahrtsstaat selbst produziert im Sinne der „perverse effect-doctrine" mitunter Nebenwirkungen, die objektiv kostentreibend wirken – man denke nur an die höhere durchschnittliche Lebenserwartung als Ergebnis erfolgreicher Gesundheitspolitik.[10] Die Sozialleistungsquote ist mithin als qualitativer Gradmesser für den inneren Zustand eines Wohlfahrtsstaates nur bedingt aussagefähig.

Für die bundesrepublikanische Wirklichkeit der achtziger Jahre war jedoch noch ein weiterer Trend unübersehbar, der Versuch nämlich, die unlösbar scheinenden Probleme im sozialen Sektor durch eine forcierte Gewichtsverlagerung vom Staat auf die Gesellschaft, vom öffentlichen auf den freien Bereich der Wohlfahrtsverbände und entstehenden Selbsthilfeinitiativen zu bewältigen. Subsidiarität oder auch „neue Subsidiarität"[11] lautete der Oberbegriff, unter dem sich – wenn auch mit ganz unterschiedlichen Motiven – manchesterliberale und sozialstaatsfeindliche Theoretiker, alternative und auf Autonomie bestehende Protestgruppen sowie den Sozialstaat aus wertkonservativer Haltung bejahende Kreise zu einer ebenso irritierenden wie bei aller Heterogenität einflußreichen De-facto-Koalition verbanden.

Für den SkF bedeutete diese Entwicklung trotz ihrer Krisenhaftigkeit in zweifacher Hinsicht eine Chance. Gesellschaftlich zählte er zu jenen Kräften, die von Anfang an Subsidiarität nicht nur eingefordert, sondern in der alltäglichen Arbeit auch umgesetzt hatten, und zwar auf dem Wege einer vernetzten Kooperation von beruflichen und ehrenamtlichen Kräften, welche im Laufe der Verbandsgeschichte zwar unterschiedliche Akzentuierungen erfahren hatte, aber immer auf einen bewußten Mittelweg zwischen Vollprofessionalisierung und Deprofessionalisierung hinausgelaufen war.[12]

Gewann der Verband mit dieser Position unter den veränderten gesellschaftlichen Rahmenbedingungen zunehmend öffentliche Anerkennung, so korrespondierte damit zugleich seine innerkirchliche Aufwertung. Die siebziger Jahre waren allgemein von einem starken Nachlassen kirchlicher Integrationskraft geprägt. Dies zeigte sich nicht nur für jedermann sichtbar an steigenden Kirchenaustrittszahlen, sondern auch gleichsam subkutan an fortschreitenden Auflösungstendenzen der konfessionellen Milieus, welche den Katholizismus mit seinem seit der Kulturkampfzeit stark ausgeprägten Milieuzusammenhalt noch empfindlicher trafen als den Protestantismus. Durch die in den achtziger Jahren weiter zunehmende Pluralisierung und Individualisierung von Lebensstilen verstärkte sich dieser Trend hin zu eher „selbstkomponier-

10 Zur „perverse-effect-doctrine" vgl. auch Einführung zu Kapitel VI. – Zur Frage, ob der Wohlfahrtsstaat eher als Problemlöser oder als Problemerzeuger zu gelten habe, bemerkt Schmidt, Sozialpolitik (wie Anm. 3), zu Recht: „er ist beides, aber das erstere in weit größerem Ausmaß als das zweite" (209).

11 Oswald von Nell-Breuning, Solidarität und Subsidiarität, in: Deutscher Caritasverband (Hg.), Der Sozialstaat in der Krise?, Freiburg 1984, 88–95; Rolf G. Heinze (Hg.), Neue Subsidiarität: Leitidee für eine zukünftige Sozialpolitik?, Opladen 1986; ders./Thomas Olk/Josef Hilbert, Der neue Sozialstaat. Analyse und Reformperspektiven, Freiburg 1988; Karl Gabriel, Solidarität und Subsidiarität im Zeitalter der Postmoderne, in: Wollasch, Wohlfahrtspflege in der Region (wie Anm. I/1), 283-294.

12 Vgl. Wollasch, Der Katholische Fürsorgeverein (wie Einl., Anm. 6), 151–157 und unten Dok. 58.

ten Religiositätsmuster[n]“ noch.[13] Allein für den sozialen Sektor gelten diese Beobachtungen einer Zurückdrängung kirchlichen Einflusses nicht. Das soziale Engagement caritativer Organisationen, mithin auch des SkF, genießt selbst in kirchenfernen Kreisen eine gewisse Wertschätzung und wirkt überdies innerkirchlich stabilisierend, gehört es doch gegenwärtig „zu den wichtigsten Motivgrundlagen, um eine Kirchenmitgliedschaft trotz Dissonanzerfahrungen mit Glaube und Kirche beizubehalten.“ Damit erbringt die verbandlich organisierte Caritas für die Kirche „wichtige Integrationsleistungen nach innen wie nach außen.“[14]

Der SkF reagierte auf die geschilderten kirchlichen wie gesellschaftlichen Tendenzen mit Strukturanpassungen und inhaltlicher Neuorientierung. Die notwendigen Änderungen der Verbandsstrukturen, die spätestens seit der Essener Generalversammlung von 1973 Gestalt annahmen und durchaus als Vorläufer heutiger Organisationsentwicklung betrachtet werden dürfen,[15] resultierten aus einem Bündel innerkirchlicher und innerverbandlicher Gründe sowie aus der allgemeinen Finanznot *(Dokument 46)*. Die Aufwertung des Kollegialprinzips und damit der Ortskirchen (Diözesen) durch das Zweite Vatikanum wie auch die zunehmenden Schwierigkeiten der SkF-Zentrale, den Kontakt mit den eigenen Ortsgruppen in einer beide Seiten befriedigenden Weise aufrechtzuerhalten, drängten den Verein in die gleiche Richtung – zur Einführung einer neuen vertikalen Gliederungsebene, nämlich der Diözesanstellen. Die vielfach als unzureichend empfundene Zusammenarbeit mit den Diözesancaritasverbänden wurde auf diese Weise ebenfalls erleichtert. Finanzsorgen legten es dabei nahe, die Diözesanstellen und sogar die Fachverbandszentralen selbst seit 1974 in gemeinsamer Trägerschaft von SkF und SKM zu führen, eine Lösung, die sich jedoch langfristig nicht bewährte. Auf diözesaner Ebene (Aachen, Köln und Paderborn) wurde sie immerhin als Gliederungsprinzip teilweise beibehalten.

Der partielle Rückzug des Staates aus dem Sozialbereich schuf neue Benachteiligungen und Notlagen oder verstärkte zumindest die vorhandenen. Entsprechend erwuchsen dem SkF zusammen mit anderen kirchlichen wie humanitären Verbänden als Ausfallbürgen zusätzliche Aufgaben. Daneben kümmerte sich der Verein um Hilfesuchende, für die es noch keine erprobten Therapieangebote gab, und beschritt überdies neue Wege auf „alten“ Arbeitsgebieten.

Die Hilfsangebote standen zumeist nicht unverbunden nebeneinander, sondern waren in vielfacher Hinsicht miteinander verzahnt. Als integrierender Mittelpunkt fungierte dabei die Schwangerschafts- und Schwangerschaftskonfliktberatung *(Dokument 49)*, verstanden als umfassendes Lebenschutzprogramm, welches seine Glaubwürdigkeit zugleich in der Haltung

---

13 Karl Gabriel, Christentum zwischen Tradition und Postmoderne, Freiburg [5]1996, 52–67, Zitat 63; zum katholischen Milieu vgl. Wilfried Loth, Katholiken im Kaiserreich. Der politische Katholizismus in der Krise des wilhelminischen Deutschlands, Düsseldorf 1984; Arbeitskreis für kirchliche Zeitgeschichte (AKKZG), Münster, Katholiken zwischen Tradition und Moderne. Das katholische Milieu als Forschungsaufgabe, in: Westfälische Forschungen 43 (1993), 588–654.

14 Karl Gabriel, Caritas angesichts fortschreitender Säkularisierung, in: Gatz, Geschichte des kirchlichen Lebens, Bd. 5 (wie Einl., Anm. 4), 438–455, hier 447. – Von daher dürfte die Interpretation von Frie, Brot und Sinn (wie Anm. IV/9), der DCV habe „sozialpolitischen Rationalitäten den Vorrang vor religionsbezogenen“ eingeräumt und damit begonnen, „seine Geschichte von der des Katholizismus abzukoppeln“ (145 f.), an der Wirklichkeit vorbeigehen. Diese Einschätzung beruht zudem auf einem theologischen Vorverständnis, welches zwischen Orthodoxie und Orthopraxie einen Gegensatz konstruiert und sich so den Blick darauf verbaut, daß Diakonia (Caritas) zu den zentralen Wesensäußerungen der Kirche zählt!

15 Vgl. unten Kapitel VIII, bes. Dok. 55 und 60.

gegenüber Kindern, Erwachsenen, Familien, aber auch Kranken, Alten und Sterbenden unter Beweis zu stellen hatte.[16] Dementsprechend intensivierte der SkF seine Arbeit für und mit Alleinerziehenden, für die er eine breite Palette an materiellen und psychosozialen Hilfen bereit hielt *(Dokument 50)*. Der ganzheitliche Hilfeansatz kam unter anderem dadurch zur Geltung, daß Gruppen für Mütter mit Säuglingen und Kleinkindern von Mitarbeiterinnen der Schwangerschaftskonfliktberatungsstellen angeboten wurden.

Relativ früh engagierte sich der Verband bzw. mehrere seiner Ortsgruppen als Träger von Frauenhäusern *(Dokument 48)*. Als Zufluchtsstätten für Frauen und Kinder vor männlicher Gewalt verfügen sie ausschließlich über weibliches Personal, sehen sich aber dennoch im weiteren Kontext der Familienhilfe, geht es ihnen doch auch um das Schicksal der betroffenen Kinder und den Wieder- oder Neuaufbau familiärer Strukturen, wo dies möglich erscheint. Gerade diese Initiative könnte man bildhaft als neuen Weg in vertrautem Gelände bezeichnen: Die Kontinuitätslinien zurück in die frühe Vereinsgeschichte (Zufluchtshäuser, Vorasyle, Mutter-Kind-Heime)[17] liegen ebenso auf der Hand wie die im Vergleich dazu ganz andere Ausgestaltung und selbstbestimmtere Grundhaltung der in den achtziger Jahren eingerichteten SkF-Häuser.

Im Bereich der Gefährdetenhilfe ließ sich Ähnliches beobachten. Die Einrichtung eines Kommunikations- und Beratungszentrums für weibliche Prostituierte in Dortmund *(Dokument 52)* knüpfte unmittelbar an die ersten Anfänge des Fürsorgevereins unter Agnes Neuhaus an und transzendierte sie doch gleichzeitig. Gedacht als niederschwelliges Hilfsangebot, will das Zentrum zwar durchaus Prostituierte nach Möglichkeit aus dem Milieu lösen und gesellschaftlich reintegrieren, muß aber dafür zunächst deren Vertrauen gewinnen, ihnen in den konkreten Sorgen des Alltags beistehen und zu ihrer Entdiskriminierung beitragen. Bei dieser Arbeit, aber auch in Frauenhäusern und in der Jugendhilfe wurde der SkF zunehmend mit der Problematik von AIDS-erkrankten Frauen und Kindern konfrontiert. Vergleichsweise früh (1987) entschloß sich der Verband daher, auch auf diesem neuen Feld seine Hilfe anzubieten, medizinisch-hygienische Soforthilfe ebenso wie Sinnberatung *(Dokument 51)*. Nach zunächst noch tastenden Anfängen verfügt der Verein heute insbesondere mit dem SkF-Treff Freiburg über eine beispielhafte Einrichtung für HIV-Infizierte, die bundesweit als einmalig gilt.[18]

Abb. 64: Margarete Brede, Vorsitzende des Gesamtvereins 1971–1985 (Aufnahme von 1998).

Diese Neuorientierungen waren verbunden mit personellen Veränderungen an der Verbandsspitze. Mit dem Tod von Elisabeth Zillken im Jahre 1980 – sie starb im 93. Lebensjahr und hatte dem SkF noch weit über ihre Ablösung als Vereinsvorsit-

16 Vgl. Einführung zu Kapitel VI und Dok. 45.

17 Vgl. Dok. 3 und 4.

18 Vgl. SkF-Treff, Freiburg. Psychosoziale Beratungsstelle für HIV-infizierte Frauen und Kinder, Jahresbericht 1996, in: Korrespondenzblatt SkF 3/97, 48–59; 4/97, 38–47.

zende 1971 durch Margarete Brede aus Kiel hinaus ehrenamtlich zur Verfügung gestanden – und dem Wechsel im Amt der Generalsekretärin von Else Mues auf Monika Pankoke-Schenk im gleichen Jahr ging die Ära Zillken-Mues zuende. Die neue Generalsekretärin *(Dokument 47)* war als Sozialwissenschaftlerin mit einer Dissertation über den SkF hervorgetreten[19] und hatte vor ihrer Ernennung bereits einige Jahre als Fortbildungsreferentin an der Verbandszentrale gearbeitet. Sie hat in ihrer Amtszeit, die bis 1992 reichte und sich seit 1985 im Zusammenwirken mit Felicitas Drummen aus Stolberg als neuer Vorsitzenden des Gesamtvereins vollzog, dem beschriebenen Wandel in der Vereinsarbeit ihren Stempel aufzudrücken vermocht und sich darüber hinaus durch die Überführung der Altakten des Verbandes ins Freiburger Caritasarchiv (1982) bleibende Verdienste erworben. Das umfangreiche Aktenmaterial konnte dort archivalisch erfaßt, aufbereitet und der Forschung zugänglich gemacht werden. Der SkF wurde damit selbst zum Gegenstand historischer Forschung, wovon nicht zuletzt auch die Ortsvereine bei der Erarbeitung ihrer Jubiläumsschriften profitieren durften.

Insgesamt ergibt sich für den Zeitraum von 1974 bis 1989, daß der SkF seine Arbeitsgebiete und Verbandsstrukturen den Zeiterfordernissen anpassen konnte und dabei offensichtlich an Profil und allgemeiner Wertschätzung gewonnen hat. Die Namensänderungsdebatte von 1968 hatte keineswegs einen nur vorübergehenden Modernisierungsschub eingeleitet, um dann in den Niederungen des Alltags wieder steckenzubleiben, sondern der Aufbruch aus der Nische war wirklich gelungen. Überdies sind die konkreten Arbeitsergebnisse ein lebendiger Beweis dafür, wie diakonisch-caritatives Handeln aus sich heraus und ohne erhobenen Zeigefinger bereits „Manifestation kirchlicher Verkündigung“ sein kann und nicht nur eine weitere Variante säkularisierter Sozialpolitik darstellt. Vielleicht kann dies ja auch innerkirchlich dazu beitragen, Orthodoxie und Orthopraxie zu versöhnen.[20]

Abb. 65: Felicitas Drummen, Vorsitzende des Gesamtvereins 1985–1997 (im Bild rechts, Aufnahme von 1994).

19 Vgl. Anm. 6 der Einleitung.

20 Ottmar Fuchs, „Umstürzlerische“ Bemerkungen zur Option der Diakonie hierzulande, in: Caritas ´85, Jahrbuch des DCV, Freiburg o. J. [1984], 18–40, Zitat 28.

Else Mues

Strukturänderungen des Sozialdienstes katholischer Frauen

Bei unserer diesjährigen Herbstzentralratstagung[1] – sie fällt in das Jahr des 75jährigen Bestehens des SkF – beschäftigen uns zwei Fragen: Einmal die Frage der Schaffung von Diözesanstrukturen in unserem Fachverband einschließlich der Schaffung von Diözesanstellen. Zum anderen die Bildung einer gemeinsamen Fachverbandszentrale für die beiden Verbände Sozialdienst katholischer Frauen und Sozialdienst Katholischer Männer. Jede der beiden Fragen ist Teilausschnitt aus einem umfassenderen Fragenkomplex. Er betrifft das Verhältnis zwischen Caritasverband und Fachverband auf den verschiedenen Ebenen und das Verhältnis der zwei Fachverbände zueinander. Die Zuordnung des Fachverbands zum Diözesancaritasverband soll verwirklicht werden mit dem Ziel einer besseren Zusammenarbeit. Ebenso soll eine bessere Zuordnung und Zusammenarbeit zwischen SkF und SKM erreicht werden.

Mit diesen Fragen haben wir uns in der Vergangenheit häufig befaßt, sind besonders in der Praxis am Ort damit konfrontiert.

I.

Der gesamte Fragenkreis ist zu sehen auf dem Hintergrund entscheidender Entwicklungen in Kirche und Welt. [...] Es sind Entwicklungen, die in der Nachkriegszeit zunächst einen starken Geltungsverlust der Verbände bewirkt und diese aufgerufen haben, sich klarzuwerden über sich, ihre Zielsetzung und Aufgabe, ihren Standort in Kirche und Gesellschaft. Es sind Entwicklungen, die sie aufgerufen haben zur „Last der Erneuerung" (Bennemann). Sie trifft auch uns. Im *kirchlichen Bereich* darf ich hinweisen auf

1. das veränderte und vertiefte Kirchenverständnis, das insbesondere durch Konzil und nachkonziliäre Zeit gefördert wurde. Es drückt sich z.B. darin aus, daß der Laie – der heute viel mündigere Christ – stärker teilhaben will an der Verantwortung der Kirche, an der Willensbildung im Leitungsamt und am Dienst der Kirche für die Welt. Diese Forderung nach stärkerer „Demokratisierung" der Kirche hat sich niedergeschlagen in dem inzwischen entstandenen System der Räte auf den verschiedenen Ebenen in Form der Pfarrgemeinde- und Diözesanräte. Diese Entwicklung wirft eine Reihe schwerwiegender Fragen für die Verbände auf, auch für die caritativen Verbände und damit für uns.

   Die Räte übernehmen zum Teil auf den unteren Ebenen der Gemeinden wie auch auf Diözesanebene Aufgaben des Laienapostolats, die früher von Vereinen und Verbänden erfüllt wurden. Von daher ergibt sich immer neu die Frage, ob es auf die Dauer ein eigenständiges Laienapostolat in Verbindung mit Vereinen und Verbänden, die auch in der Öffentlichkeit auftreten, in der Kirche noch geben kann. Würden sich solche Entwicklungen durchsetzen – das wird sicher nicht geschehen, denn die Verbände haben ihre Situation erkannt und sind inzwischen wieder aufgewertet –, so könnte das eine akute Gefahr für einen eigenständigen Laienstand in der katholischen Kirche bedeuten. Der Weg über die Räteverfassung würde in ein System einmünden, in dem nur mehr die Amtskirche (Laien mit Anteil am kirchlichen Amt, wie Prof. Hans Maier sagt) das letzte Wort zu sagen hat,

1 [Zentralratstagung des SkF vom 21. bis 24. 10. 1974 in der Katholischen Akademie in Hamburg.]

auch gegenüber Öffentlichkeit und Staat. Die kirchliche „Demokratie“ würde in einem kirchlichen Zentralismus enden.

Eine Geschlossenheit der Verbände diesem Trend gegenüber ist wichtig. Er hat die Verbände auf den Plan gerufen. Je mehr sich das Rätesystem entwickelt, um so notwendiger müssen sich die Verbände der Prüfung unterziehen, nicht nur ob ihre Zielsetzung, ihre Arbeit, ihre Methoden den Erfordernissen der heutigen Verhältnisse in Kirche und Gesellschaft hinreichend Rechnung tragen. Sie haben auch zu prüfen, ob ihre Organisation und Struktur den Erfordernissen heute entspricht. Offensichtlich genügt es heute nicht mehr, Zusammenarbeit unter den Verbänden abzusprechen und zu pflegen. Die Institutionalisierung der Zusammenarbeit scheint mehr und mehr nötig. So zeigt die Erfahrung bei uns im Sozialdienst katholischer Frauen, daß die bisher gepflegten und erstrebten Formen der Zusammenarbeit mit dem Caritasverband wie auch mit dem Sozialdienst Katholischer Männer trotz anzuerkennender Bemühungen beiderseits unbefriedigend sind. Sie sind oft im Unverbindlichen steckengeblieben. Sie haben das Ziel einer effektiveren, öffentlichkeitswirksameren und rationelleren Arbeit nicht oder nur begrenzt erreicht. Die Schaffung eigener Strukturen für die Zusammenarbeit scheint somit auch für uns erforderlich; auch als Gegengewicht zu den Räten wie gleichzeitig als neue Möglichkeit der Zusammenarbeit mit ihnen und anderen Diözesanstellen. Aus diesem Grund sind zum Teil auch die Diözesan-Arbeitsgemeinschaften katholischer Verbände entstanden, von denen jeder einzelne in der Regel eine eigene Diözesanstruktur hat.

Eine zweite Tatsache führt ebenfalls zum Nachdenken und zu Konsequenzen bezüglich unserer Struktur. Die Kirche, und zwar die Hierarchie im engeren Sinne, sieht heute ihre Aufgabe und Verantwortung im Dienst an der Welt bewußter und anders als früher. Sie holt zum Teil Aktivitäten, die bisher von Laien wahrgenommen wurden, in ihren Bereich. Sie wird z.B. entscheidender Mitträger von Einrichtungen, oder aber sie versucht, sich für bestimmte Aufgaben ein eigenes Instrumentarium zu schaffen. Auf konkrete Beispiele soll hier verzichtet werden.

Die angedeuteten Entwicklungen bei der Hierarchie und den Räten sind geeignet, die Bedeutung der Verbände herabzumindern und sie an den Rand zu drängen, wenn nicht die Verbände in größerer Geschlossenheit ihre Aufgaben, Ziele und ihren Standort deutlich machen.

2. In diesen Zusammenhang innerkirchlicher Entwicklung gehört auch das nach dem Konzil allgemein stark gewachsene Diözesanbewußtsein. Es hat in einem bisher unbekannten Ausmaß zu einem Ausbau der Diözesanebene sowohl im Bereich der Hierarchie als auch der Verbände und hier besonders der Diözesancaritasverbände geführt. Will der SkF nicht neben allem stehen statt mitten darin, und will der SkF nicht selber den Grund zu einer wachsenden Bedeutungslosigkeit legen, so muß auch er eine Diözesanstruktur schaffen.
3. Auch die heute neu begriffene Verantwortung des Bischofs für die Caritas seiner Diözese ist von besonderer Bedeutung. Sie führt zu strukturellen Konsequenzen. Der Diözesancaritasdirektor ist vom Bischof mit der Verantwortung für die gesamte Caritas der Diözese beauftragt. Damit er diese Verantwortung wahrnehmen kann, muß er den erforderlichen Über-

blick über alle Bereiche der Caritas in der Diözese haben. Er muß informiert und rechtzeitig auch in Planungen und entscheidende Überlegungen einbezogen werden, nicht zuletzt zum Zweck der Koordination, die ja zu seinen wichtigen Aufgaben gehört.

4. Die bisherigen Formen unserer Zusammenarbeit reichen erfahrungsgemäß nicht aus, ihm diesen erforderlichen Überblick zu verschaffen. Das wird inzwischen für Bischöfe wie auch für Diözesancaritasdirektoren als ein unerträglicher Zustand angesehen. Das ist oft uns gegenüber zum Ausdruck gebracht worden – nicht erst seit dem letzten oder vorletzten Jahr. Dabei wird hingewiesen auf das einheitsstiftende Amt des Bischofs, das auch die Einheit der Caritas bewirkt. Von daher ergibt sich für alle caritativen Verbände die Forderung nach diözesaner Zuordnung, die Zusammenarbeit und Ausrichtung auf ein einheitliches Gesamtziel gewährleistet. Der SkF hat heute bedeutungsvolle Aufgaben. Sie müssen in einer großzügigeren Weise wahrgenommen werden als es vor 50 Jahren nötig war. Daher können wir nicht isoliert existieren.
5. Das Unbehagen an den Verbänden und damit ihr Geltungsverlust hängt auch zusammen mit ihrer unüberschaubaren Vielzahl bei oft sich überschneidenden Aufgaben und unklaren Strukturen. Die Bischöfe beklagen fehlenden Überblick, Kompliziertheit und Aufwendigkeit des Nebeneinander. Das wird manchmal besonders vom caritativen Bereich gesagt. Daher wird auf stärkere Straffung und Zusammenfassung zumindest gleichgerichteter Verbände gedrängt, zumal unsere Welt immer großräumiger wird.

Zweifellos liegt hier die große Gefahr einer Uniformierung und Nivellierung, auch der Vernichtung von Laieninitiative. Um letztlich dem zu entgehen, wollen wir für unseren Verband die sinnvolle Struktur schaffen, die im caritativen Bereich und darüber hinaus ein starkes Miteinander bewirkt bei Aufrechterhaltung der Selbständigkeit unseres Verbandes. Die Notwendigkeit dazu wird unterstrichen durch Vorgänge aus jüngster Zeit. Sie seien nachfolgend beispielhaft angeführt.

Bereits in den sechziger Jahren hatten die Bischöfe eine Kommission damit beauftragt, Licht in die Undurchsichtigkeit des katholischen Verbandswesens zu bringen. Diese Kommission sollte eine Bestandsaufnahme erstellen sowie Ziele und Aufgaben der einzelnen Verbände umschreiben. Angesichts der komplizierten Situation gelang es ihr aber nicht, diese Aufgabe zu erfüllen. Nach mehrjähriger Arbeit ist die Kommission ergebnislos auseinandergegangen.

Inzwischen ist eine erhebliche Straffung der katholischen Arbeit im Gange. Nach den Beschlüssen der Herbst-Vollversammlung 1974 der Deutschen Bischofskonferenz in Salzburg soll die gesamte katholische Ehe-, Eltern- und Familienarbeit neu organisiert und intensiviert werden. Eine „Zentralstelle Pastoral" und darin u.a. eine Abteilung „Ehe und Familie" werden geschaffen. Diese übernimmt damit den bisherigen Tätigkeitsbereich des „Katholischen Zentralinstituts für Ehe und Familie", Köln. Diesem Institut wie auch dem „Verein für Ehe- und Familienfragen e.V." empfiehlt die Bischofskonferenz, sich aufzulösen. Die Bischofskonferenz vertritt ferner die Auffassung, der „Familienbund der deutschen Katholiken" und die „Katholische Elternschaft Deutschlands" sollten ihre Aktivitäten zusammenfassen und sich zu einer Organisation zusammenschließen. Die drei Arbeitsstellen „Zentralstelle für Sozialethik und Sozialhygiene", Köln, „Arbeitsgemeinschaft kath. Jugendschutz", Hamm, und die „Bischöfliche Hauptarbeitsstelle zur Abwehr der Suchtgefahren", Hamm, werden zu einer einzigen Arbeitsstelle zusammengefaßt. Sie nennt sich „Katholische sozialethische Arbeitsstelle", Hamm. Zugeordnet wird sie der „Zentralstelle Pastoral" beim Sekretär der Deutschen Bischofskonferenz.

Die Vertriebenenarbeit wurde in zwei Arbeitsstellen (Nord-Süd) gebündelt. Die beiden Akademikerverbände haben eine gemeinsame Geschäftsstelle eingerichtet. Ferner sollen die Träger von Beratungsstellen im katholischen Raum eine „Katholische Bundesarbeitsgemeinschaft Beratung e.V." mit zentraler Geschäftsstelle bilden. Sie soll alle Bereiche der Beratung (Erziehungs-, Familien-, Lebensberatung sowie die Telefonseelsorge) umfassen. – Die Bischofskonferenz gibt hohe Summen aus Kirchensteuermitteln an die Verbände. Sie will mit Recht dafür sorgen, daß bei zunehmender Geldverknappung das finanzielle Fundament gesichert ist, damit ein gut gegliedertes eigenständiges Verbandswesen nicht nur heute und morgen, sondern auch in Zukunft leben und existieren kann.

In diesem Zusammenhang ist die Auflage zu sehen, die der Generalsekretär der Deutschen Bischofskonferenz den beiden Zentralen von SkF und SKM im vergangenen Jahr gemacht hat. Beide Zentralen sollen um ein enges Zusammengehen unter einem Dach bemüht sein. Das soll bis Ende 1974 zu vollziehen sein. Außerdem sollen sie ab 1975 nicht mehr getrennte, sondern nur noch einen gemeinsamen Antrag an die Deutsche Bischofskonferenz stellen auf der Grundlage eines gemeinsamen, mit dem Deutschen Caritasverband abgesprochenen Stellenplans. Durch die gemeinsame Fachverbandszentrale soll eine stärkere Wirksamkeit, eine rationellere Arbeit und Einsparung von Mitteln erreicht werden.

6. Nur kurz sei auch hingewiesen auf *Entwicklungen im gesellschaftlichen Bereich,* die in die Kirche und Caritas hineinwirken.

Zunehmende Großräumigkeit, Pluralität der Strukturen, fortschreitende Differenzierung aller Sachbereiche (z.B. der Wissenschaften wie Medizin, Sozialwissenschaften, Philosophie, Technik) und damit fehlender Überblick erfordern gezielte und verstärkte Zusammenarbeit aller, Ausrichtung auf ein Gesamtziel und Konzentration; sie fordern die Schaffung großzügiger, sachgerechter Formen und Strukturen.

Diese Gegenläufigkeit der Bewegungen vollzieht sich auch in Kirche und Caritas. Sie hat uns zu den nun anstehenden Strukturüberlegungen gedrängt. Diese sind somit nicht willkürlich, – nicht etwas, was man *auch tun,* aber ebenso gut *auch lassen* kann. Die Umstrukturierung ist vielmehr dringend gefordert, von der Sache her, von der Gesamtsituation wie auch von unserer konkreten Arbeit her, die viel stärker intensiviert werden muß.

II.

Bischöfe und Diözesen wollen jetzt nicht mehr warten, daß wir unser Verhältnis zum Caritasverband ordnen und die erforderlichen Strukturen schaffen. Deshalb haben wir in die neue Satzung unseres Gesamtverbands, die im letzten Jahr während der Generalversammlung in Essen von der Mitgliederversammlung verabschiedet wurde, die Bestimmung aufgenommen –

leider erst 1973 –, daß der SkF dem Deutschen Caritasverband als Fachverband angeschlossen ist und er sich auf der jeweiligen Ebene der Gliederung des Caritasverbands zuordnet. Damit haben wir unsere Zugehörigkeit zum Caritasverband dokumentiert und uns zur Zuordnung verpflichtet. Und zwar zu einer Zuordnung, die das bisherige Ausmaß weit überschreitet.[2] Damit hat der Zentralvorstand SkF einen Auftrag, für die Verwirklichung dieser Verpflichtung Sorge zu tragen. Darum hat er sich seit der Essener Tagung besonders bemüht.

Der Zentralvorstand ist in intensiven Beratungen zu den Beschlüssen gekommen, die Ihnen vorgelegt worden sind und die heute zur Beratung anstehen. In zwei Schreiben vom 23. 8. 1974 und 8. 10. 1974 hat er Sie über die Situation und darüber informiert, was bisher geschehen ist, um die Zuordnung zu verwirklichen.[3]

Wesentlicher Inhalt der Zuordnung ist die Schaffung einer *Diözesanstruktur*. Bei der Mitgliederversammlung in Essen wurde bereits erläutert, daß die jetzige vom Zentralvorstand berufene Diözesanvertretung des SkF nur eine Übergangsregelung sein könne, die nach Form und Funktion nicht ausreicht. Auch Mitarbeiterinnen aus unseren eigenen Reihen haben in der Vergangenheit häufiger darauf hingewiesen, daß eine echte Diözesanvertretung nur eine von unten gewählte sein kann, gleichgültig, welche Form sie letztlich annimmt.

Wir brauchen heute eine kontinuierliche Präsenz auf Diözesanebene und eine sachgerechte kontinuierliche Zusammenarbeit und Koordination mit dem Diözesancaritasverband und sonstigen Stellen. Das erfordert gleichzeitig die Einrichtung von Diözesanstellen als Dienstsitz einer Diözesanreferentin. Je nach Situation können mehrere Diözesen zusammengefaßt und von einer Stelle betreut werden, z. B. Bayern, Hessen.

Wichtig für die Diözesanebene ist, daß wir eine Struktur haben, in der ein gewähltes Gremium (Vorstand) in Zusammenarbeit mit der Diözesanreferentin die Verantwortung für die Arbeit in der Diözese trägt, die Verbindung der Ortsgruppen untereinander, zur Zentrale und zum Zentralvorstand wie auch die erforderliche Zusammenarbeit auf der Diözesanebene fördert und gewährleistet. So sind Vorstand und Diözesanreferentin starkes Verbindungsglied und Partner nach innen und nach außen. Hier kommt an entscheidenden Stellen und für weite Bereiche unseres Verbands in neuer Form ehrenamtliche Mitarbeit und Mitverantwortung zum Zuge, die gleichzeitig zu einer tragenden Kraft für die Arbeit des Gesamtverbands wird.

Bei allem ist zu sehen, daß die beiden von Frau Neuhaus und dem SkF bis heute betonten Grundsätze ihre entscheidende Bedeutung behalten: Die Diözesanebene darf sich nicht zu einer Zwischengrenze im Gesamtverband entwickeln, die die Einheitlichkeit der Arbeit beeinträchtigt.[4] Außerdem: die Selbständigkeit unseres Fachverbands muß gesichert sein.

Die Gefahr größerer Abhängigkeit vom Diözesancaritasverband kann gegeben sein, zumal volle Finanzierung der Diözesanstelle aus Diözesanmitteln über den Diözesancaritasverband erfolgt. Gerade wegen der Wahrung der Selbständigkeit unseres Fachverbands haben wir vor allem mit den nordrhein-westfälischen Diözesancaritasdirektoren lange und schwierige Verhandlungen geführt. Wir haben deswegen auch mit verschiedenen Bischöfen Besprechungen

2 [Bis 1973 fehlten in den Satzungen konkrete Aussagen über die Zuordnung des SkF zum DCV auf Orts- und Diözesanebene. Als Fachorganisation war der KFV/SkF dem DCV indes schon sehr früh – 1907 – beigetreten; vgl. Wollasch, Fürsorgeverein, 92 mit Quellenbelegen.]

3 [Beide Schreiben sind abgedruckt a. a. O. (Quellenangabe zu Dok. 46), 1–10.]

4 [Vgl. Dok. 4 und 7 a.]

gehabt. Das Bestreben der Diözesancaritasverbände ging dahin, Anstellungsträger der Diözesanreferenten unserer Fachverbandszentrale zu werden. Dieser Streit ist seit einigen Tagen beendet. Unsere Besprechung am 15. Oktober 1974 mit den Diözesancaritasdirektoren von NRW schloß mit dem Ergebnis, daß die Fachverbandszentrale Anstellungsträger ist. Eine kleine Kommission soll eine Vereinbarung entwerfen, um die Zusammenarbeit zwischen Diözesanstelle, Diözesancaritasverband und Zentrale zu gewährleisten unter Berücksichtigung der berechtigten beiderseitigen Belange.

Gewünscht wird, daß die Diözesanstellen so schnell wie möglich ihre Arbeit aufnehmen. In den sieben nordwestdeutschen Diözesen sind die Planstellen gesichert. Die Verhandlungen mit den drei hessischen Diözesen, ferner mit Freiburg und Trier, schweben noch. Der zur Zeit bestehende finanzielle Engpaß wirkt erschwerend. Wir dürfen aber sicher auch dort auf ein gleich gutes Ergebnis hoffen.

Zur Verlagerung unserer Organisationsarbeit auf die Diözesanebene zwangen uns auch finanzielle Gründe. Sie erhielten in den letzten zwei Jahren, vor allem im Jahr 1974, eine besondere Dringlichkeit. Diese entstand dadurch, daß die nordrhein-wesfälischen Diözesancaritasdirektoren unserer Zentrale, später auch der Zentrale des SKM, die Landesdotationen aufkündigten, die wir seit rd. 25 Jahren über sie erhielten. Diese Mittel sollen beiden Fachverbänden weiterhin für Aufgaben in Nordrhein-Westfalen, d.h. für die Schulungs- und Organisationsarbeit in den fünf Diözesen NRW, nicht aber in anderen Diözesen und nicht für bundesweite Aufgaben zur Verfügung stehen. Der Wegfall der Landesdotation vergrößerte das ohnehin vorhandene Defizit im Etat unserer Zentrale und bedeutete eine außerordentliche Gefährdung ihrer Situation. Hinzu kommt, daß Bundesmittel künftig nicht mehr für regionale Aufgaben, d.h. für Organisationsarbeit verwendet werden dürfen.

Nur die Deutsche Bischofskonferenz wie auch der Deutsche Caritasverband werden noch Mittel für bundesweite Aufgaben zur Verfügung stellen. Aufgaben, die sich auf die einzelne Diözese beziehen, müssen von dort finanziert werden. Alle Bundeszentralen, die höhere Mittel von der Deutschen Bischofskonferenz oder über den Deutschen Caritasverband in Anspruch nehmen, haben sich entsprechend einzurichten. Auch das hat für uns eine Verlagerung unserer Organisationsarbeit auf die Diözesanebene zur Folge.

Diese Gesamtsituation brachte unsere Zentrale in erheblichen Zugzwang. Ein weiteres Hinausschieben der nötigen Entscheidungen war nicht zu verantworten.

III.

Die Frage der Schaffung von Diözesanstrukturen und Diözesanstellen betrifft gleicherweise den SKM. Bei den Verhandlungen mit den Diözesancaritasdirektoren zeigte sich, daß nicht für jeden Verband je ein eigener Referent in der Diözese finanziert werden kann. Auch ist die Zahl der Ortsgruppen des einzelnen Verbands in manchen Diözesen zum Teil zu gering, als daß bereits jetzt für jeden ein eigener Referent gerechtfertigt wäre. Der Referent in einer Diözese hat somit den Ortsgruppen beider Verbände gleicherweise Hilfe zu geben. Daher beschlossen die beiden Zentralvorstände von SkF und SKM in ihrer gemeinsamen Sitzung am 27. 7. 1974, gemeinsame Diözesanstellen SKFM einzurichten. Außerdem haben sie beschlossen, eine gemeinsame Fachverbandszentrale SKFM einzurichten. Die Dienststellen beider Zentralen werden also zusammengelegt mit dem Sitz in Dortmund. Die gemeinsame Zentrale braucht aus den verschiedensten Gründen einen eigenen Rechtsträger. Das ist am besten ein eingetragener Verein, so wie die Zentralvorstände beschlossen und vorgeschlagen haben.

Die beiden Gesamtverbände SkF und SKM bleiben bestehen und selbständig, ebenso die Ortsgruppen und Einrichtungen beider Verbände. Die einzelnen Mitglieder bleiben Mitglieder ihres Verbands. Ferner bleiben bestehen die beiden eingetragenen Vereine, die bis jetzt Träger der Zentrale des SkF Dortmund bzw. des SKM Düsseldorf waren und nach wie vor Träger weiterer Einrichtungen sind. Auch die beiden Zentralvorstände von SkF und SKM existieren weiterhin. Sie kommen getrennt oder in gemeinsamen Sitzungen zusammen. Die gemeinsame Fachverbandszentrale hat beiden Verbänden zu dienen. Sie übernimmt insofern die Aufgaben der beiden bestehenden Zentralen e.V.

Anfangs wurde erwähnt, wie sehr uns die Frage einer besseren Zusammenarbeit von SkF und SKM immer wieder beschäftigt hat. Bei einer ersten gemeinsamen Sitzung im Jahr 1970 haben die beiden Zentralvorstände von SkF und SKM und die Referenten beider Zentralen sich eingehend mit dieser Frage befaßt. Das Ergebnis der Besprechung hat seinen Niederschlag gefunden in der Ihnen bekannten Zusammenstellung von Anregungen für die Zusammenarbeit vor Ort und für die beiden Zentralen. Es ist im Korrespondenzblatt Nr. 3/1970, S. 71, veröffentlicht.

Die Zusammenarbeit der beiden Verbände hat sich zwischenzeitlich zwar bei den Zentralen wie auch auf Ortsebene positiv entwickelt. Sie ist aber dennoch nicht ausreichend, um eine bessere Wirksamkeit der Arbeit beider Sozialdienste zu erreichen. Heute aber nehmen die Kreise zu, die eine Zweigleisigkeit der Arbeit von SkF und SKM kaum noch verstehen und sie in Frage stellen. Die Ähnlichkeit der Sachaufgaben, zwar mit unterschiedlichen Schwerpunkten, aber auch häufigen Überschneidungen, fordere, so sagen manche, enge Zusammenarbeit, die am besten durch Zusammenschluß der beiden Verbände gewährleistet sei. Darüber hinaus sei eine getrennte Arbeit von Männern und Frauen in der modernen Sozialarbeit nicht vertretbar und der Sache nicht förderlich. Auch in anderen Gremien sei die Zusammenarbeit von Männern und Frauen heute zunehmend eine Selbstverständlichkeit, z.B. in den Pfarrgemeinde- und Diözesanräten. Das Für und Wider einer engen Zusammenarbeit und gemeinsamer Dienststellen auf Diözesan- und Bundesebene wurde eingehend erörtert. Aber auch wurde immer wieder darauf hingewiesen, daß das Spezifische der Frauenarbeit erhalten bleiben müsse.

Die gemeinsame Fachverbandszentrale wie auch gemeinsame Diözesanstrukturen werden sich auf die Arbeit und Entwicklung beider Fachverbände sicher positiv auswirken.

IV.

Durch die Bildung einer echten Diözesanstruktur soll die dringend notwendige Intensivierung unserer Arbeit wie auch vermehrte Mitgliedergewinnung erreicht werden. Durch sie wird ferner eine Lücke im Verband geschlossen, die in der Vergangenheit immer spürbarer geworden ist. Zentralvorstand und Zentrale haben selbst keine ausreichende Möglichkeit, die vielfältigen Kontakte zu den einzelnen Ortsgruppen im erforderlichen Umfang zu unterhalten, um deren Interessen und Schwierigkeiten zu kennen und entsprechend zu handeln. Um diese Lücke zu schließen, ist es notwendig, eine Struktur auf mittlerer Ebene als starkes Zwischenglied zu schaffen. Durch die Diözesanstruktur erreichen wir die heute notwendige kontinuierliche Präsenz auf Diözesanebene. Sie wird immer dringlicher von Bischöfen und Diözesancaritasverbänden gewünscht und uns auch von verschiedensten anderen Stellen nahegelegt. Oft ist die Diözesanstruktur die entscheidende Voraussetzung dafür, daß der SkF überhaupt in Diözesangremien hineingewählt werden kann, um dort mitzuwirken, seine Arbeit sachgerecht zu vertreten und seine Erfahrungen einzubringen, die – wie kaum anderswo – rückgekoppelt sind an Erfahrungen aus der praktischen Arbeit. Wer sollte sie einbringen, wenn nicht wir? Diese Lücke darf nicht weiter bestehen bleiben.

Bis auf den heutigen Tag bemühen sich die Referentinnen und Referenten beider Zentralen in einem ungemein intensiven Einsatz, die Arbeit auf voller Höhe zu halten. Das darf nicht übersehen lassen, daß die gewandelten Bedingungen heute kleinere Bezirke und ein diözesan- und ortsnäheres Arbeiten erfordern. Der Anspruch unserer Arbeit, die dem Klienten zu leistende Hilfe, die Aktivierung ehrenamtlicher Mitarbeit, die stärkere Zusammenarbeit mit Pfarreien fordern das. Unmöglich kann eine Referentin heute noch zugleich für mehrere Diözesen die Belange der Ortsgruppen auf allen Ebenen verantwortlich vertreten. Unmöglich ist, daß allen Ortsgruppen dieser Diözesen gleichermaßen die erforderliche Hilfe zuteil wird, daß die unerläßliche Zusammenarbeit mit dem Diözesancaritasverband und den anderen Diözesanstellen und Verbänden gewährleistet ist. Unmöglich, daß darüber hinaus noch Fachfragen im überdiözesanen Bereich an der Zentrale erarbeitet werden können. Der heute weit über Gebühr gehende Einsatz verschleißt die Mitarbeiterinnen, ihre Zeit und Kraft in einer Weise, die nicht mehr zu verantworten ist.

Von der gemeinsamen Fachverbandszentrale – ausschließlich mit überdiözesanen Aufgaben befaßt – erhoffen wir eine viel größere Funktionsfähigkeit, als sie zur Zeit bei der Belastung mit der Vielfalt von Aufgaben möglich ist. Eine gemeinsame Zentrale wird in Zukunft besser in der Lage sein, den Ortsgruppen und auch den Diözesanstellen die erforderliche Hilfe zu leisten: die Bearbeitung fachlicher Probleme, Erstellung von Arbeitshilfen für Konferenzen und Schulung durch ein Angebot sorgfältig vorbereiteter Fortbildungsveranstaltungen, um nur einige Beispiele zu nennen. Sie wird intensiver in beide Verbände hineinwirken können. Wir glauben, daß wir auch mit der gemeinsamen Fachverbandszentrale die Interessen beider Verbände allen Stellen gegenüber besser vertreten können.[5]

Zusammenfassend darf ich sagen: Der Wandel in Kirche und Gesellschaft stellt alle katholischen Verbände und damit auch unsere beiden Fachverbände vor neue Probleme und Aufgaben. Sie stellt sie insbesondere auch vor die Aufgabe, ihre Strukturen zu überprüfen und zu ver-

5 [Gründungsdatum der gemeinsamen Fachverbandszentrale SKFM war der 15. 11. 1974, vgl. a.a.O. (Quellenangabe zu Dok. 46), 45 ff. Langfristig überwogen die negativen Erfahrungen mit dieser neuen Konstruktion aber doch die Synergieeffekte, so daß am 13. 4. 1985 die erneute Umbildung in zwei eigenständige Zentralen vollzogen wurde, vgl. Caritas '86, Jahrbuch des DCV, Freiburg 1985, 346.]

ändern. Dieser Aufgabe müssen wir uns ehrlich und zielstrebig stellen. Verbände, die das als zu große Last empfinden, werden diese Aufgabe nicht bewältigen. Wer aber um den Wandel weiß und für sich die erforderliche Anpassung anstrebt, darf mit Recht hoffen, daß er den neuen Aufgaben und Problemen gewachsen ist.

Ich hoffe und wünsche, daß wir zu den letztgenannten Verbänden gehören, daß wir aus eigenem Antrieb und in eigener Zuständigkeit zur Zusammenarbeit und Koordination kommen. Durch Ihre zahlreichen Stellungnahmen zu den Ihnen zugesandten Unterlagen und Schreiben zu den anstehenden Fragen, zu den Beschlüssen des Zentralvorstands, haben Sie zum Ausdruck gebracht, wie sehr Ihnen das Schicksal, die Entwicklung der Arbeit des Verbands am Herzen liegt. Wir freuen uns darüber und danken Ihnen. Wir bitten Sie, mit uns in die Zukunft zu überlegen, damit wir ein wirkungsvoller Verband der katholischen Jugend- und Gefährdetenhilfe bleiben, auf den man im katholischen Raum rechnen kann, heute und in Zukunft.

Aus: Korrespondenzblatt Sozialdienst katholischer Frauen, Sonderdruck 1975, 12–22.

Dr. Monika Pankoke-Schenk – neue Generalsekretärin des Sozialdienst katholischer Frauen

Abb. 66: Dr. Monika Pankoke-Schenk, Generalsekretärin des Gesamtvereins 1980–1992 (Aufnahme von 1992).

Der Zentralvorstand des Sozialdienst katholischer Frauen hat Frau Dr. Monika Pankoke-Schenk zum 1. April 1980 in das Amt der Generalsekretärin berufen. Frau Dr. Pankoke-Schenk hat das Amt angenommen. Zu diesem Zeitpunkt tritt Frau Dr. Else Mues, seit Anfang 1958 Generalsekretärin des SkF, von diesem Amt zurück wegen Erreichung der Altersgrenze; sie steht der Zentrale und dem Gesamtverband weiterhin in vollem ehrenamtlichen Dienst zur Verfügung. Somit haben wir, auch aufgrund der seit Jahren bestehenden engen Zusammenarbeit zwischen Dr. Mues und Dr. Pankoke-Schenk die Gewißheit, daß sich der Übergang der Arbeit nahtlos vollzieht.

Dr. Monika Pankoke-Schenk ist vielen von Ihnen bereits bekannt durch ihre bereits mehr als 4jährige Tätigkeit als Fortbildungsreferentin der gemeinsamen Fachverbandszentrale des SkF und des SKM. Wir möchten sie Ihnen allen näher vorstellen und dazu einige Daten aus ihrem Leben bekanntgeben.

Dr. Monika Pankoke-Schenk wurde 1940 in Duisburg geboren. Nach Erlangung der Mittleren Reife und einer Ausbildung als Fremdsprachenkorrespondentin war sie in der Industrie tätig. Ihre Ausbildung zur Sozialarbeiterin absolvierte sie in der Zeit von 1962–1966 an der Höheren Fachschule für Sozialarbeit in Düsseldorf. Durch praktischen Einsatz während dieser Zeit gewann sie näheren Einblick in die caritative Arbeit. Es folgten das Studium der Sozialwissenschaften an den Universitäten Köln und Bochum mit dem Abschluß als Diplom-Sozialwissenschaftler (1966–1971), die Tätigkeit als wissenschaftliche Assistentin im Seminar für christliche Gesellschaftslehre, Prof. DDr. G. Ermecke, in der Ruhr-Universität Bochum und 1975 Promotion zum Doktor der Sozialwissenschaften. Im Zusammenhang mit der Wahl des Themas ihrer Dissertation kamen Anfang 1973 bereits die ersten sich mehr und mehr intensivierenden Kontakte mit der Zentrale in Dortmund zustande und mit der Arbeit des Gesamtverbandes. Ihre Dissertation hat zum Thema „Moderne Not als institutionelle Herausforderung kirchlicher Sozialarbeit – Sozialwissenschaftliche Aspekte caritativen Engagements, dargestellt am Beispiel des Sozialdienstes katholischer Frauen". Ende 1975 übernahm Dr. Pankoke-Schenk – erst nebenamtlich, seit Oktober 1976 hauptamtlich – das Fortbildungsreferat an der gemeinsamen Fachverbandszentrale in Dortmund.

Von den verschiedenartigen neben- oder ehrenamtlichen Tätigkeiten, die Dr. Pankoke-Schenk im kirchlichen und politischen Bereich wahrgenommen hat bzw. wahrnimmt, möchten wir erwähnen ihre 2jährige Tätigkeit (1975–1977) als Lehrbeauftragte an der Kath. Fachhochschule NRW, Abteilung Aachen, als Vorsitzende des SkF Moers (seit 1976). Ihre mehrjährige politische Tätigkeit im Rat der Stadt Moers gab sie im Blick auf die nun zu übernehmende Aufgabe der Generalsekretärin auf. Als Vorstandsmitglied der Landesfrauenvereinigung der CDU Rheinland wird sie weiterhin tätig sein.

Wir bitten Sie, Frau Dr. Monika Pankoke-Schenk in guter Zusammenarbeit Ihr Vertrauen zu schenken.

Namens des Zentralvorstands

Margarete Brede Dr. Else Mues

Aus: Unser Sozialer Dienst Jg. 1980, 12–13.

Cäcilia Flock

Frauenhaus – eine neue Aufgabe des Sozialdienstes katholischer Frauen

Entwicklung der Frauenhaus-Arbeit

Frauenhäuser sind nach der Definition des Fachlexikons der sozialen Arbeit „Zufluchtsstätten für Frauen und Kinder, die physischer oder psychischer Gewalt durch ihren Ehemann oder Partner ausweichen und neue Lebensorientierung suchen wollen".[1] Durch die Aktualität der Problematik mißhandelter Frauen hat sich der SkF speziell dieses Aufgabengebietes angenommen. Die Grundintention, Mädchen und Frauen Schutz und Hilfe zu gewähren, ist seit Agnes *Neuhaus,* der Gründerin des SkF, dieselbe geblieben, jedoch haben sich Probleme und Ursachen, aber auch die Arbeitsweise verändert.

Das erste Frauenhaus überhaupt entstand 1971 im Londoner Stadtviertel Chiswick auf Initiative von Erin *Pizzey,* einer sozial engagierten Einzelkämpferin. In der Bundesrepublik sind nach Gründung des ersten Frauenhauses 1976 in Berlin zahlreiche Frauenhäuser überwiegend in großstädtischen Gebieten entstanden. Obwohl die Bezeichnung „Frauenhaus" zumeist einheitlich verwendet wird mit dem Ziel, den hilfesuchenden Frauen die möglichen Informationswege leicht zu erschließen, sind Frauenhäuser mit unterschiedlicher Zielsetzung entstanden. Durch die Frauenhäuser ist die Problematik von geschlagenen Frauen besonders in das Blickfeld der Öffentlichkeit gerückt, obwohl das Problem der Gewalt gegenüber Frauen, insbesondere der ehelichen Gewaltanwendung, eine längere Geschichte hat und zu verschiedenen Zeiten unterschiedlich beurteilt wurde [...]. Die von den meisten autonomen Frauengruppen initiierten Öffentlichkeitskampagnen haben dazu geführt, daß sich die Zahl der hilfesuchenden Frauen, aber auch die Arbeitsweise geändert hat. Obwohl Gewaltanwendung gegenüber Frauen nicht zu quantifizieren ist, da gerade die Dunkelziffer aus Gründen wie Angst, Scham und mangelndes Problembewußtsein sehr hoch ist, kann nicht davon ausgegangen werden, daß durch die Einrichtungen erst ein Bedarf geweckt worden ist. Dafür spricht u.a. die Tatsache, daß der weitaus größte Teil der Frauen nicht aus eigenem Antrieb kommt, sondern durch Sozialarbeiter, Polizei, Telefonseelsorge u.a. in die Zufluchtsstätte gebracht wird.[2] Erfahrungen zeigen auch, daß die Frauen nicht bei ersten Konfliktsituationen die gemeinsame Wohnung verlassen, sondern erst dann, wenn sie die Hoffnung aufgegeben haben, allein mit den Problemen zurechtzukommen.

Für den SkF bedeutet die Arbeit im Frauenhaus nicht, daß ein neues Aufgabengebiet aufgegriffen worden ist, sondern daß Mädchen und Frauen in besonderen Konfliktsituationen seit Beginn der Arbeit Aufnahme gefunden haben in Zufluchtshäusern [...], in sogenannten Vorasylen oder in Mutter-Kind-Heimen. Die Grundintention ist dieselbe gewesen, jedoch hat sich die Arbeitsweise verändert. Im folgenden sollen einige Probleme der Frauen aufgezeigt und von der konkreten Arbeit berichtet werden.

---

1 Vgl. Marx, Paul, Artikel Frauenhäuser, in: Fachlexikon der sozialen Arbeit, Frankfurt 1980, S. 290.

2 Vgl. Erfahrungsbericht des SkF Mönchengladbach, in dessen Trägerschaft seit dem 1. 5. 1981 ein Frauenhaus existiert; vgl. ebenso Protokoll der Bundestagung vom 28. bis 30. 4. 1981 in Dortmund mit dem Thema „Frauenhäuser – eine Aufgabe des SkF?", die einen Erfahrungsaustausch der bereits in Zufluchtsstätten des SkF tätigen Mitarbeitern ermöglichte.

Probleme der zufluchtsuchenden Frauen

Untersuchungen über die Ursachen von Gewaltanwendungen im familiären Bereich liegen in der Bundesrepublik, abgesehen von veröffentlichten Erfahrungsberichten einzelner Frauenhäuser wie Berlin und Köln, bislang nicht vor. Untersuchungen erfolgten hauptsächlich in Großbritannien und in USA. Ohne im einzelnen auf die Methodik einzugehen, sollen einige Problembereiche im folgenden aufgeführt werden:[3]

Dauer der Mißhandlung

Die Untersuchung im Londoner Frauenhaus hat ergeben, daß die Frauen nicht beim ersten Streit die gemeinsame Wohnung verlassen, sondern erst, wenn die Situation unerträglich ist. (Durchschnitt der Mißhandlungen lag bei 6,7 Jahren.)

Aggressivität und Alkoholkonsum

Zu Gewalttätigkeiten kam es insbesondere sehr häufig unter Alkoholeinfluß, wobei als häufigster Anlaß Eifersucht und Streit um Geld angegeben wird.

Gewaltanwendung und sozialer Hintergrund

Bei einem hohen Anteil (ca. 50%) der Frauen und Männer hat das Erleben von Gewaltsituationen bereits im Elternhaus stattgefunden.

Probleme der Kinder

Die Kinderzahl lag im Durchschnitt relativ hoch. Viele der Kinder waren verhaltensgestört.

Isolationsproblem

Familien, bei denen es zu Gewaltanwendungen kommt, leben meist in völliger sozialer Isolation, d.h. kennen ihre Nachbarn kaum.

Rollenkonflikt

In einer Untersuchung von Geschiedenen wurde festgestellt, daß sich gewalttätiges Verhalten nicht nur auf die Unterschicht bezieht, sondern sich ebenso gerade auch bei Mittelschichtsfamilien zeigte. Die gewalttätigen Männer waren in der Regel unzufrieden mit ihrer Arbeitsstelle, fühlten sich einem enormen Leistungsdruck ausgesetzt. Ebenso wurde festgestellt, daß die Frauen einen höheren Bildungsabschluß als die Männer hatten. Ursachen für Konflikte waren häufig, daß die Arbeitsstellen mit einem geringeren Status und geringerem Gehalt als bei der Frau verbunden waren.

Anlässe, die die Frauen dazu brachten, Hilfe aufzusuchen

In einer Untersuchung auf einer ambulanten Station zeigte sich, daß Frauen als Begründung, die eheliche Wohnung verlassen zu haben, oft angaben, daß das älteste Kind alt genug sei, sich aktiv in Streitigkeiten einzumischen. Ebenso ergab sich, daß sich die Schwere der Mißhandlung im Laufe der Zeit steigerte.

Die oben aufgeführten Aspekte von möglichen Ursachen der Gewaltanwendung stellen lediglich eine Aufzählung dar, können jedoch keine endgültigen Erklärungen abgeben. Vielmehr sollte aufgezeigt werden, wie vielschichtig Probleme sind: Eheprobleme, finanzielle Sorgen, Unzufriedenheit am Arbeitsplatz, enger Wohnraum, Alkoholismus usw. Eine ehemalige

---

3 Vgl. Lau, Susanne u.a., Aggressionsopfer Frau: Körperliche und seelische Mißhandlung in der Ehe, Reinbek bei Hamburg 1979, S. 83 ff.

Bewohnerin des Münsteraner Frauenhauses berichtet über ihre Situation folgendermaßen: „Ich war so einem starken Druck ausgesetzt, daß ich es zu Hause nicht mehr aushielt. Eines Tages, als mein Mann bei der Arbeit war, packte ich das Nötigste, nahm meine 4 Kinder und ging zur nächsten Telefonzelle. Eine Mitarbeiterin des Frauenhauses des Sozialdienstes katholischer Frauen holte mich und ich war glücklich, ein Dach über dem Kopf und ein Bett für meine Kinder zu haben, denn Geld für eine Unterkunft war nicht vorhanden. – Im Frauenhaus wurde ich in eine Gemeinschaft von ebenso betroffenen Frauen mit den Kindern aufgenommen. Das Gefühl, nicht die einzige zu sein, die von ihrem Ehemann geschlagen wird, gibt mir die Möglichkeit, über meine Probleme offen zu sprechen".[4]

Frauenhaus-Arbeit als Aufgabe des SkF

Die Arbeit im Frauenhaus steht unter der gemeinsamen Zielsetzung mit der Familienarbeit, d.h. die Arbeit ist nicht isoliert zu sehen von anderen Aufgaben. Frauenhaus-Arbeit bedeutet dabei möglicherweise prophylaktische Arbeit, aber auch nachgehende Arbeit nach Verlassen des Hauses. Die Auseinandersetzung der Betroffenen mit dem Wert und der Bedeutung der Familie gehört selbstverständlich dazu. Die Zufluchtsstätte ist lediglich ein Mittel, um kurzfristige Hilfe zu leisten. Ziel ist jedoch, weitergehende Hilfen zu geben, um den Frauen durch persönliche Kontakte zu ermöglichen, in das ehemalige soziale Umfeld wieder zurückzukehren oder in ein neues soziales Umfeld integriert zu werden. Es hat sich gezeigt, daß bei einer Reihe von zufluchtsuchenden Frauen die Verweildauer im Haus sehr kurz ist und daß ca. 60 % der Frauen zu ihrem Ehemann zurückkehren.[5]

Das macht um so deutlicher, wie wichtig es ist, auch persönliche Hilfe nach dem Aufenthalt anzubieten, da viele Probleme in der kurzen Zeit nicht aufgearbeitet werden können. Die Arbeit allein mit den Frauen und Kindern würde einen wichtigen Aspekt der Arbeit ausblenden.

Funktionen eines Frauenhauses

Schutzgewährung – Hilfe in akuten Notsituationen

Das Frauenhaus dient vorrangig dazu, eine schnelle unbürokratische Unterbringung für Frauen und Kinder in geeigneten Wohnräumen zu ermöglichen und somit Schutz vor weiteren physischen und psychischen Mißhandlungen zu gewähren. Körperliche und seelische Mißhandlungen stellen einen massiven Eingriff in die Entwicklungs- und Entfaltungsmöglichkeiten einer Person dar. Frauen und Kindern Schutz und Hilfe zu gewähren, die unter menschenunwürdigen familiären oder sozialen Bedingungen zu leiden haben, ist ein Auftrag, den der SkF, begründet durch die katholische Soziallehre, die Leben schützen und die Würde des Menschen wahren will, aufgegriffen hat.

4 Vgl. Handzettel zur Information über das Frauenhaus des SkF Münster.
5 Vgl. Erfahrungsbericht SkF Mönchengladbach.

Entscheidungshilfen, individuelle Hilfen, Beratung

Zufluchtsstätten sind ein Ort, an dem Frauen mit Hilfe qualifizierter Beraterinnen über ihre Situation nachdenken und Konsequenzen für ihr weiteres Leben ziehen können. Wie auch aus dem Erfahrungsbericht des Ministeriums für Arbeit, Gesundheit und Soziales des Landes NRW hervorgeht, ist der fachliche Beratungsbedarf bei einer Vielzahl der Frauen sehr hoch. Im Haus stehen deshalb Fachkräfte zur Beratung bereit, die von ehrenamtlichen Mitarbeiterinnen unterstützt werden. Die Lösungsmöglichkeiten für die Frauen sind dabei individuell, d. h. abhängig von der betreffenden Person zu erarbeiten. Hier spielen Belastbarkeit, Einsicht und Veränderungsfähigkeit aller am Konflikt Beteiligten eine entscheidende Rolle. Es müssen offene Entscheidungshilfen gegeben werden entweder zur Rückkehr in die eheliche Gemeinschaft und Familie oder zum Aufbau eines eigenen Haushalts oder zu anderen Lösungsmöglichkeiten. Wenn es gilt, Ursachen und Wirkungen von Konflikten im Bereich von Ehe und Familie aufzudecken, sollte der Ehemann nach Möglichkeit in die Beratung mit einbezogen werden. Es sollte ein Angebot von Gesprächen, von Beratungen außerhalb des Hauses gemacht werden. Auch hier ist entscheidendes Kriterium der Wunsch und der Wille der betreffenden Frau.

Hilfe zur Selbsthilfe

Durch das Leben im Haus soll den Frauen die Möglichkeit der Gewinnung bzw. Wiedergewinnung von Selbstvertrauen und Eigenverantwortung gegeben werden. Sie sollen möglichst bald in die Lage versetzt werden, ihr Leben selbständig, ohne institutionelle Hilfe in die Hand zu nehmen. Durch die Zufluchtsstätte wird lediglich Wohnraum und persönliche Hilfe, sei es in sozialer, psychologischer, medizinischer oder juristischer Beratung, zur Verfügung gestellt. Im Haus erhalten die Frauen keine Vollversorgung, sondern müssen sich selbst versorgen. Erfahrungen, die in SkF-Ortsgruppen oder Heimen gemacht worden sind, haben dazu geführt, daß Frauen, die erst im Heimbereich integriert werden sollten, weil man sich organisatorische Erleichterungen davon ver-

Abb. 67: Ein Wohnzimmer im Frauenhaus des SkF Koblenz.

sprochen hatte, jetzt in einem separaten Bereich untergebracht worden sind mit dem Ziel, daß den Frauen eigenständige Verantwortung für ihren persönlichen Bereich belassen werden kann. Die Erziehung der Kinder ist eigenständige Aufgabe der Mutter, obwohl nicht zu verkennen ist, daß die Kinder, die Gewalt erlebt haben, massive Probleme zu verarbeiten haben. Qualifizierte Hilfe der Mutter zu geben, ist ebenso notwendig, aber es existiert auch die Chance, daß, wenn die Mutter zur Ruhe gekommen ist, sie mehr Zeit hat, auf das Kind einzugehen. Wichtiges Merkmal ist auch das Erschließen der unterschiedlichen Hilfsmöglichkeiten außerhalb des Hauses.

Die Mitarbeiterinnen im Frauenhaus – Zusammenarbeit zwischen hauptamtlichen und ehrenamtlichen Mitarbeiterinnen

Erfahrungen in der Arbeit haben gezeigt, daß die zufluchtsuchenden Frauen und Kinder in der Regel vor einer Vielzahl von Problemen stehen, die sowohl den Einsatz von erfahrenen Fachkräften erfordern, die insbesondere Aufnahmegespräche führen und Entscheidungshilfen geben sowie andere Hilfsquellen mit erschließen, aber auch die Hilfe von ehrenamtlichen Helferinnen, die in den Schichtdienst einbezogen werden und sich außerdem im Bereich der Öffentlichkeitsarbeit und der Nachbetreuung engagieren. Positive Erfahrungen sind bei einigen Frauen gemacht worden, die nach dem Aufenthalt im Frauenhaus den Kontakt zu den ehrenamtlichen Mitarbeiterinnen beibehalten haben. Ebenso wurden Einladungen zu Zusammenkünften ehemaliger Bewohnerinnen des Hauses gerne angenommen, und die Mitarbeiterinnen erfuhren dabei, wo Nachbetreuung besonders notwendig war.[6]

Im Haus stehen ausschließlich weibliche Mitarbeiterinnen zur Verfügung. Es bleibt jedoch zu überlegen, ob in der Arbeit außerhalb des Hauses auch Mitarbeiter einbezogen werden können, die z.B. die Arbeit mit den Männern oder auch mit den Jugendlichen machen können.

Perspektiven

In den Ortsgruppen des SkF sind die ersten Erfahrungen in der Frauenhaus-Arbeit gemacht worden, weil unterschiedliche Projekte aufgrund der jeweils örtlichen Situation der vorhandenen Möglichkeiten realisiert worden sind; insgesamt haben 14 Ortsgruppen das Aufgabengebiet speziell aufgegriffen, weitere Initiativen existieren. Dabei wird der Begriff Frauenhaus nicht auf ein Haus beschränkt, sondern wird synonym für eine Wohnung innerhalb eines Hauses oder eines separaten Heimtraktes verwendet. Es bleibt zu überlegen, ob statt eines Frauenhauses oder einer Zufluchtsstätte nicht noch andere Möglichkeiten gesucht werden sollten, wie z.B. Unterbringung in Familien oder Bereitstellung von 1 bis 2 Plätzen in Heimen oder Klöstern. Aufgrund der aufgezeigten Funktionen des Frauenhauses bleiben Zweifel, ob außer dem vorrangigen Ziel, Schutz zu gewähren, die anderen Funktionen ebenfalls erfüllt werden können.

---

6 Vgl. Erfahrungsbericht SkF Mönchengladbach.

Die aufgezeigte Problematik, daß besonders in Familien das Aggressionspotential sehr hoch ist, die unter sozialer Isolation leiden, erfordert sicherlich das verstärkte Angebot an Hilfen, das auch den Gemeindebezug nicht außer acht läßt. Die Aktualität des Frauenhaus-Problems hat dazu geführt, daß viele Initiativen entstanden sind. Ein nächster Schritt wird sein, die Kontinuität der Arbeit auch unter finanziellen Engpässen weiterhin zu gewährleisten.

Aus: Caritas '82, Jahrbuch des Deutschen Caritasverbandes, Freiburg o.J. [1981], 322–326.

Anneliese Ullrich

Beratung im Rahmen der Gesetzesänderung des § 218 StGB – Erfahrungen zehn Jahre nach der Reform

Erklärtes Ziel der Gesetzesänderung war ein verbesserter Schutz für das Leben des Kindes. Dem dient vor allem die in § 218b 1 (1) vorgesehene soziale Beratung, die der Mutter die Fortsetzung der Schwangerschaft und damit die Realisierung des Lebensschutzes erleichtern soll. Gemäß § 218b 1 (1) StGB soll die Schwangere mindestens drei Tage vor einem Schwangerschaftsabbruch über die zur Verfügung stehenden öffentlichen und privaten Hilfen für Schwangere, Mütter und Kinder beraten werden, „insbesondere über solche Hilfen, die die Fortsetzung der Schwangerschaft und die Lage von Mutter und Kind erleichtern". Nach den zugrunde liegenden Ausführungen des Bundesverfassungsgerichts soll die Beratung „die gesamten Lebensumstände der Schwangeren berücksichtigen und persönlich individuell erfolgen, nicht telefonisch oder durch Aushändigung gedruckten Materials" (BVG S. 83). Beratung erfolgt somit im persönlichen Gespräch, jeweils abgehoben auf die individuelle Situation der Ratsuchenden und ihrer Bezugspersonen.

Der Einbeziehung von Beratung in das Gesetz war vorausgegangen, daß im Rahmen der Reformdiskussion die Nöte und Probleme der Frauen im Zusammenhang mit einem Schwangerschaftsabbruch in der Bevölkerung wie auch in Fachkreisen immer offener diskutiert und damit immer offenkundiger wurden. Ein positives Ergebnis jahrelanger Auseinandersetzungen um die Strafrechtsänderung war darüber hinaus die allgemeine Erkenntnis, daß Beratung und Hilfe für die Situation der Mutter und damit für das Leben des Kindes von entscheidender Bedeutung sein können.

Mit der Einschränkung des Strafrechtsschutzes um die im Gesetz genannten Indikationen wurde daher Beratung der Schwangeren – erstmalig im Rahmen des Strafgesetzes überhaupt – verpflichtend vorgeschrieben. Beratung hat somit eine zentrale Bedeutung im Zusammenhang mit der gesetzlichen Neuregelung und für den Lebensschutz des Kindes erhalten.

Der verpflichtende Charakter der Beratung im Rahmen eines Strafgesetzes wird von einigen bis heute abgelehnt. Beratung habe nur dann eine Bedeutung, wenn sie freiwillig in Anspruch genommen würde. Übersehen wird hierbei u.a. folgendes:

- Die hier in Frage kommende Beratung gehört zur Gesamtheit derjenigen Maßnahmen, die zusammen mit der verbleibenden Strafrechtsregelung den Schutz des Lebens gewährleisten sollen. Beratung füllt somit die Lücke, die durch die Einschränkung des Strafrechtsschutzes um die bekannten Indikationen entstanden ist. Herausnahme der Beratung würde bedeuten, daß der Lebensschutz schon von der Intention des Gesetzes her erheblich eingeschränkt würde.
- Schwangerschaftskonflikte sind durch spezielle Merkmale gekennzeichnet, wie z.B. massive Probleme, Zeitnot, Druck der Umwelt, Fremdeinflüsse und Ratlosigkeit in der eigenen Situation. Hinzu kommt meist Unkenntnis über Beratungsstellen und vorhandene Hilfemöglichkeiten, so daß Schwangerschaftsabbrüche vielfach aus dem Druck der Situation und in Unkenntnis alternativer Möglichkeiten erfolgen. Die Verpflichtung, eine Beratungsstelle aufzusuchen, ist oft die einzige Chance für die Frau, einen Gesprächspartner in ihrer konfliktbeladenen Situation zu finden, über ihre Situation nachdenken zu können und von

Möglichkeiten zur Fortsetzung der Schwangerschaft zu erfahren, sowie diese angeboten, geleistet und vermittelt zu bekommen.

Beratungsauftrag an alle gerichtet

Der Auftrag der Beratung als ein Beitrag zur Fortsetzung der Schwangerschaft ist an alle Beratungsstellen unabhängig von der Trägerschaft gerichtet. Um eine zusätzliche Spezialisierung im Beratungswesen zu vermeiden, wurde die Beratung an bestehende Einrichtungen der Freien Wohlfahrtspflege sowie an kommunale Stellen angebunden. Entgegen den Empfehlungen des Bundesverfassungsgerichts wird die soziale Beratung auch von Ärzten wahrgenommen.

Der im Bundesgesetz vorgeschriebenen kirchlichen oder behördlichen Anerkennung von Beratungsstellen lag von Anbeginn das Anliegen zugrunde, den gesetzlichen Auftrag der Beratung als eine Hilfe zur Fortsetzung der Schwangerschaft zu gewährleisten und bestimmte Mindestanforderungen bezüglich personeller, räumlicher und sachlicher Ausstattung der Beratungsstellen und hinsichtlich der fachlichen Qualifikation der Mitarbeiter sicherzustellen. Auf eine Anerkennung der Beratungsstellen legten insbesondere diejenigen Bundesländer und Stellen Wert, denen es bei der gesetzlichen Neuregelung um eine Verbesserung des Lebensschutzes ging.

Verständnis von Beratung

Das Verständnis von Beratung und seiner Handhabung ist sehr unterschiedlich. Die verschiedenen originären Schwerpunkte der jeweiligen Beratungsstellenträger, die bei einigen im medizinisch-psychischen Bereich, bei anderen im sozialen und psychosozialen Bereich angesiedelt sind, mögen hier u.a. eine Rolle spielen. Aber auch nicht alle sehen in einer Hilfe zum Erhalt des Lebens die vorrangige Aufgabe der Beratungsstellen. Hinzu kommt bei einigen Trägern: die Bevorzugung des Selbstbestimmungsrechtes der Frau, d.h., auch im Falle einer Schwangerschaft noch gegen das Leben des Kindes entscheiden zu können; Zweifel an der Wirksamkeit praktischer Hilfen, u.U. auch Unkenntnis darüber; Ablehnung von Hilfeleistungen als eine Einmischung in die Eigenverantwortlichkeit und Selbständigkeit der Frau; z.T. Diffamierung der Bemühungen um Hilfen sowie der Hilfen selbst, die, wie z.B. im Fall der Bundesstiftung[1] gesagt wird, nur dazu da seien, den Schwangeren die Möglichkeit eines straffreien Schwangerschaftsabbruchs zu nehmen. Beratung wird z.T. als eine Zumutung für die Frau wie auch für den Berater, als Hürdenlauf auf dem Weg zum Schwangerschaftsabbruch abgelehnt. Mit der teilweise gleichzeitig anzutreffenden Ablehnung der Indikationenregelung – ebenfalls als Eingriff in die Persönlichkeitssphäre und Entscheidungsfreiheit der Frau – würde letztlich die strafrechtliche „Freigabe" des Schwangerschaftsabbruchs erreicht und damit das Leben des Kindes in die freie Verfügung des einzelnen gestellt.

1 [Bundesstiftung „Mutter und Kind – Schutz des ungeborenen Lebens", durch Gesetz vom 13. 7. 1984 errichtet. Konzipiert als ergänzende Hilfe (steuer- und pfändungsfrei, aber ohne Rechtsanspruch) zu bereits vorhandenen gesetzlichen Leistungen, können Mittel z.B. für die Erstausstattung von Kindern oder deren Betreuung gewährt werden.]

Nach dem Verständnis katholischer Beratungsstellen kommt dem menschlichen Leben ein fundamentaler Wert zu, ohne den es keine anderen Werte gibt. Auch das Selbstbestimmungsrecht, das Recht auf freie Entfaltung der Person sind schützenswert, finden jedoch eine Begrenzung am Lebensrecht des anderen. Die Verpflichtung des Staates, Leben zu schützen, gilt für alle Phasen und Situationen des Lebens, auch für das ungeborene Kind. Nach unserem Verständnis dienen Beratung und Hilfe dazu, der betreffenden Frau selbst die Annahme ihres Kindes und die Fortsetzung der Schwangerschaft ermöglichen und erleichtern zu helfen.

Katholische Beratungsstellen leiten ihren Auftrag zur Beratung aus ihrer kirchlichen und sozialen Arbeit her, aus ihrer Beauftragung einer Hilfeleistung für Menschen in Not. Psychosoziale wie auch soziale Beratung und Hilfe gehören zu den originären Schwerpunktaufgaben der katholischen Beratungsstellen, des Sozialdienst katholischer Frauen wie auch des Caritasverbandes, die damit auch den Beratungsauftrag des § 218 b 1 (1) StGB übernehmen konnten. Schon lange vor der gesetzlichen Neuregelung hatten z.B. Stellen des Sozialdienst katholischer Frauen Beratung und Hilfe geleistet für werdende Mütter, für Mütter mit Kindern, für alleinerziehende Mütter wie auch für Familien in besonderen Not- und Konfliktlagen. Auch praktische Hilfen unterschiedlichster Art wurden von Anbeginn für entsprechende Notlagen entwickelt und vorgehalten.

Erfahrungen zur Situation der Frauen im Schwangerschaftskonflikt

Dem unermüdlichen Einsatz unserer Beratungsstellen liegt die Erfahrung zugrunde, daß Frauen, die an einen Schwangerschaftsabbruch denken, meist Probleme, Ängste, Unsicherheiten und Konflikte von solcher Schwere haben, daß sie für sich selbst nur im Schwangerschaftsabbruch einen Ausweg sehen, u.U. auch dann, wenn sie diesen im Grunde genommen ablehnen. Ratlosigkeit und nicht der Wunsch nach Selbstbestimmung kennzeichnet ihre Situation. Auch die sogenannte Entscheidungsfreiheit der Frau ist in dieser Situation meist stark eingeschränkt durch eine Fülle an Problemen unterschiedlichster Art, die im materiellen wie auch immateriellen Bereich angesiedelt sein können. Hinzu kommen massive Fremdeinflüsse, Druck der Umwelt, Abhängigkeit von den Interessen anderer und Unwissenheit über alternative Lösungsmöglichkeiten bei vorhandenem Wunsch nach Austragen der Schwangerschaft. Die meisten sind psychisch und sittlich auf eine Entscheidung, wie sie hier von ihnen verlangt wird, nicht vorbereitet. Es ist eine Entscheidung mit tiefgreifenden emotionalen Dimensionen, zudem mit weitreichender Bedeutung für das gesamte weitere Leben und in einem Wertekonflikt, für den sich in den letzten Jahren in unserer Gesellschaft die Maßstäbe total verschoben haben.

Die einzige Hilfe für die betroffenen Frauen – und damit auch für das Leben des Kindes – ist meist die Beratung; das persönliche Gespräch mit der Beraterin; deren intensives Bemühen, mit der Frau gemeinsam Möglichkeiten und Wege zur Fortsetzung der Schwangerschaft zu finden. Überzeugend ist vielfach das oft weit über das Berufliche hinausgehende Engagement des Beraters, die Information über Hilfemöglichkeiten sowie Leisten und Vermitteln konkreter Hilfen, die, je nach Situation, oft erst reale Lebenschancen für Mutter und Kind eröffnen.

Die Frauen brauchen die unbedingte Annahme ihrer selbst, wenn sie ihrerseits ihr Kind annehmen und die Schwangerschaft fortsetzen sollen. Moralische Appelle oder gar Drucksituationen helfen wenig, verschärfen sogar u.U. die Situation, da die Schwangere bereits in mehrfacher Hinsicht, vielfach aus dem Kreis der Angehörigen, Druck in Richtung Schwangerschaftsabbruch erfährt.

Schwangerschaftskonfliktberatung als Prozeß

Schwangerschaftskonfliktberatung ist, wie jede andere Beratung auch, als Prozeß zu verstehen, in den sich der Berater selbst einbringt; mit seiner Wertorientierung, mit seiner Einstellung zum Leben und zum Kind, mit seinen Fähigkeiten und seinem Können, aber auch mit seiner Bereitschaft, sich mit der Wertorientierung, den Problemen und Überlegungen der Betroffenen auseinanderzusetzen; mit seinem Bemühen, zusammen mit der Ratsuchenden immer wieder neu Lösungsmöglichkeiten zu entwickeln. Mit berücksichtigt werden ursächliche Zusammenhänge, massive Einflüsse nicht anwesender Dritter in ihren Auswirkungen auf die Entscheidung der Betroffenen. Voraussetzung für eine Beratung, die zum Leben verhilft, ist neben dem fachlichen Können und der Werthaltung des Beraters auch sein Wissen um die Konflikthaftigkeit des Menschen, um seine Verwurzelung und Einbindung in Familie, Umwelt, Kultur und Gesellschaft, mit all den Einflüssen unterschiedlichster Art; sein Wissen um die ganze Breite menschlicher Nöte und Unvollkommenheit – und trotzdem immer wieder seine Offenheit und sein Verständnis für Menschen in Not, sein unerschütterlicher Glaube an die Fähigkeit und Bereitschaft des Menschen zur Einsicht und Umkehr.

Auch die Schwangere bringt sich in den Prozeß der Beratung ein: mit ihren Problemen und Nöten; mit ihrem Lebenshintergrund und ihrer Wertvorstellung; mit ihrer Bereitschaft und ihren Fähigkeiten, sich in einen Prozeß der Überlegung, des Erkennens ihrer Situation und Entwickelns von Möglichkeiten zur Fortsetzung der Schwangerschaft einzulassen; sich der Abhängigkeiten und Fremdeinflüsse bewußt zu werden und somit zu einer von ihr selbst verantworteten Entscheidung zu kommen, die die Lebenswirklichkeit des Kindes berücksichtigt. Übersehen wird vielfach von Außenstehenden, daß die Schwangere selbst diejenige ist, die letztlich entscheidet und handelt. Dies kann ihr keiner abnehmen: nicht der Arzt, der die Indikation feststellt oder den Schwangerschaftsabbruch durchführt; auch der Berater kann nicht für sie die Schwangerschaft fortsetzen. Er kann in seiner Anwaltsfunktion für das Leben des Kindes alles tun, um der Mutter die für ihre Situation erforderlichen und möglichen Wege zur Fortsetzung der Schwangerschaft aufzuzeigen und ihr bei der konkreten Inanspruchnahme behilflich sein.

Vielfach stellt sich die Schwangere mit der Fortsetzung der Schwangerschaft gegen die eigene engere Umwelt, von der sie somit in ihrem und des Kindes weiteren Lebensweg häufig keine Hilfen erfährt. Aufgabe des Beraters und derer, die sich für den Schutz des Lebens einsetzen, ist es daher, über die Entscheidungs- und Konfliktsituation hinaus bis zur Geburt des Kindes und häufig noch Jahre danach der Mutter und ihrem Kind mit Rat und Hilfe zur Seite zu stehen. Erst daran erweist sich die Glaubwürdigkeit und Ernsthaftigkeit unseres Einsatzes für den Schutz des Lebens.

Kommt es trotz intensiven Bemühens und Engagement des Beraters zum Schwangerschaftsabbruch, so ist dies auch für den Berater eine große Belastung. Ein solcher Entschluß gibt uns allen nicht das Recht, die Betreffenden oder auch den Berater zu verurteilen oder ihnen Schuld zuzuweisen. Auch Zweifel an der Einstellung und Werthaltung des Beraters wären hier falsch. Der Berater braucht immer wieder Vertrauen und Unterstützung, damit er in der ständigen Auseinandersetzung um die existentielle Frage des Lebens – in der er meist bis ins Letzte gefordert ist – immer wieder neu Hoffnung vermitteln und zum Leben ermutigen kann. Auch die Frau selbst dürfen wir mit ihrer Situation nach einem Schwangerschaftsabbruch nicht alleine lassen. Hier sind vor allem Aufgaben für den pastoralen Bereich gegeben. Aber auch der Berater muß sich mit der bei den Frauen immer wieder aufkommenden Schuldfrage, mit deren Verlust- und Trauererleben befassen und im Interesse der betreffenden Frauen auseinandersetzen.

Fragen nach dem „Warum"

Die Situation des Schwangerschaftsabbruchs – noch dazu, wenn bei der betreffenden Mutter die Einsicht da war, daß es sich bei ihrem Kind um ein schutzwürdiges und schutzbedürftiges Leben handelt – sollte bei uns allen die Frage nach dem „Warum" aufkommen lassen. Waren die Einflüsse aus dem engeren Umfeld der Ratsuchenden oder in unserer Gesellschaft zum Schwangerschaftsabbruch hin stärker als unser Versuch der Hilfsbereitschaft, der Mitmenschlichkeit und der Solidarität für Menschen in Not? Welchen Zwängen und Notsituationen erlag die Schwangere? Hätten wir nicht zu einem wesentlich früheren Zeitpunkt in ursächlichen und u.U. ganz anderen Nöten bereits Beistand und Hilfe leisten müssen? Sind Situationen in unserer Gesellschaft, z.B. für alleinerziehende Mütter, Mehrkinderfamilien, für Behinderte oder aber ganz einfach im Falle einer ungeplanten Schwangerschaft so schwer, daß – u.U. sogar entgegen einer anderen Einsicht – die Betreffenden für sich selbst eher den Schwangerschaftsabbruch in Kauf nehmen? Ist unsere Einstellung und Haltung zum Leben und zu unseren Mitmenschen glaubwürdig genug, um auch andere davon überzeugen und für das Leben gewinnen zu können? Lassen wir uns auch über eine längere Zeit, u.U. über Jahre hinweg, zu einer umfassenden und tiefgreifenden Hilfe in die Pflicht nehmen? Reichen soziale Hilfen, familien- und sozialpolitische Leistungen, die Rahmenbedingungen in unserer Gesellschaft aus, damit Familie grundsätzlich bejaht und auch noch in schwierigen Situationen möglich wird?

Die Problematik des Schwangerschaftsabbruchs ist nicht nur mit Beratung und Hilfe im konkreten Einzelfall einer Konfliktsituation zu bewältigen. Dieses ist lediglich die eine Form, Leben zu schützen. Darüber hinaus gibt es eine Fülle an Einflüssen und Trends in unserer Gesellschaft, die bereits im Vor- und Umfeld eigentlicher Konfliktsituationen zum Handeln herausfordern. Hierzu nachfolgend einige Gesichtspunkte aus dem Erfahrungsbereich der Beratungsstellen.

Situation – 10 Jahre nach der Reform

Festzustellen ist eine hohe Zahl an Schwangerschaftsabbrüchen, insbesondere mit der Begründung einer Notlage. Die z.T. relativ leichte Möglichkeit, eine Indikation und einen

Schwangerschaftsabbruch zu erhalten, verstärkt den Druck der engeren und weiteren Umwelt auf die Frauen in Konfliktsituationen. Schwangerschaftsabbruch ist z.T. zur Normalität geworden, zu einer einplanbaren, wenn auch letzten Möglichkeit. Ärzte und Chefärzte werden z.T. in Krankenhäusern nur eingestellt, wenn sie zum Schwangerschaftsabbruch bereit sind. Andererseits wird zunehmend festgestellt, daß Frauen mit einem Schwangerschaftsabbruch nicht fertigwerden.

Die Unzufriedenheit mit der derzeitigen Situation erstreckt sich vielfach auf die gesetzliche Regelung. Gefordert wird von einigen bereits wieder eine Verschärfung der strafrechtlichen Bestimmungen und Abschaffung der Krankenkassenfinanzierung. Zwar ist das derzeitige Gesetz nicht gut; aber abgesehen davon, daß die für eine Änderung erforderliche parlamentarische Mehrheit derzeit nicht zustande kommt, stellt sich die Frage, ob mit einer Gesetzesänderung allein tatsächlich die Situation verbessert, ob damit auch schon die Einstellung und Haltung in unserer Bevölkerung zum Schwangerschaftsabbruch verändert würde und wirklich weniger Schwangerschaftsabbrüche erfolgen würden. Ein Vergleich der Zahl der Schwangerschaftsabbrüche vor und nach der Gesetzesänderung läßt hieran Zweifel aufkommen.

Realistischer und vermutlich auch wirksamer sind Ansätze zum Schutz des Lebens u.a. im Rahmen der derzeitigen gesetzlichen Bestimmungen sowie darüber hinaus im Zusammenhang mit Meinungen und Trends in unserer Gesellschaft, die Schwangerschaftsabbrüche begünstigen und die Arbeit der Beratungsstellen erschweren, z.B.:

- In unserer Bevölkerung, sogar bei Ärzten und damit auch bei Ratsuchenden ist die Fehlmeinung verbreitet, Schwangerschaftsabbrüche seien grundsätzlich erlaubt und strafrechtlich freigegeben; Unkenntnis besteht vielfach über die derzeitige Indikationsregelung, über die Aufgabe des Arztes und den Auftrag der Beratungsstellen; vielfach wird Beratung mit der Indikationsfeststellung und der Beratungsnachweis mit der Bescheinigung über die Feststellung einer Indikation verwechselt. Indikationsfeststellung wie auch Beratungsnachweis werden häufig als Anrechtsschein zum Schwangerschaftsabbruch gesehen. Mit der Vorstellung, der Schwangerschaftsabbruch sei erlaubt, wird die Verantwortung für das Handeln auf die gesetzliche Regelung sowie auf Ärzte und Berater verlagert.
- Mit einer Verschiebung der Wertmaßstäbe in unserer Gesellschaft hat sich auch das Rechtsbewußtsein dahingehend verändert, daß vielfach von einem vermeintlichen Rechtsanspruch auf den Schwangerschaftsabbruch ausgegangen wird. Hinzu kommen: allgemeine Liberalisierungstendenzen in unserer Gesellschaft, in allen Lebensbereichen; Verunsicherung in grundlegenden Lebensfragen und in der ethischen Bewertung von Vorgängen; oftmals Mangel an religiöser Bindung und Orientierung; eine diffuse, oft nicht bewußte Lebensangst; falsche Vorstellungen vom Selbstbestimmungsrecht und der Entscheidungsfreiheit.
- Schwachstellen im Gesetz begünstigen den Mißbrauch, zumindest einen sehr liberalen Umgang mit den derzeitigen Bestimmungen, so z.B.

● die Umschreibung der Indikationen, insbesondere der Notlagenindikation, läßt großen Spielraum für subjektive und weit auszulegende Maßstäbe;

- die Möglichkeit der Feststellung jeder Indikation durch jeden Arzt begünstigt Fehleinschätzungen zur Situation der Ratsuchenden und einen liberalen Umgang mit den Indikationen;
- ein Einbruch in die Indikationenregelung ist § 218 Abs. c, mit dem Schwangerschaftsabbrüche auch ohne Indikation für die Frau straffrei bleiben, sofern der Abbruch von einem Arzt nach Beratung vorgenommen wird; illegale Schwangerschaftsabbrüche im Inland sowie im Ausland werden mit dieser sogenannten verkappten Fristenregelung gefördert;
- ambulante Schwangerschaftsabbrüche können in privaten Arztpraxen, also weitgehend außerhalb von Kontrollen durchgeführt werden;
- die sogenannte soziale Beratung gemäß § 218 b 1 (1) StGB kann auch durch Ärzte durchgeführt werden, obwohl diese von ihrer Vorbildung, dem Zeitaufwand und der fehlenden Möglichkeit, soziale Hilfen einbeziehen zu können, dafür nicht die entsprechenden Voraussetzungen haben;
- das Gesetz läßt eine Verbindung von sozialer Beratung, medizinischer Beratung und Indikationsfeststellung in der Person des Arztes zu – darüber hinaus noch eine Kombination mit dem Schwangerschaftsabbruch unter einem Dach. Das widerspricht dem Selbstverständnis von Beratung als einem eigenständigen Auftrag im Gesetz und begünstigt voreilige Entscheidungen für den Schwangerschaftsabbruch, ohne daß die Chancen und Möglichkeiten einer sozialen Beratung ausreichend genutzt und für den Schutz des Lebens wirksam werden können. Darüber hinaus führt die Kombination dieser in sich unterschiedlichen Vorgänge zu Fehlerwartungen und Fehlmeinungen in der Bevölkerung wie auch bei Ratsuchenden;
- soziale Beratung setzt häufig viel zu spät ein, erst nach Prüfung und Feststellung einer Indikation, wenn u.U. schon Vorbereitungen für den Schwangerschaftsabbruch getroffen sind; dies mindert die Chance der Beratung, im Prozeß der Überlegung und Entscheidungsfindung als eine Hilfe zur Fortsetzung der Schwangerschaft wirksam zu werden.

Was ist zu tun?

1. Den aufgezeigten Fehlmeinungen und der zugrunde liegenden Unkenntnis über das Gesetz, über den Auftrag des Arztes und des Beraters entgegenwirken; Informieren und Aufklären in der Öffentlichkeit allgemein, bei Ärzten und Beratungsstellen insbesondere im Blick auf die Betroffenen selbst. Mit Chancen und Möglichkeiten einer Beratung und Hilfe als Beitrag zur Fortsetzung der Schwangerschaft vertraut machen; zur Inanspruchnahme der Hilfeleistung ermutigen.
2. Stärkung eines Rechtsbewußtseins in unserer Gesellschaft; bewußtmachen, daß der Schwangerschaftsabbruch nach der derzeitigen Regelung grundsätzlich noch strafbar ist und Straffreiheit nur dann besteht, wenn eine Indikation vorliegt, letzteres also Ausnahmeregelungen sind für außergewöhnliche Notsituationen; bewußtmachen, daß Straffreiheit nicht gleichbedeutend ist mit moralischer und sittlicher Erlaubtheit.
3. Bewußtmachen, daß es nach wissenschaftlich abgesicherter Erkenntnis von der Zeugung an um menschliches Leben geht, dem in jeder Phase und Situation eine besondere Würde und

Bedeutung zukommt; daß es sich beim menschlichen Entwicklungsprozeß um einen kontinuierlichen Vorgang handelt, der nicht mit der Geburt beendet ist und der auch nicht zu irgendeinem Zeitpunkt willkürlich beendet werden kann.

4. Wie dargelegt, geht es u.a. auch darum, Schwachstellen im derzeitigen Gesetz zu beheben, die Fehldeutungen wie auch mißbräuchliche Handhabung zulassen, so z.B.
   - Eingrenzen der Notlagenindikation entsprechend den Ausführungen des Bundesverfassungsgerichtes auf außerordentliche Notlagen unter Berücksichtigung der physisch-psychischen Belastbarkeit der Frau; u.U. Negativbegrenzung, was nicht unter Notlagenindikation zu verstehen ist;
   - gründliche und umfassende Vorbereitung und Fortbildung der Ärzte für die Indikationsfeststellung; ggf. Anerkennung von Ärzten für bestimmte Indikationen bzw. Einrichtung von Ärzteteams;
   - keine soziale Beratung durch Ärzte; Beschränkung der Beratung durch Ärzte auf die medizinisch relevanten Fragen; u.U. Entwicklung eines Beraterleitfadens für die Vorgänge der Schwangerschaft und des Schwangerschaftsabbruchs;
   - Trennung von Beratung und Indikationsfeststellung; Beratung vor der Indikationsfeststellung möglichst frühzeitig, noch in der Phase der Überlegung, als echter Beitrag für die Entscheidungsfindung der Frau.
5. Besonderen Einfluß und damit auch Verantwortung haben neben den Beratern vor allem auch Ärzte im Hinblick auf die Überlegungen und Entscheidung der Frau. Ärzte erfahren bei der Feststellung einer Schwangerschaft meist auch zuerst von einem möglichen Konflikt und dem Gedanken an einen Schwangerschaftsabbruch. In dieser Situation und kraft ihres Ansehens und der Autorität, die sie in der Bevölkerung genießen, könnten sie auf die weiteren Überlegungen der Betroffenen Einfluß nehmen, indem sie über die medizinischen Informationen hinausgehend für die Beratung und zum rechtzeitigen Aufsuchen einer Beratungsstelle motivieren. Ärzte haben darüber hinaus besonders große Verantwortung, wenn es um die Indikationsfeststellung geht.
6. Es geht darum, von einer diffusen Lebensangst zu befreien und den Sinn menschlichen Lebens wieder einleuchtender werden zu lassen. Es geht um eine neue Ehrfurcht vor dem Leben in allen Phasen und Situationen. Längst geführte Diskussionen um die gewollte Tötung kranker und sterbender Menschen rücken die Schutzbedürftigkeit menschlichen Lebens in den verschiedenen Phasen und Situationen in ein neues Licht.
7. Es geht um eine verantwortliche Einstellung zu Liebe, Ehe, Partnerschaft, Sexualität, auch um eine verantwortliche Familienplanung und Empfängnisverhütung; um die Einbeziehung des Mannes, um seine Verantwortung, wenn es um die Entstehung des Lebens geht, wie auch im Falle einer ungewollten Schwangerschaft.
8. Wichtig sind ausreichende familien- und sozialpolitische Leistungen und Stärkung einer positiven Einstellung zum Kind. Hierzu gehört u.a. auch die Frage der Vereinbarkeit von Familie und Beruf, die Berücksichtigung der Mehrfachverpflichtung in Familie, Beruf und Gesellschaft. Materielle Rahmenbedingungen sollen dazu beitragen, eine positive Einstellung zu Kindern und zur Familie aufrechtzuerhalten und Familie realisieren zu helfen;

Erziehungsgeld, Erziehungsurlaub, ausreichendes Kindergeld, kinder- und familienfreundliche Steuerpolitik, Aufbaudarlehen und Hilfen für junge Familien, eine kinderfreundliche Wohnumwelt besonders auch in den Städten, sind bereits Schritte in die richtige Richtung.

9. Fülle und Vielfalt an Aufgaben, die zur Bewältigung der Abtreibungsproblematik und Realisierung des Lebensschutzes erforderlich sind, können nicht mehr von Fachleuten, von Beratern und Ärzten allein wahrgenommen werden. Tatkräftige Mithilfe ist von vielen Seiten erforderlich: von Wohnungseigentümern und Vermietern, vom Arbeitgeber, von all denen, die in Pfarrgemeinden, in der Nachbarschaft, im Verwandten- und Bekanntenkreis und wo auch immer mit Not- und Konfliktsituationen im eigentlichen Sinne wie auch im weiteren Umfeld konfrontiert werden. Dazu gehört auch die Stärkung einer Kinder- und Familienfreundlichkeit in unserer Gesellschaft sowie deutlich sichtbare Beiträge zur Entdiskriminierung z.B. kinderreicher Familien, alleinerziehender Mütter, derer, die ihr Kind zur Adoption geben wollen. Wir brauchen ein mitmenschliches Klima, in dem der einzelne auch bereit ist, nicht nur Hilfen zu geben, sondern auch das Angebot der Hilfe anzunehmen.

   In diesem Zusammenhang ist auch die Initiative „Wähle das Leben“ zu verstehen, zu der die Deutsche Bischofskonferenz mit dem Zentralkomitee der deutschen Katholiken anläßlich des Düsseldorfer Katholikentages im September 1982 aufgerufen haben: nicht in der Reaktion auf negative Tendenzen, „sondern aus einem positiven Ansatz heraus sollte zu konkreter Hilfe, aufbauenden Aktivitäten und einleuchtenden Argumentationen Anstoß gegeben werden“. Im Vertrauen auf das Gute im Menschen, in dem Glauben, daß jeder Mensch eine von Gott einzigartige Berufung hat, sind nicht nur die Betroffenen, Berater und Ärzte, Politiker und Gesetzgeber, sondern wir alle in besonderer Weise dem Lebensschutz, auch dem Leben des ungeborenen Kindes und damit auch den Müttern und Familien in Not- und Konfliktsituationen verpflichtet.

Aus: Korrespondenzblatt Sozialdienst katholischer Frauen Nr. 3/1986, 11–20.

Petra Winkelmann

Arbeit mit Alleinerziehenden im Sozialdienst katholischer Frauen

1. Der Sozialdienst katholischer Frauen

Der Sozialdienst katholischer Frauen ist als Fachverband der Jugendhilfe, der Gefährdetenhilfe und der Hilfe für Frauen und Familien in besonderen Notlagen und Konfliktsituationen dem Deutschen Caritasverband angeschlossen. [...]

Zu den Aufgaben des Vereins gehören u. a. die Beratung und Hilfe für Frauen und Familien in besonderen Not- und Konfliktsituationen und die Arbeit mit Alleinerziehenden.

[...]

2. Ziele der Arbeit

Hauptziel der Arbeit mit Alleinerziehenden im Sozialdienst katholischer Frauen ist es, Hilfe zur Selbsthilfe zu leisten. Dies setzt voraus, daß sich die Hilfeangebote an den Problemen und Bedürfnissen der betreuten Alleinerziehenden und ihrer Kinder orientieren. „Das Bedürfnis eines Menschen nach Hilfe und Unterstützung läßt sich nicht allein anhand quantitativer Daten wie Einkommen, Wohnverhältnis oder Anzahl der Kinder bestimmen, sondern hängt wesentlich von der subjektiven Bewertung der eigenen Lage ab. Damit wird die Wahrnehmung der persönlichen Situation, insbesondere durch internalisierte Wertmaßstäbe, Rollenvorstellungen und soziale Vergleichsprozesse beeinflußt und kann sich im Laufe der Zeit verändern.“[1] In die Arbeit mit Alleinerziehenden müssen demzufolge neben ihren im Vergleich zu anderen Familien objektiv schlechteren Lebensverhältnissen auch die subjektiven Wertungen einbezogen werden. In den Fällen, in denen eine mittel- oder längerfristige Betreuung notwendig ist, kommt der persönlichen Beziehung zwischen der hauptamtlichen bzw. ehrenamtlichen Mitarbeiterin und der alleinerziehenden Mutter oder dem alleinerziehenden Vater hohe Bedeutung zu: das Gefühl, verstanden und akzeptiert zu werden, ist die Voraussetzung dafür, daß die Alleinerziehenden ihre Probleme offen ansprechen und daran arbeiten können.

Ziel unserer Hilfen ist es, Alleinerziehende darin zu unterstützen, ihre Probleme selbst lösen zu können, sie in ihrer Selbständigkeit und in ihrem Selbstbewußtsein zu stärken und sie zu befähigen, den Bedürfnissen des Kindes oder der Kinder gerecht zu werden.

Alle Hilfen für Alleinerziehende sind vom Grundsatz her als befristete Angebote zu betrachten, während langfristig immer die Integration als Familie in die Gesellschaft beabsichtigt wird.

Im Interesse der Alleinerziehenden arbeitet der Sozialdienst katholischer Frauen – soweit leistbar und sinnvoll – mit anderen Verbänden und Institutionen zusammen, um die Hilfeangebote zu koordinieren und zu vernetzen.

3. Probleme Alleinerziehender und Hilfen durch den SkF

Die Ein-Elternteil-Familien in der Bundesrepublik Deutschland bilden keineswegs eine homogene Gruppe, sondern leben abhängig von dem Familienstand des alleinerziehenden

1 Erika Neubauer, Alleinerziehende Mütter und Väter – eine Analyse der Gesamtsituation, Bonn 1988, S. 79.

Elternteils, der Kinderzahl und dem Alter der Kinder, dem Einkommen etc. unter sehr verschiedenen Bedingungen.

Gemeinsam ist ihnen die Tatsache, daß ein Elternteil (zumindest vorübergehend) allein mit dem minderjährigen Kind/den minderjährigen Kindern lebt und die Verantwortung überwiegend alleine zu tragen hat. Entscheidende Bedingungen für die Bewältigung der neuen Lebenssituation sind die Ursachen für das Entstehen der Ein-Elternteil-Familie (ledige Mutterschaft, Trennung/Scheidung oder Tod des Partners) und das Vorhandensein bzw. Fehlen sozialer Stützsysteme insbesondere in der Familie oder im nahen Umfeld. Nachfolgend sollen unter Einbeziehung der Erfahrungen der praktischen Arbeit in den Ortsgruppen und Einrichtungen des Sozialdienst katholischer Frauen die sozioökonomischen und die psychosozialen Bedürfnisse sowie die gesellschaftliche Situation der Alleinerziehenden unter besonderer Berücksichtigung der Klientel des Sozialdienst katholischer Frauen beschrieben werden. Die vorgenommene Trennung der Problembereiche ist rein formal – in der Realität sind sie miteinander verknüpft, beeinflussen und verstärken sich wechselseitig.

3.1. Sozioökonomische Probleme

Rechtliche, materielle, berufliche und Wohnungsprobleme von Ein-Elternteil-Familien sind eng miteinander verknüpft.

Bei der Kontaktaufnahme alleinerziehender Mütter mit den Mitarbeiterinnen des Sozialdienst katholischer Frauen stehen häufig *konkrete juristische Fragen* im Vordergrund; die Alleinerziehenden sind in ihrem sozialen Umfeld und seitens der Behörden oft widersprüchlichen Informationen über die Rechtslage und Verwaltungspraxis ausgesetzt. Ihre Zukunft mit einem nichtehelichen Kind bzw. als geschiedene oder verwitwete alleinerziehende Mutter wirft eine Vielzahl an Problemen auf (Möglichkeiten zur Beendigung der Schul- oder Berufsausbildung? Sicherung des Lebensunterhaltes als nichteheliche Mutter oder nach der Trennung bzw. Scheidung? Unsicherheiten des beruflichen Wiedereinstiegs etc.), die zu großer Verunsicherung und Zukunftsängsten führen können.

In verschiedenen Untersuchungen[2] wurde die wirtschaftliche Benachteiligung Alleinerziehender und ihrer Kinder belegt. Besonders betroffen sind ledige, in der Regel besonders junge Mütter, die noch nicht im Beruf stehen und getrenntlebende/geschiedene Elternteile, bei denen in der Regel die Unterhaltszahlungen als Einkommen nicht ausreichen. So bleibt vielen Alleinerziehenden nur die Alternative zwischen der Inanspruchnahme von Sozialhilfe oder einer eigenen Vollzeit-Erwerbstätigkeit.

Schriftliche Befragungen der Mitarbeiter/innen in den Ortsgruppen und Einrichtungen des Sozialdienst katholischer Frauen, die mit Alleinerziehenden arbeiten (in den Jahren 1986 und 1987 durchgeführt), ergaben, daß *finanzielle Schwierigkeiten* bis hin zur Verschuldung sowohl hinsichtlich der Häufigkeit als auch hinsichtlich des Ausmaßes der Problembelastung an erster Stelle stehen.

---

2 Vgl. Erika Neubauer, a. a. O., S. 33 ff.

Die materiellen Probleme sind oft eng mit der beruflichen Situation verknüpft: Alleinerziehende sind besonders häufig von *Arbeitslosigkeit* betroffen.[3] Während 1985 10,8 % aller verheirateten Mütter arbeitslos oder arbeitssuchend waren, betrug die Zahl der Arbeitslosen bzw. Arbeitssuchenden bei den alleinstehenden Müttern 30,9 %. Besonders deutlich ist der Rückgang der Erwerbstätigkeit bei den ledigen Müttern, von denen 1972 86 % berufstätig waren gegenüber nur noch 56 % im Jahre 1985.

Ursachen der hohen Arbeitslosigkeit dürften neben der geringen beruflichen Qualifikation Probleme bei der Vereinbarkeit von Familien- und beruflichen Aufgaben sein. Schwierigkeiten bei der gleichzeitigen Bewältigung beider Funktionen betreffen auch diejenigen Mütter, die sich noch in der Ausbildungsphase befinden bzw. an einer Umschulungsmaßnahme o. ä. teilnehmen. Alleinerziehende Mütter kommen in einen Teufelskreis, wenn Arbeitgeber/Mitarbeiter des Arbeitsamtes vor der Vermittlung einen Nachweis über eine sichergestellte Kinderbetreuung verlangen und ein Platz in einer Kindertageseinrichtung den Müttern erst dann zur Verfügung gestellt wird, wenn sie eine Arbeitsbescheinigung vorlegen können.

In der Bundesrepublik Deutschland mangelt es derzeit noch erheblich an Betreuungsangeboten für Kinder aus Ein-Elternteil-Familien. Da Betreuungsangebote für Kinder unter 3 Jahren z.B. kaum vorhanden sind, sind viele Alleinerziehende gezwungen, die Betreuung ihrer Kinder selbst zu übernehmen (d. h. nicht berufstätig zu sein und von Sozialhilfe leben zu müssen) oder informelle Hilfen (z. B. von ihren eigenen Eltern) anzunehmen, die u.U. jedoch nicht verläßlich und langfristig einplanbar sind.[4]

Eng verknüpft mit den materiellen Möglichkeiten Alleinerziehender ist auch deren *Wohnsituation:* Aufgrund des geringen Einkommens der Ein-Elternteil-Familien kommen günstig gelegene und gut ausgestattete Wohnungen häufig wegen der Höhe der Mieten für sie nicht in Betracht. Außerdem werden Ein-Elternteil-Familien bei der Wohnungssuche immer noch diskriminiert: Überall dort, wo die Nachfrage das Angebot übersteigt, kann beobachtet werden, daß Vermieter andere Personengruppen (mit gutem Verdienst, ohne Kinder etc.) bevorzugen. Infolgedessen müssen Alleinerziehende mit ihren Kindern häufig auf wenig attraktive Wohnungsangebote zurückgreifen; Ein-Elternteil-Familien sind in sozialen Brennpunkten deutlich überrepräsentiert.[5] Dieses bedeutet für die Sozialisation von Kindern in Ein-Elternteil-Familien zusätzlich, daß sie in beengten Wohnverhältnissen und einem ungünstigen Wohnumfeld aufwachsen und u.U. schon die Nennung der eigenen Adresse (z.B. in der Schule) Stigmatisierungsprozesse begünstigt.

Im sozioökonomischen Bereich werden von den Mitarbeiterinnen und Mitarbeitern des Sozialdienst katholischer Frauen folgende Hilfen geleistet:

- Informationsvermittlung und Beratung über rechtliche Ansprüche (z.B. Scheidungs- und Unterhaltsrecht, Bundessozialhilfegesetz, Mutterschutzgesetz, Bundeserziehungsgeldgesetz etc.);

---

3 Vgl. Erika Neubauer, a. a. O., S. 139.

4 Vgl. Stellungnahme des Deutschen Caritasverbandes „Veränderte Lebenswirklichkeiten der Kinder – Auftrag der Caritas – Jugendpolitische Forderungen" vom 10. Oktober 1989; Stellungnahme des „Sozialdienst katholischer Frauen" zum Entwurf Sozialgesetzbuch (SGB – Jugendhilfe) vom 28. November 1988; Empfehlungen des Deutschen Vereins zur Berücksichtigung der besonderen Belange alleinerziehender Mütter und Väter, Frankfurt 1989.

5 Vgl. Erika Neubauer, a. a. O., S. 51.

- ggf. Unterstützung bei der Beanspruchung und Durchsetzung der eigenen Rechte (Prüfungen amtlicher Bescheide wie z.B. Sozialhilfebescheid, Wohngeldbescheid, Unterhaltsbescheid usw.; ggf. Einlegen von Widersprüchen; ggf. Begleitung zu Ämtern, Gerichtsverhandlungen etc.; evtl. gemeinsame Gespräche mit Arbeitgebern bei angedrohter Kündigung usw.);
- Auskünfte allgemeiner Art z.B. über besondere Hilfen und Angebote im örtlichen Bereich;
- Vermittlung finanzieller Hilfen (z.B. Spenden, Stiftungsgelder etc.) und Vermittlung von Sachhilfen (z.B. Kleidung, Möbel, Elektrogeräte, Spielzeug etc.);
- ggf. Entschuldungshilfen (gemeinsames Formulieren von Briefen an Gläubiger, Verhandlungen mit Versicherungen und Banken, Aufstellen eines Finanzplanes und Erarbeitung wirtschaftlichen Verhaltens etc.);
- Unterstützung bei der Suche nach Wohnraum (gemeinsames Studieren oder Aufgeben von Annoncen, Begleitung bei der Wohnungssuche, ggf. Anmietung von Wohnraum durch den SkF und Weitervermietung an alleinerziehende Frauen etc.);
- Unterstützung bei der Arbeitssuche (gemeinsames Formulieren eines Bewerbungsschreibens, Einüben von Vorstellungsgesprächen, Lesen von Stellenanzeigen etc.);
- Unterstützung bei der Suche nach geeigneten Kinderbetreuungsmöglichkeiten, damit Berufstätigkeit oder Schul- und Berufsausbildung möglich werden (z.B. Krippenplatz, Kindergartenplatz, Tagesmutter o.ä.);
- einige SkF-Ortsgruppen sind Träger von Kindertagesstätten oder Kinderkrippen mit bedarfsgerechten Öffnungszeiten (z.B. Frühdienst ab 6.00 Uhr und Spätdienst bis 18.00 Uhr);
- öffentliches Engagement für den bedarfsgerechten Ausbau von Kinderbetreuungsangeboten (Verhandlungen mit Stadt und Kreis, Information des Jugendwohlfahrts-Ausschusses über die dringende Notwendigkeit von Kinderbetreuungsangeboten für Alleinerziehende etc.).

Die Erfahrung zeigt, daß viele Betroffene sehr erleichtert sind, wenn sie Gesprächspartner/innen finden, mit denen sie über ihre Probleme sprechen können und die fachkundigen Rat wissen. Das Vertrauen der Alleinerziehenden zu den Mitarbeiterinnen und Mitarbeitern des SkF wächst auch, wenn sie die konkrete lebenspraktische Unterstützung spüren. Auf der Grundlage dieser Vertrauensbeziehung bringen die Alleinerziehenden dann auch häufig ihre psycho-sozialen Probleme vor.

3.2. Psycho-soziale Probleme

Isolation

Viele der vom Sozialdienst katholischer Frauen betreuten Alleinerziehenden leben sehr isoliert. Ursachen dieser Isolation sind u.a.:

- Verlust des Bekanntenkreises oder familiärer Bindungen bei Trennung vom Partner oder Scheidung bzw. Wohnortwechsel bei nichtehelicher Schwangerschaft/Geburt des Kindes;
- Verlust der Wohnung, Umzug in eine Wohnung (wenn ein Verbleib am bisherigen Wohnort wegen der Geburt eines Kindes oder der Trennung vom Partner nicht mehr möglich ist);

- mangelndes Verständnis im sozialen Umfeld bei Konfliktschwangerschaften lediger Frauen;
- kein Geld für die Freizeitgestaltung (Abendunternehmungen sind außerdem nicht möglich, weil das Geld für die Bezahlung einer Person, die die Kinder betreut, fehlt);
- Enttäuschung und Depression über das Scheitern der Partnerbeziehung und Zukunftsängste bewirken u.U. Rückzugstendenzen;
- gesellschaftliche Diskriminierung Alleinerziehender verhindert ihre soziale Integration ...

Befragungen von Alleinerziehenden im Verhältnis zu verheirateten Eltern und ihren Kindern haben ergeben, daß einerseits die durchschnittliche Haushaltsgröße reduziert ist (geringere Kontaktmöglichkeiten innerhalb der Familie) und andererseits die sozialen Beziehungen zu Personen außerhalb des eigenen Haushaltes (Verwandte, Nachbarn, Berufskollegen etc.) bei den Alleinerziehenden geringer sind.

[...]

So geraten Alleinerziehende u.U. in einen Teufelskreis: Wegen des Scheiterns der Partnerbeziehung und der damit verbundenen Konflikte sind sie enttäuscht und deprimiert und ziehen sich zurück. Weil sie sich zurückziehen, erhalten sie wenig Zuspruch von außen und keine konkreten Hilfen im Alltag. Dies wiederum verstärkt ihre Enttäuschung, führt zu Überlastung und Depressionen ...

Erziehungsprobleme bzw. Probleme in der Beziehung zum Kind

Probleme in diesem Bereich sind einerseits darauf zurückzuführen, daß die Kinder durch die Trennung vom nichtsorgeberechtigten Elternteil bzw. durch die dieser Trennung vorausgegangenen Konflikte in der Familie Belastungen ausgesetzt wurden und sind, infolge deren sie Reaktionsweisen zeigen, die von den Eltern und/oder anderen Bezugspersonen im sozialen Umfeld als problematisch empfunden werden (regressive und/oder aggressive Verhaltensweisen, Absinken schulischer Leistungen, Ängstlichkeit etc.). Andererseits fühlen sich alleinerziehende Eltern aber dadurch belastet, daß sie die Verantwortung für das Kind bzw. die Kinder allein zu tragen haben und auch die Alltagsentscheidungen ihnen völlig allein überlassen bleiben.

Verschärft wird die Situation zudem dadurch, daß die alleinerziehenden Elternteile gerade kurz nach der Trennung vom Partner, dem Tod des Partners oder der Geburt eines nichtehelichen Kindes häufig selbst in eine Lebenskrise geraten, die es ihnen erschwert, angemessen auf die Bedürfnisse der Kinder einzugehen und auf ihre Verhaltensweisen verständnisvoll zu reagieren. Nachträglich haben alleinerziehende Mütter und Väter nicht selten Schuldgefühle gegenüber den Kindern, woraus ggf. neue Erziehungsschwierigkeiten resultieren können.

Die Beziehung nichtehelicher Mütter zu ihren Kindern gestaltet sich nach den Erfahrungen der Mitarbeiter/innen des SkF nicht selten über Jahre hinweg ambivalent: Einerseits haben die Frauen ihre Kinder angenommen und ausgetragen, andererseits machen sie sie für Einschränkungen der eigenen Lebenssituation und -perspektive verantwortlich. Besonders in den Fällen, in denen ledige Mütter sich unbewußt ein Kind gewünscht haben (z.B. um den Partner zu halten, um das eigene Erwachsensein zu dokumentieren, um einen verläßlichen Liebespartner zu haben o. ä.), ergeben sich nach der Geburt des Kindes häufig Probleme, weil das Kind die (unbewußten) Erwartungen nicht erfüllen kann.

Partnerschaftsprobleme

Die hohe Wiederverheiratungs-Quote alleinerziehender Elternteile zeigt, daß eine Vielzahl von ihnen sich trotz des Scheiterns der ersten Partnerschaft wieder eine feste Beziehung zu einer anderen erwachsenen Person wünscht. In einer repräsentativen Befragung gaben über 50 % aller alleinerziehenden Mütter und Väter bezogen auf ihre Hoffnungen und Wünsche für die Zukunft an, sich ein Familienleben mit neuem Partner und guten Entwicklungsmöglichkeiten für die Kinder zu wünschen.[6] Dabei wird jedoch von einigen Alleinerziehenden zu wenig reflektiert, daß die Gründe für das Scheitern der ersten Beziehung (Kommunikations- und Konfliktunfähigkeit, überhöhte Erwartungen und Ansprüche an die Beziehung, materielle Not etc.) auch in der neuen Beziehung voraussichtlich zu Konflikten führen werden und somit die unbefriedigende eigene Lebenssituation nicht allein durch eine neue Partnerschaft verbessert werden kann – im Gegenteil, die neuen Beziehungen sind durch die Schwangerschaft bzw. vorhandene Kinder noch zusätzlich belastet.

Mangelndes Selbstwertgefühl, die (auch heute noch reelle) gesellschaftliche Aufwertung von Frauen durch einen Mann, das Bedürfnis nach liebevoller Zuwendung, nach Nähe und Bestätigung als Frau (und die Unfähigkeit, diese Bedürfnisse auf anderem Wege zu befriedigen) führen ggf. auch zu unüberlegten sexuellen Kontakten.

Wichtig wäre, daß die alleinerziehenden Frauen wieder Selbstwertgefühl entwickeln und lernen, Konflikte konstruktiv zu bewältigen, ehe sie eine neue Partnerschaft eingehen.

Probleme mit der Herkunftsfamilie

Alleinerziehende – besonders junge alleinerziehende Mütter oder berufstätige alleinerziehende Frauen – sind oft erst mit Unterstützung von seiten ihrer Herkunftsfamilien in der Lage, ihr Leben mit dem Kind zu bewältigen. Obwohl die betroffenen Frauen in der Regel sehr dankbar für die Unterstützung sind (finanzielle Zuwendungen, Hilfe bei der Kinderbetreuung, Entlastung im Haushalt etc.), geraten sie dadurch nicht selten in eine Abhängigkeit von ihren Eltern und fühlen sich ihnen gegenüber auch dann zu Dankbarkeit verpflichtet, wenn sie mit dem Verhalten ihrer eigenen Eltern nicht einverstanden sind (z.B. von ihnen bevormundet werden o. ä.).

Noch problematischer ist jedoch die Situation der Frauen, die von ihren Eltern keinerlei Hilfestellung erhalten, sondern lediglich mit Vorwürfen und Beschuldigungen überhäuft werden. Gerade in ländlichen Gegenden reagieren die Eltern einer jungen Frau häufig sehr ablehnend auf die ledige Mutterschaft oder die Trennung/Scheidung vom Partner, weil sie selbst Angst vor gesellschaftlicher Diskriminierung haben.

---

6 Vgl. Anneke Napp-Peters, Ein-Elternteil-Familien, Weinheim und München 1985, S. 128.

Viele der vom Sozialdienst katholischer Frauen betreuten Alleinerziehenden haben keinerlei Beziehung mehr zu ihrer Herkunftsfamilie und müssen ohne verwandtschaftliche Kontakte und Hilfen auskommen; andere entstammen Familien mit großen sozialen Schwierigkeiten, die keine Stütze für die alleinerziehenden Mütter bedeuten, sondern oft zusätzliche Belastungen bringen.

Überlastung

Die zuvor genannten Belastungen (Vereinbarkeit von Beruf und Versorgung/Erziehung der Kinder, finanzielle Probleme, Versagensgefühle und Zukunftsängste infolge der gescheiterten Partnerschaft, Erziehungsschwierigkeiten etc.) führen oft zu einer Überlastung der Alleinerziehenden, die in Unzufriedenheit und nicht selten psychosomatischen Beschwerden mündet.

Doch gerade gesundheitliche Beeinträchtigungen und Krankheiten der Eltern oder Kinder sind besondere Belastungsfaktoren für Ein-Elternteil-Familien. Einerseits fürchten Alleinerziehende um ihren Arbeitsplatz, wenn sie wegen eigener oder der Erkrankung des Kindes mehrfach fehlen, andererseits steht niemand für die Versorgung kranker Kinder zur Verfügung (bei Krankheit können sie auch Kindergarten und Schule nicht mehr besuchen), und bei Erkrankung des alleinerziehenden Elternteils ist die Versorgung der Kinder akut gefährdet.

Die Hilfen des Sozialdienst katholischer Frauen im psychosozialen Problembereich umfassen Einzelbetreuungen, verschiedene Formen der Gruppenarbeit und sozialpädagogisch betreute Wohnformen.

Einzelbetreuungen

Einzelbetreuungen können über einen kurz-, mittel- oder langfristigen Zeitraum gewährt werden. Ziel ist – wie generell bei allen Hilfen – die Hilfe zur Selbsthilfe im Sinne von Ausnutzung vorhandener Eigenpotentiale, d.h. den Frauen soll nur soviel Hilfe wie unbedingt nötig gewährt werden und soviel Selbstverantwortung wie möglich belassen bleiben.

Im Rahmen der Einzelbetreuungen werden u.U. auch Bezugspersonen wie Eltern, Freunde oder Ehepartner einbezogen.

- Kurzfristige Einzelbetreuung beinhaltet Beratung, Information, Orientierungshilfen, u.U. Weitervermittlung an andere Einrichtungen.
- Mittelfristige Betreuung schließt die Inhalte der kurzfristigen ein und bietet der Klientin einen gewissen Schutzraum und Sicherheit durch länger andauernde persönliche Zuwendung der Beraterin und Vermittlung konkreter Hilfen [...].
- Längerfristige Einzelbetreuung bedeutet oft eine nicht unbedingt kontinuierliche Einzelberatung, d.h. erfahrungsgemäß nehmen einige Klientinnen erst dann sozialpädagogische Hilfe in Anspruch, wenn sie massive Probleme auf allen Ebenen haben. Die Betreuung dient dann dazu, eine weitere Verschlechterung der Lebensbedingungen (z.B. durch Obdachlosigkeit, Inhaftierung o.ä.) zu verhindern.

Gruppenarbeit

Die verschiedenen Formen von Gruppenarbeit sollen neben dem Abbau der Isolation zum Erleben von Gemeinschaft, gegenseitigem Verständnis und wechselseitiger Hilfe dienen und insgesamt zur Entlastung im Alltag und Stabilisierung des Selbstwertgefühls beitragen.

Die Bereitschaft einer Alleinerziehenden, an einer Gruppe teilzunehmen, ist ein erster Schritt zur Bewältigung von Isolation und Vereinsamung. Dennoch kommt für einen Teil der Klientinnen des SkF Gruppenarbeit nicht in Betracht, da sie nicht willens oder in der Lage sind, sich einer Gruppe anzuschließen.

Die Gruppen werden von ehren- und/oder hauptamtlichen Mitarbeiter/innen des Sozialdienst katholischer Frauen aufgebaut und begleitet. Sie bieten ein Übungsfeld für soziales Lernen, aufeinander Zugehen, eigene Wünsche und Erwartungen artikulieren, Erleben wechselseitiger Wertschätzung etc. Außerdem tragen Gruppenangebote wesentlich zur Entlastung der Kinder bei, da die Mütter/Väter hier Gelegenheit haben, ihre Probleme mit anderen Erwachsenen zu besprechen (statt die Kinder dafür in Anspruch zu nehmen).

In der Praxis hat es sich als günstig erwiesen, wenn die Gruppentreffen wöchentlich stattfinden und von 2 Mitarbeiterinnen gemeinsam geleitet werden (was aufgrund der geringen Personalkapazität leider oftmals nicht möglich ist).

Drei besonders häufig praktizierte Formen der Gruppenarbeit sollen nachfolgend kurz dargestellt werden:

Problemorientierte Gruppenarbeit

Ziele problemorientierter Gruppenarbeit sind z.B.

- Analyse der jetzigen Lebenssituation und der Perspektiven von Mutter und Kind (Leben mit dem Kind, Inpflegegabe oder u.U. Adoptionsfreigabe o.ä.);
- Reflexion der Situation als alleinerziehende Mutter, d.h. oft Alleinverantwortliche in der Versorgung und Erziehung des Kindes/der Kinder;
- Stärkung des Selbstwertgefühls in dieser Rolle;
- Bearbeitung der gescheiterten Partnerbeziehung;
- der eigenen Biographie und der Beziehung zur Herkunftsfamilie;
- Klärung der Mutter-Kind-Beziehung und Reflexion des eigenen Erziehungsverhaltens mit dem Ziel, die erzieherische Kompetenz zu verbessern.

Freizeitgruppen

Gruppenangebote, bei denen es vorwiegend um die gemeinsame Gestaltung der Freizeit geht, sind zunächst aus der Perspektive der Klientinnen unverbindlicher.

Ziele von Freizeitgruppen sind – neben dem Abbau der Isolation – z.B.

- abwechslungsreiche und preiswerte Möglichkeiten der Freizeitgestaltung – auch mit Kindern – anzubieten;

- Erfahrung von Freude und Fröhlichkeit;
- gemeinsames Reisen (an Wochenenden und im Urlaub);
- gemeinsames Feiern von Festen (Weihnachten, Silvester etc.), an denen sonst die Einsamkeit besonders schmerzlich erlebt wird.

Gruppen für alleinerziehende Mütter mit Säuglingen und Kleinkindern

Derartige Gruppen werden häufig von Mitarbeiterinnen von Schwangerschaftskonfliktberatungsstellen angeboten und haben folgende Zielsetzungen:
- Aufarbeiten eines möglicherweise ursprünglichen Gedankens an einen Schwangerschaftsabbruch und damit u.U. zusammenhängenden Schuldgefühlen gegenüber dem Kind;
- Aufarbeiten der eigenen aktuellen Befindlichkeit (Geburt des Kindes, Beziehung zum Kind, Unsicherheiten bei der Versorgung des Kindes, Alleinzuständigkeit in der Erziehung etc.);
- Entwicklung und Erziehung des Kindes zu besprechen;
- die Mutter-Kind-Beziehung zu fördern durch Anleitung zur Beschäftigung mit dem Kind (z.B. Baby-Massage, Kontaktspiele und Singspiele für Kleinstkinder etc.);
- Unsicherheiten in der neuen Lebenssituation abzubauen und Perspektiven für sich und das Kind zu entwickeln.

3.3. Sozialpädagogisch betreute Wohnformen für Alleinerziehende und ihre Kinder

Sozialpädagogisch betreute Wohnformen bieten schwangeren Frauen in Notsituationen und Müttern mit Kleinkindern, die aufgrund materieller, persönlicher, sozialer und/oder emotionaler Schwierigkeiten sozialpädagogischer Hilfe bedürfen, Wohn- und Lebensmöglichkeiten. Es gibt Einrichtungen mit intensiver sozialpädagogischer Betreuung („rund um die Uhr") und solche Häuser, in denen Schwangeren/Müttern mit Kindern, die tendenziell in der Lage sind, eigenverantwortlich zu leben, sozialpädagogische Beratung gewährt wird.[7]

Entsprechend den individuellen Fähigkeiten und Defiziten werden den Frauen dort folgende Hilfen angeboten:
- Einübung in Pflege und Versorgung des Kindes;
- Klärung und Förderung der Mutter-Kind-Beziehung;
- Anleitung in praktischen Fragen des Alltags (Kochen, Wäschepflege, Umgang mit Geld etc.);
- Stabilisierung der Persönlichkeit und Förderung des Durchhaltevermögens der Bewohnerinnen (z.B. bezogen auf die Beendigung der Ausbildung oder die Einarbeitung in eine Arbeitsstelle) etc.

Soweit die Mütter aufgrund ihrer eigenen Probleme noch nicht in der Lage sind, die Entwicklung ihrer Kinder zu fördern, erhalten sie bei der Pflege, Erziehung und Förderung des Kindes Unterstützung durch die Mitarbeiterinnen der Einrichtungen.

---

7 Vgl. Empfehlungen des Deutschen Vereins: Hilfegewährung in Mutter-Kind-Einrichtungen, Frankfurt 1988.

Der Sozialdienst katholischer Frauen ist derzeit Träger von 20 Mutter-Kind-Einrichtungen, von denen 11 eine intensive Betreuung gewährleisten und 9 größere Selbständigkeit der Bewohnerinnen voraussetzen. In den größeren Einrichtungen (mit mehreren Abteilungen) ist es in der Regel möglich, den Bewohnerinnen schrittweise immer mehr Eigenverantwortung zu überlassen (Binnendifferenzierung).

4. Öffentlichkeitsarbeit

Mitarbeiter/innen des Sozialdienst katholischer Frauen wirken auf örtlicher, überörtlicher und Bundesebene in Gremien mit, in denen die Belange Alleinerziehender zur Diskussion stehen (Pfarrgemeinderat, Stadtrat, Zusammenarbeit mit anderen katholischen oder nicht-katholischen Verbänden, Engagement der *Arbeitsgemeinschaft Interessenvertretung Alleinerziehende*[8] etc.). Ziel ist es:

- über die Situation alleinerziehender Mütter/Väter und ihrer Kinder zu informieren und die Mitmenschen in Kirche und Gesellschaft für ihre Problemlagen zu sensibilisieren;
- Vorurteile und Diskriminierung von Ein-Elternteil-Familien abzubauen und ihre Integration (z.B. in die Pfarrgemeinden) zu fördern;
- zu praktischen Hilfeleistungen anzuregen (z.B. Förderung der Nachbarschaftshilfe, Unterstützung Alleinerziehender in Krankheitsfällen, zeitweise Entlastung alleinerziehender Mütter/Väter von der Kinderbetreuung etc.);
- gesellschaftspolitische Veränderungen anzustreben und zu unterstützen, die das Leben mit Kindern besonders für alleinerziehende Eltern erleichtern (flexiblere Arbeitszeiten, familiengerechter Wohnungsbau, Ausbau institutioneller Kinderbetreuungsmöglichkeiten etc.).

Neben der Mitwirkung in Gremien versuchen die hauptamtlichen und ehrenamtlichen Mitarbeiterinnen des Sozialdienst katholischer Frauen auch durch Presse- und Medienarbeit, durch Zusammenarbeit mit anderen sozialen Diensten, durch Formulierung und Anforderung von sozialpolitischen Verbesserungen gegenüber Parteien und Ministerien etc. die o.g. Ziele zu verwirklichen.

[...]

Am 1. Oktober 1988 erhielt der Sozialdienst katholischer Frauen – Zentrale e.V. außerdem vom Bundesministerium für Jugend, Familie, Frauen und Gesundheit die Genehmigung zur Durchführung des Projektes „Gruppenarbeit mit Alleinerziehenden – Entwicklung eines Fortbildungscurriculums". Im Rahmen dieses Projekts können z.Zt. 20 Mitarbeiterinnen an einer 2jährigen berufsbegleitenden Fortbildung in der Leitung von Gruppen für Alleinerziehende teilnehmen.

[...]

Doch auch der Einsatz haupt- und ehrenamtlicher Mitarbeiter/innen im Sozialdienst katholischer Frauen reicht allein nicht aus. In der caritativen Fachpraxis wird vielmehr deutlich, wie

8 [Vgl. Vereinbarung zur Gründung einer „Arbeitsgemeinschaft Interessenvertretung Alleinerziehende" (AGIA), in: Korrespondenzblatt SkF 1/87, 45–46. Gründungsmitglieder waren der Katholische Deutsche Frauenbund, die Katholische Frauengemeinschaft Deutschlands und der SkF.]

nötig eine verbesserte pastorale Begleitung von Alleinerziehenden oder in Zweitfamilien lebenden Kindern und Erwachsenen wäre. „Alleinerziehende, zumal wenn sie geschieden sind, leben häufig am Rande gesellschaftlich bestehender Normen und Werte, stehen am Rande der Gesellschaft, mehr noch am Rande der traditionellen Kirchengemeinden ... Die Verkündigung in der Gemeinde richtet sich überwiegend an die sog. ‚Vollfamilie'. Geschiedene und Getrenntlebende erfahren so häufig Belehrung, Ausgrenzung, selten aber Ermutigung und Zuwendung als Hilfen für ihren Lebens- und Glaubensweg. Zu oft haben sie die Kirche und ihre Vertreter als Hüter einer ‚Ehedurchhalte-Moral' erfahren, der sie um ihrer selbst willen nicht folgen konnten."[9]

Alleinerziehenden und wiederverheirateten Geschiedenen sollte in den Gemeinden mit so viel Verständnis begegnet werden, daß sie sich dort geborgen fühlen können. „Als Christen sind wir zutiefst überzeugt, daß Verlust, Enttäuschung, Scheitern und Getrenntsein nicht das letzte Wort in unserem Leben haben. Unser Gott ist ein Gott, dessen Gerechtigkeit sich darin erweist, daß er trotz Leid, Tod und Sünde und durch diese bitteren Erfahrungen hindurch unser Leben zu seiner Erfüllung zu führen versteht ... Wie Not und Versagen allen Menschen gemeinsam sind, so verbindet die Verheißung eines neuen Anfanges alle Christen und verpflichtet sie zur Solidarität. Dies gilt für Eheleute, die Krisen in ihrer Beziehung durchzustehen vermögen, nicht weniger als für solche, deren Gemeinschaft leidvoll zerbrochen ist.

Wo ein Leben in Frieden zwischen einzelnen nicht gelingt, ist es um so mehr der Gemeinde aufgegeben, den mitzutragen, der in ihr Heimat sucht. Keinesfalls kann es darum gehen, von außen selbstgerecht über andere zu urteilen. Das Beispiel Jesu muß uns dazu treiben, daß wir einander in gütigem Verstehen tragen, so daß der eine dem anderen ergänzt, was ihm fehlt."[10]

Aus: Korrespondenzblatt Sozialdienst katholischer Frauen Nr. 2/1990, 20–34.

9 „Wir sind viele ...", Alleinerziehende in der Gemeinde – Arbeitshilfe, Arbeitsstelle für Frauenseelsorge der Deutschen Bischofskonferenz (Hg.), Düsseldorf 1989, S. 5 f.
10 „Alleinerziehend, aber nicht alleingelassen," Erklärung vom Zentralkomitee der deutschen Katholiken vom 28. Mai 1984, S. 12.

Hilfe für von AIDS betroffene Frauen und Kinder durch den „Sozialdienst katholischer Frauen“

Zugegebenermaßen steht der Sozialdienst katholischer Frauen bei dem neuen schwierigen Problem AIDS – eine bisher nicht heilbare Seuchenkrankheit – mit seinen Überlegungen, welche Hilfen und Beratungen für von AIDS betroffene Frauen und Kinder durch unseren Verband angeboten werden können, noch ganz am Anfang.

Bei seinem Frühjahrszentralrat vom 31. März bis 2. April 1987 haben die Mitglieder den einstimmigen Beschluß gefaßt, daß der Sozialdienst katholischer Frauen sich durch diese aktuellen Fragen herausgefordert sieht, weil er in seinen Arbeitsgebieten bereits mit dieser Krankheit konfrontiert ist.

Nachfolgend veröffentlichen wir einen Brief, den der SkF dem Vorsitzenden der Kommission VI der Deutschen Bischofskonferenz, Herrn Bischof Dr. Josef Homeyer, auf seine Bitte hin zugeleitet hat.

An den Vorsitzenden der Kommission VI
der Deutschen Bischofskonferenz
Sr. Exzellenz
Herrn Dr. Josef Homeyer
Bischof von Hildesheim
Domhof 18–21

3200 Hildesheim 3. März 1987

Hilfe für von AIDS betroffene Frauen und Kinder durch den Sozialdienst katholischer Frauen

Verehrter Herr Bischof Dr. Homeyer,

die Deutsche Bischofskonferenz wird sich in ihrer Frühjahrs-Vollversammlung vom 9. bis 12. März 1987 in Stapelfeld mit der Problematik von AIDS befassen.

Im Anschluß an unser Telefongespräch vom 2. März d. J. teilen wir Ihnen nachfolgend – wie erbeten – unsere bisherigen Überlegungen mit, wie der Sozialdienst katholischer Frauen Hilfe für AIDS-infizierte bzw. -erkrankte Frauen und Kinder im Rahmen des Deutschen Caritasverbandes anbieten kann. Wir haben dazu erste Gedanken auch bereits dem Präsidenten des Deutschen Caritasverbandes, Herrn Prälat Dr. Hüssler, vorgetragen.

Der Sozialdienst katholischer Frauen ist Fachverband im Deutschen Caritasverband der Jugendhilfe, der Gefährdetenhilfe und der Hilfe für Frauen und deren Familien in Not. Als Frauenfachverband kommen wir bereits in den folgenden von uns wahrgenommenen Schwerpunktbereichen unserer Arbeit mit der genannten Risikogruppe von Frauen und Kindern in Berührung.

Problemaufriß

- In unseren fast 60 Jugendhilfeeinrichtungen für Mädchen, aber auch in unseren Heimen für Mutter und Kind begegnet uns das Problem AIDS. Ferner werden wir damit konfrontiert in unseren Frauenhäusern. Es gibt bereits erkrankte bzw. infizierte Frauen und Kinder in den Frauengefängnissen. Aber auch der Bereich der Adoptionsvermittlung und des Pflegekinderwesens wurde bereits durch diese Problematik erfaßt. Obgleich wir ein starkes Mißverhältnis zwischen Adoptionsbewerbern und zur Adoption bereitstehenden Kindern haben – d.h. im Schnitt kommt auf 30 Adoptionsbewerber ein Kind –, machen wir in einigen Vermittlungsstellen bereits die Erfahrung, daß potentielle Adoptiveltern nicht mehr bereit sind, Kinder, insbesondere Säuglinge, ohne AIDS-Test zu adoptieren.

- Besonders kritisch wird das Problem bei weiblichen Prostituierten, da dieses Problem in den letzten Jahren in der Bundesrepublik Deutschland ein großes Ausmaß angenommen hat; wir haben einen Anstieg derjenigen Frauen, die sich prostituieren, in den letzten Jahren von 10 000 auf 200 000 zu verzeichnen. Damit einhergehend haben sich die Erscheinungsformen der Prostitution gewandelt.

Der Sozialdienst katholischer Frauen plant, in folgenden Bereichen ein Verbundsystem von Hilfen für den Problembereich AIDS aufzubauen:

1. *Beratung in den Ortsgruppen des Sozialdienst katholischer Frauen*

   Die 230 Ortsverbände des Sozialdienst katholischer Frauen könnten insbesondere Anlaufstelle für ratsuchende von AIDS betroffene Frauen und Kinder sein.

2. *Information und Entwicklung von Praxishilfen in den Einrichtungen des Sozialdienst katholischer Frauen*

   In den Einrichtungen der Jugendhilfe will der Sozialdienst katholischer Frauen zunächst eine umfangreiche, insbesondere medizinische Information anbieten. Einige unserer Ortsgruppen, die Einrichtungsträger sind, haben bereits damit begonnen. Deutlich spürbar wird eine allgemeine Unsicherheit im Umgang mit dem bisher hauptsächlich betroffenen Personenkreis, den sog. Hauptrisikogruppen – dazu gehören gewiß z.T. die Mädchen in Fürsorgeerziehung und Freiwilliger Erziehungshilfe und vor allem die Prostituierten. – Unsicherheit und Angst verschärfen die Tendenz, möglicherweise oder tatsächlich Infizierte aus der Gemeinschaft auszuschließen. Betroffen davon sind die Mitarbeiter in unseren Einrichtungen, die sich mit der Betreuung von jungen Menschen aus den Risikogruppen befassen, sowie die Mitbewohner. Der Umgang mit Kindern oder Jugendlichen, die HIV/HTLV-III infiziert oder gar manifest an AIDS erkrankt sind, ruft bei Erziehern oft Unsicherheit und Ängste hervor, die sich auf ihr erzieherisches Handeln wesentlich auswirken.

   Zur Vermeidung und zum Abbau von Ängsten ist eine fortlaufende intensive Information über Entstehung und Vermeidungsmöglichkeiten der Infektion erforderlich. Ein solches systematisches Informationsprogramm für Mitarbeiter und Betroffene soll erarbeitet und vermittelt werden.

   Es wird zu überlegen sein, ob ggf. einige nicht mehr für die Jugendhilfe benützte Einrichtungen für an AIDS erkrankte Frauen und Kinder zur Verfügung gestellt werden können. Darüber und durch welche Personen die Pflege sichergestellt werden soll, muß noch näherhin sowohl in den Ortsverbänden als auch in den zuständigen Gremien unseres Gesamtvereins beraten werden. Wir stehen in diesen Fragen im Gespräch mit den Schwestern vom Guten Hirten, die ebenfalls gleichermaßen wie der Sozialdienst katholischer Frauen Träger von Jugendhilfeeinrichtungen und Mutter-Kind-Einrichtungen sind.

3. *Beratungsstellen für Prostituierte* (Modell Dortmund)

Der Sozialdienst katholischer Frauen wird in Zukunft die Schaffung von Beratungsstellen für Prostituierte fördern, neue Konzepte der Beratungshilfe für Prostituierte entwickeln und ausbauen.

Für die seit Januar 1986 in Dortmund existierende Beratungsstelle für Prostituierte konnten aufgrund der Unterstützung des Sozialdienst katholischer Frauen die für das Projekt notwendigen Räume im Milieu angemietet werden.[1] Die Beratungsstelle ist Kontakt-, Kommunikations- und Beratungsort, aber auch Ausgangspunkt für Aktivitäten im Milieu selbst. Die Arbeit beinhaltet prophylaktische, begleitende und nachsorgende Hilfen für weibliche Prostituierte bzw. Frauen, die in prostitutionsähnlichen Verhältnissen leben. Die Mitarbeiter des Sozial-, Arbeits-, Jugend- und Gesundheitsamtes, der Polizei, der Bewährungshilfe, der Einrichtungen der freien Träger und der Kirchengemeinden, die bislang selbst keine Möglichkeit hatten, ganz speziell auf die Probleme dieser Frauen einzugehen, sind erleichtert darüber, daß sie die betroffenen Frauen in Notsituationen an diese Beratungsstelle vermitteln können. Darüber hinaus wird mit Ärzten, Anwälten, anderen Beratungsstellen und Institutionen zusammengearbeitet. Schwierigkeiten mit Zuhältern oder Bordellbesitzern haben sich bisher noch nicht ergeben.

Die Arbeit umfaßt:

- regelmäßige Besuche bei Prostituierten vor Ort, in ihrem Tätigkeitsbereich;
- Street-Work, d.h. Kontaktanbahnung zu Prostituierten und einschlägigen Milieukneipen, um in der „Szene" direkt ansprechbar zu sein;
- Beratung in der Beratungsstelle selbst.
- Darüber hinaus besteht inzwischen die Möglichkeit, in angemieteten Räumen vorübergehend eine Bleibe zu finden für diejenigen Frauen, die unter großem Leidensdruck stehen, zum Teil mißhandelt werden und dringend aus der „Szene" aussteigen möchten.

  Zur Zeit werden mehr als 30 Frauen regelmäßig betreut. Die betroffenen Frauen stehen dem Angebot positiv gegenüber.

Beim Ausbau eines Verbundsystems von Hilfen im Bereich der Problematik AIDS wird der Sozialdienst katholischer Frauen sowohl mit dem Sozialdienst Katholischer Männer als auch mit seinem Spitzenverband, dem Deutschen Caritasverband, eng zusammenarbeiten. Darüber hinaus werden wir die bereits begonnene Zusammenarbeit mit der Zentralstelle der Deutschen Bischofskonferenz, der Kath.-Sozialethischen Arbeitsstelle in Hamm fortsetzen.

Der Sozialdienst katholischer Frauen stimmt mit den deutschen Bischöfen darin überein, daß es bei der Hilfe für AIDS-Infizierte bzw. -Kranke nicht darum gehen kann, die Hilfen ausschließlich auf den hygienisch-technischen Bereich zu reduzieren, sondern daß es auch darum gehen muß, mitzuhelfen, ein verändertes Wertbewußtsein zu schaffen bzw. wiederherzustellen.

Mit der Problematik von AIDS wird besonders deutlich, daß heutige Not kein ausschließlich materielles Problem darstellt, sondern in ihrem tieferen Grund auf soziale und geistig-see-

1 [Vgl. Dok. 52.]

lische Krisen verweist. Hier ist *Sinnberatung* in Sinn-Not dringend geboten. Dabei sind vor allem freie Träger und insbesondere die Kirche herausgefordert, ein wertbezogenes Sinnangebot für die Betroffenen zu machen und in Sinnfragen und Lebenskrisen Rat und Hilfe anzubieten.

Gewiß stehen die von Ängsten betroffenen Risikogruppen dem kirchlichen Leben häufig fern. Dies fordert christliche Nächstenliebe in ihrer Bereitschaft, auch dem Fernsten Nähe zu geben. Ein Zeichen setzte hier die Gründerin unseres Verbandes, Agnes Neuhaus, die in ihrer Betroffenheit vom Elend der Dortmunder Geschlechtskrankenstation sich ein Herz faßte und gezielt für gefährdete Mädchen, Frauen und Kinder den „Katholischen Fürsorgeverein" aufbaute.

In der Tradition dieses Engagements hat der Sozialdienst katholischer Frauen vielfältige Angebote und Einrichtungen vorgehalten, auch im Rahmen des „Gesetzes zur Bekämpfung der Geschlechtskrankheiten" (GBG) von 1927, welches die Problematik von der Polizei auf die kommunale und verbandliche Fürsorge übertrug und im letzten Änderungsgesetz vom 2. März 1974 gerade auch sozial-pädagogische Hilfen und den Ausbau von Beratungsstellen vorsieht.

Der Sozialdienst katholischer Frauen fühlt sich als Frauenfachverband der Caritas, als christliche Dienst-, Sinn- und Glaubensgemeinschaft den von AIDS betroffenen Frauen und Kindern besonders verpflichtet, um durch christliche Nächstenliebe auch für extrem Fernstehende Hoffnung erfahrbar zu machen.

Mit dem geplanten Hilfeangebot möchte der Sozialdienst katholischer Frauen darüber hinaus im Rahmen des Deutschen Caritasverbands die Bemühungen und die Sorge der Deutschen Bischofskonferenz um die Betroffenen unterstützen.

Mit verbindlicher Empfehlung und freundlichem Gruß

Ihre

[gez.] Felicitas Drummen
(Felicitas Drummen)
Vorsitzende

[gez.] Monika Pankoke-Schenk
(Dr. Monika Pankoke-Schenk)
Generalsekretärin

Aus: Korrespondenzblatt Sozialdienst katholischer Frauen Nr. 2/1987, 42–46.

Annette Heimath

KOBER – Modell eines Beratungszentrums für weibliche Prostituierte

Prostitution in der Bundesrepublik Deutschland und die Verantwortung eines katholischen Frauenfachverbandes – so könnte man in Abwandlung eines Tagungsthemas das Engagement des Sozialdienstes katholischer Frauen (SkF) auf dem Gebiet der Hilfe für Prostituierte nennen. Mit der Einrichtung des Kommunikations- und Beratungszentrums für weibliche Prostituierte (KOBER) in Dortmund bietet der SkF eine neue Form der Hilfe an. Der Verband greift mit dieser Initiative die bis zur Jahrhundertwende zurückreichende Tradition der Arbeit mit Prostituierten in einem neuen Ansatz auf und leistet damit einen spezifischen Beitrag zur Entwicklung einer problemadäquaten Sozialarbeit im Prostituiertenbereich.

Ziele

Prostitution ist ein Phänomen, das mit der Menschenwürde nicht vereinbar ist. Sie bedeutet Trennung der Einheit von Leib, Seele und Geist – Isolierung und Instrumentalisierung der Sexualität des Menschen. Diese Form der Sexualität schließt Liebe aus. Für Frauen, die in der Prostitution tätig sind, entstehen u. a. auch daraus vielschichtige Probleme, Leiden und auch Schädigungen der Persönlichkeit. Viele sehen in einem solchen Leben keinen Sinn mehr. Nach Jahren in der Prostitution sind manche nicht mehr in der Lage, aus eigener Kraft ihre Probleme zu bewältigen. Sie brauchen Unterstützung und darüber hinaus eine ganzheitliche Hilfe, die ihre Eigenkräfte aktiviert.

Ziel der Hilfe ist, in persönlichem Kontakt, in menschlicher Nähe und Zuwendung die jeweiligen individuellen Defizite aufzuarbeiten, zu selbstverantwortetem Handeln zu ermutigen und zu sozialer Integration zu befähigen. Dabei liegt der Schwerpunkt auf der Anregung und Unterstützung von individuellen Bemühungen, sich aus dem Prostituiertenmilieu zu lösen. Um Integration zu ermöglichen, sollte auch auf die Öffentlichkeit im Sinne einer Entstigmatisierung und Entdiskriminierung der Prostituierten eingewirkt werden.

Eine Anregung zur Auseinandersetzung mit sozialen Verhaltensweisen, ohne die auch in einer pluralistischen Gesellschaft menschenwürdiges Zusammenleben nicht möglich ist, mit Werten und Normen, will andere Zukunftsperspektiven eröffnen und neuen Lebenssinn erschließen. Hier wirken Werthaltungen, Orientierung aus dem christlichen Glauben, Selbstverständnis und ethische Positionen des Trägers der Beratungsstelle auf die Arbeit ein. Ganzheitliche Hilfe orientiert sich an den seelischen, geistigen wie auch leiblichen Nöten der betroffenen Frauen. Für diese Form persönlicher Hilfe ist die Ergänzung hauptberuflicher durch ehrenamtliche Mitarbeiterinnen notwendig. Beide übernehmen jeweils komplementäre Aufgaben.

Problembereiche der Prostitution

Prostituierte finden oft nicht aus eigener Kraft in die „Normalgesellschaft" zurück, weil sie durch eine Vielzahl individueller Schädigungen handlungsunfähig geworden sind und ihnen eine feindselige oder gleichgültige Umwelt den Wiedereintritt in die konventionellen Lebens-, Arbeits- und Wohnformen versperrt. Andere Prostituierte schaffen zwar die Rückkehr in die Gesellschaft und die Wiederaufnahme einer unauffälligen Lebensweise, jedoch wesentlich später als beabsichtigt: erst nach tiefem sozialem und individuellem Abstieg, in der Regel beruflich entqualifiziert, materiell unabgesichert und dauerhaft sozialhilfebedürftig.

Die Prostitution bringt im Regelfall für die Betroffenen erhebliche Folgeprobleme mit sich. Diese Probleme – insbesondere Abhängigkeiten, vielfältige Schädigungen, Auffälligkeit, Isolierung und Ausbeutung, Resignation – entspringen sowohl der prostitutiven Tätigkeit selbst als auch ihrer gesellschaftlichen Bewertung.

Prostituierte sind im Unterschied zu anderen Randgruppen eine besonders heterogene Personenkategorie. Sie sind verschiedener sozialer Herkunft, üben ihre Tätigkeit an verschiedenen Orten, unter verschiedenen Bedingungen und mit unterschiedlichem „Erfolg" aus und befinden sich jeweils in verschiedenen Phasen ihrer „Karriere". Auch dies macht eine soziale Arbeit mit ihnen von vornherein schwierig.

Die besonderen Lebensprobleme der Prostituierten können nur von Einrichtungen helfend angegangen werden, die auf sie speziell zugeschnitten sind. Die bisher geübte Praxis, Prostituierte anderen Problemgruppen (Drogen- und Alkoholabhängigen, Nichtseßhaften) zuzuordnen, wird den Frauen nicht gerecht.

Das KOBER – Aufgaben und Hilfeangebote

Die Einrichtung wurde 1987 in die Trägerschaft des Sozialdienst katholischer Frauen e.V. Dortmund übernommen.[1] Die wissenschaftliche Beratung wird von Professor Dr. F. W. Stallberg geleistet, der den Aufbau des KOBER von der Universität Dortmund aus geplant und organisiert hat – zunehmend in Zusammenarbeit mit dem SkF. Damit ist eine Verbindung von sachlich fundiertem Engagement und wissenschaftlicher Reflexion sichergestellt. Das KOBER befindet sich seit ca. einem Jahr in den Räumen eines mitten im „Milieu" gelegenen Ladenlokals, d.h. im Arbeits- und Kontaktbereich der Zielgruppe (Bahnhofsviertel, Bordellstraße, Milieukneipen, Stundenhotels etc.). Die Standortwahl in einem Bezirk, in dem sich Prostitution nachweislich konzentriert vollzieht, bedeutet für die Frauen Freiraum, Freiwilligkeit, offenes Angebot, Anlaufstelle für sofortige unbürokratische Hilfe.

Das KOBER besteht aus zwei Räumen: der vordere Raum ist als „Café" gedacht und dient als Kontakt- und Kommunikationsort; der dahinter gelegene Raum wird für Beratungsgespräche und Büroarbeit genutzt. Im KOBER sind drei im Kontakt mit der Zielgruppe erfahrene Sozialarbeiterinnen tätig, eine davon mit der Aufgabe der AIDS-Beratung. Zusätzlich wirkt eine „Ehemalige" im Café als hauswirtschaftliche Kraft mit. Einmal wöchentlich bietet eine Psychologin psychotherapeutische Einzel- und Gruppensitzungen an. Außerdem sind in der Regel noch zwei Studentinnen der Sozialarbeit als Praktikantinnen im KOBER beschäftigt.

Im Rahmen der Hilfe wird für bestimmte Aufgaben auch ehrenamtliches Engagement genutzt. Dieses ist mit seinen spezifischen Möglichkeiten unverzichtbar, um eine nachhaltige persönliche Hilfe zu gewährleisten. Besonders die Unterstützung ehemaliger Prostituierter bietet sich für den Einsatz ehrenamtlicher Mitarbeiterinnen an.

---

1 [Zuvor fungierte als Träger der inzwischen aufgelöste Verein „Initiative zur Integration weiblicher Prostituierter".]

Die Arbeit im KOBER gliedert sich in drei Schwerpunkte.

Präsenzdienst

Von Montag bis Freitag sind die Mitarbeiterinnen von 11.00–15.00 Uhr persönlich und telefonisch im KOBER erreichbar. Während dieser Zeit können Frauen das offene Kommunikations- und Beratungsangebot wahrnehmen. In der Regel sind es ehemalige und aussteigewillige Prostituierte, die das KOBER aufsuchen, um in geschützter Atmosphäre ungestört miteinander zu reden, Kontakt zu anderen betroffenen Frauen aufzunehmen, ihrer häuslichen Isolation zu entfliehen, eine Unterbrechung ihres vielfach eintönigen Alltags zu erleben, soziale Kontakte zu schließen und um bei Vorliegen von akuten Schwierigkeiten Hilfe in Anspruch nehmen zu können. Konkret sieht das so aus, daß von den 67 Frauen, die in engerem Kontakt zum KOBER stehen, täglich 8–15 Personen vorbeikommen, sich in dem Caféraum aufhalten, Kaffee trinken, ggf. eine Kleinigkeit essen und bei Vorliegen eines konkreten Problems, wie z.B. dem Erhalt eines Mahnbescheids oder anderer amtlicher Schriftstücke, eine von den Mitarbeiterinnen um Hilfe und Unterstützung bitten.

Während der Öffnungszeiten sind in der Regel zwei Sozialarbeiterinnen anwesend, um in dringenden Fällen abrufbereit zu sein, auf Gespräche und Probleme, die im Caféraum erörtert werden, eingehen zu können, in der Büroecke organisatorische Dinge zu erledigen, den Telefondienst abzudecken und um problemorientierte, beratende, klärende, informative Einzelgespräche führen zu können. Darüber hinaus bemühen sich die Mitarbeiterinnen immer wieder, die Frauen zu gemeinsamen Freizeitaktivitäten anzuleiten. Das stärkt das Zusammengehörigkeitsgefühl, fördert das Schließen von sozialen Kontakten und motiviert zu gemeinsamen Unternehmungen.

Abb. 68: Das KOBER (Kommunikations- und Beratungszentrum für weibliche Prostituierte) des SkF in Dortmund wird vom Katholischen Forum mit dem „Bettelstab" ausgezeichnet – einem Ehrenzeichen für Verdienste um Menschenwürde und franziskanische Ideale (v. r. n. l.: Franziskaner-Pater Werenfried Wessel – Angelika Palten, Leiterin des KOBER – Patricia Sudendorf – Michaela Engel).

Außenarbeit

Dieser Arbeitsbereich umfaßt

1. Hausbesuche, d.h. Einzelgespräche mit Frauen in ihren Privatwohnungen. Es handelt sich hierbei in der Regel um aktive Prostituierte, die aufgrund ihrer Wohn-, Familien- oder Arbeitssituation das KOBER nicht aufsuchen können oder die per Partnervermittlung in ihrer Wohnung der Prostitution nachgehen und von daher keine Zeit haben, bei Vorliegen akuter Schwierigkeiten ins KOBER zu kommen. Es gibt aber auch einige Frauen, die sich „in ihren eigenen vier Wänden" einfach wohler bzw. sicherer fühlen als in einer Beratungsstelle.
2. Begleitung zu Ämtern, Behörden, Anwälten oder anderen am Hilfeprozeß beteiligten Institutionen bzw. spezielleren Beratungsstellen, wie z.B. Drogen-, Schuldner-, Familien- und Schwangerschaftskonfliktberatung. Besonders bei Schwangerschaft von aktiven Prostituierten ergeben sich Probleme, die nur in Zusammenarbeit mit anderen Beratungsstellen gelöst werden können. Schwangere Prostituierte, die finanzielle Rücklagen gebildet haben, steigen in der Regel im 3. bzw. 4. Monat der Schwangerschaft aus der Prostitution aus in dem festen Glauben, den endgültigen Ausstieg damit vollzogen zu haben. Die Praxis zeigt aber, daß die Frauen sich nach der Entbindung wieder durch Prostitution ihren Lebensunterhalt verdienen müssen, weil die Rücklagen erschöpft sind, der Zuhälter Druck ausübt oder die Versorgung des Kindes (der Kinder) sehr kostenaufwendig ist, da sie in der Regel von Pflegefamilien versorgt werden.
3. Persönliches Kontakthalten und Erledigung von organisatorischen Dingen während und nach Haft-, Krankenhaus- und Therapie-Aufenthalten.
4. Hilfe und Unterstützung bei der Wohnungs- und Arbeitssuche.
5. Hilfe bei Umzügen und der Beschaffung von Möbeln/Hausrat.
6. Unterstützung bei der Anbahnung sozialer Kontakte außerhalb des Milieus.
7. Unterstützung bei der Wiederaufnahme von Kontakten zu Angehörigen.

Wichtig ist hier die gute und konstruktive Zusammenarbeit des KOBER mit anderen Instituten und Ämtern.

Streetwork

Ein ganz wichtiger Arbeitsschwerpunkt ist der der aufsuchenden Sozialarbeit. Dieser geschieht in regelmäßigen Besuchen bei den Prostituierten vor Ort in ihren Arbeitsbereichen. Diese Form der sozialen Arbeit, die Kontaktaufnahme und Kontaktanbahnung zu Frauen, die in den Bordellen, auf der Straße oder in Kneipen der Prostitution nachgehen, ist sehr mühevoll und schwierig. Da die Besuche häufig eine Störung des Betriebs- und Arbeitsablaufes sowie der Kundenwerbung bedeuten, laufen Gespräche hier nur sehr kurz und oberflächlich ab. Ähnlich gestaltet sich die Kontaktaufnahme bzw. die Gesprächssituation mit Frauen auf dem Straßenstrich. Sie arbeiten im Sperrbezirk und sind daher Außenstehenden gegenüber sehr mißtrauisch, werden in der Regel von einem Zuhälter beobachtet und fühlen sich ebenfalls sehr häufig bei der Kontaktaufnahme mit ihren Kunden durch die Sozialarbeiterinnen gestört.

Wesentlich einfacher ist dagegen die Kontaktanbahnung zu Frauen, die in Kneipen der Prostitution nachgehen, da die KOBER-Mitarbeiterinnen wie die anderen Anwesenden nur eine Gastrolle einnehmen. Gespräche werden angeknüpft über das Anbieten einer Zigarette, das Spendieren eines Getränks. In diesem Prostitutionsbereich ist zudem der Leidensdruck der Betroffenen besonders hoch. Diese Tatsache und der Alkoholkonsum fördern die Bereitschaft der Frauen, sich einmal richtig auszusprechen und weitere Gespräche auch im KOBER zu suchen.

Für die Streetworkerinnen ist es wichtig, daß sie aktiv zuhören können und auch schon vor Ort direkt Hilfestellungen anbieten können. Ein weiteres Ziel der Arbeit ist es, das KOBER-Café als Kommunikations- und Beratungsangebot bekannt zu machen. Wichtig ist es dabei, immer wieder zu betonen, daß es nicht nur um „Ausstiegsberatung" geht, sondern daß sich die Mitarbeiterinnen auch als eine Art Interessenvertretung der aktiven Prostituierten verstehen. Um Vorbehalte gegenüber den Sozialarbeiterinnen abzubauen und Vertrauen aufzubauen, ist kontinuierliche Präsenz im Milieu erforderlich.

Mit dem Modellprojekt KOBER will der SkF die von Agnes Neuhaus, der Gründerin unseres Verbands, begonnene und seit seinem Entstehen um die Jahrhundertwende geleistete Hilfe für Frauen, die gesellschaftlich an den Rand gedrängt sind – und dazu gehören die Prostituierten –, in einer neuen Form fortführen, einer Form, die den neueren Erkenntnissen der Forschung Rechnung trägt, aufbauend auf den Erfahrungen unserer Verbandsarbeit in diesem Problembereich.[2]

Das KOBER ist ein wichtiges Element in dem neuen Hilfeansatz, der von offenen Angeboten geprägt ist. Die dort gewonnenen Erfahrungen sollen Vorbild sein für die Arbeit anderer SkF-Ortsgruppen.

Aus: Caritas '89, Jahrbuch des Deutschen Caritasverbandes, Freiburg 1988, 271–275.

2 [Vgl. Dok. 16.]

VIII. Im vereinigten Deutschland – Vom Wohlfahrtsstaat zur Wohlfahrtsgesellschaft? (1990–1999)

Die wohlfahrtsstaatliche Einheit – markiert durch den Vertrag über die Schaffung einer Währungs-, Wirtschafts- und Sozialunion zwischen der Bundesrepublik Deutschland und der Deutschen Demokratischen Republik vom 18. Mai 1990 – ging dem politischen Einigungsvertrag vom 31. August und der tatsächlichen Herstellung der Deutschen Einheit durch Beitritt der DDR zum Geltungsbereich des Grundgesetzes nach Artikel 23 am 3. Oktober 1990 um einige Monate voraus. Aus der Langzeitperspektive betrachtet konvergierten indes die Kurven politisch-institutioneller Veränderung und sozialen Wandels in diesem historischen Jahr, welches die über vierzigjährige Periode deutscher Zweistaatlichkeit abschloß.[1] Strukturell erwies sich die politische Zäsur dabei sogar aus mehreren Gründen als bestimmend für die weitere soziale Entwicklung:

1. erforderte die Zusammenführung der beiden unterschiedlichen Sozial- und Wirtschaftssysteme einen nachhaltigen Anpassungsprozeß mit dem Ziel einer möglichst schnellen und umfassenden Rechtsvereinheitlichung etwa auf den Gebieten der Sozialversicherung, des Arbeits- und Familienrechts – praktisch gelöst durch die weitgehende Übertragung des wohlfahrtsstaatlichen Systems der Bundesrepublik auf die ehemalige DDR;
2. ließ der Zusammenbruch der SED-Diktatur in materieller Hinsicht (man denke nur an die desolate Situation des Wohnungsbestandes) einen Nachholbedarf offenbar werden, der in mancher Hinsicht an die fünfziger Jahre der alten Bundesrepublik erinnerte;
3. verschärften die daraus jeweils resultierenden enormen finanziellen Mehrbelastungen, aber auch die gewählten Finanzierungswege vornehmlich aus den Töpfen der westdeutschen Sozialversicherung („versicherungsfremde Leistungen“) den Abbau des Sozialstaates in den alten Bundesländern und belasteten dort überdies die gesellschaftliche Akzeptanz eines im Grundsatz notwendigen Transferprozesses („Gerechtigkeitslücke“);
4. schließlich standen die Wohlfahrtsverbände angesichts des Problems, in den neuen Bundesländern rasch ein möglichst flächendeckendes und funktionsfähiges Netz von Einrichtungen zu schaffen, nicht nur vor gewaltigen logistischen Aufgaben, sondern sahen sich zugleich mit tiefgreifenden Legitimitätsproblemen konfrontiert. Der Mangel an Personal und dessen DDR-spezifische Sozialisation zwangen bei Neueinstellungen zu vielfältigen Kompromissen hinsichtlich der politischen oder konfessionellen Orientierung, was wiederum nicht ohne Rückwirkungen auf das Selbstverständnis der Verbandszentralen in den Altbundesländern bleiben konnte.[2]

1 Zur politischen Chronologie vgl. einführend Hans Georg Lehmann, Deutschland-Chronik 1945 bis 1995, Bonn 1995, 355–417; Gerhart Maier, Die Wende in der DDR, Bonn 1990; Bernd Lindner, Die demokratische Revolution in der DDR 1989/90, Bonn 1998; zur Sozialpolitik Frerich/Frey, Handbuch, Bd. 3 (wie Anm. V/1), 463-590.

2 Vgl. Susanne Angerhausen/Holger Backhaus-Maul/Martina Schiebel, In „guter Gemeinschaft“? Die sozial-kulturelle Verankerung von intermediären Organisationen im Sozialbereich der neuen Bundesländer, in: Sachße, Wohlfahrtsverbände im Wohlfahrtsstaat (wie Anm. II/6), 115–154; dies., Zwischen neuen Herausforderungen und nachwirkenden Traditionen. Aufgaben und Leistungsverständnis von Wohlfahrtsverbänden in den neuen Bundesländern, in: Thomas Rauschenbach/Christoph Sachße/Thomas Olk (Hg.), Von der Wertgemeinschaft zum Dienstleistungsunternehmen. Jugend- und Wohlfahrtsverbände im Umbruch, Frankfurt/M. 1995, 377–403.

Die ersten gesetzgeberischen Schritte auf dem Gebiet der Sozialpolitik im vereinten Deutschland waren bezeichnenderweise auf die finanziellen Folgeprobleme des Einigungsprozesses gerichtet.[3] Insbesondere aus den Mitteln der Arbeitslosen- und Rentenversicherung zweigte man das dafür notwendige Kapital ab und belastete auf diese Weise Arbeitgeber und versicherungspflichtig beschäftigte Arbeitnehmer überproportional, während Beamte und Selbständige geschont wurden. Dies hat mit dazu geführt, daß die Versicherungsbeiträge in den Jahren nach 1990 stark angestiegen sind – auf derzeit 6,5 Prozent des Bruttoarbeitsentgelts bei der Arbeitslosen- und 20,3 Prozent bei der Rentenversicherung. Schätzungen zufolge könnten die Beiträge der gesamten Sozialversicherung ohne diese vereinigungsbedingten Lasten (die dann über Steuern finanziert werden müßten) um bis zu 8 Prozent niedriger liegen![4]

Die Arbeitslosenquote stieg in den Jahren nach der Vereinigung von einem ohnehin hohen Niveau weiter an, wozu nicht zuletzt die besonders ungünstige Arbeitsmarktsituation in den neuen Bundesländern beigetragen hat.[5] Der Umschlag einer für Planwirtschaften charakteristischen verdeckten in offene Arbeitslosigkeit nach 1990 wirkte hier zusammen mit vielfältigen Strukturproblemen im Prozeß der wirtschaftlichen Anpassung, aber auch mit (beschäftigungs)politischen Versäumnissen des Bundes. Dies alles ist indes vor dem weiteren Horizont zunehmender wirtschaftlicher Globalisierung und einer sich damit verschärfenden internationalen Konkurrenz sowie dem ausgeprägten Shareholder-value-Denken in den neunziger Jahren zu sehen, welches einseitig auf Kapitalgeber Rücksicht nimmt. Investitionen auf den internationalen Finanzmärkten werden damit weitaus lukrativer als die Ausweitung von Produktions- und Dienstleistungskapazitäten. Hierin liegt nicht nur ein wesentlicher Grund für die gegenwärtig hohe Arbeitslosigkeit, sondern auch die eigentliche Gefahr für den Wohlfahrtsstaat als solchen: „Vollbeschäftigung und Sozialstaat als Zielsetzungen sind miteinander verschränkt; wenn Arbeitslosigkeit in großem Ausmaße sich dauerhaft mit Kapitalinteressen vereinbaren läßt, verliert der Sozialstaat seinen wirtschaftssystemischen Boden."[6]

Dennoch wäre es verfehlt, wollte man die Zeit nach 1990 wohlfahrtspolitisch nur als Verlustgeschichte beschreiben. Die Transformation des sozialen Sicherungssystems in den neuen Bundesländern stellt ungeachtet aller Mängel und Defizite in Teilbereichen eine administrative Leistung ersten Ranges dar, die zeigt, wie wichtig funktionierende Verwaltungsapparate sind, wenngleich diese im Alltag oft wenig Anerkennung finden. Unter den innovativen Sozialgesetzen aus dieser Zeit ist in erster Linie das Kinder- und Jugendhilfegesetz (KJHG) von 1990 zu nennen, welches als grundlegende Reform des Jugendhilferechts den Gedanken der Prävention und der sozialpädagogischen, familienunterstützenden Dienstleistung für Kinder

3 Frerich/Frey, Handbuch, Bd. 3 (wie Anm. V/1), 591–647, bes. 609.

4 Vgl. Kaufmann, Herausforderungen des Sozialstaates (wie Anm. V/4), 15 f.; Lothar F. Neumann/Klaus Schaper, Die Sozialordnung der Bundesrepublik Deutschland, Bonn [4]1998, 38–43, 170, 186, 217; Für eine Zukunft in Solidarität und Gerechtigkeit. Wort des Rates der Evangelischen Kirche in Deutschland und der Deutschen Bischofskonferenz zur wirtschaftlichen und sozialen Lage in Deutschland, Hannover – Bonn o.J. [1997], Ziff. 73; die aktuellen Zahlenangaben nach Statistisches Bundesamt (Hg.), Datenreport 1997. Zahlen und Fakten über die Bundesrepublik Deutschland, Bonn 1997, 207, 214.

5 Datenreport 1997 (wie Anm. 4), 89 (Tab. 8), 91 (Tab. 9).

6 Arno Klönne, Krise des Sozialstaats – Krise der Solidarverbände, in: Welche Zukunft hat der Sozialstaat? Stellungnahmen zum gemeinsamen Wort der Kirchen anläßlich einer Fachtagung der Diakonie, hg. vom Diakonischen Werk der Evangelischen Kirche von Westfalen, Münster 1996, 21–26, hier 24.

und Jugendliche verpflichtet ist, in den letzten Jahren allerdings unter dem Einfluß „Neuer Steuerungsmodelle" zunehmend in den Sog rigider Sparmaßnahmen geriet, welche auch im Gesetzestext selbst ihren Niederschlag fanden.[7]

Das Pflegeversicherungsgesetz von 1994 löste als fünfte Säule der Sozialversicherung die Leistungen für hilfsbedürftige Menschen aus der Sozialhilfe heraus und bevorzugte dabei die ambulante Versorgung vor der stationären Unterbringung. Die Leistungen sind allerdings nicht nach dem Bedarfsprinzip geregelt, was die Gefahr chronischer Unterversorgung impliziert.[8] Das ehrgeizigste Vorhaben war und ist sicherlich die seit 1988 stufenförmig verwirklichte Gesundheitsreform, die jedoch (noch) keine ausgewogene Verteilung der Belastungen zustandebrachte. Sie verschonte die Pharmaindustrie, versäumte eine wirkliche Stärkung der Nachfragerseite (Krankenkassen) und mutete den Versicherten zuletzt erhebliche Steigerungen bei der Selbstbeteiligung zu.[9]

So sehr der Wohlfahrts*staat* auch in Zukunft für die Gestaltung des rechtlichen Rahmens von Sozialpolitik, die Verallgemeinerung von Hilfe und deren Finanzierungsverantwortung – was nicht gleichbedeutend mit Finanzierung ist – unverzichtbar sein wird, so sehr erfordern leere Kassen auf der einen Seite und die dauerhaft notwendige Mobilisierung individueller sozialer Kompetenzen und Ressourcen zum Erhalt seiner normativen und sozialstrukturellen Grundlagen auf der anderen Seite eine Erweiterung des Wohlfahrtsstaates zur „Wohlfahrtsgesellschaft".[10] Dieser Trend zu einer subsidiäreren Organisation von Wohlfahrtsproduktion, der schon in den achtziger Jahren zu beobachten war,[11] scheint sich in letzter Zeit eher noch verstärkt zu haben und dürfte auch von der neuen rot-grünen Regierungskoalition unter Gerhard Schröder mitgetragen, zumindest aber nicht gestoppt werden.

Die Kirchen verstehen sich in den postmodernen Gefährdungen des deutschen Sozialstaates als „kritische Begleiter und Wächter, damit die sittlichen Maßstäbe und die Grundwerte des menschlichen Zusammenlebens nicht unter die Räder kommen", wie es jüngst der Vorsitzende der Deutschen Bischofskonferenz und Bischof von Mainz, Karl Lehmann, formuliert hat.[12] In diesem Sinne haben sich der Rat der Evangelischen Kirche in Deutschland und die Deutsche Bischofskonferenz 1997 eigens mit einem umfangreichen Wort zur wirtschaftlichen und sozialen Lage in die Debatte eingeschaltet, um „eine gemeinsame Anstrengung für eine Zukunft in Solidarität und Gerechtigkeit möglich zu machen."[13] Diese ökumenische Erklärung zeigt sich in der Zielformulierung durchaus prägnant, wenn etwa gefordert wird, die sozialen Sicherungssysteme durch „eine Sockelung des Arbeitslosengeldes, der Arbeitslosen-

7 Zu nennen ist hier v. a. die Neufassung von § 77 KJHG. – Vgl. insgesamt Frerich/Frey, Handbuch, Bd. 3 (wie Anm. V/1), 349–352; Wolfgang Gernert (Hg.), Das Kinder- und Jugendhilfegesetz 1993. Anspruch und praktische Umsetzung. Eine Einführung in das Achte Buch Sozialgesetzbuch (SGB VIII), Stuttgart – München – Hannover – Berlin – Weimar 1993; ders., Neue Steuerungsmodelle in der Verwaltung – Auswirkungen auf die Jugend- und Wohlfahrtsverbände, in: Wollasch, Wohlfahrtspflege in der Region (wie Anm. I/1), 141–158; Dok. 57.

8 Vgl. Neumann/Schaper (wie Anm. 4), 219–223.

9 Vgl. ebd., 188–210.

10 Vgl. hier nur Dettling, Politik und Lebenswelt (wie Anm. III/16), und Adalbert Evers/Thomas Olk (Hg.), Wohlfahrtspluralismus. Vom Wohlfahrtsstaat zur Wohlfahrtsgesellschaft, Opladen 1996.

11 Vgl. Einführung zu Kapitel VII.

12 Karl Lehmann, Orientierung, Verantwortung und Fundamentalkonsens in freiheitlichen Gesellschaften, Münster 1997, 17.

13 Für eine Zukunft (wie Anm. 4), Vorwort.

hilfe und letztlich auch der gesetzlichen Rente auf die Höhe des soziokulturellen Existenzminimums bei einem steuerfinanzierten Ausgleich für die Sozialversicherungen" armutsfest zu machen (Ziff. 179), bleibt aber sehr zurückhaltend hinsichtlich der praktischen Umsetzung (Ziff. 166, 244).

Bis zum heutigen Tage gibt es in Deutschland keine regierungsamtliche Armutsberichterstattung. Daß diese Lücke von der Sache her geschlossen werden konnte, ist vor allem das Verdienst der freien Wohlfahrtsverbände, die in den letzten Jahren eigene Stellungnahmen und detaillierte Armutsuntersuchungen vorgelegt haben. Stellvertretend sei hier verwiesen auf die große, vom DCV in Auftrag gegebene und 1993 von den beiden Wissenschaftlern Richard Hauser und Werner Hübinger vorgelegte Untersuchung mit dem Titel „Arme unter uns".[14] Die „umfassende Ökonomisierung des Sozialen"[15] – eine Folgeerscheinung der europäischen Integration, die sich u. a. im verstärkten Aufkommen kommerzieller Dienstleistungsanbieter vorwiegend im Gesundheitswesen und in der Altenhilfe manifestiert – und die skizzierten, eher die Identität und Verbandskultur betreffenden Probleme bei der „Osterweiterung" der freien Wohlfahrtspflege seit 1989 erzeugten gemeinsam einen Klärungsbedarf, der alle deutschen Wohlfahrtsverbände dazu brachte, ihre Aufgaben, Ziele und Wertsetzungen neu zu überdenken und zu reformulieren. Ergebnis waren jeweils umfangreiche Organisationsentwicklungs- und Leitbildprozesse auf allen Verbandsebenen und in den verschiedenen Sachbereichen.[16]

Der SkF machte hier keine Ausnahme. Unter seiner neuen Generalsekretärin Annelie Windheuser, die als Diplom-Psychologin aus ihrer Arbeit als Abteilungsleiterin im Amt für Soziale Dienste in Bremen 1992 an die SkF-Zentrale nach Dortmund kam und dort Monika Pankoke-Schenk ablöste *(Dokument 54)*, wurden Leitbild- und Organisationsentwicklung bald zu vorrangigen Schwerpunktaufgaben *(Dokument 55)*. In diesem Fall spielten spezifische innerverbandliche Motive und Bedürfnisse für die Initiierung eine wichtige Rolle – etwa die Verhältnisbestimmung von ehrenamtlichen und beruflichen Mitarbeiterinnen, aber auch eine zunehmende Unzufriedenheit der Ortsvereine mit der Zentrale, welche eine Neubestimmung von Verbandszielen, größere strukturelle Klarheit und eine verbesserte Kommunikationskultur anmahnten. Daher konnte Annelie Windheuser schon zu Beginn des Leitbildprozesses ihre vor Ort gewonnenen Eindrücke und Erfahrungen folgendermaßen zusammenfassen: „Strukturelle Klarheit ist zwar ein wichtiges Element in unserem Verband; Kommunikation ist aber erst lebendig, wenn wir uns auf der mitmenschlichen Ebene um eine Atmosphäre bemühen, die von Vertrauen und gegenseitiger Wertschätzung geprägt ist. Eine Verbandsgemeinschaft, die

---

14 Hauser/Hübinger, Arme unter uns, Teil 1 (wie Anm. VI/22); Teil 2: Dokumentation der Erhebungsmethoden und der Instrumente der Caritas-Armutsuntersuchung, hg. vom DCV, Freiburg 1993; vgl. auch als bilanzierende bzw. weiterführende Veröffentlichungen Werner Hübinger/Richard Hauser (Hg.), Die Caritas-Armutsuntersuchung – eine Bilanz, hg. im Auftrag des DCV, Freiburg 1995; Werner Hübinger, Prekärer Wohlstand. Neue Befunde zu Armut und sozialer Ungleichheit, Freiburg 1996. – Einen Literaturüberblick zu vorgelegten Armutsberichten von Institutionen und Verbänden bietet Thomas Becker, Der Kampf gegen Armut, Arbeitslosigkeit und mangelnde Integration in Deutschland, in: caritas '95, Jahrbuch des DCV, Freiburg 1994, 28–39, hier 38 f.; vgl. auch Greiffenhagen, Ein schwieriges Vaterland (wie Anm. VI/21), 310 ff.

15 Reinhard van Spankeren, Einleitung: Diakoniegeschichte, Sozialstaatsentwicklung, Leitbildpolitik, in: Historische Leitbilder. Beiträge zur Identität kirchlicher Sozialarbeit, hg. vom Diakonischen Werk der Evangelischen Kirche von Westfalen, Münster 1996, 5–10, hier 7.

16 Vgl. exemplarisch für den DCV: Deutscher Caritasverband (Hg.), Zeit für ein Leitbild, Freiburg 1994; Eugen Baldas/Irmgard Stumpf, Leitbild-Prozesse vor Ort. Grundfragen, Beispiele, Materialien, Freiburg 1996; Leitbild des Deutschen Caritasverbandes, Freiburg 1997.

wirklich ‚Gemeinschaft' sein will, darf nicht von einer kleinen Spitze geleitet werden, die zu sehr die ‚Hierarchie' betont. Fachlich muß ein hoher Anspruch gestellt werden, menschlich muß jedoch das Miteinander von gegenseitigem Vertrauen und von Akzeptanz geprägt sein".[17]

Etwa zwei Jahre später, im Dezember 1995, legte der SkF dann als Ergebnis eines intensiv geführten innerverbandlichen Diskussionsprozesses sein Leitbild vor *(Dokument 60)*. Dieser Text, der dem SkF in dreifacher Weise Konturen verleiht – als Fachverband, als Frauenverband und als kirchlicher Verband – und überdies die erzielten Veränderungen in der Organisationsstruktur dokumentiert, entwickelt das Selbstverständnis des Verbandes aus den eigenen geschichtlichen Ursprüngen heraus und betrachtet das Ergebnis nicht als abgeschlossenen Text, sondern als veränderbares und damit zukunftsoffenes Projekt.

Die Öffnung der innerdeutschen Grenze traf den Verband nicht unvorbereitet. Da die Kontinuität seiner sozialen Arbeit in der SBZ/DDR trotz 45 Jahren Besatzungszeit und SED-Diktatur nie ganz abgerissen war,[18] stand der SkF – und dies galt auf höherer Ebene auch für den DCV und die Diakonie – nicht vor einem Neubeginn als „Export" aus den Altbundesländern. Er konnte vielmehr mancherorts an vorhandene Strukturen anknüpfen, bereits existierende Kontakte koordinieren und rasch zu Ortsgruppengründungen verdichten, dabei schließlich auch auf mehrere geschlossene Einrichtungen zurückgreifen, für die er sich die vergangenen Jahre über immer engagiert hatte. Fachlich standen bei diesem Neuaufleben der Arbeit, welches noch unter der Regie von Monika Pankoke-Schenk und Felicitas Drummen in die Wege geleitet wurde, die Jugendhilfe und hier besonders die Situation von alleinerziehenden Frauen mit ihren Kindern sowie der Aufbau eines Netzes von Beratungsstellen bei Schwangerschaftskonflikten, aber auch anderen sozialen Notlagen im Mittelpunkt *(Dokumente 53a, b)*.

Ohnehin gehörte die Beratungs- und Abtreibungsproblematik zu denjenigen Bereichen, die durch die Deutsche Einheit am nachhaltigsten unter Veränderungsdruck gerieten.[19] Handlungsbedarf entstand dadurch, daß seitdem in Deutschland zunächst zweierlei Recht existierte – in Deutschland-West die Indikationenregelung mit Pflichtberatung, in Deutschland-Ost die Fristenregelung ohne Pflichtberatung. Die dringend notwendige und überdies durch den Einigungsvertrag vorgeschriebene Rechtsvereinheitlichung wollte der Gesetzgeber mit dem Schwangeren- und Familienhilfegesetz (SFHG) von 1992 als neuer gesamtdeutscher Regelung auf dem höchst umstrittenen Weg einer Fristenregelung mit verpflichtender Beratung erreichen. Dieses Gesetz wurde indes im folgenden Jahr vom Bundesverfassungsgericht in wesentlichen Punkten verworfen. Das Urteil qualifizierte den Schwangerschaftsabbbruch „für die ganze Dauer der Schwangerschaft grundsätzlich als Unrecht", verpflichtete den Staat auf ein Schutzkonzept, „das Elemente des präventiven wie des repressiven Schutzes miteinander verbindet", und mahnte für die Beratung „Rahmenbedingungen [an], die positive Voraussetzun-

17 Annelie Windheuser, Erstes halbes Jahr als Generalsekretärin, in: Korrespondenzblatt SkF 1/93, 6–8, hier 7.

18 Vgl. Einführung zu Kapitel V.

19 Vgl. zum folgenden aus der Vielzahl der SkF-Stellungnahmen auch Anneliese Ullrich, Hilfen zur verantworteten Entscheidung. Erfahrungen mit der Schwangerschaftskonfliktberatung, in: Herder-Korrespondenz 49 (1995), 25–29; dies., Das Schutzkonzept der Beratungsregelung: Bedingungen, Herausforderungen und Chancen, in: Korrespondenzblatt SkF, Sonderdruck 4/95, 3–12; Andreas Wollbold, Schwangerenkonfliktberatung als Ernstfall des Verhältnisses von Kirche und Staat, in: Korrespondenzblatt SkF 3/96, 17–29.

gen für ein Handeln der Frau zugunsten des ungeborenen Lebens schaffen."[20] Das Schwangeren- und Familienhilfeänderungsgesetz (SFHÄndG) von 1995 – eine modifizierte Indikationenregelung mit aufgewerteter Pflichtberatung – legte dementsprechend alle Beratungsstellen darauf fest, Perspektiven zur Fortsetzung der Schwangerschaft aufzuzeigen, betonte den Vorrang des Lebensrechts des Kindes vor dem Selbstbestimmungsrecht der Frau und bettete diese Gesamtkonzeption in ein Tableau konkreter sozialer Hilfeleistungen ein *(Dokument 56)*.

Das Gesetz stellt vor dem Hintergrund weit divergierender Grundeinstellungen einen politischen Kompromiß dar. Seine lebensbejahenden und -fördernden Potentiale sind beachtlich, und doch bleiben die Defizite und Widersprüchlichkeiten unübersehbar. Insbesondere bildet die Bescheinigung, die zum Abschluß jeder auf Lebensbewahrung ausgerichteten Beratung ausgestellt wird, in formaler Hinsicht die Voraussetzung für eine Abtreibung ohne Strafandrohung. Die Bescheinigung deswegen als „Tötungslizenz"[21] zu bezeichnen, ist indes eine fundamentalistische Verkürzung, die das Ziel der Beratungsregelung ignoriert und letztlich eine im doppelten Wortsinn hilflose Gesinnungsethik erkennen läßt. Demgegenüber betont der SkF vor dem Hintergrund seiner großen Praxiserfahrung mit Recht die fatalen und annäherungsweise sogar in Zahlen meßbaren Folgen, welche ein Rückzug katholischer Beratungsstellen wegen der Scheinfrage aus der gesetzlichen Pflichtberatung für das Ziel des Lebensschutzes und die verbandliche Glaubwürdigkeit bei den ratsuchenden Frauen mit sich brächte. Von den Frauen, die eine Abtreibung in Erwägung zogen und in die Beratungsstellen des SkF kamen, sahen nicht weniger als 40 Prozent im Anschluß an die Beratung eine Perspektive für ihr ungeborenes Kind. Nach Berechnungen des DCV entschieden sich 1996 mehr als 4 000 der über 20 000 Frauen, die sich an katholische Beratungsstellen gewandt hatten, anschließend nachweislich für ihr Kind.[22]

Nachdem sich mit der Regelung von 1995 das Klima zwischen Staat und Kirchen deutlich entspannt hatte, waren es in der Folgezeit innerkirchliche Spannungen, die für neuen Konfliktstoff sorgten. Zwischenzeitlich wurde gar befürchtet, Papst Johannes Paul II. werde die deutschen Bischöfe zum Rückzug aus dem staatlichen Beratungssystem auffordern. So weit kam es dann jedoch nicht: In einem Schreiben vom 11. Januar 1998 bat der Papst die deutschen Bischöfe, „Wege zu finden, daß ein Schein solcher Art in den kirchlichen oder der Kirche zugeordneten Beratungsstellen nicht mehr ausgestellt wird", dies aber „auf jeden Fall so zu tun, daß die Kirche auf wirksame Weise in der Beratung der hilfesuchenden Frauen präsent bleibt."[23] Wie Bischof Lehmann als Vorsitzender der Deutschen Bischofskonferenz ausführte, will die katholische Kirche in Deutschland nun nach Wegen suchen, *innerhalb* des staatlichen Beratungssystems „ohne einen Schein der beschriebenen Art auch künftig in Konfliktsituatio-

---

20 Urteil des Zweiten Senats des Bundesverfassungsgerichts vom 28. 5. 1993 über die Verfassungsmäßigkeit von Vorschriften des Schwangeren- und Familienhilfegesetzes (SFHG u. a.), Leitsätze: 4., 6., 12., zit. nach Johannes Reiter/Rolf Keller (Hg.), Paragraph 218. Urteil und Urteilsbildung, Freiburg – Basel – Wien 1993, 12–14.

21 Manfred Spieker, Wer den Beratungsschein ausstellt, erlaubt die Abtreibung. Die katholische Kirche und die Schwangerschaftskonfliktberatung, in: Frankfurter Allgemeine Zeitung vom 21. Januar 1998.

22 Interview mit SkF-Generalsekretärin Annelie Windheuser im Kölner Stadt-Anzeiger (22. 1. 1998); KNA Inland 14 (22. 1. 1998), S. 1, beide Texte zit. nach: Die Diskussion um die kirchliche Schwangerschaftskonfliktberatung. Dokumentation der Ereignisse im Zusammenhang mit dem Schreiben von Papst Johannes Paul II. vom 11. 1. 1998, hg. vom SkF, Dortmund 1998, Abschnitt IX bzw. VIII.

23 Zit. nach ebd., Abschnitt I (Zitat auf S. 4 des Schreibens).

Abb. 69: Maria Elisabeth Thoma, Vorsitzende des Gesamtvereins seit 1997, bei ihrer Amtseinführung (links die bisherige Vorsitzende Felicitas Drummen).

nen eine wirksame Beratung durchführen [zu] können."[24] Eine Arbeitsgruppe, in welcher der SkF vertreten ist, soll dafür die notwendigen Vorarbeiten leisten. Bis dahin erfolgt die Beratung vor Ort nach der bestehenden gesetzlichen Grundlage.

Auf allen Gebieten der Jugend- und Gefährdetenhilfe forderten die gesetzlichen Veränderungen und der gesellschaftliche Wandel den SkF zum Aufgreifen neuer Arbeitsfelder, aber auch zu einer Neuorientierung seiner konzeptionellen Ansätze heraus. Unter Annelie Windheuser als Generalsekretärin und Felicitas Drummen bis 1997 bzw. Maria Elisabeth Thoma aus Neuss als Vorsitzender (seit 1997) nimmt der Verband zunehmend ein sozialpolitisches Mandat wahr, welches aus christlicher Verantwortung nachdrücklich auf die ethischen Grenzen von Sparprogrammen hinweist, den Finger offen auf ein intellektuell unredliches Schönreden von Sozialabbau legt und die pädagogische bzw. anthropologische Ausrichtung des Hilfehandelns gegen dessen schleichende Verwirtschaftlichung auch gesellschaftspolitisch verteidigt *(Dokument 59)*.

Konkrete Eigenbeiträge wie z.B. das anwaltschaftliche Engagement des SkF in der Schuldnerberatung, für psychisch kranke Frauen, in der Asylhilfe oder mit niederschwelligen Hilfsangeboten für wohnungslose Frauen[25] verleihen dieser politischen Analyse ihre Glaubwürdigkeit und können zudem als SkF-spezifische Umsetzung des 1997 anläßlich des hundertjährigen DCV-Jubiläums geprägten Mottos „Not sehen und handeln. Caritas" gedeutet werden.[26] In diesen Kontext gehören auch selbstverpflichtende Überlegungen, die nach Jahrzehnten finanziellen Profitierens vom Subsidiaritätsprinzip heute wegen knapper Kassen einen einseitigen Rückzug freier Träger aus Feldern der Jugendhilfe für nicht verantwortbar halten *(Dokument 57)*.

24 Statement des Vorsitzenden der Deutschen Bischofskonferenz, Bischof Karl Lehmann, zur Eröffnung der Pressekonferenz im Zusammenhang der Veröffentlichung des Schreibens von Papst Johannes Paul II. an die deutschen Bischöfe vom 11. Januar 1998 über die Schwangerenkonfliktberatung am 27. Januar 1998 in Mainz (Südwestfunk), zit. nach ebd., Abschnitt II.

25 Vgl. exemplarisch Dok. 58.

26 Vgl. Hellmut Puschmann (Hg.), Not sehen und handeln. Caritas: Aufgaben, Herausforderungen, Perspektiven, Freiburg 1996.

Wenn der Wohlfahrtsstaat in der erweiterten Form einer Wohlfahrtsgesellschaft zukünftig Bestand haben soll, muß er verstärkt ehrenamtliche Potentiale erschließen, aber auch das Zusammenwirken von beruflichen und freiwilligen Kräften optimieren. Dieses Zusammenwirken war und ist ein zentrales Gestaltungsmoment verbandlichen Handelns im SkF, aber natürlich bei aller grundsätzlichen Hochschätzung nie frei von Konflikten, deren Ursache auf beiden Seiten liegen können: Ehrenamtliche Vorstände, die überzogene Ansprüche an ihre beruflichen Mitarbeiterinnen stellen und diese bevormunden, belasten die innerverbandliche Kooperation ebenso wie Berufskräfte, die Freiwilligen nicht mit dem nötigen Einfühlungsvermögen begegnen und auf sie herabsehen. In einem dreijährigen Modellprojekt hat der SkF daher für die Erarbeitung neuer Strategien zur Gewinnung und Begleitung ehrenamtlicher Mitarbeiterinnen gesorgt und zugleich die Kompetenzen beruflicher Mitarbeiterinnen im Umgang mit ehrenamtlichen ausgebaut *(Dokument 58)*. Das Projekt förderte auch interessante Ergebnisse hinsichtlich der Trennlinie zwischen „altem" und „neuem", stärker auf Selbstverwirklichung zielendem Ehrenamt zutage, welche demnach viel fließender ist, als es die entsprechenden Schlagworte suggerieren.

Der SkF ist offensichtlich für die sich abzeichnenden Umbrüche und Veränderungen des Wohlfahrtsstaates gut vorbereitet. Durch seine ehrenamtlichen und beruflichen Mitarbeiterinnen (und Mitarbeiter) ist er mit einem eigenständigen Angebot auf vielen zentralen Feldern sozialer Arbeit präsent. „Von der Wertgemeinschaft zum Dienstleistungsunternehmen" – auf diese eingängige Formel hat eine neuere Buchveröffentlichung die Veränderungen im Bereich der Wohlfahrts- und Jugendverbände zu bringen versucht.[27] Damit sollten zwei parallele Entwicklungen – die Auflösung traditioneller sozialkultureller Milieus und die zunehmende Bedeutung managerialer Kompetenzen im sozialen Sektor – auf den Punkt gebracht werden. Diese Analyse hat zweifelsohne einiges für sich, sie gilt aber nicht für alle Wohlfahrtsverbände in gleichem Maße, und als Charakterisierung für den SkF ist sie sogar eher ungeeignet. Der von Agnes Neuhaus gegründete Verband versteht sich nach wie vor als Wertgemeinschaft, ohne deswegen den Gedanken der Dienstleistung zu vernachlässigen, und auch in seinem Namen – „Sozialdienst katholischer Frauen" – sind beide Elemente miteinander verbunden. „Die Wertgemeinschaft *als* Dienstleistungsunternehmen" – mit diesem Programm geht der SkF in sein Jubiläumsjahr und ins neue Jahrtausend.

27 Rauschenbach/Sachße/Olk, Von der Wertgemeinschaft (wie Anm. 2).

„...daß ein Aufbau von rechtlich selbständigen Ortsgruppen entstehen kann“ – Zur Arbeit des SkF in den neuen Bundesländern

Dokument 53a:

Sozialdienst katholischer Frauen – Zentrale e.V.

Bundesministerium für Jugend,
Familie, Frauen u. Gesundheit
Abt. 215 – 2191
Postfach 20 02 20
5300 Bonn 2

über
Deutscher Caritasverband e.V.
– Abt. Jugendhilfe/Ref. Jugendhilfe –
Postfach 420
7800 Freiburg i.Br.

Agnes-Neuhaus-Str. 5
4600 Dortmund 1
28. 03. 1990 La/Ko

Betr.: Deutsch-deutsches Sonderprogramm
des Bundesjugendplans 1990

Bezug: Ihr Schreiben vom 22. 3. 1990

Sehr geehrte Damen und Herren,
in Ihrem Schreiben baten Sie uns um Prüfung, ob Bedarf an Mitteln aus dem o.g. Programm besteht.

In der Tat kommen im Zuge der Veränderungen in der DDR auf den Sozialdienst katholischer Frauen als Fachverband der Jugendhilfe umfangreiche Aufgaben zu, die zunächst in drei Bereiche eingeteilt werden können:

1. Aufbau des Sozialdienst katholischer Frauen in der DDR

Begrifflich wird der Sozialdienst katholischer Frauen in der DDR unter der Bezeichnung „Katholische Fürsorge“ als Fachverband innerhalb der Caritasarbeit geführt. Im Rahmen dieser vorgegebenen Struktur bestehen bereits Gruppen in den Bistümern bzw. Jurisdiktionsbezirken Dresden – Meißen (Leipzig, Dresden), Berlin sowie Schwerin (Rostock). Darüber hinaus bestehen über diverse Verbindungen Einzelkontakte in den vorgenannten Bistümern sowie im Bistum Erfurt und in der Bistumsregion Eichsfeld.

Es gilt, diese bestehenden Kontakte zu koordinieren und zur Gruppenbildung von ehrenamtlich tätigen Frauen im Rahmen der Jugendhilfe intensiv beizutragen, so daß ein Aufbau von rechtlich selbständigen Ortsgruppen entstehen kann.

Zu diesem Zweck sind Koordinations- und Schulungstreffen durchzuführen, die es zu finanzieren gilt. Nach ersten Schätzungen ist mit ca. 20 Treffen im Jahr 1990 zu rechnen,

Abb. 70: Gründungsfeier des SkF Leipzig im September 1990 (v. l. n. r.: Regina Gellner, Vorsitzende des SkF Leipzig – Uta Irmscher – Felicitas Drummen – Dr. Monika Pankoke-Schenk).

wobei jedes Treffen mit ca. DM 2.500,– (für Verwaltungs- und Organisationskosten, Miete und Reisekosten der Teilnehmerinnen) zu veranschlagen ist.

2. Hilfen für alleinerziehende Frauen und ihre Kinder

Die Situation der alleinerziehenden Frauen und ihrer Kinder in der DDR ist äußerst schwierig. Der Sozialdienst katholischer Frauen wurde aus dem Bereich des Caritasverbandes bereits gebeten, sich verstärkt um die alleinerziehenden Mütter und ihre Kinder zu kümmern, und sieht sich veranlaßt, diesem Personenkreis Hilfen nach § 22 ff. KJHG zukommen zu lassen.

Insbesondere ist gedacht an:

- Fortbildungsveranstaltungen 1990 für Mitarbeiterinnen aus der DDR (Schulung von hauptamtlichen und ehrenamtlichen Mitarbeiterinnen) für die Arbeit mit alleinerziehenden Frauen und ihren Kindern. Die Kosten für eine 2-tägige Fortbildungsveranstaltung sind bei 20 Teilnehmerinnen mit ca. DM 5.000,– zu veranschlagen.
- Angebot und Durchführung von Ferienmaßnahmen für alleinerziehende Frauen mit ihren Kindern aus der DDR in der Bundesrepublik in Mutter/Kind-Einrichtungen in Trägerschaft des Sozialdienst katholischer Frauen. Bei einer Mindestdauer von 3 Wochen und einem täglichen Pflegesatz (stat. Mittelwert) von DM 120,– für Frauen und DM 90,– für Kinder ergeben sich in einer Maßnahme bei 50 Personen (25/25) Kosten in Höhe von ca. DM 120.000,– einschl. Reisekosten.

Insgesamt muß für das Aufgabenspektrum nach § 22 ff. KJHG für den betroffenen Personenkreis in der DDR von einem hohen, derzeit noch nicht bezifferbaren Kostenvolumen ausgegangen werden.

3. Unterstützung von kirchlichen Heimen der Caritas in der DDR

Schon seit Jahren engagiert sich der Sozialdienst katholischer Frauen für die Heime „Maria Frieden" in Berlin-Niederschönhausen, „Agnes-Heim" in Leipzig und „Marienheim" in Schirgiswalde.

Sowohl für eine hinreichende Kostendeckung des laufenden Heimbetriebs als auch zur Finanzierung der notwendigen Instandsetzungen an Gebäuden und technischen Anlagen sind die Heime nach wie vor auf eine Hilfe angewiesen. Aus den sehr niedrigen Pflegesätzen können die Heime ihren Finanzbedarf nicht decken.

Es ist von einem Kostenvolumen von mind. DM 150.000,– auszugehen, damit erste Maßnahmen zur Erhaltung, Instandhaltung und Ausstattung dieser Einrichtungen finanziert werden können.

Dies ist unser Bedarf an finanziellen Mitteln aus dem Sonderprogramm.[1]

Mit freundlichen Grüßen

[gez.] Monika Pankoke-Schenk
(Dr. Monika Pankoke-Schenk)
Generalsekretärin

[gez.] Rudolph Lauer
(Rudolph Lauer)
Finanzreferent

1 [Tatsächlich erhielt der SkF auf diesem Wege ganze 8 520,– DM zugesprochen, vgl. DCV, Abteilung Jugendhilfe an SkF Zentrale, 24. 10. 1990, a. a. O. (Quellenangabe zu Dok. 53 a–b).]

Dokument 53b:

Notizen aus den Gesprächen mit dem BMJFFG[1] (Berlin-Ost) unter Berücksichtigung des zuletzt geführten Gespräches am 19. 10. d.J. [1990]

1. Entscheidend ist in den Beratungsstellen die Verbindung von Beratung und Hilfen. Es geht nicht nur um Beratung in Schwangerschaftskonflikten und Schwangerenberatung, sondern insbesondere auch um alle Hilfen aus dem Bereich der sozialen Arbeit, sozial-politischen Leistungen und damit zusammenhängende Not- und Konfliktlagen.[2]

Angesichts der völlig anderen Situation im Gebiet der ehemaligen DDR (auch in politischer Hinsicht, Gesetzgebung u.ä.) wird daher die Arbeit der Beratungsstellen zunächst nicht vorrangig an der Zahl der Beratungsfälle in Schwangerschaftskonflikten gemessen werden können. Die Beraterinnen haben somit den Freiraum, den gesamten Teil der sozialen Arbeit einschließlich ambulanter Hilfen für Schwangere, alleinerziehende Mütter, Mütter mit Kindern überhaupt u.ä. aufbauen zu können. Dies erstreckt sich allerdings hauptsächlich auf den Bereich der offenen Hilfen einschließlich Gruppenarbeit. Die Finanzierung von Notaufnahme- und Wohnmöglichkeiten für Schwangere sowie [für] Mütter mit Kindern einschließlich Mißhandlung u.ä. bereitet hingegen über den Etat BMJFFG, der für den Aufbau von Beratungsstellen gedacht ist, Schwierigkeiten. Solche Notaufnahme- und Wohnmöglichkeiten müßten u.U. über das auch in der ehemaligen DDR demnächst inkraft tretende Jugendhilfegesetz und damit über die zu gründenden Länderministerien abgerufen werden (Berlin-Ost also auch vom Senat Berlin).

Zusätzlich wird im BMJFFG versucht zu klären, ob über den Frauenbereich hier eine Aufbauhilfe für diese unsere Angebote der Wohn- und Lebensmöglichkeit in Wohnungen und Heimen möglich ist.

2. Als Beraterinnen kommen vorwiegend die in den beigefügten Richtlinien genannten Personengruppen in Frage. Da jedoch z.Z. nur sehr schwer Sozialarbeiterinnen/Sozialpädagoginnen für die Aufbauarbeit in der ehemaligen DDR aus dem Bereich der ehemaligen DDR heraus zu gewinnen sind – und das Überwechseln der Berufsgruppe aus dem Gebiet der BRD im Blick auf die tarifliche Einordnung derzeit noch nicht geklärt ist –, können für den Anfang auch andere Berufsgruppen für die Beratungstätigkeit in Frage kommen, sofern sie hierfür nach Art ihrer Vorbildung geeignet sind und gleichzeitig bereit sind, eine Ausbildung als Sozialarbeiterin/Sozialpädagogin oder Ehe-, Familien- und Lebensberaterin mitzumachen (zusätzlich zu der Fortbildung für die Beratung in Schwangerschaftskonflikten). [...]

Aus dem Vorhergehenden empfiehlt es sich, auch diejenigen, die als Helferinnen für Gruppenarbeit eingesetzt werden, als Beraterinnen anzugeben, sofern sie im Zusammenhang mit der

1 [Bundesministerium für Jugend, Familie, Frauen und Gesundheit.]

2 [Bezugspunkt für diese Gesprächsnotiz bildeten Planungen des SkF, unmittelbar nach Herstellung der staatlichen Einheit Deutschlands auch im Bereich der ehemaligen DDR mit dem Aufbau eines Netzes von Beratungsstellen zu beginnen.]

Schwangerenberatung/Schwangerschaftskonfliktberatung im vorgenannten weiteren Sinne für die Gruppenarbeit vorgesehen sind.

3. Die 100 %ige Absicherung der Beratungsstellen ist – wie bereits erwähnt – nur für eine Zeit bis 2 Jahre gewährleistet.[3] Wichtig ist daher die Absicherung der Beratungsstelle über die 2 Jahre hinaus, also Finanzierung anteilmäßig über die aufzubauenden Ministerien der neuen Bundesländer, entsprechend mit dem Senat in Berlin – und Kirche.

4. Es besteht die Vorstellung, pro Beratungsstelle zwei Planstellen für Beraterinnen zu genehmigen (sofern dies vom Einzugsbereich her gerechtfertigt ist); sollte der Einzugsbereich sehr viel größer sein und keine anderen Stellen zur Verfügung stehen, müßte über weitere Planstellen verhandelt werden.

5. *Kinderbetreuungseinrichtungen* erhalten Mittel aus dem DDR-Etat; 2,6 Mrd. sind den zu bildenden Ländern für [die] Aufrechterhaltung der Kinderbetreuung zur Verfügung gestellt. Vermutlich werden diese Mittel über den Bereich der Jugendhilfe (nach Aufbau der Freien Wohlfahrtspflege gem. Artikel 32 Einigungsvertrag) zur Verfügung gestellt. Das gleiche sollte auch für Mutter-Kind-Einrichtungen gelten (wenn sie z.B. Kinderbetreuungseinrichtungen unterhalten).

6. *Qualifizierung der Beraterinnen:* Dies gehört zum Aufbau einer Beratungsstelle; die Kosten werden also hierfür in den ersten zwei Jahren auch voll vom BMJFFG im Rahmen des Aufbaus der Beratungsstelle übernommen.[4] Hierzu gehören Fortbildungen, Zusatzausbildungen, Supervision u. ä.

7. *Zur Kombination von Beratung und Hilfe:* Entscheidendes Kriterium für die Förderung der Beratungsstellen ist die Kombination von Beratung und Hilfe.

Begründung:

Das Leistungssystem in dem Bereich der bisherigen DDR ist den meisten noch unbekannt. Eingefahrene Wege der Hilfe gibt es noch nicht.

Der Aufbau der Beratungsstellen ist daher von vornherein von zwei Seiten zu sehen:

- Sozial- und fürsorgerischer Teil einschließlich aller materiellen und nicht-materiellen Hilfen;
- beraterischer, sozialpsychologischer Aspekt.

Bei der Antragstellung muß nicht in einer Person beides gleichzeitig von vornherein vorliegen. Kombinationen unterschiedlichster Art sind möglich. Es muß jedoch abzusehen sein, daß eine der noch fehlenden Ausbildungen/Zusatzqualifikationen erworben wird.

3 [Danach waren auch hier die Länder für die Finanzierung der Beratungsstellen zuständig.]

4 [Jedoch aus einem anderen Titel.]

8. Nicht nur freie Träger können einen Antrag stellen; auch alle staatlichen Stellen der ehemaligen DDR kommen als Ausfallbürge infrage (Gesundheitsämter, Sozialämter etc.).

Hierbei wird eine sachgerechte Trennung erhalten zwischen
- medizinischer Versorgung und Beratung und
- Beratung und Hilfe in sozialer Sicht.

Anmerkung: Es bleiben also erhalten die sog. Schwangerenfürsorgeberatungsstellen der Behörden im Gebiet der ehemaligen DDR; ferner die medizinische Beratung der Polykliniken.

Im Blick auf die bereits vorhandene medizinische Beratung für Schwangere und Mütter mit Kindern ist verständlich, daß nach dem neuen Gesetz der Aufbau in der ehemaligen DDR vorrangig im Bereich der sozialen Beratung und Hilfen erfolgen soll.

Sofern die Polykliniken die neue Beratung ebenfalls übernehmen möchten, ist dieses möglich und von ihnen zu beantragen.

9. *Hilfsfonds*

Für das Gebiet der ehemaligen DDR stehen für dieses Jahr 10 Mio., für 1991 50 Mio. zur Verfügung.[5] Die Mittel stehen den anerkannten Beratungsstellen einschließlich Polykliniken und Behörden, sofern sie als anerkannte Stellen arbeiten, zur Verfügung.

Der Hilfsfonds ist keine Stiftung. Es gilt also nicht das Stiftungsrecht, sondern ein Haushaltstitel wird hierfür zur Verfügung gestellt. Die Verwaltung erfolgt daher über das BMJFFG (eigene Geschäftsstelle dafür). Die Beratungsstellen rufen die Mittel bei der Stelle des BMJFFG schriftlich oder telefonisch ab. [...]

10. *Träger der Beratungsstellen*

Träger der Beratungsstellen sind die Träger der freien Wohlfahrtspflege einschließlich Fachverbände. Gewünscht wird ein gebündelter Antrag vom zentralen Träger aus. Sobald die Länder und entsprechende Ministerien gebildet sind, soll die Anerkennung bei den Ländern beantragt werden (näheres hierzu ist z.Z. noch nicht bekannt; angestrebt wird die pauschale Anerkennung der Beratungsstellen durch die Länder. Mit der Anerkennung durch die Länder ist voraussichtlich die anteilmäßige Weiterfinanzierung gewährleistet; dies jedoch nach dem Derzeitstand, Änderungen sind in der Gesamtentwicklung u.U. auch noch möglich).

Anneliese Ullrich
Dortmund, den 24. 10. 1990

Aus: Aktenbestand Zentrale SkF (Dortmund). Ostdeutschland: Aufbau und SkF Leipzig 1990 (Dok. 53a und b).

5 [Tatsächlich waren es dann nur 40 Mio.]

Heribert Mörsberger

Annelie Windheuser neue SkF-Generalsekretärin

Abb. 71: Annelie Windheuser, Generalsekretärin des Gesamtvereins seit 1992 (Aufnahme von 1994).

Frau Annelie Windheuser ist neue Generalsekretärin des Sozialdienst katholischer Frauen und damit seit 1. September 1992 Nachfolgerin von Frau Dr. Monika Pankoke-Schenk in der Dortmunder Verbandszentrale. Frau Windheuser (44) ist Diplom-Psychologin und war bislang als Abteilungsleiterin im Amt für Soziale Dienste in Bremen zuständig für die Fachbereiche Kindertageseinrichtungen, Pflegekinder, Adoptionen, Amtsvormundschaften, Erziehungsberatungsstellen und Ambulante Sozialdienste. Neben ihrer Arbeit in der öffentlichen Verwaltung war sie auf verschiedenen Ebenen stets mit der freien Jugendhilfe eng verbunden und hat als Fortbildungsreferentin bei zahlreichen Veranstaltungen von Caritas- und Fachverbänden mitgewirkt.

Die Mitgliedschaft und Mitarbeit im SkF gehört bei Frau Windheuser zur familiären Tradition. Ihre Mutter war langjährige Vorsitzende und sie selbst ist bis zum heutigen Tag Vorstandsmitglied beim SkF in Bremen.

Befragt zu ihren Motiven, vom öffentlichen Dienst in den kirchlichen Bereich zu wechseln, und zu ihren Zielperspektiven als Generalsekretärin des SkF nennt Annelie Windheuser drei Schwerpunkte: Durch fachliche Akzente im innerkirchlichen Bereich und eine enge Verbindung von sozialer und christlicher Arbeit Veränderungen am Bild der Kirche bewirken, durch Nutzung der besonderen Möglichkeiten als Frauenverband einen Beitrag zum Abbau von Benachteiligungen in unserer Gesellschaft leisten und durch sensibles und flexibles Handeln auch in jene Nischen hineinzuwirken versuchen, die durch öffentliche Jugendhilfe mit ihren andersartigen Rahmenbedingungen kaum erreicht werden können.

Wir wünschen der neuen Generalsekretärin für ihr weites und verantwortungsvolles Aufgabengebiet Erfolg und Gottes Segen.

Aus: Jugendwohl 73 (1992), 584.

Annelie Windheuser

Organisations- und Leitbildentwicklung beim „Sozialdienst katholischer Frauen“ (SkF)

Die Ausgangssituation: Probleme in der Aufbau- und Ablauforganisation

Vor genau drei Jahren entschloß sich der Zentralvorstand des SkF, eine externe Organisationsberatung in Anspruch zu nehmen. Gründe hierfür gab es viele:

- Zunehmende Unzufriedenheit der Ortsgruppen mit der Zentrale in Dortmund (feststellbar an Fragen wie: „Was haben die Ortsgruppen eigentlich von der Zentrale?“ Oder: „Was passiert eigentlich in der Zentrale?“).
- Abnehmende Identifikation der Ortsgruppen mit dem Gesamtverband (bemerkbar an sinkenden Abgaben der Ortsgruppen an die Zentrale, an der Verweigerung von statistischen Angaben oder auch an der Entwicklung eines eigenen äußeren Erscheinungsbildes (Logo), welches sich von dem bis dahin für alle Ortsgruppen verbindlichen gemeinsamen Erscheinungsbild unterschied usw.).[1]

Neben diesen eher etwas vordergründig anmutenden Beobachtungen gab es auch weitergehende inhaltliche Fragen:

- Hat das Arbeitsprinzip „Zusammenwirken zwischen Ehrenamtlichen und hauptberuflich Tätigen“ überhaupt noch Zukunft?
- Ist es in der heutigen Zeit immer noch sinnvoll, als Frauenverband tätig zu sein?
- Wie ist es mit der Mitarbeit andersgläubiger Frauen?
- Ist die Wahrnehmung der Leitungsverantwortung durch einen ehrenamtlichen Vorstand noch zeitgemäß? u.v.m.

Auf diesem Hintergrund wurde die Organisationsberatung zunächst mit der Untersuchung der folgenden Fragen beauftragt:

1. Entspricht die Struktur des Verbandes den heutigen Anforderungen eines Fachverbandes der Jugend- und Gefährdetenhilfe?
2. Können die satzungsmäßigen Aufgaben des Verbandes noch effizient erfüllt werden bzw. wie können sie effizient erfüllt werden?

Dabei sollten alle Strukturebenen unseres Verbandes – die Ortsebene, die Diözesanebene und die Bundesebene – in den Blick genommen werden. Es wurden also Fragen nach der Aufbau- und Ablauforganisation innerhalb und zwischen den eben erwähnten Ebenen gestellt.

Eine zwangsläufige Folge: Die Suche nach dem Leitbild

Die ersten Fragen der Organisationsberater waren Fragen nach dem Auftrag, den Zielen und schließlich und endlich nach dem Selbstverständnis bzw. Leitbild unseres Verbandes.

Stand zunächst die Analyse der Strukturen – insbesondere der Strukturen in der Zentrale – im Vordergrund, so verdichteten sich im Laufe der Organisationsberatung folgende Fragen: Welche Bedeutung hat die Gründungsidee des Verbandes für die heute zu leistenden Aufgaben? Ist die Idee von damals noch für heute handlungsleitend? Und wenn diese Idee für die heutige Zeit noch tragend ist – wie steht es mit den Kommunikations- und Kooperations-

1 [Zu Kritik und Änderungswünschen der Ortsgruppen vgl. zusammenfassend Annelie Windheuser, Erwartungen der Ortsgruppen an die Zentrale, in: Korrespondenzblatt SkF 3/93, 4–10.]

strukturen in unserem Verband? Sind sie geeignet, diese Idee zu transportieren und umzusetzen? Sind die Aufgaben/„Angebote" so organisiert und strukturiert, daß sie die KlientInnen möglichst direkt und umfassend erreichen? Ist die Satzung unseres Verbandes in diesem Sinne eventuell zu verändern? Und schließlich und endlich stellt sich die Frage der Umgangskultur in unserem Verband: Welche Gedanken und Prinzipien bestimmen unseren Umgang miteinander?

Es wurde sehr schnell deutlich, daß diese Fragen zentral das Selbstverständnis unseres Verbandes betreffen. Es wurde auch sehr schnell deutlich, daß ihre Diskussion und Beantwortung nötig wird, damit strukturelle Veränderungen in der Aufbau- und Ablauforganisation nicht hohl und oberflächlich bleiben.

Organisationsentwicklung und Leitbild-Diskussion – zwei sich ergänzende Prozesse

Hatte der Organisationsentwicklungsprozeß zunächst die Analyse der Aufbau- und Ablauforganisation im Blick, wurde im Zusammenhang mit den oben erwähnten Fragen sehr schnell deutlich, daß die Fragen des Selbstverständnisses, des Leitbildes unseres Verbandes gleichermaßen diskutiert werden mußten. Deshalb ging der Prozeß in der Folge zweigleisig weiter:

Eine vom Zentralvorstand beauftragte Begleitgruppe entwickelte zusammen mit der Organisationsberatung Grundsätze für die Strukturierung der Arbeit im SkF, insbesondere an der Zentrale, und – diesen Grundsätzen entsprechend – veränderte Strukturen für die Aufbau- und Ablauforganisation.

Zum anderen wurde ein Arbeitskreis beauftragt, ein Diskussionspapier zum Selbstverständnis und Leitbild unseres Verbandes vorzubereiten.

Es würde den Rahmen dieser Darstellung sprengen, wenn alle Erkenntnisse und Ergebnisse hier dargestellt würden. Die wichtigsten Grundgedanken seien aber genannt:

- Die Zentrale ist eine Dienstleistungseinrichtung für die Ortsgruppen; daraus folgt, daß sich die Arbeit an der Zentrale an den in den Ortsgruppen wahrgenommenen Tätigkeitsfeldern zu orientieren hat.
- Die Öffentlichkeitsarbeit des Verbandes soll ein stärkeres Gewicht bekommen; folgerichtig wurde eine Stabsstelle Organisation/Öffentlichkeitsarbeit eingerichtet.
- Die Ziele für die Arbeit der Zentrale werden grundsätzlich durch den Zentralvorstand vorgegeben, ihm obliegt auch die Kontrolle der Arbeitsergebnisse. Dieses wird eine stärkere fachliche Vernetzung der Aufgaben zur Folge haben, eine effektive Aufgabenwahrnehmung und in der Folge eine abgestimmtere Verbandsmeinung.
- Dies zu erreichen erfordert eine enge Kooperation zwischen den hauptamtlich und ehrenamtlich Tätigen im Geschäftsführenden Vorstand, in der Leitungskonferenz, im Zentralvorstand usw. Ergebnis ist eine intensive Vernetzung von Strukturen und Inhalten, kein „oben und unten", sondern ein kollegiales Miteinander, in dem Aufgaben, Rollenerwartungen an die Mitglieder und Mitarbeiter in diesem System deutlich werden.

In bezug auf das Selbstverständnis/das Leitbild unseres Verbandes wurde folgender Prozeß in Gang gesetzt:

Wie bereits an anderer Stelle erwähnt, wurde ein Arbeitskreis beauftragt, ein Diskussionspapier zum „Selbstverständnis und Leitbild unseres Verbandes" vorzubereiten.[2] Dieses Papier, welches drei wesentliche Bestimmungsstücke unseres Verbandes enthält – nämlich der SkF als Fachverband, als Frauenverband und als Verband in der Kirche –, wurde im Frühjahr 1994 dem Zentralrat des SkF zur Diskussion vorgelegt. Nachdem die dort vorgeschlagenen Änderungen eingearbeitet waren, wurde dieses Diskussionspapier an alle Ortsgruppen, an alle diözesanen Arbeitsgemeinschaften usw. mit der Bitte versandt, es intensiv zu diskutieren und ggf. Änderungsvorschläge einzubringen. Dieser Bitte wurde mit einer unerwartet großen Resonanz nachgekommen: In dem folgenden Jahr, welches zur Diskussion zur Verfügung stand, kamen rund fünfzig Rückmeldungen von ganz unterschiedlichen Seiten. Wichtigste Erkenntnis dieses intensiven Diskussionsprozesses war vor allem, daß „der Weg das Ziel ist": Das Sichbewußtmachen, das Diskutieren über die Wurzeln und die Quellen unserer Arbeit wurden als in hohem Maße identitätsstiftend erlebt. Darüber hinaus gewann nun unser Verband durch die in diesem Papier getroffenen Aussagen ein deutliches Profil.

Es würde den Rahmen des Artikels sprengen, wenn die inhaltlichen Aspekte hier beschrieben würden; dieses muß an anderer Stelle geschehen. Allerdings ist in diesem Zusammenhang noch interessant zu erwähnen, daß wir uns an der einen oder anderen Stelle nicht nur mit der Diskussion innerhalb unseres Verbandes beschäftigt haben, sondern – quasi als Impuls – der Betrachtung von „außen" ausgesetzt haben. So hielt in diesem Zusammenhang Martin Lechner anläßlich unseres Zentralrates im Herbst 1994 ein bemerkenswertes Referat zum Thema „Gelebter Glaube im sozialen Dienst – Was macht den SkF kirchlich?"[3] Die Gedanken dieses Referates vertieften in der Folge eine Facette unseres Selbstverständnisses, nämlich die des SkF als Verband in der Kirche.

Die Abrundung: Das äußere Erscheinungsbild

Die Frage, wie eine Ortsgruppe, aber auch der Gesamtverband nach außen in Erscheinung treten möchte, hängt ganz wesentlich von dem Selbstverständnis des Verbandes ab – und zwar auf allen Ebenen (Orts-, Diözesan- und Bundesebene). Dieses Selbstverständnis wiederum kann sich nur entwickeln bzw. fortentwickeln, wenn dieses als ein identitätsstiftender Prozeß begriffen und in Gang gesetzt wird. Folgerichtig steht nun die Entscheidung über ein einheitliches Erscheinungsbild an – nicht umgekehrt. Es bedarf offensichtlich einer intensiven innerverbandlichen Diskussion über Inhalte, um in einem folgenden Schritt diskutieren zu können, in welcher äußeren Erscheinungsform sich dieses Selbstverständnis repräsentieren kann. Dieser Punkt ist nun erreicht; so werden wir – auf unserer nächsten Organtagung im Herbst ds. Jahres – intensiv diskutieren, in welchem Zusammenhang Selbstverständnis und äußeres Erscheinungsbild stehen, was an Konsequenzen aus dem einen für das andere zu ziehen ist usw.[4]

2 [Vgl. Dok. 60.]
3 [Veröffentlicht als Sonderdruck 1/95 des Korrespondenzblattes.]
4 [Vgl. als sichtbares Ergebnis: Mechthild Geller, Betr.: Neue Erscheinungsbildmappen für den SkF, in: Korrespondenzblatt SkF 2/97, 25.]

Am Ende des Weges oder am Anfang – wo stehen wir?

Schaut man auf die vielen vollzogenen oder in den Blick genommenen Konsequenzen für unseren Verband, so läßt sich eigentlich mit Befriedigung feststellen, daß wichtige Schritte/Ergebnisse erreicht wurden:

Es gibt eine klare Aufbau- und Ablauforganisation, und durch ein systematisches Kommunikations- und Berichtswesen hat sich die innerverbandliche Information deutlich verbessert.

Aber es ist schon deutlich geworden: Strukturelle Klarheit ist eine wichtige Voraussetzung für gelingende Kommunikation in unserem Verband; Kommunikation ist erst lebendig, wenn wir uns auf der mitmenschlichen Ebene um eine Atmosphäre von Vertrauen und gegenseitiger Wertschätzung bemühen.

Heute, nach drei Jahren Organisationsentwicklung beim SkF, bleibt allerdings festzuhalten, daß die teilweise anstrengenden und mühevollen Prozesse der letzten Jahre wesentlich zur Entwicklung einer positiven „Organisationskultur" beigetragen haben. Somit können wir zufrieden zurückschauen. Da Fortentwicklung und Veränderung wie überall ohne Kommunikation nicht denkbar ist, werden wir immer wieder an einem Anfang stehen.

Aus: Eugen Baldas/Irmgard Stumpf, Leitbild-Prozesse vor Ort. Grundfragen, Beispiele, Materialien, Freiburg 1996, 65–67.

Anneliese Ullrich

Das Schwangeren- und Familienhilfeänderungsgesetz – ein Beitrag aus der Sicht der Beratung und Beratungsstellen

Das Schwangeren- und Familienhilfeänderungsgesetz (SFHÄndG) vom 29. 6. 1995 beendet derzeit – soweit es sich um die Bundesgesetzgebung handelt – als Kompromißregelung zwischen CDU/CSU, FDP und SPD die seit der Einigung beider Deutscher Staaten 1990 heftig geführte Auseinandersetzung um eine gesamtdeutsche Regelung. Das neue Gesetz soll entsprechend der Forderung des Einigungsvertrages „... den Schutz des vorgeburtlichen Lebens und die verfassungskonforme Bewältigung von Konfliktsituationen schwangerer Frauen ...“ durch Beratung und Hilfe besser gewährleisten, als dies in beiden Teilen Deutschlands der Fall war (Art. 31 Abs. 4).

Gegenüber der Fristenregelung von 1974 und der nachfolgenden Indikationenregelung mit Pflichtberatung von 1976 in den alten Bundesländern, wie selbstverständlich auch gegenüber der Fristenregelung ohne Pflichtberatung im Gebiet der ehemaligen DDR erweitert das neue Gesetz die Chancen der Beratung für den Schutz des ungeborenen Lebens und stellt in dieser Hinsicht eine Verbesserung dar. Dies ist angesichts der Mehrheitsverhältnisse im Bundestag, der unterschiedlichen Grundeinstellungen und z.T. noch nicht überwundenen Ost-West-Gegensätze in unserer Bevölkerung beachtenswert.

Grundlegende Orientierung für das Gesetz und seine Handhabung ist das Urteil des Bundesverfassungsgerichts vom 28. Mai 1993.[1] Darin wird der in unserer Verfassung grundgelegte Schutz des menschlichen Lebens ab seinem Beginn ausdrücklich bestätigt, der Staat zum Schutz des ungeborenen Lebens in präventiver wie auch repressiver Hinsicht ausdrücklich verpflichtet und der Mutter die „grundsätzliche Rechtspflicht auferlegt, das Kind auszutragen“ (L 1 – L 3). Eine solche in der Verfassung grundgelegte und vom Bundesverfassungsgericht erneut bestätigte Orientierung auf den Schutz des menschlichen Lebens ab seinem Beginn ist im Vergleich zu anderen europäischen und außereuropäischen Staaten keineswegs selbstverständlich.

Das neue Gesetz findet *nicht in allen Punkten unsere Zustimmung*. Dies betrifft vor allem die Ausgestaltung der Indikationenregelung, bei der im übrigen eine verpflichtende Beratung nicht vorgesehen ist. Nicht vertretbar ist nach unserer Auffassung die Nichtrechtswidrigkeit des Schwangerschaftsabbruchs bei Vorliegen einer Indikation (medizinische und kriminologische Indikation). Verständlich ist auch die nach Wegfall der embryopathischen Indikation aufkommende Sorge eines möglichen Mißbrauchs der medizinischen Indikation. Kirchen, Behindertenverbände wie auch Beratungsstellen werden sich verstärkt um den *Schutz des behinderten ungeborenen Kindes* bemühen müssen. Über eine ethische Bewußtseinsbildung, über Schärfung des Gewissens muß einer evtl. mißbräuchlichen Anwendung der medizinischen Indikation entgegengetreten werden. Erforderliche Hilfen im Behindertenbereich müssen intensiviert und stärker bekanntgemacht werden. Dies kann helfen, Eltern die Annahme behinderten Lebens zu erleichtern. Wichtig ist hierbei auch, den Rechtsanspruch auf Beratung und Hilfe, auf Begleitung in akuten Konfliktsituationen wie auch in der oft mittel- und längerfristigen Nachsorge bewußtzumachen (vgl. § 2 Schwangerschaftskonfliktgesetz – SchkG). Beratungsstellen

1 [Urteil des Zweiten Senats des Bundesverfassungsgerichts vom 28. Mai 1993 über die Verfassungsmäßigkeit von Vorschriften des Schwangeren- und Familienhilfegesetzes (SFHG u. a.), vollständig abgedruckt in: Reiter/Keller, Paragraph 218, 12–167.]

werden zur Intensivierung ihrer Beratungs- und Hilfeangebote Kontakte mit Ärzten pflegen wie auch mit Einrichtungen der Behindertenhilfen zusammenarbeiten. Die intendierte Bedeutung des Wegfalls der embryopathischen Indikation soll bewußtgemacht werden, nämlich klarzustellen, daß eine Behinderung des zu erwartenden Kindes niemals der Grund für einen Schwangerschaftsabbruch sein darf und daß behindertes Leben nicht weniger schützenswert ist als nichtbehindertes Leben.

Aus der Sicht der Beratung und Beratungsstellen ist von besonderem Interesse die *Beratungsregelung mit der verpflichtenden Beratung* in den ersten zwölf Schwangerschaftswochen. Im Vergleich mit früheren Regelungen und manchen politischen Vorhaben zum Änderungsgesetz gibt es im neuen Gesetz eine Reihe von Verbesserungen, vor allem zur Beratung, die im wesentlichen auf das Bemühen von Kirche, von katholischen Verbänden wie auch von Beratungsstellen zurückzuführen sind. Hierzu gehört besonders die noch deutlichere Betonung der *Zielorientierung der Beratung auf den Schutz des ungeborenen Lebens* sowie die Bestätigung des Vorrangs des Lebensrechts des Kindes vor dem Selbstbestimmungsrecht der Frau. Die positiven Vorgaben bzgl. Ziel, Inhalt und Auftrag der Beratung verpflichten alle Beratungsstellen gleichermaßen, unabhängig von ihrer Trägerschaft, auf eine Beratung, die zur Fortsetzung der Schwangerschaft ermutigen, Perspektiven für ein Leben mit dem Kind eröffnen und dazu beitragen soll, die im Zusammenhang mit der Schwangerschaft bestehende Konfliktlage zu bewältigen und einer Notlage abzuhelfen (§ 219 StGB). Die Anforderungen entsprechen den Forderungen wie auch einer schon lange geübten Praxis unserer Beratungsstellen.

Positiv ist – auf der Grundlage des Verfassungsgerichtsurteils – *die Einbindung der Beratungsregelung in eine umfassendere Schutzkonzeption* für das ungeborene Leben, so daß die Bemühungen der Beratung durch weitere lebensschützende Maßnahmen unterstützt werden; hierzu gehören u. a.

- die strafbewehrten Verhaltensregeln für das familiäre und soziale Umfeld der Schwangeren,
- die strafrechtliche Regelung ärztlicher Pflichtverletzungen,
- die Verbesserungen sozialer Leistungen und Hilfen, u.a. die inkraftgetretenen Bestimmungen der Artikel 2–12 des Schwangeren- und Familienhilfegesetzes (SFHG) vom 27. Juli 1992;[2] auch wenn eine Fülle von weiteren Maßnahmen erforderlich bleibt, so bedeuten diese Bestimmungen sowie entsprechende Ausführungen des Bundesverfassungsgerichts dazu einen positiven Ansatz, der zu weiteren familien- und sozialpolitischen Maßnahmen verpflichtet.

Die Finanzierung von rechtswidrigen, wenn auch straffreien Schwangerschaftsabbrüchen erfolgt nur auf Antrag und bei Bedürftigkeit der Frau über ein Leistungsgesetz, nicht über die Solidargemeinschaft der Krankenkassenversicherten, getragen durch die Länder.

Der Staat (Bund und Länder) wird beim Übergang zu einer Beratungs- und Schutzkonzeption als neue gesetzliche Regelung *zur Beobachtung der Auswirkungen im Hinblick auf einen besseren Schutz des ungeborenen Lebens und ggf. zur Nachbesserung* verpflichtet.

2 [Zu den Kontroversen um dieses Gesetz vgl. auch Korrespondenzblatt SkF 3/92, 30–53.]

Eine ausführliche erste Einschätzung zum Schwangeren- und Familienhilfeänderungsgesetz erfolgte von den beiden katholischen Beratungsstellenträgern Deutscher Caritasverband und Sozialdienst katholischer Frauen in einem gemeinsamen Schreiben „Gesichtspunkte zur Diskussion und Bewertung des Schwangeren- und Familienhilfeänderungsgesetzes aus der Sicht der Beratung" vom 27. Juli 1995, welches den Beratungsstellen vorliegt [...].

Inwieweit das neue Konzept der Beratungsregelung zu einem besseren Schutz des ungeborenen Lebens beiträgt, hängt u.a. davon ab, wie Ärzte, Berater/innen und betroffene Frauen/Paare selbst damit umgehen; welche Erwartungen oder aber Skepsis der gesetzlichen Beratung und ihrer Handhabung von außen entgegengebracht werden.

Für die Handhabung der Beratung sind auch die *Länderausführungsbestimmungen* wichtig. Diese müssen entsprechend dem Verfassungsgerichtsurteil und seiner Intention eindeutig auf den Schutz des ungeborenen Lebens ausgerichtet sein; das trifft auch zu, falls das SFHÄndG an einigen Stellen u.U. mißverständlich ausgelegt werden könnte.

Einen großen Einfluß auf die Chancen der Beratung zugunsten eines besseren Schutzes für das ungeborene Leben haben die *öffentlich geführten Diskussionen* zum neuen Gesetz insgesamt, zu einzelnen Bestimmungen, besonders zur Beratung und zu ihrer Handhabung und Bedeutung im Hinblick auf den Lebensschutz des Kindes und auf die Bewältigung von Konfliktsituationen. Anzutreffen sind vielfach *Schiefdarstellungen und Fehlmeinungen zum Gesetz und seiner Handhabung,* die wiederum einer auf den Lebensschutz des Kindes gerichteten Bewußtseinsbildung in unserer Bevölkerung entgegenwirken, Fehlmeinungen bei Ärzten, Beratern und betroffenen Frauen bzgl. des Auftrags der Beratung begünstigen und damit letztlich auch die Wirkungschancen dieser Beratung beeinträchtigen. Nachfolgend in aller Kürze Gesichtspunkte zu einigen der häufig wiederkehrenden Fragestellungen.

- Irreführend sowie am Gesetz und an der Intention des Verfassungsgerichtsurteils vorbei ist, *die Neuregelung als Fristenregelung mit Pflichtberatung* zu bezeichnen. *Eine Fristenregelung stellt das neue Gesetz auf der Grundlage des Verfassungsgerichtsurteils nicht dar.* Bei einer Fristenregelung wird – nach allgemeinem Verständnis – der Frau das Recht zugestanden, sich innerhalb der genannten Frist gegen das Austragen des Kindes entscheiden zu können, wobei sie sich in Übereinstimmung mit der Rechtsordnung befindet (Rechtmäßigkeit des Schwangerschaftsabbruchs). Die der Frau im Rahmen der Beratungsregelung zugestandene Letztverantwortung bewirkt gerade nicht, daß sie sich im Falle eines Schwangerschaftsabbruchs in Übereinstimmung mit der Rechtsordnung befindet. Der Schwangerschaftsabbruch bleibt ohne eine gesetzlich vorgesehene Indikation rechtswidrig. Nicht die Frist entbindet die Frau von der grundsätzlichen „Rechtspflicht zum Austragen des Kindes"; ausschlaggebend hierfür sind allein „... Ausnahmetatbestände ...", die ein solches Maß an Aufopferung eigener Lebenswerte verlangen, „daß dies von der Frau nicht erwartet werden kann" (L 7).

  Mit Blick auf solche Ausnahmesituationen ist es nach Auffassung des Verfassungsgerichts dem Gesetzgeber erlaubt, davon auszugehen, einen besseren Lebensschutz des ungeborenen Kindes über die Beratung und die Hilfe zur Überwindung der Not- und Konfliktsituationen zusammen mit der Schwangeren zu erreichen und hierbei, um der besseren Wirkungschancen der Beratung willen, auf indikationsbestimmte Strafandrohung zu verzichten. Bedingung ist allerdings, daß die Beratung in Anspruch genommen wird, also verpflichtend ist, und bzgl. Ziel, Inhalt und Auftrag auf den Lebensschutz des ungeborenen Kindes ausgerichtet ist.

Vorausgesetzt wird bei der Beratungsregelung auch, daß sich die schwangere Frau des eigenen Lebensrechts ihres Kindes und im Falle eines Schwangerschaftsabbruchs der Notwendigkeit des Vorliegens besonderer Ausnahmetatbestände bewußt ist und dies in der Beratung thematisiert wird. Erfahrungen in der Beratungspraxis zeigen, wie sehr Frauen im allgemeinen das Recht ihres Kindes auf Leben bewußt ist. Schwangerschaftskonflikte entstehen ja gerade aus dem Wissen der Frau um das Leben und das Lebensrecht ihres Kindes einerseits und einer Fülle an Problemstellungen, die ihr in ihrer individuellen Situation die Fortsetzung der Schwangerschaft unmöglich erscheinen lassen, andererseits. Fachlich qualifizierte Beratungsgespräche und erforderliche Hilfen können, wie ebenfalls die Praxis zeigt, Auswege aus dieser Not und die Fortsetzung der Schwangerschaft ermöglichen helfen.

- Das, wie manche es bezeichnen, *„System“ der Beratungsregelung* schreibt nicht etwa vor, daß man sich nur beraten lassen muß, um straffrei abtreiben zu können; sondern *das neue Schutzkonzept sieht eine Beratung vor, die den Schwangerschaftsabbruch vermeiden hilft.* Darauf sind die Vorgaben für die Pflichtberatung ausdrücklich ausgerichtet. Die Beratungsstellen nehmen mit der gesetzlichen Beratung eine lebensschützende Aufgabe wahr. Eine solche Beratung trägt von ihrem gesetzlichen Auftrag und der Wahrnehmung her zu einem positiven Rechtsbewußtsein in bezug auf den Schutz des ungeborenen Lebens in unserer Bevölkerung bei.
- Die Lebensschutzberatung verpflichtet alle Beratungsstellen in unterschiedlicher Trägerschaft gleichermaßen. *Der Staat ist zur Überprüfung der Arbeit der Beratungsstellen verpflichtet.*

Dem dienen u. a. die Aufzeichnungen über die Beratung und die Jahresberichte der Beratungsstellen. Alle drei Jahre überprüfen die Anerkennungsbehörden der Länder, ob die für eine solche Beratung erforderlichen Voraussetzungen bei den Beratungsstellen vorliegen.

Anzumerken ist, daß Beratungsstellen im allgemeinen in ihrem Einzugsgebiet mit ihrer Arbeit und grundsätzlichen Orientierung zur Frage des Lebensschutzes bekannt sind. Darüber hinaus werden diejenigen, denen der Schutz des ungeborenen Kindes ein besonderes Anliegen ist, Beratungsstellen im Hinblick auf ihre diesbezügliche Verpflichtung gezielt beobachten und ggf. eine anders orientierte Beratung anmahnen.

Mit der Wahrnehmung des gesetzlichen Beratungsauftrags erhalten auch katholische Beratungsstellen einen deutlichen Einblick in die praktische Umsetzung des Beratungsauftrags durch die Länder und durch die anderen Beratungsstellenträger. *Katholische Beratungsstellen verdeutlichen durch ihre Arbeit, daß die gesetzliche Beratung als eine wesentliche Hilfe für Frauen im Schwangerschaftskonflikt und als ein unverzichtbarer Beitrag zur Fortsetzung der Schwangerschaft realisierbar und ein geeigneter Weg für den Schutz des ungeborenen Lebens ist.* Über die Hilfe im individuellen Konfliktfall hinaus leisten katholische Beratungsstellen durch die Wahrnehmung des Beratungsauftrags auch einen richtungsweisenden

Beitrag im Hinblick auf die lebensschützende verpflichtende Beratung und eine diesbezügliche Meinungs- und Bewußtseinsbildung in unserer Gesellschaft.

- Unklarheiten und Fehlmeinungen bestehen vielfach zum *Beratungsnachweis.* Dieser bestätigt die Tatsache einer erfolgten Beratung und hängt mit dem Pflichtcharakter der Beratung zusammen. Der *Pflichtcharakter* soll sicherstellen, daß die auf den Lebensschutz des Kindes ausgerichtete Beratung – als Dreh- und Angelpunkt der neuen Beratungs- und Schutzkonzeption – von Frauen im Schwangerschaftskonflikt in Anspruch genommen wird. Ohne Pflichtcharakter wäre dies nicht immer gewährleistet: Die Besonderheiten von Schwangerschaftskonfliktsituationen – insbesondere Zeitdruck, Problemfülle wie auch Einflüsse aus dem Umfeld der Schwangeren – würden vielfach zum schnellen Weg des Schwangerschaftsabbruchs führen.

  Der Pflichtcharakter der Beratung ist *Ausdruck der Schutzwürdigkeit des menschlichen Lebens und der Schutzpflicht des Staates und der Mutter gegenüber dem ungeborenen Leben.* Das Pflichtmoment der Beratung trägt insofern auch zu einem ethischen Bewußtsein für den Lebensschutz des Kindes bei. Den Beratungsnachweis als Tötungsschein zu bezeichnen, was zuweilen geschieht, verkehrt Aufgabe und Ziel der verpflichtenden Beratung, die Intention der Beratungsregelung und die Argumentation des Verfassungsgerichts ins Gegenteil. Mißverständnisse bzgl. Inhalt und Sinn der Pflichtberatung werden damit begünstigt, obwohl auch nach dem Urteil des Bundesverfassungsgerichtes kein Zweifel daran besteht, daß ausschließlicher Sinn und Auftrag der Pflichtberatung, über die der Nachweis ausgestellt wird, der Lebensschutz des ungeborenen Kindes, die Bewältigung von Not- und Konfliktsituationen und die Vermeidung des Schwangerschaftsabbruchs ist. Erfahrungen unserer Beratungsstellen zeigen, daß ein Teil der Frauen nach der Beratung gar nicht mehr den Schein verlangt; von denen, die sich den Beratungsnachweis aushändigen lassen, bekommen nicht wenige dennoch ihr Kind. Genauere Zahlen gibt es hierzu bislang nicht: Frauen suchen die Beratungsstellen nach erfolgter Beratung besonders dann nicht mehr auf, wenn sie aufgrund der psychosozialen Beratung und der auf ihre individuelle Situation ausgerichteten konkreten Hilfen den Weg zur Fortsetzung ihrer Schwangerschaft gefunden haben.

Ein genereller Verzicht auf den Beratungsnachweis würde u.U. bedeuten, die Inanspruchnahme der lebensschützenden verpflichtenden Beratung im individuellen Konfliktfall in Frage zu stellen. Ablehnung des Beratungsnachweises durch einzelne Beratungsstellen-/Träger würde zur Folge haben, daß gerade Frauen im Schwangerschaftskonflikt diese Beratungsstellen, wie Erfahrungen zeigen, kaum noch aufsuchen. Auch wenn damit u.U. die Gesamtzahl der Beratungsfälle bei diesen Beratungsstellen nicht wesentlich verringert würde, da auch unabhängig von Konfliktsituationen eine allgemeine Zunahme von Schwierigkeiten in den äußeren Lebenssituationen besonders bei Familien mit Kindern festzustellen ist, würden jedoch im allgemeinen nicht mehr diejenigen Frauen in eigentlichen akuten Konfliktsituationen erreicht, die sich zur Frage der Fortsetzung ihrer Schwangerschaft im Zweifel befinden und den Schwangerschaftsabbruch als einen vermeintlichen Ausweg aus ihrer Situation in Erwägung ziehen.

Das Ausstellen des Beratungsnachweises als Zustimmung zum Schwangerschaftsabbruch zu deuten, widerspricht völlig dem Auftrag und dem Sinnzusammenhang der verpflichtenden Beratung im Rahmen der Beratungs- und Schutzkonzeption. Die Beratung ist auch gar nicht der Ort, wo die Frau ihre Entscheidung trifft; nicht umsonst sieht der Gesetzgeber ausdrücklich eine Bedenkzeit vor. Das Engagement der Kirche und der konkrete Einsatz der katholischen Beratungsstellen, ihr Bemühen um den Schutz des ungeborenen Lebens und um entsprechende Hilfen zur Bewältigung von Not- und Konfliktsituationen sind im übrigen so bekannt, daß auch nicht ihre Arbeit mißverstanden wird.

Wenn andere Beratungsstellenträger Auftrag und Ziel der verpflichtenden Beratung und damit auch des Beratungsscheines u.U. anders zu deuten und zu handhaben versuchen, so darf das katholische Beratungsstellen ihrerseits nicht veranlassen, die lebensschützende Beratung gar nicht erst wahrzunehmen. Ein Rückzug katholischer Beratungsstellen aus dem gesetzlichen Beratungsauftrag wäre, solange es diesen gibt, gegenüber ratsuchenden Frauen, die bei katholischen Beratungsstellen auf eine Orientierungs- und Lebenshilfe hoffen, nicht zu verantworten und angesichts der eindeutig positiven gesetzlichen Vorgaben für diese Beratung, die in den wesentlichen Punkten mit dem Konzept katholischer Beratungsstellen übereinstimmen, in der Bevölkerung weitgehend unverständlich.

Unsere bisherigen Erfahrungen zeigen, daß mit der verpflichtenden Beratung einer großen Zahl von Frauen im Schwangerschaftskonflikt wirksam geholfen werden kann, so daß sie sich trotz anfänglicher Zweifel sowie Not- und Konfliktsituationen zur Fortsetzung ihrer Schwangerschaft in der Lage sehen. Erfahrungen zeigen auch, wie notwendig zur Bewältigung des individuellen Konfliktfalls neben der Beratung und umfangreichen Hilfen ein allgemeines Rechtsbewußtsein für den Schutz des ungeborenen Lebens in unserer Gesellschaft ist sowie ein mitmenschliches Klima, in dem der einzelne Mut hat, Hilfe in Anspruch zu nehmen. Es geht vielfach darum, menschliche Not überhaupt zu sehen sowie Hoffnung und Vertrauen der Angst entgegenzusetzen. Erfahrungen zeigen, daß dies ein Ansatz ist, um Not- und Konfliktsituationen, die im allgemeinen dem Gedanken an einen Schwangerschaftsabbruch zugrunde liegen, überwinden zu helfen.

Aus: Korrespondenzblatt Sozialdienst katholischer Frauen, Juli – September 1995, 81–87.

Heribert Mörsberger

Jugendhilfe im SkF – Aktuelle Fragen und Entwicklung von Perspektiven

Vorbemerkung

Für die freundliche Einladung in den Zentralrat des SkF danke ich sehr herzlich. Wenn ich als für die Jugendhilfe zuständiger Abteilungsleiter in der Zentrale des Deutschen Caritasverbandes einige Überlegungen zu Ihrem Fachthema vortragen darf,[1] so gehen meine Gedanken zunächst zurück in das Jahr 1962 und meine damaligen ersten Begegnungen mit Ihrem Verband, den ich seinerzeit noch kennengelernt habe unter seiner früheren Bezeichnung als „Katholischer Fürsorgeverein für Mädchen, Frauen und Kinder". Die Arbeit Ihres Verbandes und seiner damaligen Repräsentantinnen muß einen nachhaltigen positiven Eindruck bei mir hinterlassen haben, denn seit jener Zeit hat mich die Jugendhilfe nicht mehr losgelassen und ich durfte auf meinem Weg durch unterschiedliche Arbeitsfelder der Jugendhilfe auf örtlicher, diözesaner sowie auf der Ebene der Länder und des Bundes, ja auch im internationalen Bereich immer wieder erfahren, daß der SkF im breiten Spektrum der Jugendhilfe nicht nur präsent, sondern in der fachlichen, fachpolitischen und strukturellen Entwicklung maßgeblich mitgestaltend tätig war und ist.

Den Deutschen Caritasverband und den SkF verbinden eine Reihe wichtiger gemeinsamer Themen, wozu auch die Kinder- und Jugendhilfe zählt, einer der größten Aufgabenbereiche innerhalb der vielfältigen Einrichtungen und Dienste der deutschen Caritas und ihrer Fachverbände. Zwischen der Zentrale des DCV und Ihrem Generalsekretariat gibt es bekanntlich besondere Absprachen und arbeitsteilige Formen der Kooperation (z.B. zur Adoptionsvermittlung oder bei der Kindschaftsrechtsreform), die die DCV-Zentrale – etwa bei der Erarbeitung von einschlägigen Stellungnahmen – erheblich entlastet. Gerne nutze ich die Gelegenheit, im Namen des DCV für diese vertrauensvolle, fachlich fundierte und freundschaftliche Zusammenarbeit zu danken.

Das mir gestellte Thema „Jugendhilfe im SkF" muß ich wohl ein wenig modifizieren; denn trotz aller guten Zusammenarbeit wäre es wohl eine Anmaßung, mir ein Urteil zu erlauben über interne Aspekte des SkF. Gerne aber will ich aus der Sicht des Deutschen Caritasverbandes und auf dem Hintergrund vieljähriger persönlicher Begegnungen mit der Arbeit Ihres Verbandes allgemein über „aktuelle Fragen und die Entwicklung von Perspektiven" in der von uns gemeinsam zu verantwortenden caritativen Kinder- und Jugendhilfe sprechen.

Jugendhilfe – Grundlage und Auftrag

Jugendhilfe wird heute definiert als ein „Erziehungsträger", der die Eltern in ihrer verfassungsrechtlich geschützten Erstverantwortung unterstützen und dazu beitragen soll, daß „jeder junge Mensch (s)ein Recht auf Förderung seiner Entwicklung und auf Erziehung zu einer eigenverantwortlichen und gemeinschaftsfähigen Persönlichkeit" (§ 1 SGB VIII – Kinder- und

1 [Gekürzte Fassung eines Referats auf der Herbstzentralratstagung des SkF vom 25. bis 27. 11. 1996 in Heiligenstadt.]

Jugendhilfe) tatsächlich erhält. In der Entstehungsgeschichte des KJHG[2] hat die Frage eine besondere Bedeutung erhalten, wer Anspruchsberechtigter der Leistungen der Jugendhilfe sein soll, der junge Mensch selbst oder die Personensorgeberechtigten. Durchgesetzt hat sich die auch vom DCV und vom SkF vertretene Auffassung, daß die primäre Verantwortung der Eltern durch das Jugendhilferecht nicht eingeschränkt werden darf. Dieser Grundsatz wird auch dadurch unterstrichen, daß der Wortlaut des Artikel 6 unserer Verfassung als Absatz 2 in den § 1 des Kinder- und Jugendhilfegesetzes (KJHG) übernommen wurde: „Pflege und Erziehung der Kinder sind das natürliche Recht der Eltern und die zuvörderst ihnen obliegende Pflicht. Über ihre Betätigung wacht die staatliche Gemeinschaft." Dieser Grundsatz widerspricht freilich nicht der Tatsache, daß auch Kinder Träger eigenständiger Rechte sind. Das wird auch im KJHG deutlich, denn es gibt dort unmittelbare Rechte von Kindern, z.B. das Recht auf einen Kindergartenplatz, und es gibt das Recht auf „Hilfe zur Erziehung", das unmittelbar nur den Eltern zustehen kann, denn sie stehen in der Erstverantwortung und alle Formen der Hilfe müssen darauf ausgerichtet sein, daß diese Verantwortung gestärkt und die Erziehungsfähigkeit unterstützt sowie im erforderlichen Umfang ergänzt wird.

Wir alle wissen, daß das Recht auf Erziehung und auf Hilfe zur Entwicklung vielen Kindern und Jugendlichen vorenthalten wird. Mit dieser Situation können und dürfen wir uns nicht abfinden. Es kann auch nicht angehen, daß die Erstverantwortung der Eltern enggeführt wird zu einer „Alleinverantwortung", daß Familie alleingelassen wird mit den Problemen, die durch Gesellschaft verursacht wurden. Das Wohl der jungen Menschen hängt auch davon ab, in welchem Ausmaß es uns gelingt, „positive Lebensbedingungen für junge Menschen und ihre Familien sowie eine kinder- und familienfreundliche Umwelt zu erhalten oder zu schaffen" (§ 1 Abs. 3 Nr. 4 KJHG). Deshalb ist es auch richtig und trotz mancher kritischer Kommentierung gerade in unseren eigenen Reihen unverzichtbar, wenn Jugendhilfe sich einmischt in andere Politikbereiche, durch die die Lebenssituation der jungen Menschen beeinflußt bzw. leider allzuoft beeinträchtigt wird.

Freie und Öffentliche Jugendhilfe

„Leistungen der Jugendhilfe werden von Trägern der freien Jugendhilfe und von Trägern der öffentlichen Jugendhilfe erbracht", so sagt es § 3 Abs. 2 KJHG. Der Gesetzgeber hat mit Bedacht diese Formulierung gewählt und nicht von freien und öffentlichen Trägern der Jugendhilfe gesprochen, wie es von vielen gefordert wurde. Dieser sprachlichen Differenzierung liegt die Erkenntnis zugrunde, daß es bei den Inhalten durchaus um unterschiedliche Dinge geht. Freie Jugendhilfe ist geprägt durch die jeweilige Wertorientierung des Trägers, der diese Leistung erbringt. Gerade bei einem „Erziehungsgesetz" wie dem KJHG muß klar bleiben, daß es kein Staatsmonopol geben darf. Unsere jüngere Geschichte hat hinreichend ver-

2 Das neue Jugendhilferecht wurde – gegen die Voten aus der Praxis der Jugendhilfe – in das Sozialgesetzbuch eingegliedert. Die korrekte Bezeichnung des Gesetzes lautet deshalb „Sozialgesetzbuch (SGB) – Achtes Buch (VIII) Kinder- und Jugendhilfe"; das SGB VIII ist Artikel 1 des KJHG, durch das aber auch andere gesetzliche Regelungen geschaffen worden sind. Umgangssprachlich meint die Bezeichnung „Kinder- und Jugendhilfegesetz" bzw. das Kürzel KJHG lediglich Artikel 1 dieses Gesetzes, nämlich das SGB VIII, das der umfangreichste Teil des KJHG ist.

deutlicht, welche Gefahren mit einer Verstaatlichung von Erziehung verbunden sind. In diesem Punkte unterschiedet sich Jugendhilfe auch deutlich vom Schulbereich. Dort gibt es die Erstverantwortung des Staates für das Schulwesen und daraus folgend das staatliche Regelangebot, dem ein – am Elternrecht orientiertes – Alternativangebot mit spezifischer Prägung hinzugefügt ist. In der Jugendhilfe gibt es kein staatliches (oder kommunales) Regelangebot, weil das Regelangebot nach § 3 (2) KJHG gemeinsam von Trägern der freien und von Trägern der öffentlichen Jugendhilfe erbracht wird. Sinn macht eine solche Regelung natürlich nur dann, wenn die Träger der freien Jugendhilfe ihren jeweils spezifischen Ansatz und ihre weltanschauliche Grundorientierung auch klar genug für sich selbst und nach außen verdeutlichen. Dies ist im übrigen auch notwendig, damit das gesetzlich verbriefte Wunsch- und Wahlrecht der Eltern im Sinne des § 5 KJHG umfassend wahrgenommen werden kann. Dieses Elternrecht darf übrigens nicht grundsätzlich verwehrt werden, wenn durch die Wahl eines bestimmten freien Trägers im Einzelfall höhere Kosten entstehen. Das KJHG stellt nämlich das Wahlrecht lediglich unter den Vorbehalt, daß dies nicht mit „unverhältnismäßigen Mehrkosten verbunden ist“. Im Umkehrschluß sind also verhältnismäßige Mehrkosten kein Ablehnungsgrund! Gelegentlich muß ein Träger der öffentlichen Jugendhilfe bei seiner Kostenentscheidung an diesen feinen Unterschied freundlich, aber auch deutlich erinnert werden, ebenso an seine Verpflichtung, die Leistungsberechtigten auf ihr Wunsch- und Wahlrecht hinzuweisen. Umgekehrt übersehen gelegentlich auch Träger der freien Jugendhilfe, leider auch katholische Einrichtungen, die verpflichtenden Normen der §§ 8 und 9 KJHG, wonach junge Menschen an sie betreffenden Entscheidungen zu beteiligen sind, Elternrechte hinsichtlich der Grundrichtung der Erziehung durch freie Jugendhilfe ebenso zu beachten sind wie die unterschiedlichen Lebenslagen von Mädchen und Jungen und die Förderung ihrer Gleichberechtigung.

Die Gemeinsamkeit von freier und öffentlicher Jugendhilfe kann nur zu einem guten Ergebnis führen, wenn zwischen beiden eine „partnerschaftliche Zusammenarbeit“ praktiziert wird. Die entsprechenden Rechtsnormen im § 4 KJHG haben eine lange Geschichte, basieren auf dem Subsidiaritätsprinzip und waren Gegenstand verfassungsrechtlicher Kontroversen, die im Jahre 1967 durch das Bundesverfassungsgericht entschieden worden sind. Seinerzeit ging es um die Frage, ob der den freien Trägern eingeräumte „Vorrang“ gegen das Selbstbestimmungsrecht der Kommunen verstößt und die entsprechenden Regelungen im Sozialhilferecht und im damaligen Jugendwohlfahrtsrecht verfassungskonform waren. Das Bundesverfassungsgericht hat geklärt, daß ein gesetzlicher Vorrang im Sinne des Subsidiaritätsprinzips nicht gegen das Grundgesetz verstößt, gleichzeitig freilich alle Beteiligten zur partnerschaftlichen Zusammenarbeit aufgefordert. Der Gesetzgeber verpflichtet deshalb im Kinder- und Jugendhilfegesetz zunächst die öffentliche Jugendhilfe zur partnerschaftlichen Zusammenarbeit mit der freien Jugendhilfe, wobei sie „die Selbständigkeit der freien Jugendhilfe in Zielsetzung und Durchführung ihrer Aufgaben sowie in der Gestaltung ihrer Organisationsstruktur zu achten“ (§ 4 Abs. 1 KJHG) hat. Erst im Absatz 2 dieses Paragraphen folgt dann die Vorrangregelung, wonach die öffentliche Jugendhilfe von eigenen Maßnahmen absehen soll, „soweit geeignete Einrichtungen, Dienste und Veranstaltungen von anerkannten Trägern der freien Jugendhilfe betrieben werden oder rechtzeitig geschaffen werden können“. Die Reihenfolge der Absätze macht Sinn und muß auch uns verpflichten, konstruktive und faire Formen der partnerschaftlichen Zusammenarbeit zu suchen und zu praktizieren. Dies hat gerade in heutiger Zeit der leeren Kassen eine eminent hohe Bedeutung. Ich habe Grund, in diesem Zusammenhang an die Verantwortlichen der kirchlichen Jugendhilfe zu appellieren, sich der gemeinsamen Verantwortung nicht zu entziehen, die öffentliche und freie Jugendhilfe zu tragen haben. Wenn wir in den letzten 30 Jahren mit Bezug auf das Subsidiaritätsprinzip erhebliche öffentliche Fördermittel für den Auf- und Ausbau unserer Einrichtungen und Dienste beansprucht und erhalten haben, dürfen wir uns heute in schwieriger wirtschaftlicher Lage nicht einseitig aus diesen Aufgabenbereichen zurückziehen. Auch wenn viele freie Träger kaum mehr in der Lage sein werden, in bisheriger Höhe Eigenmittel zu investieren, kann die Lösung zunächst nicht die Reduzierung oder gar die Schließung des Angebots sein, sondern es muß mit dem bisherigen Partner „öffentliche Jugendhilfe“ gemeinsam überlegt werden, wie Lösungen gefunden werden können, die die notwendige Weiterführung eines qualifizierten Angebots sichern, ohne den Träger zu überfordern. Ich sehe in der Lösung der aktuellen und wahrlich schwierigen Probleme eine entscheidende Bewährungsprobe für die partnerschaftliche Zusammenarbeit, von deren Ergebnis vielleicht die Zukunft der freien Jugendhilfe abhängen wird.

Einheit der Jugendhilfe

Das heutige Verständnis von Jugendhilfe ist das Ergebnis einer langjährigen Entwicklungsgeschichte, in deren Verlauf sich auch das Bild vom Menschen und von der Gesellschaft gewandelt hat. In den festgefügten Strukturen früherer Gesellschaftsnormen war relativ eindeutig festgelegt, was der „richtige“ Weg ist. Junge Menschen wurden durch ihr Lebensumfeld auf diesen Weg geführt, und besonderer Maßnahmen bedurfte es in den Fällen, in denen das vorgegebene Ziel nicht erreicht wurde. „Jugendhilfe“ im damaligen Verständnis war mithin eine Maßnahme zur „Richtigstellung“ von Fehlentwicklungen. Aus jener Zeit kennen wir die „Erziehungsanstalten“ oder auch die „Zuchtanstalten“ für Kinder, die dieser „Nachhilfe“ bedurften. Besondere „Maßnahmen“ für die „normale“ Jugend gab es zunächst kaum. Später entwickelten sich dann unterschiedliche Formen von Arbeit mit Jugendlichen, insbesondere die „Jugendbewegung” hat diesen Bereich der heutigen „Jugendarbeit” vorangetrieben. Es hat lange gedauert, bis sich die Erkenntnis durchgesetzt hat, daß alle jungen Menschen die gleichen Rechte und auch die gleichen Bedürfnisse nach Förderung und Hilfe haben und daß die Differenzierungsmerkmale weniger in den jungen Menschen als vielmehr in ihren unterschiedlichen Lebenslagen verursacht sind. Ein Endpunkt dieser langjährigen und sehr komplexen Entwicklungsgeschichte ist das Konzept einer „Einheit der Jugendhilfe“. Begrifflich ist diese „Einheit der Jugendhilfe“ entstanden im Zuge einer Reform des damaligen Jugendwohlfahrtsrechts. Man sprach seit Ende der 60er Jahre nicht mehr von Jugendpflege und Jugendfürsorge, sondern verwendete für beide Bereiche den gemeinsamen Begriff der „Jugendhilfe“. Aus der AGJJ (Arbeitsgemeinschaft für Jugendpflege und Jugendfürsorge) wurde die AGJ (Arbeitsgemeinschaft für Jugendhilfe). Es sollte damit verdeutlicht werden, daß tatsächlich alle jungen Menschen die im heutigen § 1 KJHG genannten Rechte haben, daß es immer um die

Förderung der Kinder und Jugendlichen geht, auch bei denen, die darüber hinaus spezielle „Hilfen zur Erziehung“ benötigen, weil sie unter besonders ungünstigen Bedingungen leben und aufwachsen. Zugleich wurde klargestellt, daß Jugendhilfe nichts mit Zwang zu tun hat, und daß die Jugendbehörde (das Jugendamt) nicht mehr eine Form der staatlichen Eingriffsverwaltung darstellt, sondern eine Fachbehörde für spezielle Dienstleistungen ist. Diese „Einheit der Jugendhilfe“ wird deutlich im Aufgabenkatalog des § 2 KJHG, in dem alle Leistungsbereiche in einem Absatz 2 zusammengefaßt sind:

- Jugendarbeit, Jugendsozialarbeit, erzieherischer Kinder- und Jugendschutz,
- Förderung der Erziehung in der Familie,
- Förderung von Kindern in Tageseinrichtungen und in Tagespflege,
- Hilfe zur Erziehung und ergänzende Leistungen,
- Hilfe für seelisch behinderte Kinder und Jugendliche und ergänzende Leistungen,
- Hilfe für junge Volljährige und Nachbetreuung.

Zu den Aufgaben der Jugendhilfe gehören auch Bereiche, auf die der Begriff „Leistung“ im Sinne einer Dienstleistung für Bürger nicht besonders gut paßt. Im KJHG sind diese Themen unter dem pragmatischen Begriff „Andere Aufgaben“ (§ 2 Abs. 3 KJHG) subsumiert:

- Inobhutnahme,
- Herausnahme des Kindes oder des Jugendlichen ohne Zustimmung der Personensorgeberechtigten,
- Erteilung, Widerruf und Zurücknahme der Pflegeerlaubnis,
- Erteilung, Widerruf und Zurücknahme der Erlaubnis für den Betrieb einer Einrichtung sowie die Erteilung nachträglicher Auflagen und die damit verbundenen Aufgaben,
- Tätigkeitsuntersagung,
- Mitwirkung in den Verfahren vor den Vormundschafts- und den Familiengerichten,
- Beratung und Belehrung in Verfahren zur Annahme als Kind,
- Mitwirkung in Verfahren nach dem Jugendgerichtsgesetz,
- Beratung und Unterstützung von Pflegern und Vormündern,
- Erteilung, Widerruf und Zurücknahme der Erlaubnis zur Übernahme von Vereinsvormundschaften,
- Amtspflegschaft und Amtsvormundschaft, Beistandschaft und Gegenvormundschaft des Jugendamtes,
- Beurkundung und Beglaubigung,
- Aufnahme von vollstreckbaren Urkunden.

Anders als bei den Leistungen der Jugendhilfe werden die anderen Aufgaben der Jugendhilfe i.d.R. von der öffentlichen Jugendhilfe wahrgenommen; es können aber auch andere Aufgaben unter bestimmten Voraussetzungen von der freien Jugendhilfe wahrgenommen werden.

Als abschließende Bemerkung zum Thema „Einheit der Jugendhilfe“ will ich nachdrücklich auf die Notwendigkeit hinweisen, daß wir uns – auch innerverbandlich und innerkirchlich – um ein engeres Zusammenwirken der unterschiedlichen katholischen Jugendhilfeträger und neue Formen der strukturellen Verknüpfungen untereinander bemühen müssen, wenn wir auch bei uns die alte Abgrenzung zwischen Jugendpflege und Jugendfürsorge überwinden wollen.

In zahlreichen kommunalpolitischen Haushaltsdebatten ist immer wieder zu hören, daß Geld in Zeiten knapper öffentlicher Kassen nur für Pflichtaufgaben ausgegeben werden darf und angesichts der schwierigen Haushaltslage vorerst alle „freiwilligen" Leistungen zurückgestellt werden müssen. Dem ist entgegenzuhalten, daß Jugendhilfe auch für Leistungsbereiche ohne individuellen Rechtsanspruch eine Pflichtaufgabe ist und daß das KJHG keine freiwilligen Aufgaben kennt. Eingeräumt werden muß freilich, daß für die Erfüllung der Pflichtaufgaben, soweit sie keinen individuellen Rechtsanspruch beinhalten, der allgemeine Haushaltsvorbehalt greift. Um gleichwohl die Finanzierung aller Leistungen im erforderlichen Umfang sicherzustellen, sind deshalb gezielte kommunalpolitische Aktivitäten unabdingbar. Hier sind die (politischen) Möglichkeiten des Jugendhilfeausschusses zu nutzen, der sich z.B. bei der Aufstellung des Haushaltsplanes der Kommune grundsätzlich immer zu Wort melden sollte, weil Beschlüsse des Haushaltsplanes nach meiner Interpretation des § 1 KJHG unvermeidlich auch eine Frage der Jugendhilfe im Sinne § 71 Abs. 3 KJHG ist, bei denen der Jugendhilfeausschuß zu hören ist.

Die allgemeine Finanzlage der Kommunen und der Länder hat natürlich auch Auswirkungen auf die Förderung der freien Jugendhilfe. Grundsätzlich muß aber auch bei diesem Thema vor einem fatalen Mißverständnis gewarnt werden: Aktivitäten der freien Jugendhilfe unterliegen keinem Weisungsrecht der öffentlichen Jugendhilfe. Eine Ortsgruppe des SkF entscheidet aus ihrem eigenen Selbstverständnis, ob und welche Aktivitäten sie in der Jugendhilfe entwickelt. Der Gesetzgeber verpflichtet die öffentliche Jugendhilfe nicht nur, „die freiwillige Tätigkeit auf dem Gebiet der Jugendhilfe" bei Erfüllung bestimmter Voraussetzungen zu fördern, die öffentliche Jugendhilfe soll solche Aktivitäten grundsätzlich auch von sich aus anregen. Die finanzielle Förderung ist eine „Soll"-Vorschrift, also eine grundsätzliche Verpflichtung, der sich die Behörde nur entziehen kann, wenn im Einzelfall besondere Gründe dies rechtfertigen würden. Im allgemeinen kann eine „Soll"-Vorschrift als „Muß"-Vorschrift gelesen werden. Voraussetzung ist freilich, daß der einzelne Träger die in § 74 Abs. 1 KJHG genannten fünf Punkte erfüllt, die man beim SkF und seinen Gliederungen ohne Zweifel immer als gegeben voraussetzen darf:

1. Erfüllung der fachlichen Voraussetzungen für die geplante Maßnahme,
2. Gewähr für eine zweckentsprechende und wirtschaftliche Verwendung der Mittel,
3. Gemeinnützigkeit der Ziele,
4. Erbringung einer angemessenen Eigenleistung,
5. Gewähr für eine den Zielen des Grundgesetzes förderliche Arbeit.

Besondere Schwierigkeiten bereitet sicherlich in vielen Fällen die Beschaffung der erforderlichen Eigenleistung. Darauf kann und darf aus meiner Sicht aber grundsätzlich nicht verzichtet werden, weil tatsächlich Eigenleistung ein „Wesensmerkmal" freier Trägerschaft ist. Ohne auf diesen Punkt hier näher einzugehen, sei der Hinweis erlaubt, daß Eigenleistung ein Indiz für die Verwurzelung der Arbeit in der gesellschaftlichen Gruppe ist, aus der heraus sich die jeweilige Trägerschaft entwickelt hat. Im übrigen bedeutet der Begriff „Eigenleistung" nicht unbedingt eine Geldleistung; Eigenleistung meint z. B. auch ehrenamtliche Dienste, wie sie für den SkF zum zentralen Selbstverständnis zählen. Vielleicht müssen wir aber auch wieder stärker die Möglichkeiten von Mitgliedsbeiträgen, Spenden, Gewinnung von Förderern u. a. nutzen, um im Interesse unserer Aufgaben stark und möglichst unabhängig zu bleiben oder zu werden. Nur auf diese Weise entgehen wir auch der Gefahr, unsere Aufgaben überwiegend nur nach Fördertöpfen auszurichten.

Eine andere Rechtsgrundlage bietet der § 77 KJHG (Vereinbarungen über die Höhe der Kosten). Rechtsgeschichtlich hat diese Norm einen bestimmten Hintergrund: Im früheren Jugendwohlfahrtsgesetz (§ 84 JWG) war festgelegt, daß Träger der freien Jugendhilfe bestimmte Aufgaben der öffentlichen Jugendhilfe (z.B. die öffentliche Erziehung = FE und FEH) übernehmen konnten und über die Höhe der dafür zu erstattenden Kosten Vereinbarungen angestrebt wurden. Das KJHG hat diese spezielle Bestimmung aus dem JWG als allgemeine Regel für die Inanspruchnahme von Einrichtungen und Diensten der freien Jugendhilfe übernommen. Strittig ist bislang, wie der Terminus „Inanspruchnahme" auszulegen ist. In der Kommentarliteratur wird überwiegend davon ausgegangen, daß diese „Kostenerstattungsregelung" immer dann greift, wenn es sich um Leistungen handelt, auf die der junge Mensch bzw. seine Personensorgeberechtigten einen Rechtsanspruch haben. Näheres zu den Vereinbarungen wird bekanntlich durch Landesrecht bestimmt. Um so erstaunlicher (und politisch ärgerlicher) ist es, daß der Bundesgesetzgeber 1996 im Zuge einer BSHG-Novellierung – für die Jugendhilfe völlig unerwartet und auch ohne jede Vorberatung in den zuständigen Jugendhilfegremien oder Fachbehörden – bundeseinheitlich auch den § 77 KJHG geändert und damit eine auf drei Jahre befristete „Deckelung" der bis zu einem bestimmten (zurückliegenden!) Datum geltenden Pflegesätze verfügt hat. Man kann nur hoffen, daß Jugendhilfe noch einmal zum „Tauschobjekt" politischer Strategen im Vermittlungsausschuß des Deutschen Bundestages wird. Dem Selbstverständnis von Jugendhilfe und insbesondere dem Gebot der partnerschaftlichen Zusammenarbeit zwischen öffentlicher und freier Jugendhilfe ist damit jedenfalls kein guter Dienst erwiesen worden. [...] Ich sehe zwar kaum eine reelle Chance, bis 1999 eine erneute Novellierung im KJHG zu erreichen, halte aber gezielte politische Forderungen in dieser Angelegenheit für notwendig, damit wenigstens eine ab 1999 geltende vernünftige Regelung gefunden wird. Wir sollten darauf bestehen, an den Vorberatungen entsprechender Gesetzesvorhaben beteiligt zu werden.

Zur Lösung der Finanzierungsprobleme der Jugendhilfe gehört aber auch – über alle Trägergrenzen hinweg – eine offensive Öffentlichkeitsarbeit. Es gibt einen engen Zusammenhang z.B. zwischen der Ausstattung kommunaler Haushaltstitel und der öffentlichen Meinung über die Arbeit, deren Förderung dieser Haushaltstitel dienen soll. Die Verteilung der öffentlichen Mittel ist eine politische Aufgabe, und Politik ist auf gesellschaftliche Zustimmung angewiesen. Ein anschauliches Beispiel ist die Finanzierungsgeschichte der Kindergärten in unserem Lande. Erst nach den aufregenden Diskussionen in den 70er Jahren hat eine breite Öffentlichkeit die große Bedeutung dieser mehr als 150jährigen Einrichtungsform erkannt. Mit diesem „Rückenwind" aus der öffentlichen Meinung konnten die Haushaltsansätze um ein Vielfaches angehoben, die Arbeitsbedingungen verbessert und sogar – allen objektiven Schwierigkeiten zum Trotz – der individuelle Rechtsanspruch auf einen Kindergartenplatz für jedes Kind erreicht werden. Wenn es gelänge, auch für andere Aufgaben der Jugendhilfe eine ähnlich positive und breite Zustimmung in der öffentlichen Meinung zu erreichen, würde das sicherlich bei der künftigen Ausstattung der entsprechenden Haushaltsansätze zu erheblichen Verbesserungen führen.

Jugendhilfestrukturen in Kirche und Caritas

Als letzten Punkt meiner Ausführungen darf ich ihnen einen groben Überblick geben über die recht umfangreichen und auch komplexen Strukturen der Jugendhilfe in unserer Kirche und im Caritasverband mit seinen Fachverbänden. Wenn ich eingangs von der Entwicklung zur Einheit der Jugendhilfe gesprochen habe und dabei auch die Notwendigkeit einer besseren Vernetzung unserer eigenen Einrichtungs- und Dienstesysteme betont habe, so dürfte eine der Grundvoraussetzungen das Kennenlernen der bestehenden Elemente und Strukturen sein.

Die Aufgaben der Kinder-, Jugend- und Familienhilfe werden durch zahlreiche pfarrliche und verbandliche Träger erbracht, die in unterschiedlichen Strukturen miteinander verbunden sind.

Wichtige Gremien und Strukturen caritativer Jugendhilfe auf der Bundesebene sind:

- Deutsche Bischofskonferenz (G[eschäfts]f[ührung] = Sekretariat der DBK)
  - Kommission Caritas (Gf = DCV)
  - Jugendkommission (Gf = Arbeitsstelle für Jugendseelsorge in Düsseldorf)
  - Weitere Kommissionen (z.B. Pastoral, Ehe und Familie)
- Deutscher Caritasverband
  - Diözesanreferentenkonferenzen (Tageseinrichtungen für Kinder, Erziehungsberatung, SPFH[3])
  - Bundesarbeitsgemeinschaften (Ausbildungsstätten für Erzieher)
- Fachverbände
  - Sozialdienst katholischer Frauen
  - IN VIA Katholische Mädchensozialarbeit
  - KTK-Bundesverband[4]
  - Verband katholischer Einrichtungen der Heim- und Heilpädagogik
  - ...
- Verbandsübergreifende katholische Organisationen
  - Bundesarbeitsgemeinschaft Beratung
  - Bundesarbeitsgemeinschaft katholische Jugendsozialarbeit
  - Spitzengespräch DCV mit BDKJ

Das Konzept einer Einheit der Jugendhilfe ist natürlich auch inhaltlich dadurch begründet, daß sich die Arbeiten der Einzelbereiche immer mehr einander annähern, es immer mehr Überschneidungsbereiche gibt und die früher mögliche und vielleicht auch sinnvolle Trenn-

3 [Sozialpädagogische Familienhilfe.]
4 [Verband katholischer Tageseinrichtungen für Kinder.]

schärfe heute nicht mehr gegeben ist. Was hier von der Bundesebene gesagt wird, gilt natürlich in analoger Weise auch für die Ebene der Länder, der Bistümer und auch der Kommunen. Es gilt auch für die Strukturierung einzelner Fachverbände im Innenbereich: So hat sich die Arbeit in den Einrichtungen der Heim- und Heilpädagogik inzwischen weiterentwickelt zu komplexen Leistungssystemen, in denen neben der klassischen Heimerziehung auch andere Formen der Hilfe zur Erziehung wie z.B. Erziehungsberatung oder SPFH oder auch andere Jugendhilfeleistungen wie z. B. Plätze in Tageseinrichtungen für Kinder angeboten werden. Ich sehe in dieser Entwicklung eine große Herausforderung an uns alle. Es muß gelingen, unter Wahrung der Selbständigkeit aller Einzelorganisationen die Vielfalt der kirchlichen Jugendhilfe zu einem geordneten Gesamtsystem zusammenzuführen, fachlich notwendige und ökonomisch gebotene Formen der Arbeitsteilung zu entwickeln und die dadurch erzielten Synergieeffekte zu nutzen für eine Stabilisierung und fachliche Fundierung des Gesamtfeldes der katholischen Kinder- und Jugendhilfe.[5]

Aus: Korrespondenzblatt Sozialdienst katholischer Frauen, April – Juni 1997, 16–24.

5 [Als Lösungsvorschlag für eine solche Neustrukturierung der caritativen Kinder- und Jugendhilfe vgl. Annelie Windheuser/Heribert Mörsberger, Die Jugendhilfe der Caritas zwischen Vielfalt und Unübersichtlichkeit, in: caritas '98, Jahrbuch des DCV, Freiburg 1997, 53–60.]

Mechthild Geller

Zum sozialen Ehrenamt von Frauen

Der Sozialdienst katholischer Frauen (SkF), Frauen- und Fachverband in der sozialen Arbeit, hat satzungsgemäß eine duale Struktur. Das Zusammenwirken von ehrenamtlich und beruflich für den Verein Tätigen ist zentrales Gestaltungselement verbandlicher Arbeit. Führungs- und Leitungsfunktionen werden in den ehrenamtlichen Vorständen der Ortsvereine des Sozialdienstes katholischer Frauen ausschließlich von Frauen wahrgenommen. Die ehrenamtlichen Vorstände der Ortsvereine bestimmen die Grundzüge sowohl der verbandlichen als auch der fachlichen Arbeit. Sie entscheiden unter den jeweils geltenden Rahmenbedingungen über die konkreten Arbeitsfelder, sie planen die Arbeit, sie legen Prioritäten fest und nehmen Weisungs- und Kontrollfunktionen wahr. Sie tragen Sorge für die Mitgliederwerbung und -pflege und für die verbandliche Spiritualität. Ein Teil der Aufgaben kann und muß, insbesondere bei großen Ortsvereinen, an hauptberufliche Geschäftsführerinnen delegiert werden. Je nach Größe der SkF-Ortsgruppen unterscheiden sich daher die Funktionen, die ehrenamtliche Vorstände ausüben, erheblich. Funktional gemeinsam ist allen ehrenamtlichen Vorständen im SkF, daß sie sowohl im Binnen- als auch im Außenverhältnis die Letztverantwortung für das jeweilige verbandliche Handeln tragen.

Dem Ehrenamt kommt also in der verbandlichen Struktur des SkF eine außerordentliche Bedeutung zu. Sowohl der Gesamtverein als auch Ortsgruppen des SkF müssen sich im Sinne der Sicherung der verbandlichen Kontinuität daher mit den Veränderungen im Ehrenamt und in der ehrenamtlichen Arbeit auseinandersetzen und Strategien der Werbung und Begleitung von Ehrenamtlichen in innovativer Weise entwickeln.

Die Notwendigkeit der Entwicklung solcher Strategien im Sinne einer Organisationsentwicklung ist sowohl vom Selbstverständnis des SkF als Frauen- und Fachverband her [als] auch für die Fortentwicklung des Verbandes von hoher Evidenz.

Altes Ehrenamt – neues Ehrenamt

Das alte Ehrenamt, speziell im sozialen Bereich, zeichnet sich aus durch ein hohes Maß an Dauerhaftigkeit im Einsatz, der getragen ist von Pflicht- und Akzeptanzwerten. Christliche Grundorientierung und Altruismus bilden die basalen Motivationen für dieses Ehrenamt, das als traditionelles oder altes Ehrenamt apostrophiert wird.

Als Folge auch des „Individualisierungsschubes“ der vergangenen Jahrzehnte werden demgegenüber als Charakteristika des neuen sozialen Ehrenamts vor allem folgende genannt: Die Vorstellung von selbstlosem Engagement im Ehrenamt ist der Vorstellung von „Rückerstattung“ durch das ehrenamtliche Tun gewichen. Von den ehrenamtlich Tätigen wird zumindest erwartet, daß ihnen durch das Ehrenamt keine zusätzlichen Kosten entstehen. Forderungen nach Anerkennung von Zeiten ehrenamtlicher Tätigkeit in der Rentenversicherung und Forderungen nach angemessener Aufwandsentschädigung sind in der Diskussion und wurden von den Frauenverbänden konkret formuliert. Sinnsuche und Selbstverwirklichungsstreben sind heute wesentliche Motive, die zur Übernahme eines Ehrenamtes führen. Dauerhafte Engagements im Ehrenamt wurden ergänzt oder abgelöst durch projektbezogene Engagements. [...]

Ziele des Modellprojekts

Das Modellvorhaben „Zum sozialen Ehrenamt von Frauen", in Trägerschaft des Sozialdienst katholischer Frauen – Zentrale, wird über eine Laufzeit von drei Jahren vom Bundesministerium für Familie, Senioren, Frauen, Jugend und Gesundheit gefördert. Die Zielsetzung des Modellvorhabens ist eine dreifache. Zum ersten sollen im Rahmen dieses Vorhabens neue Strategien zu Werbung, Gewinnung und Begleitung ehrenamtlicher Mitarbeiterinnen erprobt und realisiert werden. Ein besonderer Fokus war in diesem Kontext konzeptionell darauf zu legen, daß über das Projekt – wenn auch nur punktuell – empirisch überprüft werden konnte, inwieweit jüngere Frauen ehrenamtliche Tätigkeiten aufnehmen, um davon bei späterer beruflicher Arbeit profitieren zu können. Durch Qualifizierungsangebote sollen weiterhin ehrenamtliche Mitarbeiterinnen in der kompetenten Wahrnehmung ihrer ehrenamtlichen Arbeit unterstützt werden.

Zweite Zielsetzung des Modellvorhabens ist die Weiterqualifizierung beruflicher Mitarbeiterinnen des Sozialdienst katholischer Frauen. Diese Qualifizierung bezieht sich zum einen auf die Werbung, Gewinnung und Begleitung ehrenamtlicher Mitarbeiterinnen und die Kooperation mit ihnen, zum anderen auf die Erweiterung ihrer professionellen Kompetenz. Insbesondere der Themenbereich Kooperation von ehrenamtlich und beruflich für den SkF Tätigen ist bei der schon beschriebenen verbandlichen Struktur des SkF von außerordentlicher Bedeutung für die langfristige Sicherung seiner sozialen Arbeit.

Eine dritte Zielsetzung des Modellprojekts ist die Erstellung von Öffentlichkeitsmaterialien für die Werbung und Gewinnung ehrenamtlicher Mitarbeiterinnen.

Die Zielsetzungen des Modellprojektes sollten in drei konkreten Arbeitsfeldern umgesetzt werden, und zwar im Arbeitsfeld Betreuungen nach dem Betreuungsgesetz (BtG) und in den Arbeitsbereichen Flüchtlings- und Asylbewerberhilfe und Wohnungslosenhilfe für Frauen. Das Modellprojekt gliederte sich demnach in drei konkrete Teilprojekte: Im Bereich Betreuungen nach BtG arbeitet der SkF Alsdorf, für die Flüchtlings- und Asylbewerberhilfe der SkF Recklinghausen und in der Wohnungslosenhilfe für Frauen der SkF Münster im Modellprojekt „Zum sozialen Ehrenamt von Frauen" mit.

In allen drei genannten Ortsvereinen des SkF ist eine Sozialarbeiterin bzw. Sozialpädagogin mit dem entsprechenden Schwerpunkt Gewinnung und Begleitung Ehrenamtlicher in ihrem jeweiligen Arbeitsfeld tätig. In der SkF-Zentrale ist eine Stelle zur Koordination und Organisation der Projektangelegenheiten eingerichtet, die Projektleitung wird durch eine Referentin der Zentrale wahrgenommen. Darüber hinaus arbeitet eine Mitarbeiterin, die schon lange selbst im sozialen Ehrenamt tätig ist, im Rahmen eines begrenzten Beschäftigungsverhältnisses mit. 1995 wurde eine wissenschaftliche Begleitung eingerichtet, die durch das Institut für Entwicklungsplanung und Strukturforschung an der Universität Hannover wahrgenommen wird.

Im Rahmen des Modellprojekts wurde eine Projektbegleitgruppe installiert, in der drei ehrenamtliche Vorstandsmitglieder und die hauptberuflichen Mitarbeiterinnen der am Modellprojekt beteiligten SkF-Ortsgruppen und die Projekt-Mitarbeiterinnen der Zentrale mitarbeiten.

Werbung und Begleitung von ehrenamtlichen Mitarbeiterinnen

Im Rahmen der im Jahr 1995 durchgeführten Treffen der Projektbegleitgruppe wurden sehr intensiv die Strategien zur Werbung, Gewinnung und Begleitung von Ehrenamtlichen der drei am Modellprojekt beteiligten Ortsgruppen diskutiert und reflektiert. Generell wurde deutlich, daß es eine Strategie zur Gewinnung Ehrenamtlicher nicht gibt. Vielmehr wurden unterschiedliche Formen der Öffentlichkeitsarbeit bei der Gewinnung Ehrenamtlicher erprobt. Das gleiche gilt für die Begleitung und Qualifizierung ehrenamtlicher Mitarbeiterinnen.

Arbeitsbereich: Betreuung nach dem BtG

Im Arbeitsbereich „Betreuung nach dem BtG" werden Erwachsene, die aufgrund einer psychischen Krankheit oder einer körperlichen, geistigen oder seelischen Behinderung ihre Angelegenheiten entweder gar nicht oder nur teilweise besorgen können, betreut.

Den beruflichen oder ehrenamtlichen Betreuerinnen und Betreuern werden durch das zuständige Vormundschaftsgericht z.B. Aufgaben im Bereich der Personensorge, der Vermögenssorge oder Gesundheitsfürsorge übertragen. Das Betreuungsgesetz vom 1. Januar 1992, das das alte Vormundschaftsgesetz ablöste, gibt dem persönlichen Kontakt zum Betreuten, der persönlichen Betreuung, einen hohen Stellenwert. Eine der Hauptaufgaben der im Arbeitsbereich BtG arbeitenden Fachkraft, die die sogenannten „Querschnittsaufgaben" wahrnimmt, ist die Werbung, Gewinnung, Begleitung und Fortbildung ehrenamtlicher Betreuerinnen und Betreuer.

Die Werbung Ehrenamtlicher wurde im Rahmen des Modellprojekts durch regionale gezielte Informationsveranstaltungen und durch Nutzung der lokalen Presse realisiert. Diese Arbeit wurde mit Öffentlichkeitsmaterialien wie Faltblättern, Plakaten, Informationsbroschüren unterstützt. Darüber hinaus wurde aber auch auf das persönliche Ansprechen von potentiellen ehrenamtlichen Betreuerinnen nicht verzichtet. Diese Ansprache gilt zwar als „traditionelles" Verfahren zur Gewinnung Ehrenamtlicher, ist aber nichtsdestoweniger immer noch sehr erfolgreich.

An der Übernahme einer Betreuung nach BtG interessierte Ehrenamtliche werden in Alsdorf zu einer Einführungsreihe eingeladen, die folgende thematische Schwerpunkte hat: Einführung in das Betreuungsgesetz, Einblick in mögliche Krankheitsbilder, Vermittlung von unterstützenden Institutionen, Abklärung von Erwartungen und Motivationen, Wahrnehmung und Stärkung der eigenen Kompetenzen und Fähigkeiten.

Weiterhin werden zweimonatlich Betreuerinnengesprächskreise für schon bestellte Betreuerinnen und Interessierte angeboten, die sowohl der gezielten Sachinformation als auch dem allgemeinen Informationsaustausch dienen.

Neben dem BtG-Gesprächskreis, der eine stabile Gruppe darstellt, wurde seit kurzem ein BtG-Treff als offenes Abendangebot eingerichtet, das als zusätzliches Angebot für ehrenamtliche Betreuerinnen gedacht ist und in loser Folge stattfinden soll.

Alle Angebote dienen sowohl der Sachinformation als auch dem Prozeß der Gruppenentwicklung und der Anbindung an den Sozialdienst katholischer Frauen. Die Anbindung an den Verband und die Entwicklung eines Zugehörigkeitsgefühls zum SkF erleichtern es erheblich, diese schwierige soziale ehrenamtliche Arbeit dauerhaft zu tun. Gerade der Arbeitsbereich „Betreuung nach BtG" ist vielleicht einer, an dem sich exemplarisch deutlich machen läßt, daß in diesem Arbeitsfeld Ehrenamtliche mit hohem Verantwortungsgefühl und der Bereitschaft zum Eingehen einer auch längerfristigen, persönlichen Bindung tätig sind.

Im Rahmen des Modellvorhabens wurden in allen drei Teilprojekten auch einige Daten von den zur Mitarbeit gewonnenen ehrenamtlichen Betreuerinnen erfaßt. So wurden die Basisdaten Geschlecht, Alter, Beruf erhoben, außerdem wurde danach gefragt, ob die Ehrenamtlichen öffentliche Ämter ausüben, wie sie angesprochen und in die ehrenamtliche Arbeit eingeführt wurden, welche Motivationen sie für die Übernahme ihres Amtes und welche Erwartungen sie an das Ehrenamt hatten. Außerdem wurde nach dem zeitlichen Umfang ihrer ehrenamtlichen Tätigkeit gefragt und danach, welche alltäglichen Qualifikationen ihnen bei der ehrenamtlichen Arbeit nützlich sind. Schließlich wurde auch erhoben, welche persönliche Bedeutung das Engagement in einem katholischen Frauenverband für die ehrenamtlichen Betreuerinnen hat.

Die Ergebnisse dieser Befragung waren für den BtG-Bereich folgende: Alle Ehrenamtlichen waren Frauen, ihr Alter lag zwischen 45 und 75 Jahren, sie übten bis auf eine Ausnahme keine anderen öffentlichen Ämter aus. Obwohl in Alsdorf in starkem Maße Öffentlichkeitsarbeit betrieben wurde, waren die Ehrenamtlichen durch persönliche Kontakte, durch eigene Betroffenheit oder durch Ansprechen in der Kirchengemeinde gewonnen worden. Als Motivation zur Mitarbeit wurde vor allem das Bedürfnis, zu helfen und den zu Betreuenden Freude zu machen, artikuliert, weiterhin auch das Bedürfnis, Sinnvolles zu tun und das Bedürfnis nach Kontakten mit anderen Betreuerinnen.

Erwartungen und Wünsche besonderer Art wurden nicht artikuliert, auch der Erwerb beruflich zu verwendender Qualifikation spielte bei dieser Altersgruppe keine Rolle. Als wichtig für die Wahrnehmung der gesetzlichen Betreuung wurden neben einer positiven Einstellung zu Betreuten alltagspraktische Kompetenzen wie der Umgang mit Behörden angesehen. Sehr wichtig ist den Ehrenamtlichen das Engagement in einem katholischen Frauenverband; die verbandliche Anbindung an den Sozialdienst katholischer Frauen ist sehr hoch.

Auch wenn die in diesem Teilprojekt erhobenen Daten keinen repräsentativen Charakter haben, so lassen sie sich doch zumindest exemplarisch deuten. Der in diesem Arbeitsbereich tätige Typ Ehrenamtlicher ist sicher eher dem „klassischen" Typ von Ehrenamtlichen zuzuordnen. Dies erstaunt insofern nicht, als das Ehrenamt „gesetzliche Betreuung nach BtG" auch eher persönliche Qualitäten verlangt, die dem „traditionellen Ehrenamt" zugeschrieben werden.

Arbeitsbereich: Wohnungslosenhilfe für Frauen

Der Arbeitsbereich „Wohnungslosenhilfe für Frauen" ist in der gesamten Wohnungslosenhilfe erst in der letzten Zeit stärker in den Blick genommen worden. Der SkF Münster hat mit seinem „Frauen-Treff" im Rahmen des Modellprojekts ein offenes, niedrigschwelliges Angebot für wohnungslose Frauen in der Stadt Münster eingerichtet, das praktische Hilfen bei der Alltagsbewältigung bereithält.

Ein festes Angebot im Frauen-Treff ist das Frauen-Frühstück, das zu einem wesentlichen Teil von ehrenamtlichen Mitarbeiterinnen des SkF organisiert wird. Das Angebot findet hohe Akzeptanz, auch deshalb, weil es sich um ein Angebot nur für wohnungslose Frauen handelt, denen im Frauen-Treff ein Schutz- und Schonraum geboten wird.

Zielsetzung der Arbeit des SkF in diesem Teilprojekt ist es, wohnungslose Klientinnen dabei zu unterstützen, ihrem Leben eine sinnvolle Struktur zu geben und Zukunftsperspektiven zu entwickeln. Die Arbeit der Ehrenamtlichen in diesem Teilprojekt erstreckt sich nicht nur auf die Mitarbeit bei der Organisation des Frauenfrühstücks, sondern auch auf die Übernahme von Aufgaben der medizinischen Erstversorgung und auf die Begleitung von Frauen zu Ärzten, Ämtern, Beratungsstellen.

Die Öffentlichkeitsarbeit zur Werbung Ehrenamtlicher für diesen Frauen-Treff in Münster bestand einmal in Informationsveranstaltungen, die gezielt in kirchlichen Verbänden und bei anderen Frauenverbänden durchgeführt wurden. Außerdem wurden die Presse und auch das örtliche Radio für die Öffentlichkeitsarbeit genutzt. Die Resonanz auf die Öffentlichkeitsarbeit war außerordentlich gut.

Auch in Münster wurden die schon beschriebenen Sozialdaten von Ehrenamtlichen erhoben. Es ergeben sich im Vergleich zum Teilprojekt Alsdorf einige interessante Differenzen. Beim Frauen-Treff arbeiten einige jüngere Ehrenamtliche zwischen 20 und 35 Jahren mit. Die mitarbeitenden Ehrenamtlichen sind insgesamt eher jünger. Sie haben sowohl pädagogische als auch medizinische oder andere qualifizierte Ausbildungen, die sie in ihre ehrenamtliche Tätigkeit gezielt einbringen.

Ganz anders als im Teilprojekt Alsdorf wurden die meisten ehrenamtlichen Mitarbeiterinnen in Münster über die örtlichen Presse- und Rundfunkberichte gewonnen. Ehrenamtliche wurden über ihren Frauenverband auf das Projekt aufmerksam oder [über] vorhandene berufliche Kontakte, eine Ehrenamtliche hat über eine Qualifizierungsarbeit zum Thema „Wohnungslose Frauen" Zugang zur ehrenamtlichen Arbeit im Frauen-Treff gefunden. Als Motive gaben die Mitarbeiterinnen soziales Engagement, Bedürfnis zum Helfen, auch durch das Einbringen eigener beruflicher Erfahrungen, allgemeines Interesse, aber auch Mitleid an. Erwartungen und Wünsche der Ehrenamtlichen an die Arbeit bestanden im Teilprojekt Münster vor allem im Aufbau von Kontakten zu Klienten und Mitarbeiterinnen, aber auch der Erwerb beruflicher Erfahrungen war im Einzelfall wichtig. Es wurden zum Teil aber auch keine Angaben zu dieser Frage gemacht. Dies ist vielleicht ein Indiz dafür, daß für einige Ehrenamtliche die Sinnhaftigkeit einer ehrenamtlichen Tätigkeit in diesem Bereich evident und das Motiv der „Rückerstattung" kaum präsent war, so daß keine Notwendigkeit für ausführliche Erläuterungen bestand. Der Erwerb spezifischer Qualifikationen, z.B. zur späteren beruflichen Verwendung, stand auch in Münster nicht im Mittelpunkt des Interesses der mitarbeitenden Ehrenamtlichen. Das Bedürfnis nach Vermittlung von Handlungswissen für die Arbeit wurde aber eindeutig von den mitarbeitenden Ehrenamtlichen formuliert.

Als hilfreich und nützlich für ihre Arbeit sahen die befragten Ehrenamtlichen ihre beruflichen Qualifikationen an, aber auch ihre Alltagskompetenzen. Die verbandliche Bindung der im Modellprojekt mitarbeitenden Ehrenamtlichen ist als nicht sehr hoch anzusehen. Hier stellt sich aus verbandlicher Perspektive die Frage nach möglichen Identifikationsangeboten und -formen, denn aus verbandlicher Sicht ist nicht nur die ehrenamtliche Arbeit, sondern auch die verbandliche Einbindung wichtig. Ohne Stabilität und Kontinuität der Organisation SkF läßt sich auf Dauer keine Qualität der sozialen Arbeit sichern.

Arbeitsbereich: Flüchtlings- und Asylbewerberhilfe

Im Rahmen des Modellprojekts werden vom SkF Recklinghausen Frauen, Kinder und Familien unterschiedlicher Nationalitäten in drei Wohneinrichtungen in Recklinghausen betreut. Die hauptberufliche Mitarbeiterin des SkF Recklinghausen, die die Unterkünfte regelmäßig besucht, wird in ihrer Arbeit von ehrenamtlichen Mitarbeiterinnen unterstützt. Die Mitarbeiterinnen sind insbesondere in der Schulaufgabenhilfe, in der Alphabetisierung von Erwachsenen und in der Kinder- und Jugendbetreuung tätig.

Die Werbung zusätzlicher Ehrenamtlicher im Rahmen des Modellprojekts gestaltet sich als schwierig. Zur Werbung genutzt wurden die örtliche Presse und der Lokalfunk, außerdem wurde in Pfarrgemeinden, speziell auch in Gottesdiensten, geworben; es wurde eine Reihe von Informationsveranstaltungen durchgeführt.

Auch in Recklinghausen wurden, wie schon angemerkt, einige Daten ehrenamtlicher Mitarbeiterinnen erhoben. Die Mitarbeiterinnen sind eher den mittleren und den älteren Jahrgängen zugehörig. Der Zugang zu dieser ehrenamtlichen Tätigkeit erfolgte in wenigen Fällen aufgrund von Presseartikeln. Ehrenamtliche gelangten aus Eigeninitiative und auch durch persönliches Ansprechen zu ihrer ehrenamtlichen Tätigkeit in der Ausländerarbeit. Die Reaktionen auf die allgemeine Öffentlichkeitsarbeit waren eher gering.

Die geäußerten Gründe für die ehrenamtliche Tätigkeit bezogen sich auf Motive wie Freude vermitteln, christliche Verantwortung, berufliche Erfahrung einbringen zu können, auch auf Interesse an fremden Kulturen und Menschen. Wünsche und Erwartungen wurden sehr wenig artikuliert. Vereinzelt geäußert wurde der Wunsch nach stärkerer finanzieller Unterstützung ehrenamtlicher Arbeit. Der Erwerb spezieller Qualifikationen für eine eventuelle spätere berufliche Verwendung spielte auch bei den Ehrenamtlichen dieses Teilprojekts keine wesentliche Rolle. Darüber hinaus formulieren auch diese Ehrenamtlichen keine starke Identifikation mit der Organisation Sozialdienst katholischer Frauen, ein Sachverhalt, der aus verbandlicher Sicht zu überdenken ist.

Die bisherigen Erfahrungen im „Modellvorhaben zum sozialen Ehrenamt von Frauen" zeigen die im folgenden beschriebenen Tendenzen an: Die „klassischen" Strategien des persönlichen Ansprechens potentieller Ehrenamtlicher und die Suche nach ihnen im gemeindlichen Bereich sind nach wie vor wirksam.

Die Strategie, potentielle Ehrenamtliche über eine allgemeine Öffentlichkeitsarbeit, beispielsweise in Presse und Lokalfunk, für das soziale Ehrenamt zu gewinnen, wurde ebenfalls mit Erfolg realisiert. Ohne daß hier vorschnell generalisiert werden soll, liegt die Hypothese nahe, daß traditionelle Ehrenamtliche eher über das zuerst skizzierte Verfahren, „neue" Ehrenamtliche eher über das im weiteren beschriebene Verfahren angesprochen werden können.

Darüber hinaus sprechen die bisherigen Erfahrungen auch dafür, daß die „Trennungslinie" zwischen „altem" und „neuem" Ehrenamt nicht so eindeutig zu sehen ist, wie es die Fachdiskussion manchmal nahelegt.

Begleitmaterialien und Fortbildung

Im Zusammenhang mit dem Modellprojekt „Zum sozialen Ehrenamt von Frauen" wurden verschiedene Begleitmaterialien hergestellt. Ein Videofilm „Wir Frauen setzen uns ein" – Das Ehrenamt im SkF – wurde professionell produziert, und es wurden ergänzende Materialien wie Plakate und Faltblätter entwickelt. Den Begleitmaterialien liegt konzeptionell die Leitidee zugrunde, daß sie Modellcharakter für andere auf der Basis von Ehrenamtlichkeit arbeitende Verbände haben.

Entsprechend der Zielsetzung des Modellvorhabens wurden, beginnend im Jahre 1996, Fortbildungen sowohl für Ehrenamtliche als auch für Hauptberufliche, die in den Arbeitsbereichen Betreuung nach BtG, Flüchtlings- und Asylbewerberhilfe und Wohnungslosenhilfe für Frauen tätig sind, angeboten. Diese Veranstaltungen finden 1997 weiterhin statt.

Aus: caritas '97, Jahrbuch des Deutschen Caritasverbandes, Freiburg 1996, 361–366.

Annelie Windheuser

Rahmenbedingungen verbandlicher Sozialarbeit in der Freien Wohlfahrtspflege am Beispiel SkF

„Auf der Suche nach dem Sozialen im Staat" – mit diesem Thema der diesjährigen Diözesantagung haben Sie sich ein gleichermaßen dringendes und aktuelles Thema gewählt.[1]

Dabei soll es Aufgabe meines Referates sein, aktuelle Rahmenbedingungen zu beschreiben, die Bedeutung für die Ausgestaltung unserer verbandlichen Arbeit haben. Neben der Beschreibung dieser Rahmenbedingungen werde ich diese natürlich auch kommentieren und – da wo es mir möglich ist – Gedanken und Hinweise für eine Perspektiventwicklung zunächst für unseren Verband, aber natürlich auch darüber hinaus, geben. [...]

Mein Vortrag ist folgendermaßen gegliedert:

In einem ersten Teil möchte ich Ihnen anhand eines Exkurses in die Geschichte unseres Verbandes deutlich machen, daß es immer wieder schwierige Rahmenbedingungen für unsere verbandliche Arbeit gab; aber auch, daß es wichtig und perspektiv-erweiternd war, sich mit diesen Rahmenbedingungen auseinanderzusetzen. Ich glaube sogar, daß die Auseinandersetzung mit diesen Rahmenbedingungen zwingend notwendig ist, um für die jeweilige Gegenwart strategisch richtige und kluge Schlußfolgerungen zu ziehen!

In einem zweiten Teil möchte ich auf einige, meines Erachtens für unsere Arbeit im SkF bedeutungsvolle Rahmenbedingungen eingehen. Ich werde sie beschreiben und – wo möglich – hier und da Veränderungsstrategien beschreiben.

Nun zum ersten Teil:

Veränderungen von Rahmenbedingungen in der Vergangenheit und ihr Umgang damit

1918 fand eine große Fachtagung in Berlin statt, der „Deutsche Jugendfürsorgetag". Dieser „Deutsche Jugendfürsorgetag" war vor allem „eine machtvolle Kundgebung des Jugendamts-Gedankens", der überall in deutsche Lande dringen sollte, wie es der Vorsitzende der Tagung, der Mannheimer Bürgermeister von Hollander, formulierte. Übrigens spielte Agnes Neuhaus bei dieser Veranstaltung eine sehr maßgebliche Rolle.

Der Deutsche Jugendfürsorgetag endete eindrucksvoll mit einer einstimmig verabschiedeten Entschließung, die für die flächendeckende Ausbreitung der Jugendämter Signalwirkung besaß. In ihr wurde die Errichtung von Jugendämtern in Stadt und Land als Träger der öffentlichen Jugendfürsorge als dringende Notwendigkeit bezeichnet, wobei ihre verwaltungsmäßige Ausgestaltung einheitlich und unter Ermöglichung weitgehender Mitarbeit der auf den gleichen Gebieten arbeitenden Körperschaften der freien Liebestätigkeit erfolgen sollte.

Also: Gedanken zum partnerschaftlichen Zusammenwirken der öffentlichen und der freien Wohlfahrtspflege, Gedanken von Subsidiarität sind überhaupt nicht neu! Aber die „wilde Gründungswelle" – wie es Agnes Neuhaus sagte – von Jugendämtern hatte auch ihre problematische Seite, fehlte doch ein alle verpflichtender gesetzlicher Rahmen, der Kommunen und Ämter in mancher Hinsicht hätte binden können.

Deshalb forderte Agnes Neuhaus auf der 5. Generalversammlung des KFV 1921 in Bingen: „Die Jugendämter kommen doch, ob wir nun ein Gesetz haben oder nicht, sie kommen vor

1 [Referat auf der Diözesantagung des SkF im Bistum Trier am 21./22. 11. 1996.]

allen Dingen da, wo die Sozialisten die Überhand haben. Gegen diese wilden Jugendämter soll das Gesetz uns einen Schutz, eine Sicherheit geben."[2]

Deshalb wurde – nicht nur vom Katholischen Fürsorgeverein – dringend nach einem Jugendwohlfahrtsgesetz verlangt.

Das RJWG sollte nach ihren Vorstellungen mithin auch dazu dienen, durch Schutzbestimmungen zugunsten der freien Verbände den Bestrebungen von Städten mit sozialdemokratischen oder linksliberalen Mehrheiten nach Errichtung starker Jugendämter als Mittel zu einer energischen Kommunalisierung der Jugendfürsorge engere Grenzen zu ziehen.

Man kann wohl sagen, daß sich damals zwei Richtungen gegenüberstanden, „von denen die eine die freie Vereinsarbeit, die andere die amtliche Tätigkeit stärker betonte". Es ist sicherlich u.a. Agnes Neuhaus politischer Tätigkeit zu verdanken, daß am Ende beide Richtungen zu ihrem Recht gekommen sind und daß auch eine Menge von Änderungen zugunsten der freien Wohlfahrtspflege in das Gesetz Eingang genommen haben.

Trotzdem – die Schwierigkeiten hörten nicht auf, ganz im Gegenteil, es begannen neue oder andere Schwierigkeiten, nachdem 1924 das RJWG in Kraft gesetzt wurde. Es ist wohl immer so: Gesetzliche Veränderungen (was ja eine erhebliche Veränderung von Rahmenbedingungen bedeutet) bringen zunächst einmal Unruhe, Unsicherheit und Instabilität. Es mag für uns heute tröstend und verblüffend zugleich sein, daß es in einem der Referate anläßlich des 25jährigen Jubiläums des „Katholischen Fürsorgevereins für Mädchen, Frauen und Kinder" 1925 um das Thema „Unsere Zusammenarbeit mit den Jugendämtern" ging. Fräulein Dr. Elsa Thomas von der Zentrale in Dortmund referierte zu diesem Thema[3] und berichtete von einer Fragebogenaktion, die sie durchgeführt hatten, um genaueren Aufschluß darüber zu erhalten, wie sich die Zusammenarbeit der Ortsgruppen mit den jeweiligen Kommunen gestaltet. Und: Wo lagen denn nun die Schwierigkeiten, die damals die Ortsgruppen mit den Jugendämtern hatten? Ich zitiere Fräulein Dr. Thomas:

„Ich möchte fünf Punkte herausholen, die mir die wesentlichsten zu sein scheinen:

1. Die Pflichtaufgaben des Jugendamtes auf Arbeitsgebieten, auf denen wir vor dem Inkrafttreten des RJWG allein fürsorgerisch tätig waren.
2. Die einzelnen Beamten des Jugendamtes.
3. Der Jugendamtsausschuß.
4. Die übrigen freien Vereinigungen, die in der Jugendwohlfahrtspflege arbeiten, aber nicht – wie wir – nach konfessionellen Gesichtspunkten.
5. – Und das scheint mir im Grunde der wesentlichste Punkt zu sein! – die eigene, noch nicht genügende Erfahrung in der praktischen Zusammenarbeit mit den Behörden, wenigstens bei den jungen Ortsgruppen, und die noch nicht genügende theoretische Schulung unserer Mitarbeiterinnen."

Ich finde es erstaunlich, wie sich die Probleme und Fragen damals wie heute gleichen. Interessant wäre es, noch mehr über die damalige Analyse und Beschreibung der Situation hier dar-

2 [Fünfte Generalversammlung des Fürsorgevereins vom 18.–20. August [1921] in Bingen a. Rh., in: Korrespondenzblatt KFV 3 (1920–22), Nr. 3, 2–17, hier 10.]

3 [Elsa Thomas, Unsere Zusammenarbeit mit den Jugendämtern, in: Jubiläumstagung des KFV 1925, 91–106, Zitat: 91 f.]

zustellen, aber das würde den Rahmen dieses Referates sprengen. Ich denke aber, daß einige der damals entwickelten Lösungsmöglichkeiten auch für uns heute noch als solche bedacht werden können. Ich werde hier und da in meinen weiteren Ausführungen darauf eingehen.

Wie zu Beginn meiner Ausführung angekündigt, möchte ich nun im folgenden fünf Rahmenbedingungen beschreiben, von denen ich denke, daß sie in erheblichem Maße Einfluß auf die Gestaltung unserer fachlichen Arbeit haben. Es sind dies:

1. Die Gestaltung der fachlichen Arbeit im Rahmen von Gesetzen.
2. Immer knapper werdende finanzielle Ressourcen.
3. Neue Steuerungsmodelle in der Wohlfahrtspflege.
4. Das Verhältnis der öffentlichen Hand zur freien Wohlfahrtspflege.
5. Das Verhältnis der freien Träger untereinander, insbesondere das Verhältnis der katholischen Träger untereinander.

1. Die Gestaltung der fachlichen Arbeit im Rahmen von Gesetzen

Die Orientierung bzw. Ausrichtung an den gesetzlichen Grundlagen sind wichtige handlungsbestimmende Prinzipien unserer Arbeit. So fußt die Arbeit des SkF ganz wesentlich auf drei neuen Gesetzen:

1. Das Betreuungsgesetz (BtG)
2. Das Kinder- und Jugendhilfegesetz (KJHG)
3. Das Schwangeren- und Familienhilfe-Änderungsgesetz (SFHÄndG).

Gesellschaftlicher und dann gesetzlicher Wandel erfordert auch eine neue inhaltliche Ausgestaltung der Arbeit, neue Aufgaben, Neuorientierung und damit verbunden auch neue Arbeitskonzepte; als Beispiele seien genannt: Beratung bei Trennung und Scheidung, Schwangerschaftskonfliktberatung, Beratung in Fragen der Verhütung und Familienplanung, Schuldnerberatung usw.

Es ist wichtig zu wissen, daß das Schwangeren- und Familienhilfe-Änderungsgesetz eng verkoppelt ist mit dem KJHG, und in der Tat ist es ja so: Beratung in Schwangerschaftskonflikten gerät an Grenzen in der Wirksamkeit, wenn es keine wirksamen flankierenden Hilfen gibt.

Schwangerschaftskonflikte – das wissen wir aus unserer jahrelangen Beratungserfahrung – sind existentielle Probleme, die über die Geburt eines Kindes weit hinausreichen:

- Schwierigkeit, angemessenen Wohnraum zu finden;
- die Suche nach Unterbringungsmöglichkeiten des Kindes oder der Kinder in Kindergärten, Horten oder Tagespflegestellen;
- Fragen der Berufsausübung, ggf. Berufsausbildung, ggf. Berufsausbildung trotz Kind u.v.m.

Konkrete – auch materielle – Hilfen an diesen Stellen anbieten zu können, ist glaubhaft und überzeugend. Dieses allerdings setzt voraus, inhaltliche Zusammenhänge zwischen den gesetzlichen Grundlagen zu erkennen. So gesehen ist die Arbeit in unserem Verband eine sehr politische: Die Beobachtung und das Engagement für politische Entwicklungen, möglicherweise das eigene politische Engagement in Städten und Gemeinden, um sich möglicherweise noch wirkungsvoller für die Rechte unserer Klienten und Klientinnen einzusetzen, die aktive Mitarbeit an der Ausgestaltung von Gesetzen, z.B. durch Mitarbeit im örtlichen Jugendhilfe-Ausschuß, in Vergabe-Ausschüssen, z.B. für die Bundesstiftung oder Landesstiftungen, durch Mitwirkung als Schöffin usw.

2. Immer knapper werdende finanzielle Ressourcen

Das vor uns liegende Problem liegt in ernsthaft knapper werdenden Mitteln bei steigenden Aufgaben; wenn man so will, in einer Finanzkrise der Sozialpolitik und den damit verbundenen Gefahren für das Verhältnis zwischen öffentlichen und freien Trägern.

Dabei scheint es mir besonders problematisch, daß es nach wie vor unterschiedliche Einschätzungen – gar widersprüchliche Einschätzungen gibt. Die Gefahr besteht, daß – wenn man nicht zu einer gleichen Einschätzung der Probleme kommt – [man] auch nicht zur gemeinsamen Entwicklung von Handlungsstrategien kommt. Die einen sagen: „Das Ende der fetten Jahre ist da, jetzt geht es darum, den Wohlstandsspeck loszuwerden, sich fit und schlank zu machen für die mageren Jahre", oder auch: „Es ist an der Zeit, daß die in der Vergangenheit entwickelten hypertrophierten Angebote, die Verschwendungspotentiale und überdifferenzierten Instrumentarien der Jugendhilfe abgebaut werden."

Wenn man sich nun fragt, ob es sich dabei um den angeblichen Speck handelt, der abgebaut werden müsse, dann ist zu bedenken, daß sich in den gleichen Zeiträumen die Lebenslagen von Kindern, Jugendlichen und Familien dramatisch verändert haben. Bei nüchterner Betrachtung von Bedarf und Leistungsstruktur komme ich zu dem eindeutigen Schluß, daß bei dem sicher erheblichen Ausbau, der starken Angebots-Differenzierung und der deutlichen Professionalisierung in der Familien-, Jugend- und Erziehungshilfe in der Vergangenheit im Schnitt keineswegs überreagiert wurde, sondern daß die Bedarfe von Kindern, Jugendlichen und Familien allemal weit über den Leistungsmöglichkeiten der Jugend- und Familienhilfe lagen, auch in den zurückliegenden sog. „fetteren Jahren"!

Wenn jetzt vom Abbau von Überpotentialen gesprochen wird, dann handelt es sich nach meiner Einschätzung nur um das „Schön-reden", vielleicht auch um den untauglichen Versuch, das eigene Gewissen zu beruhigen, angesichts der als unvermeidbar eingeschätzten Kürzungserfordernisse. Das Hauptproblem aber scheint mir zu sein, daß die Einschätzungen über die derzeitige gesellschaftliche Situation (und die daraus zu ziehenden Konsequenzen) – wie eben bereits erwähnt – in ihrer Widersprüchlichkeit stehen bleiben. Es kann sich also kaum eine gemeinsame Handlungsstrategie entwickeln. Meines Erachtens bleibt uns nichts anderes übrig, als pragmatisch zu sein: Es gilt, Fachlichkeit auch unter restriktiven Finanzbedingungen zu bewahren.

In diesem Zusammenhang allerdings bekommen Stichworte wie Qualitätssicherung, Controlling, Wirksamkeitsprüfung, Budgetierung und Steuerung einen teilweise überdimensionierten Stellenwert, als hätte es Finanzverantwortung und Wirtschaftlichkeit bei Maßnahmen und Angeboten in der Jugend- und Erziehungshilfe früher nicht gegeben.

Es geht mir nicht darum, die Bedeutung von Finanzen herunterzuspielen. Wirtschaftlichen Gesichtspunkten in der Jugendhilfe Geltung zu verschaffen, gehört meines Erachtens mit zur fachlichen Verantwortung von Trägern. Leistungen der Jugend-, Familien- und Erziehungshilfe müssen wirtschaftlich sein. Auch wird immer wieder der Punkt erreicht, daß notwendige Maßnahmen nicht finanzierbar sind. Solche Lücken sind zu kennzeichnen; das Problem ist der öffentlichen Diskussion zugänglich zu machen; es darf aber nicht kaschiert werden mit dem falschen Versprechen, Finanzlöcher durch ein höheres Maß an Fachlichkeit ausgleichen zu können. Sozialarbeit bewegt sich nicht im luftleeren Raum; sie hat sich selbstverständlich mit den finanziellen Rahmenbedingungen, die die Gesellschaft ihr zubilligt, auseinanderzusetzen. Die Ziele unserer Arbeit bleiben aber immer pädagogische, sie werden nicht zu wirtschaftlichen.

Das KJHG formuliert in § 1 ein anderes Ziel, nämlich:

„Jeder junge Mensch hat ein Recht auf Förderung seiner Entwicklung und auf Erziehung zu einer eigenverantwortlichen und gemeinschaftsfähigen Persönlichkeit." Also: Nicht das Staatsinteresse gibt den Ausschlag, sondern das individuelle Recht des jungen Menschen auf Förderung und Erziehung.

Diese Grundnorm des KJHG ist Ausdruck des in Artikel 2 des Grundgesetzes formulierten Grundrechtes auf freie Entfaltung der Persönlichkeit, und sie knüpft an die Formulierung des RJWG an. Im RJWG, ich erwähnte es eingangs schon, verabschiedet 1924, ist in Deutschland zum ersten Mal das Recht auf Erziehung formuliert, in einer Zeit, in der Not und Elend sehr viel größer und die Staatsfinanzen zerrütteter waren als heute. Trotzdem – oder gerade deswegen – wurde damals ein Ausbau der Jugendhilfe beschlossen!

Wenn man sich dieses von Zeit zu Zeit wieder einmal klarmacht, dann ist es sicher sinnvoll und erforderlich, sich an einer Diskussion über Prioritäten mit einer eventuell folgenden Aufgabenkritik zu beteiligen. Dabei ist ein Verfahren offener und alle Träger beteiligender Aushandlung zu wünschen. Ich werde darauf später noch eingehen. Allerdings gibt es auch ethische Grenzen des Sparens – auf diese hinzuweisen, ist meines Erachtens eine besondere Verpflichtung gerade der kirchlichen Träger.

3. Neue Steuerungsmodelle

Als besondere Zumutung wird von vielen Träger- und Einrichtungsvertretern wie Fachkräften der freien Wohlfahrtspflege die Einführung des „Neuen Steuerungsmodells" beim öffentlichen Träger empfunden. So wird heftige Kritik geübt beispielsweise an der

- rein betriebswirtschaftlichen Begrifflichkeit (mittlerweile wird beispielsweise auch schon versucht, das hochkomplexe Verhältnis öffentlicher und freier Jugendhilfe über den irreführenden Begriff der „Fertigungstiefe" zu beschreiben);
- Nichtbeachtung der eigenen Steuerungsinstrumente des KJHG;
- Finanz- und Budget-Orientierung statt einer Bedarfsorientierung;
- Uniformierung der Jugendhilfe, statt eine Vielfalt der Angebote und eine Pluralität der Anbieter – wie im Gesetz gefordert – abzusichern.

Demgegenüber stehen – und das gerät bei der Überreiztheit der Diskussion oft in Vergessenheit – die formulierten durchaus positiv zu bewertenden Zielsetzungen der KGSt-Empfehlungen.[4]

Sie beinhalten, daß die kommunale Verwaltung, orientiert am Idealbild des Dienstleitungsunternehmens

- kunden- und bürgerfreundlicher werden,
- effektiver und kostenbewußter arbeiten,
- Zuständigkeiten für Fachaufgaben und Finanzen zusammenführen,
- Entscheidungen transparent und nachvollziehbar machen,
- Entscheidungsabläufe beteiligungsorientiert gestalten,
- die Entscheidungsspitze auf die Handlungsebene delegieren,
- teamorientierte Arbeitsformen einführen.

So scheint mir eines der Hauptprobleme des neues Steuerungsmodells neben seiner Begrifflichkeit vor allem in dessen unterschiedlich weit gediehener Umsetzung auf der örtlichen Ebene zu liegen:

- Steuerungsinstrumente des KJHG werden nicht einbezogen (Hilfeplan, Jugendhilfeausschuß, Arbeitsgruppen, Jugendhilfeplanung);
- das Steuerungsmodell wird als rein verwaltungsinterne Angelegenheit behandelt, freie Träger werden nicht berücksichtigt und beteiligt;
- der gesetzlich garantierte Funktionsschutz freier Träger und deren Autonomie scheint vermeintlich unberührt und wird ausgeblendet.

Kompliziert scheint mir das Ganze auch deshalb, weil die freien Träger quasi auf die fachliche Ausgestaltung dieses zugegebenermaßen komplizierten Prozesses angewiesen sind und sich häufig dort, wo diese Prozesse nicht gut laufen, der öffentlichen Hand ausgeliefert fühlen.

Wichtig scheint mir in diesem Zusammenhang zu sein, daß die neuen Steuerungsmodelle demokratische und partnerschaftliche Aushandlungsmodelle keineswegs ersetzen.

Selbst wenn man sich auf die marktwirtschaftliche Terminologie einläßt (die jedoch grundsätzlich nicht die Sichtweise und Begrifflichkeit der Sozialpädagogik ersetzen kann), ist doch nicht der freie Träger der Dienstleister für das Jugendamt; sondern das Jugendamt erbringt zusammen mit dem freien Träger eine Dienstleistung für die Klienten, „die Kunden", eine Dienstleistung, die u. a. dadurch gekennzeichnet ist, daß sie nur zustandekommt, wenn die „Kunden" mitwirken.

Also auch aus der Sicht der „neuen Steuerungsmodelle" ergibt sich die Notwendigkeit einer gleichberechtigten Kooperation, wenn man erfolgreich handeln will.

Übrigens: das KJHG beschreibt und regelt rechtlich verbindlich diesen Aushandlungsprozeß im § 36,[5] den man als Herzstück des Gesetzes bezeichnen kann!

---

4 [Kommunale Gemeinschaftsstelle für Verwaltungsvereinfachung.]

5 [„Die Entscheidung über die im Einzelfall angezeigte Hilfeart soll [...] im Zusammenwirken mehrerer Fachkräfte getroffen werden. Als Grundlage für die Ausgestaltung der Hilfe sollen sie zusammen mit dem Personensorgeberechtigten und dem Kind oder dem Jugendlichen einen Hilfeplan aufstellen, der Feststellungen über den Bedarf, die zu gewährende Art der Hilfe sowie die notwendigen Leistungen enthält [...]. Werden bei der Durchführung der Hilfe andere Personen, Dienste oder Einrichtungen tätig, so sind sie oder deren Mitarbeiter an der Aufstellung des Hilfeplans und seiner Überprüfung zu beteiligen."]

Meiner Ansicht nach kann es keine einem sozialen und demokratischen Staat entsprechende soziale Infrastruktur geben, die nicht die Vielzahl und die Selbständigkeit der Träger kennt, bei denen Menschen mit unterschiedlichen Anschauungen engagiert und tätig sind. Ich halte auch den Gedanken der Zusammenarbeit oder Partnerschaft, der Subsidiarität für eine zentrale Voraussetzung einer erfolgreichen Anwendung und Ausgestaltung des Bundessozialhilfegesetzes und des Kinder- und Jugendhilfegesetzes in der örtlichen Sozialpolitik.

Die Frage des Verhältnisses von öffentlichen und freien Trägern grundsätzlich ist nicht schlechthin von Sorgen und Problemen geprägt; schwierig wird es aber immer dann, wenn knappe finanzielle Mittel zu Kürzungen, zu Auflagen, Bedingungen, zu Kostenvergleichen auf der einen Seite und zur Auswahl, zu Prioritäten, zu Fragen des Ausschlusses und der Einbeziehung von Einrichtungen und Maßnahmen Dritter führen.

Solche Fragen der Finanzierung sozialer Dienste und Einrichtungen drängen sich auch in der örtlichen Sozialpolitik angesichts der Lage der öffentlichen Haushalte ganz nachhaltig in den Vordergrund. Kommunale Haushalte und die Haushalte freier Träger sind gleichermaßen bis zum Zerreißen angespannt, und von daher verwundert es überhaupt nicht, wenn die Stimmung gereizter und gereizter wird, und die eine Seite neidisch oder mißtrauisch nach der jeweils anderen Seite schielt. Man muß wissen, daß die Prinzipien der Zusammenarbeit zwischen öffentlichen und freien Trägern kritisch beäugt und teilweise in Frage gestellt werden.

Abb. 72: Anna-Katharinenstift Karthaus bei Dülmen – heute Einrichtung zur Rehabilitation erwachsener Menschen mit geistigen und psychischen Behinderungen.

Mir scheint es wichtig, mit dafür Sorge zu tragen, daß sich das Verhältnis zwischen öffentlicher und freier Wohlfahrtspflege nicht noch weiter verschärft. Gegenseitige Feindbilder oder Phantasien von Bedrohung dürfen gar nicht erst entstehen bzw. müssen, wenn vorhanden, abgebaut werden.

Ein Umbau der Jugendhilfe (viele sagen ja sogar des Sozialstaates) steht sicherlich an, gegen den sollten wir uns nicht zu sperren versuchen, aber wenn Umbau, dann bitte auf der Grundlage von gesetzlichen Regelungen, mit dem Erhalt bewährter Angebote und im Dialog mit den vor Ort vertretenen Trägern und Einrichtungen. Wir sitzen alle im selben Boot – jetzt muß man sich über die Richtung, in die die Fahrt gehen soll, verständigen.

Meiner Ansicht nach ist es wichtig, sich gemeinsam über die Gefahren der guten Zusammenarbeit klar zu werden und neben die alltägliche Praxis der Zusammenarbeit und der Auseinandersetzung bewußt eine gemeinsame Ebene der Reflexion der Beziehung zueinander einzuziehen. Man muß das gute Verhältnis explizit hüten und pflegen, damit es auch durch konfliktreiche Streitfragen hindurch von Bestand bleiben kann. Streitpunkte auch grundsätzlicher Art werden insbesondere in den Fragen der Förderung/Förderungshöhe, Verfahren, Prüfung, Fortschreibungen, Budgetdeckelungen liegen. Ich meine, daß auch in den Förderungs- und Finanzierungsfragen eine notwendige Streitkultur nicht zur Bedrohung des grundsätzlich guten Verhältnisses werden muß und darf. Wir müssen den Dialog suchen, meines Erachtens um so mehr, je komplizierter die jeweilige Situation vor Ort ist. Dazu paßt ein Rollenverständnis, in dem die öffentliche Seite und die freien Träger gleichermaßen Verantwortung für die Ausgestaltung des Angebotes und dessen Finanzierung übernehmen.

Die gute Tat und das knappe Geld sollten in gemeinsamer Verantwortung bewältigt werden!

Nun zum letzten Punkt:

5. *Das Verhältnis der freien Träger untereinander, insbesondere das Verhältnis der katholischen Träger untereinander*

Hier kann ich es kurz machen, da all das, was ich unter dem vierten Punkt ausgeführt habe, gleichermaßen für das Zusammenwirken der freien Träger, insbesondere der katholischen Träger gilt. Es ist erstaunlich, manchmal erschreckend oder bedrückend wahrzunehmen, wie schwer es – auch gerade im katholischen Bereich – fällt, sich gemeinsam mit Verbänden und Trägern von Einrichtungen an einen Tisch zu setzen. Auch hier ist das Verhältnis häufig von ähnlichen Sorgen und Ängsten geprägt, wie ich es eben bereits erwähnte. Hinzu kommt als Erschwernis, daß die dazugehörigen Kooperationsstrukturen auf der Orts-, Diözesan- und auch Bundesebene häufig noch nicht so recht vorhanden sind. Auch hier müssen wir unbedingt ein positives, durch Vertrauen und Wertschätzung geprägtes Miteinander einüben.

Meines Erachtens wird es dringend notwendig sein, daß sich die katholischen Träger verständigen und miteinander eine gemeinsame „Linie" gegenüber Verhandlungspartnern im kommunalen Bereich entwickeln.

Es stimmt hoffnungsfroh, wenn die Vertreterversammlung des Deutschen Caritasverbandes vor einem Monat in Schwäbisch-Gmünd im Rahmen der Beschlußfassungen zum Caritas-Leitbild folgendes festgestellt hat:

„Als Dachverband vertritt *Caritas* auf der jeweiligen Ebene die Interessen der Mitgliedsorganisationen und fördert deren Arbeit. Zwischen ihnen sind die Aufgaben und Kompetenzen gemäß dem Subsidiaritätsprinzip klar geregelt, wonach die Erstverantwortung bei den nachgeordneten Verbandseinheiten liegt. Die Verbands- und Organisationsstrukturen werden weiterentwickelt und den veränderten Anforderungen und Aufgaben angepaßt."[6]

Aus: Korrespondenzblatt Sozialdienst katholischer Frauen, Januar – März 1997, 73–81.

6 [Entwurf Caritas-Leitbild, III., Satz 8–10, abgedruckt in: Caritas 97 (1996); vgl. Leitbild des Deutschen Caritasverbandes, Freiburg 1997, III., Satz 8–12.]

Zum Selbstverständnis des Sozialdienst katholischer Frauen, Dortmund [3]1999

Der SkF als Fachverband
Der SkF als Frauenverband
Der SkF als Verband in der Kirche
Verbands- und Organisationsstruktur des SkF

Vorwort

Der Sozialdienst katholischer Frauen – Gesamtverein – legt hier das Ergebnis eines Diskussionsprozesses zum verbandlichen Selbstverständnis und Leitbild vor, der auf allen Ebenen des Verbandes seit etwa zwei Jahren in intensiver Weise geführt wurde.

Ohne daß hier auf Details dieses sehr langen Prozesses eingegangen werden soll, seien hier doch seine wesentlichen Eckpunkte beschrieben.

Ein Arbeitskreis der SkF-Zentrale: „Ehrenamt, Vorstandstätigkeit und Verbandsidentität" erarbeitete im Jahr 1993 einen Entwurf zu Selbstverständnis und Leitbild des SkF, der wesentliche Aussagen zu den drei Bestimmungsgrößen, die den SkF als Verband ausmachen, enthielt: Aussagen zum SkF als Fachverband, als Frauenverband und als Verband in der Kirche.

Dieser Entwurf wurde auf dem Frühjahrszentralrat 1994 in Heiligenstadt mit großem Engagement diskutiert, die Diskussion wurde in den Ortsgruppen und Diözesanarbeitsgemeinschaften fortgesetzt und vertieft. Der gesamte Diskussionsprozeß über verbandliche Ziele und Zukunftsperspektiven war Teil eines Identitätsfindungsprozesses, den der SkF auf der Suche nach seinem Selbstverständnis und seinem Leitbild durchlaufen hat.

Im Herbst 1995 wurde der hier vorgelegte Text von den Mitgliedern des Zentralrats in Hamburg verabschiedet.

Mit der Verabschiedung dieses Leitbildes ist sicherlich ein wichtiger Schritt getan. Der SkF auf allen seinen Ebenen kann sich aber nur fortentwickeln, wenn die Diskussion von Selbstverständnis und Leitbild als ein andauernder Prozeß begriffen wird, der eine Reflexion sich verändernder kirchlicher, gesellschaftlicher und kultureller Rahmenbedingungen mit einschließt.

Der Diskussion unseres verbandlichen Selbstverständnisses muß sich notwendigerweise eine Diskussion um ein einheitliches Erscheinungsbild des Verbandes anschließen. Mit dieser Diskussion wurde ebenfalls auf dem Herbstzentralrat 1995 begonnen, sie wird die Aufgabe für die nächste Zukunft sein.

Dortmund, im Dezember 1995

Felicitas Drummen
Vorsitzende

Annelie Windheuser
Generalsekretärin

Vorbemerkung

Der Sozialdienst katholischer Frauen (SkF) ist seit seiner Gründung durch Agnes Neuhaus im Jahre 1899 ein Sozialverband von Frauen in der Kirche. Von Beginn an ist er eine freie Initiative von Frauen, die Kirche und Welt aktiv mitgestalten. Er ist entstanden aus der eigenständigen kirchlichen Verantwortung von Frauen, die schon am Ende des 19. Jahrhunderts ihr Vereinigungs- und Versammlungsrecht in der Kirche wahrnahmen, und nicht durch einen Auftrag oder ein Mandat der Bischöfe. Am Anfang der Arbeit stand der religiöse Impuls: durch Hinwendung zum notleidenden Menschen den Glauben in die Tat umzusetzen.

Die Gründerinnen erkannten, daß es besondere Notsituationen von Frauen gab, in denen die Hilfe anderer Frauen notwendig war. Frauen wollten Frauen helfen.

Die Arbeit des Verbandes orientierte sich an den Prinzipien von Personalität, Solidarität und Subsidiarität. Damit entspricht die Gründungsidee der katholischen Soziallehre und ist heute so modern wie damals.

Die Gründungsideen des SkF zu verstehen und sie gleichzeitig für unsere Zeit neu zu formulieren, war Gegenstand intensiver verbandsinterner Diskussionen über das Selbstverständnis des Verbandes und führte zur Formulierung des folgenden Leitbildes:

Der Sozialdienst katholischer Frauen als Fachverband

Die Gründungsidee von Agnes Neuhaus, daß es Armuts- und Notsituationen gibt, von denen Frauen besonders betroffen sind, ist auch heute noch aktuell.

Aufgabe des SkF ist es daher, dem Gründungskonzept entsprechend, insbesondere Frauen, Mädchen und Kindern, aber auch generell Familien und Jugendlichen in Armut und Not zu helfen. Der SkF arbeitet auf folgenden sozialen Feldern:

– Beratung und Hilfe im Rahmen der Kinder- und Jugendhilfe
  Sozialpädagogische Familienhilfe
  Adoptions- und Pflegekinderdienst
  Auslands-Adoptionsdienst
  Tagespflege
  Vormundschaften für Minderjährige
  Einrichtungen der Kinder- und Jugendhilfe

– Beratung und Hilfe für Frauen und Familien in besonderen Not- und Konfliktsituationen
  Schwangerschaftsberatung und Schwangerschaftskonfliktberatung
  Flankierende Hilfe
  Mutter-Kind-Einrichtungen
  Arbeit mit Alleinerziehenden
  Beratung bei Trennung und Scheidung
  Frauenhäuser
  Familienberatung, allgemeine Sozialberatung

- Beratung und Hilfe für gefährdete Frauen und für Familien
  Schuldnerberatung
  Wohnungslosenhilfe
  Soziale Brennpunkte
  Straffälligenhilfe
  Beratung und Hilfe für Prostituierte
  Beratung und Hilfe für HIV-infizierte und AIDS-kranke Frauen und Kinder

- Beratung und Hilfe für psychisch Kranke und Betreuung nach BtG

- Beratung und Hilfe für Behinderte
  Einrichtungen der Behindertenhilfe

Die Nähe des SkF zu seinen Klientinnen und Klienten läßt ihn neue Notsituationen schnell erkennen und darauf flexibel mit neuen Ideen reagieren. Der SkF berücksichtigt dabei die unterschiedlichen Lebenswelten der in Not befindlichen Frauen.

In seiner langen Geschichte hat sich der Verband ein hohes Maß an Sachverstand und Erfahrung angeeignet. Sein Grundsatz der Hilfe zur Selbsthilfe bedeutet, daß seine soziale Arbeit an den Selbsthilfekräften und Ressourcen seiner Klientel orientiert ist und diese unterstützt und fördert. Weiterhin gilt der Prävention besondere Aufmerksamkeit.

Der SkF initiiert innovative Konzepte und Modellprojekte. Er arbeitet mit an der Förderung und Weiterentwicklung der sozialen Facharbeit in Kirche, Staat und Gesellschaft im Sinne kirchlicher Caritas und der katholischen Lehre. Im Rahmen seiner satzungsgemäßen Aufgaben arbeitet er verbandspolitisch in Kirche und Gesellschaft.

Seinen ehrenamtlichen und hauptberuflichen Mitarbeiterinnen bietet er Aus-, Fort- und Weiterbildungsmöglichkeiten für die verschiedenen Funktions- und Arbeitsfelder des Verbandes.

Der Sozialdienst katholischer Frauen als Frauenverband

Die Geschichte des SkF als Frauenverband wurzelt in der Frauenbewegung des 19. Jahrhunderts. Schon früh erkannten die Gründerinnen, daß soziale Bedingungen wie Armut oder Arbeitslosigkeit Frauen häufig besonders hart treffen. Hier aus christlichem Engagement und aus humanitären Überlegungen individuell zu helfen, war der Anfangsimpuls des SkF. Dabei erfuhren diese Frauen, daß sie über die individuelle und aktuelle Hilfe hinaus größere Initiativen und Projekte entwickeln und verwirklichen konnten, um so soziale Verhältnisse zu verändern. Der persönliche Ansatz erweiterte sich zur politischen Aufgabe. Diese Frauen entdeckten und erfuhren Frauensolidarität, die Freude an der gemeinschaftlichen Arbeit, an ihren Fähigkeiten und Möglichkeiten.

Die Frauen des SkF sind wachsam, um physische, psychische und materielle Not, um Unterdrückung, Mißhandlung, Armut und Ungerechtigkeit zu erkennen. Sie reagieren darauf mit Solidarität für die Schwachen und die Benachteiligten; sie bieten Hilfe an, sie informieren die Öffentlichkeit und vertreten auch Interessen von Frauen, die selbst zu dieser Vertretung nicht in der Lage sind. Arme, in Not geratene Frauen zu unterstützen und sie nach Möglichkeit zur Selbständigkeit und zur Wahrnehmung ihrer Rechte zu befähigen, ist das Ziel des *Sozialdienst katholischer Frauen*.

Der SkF wird heute von ehrenamtlich und hauptberuflich im Verband tätigen Frauen getragen und ist damit Teil einer demokratisch und pluralistisch organisierten Gesellschaft. Die Frauen im SkF sehen, daß viele Frauen in unserer Gesellschaft gegenüber Männern ungleich behandelt werden. Nach wie vor gibt es die Benachteiligung von Frauen in Familie und Beruf. So engagieren sich die Frauen im SkF zusammen mit anderen kirchlichen, politischen und sozialen Frauenverbänden auf unterschiedlichen politischen Ebenen dafür, daß die Interessen von Frauen bei allen Entscheidungen berücksichtigt und ernstgenommen werden. Sie beachten dabei die unterschiedlichen Lebenssituationen und Interessen von Frauen und setzen voraus, daß Frauen, trotz unterschiedlicher Lebensentwürfe im einzelnen, in Familie, Beruf und Gesellschaft gleichermaßen aktiv sein wollen.

Im SkF arbeiten ehrenamtlich und hauptberuflich tätige Frauen. Zu Beginn des 20. Jahrhunderts gab es im Verband nur ehrenamtlich, das heißt freiwillig und unbezahlt tätige Frauen. Sie bemühten sich um qualifizierte Sozialarbeit, gründeten Schulen und entwickelten damit die professionelle Sozialarbeit. Der Verband wird – auf allen Ebenen – ausschließlich von Frauen geleitet und gewinnt auch dadurch ein modernes, spezifisches Profil. Ein besonderes Merkmal ist die Wahrnehmung von Vorstandstätigkeit durch ehrenamtliche Vorstände, die die örtlichen Vereine führen und leiten. Ehrenamtlich im Verband tätige Frauen bringen ihre beruflichen, persönlichen und spirituellen Fähigkeiten in die Gesamtarbeit des Verbandes ein, so daß sich ehrenamtliche und hauptberufliche Arbeit ergänzen. Die gesamte professionelle Sozialarbeit des Verbandes wird dadurch bereichert und erweitert. Gemeinsam bilden die beiden Gruppen die personelle Basis des Verbandes und sind für eine fruchtbare Arbeit aufeinander verwiesen. Beide Gruppen engagieren sich gleichermaßen mit ihren fachlichen und persönlichen Qualifikationen für den Verband und seine Aufgaben, sie stehen gemeinsam im Dienst besonders für Frauen, Mädchen und Kinder, für Familien und Jugendliche, die ihre Hilfe brauchen.

Der SkF ist für alle Frauen offen, die mitarbeiten möchten und seine ideelle Richtung mitzutragen bereit sind. Er gibt den Mitarbeiterinnen die Möglichkeit, sich beruflich und persönlich weiterzuentwickeln und weiterzubilden. Frauen unterschiedlichen Alters und aus allen Lebensbereichen können ehrenamtlich auf vielen Arbeitsfeldern des Verbandes mitwirken. Das Spektrum der vorhandenen Aufgaben läßt es zu, daß die ehrenamtliche Arbeit nach der zur Verfügung stehenden Zeit und nach inhaltlich individuellen Neigungen und Fähigkeiten gestaltet werden kann. In der ehrenamtlichen Arbeit sind vor allem Lebenserfahrung, Alltagskompetenz und Spontaneität gefragt als Voraussetzung für die Mitgestaltung und die Veränderung gesellschaftlicher Situationen und Verhältnisse.

Da die Frauen im Verband von Beginn an Ausmaß und Wirkung der ehrenamtlichen Arbeit kennen, wollen sie erreichen, daß diese Tätigkeiten für die Altersversorgung, das Steuerrecht und für den Wiedereinstieg in den Beruf anerkannt und somit ihrer Bedeutung entsprechend aufgewertet werden.

Der SkF bietet als Frauenverband im Rahmen seiner Möglichkeiten frauengerechte Arbeitsplätze und bemüht sich darum, daß die Mitarbeiterinnen Beruf und Familie vereinbaren können. Ausdruck dieses Bemühens ist u. a., daß Teilzeit-Arbeitsplätze geschaffen werden, daß die Arbeitszeit flexibilisiert und generell überlegt wird, wie Mitarbeiterinnen die Doppelbelastung in Familie und Beruf tragen können, damit Konflikte und Überlastungen vermieden oder wenigstens verringert werden.

Der Sozialdienst katholischer Frauen als Verband in der Kirche

Der SkF ist ein Frauen- und Fachverband in der Kirche. Auf der Grundlage des Evangeliums verwirklicht er den caritativen Auftrag der Kirche und stellt damit eine ihrer zentralen Wesensäußerungen dar. Er setzt sich vor allem für Frauen am Rande der Gesellschaft ein, für Frauen, die sich ausgegrenzt fühlen und benachteiligt werden.

Der SkF arbeitet mit an der Gestaltung und der Verbesserung innerkirchlicher Strukturen. Er tritt ein für die Stärkung der Rolle der Laien, insbesondere der Rolle der Frauen in der Kirche, für ihre angemessene Beteiligung an kirchlichen Leitungsaufgaben und in kirchlichen Gremien – vor allem in den Bereichen, in denen die Frauen Anwälte ihrer Klientinnen und Klienten sind.

Frauen arbeiten in vielen kirchlichen Bereichen mit der ihnen eigenen Begabung, mit ihrem Wissen, ihren Fähigkeiten, mit einer frauenspezifischen Problemsicht und übernehmen Verantwortung. Im Sinne einer geschwisterlichen Kirche stärken die Frauen im SkF das Bewußtsein für die Gleichwertigkeit von Frauen gerade in der Kirche und für ihre Rechte dort. Dadurch leisten sie einen Beitrag dazu, das Interesse vor allem junger Frauen und Frauen der mittleren Generation für Kirche zu fördern.

Die Gemeinschaft des SkF ist offen für Frauen aus unterschiedlichen Lebens- und Glaubenssituationen und mit unterschiedlichen Talenten. Sie legt Wert auf eine lebendige Kultur der Kommunikation innerhalb des Verbandes, die Gemeinschaft ermöglicht, den individuellen Gaben Entfaltungsräume öffnet und Spiritualität in vielfältigen und unterschiedlichen Formen zuläßt.

Verbands- und Organisationsstruktur des Sozialdienst katholischer Frauen

Der SkF ist ein anerkannter zentraler katholischer Fachverband im Deutschen Caritasverband, der seine satzungsgemäße Tätigkeit selbständig ausübt.

Er hat seinen Standort und seine Funktion im Spannungsfeld von öffentlicher und freier Wohlfahrtspflege, aber auch im Gesamtgefüge katholischer Fachverbände.

Als eigenständiger Fachverband fordert er für seine Aufgabenbereiche gegenüber der öffentlichen Wohlfahrtspflege, aber auch gegenüber dem Caritasverband und den anderen Verbänden der freien Wohlfahrtspflege die Einhaltung des Subsidiaritätsprinzips ein.

Rechtlich ist der SkF ein Gesamtverein; alle Ortsvereine in Deutschland sind seine Untergliederungen, obwohl sie eingetragene Vereine sind. Der Gesamtverein hat seinen Sitz in Dortmund und unterhält dort seine Verbandszentrale.

In den Diözesen bestehen Zusammenschlüsse der jeweiligen Ortsvereine. Darüber hinaus ist der Sozialdienst katholischer Frauen – Landesstelle Bayern e.V. – der Landesverband aller Ortsgruppen des SkF in Bayern und deren überdiözesane Vertretung. Der Verein hat nur persönliche Mitglieder; die Mitglieder der Ortsvereine sind gleichzeitig Mitglieder des Gesamtvereins.

Der Verein beruht auf den Prinzipien der Ehrenamtlichkeit und des Zusammenwirkens der ehrenamtlich und hauptberuflich für den Verein Tätigen, die sich gegenseitig ergänzen. Ehrenamtliche Vorstände führen und leiten die örtlichen Vereine.

In den Ortsvereinen bietet der SkF seinen Mitgliedern und allen ehren- und hauptamtlichen Mitarbeiterinnen und Mitarbeitern die Möglichkeit, am gesamten Spektrum der Aufgaben des Verbandes teilzuhaben.

Sozialdienst katholischer Frauen

Zentralrat (§ 13)
Organ des Gesamtvereins, das zwischen den Delegiertenversammlungen die Verbindung von Ortsvereinen und Zentralvorstand herstellt und für ein lebendiges Vereinsleben Sorge trägt.

Delegiertenversammlung (§ 14)
Vertretung aller Einzelmitglieder des Gesamtvereins; findet in der Regel alle vier Jahre statt. Die Delegiertenversammlung setzt sich zusammen aus den Vorsitzenden der Ortsvereine.

Zentralvorstand (§ 10)
Der Zentralvorstand hat für die Erfüllung der Vereinsaufgaben Sorge zu tragen; er setzt sich zusammen aus 9 oder 11 Mitgliedern aus Ortsvereinen und anderen Mitgliedern, der Generalsekretärin, der geistlichen Beratung des Gesamtvereins und dem Präsidenten des Deutschen Caritasverbandes.
= Mitgliederversammlung Zentrale e.V.

Geschäftsführender Vorstand (§ 11 Abs. 3)
Trifft unaufschiebbare Entscheidungen zwischen den vierteljährlichen Sitzungen des Zentralvorstandes; Mitglieder sind: Vorsitzende, Stellvertreterinnen, Generalsekretärin und ein weiteres Zentralvorstandsmitglied.

SkF-Zentrale e.V – Vorstand
Der SkF – Zentrale e.V – ist gem. § 3 Gliederung des Gesamtvereins. Der Vorstand besteht aus der Vorsitzenden, der Generalsekretärin und dem Finanzreferenten des Gesamtvereins sowie aus zwei weiteren von der Mitgliederversammlung zu wählenden Mitgliedern. Der SkF – Zentrale e.V. – ist Rechts- und Vermögensträger des Gesamtvereins.

Generalsekretärin
Gem. § 12 Abs. 2 Ziffer 3 vom Zentralvorstand verpflichtet, unter deren Leitung die Zentrale die Geschäfte führt.

Stabsstelle Öffentlichkeitsarbeit und Organisation

Sekretariat, Korrespondenzblatt
Sekretariat/Verbandsstatistik
Organisation: Fortbildungen und Tagungen

Referat I	**Referat II**	**Referat III**	**Verwaltung und Finanzen**
Kinder- und Jugendhilfe, Adoptions- und Pflegekinderdienst, Auslandsadoptionen	Frauen und Familien in besonderen Konfliktsituationen, Frauenhäuser, Mutter-Kind-Einrichtungen, Arbeit mit Alleinerziehenden	Betreuung nach BtG, Hilfe für Gefährdete und psychisch kranke Frauen, Wohnungslosenhilfe für Frauen	Pforte und Telefonzentrale
Sekretariat	Sekretariat	Sekretariat	Bibliothek

Anna-Zillken-Schule, Dortmund	Schule, Haus Widey, Salzkotten	Anna-Katharinenstift Karthaus, Dülmen Heim und WfB	Haus Conradshöhe, Berlin	Mädchenheim Schloß Wollershausen

Zur Geschichte des Sozialdienst katholischer Frauen

1899	Inoffizielle Gründung des *Vereins vom Guten Hirten* durch Agnes Neuhaus (1854–1944)
1900	Offizielle Verbandsgründung am 19. Juni durch Agnes Neuhaus
1900	Gründung der Vereine vom Guten Hirten in Köln und Aachen am 8. Dezember
1901/1902	Änderung des Verbandsnamens in *Katholischer Fürsorgeverein für Mädchen und Frauen*
1903	Erneute Namensänderung in *Katholischer Fürsorgeverein für Mädchen, Frauen und Kinder* Gleichzeitig Treffen der Vorsitzenden der bestehenden Vereine zu einem ersten Vereinstag, Konstitution als Verband (als loser Zusammenschluß) mit Zentrale in Dortmund
1905	Erste Generalversammlung in Dortmund
1907	Zweite Generalversammlung in Düsseldorf, Annahme der Satzungen für die Ortsgruppen und den Gesamtverein, damit Konstitution des Gesamtvereins
1907–1912	Domkapitular Richard Heinekamp, Paderborn Geistlicher Beirat
1912–1939	Prälat Christian Bartels, Paderborn Geistlicher Beirat
1916–1958	Elisabeth Zillken, Dortmund erste Generalsekretärin des Katholischen Fürsorgevereins für Mädchen, Frauen und Kinder
1917	Gründung der Fürsorgerinnenschule in Dortmund, der heutigen Anna-Zillken-Schule, durch Agnes Neuhaus
1917	Korrespondenzblatt 1917, Nr. 1
1919	Agnes Neuhaus' Wahl in die Nationalversammlung und später den Reichstag Wesentliche Einflußnahme von Agnes Neuhaus auf das 1922 verabschiedete Reichsjugendwohlfahrtsgesetz (RJWG)

1930–1933	Elisabeth Zillken, Abgeordnete im Deutschen Reichstag
1933–1945	Massive Einschränkung der Arbeit und Verfolgung durch die NS-Behörden, Verbot der Adoptionsvermittlung (1939)
1939–1962	Domkapitular Dr. Alois Braekling, Paderborn Geistlicher Beirat
1944	Tod von Agnes Neuhaus
1944–1950	Elisabeth Zillken, Generalsekretärin und Vorsitzende des Gesamtvereins
1950–1953	Johanna Schwering, Hamm Vorsitzende des Gesamtvereins
1953–1971	Elisabeth Zillken, Vorsitzende des Gesamtvereins (gleichzeitig Generalsekretärin bis 1958)
1958–1980	Dr. Else Mues, Dortmund Generalsekretärin
1962–1993	Weihbischof Dr. Paul Nordhues, Paderborn Geistlicher Beirat
1968	Namensänderung in *Sozialdienst katholischer Frauen (SkF)*
1971–1985	Margarete Brede, Kiel Vorsitzende des Gesamtvereins
1980–1992	Dr. Monika Pankoke-Schenk, Moers Generalsekretärin
1985–1997	Felicitas Drummen, Stolberg Vorsitzende des Gesamtvereins
ab 1992	Annelie Windheuser, Münster Generalsekretärin

ab 1993	Weihbischof Dr. Josef Voß, Münster Geistlicher Beirat
ab 1997	Maria Elisabeth Thoma, Neuss Vorsitzende des Gesamtvereins
1998	Verabschiedung neuer Satzungen für Ortsvereine und Gesamtverein

1997	Ortsvereine:	190
	Ordentliche und fördernde Mitglieder:	rund 9000
	Ehrenamtliche Mitarbeiterinnen ohne Mitgliedschaft:	rund 3000
	Berufliche Mitarbeiterinnen und Mitarbeiter:	rund 5000

Bildnachweis

Archiv des Anna-Katharinenstifts Karthaus bei Dülmen: 35, 54, 71, 72 (Aufnahmen 71 u. 72: teamfoto Bergmann + Marquardt, Lüdinghausen).
Archiv des Deutschen Caritasverbandes, Freiburg: 1, 2, 3, 4, 5, 6, 7, 8, 11, 14, 15, 16, 18, 19, 20, 21, 22, 30, 31, 32, 33, 34, 36, 38, 39, 40, 41, 43, 44, 45, 46, 47, 48, 49, 50, 51, 52, 53, 55, 56, 57, 58, 59, 60, 61, 62.
Privatbesitz: 27, 28, 29, 64 (Aufnahme 64: Foto Renard, Kiel).
SkF Koblenz: 67.
SkF Zentrale, Dortmund: 65, 66, 68 (Aufnahmen 66 u. 68: S. Schütz, Dortmund), 69, 70.

Aus Büchern und Zeitschriften:
Elisabeth Zillken 1888–1980, hg. vom SkF, Zentrale Dortmund, [Dortmund 1981]: 23.
„Er führte mich hinaus ins Weite…“ Dr. Luise Jörissen 1897–1987, hg. vom SkF, Landesstelle Bayern, o.O. 1989: 42, 63.
Jubiläumstagung des KFV, Zentrale Dortmund 1925, Dortmund o.J.: 10, 26.
Katholische Fürsorgearbeit im 50. Jahre des Werkes von Frau Agens Neuhaus, Dortmund o.J.: 25.
Korrespondenzblatt KFV: 9 (1951), 12 (1950), 13 (1950), 17 (1950), 24 (1927), 37 (1950).